DE WACHTERS VAN
DE DUIVELSBIJBEL

DE WACHTERS VAN
DE DUIVELSBIJBEL

Richard Dübell

DE FONTEIN

Van Richard Dübell verscheen tevens bij Uitgeverij De Fontein:
De Duivelsbijbel

© 2008 Verlagsgruppe Lübbe GmbH & Co. KG, Bergisch Gladbach
© 2009 Uitgeverij De Fontein Baarn, voor de Nederlandse vertaling

Oorspronkelijke uitgever: Ehrenwirth, Verlagsgruppe Lübbe
Oorspronkelijke titel: *Die Wächter der Teufelsbibel*
Vertaald uit het Duits door: Sonja van Wierst
Omslagontwerp: Wil Immink Design
Omslagillustraties: *Beato Serapio* (1628) door Francisco de Zubaran (1598-1664) Wadsworth Atheneum, Hartford, Connecticut, USA / The Bridgeman Art Library
Zetwerk: Het vlakke land, Rotterdam

ISBN 978 90 261 2702 1
NUR 342

VOOR MIJN GROOTMOEDER, DIE MIJN
EERSTE BIBLIOTHEEKKAART HEEFT GEKOCHT.

KIJK EENS, OMA, WAT ERVAN GEKOMEN IS!
IK WILDE ALLEEN DAT WE DESTIJDS DE
TIJD HADDEN GENOMEN EN ER SAMEN VOOR
WAREN GAAN ZITTEN OM ALLE VERHALEN OP
TE SCHRIJVEN DIE U WIST TE VERTELLEN. DAT
MOETEN WE IN EEN VOLGEND LEVEN INHALEN.
DANK U WEL, DAT U MIJ DE SLEUTEL NAAR DE
BOEKENWERELD IN HANDEN HEBT GEGEVEN.

Openbare Bibliotheek
Cinétol
Tolstraat160
1074 VM Amsterdam
Tel.: 020 – 662.31.84
Fax: 020 – 672.06.86

DE GRENZEN
VAN DE ZIEL ZUL
JE NIE+ VINDEN.

·HERACLI+US VAN EFEZE·

Er bestaat een legende...

Een monnik werd ingemetseld als boetedoening voor een verschrikkelijke daad.

Terwijl hij in zijn gevangenis wegkwijnde, wilde hij zijn testament opschrijven. Zijn boek moest alle kennis bevatten die hij zijn leven lang had vergaard en die hij met zijn leven moest bekopen. Het moest een bijbel van kennis worden.

Al de eerste nacht besefte hij dat hij het nooit af zou krijgen. In zijn nood begon hij te bidden, en omdat God zijn gebeden niet verhoorde, bad hij tot de duivel en bood deze zijn ziel aan.

De duivel kwam en maakte het boek diezelfde nacht nog af. Maar in plaats van de verzamelde wijsheid van de wereld daarin op te tekenen, zoals ze hadden afgesproken, voegde hij er de kennis van de duivel aan toe. Door de tijden heen had de grote verleider geprobeerd de mensheid zijn kennis toe te spelen, waarvoor deze nog niet rijp was en waarmee zij zichzelf zou vernietigen. Door zijn schuld werden Adam en Eva uit het paradijs verdreven, door zijn schuld zou de mensheid zich nu definitief te gronde richten. En omdat hij wist dat de meeste mensen voor hem op hun hoede waren, vermomde hij zijn testament als de Bijbel.

De monnik zou begrijpen wat er was gebeurd. Maar als hij het boek zou proberen te vernietigen, zou zijn kennis ook verloren gaan. Niet alleen zijn leven, ook zijn boetedoening zou helemaal voor niets zijn geweest.

De duivel wist dat de monnik dat nooit zou kunnen opbrengen.

Toen de kerker van de gevangene weken later werd opengebroken, vond men naast zijn lijk een gigantisch boek. De monniken die het opensloegen, deinsden geschokt achteruit – op een van de bladzijden grijnsde hen een enorm portret van de boze tegemoet. Alles wat de eenzame monnik had kunnen doen, was met behulp van deze tekening de achterblijvers waarschuwen. En de sleutel van het duivelse werk op drie bladzijden in het boek verstoppen.

Er bestaat een legende...

Wie in God gelooft, behoort het rijk der hemelen toe.

Wie de kennis van de duivel bezit, beheerst de wereld.

DRAMATIS PERSONAE

Agnes Khlesl Ter wereld gebracht door haar stervende moeder en opgegroeid in een huis zonder genegenheid. Ze heeft haar hart voor eeuwig geschonken aan Cyprian, maar de prijs van haar liefde is hoog.

Cyprian Khlesl Hij heeft telkens een stokje voor het kwaad gestoken als het probeerde zich uit te strekken naar de mensen die hem lief en dierbaar zijn. Hoe dicht het hem deze keer is genaderd, weet hij niet.

Andrej von Langenfels Cyprians beste vriend en partner was vroeger een dief, hulpje van een charlatan, Eerste Keizerlijke Verhalenverteller en een man die beroofd werd van de liefde van zijn leven. Sindsdien is de schim van het verleden hem boven het hoofd gegroeid.

Alexandra Khlesl De dochter van Agnes en Cyprian, die gelooft in de liefde en wanhoopt aan de toestand van de wereld.

Wenceslas von Langenfels Andrejs enige zoon moet zijn afkomst onder ogen zien.

Filippo Caffarelli De jonge clericus kent de Kerk zo goed dat hij nog maar één vraag aan God heeft.

Adam Augustyn De hoofdboekhouder van de firma Khlesl & Langenfels heeft een voorliefde voor bijzondere bergplaatsen.

Kolonel Stephan Alexander Segesser De commandant van de Zwitserse Garde is voor zijn voorganger een trouwe kameraad, en vooral een goede zoon.

...EN NOG EEN PAAR HISTORISCHE FIGUREN

(OOK IN HET KORT)

Melchior Kardinaal Khlesl De aartsbisschop van Wenen veronachtzaamt zijn politieke voorzichtigheid.

Polyxena von Lobkowicz De echtgenote van de keizerlijke rijkskanselier en de mooiste vrouw van haar tijd heeft een geheim.

Zdenek Popel von Lobkowicz Een flexibele, realistisch ingestelde politicus op de hoogste positie van het rijk.

Abt Wolfgang Selender von Prosovic Een herder die in de kracht van God gelooft, maar niet in die van hemzelf.

Jan Lohelius Aartsbisschop van Praag, primaat van Bohemen, grootmeester van de Kruisheren, en agressor tegen wil en dank.

Graaf Jaroslav von Martinitz, Willem Slavata, Philip Fabricius Drie mannen vallen uit het raam en ontketenen een ramp.

Graaf Matthias von Thurn Woordvoerder van de protestants-Boheemse Statenleden.

Karel von Zerotin, Albrecht von Sedlnitzky, Siegmund von Dietrichstein Moravische politici met verschillende opvattingen over moraal.

Matthias I van Habsburg Keizer van het Heilige Roomse Rijk als opvolger van de gehate Rudolf II; overigens niet wezenlijk een betere keus.

Ferdinand II van Habsburg Aartshertog van Binnen-Oostenrijk, koning van Bohemen en toekomstige keizer van het Heilige Roomse Rijk; broer van Matthias; een fanatieke protestantenhater.

Paus Paulus V Zijn hoofd is bij de prachtigste bouwwerken, zijn hart bij het Geheime Archief in het Vaticaan. Voor het christendom is er helaas geen plaats meer over.

DE DUIVEL NAM HEM OPNIEUW MEE,
NU NAAR EEN ZEER HOGE BERG. HIJ
TOONDE HEM ALLE KONINKRIJKEN VAN
DE WERELD IN AL HUN PRACHT EN ZEI:
'DIT ALLES ZAL IK U GEVEN ALS U
VOOR MIJ NEERVALT EN MIJ AANBIDT.'
·EVANGELIE VOLGENS MATTHEÜS·

1612 CAESAR MORTUUS EST

'WIJ ALLEN DIE DAAR DOOD BENEDEN LIGGEN,
ZIJN NIETS DAN BOTTEN EN AS.'
·INSCRIPTIE IN EEN ROMEINSE GRAFSTEEN·

I

De keizer was dood en met hem was alles gestorven wat menselijk aan hem was geweest. Maar al het bizarre, onbegrijpelijke, monsterlijke, al het fantastische, visionaire en waanzinnige dat de wereld ook nog met zijn persoon in verband had gebracht, zou blijven. Het zou voor altijd geconserveerd zijn in zijn nagedachtenis, en het was hier geconserveerd, in zijn rijk, zijn drakenhol, zijn bolwerk diep in de Praagse Burcht op de berg.

Sebastiàn de Mora, voormalig hofnar van de dode keizer Rudolf, rilde. Hij verwachtte dat de geest van de overledene elk moment achter een van de pilaren in het wonderkabinet tevoorschijn kon komen.

'Heilige Wenceslas, wat is dat?' fluisterde een van de valse monniken. Hij had een fles een stuk van de plank getrokken. Glas schitterde in het licht van de lantaarn die de monnik in zijn hand hield. Sebastiàn wist wat het was; hij kende bijna alle stukken in de verzameling van de overleden keizer.

De monnik week achteruit. Het glas gleed van de plank, viel door de lichtstraal en brak op de grond in scherven. De inhoud stroomde eruit en bleef op de tegels liggen. De stank van alcohol en bederf steeg op.

'Mijn hemel!'

De valse monnik sprong opzij. Sebastiàns kameraden wendden hun blik af van de bleke, opgezwollen gedaante op de grond. De hofnar haalde diep adem, hoewel de geur hem tegenstond. Hij had kunnen verklaren dat in de tientallen flessen en potten op deze planken veel ergere dingen waren geconserveerd dan een baby met twee hoofdjes, die allebei met blinde ogen uit hun halfvergane gezichtjes staarden.

'Dat niet echte monniken zijn,' fluisterde de stem van Brigitta. Ze was als een van de laatsten aan Rudolfs hof gekomen, een cadeau van de Zweedse koning. Al die dwergachtige wezens met hun kromme benen, korte ledematen en knolvormige of scheve gezichten, waren door keizer Rudolf over de halve aardbol bij elkaar verzameld.

'Het zou allemaal verbrand moeten worden, al die afschuwelijke... gedrochten!' stootte de valse monnik uit die de fles van de plank had gestoten. Zijn blik viel op de zes dwergen die onwillekeurig bij elkaar waren gedromd.

'Ga door,' zei de aanvoerder van de monniken. 'We verdoen onze tijd.'

Sebastiàn bracht hen dieper het rariteitenkabinet binnen. Hij had geen andere keus. Hij had ook geen andere keus gehad dan het lelijke spelletje van de mannen mee te spelen toen ze plotseling in de eenzame gang waren opgedoken, waar Sebastiàn zich had teruggetrokken om te kunnen huilen om keizer Rudolfs dood. Ze waren met zijn tweeën geweest. Eerst had hij hen voor echte monniken aangezien, maar toen had hij ze de hakken van hun laarzen tegen elkaar horen slaan, een blik in de donkere capuchons geworpen, en geprobeerd te vluchten. De aanvoerder van de mannen had hem te pakken gekregen en met één hand opgetild, terwijl hij met de andere zijn mond dichthield; vervolgens was hij naar een van de vele kamertjes gesleept, waar hij zich geconfronteerd zag met de andere hofdwergen en met nog twee monniken, die Sebastiàns lotgenoten met getrokken rapieren in bedwang hielden.

'Weet jij waar de keizer de Duivelsbijbel heeft verstopt?' had de aanvoerder in zijn oor gefluisterd. Sebastiàn had gezwegen. De aanvoerder had een kleine beweging met zijn hoofd gemaakt en een van zijn mannen had de dwerg die het dichtst bij hem stond gegrepen – het was toevallig Miguel geweest, met wie Sebastiàn al samen aan het Spaanse hof was geweest – en had uitgehaald met zijn rapier.

Sebastiàn had hevig geknikt, half verstikt door zijn eigen bonzende hartslag.

'In een kist in het wonderkabinet, met een ketting eromheen? En de sleutel van de kist draagt de keizer op zijn lichaam?'

Gelaten had hij nogmaals geknikt.

'De keizer ligt op zijn bed opgebaard. Denk je dat je de sleutel te pakken kunt krijgen, Toro?' De stem van de aanvoerder had opgewonden geklonken.

Hij had opnieuw geknikt. En vervolgens was hij eropaf gegaan, had zijn opdracht uitgevoerd, omdat niemand op de kleine, drentelende gestalte lette die tot het bed van de dode keizer was doorgedrongen, terwijl de hoogwaardigheidsbekleders en de hofdienaren allemaal fluisterend in een hoek stonden te overleggen. Daarna was hij naar het kamertje teruggekeerd, tegen beter weten in hopend dat de verklede mannen hem en zijn kameraden vrij zouden laten.

Het groepje bleef weer staan toen het in de achterste kamer was aangekomen. Hier had Rudolf al die dingen bewaard die hem het meest fas-

cineerden. Haarballen, met goud bedekt, in zilver gezet of tot kelken om-
gewerkt, lagen en stonden in vitrinekasten. Een geprepareerde haas met
één kop en twee lichamen, het ene nog verminkter dan het andere, en een
tweekoppig kalf staarden hun bezoekers met glazen ogen aan. Het lantaarnlicht gleed onrustig over de tentoongestelde stukken. Een onooglijke
wandelstok kwam uit de schaduw tevoorschijn; de keizer was ervan overtuigd geweest dat het de originele staf van Mozes was, zoals hij er ook van
overtuigd was geweest dat de lange, weelderig in goud en juwelen gezette
ivoren sluitspeld de hoorn van een eenhoorn was. Mechanisch speelgoed
glom vaag.

Sebastiàn wees naar een ring in de vloer. De lantaarn bescheen de fijne
contouren van een meesterlijk ingepast valluik. Toen het was geopend, stegen de scherpe lucht van zwavel en salpeter, de stoffige geur van gedroogde
schimmels, dood mos en andere korstmossen, de geuren van rozenolie, lijn-
olie, terpentine en sandelhout op, drijvend op een ondefinieerbare, nauwelijks waarneembare zweem van geheimzinnigheid, verstolenheid en zwarte
magie.

Sebastiàn en de anderen werden gedwongen als eersten de ladder af te
gaan. Hij hoorde een van de mannen lucht tussen zijn tanden door zuigen.
Hij wilde niet, maar draaide zich toen toch om.

Keizer Rudolf had een kolossale lessenaar speciaal voor de Duivelsbijbel laten maken. Eromheen was een ijzeren kooi aangebracht en een wen-
teltrapje leidde ernaar omhoog; het zag eruit als de preekstoel in een kerk
waar niet God, maar perverse experimenten werden aanbeden. Sebastiàn
dacht aan de keren dat hij de Duivelsbijbel op de lessenaar had gezien: het
witte leer leek vanzelf te glanzen, het metalen beslag zag er daarop uit als
pootafdrukken, het eveneens metalen ornament midden op de omslag leek
op een magische sleutel naar een wereld achter de werkelijkheid. Hij had
nog nooit zo'n groot boek gezien. Sebastiàn hoorde het dreunen in zijn
oren dat hij altijd hoorde als hij hier was; het leek van de Duivelsbijbel afkomstig te zijn, maar het was in werkelijkheid slechts het bloed dat in zijn
schedel klopte.

'Leeg,' zei de aanvoerder van de monniken.

Sebastiàn wees naar de plaats onder de onheilige kansel, waar een enorme kist stond. Er hing een kettingslot overheen. Ongevraagd waggelde hij
naar de kist en maakte het slot open. Een lange arm greep langs hem heen

en opende het deksel. In het donker van de kist lichtte vaag iets op en er fonkelde beslagwerk. Sebastiàn werd duizelig.

'Goed werk,' zei de aanvoerder van de monniken. 'Jullie kunnen gaan, dwergen.'

Nog terwijl hij zich omdraaide, hoorde Sebastiàn het geluid van metaal, als een zeis die een te dikke bos gras maait. Miguel stond voor Sebastiàn en een eindeloos ogenblik lang vroeg Sebastiàn zich verward af wat er aan Miguel anders dan anders was en toen wist hij het. Miguels benen knikten door voor zover zijn misvormde, stijve gewrichten dat toelieten, en toen viel hij om als een houten pop. Uit de stomp van zijn nek schoot een lange, zwarte straal bloed. Miguels hoofd rolde tot onder aan de lessenaar.

Stilte.

Een ogenblik lang heerste er stilte, een ogenblik lang dat een eeuwigheid duurde.

Miguels bloed klaterde op de stenen vloer als een regenbui.

Toen begon Brigitta te gillen en de stilte viel uiteen in een panisch wervelende beweging. Vijf kleine, gedrongen gestalten renden radeloos door het laboratorium. De valse monniken vloekten en zwaaiden met hun degens, maar de doodsangst maakte de korte benen watervlug en het tot barstens toe met tafels, banken en bakken volgestouwde laboratorium belemmerde de grote mannen te profiteren van hun voordeel. Een rapier vloog een vluchteling achterna, maar kwam in de rand van een tafel terecht in plaats van in zijn rug. De flesjes en kolven rinkelden en dansten op de tafel, vielen om en braken toen de eigenaar van het rapier haastig probeerde het uit het hout te trekken. Er sprongen vonken vanaf, toen een andere degen over een stenen bak schraapte en de kleurige gedaante die erin was gekropen miste. Brigitta gilde uitzinnig, terwijl ze onder tafels door kroop en met fladderende armpjes probeerde de ladder te bereiken. Iemand rende in volle vaart tegen de lessenaar met de Duivelsbijbel op, botste achteruit en viel op de grond en een rapier vloog door de lucht op de plaats waar zojuist nog een vluchtende dwerg had gestaan. 'Maak die gedrochten af!' schreeuwde de aanvoerder van de monniken. Hij hief zijn degen en zette een grote stap in de richting van Sebastiàn, maar iemand – Hansje, Sebastiàn wist zeker dat het Hansje was, die zo dik was dat hij bij een optreden ooit eens in de mand onder de pastei was blijven steken waar hij uit had moeten springen – gooide zich tegen de benen van de man en bracht hem aan het wankelen. De zool van een laars gleed uit in Miguels bloed en de valse monnik viel samen met een tafel op de grond, wat een explosie van glasscherven, vele kleuren vloeistoffen, poeders en magische kristallen teweegbracht. Hansje tuimelde de andere kant op en ontsnapte daardoor aan de haal van een degen die een leren zak doorboorde. Eersteklas rode wijn, die Rudolf had gebruikt om aardwormen mee te wassen, spoot in grote bogen naar buiten.

Sebastiàn ontwaakte uit zijn verstarring en sprong achteruit. Zijn blik bleef rusten op het licht van de lantaarn op een tafel. Als hij dat kon doven, zou het pikdonker in het laboratorium zijn en zouden de grootte en kracht van de vier mannen hun van geen enkel nut meer zijn. Hij zag dat Brigitta zichzelf op de ladder in veiligheid had gebracht en al half naar boven was geklommen, maar er werd een in pij gestoken arm naar haar uitgestrekt. Hij zag dat Hansje had geprobeerd tussen de benen van een van de aanvallers door te glippen, maar daar niet in was geslaagd en juist terug werd getrokken; hij zag de twee andere dwergen, die naar de uiterste hoek waren gevlucht, waar ze met hun armen om elkaar heen geslagen stonden, zo verlamd als in het nauw gedreven konijnen... Als hij bij de lantaarn wist te komen, kon hij zijn vrienden redden.

Hij liet zich tegen de tafel vallen waarop de lantaarn stond. Die wankelde. Zijn armpjes waren te kort, hij kon er niet bij. In blinde paniek gooide hij zichzelf tegen het tafelblad, tilde de tafel een stukje op en bukte, maar door de klap van de tafelpoten op de vloer begon de lantaarn te dansen, hij danste op Sebastiàn af, dreigde over de rand te vallen; hij kreeg hem te pakken, brandde zijn vingers en draaide zich met een ruk om om hem op de grond te gooien...

...en het tafereel stond bevroren op zijn netvlies en zou dat de rest van zijn leven blijven: Brigitta, die door de lange arm in de donkere pij van de ladder werd geslagen en tegen de muur vloog met een klap waardoor alle botten in haar lichaam braken. Haar gegil verstomde. Hansje, die met zijn armen en benen spartelend op zijn rug lag en met wijd open ogen naar de man keek die over hem heen stond en de degen in zijn dikke lijf stak. Het tweetal in de hoek, nog steeds met de armen om elkaar heen geslagen, maar nu op de grond gezakt en stil liggend, terwijl de aanvoerder van de monniken zich van hen afwendde en het bloed van de kling van zijn degen droop.

De lamp brak. Opeens volkomen duisternis, het gedruppel van vloeistoffen, het geruis van scherven die langzaam dansend tot stilstand kwamen, het gekraak van hout. Een gesiste vloek. Iemand die zei: 'Huh?' alsof het allemaal een spelletje was en deze of gene per ongeluk de kaars had uitgeblazen. Toen stilte. En Sebastiàn, die aan de kant stond waar hij de lamp kapot had gegooid, onbeweeglijk, ademloos, bloedeloos, niet in staat om te denken, bijna gek van ontzetting.

'Dat hebben ze overal gehoord,' zei een stem.

'Laten we weggaan.'

'Toro?' Het was de stem van de aanvoerder. Sebastiàn huiverde van top tot teen. 'Niet slecht, Toro.'

'Laten we weggaan, Henyk. De paleisbewakers kunnen hier elk moment zijn.'

'Toro?'

Sebastiàn hield zijn adem in.

'Laat dat kleine gedrocht. Hier, ik heb de ladder gevonden.'

Sebastiàn kon de twijfel van de aanvoerder bijna horen.

'Goed, goed. Tot ziens, Toro! Kom, we pakken dat ding en dan verdwijnen we, nu het nog kan.'

De volgende minuten – uren? dagen? eeuwen? – waren vol gekreun, gevloek, getast en Sebastiàns voorzichtige gekruip over glasscherven, stinkende vloeistoffen en door het donker, tot hij onder een van de omgevallen tafels lag, veilig voor een verkeerde stap die zijn positie zou verraden. Hij hoorde de dieven met zijn vieren de kist, die samen met het boek net zoveel moest wegen als twee volwassen mannen, de ladder op sjorren; hij hoorde de voetstappen boven zich snel in de richting van de uitgang verdwijnen. Hij wist niet hoe lang hij zo was blijven liggen toen alles weer relatief stil was en hij zijn benen het commando gaf om op te staan, terwijl ze weigerden. Ten slotte kroop hij de ladder op; zijn huid jeukte bij de gedachte dat ze hem er misschien in hadden laten lopen en boven bij het valluik op hem stonden te wachten, maar er gebeurde niets. Hij waggelde door het rariteitenkabinet, door zijn instinct door het donker geleid; toen hij dacht dat hij nu wel bij de kast met de misvormde foetussen moest zijn aangekomen, rook hij de alcohol ook al en voelde de conserveringsvloeistof om zijn schoenen opspatten.

Toen vloog de deur open, er viel lantaarnschijnsel naar binnen en ook nu zorgde zijn instinct ervoor dat Sebastiàn snel achter de dichtstbijzijnde kast glipte.

'Vooruit, meer licht!'

Een handvol mannen drong het eerste gewelf binnen. Wapenrustingen glommen. Sebastiàn kroop dieper in de kast. Het licht kwam dichterbij, terwijl de groep naar de andere kant van het gewelf liep. Ook deze groep had een aanvoerder, een man met een lange, donkere mantel. De soldaten volgden hem.

'Mijn God, was is dat daar?'

'Heilige Maria...!'

'Een gedrocht,' zei de eerste stem, die ziekelijk klonk. Sebastiàn kende de stem niet, maar plotseling drong het tot hem door wat de lange mantel eigenlijk was: de soutane van een pastoor. 'Zijne Majesteit verzamelde ze. Ik geloof dat er hier tientallen van die dingen staan.'

'Heilige Maria...'

'Waar is het geheime laboratorium?'

'Onder het achterste kamertje, Eerwaarde.'

Het licht gleed langs Sebastiàns schuilplaats en verdween in het rariteitenkabinet. Sebastiàn hoorde de kreten van verbazing of walging die de wachters slaakten en toen opeens een geschokte stilte, toen ze het valluik hadden ontdekt en met hun lampen naar binnen hadden geschenen. Hij kroop uit zijn schuilplaats tevoorschijn en rende naar de uitgang zo snel hij kon, en merkte niet dat er tranen over zijn wangen stroomden en dat zijn mond probeerde woorden te roepen die zijn vervormde keel nooit zou kunnen uitbrengen, die klonken als dof geloei en de andere reden waren waaraan hij zijn bijnaam had te danken.

Hij holde door de gang, rende tegen de tegenoverliggende muur op, gleed erlangs op de grond en snikte. Door de tranen in zijn ogen zag hij een gedaante in een geel-rood gewaad haastig naderen, zag daarboven een hoed met een brede rand en lange veren in dezelfde kleuren wippen. Het kon hem niet schelen dat de man hem op de grond zag liggen huilen; de ontzetting over wat hij had gezien en ternauwernood overleefd overheerste alle andere gevoelens. Hij rolde zich in elkaar en wenste dat hij niet meer leefde.

Opeens voelde hij dat hij werd opgetild; hij keek in een knap jongensgezicht boven de vlammende kleuren van het gewaad en zag het glimlachen.

'Vaarwel, Toro,' zei het gezicht, en als de ontzetting in Sebastiàns ziel nog groter kon worden, dan kwam dat door de stem. Die kende hij. Even daarvoor had hij die horen zeggen: 'Maak die gedrochten af!'

De jongeman met het vlammende gewaad hield hem moeiteloos met één hand in de hoogte. Sebastiàn trommelde met zijn kleine vuisten tegen de arm waaraan hij hing. Het was alsof een vlinder met zijn vleugels tegen een leeuw vocht. Hij hoorde het geluid van het raam toen zijn tegenstander het met zijn vrije hand opende en voelde de januarikou naar binnen dringen. Hij hoorde zichzelf kermen...

...en toen was hij plotseling gewichtloos. Een deel van zijn wezen voelde hoe belachelijk die herinnering op dit moment was, de herinnering aan een warme zomerdag, de verhitte gezichten die op hem af kwamen en zich van hem vandaan bewogen, de deken die zich spande en hem omhoogslingerde, die hem zacht opving toen hij weer naar beneden viel, alleen maar om hem nogmaals omhoog te gooien... het gelach en gegil van de hofdames die aan de deken trokken... de vleugeltjes die iemand op zijn rug had gegespt... het hemdje tot op zijn knieën, dat zijn enige kledingstuk was en elke keer dat hij omhoogvloog tot aan zijn oksels opkroop, tot groot plezier van de joelende hofdames... een levend, drie voet groot plafondengeltje met een elegante snor en baard en een klokkenspel dat bij een man van normaal postuur al indrukwekkend zou zijn en dat de eerste reden voor zijn bijnaam was... het gelach om hem heen en de angst dat de gillende vrouwen hem ernaast zouden laten vallen, vermengd met de opwinding van het telkens weer omhooggeslingerd te worden, te vliegen...

Hij hoorde geschreeuw en was verbaasd over het lawaai, totdat hij merkte dat hij het zelf veroorzaakte. Verwonderd besefte hij dat hij eigenlijk niets liever wilde dan leven! Hij hoorde de stem van zijn moeder, die zei: 'Mijn kleine gelukssterretje!' en hem tegen zich aan drukte, terwijl de tranen over haar wangen rolden en hij zich afvroeg waarom ze verdrietig was, hij was toch gezond...

Hij hoorde de wind ruisen.

Een klein mannetje dat de dood tegemoet viel.

2

Rijkskanselier Zdenek von Lobkowicz arriveerde bij de ingang van het kei-zerlijke wonderkabinet op het moment dat de soldaten zich daarvoor pos-teerden. Hij hijgde.

Zdenek von Lobkowicz was door al die jaren heen de hoogste ambte-naar in het rijk geweest; jaren die werden gekenmerkt door het verval van keizer Rudolf en van de lompe pogingen van zijn broer Matthias om een greep te doen naar de rijkskroon. Door deze ervaring had hij een hoge mate van verachting ten aanzien van bijna alle schepsels aan het hof gekregen, de zogenaamd door God uitverkoren hoge heren van het rijk absoluut inbe-grepen. Hij had zijn best gedaan om deze verachting met de hoogst moge-lijke efficiëntie te beantwoorden om die niet ook nog op een dag te hoeven voelen wanneer hij in de spiegel keek.

Slechts voor één hooggeplaatste man in dienst van het rijk had hij respect gehouden: Melchior Khlesl. De oude kardinaal en minister had eigenlijk als steun van Rudolfs broer Matthias deel uitgemaakt van het vijandelijke kamp, maar in dit moeras van hofkruiperij, luiheid en ge-wichtigdoenerij moesten de twee enige competente ambtenaren nood-gedwongen respect voor elkaar ontwikkelen, zelfs al waren ze politieke tegenstanders.

De kruisheergrootmeester en Praagse hulpbisschop Jan Lohelius stond naast de soldaten en wipte van zijn ene been op het andere; de oude man had een soutane aangetrokken in plaats van het bisschopskleed en zag er daarin uit als een dikke jichtige dorpspastoor. Een jongeman in een geel-rood pak stond aan de andere kant naast een raam tegen de muur geleund en zag er even blasé uit als alle jonge hovelingen, die hun wanhopige afhan-kelijkheid van de gunst van een simpele hoge ambtenaar of een ouwelijke, naar jong vel hunkerende hofdame verborgen achter arrogantie. Lobkowicz keerde zich naar Lohelius toe. 'Is het gelukt?' vroeg hij.

Grootmeester Lohelius knikte alsof hij er niet meer mee kon ophouden.

Lobkowicz zocht in de zakken van zijn kleding en vond twee kleine, metalen capsules waarvan de verf afbladderde, een rode en een groene. Hij staarde naar de groene capsule.

'Rijkskanselier...' prevelde Lohelius.

Lobkowicz aarzelde, opende toen de capsule en haalde er het reepje papier uit dat erin opgerold had gezeten. Hij had het de afgelopen uren zeker meer dan tien keer tevoorschijn gehaald, gelezen, teruggestopt en het vervolgens weer tevoorschijn gehaald en gelezen om er zeker van te zijn dat hij het juiste bericht in de juiste capsule had gedaan.

'Rijkskanselier...'

'Ja, Eerwaarde?'

'Het is gelukt, maar desondanks... Er is iets gebeurd...'

'Wat?' Lobkowicz probeerde het rolletje papier weer in de capsule te stoppen. Hij merkte dat zijn vingers te veel trilden en verwenste zichzelf erom. Ergens van achter het raam vandaan kwamen gedempt lawaai en geschreeuw. 'Wat voor de drommel is daar aan de hand?'

'Ik... Ik...' De hulpbisschop kokhalsde plotseling en moest hevig zijn keel schrapen. 'Vertelt u het hem, Von Wallenstein.'

De jongeman zette zichzelf tegen de muur af. Hij gleed naast Lobkowicz, nam hem ongevraagd het papier en de capsule uit de hand en stopte het bericht er met één krachtige beweging in. De rijkskanselier schonk hem een geïrriteerde blik, maar hield zijn mond en nam de dichte capsule weer in ontvangst. De jongeman glimlachte. Hij had gelaatstrekken die model zouden kunnen staan voor een standbeeld van een engel, maar de glimlach maakte dat Lobkowicz ondanks alle symmetrie, de flikkerende tanden en fijne kuiltjes in zijn wangen huiverde. Hij had het gevoel dat er een ijskoude wind langs hem heen waaide.

'In het geheime laboratorium liggen een paar doden,' zei de jongeman.

'Bent u daarvoor verantwoordelijk, meneer... eh...?'

'Heinrich von Wallenstein-Dobrowitz,' zei de jongeman met een lichte buiging. 'Nee, ze lagen er al toen ik met mijn mannen aankwam.'

'De sleutel paste op de deur?'

'Die stond open,' zei de jongeman beminnelijk.

Lobkowicz klemde zijn kaken op elkaar. 'Wat zijn dat voor doden?'

'Hofdwergen van de keizer.'

De rijkskanselier begreep er niets van. 'Wie zou die kleine gedr... die kleine kereltjes nu willen doden?'

'Laten we aannemen dat het een soort collectieve zelfmoord is geweest,' zei Lobkowicz' gesprekspartner. 'Toen hun beschermheer keizer Rudolf was overleden en zo...'

'Een of twee waren helemaal in mootjes gehakt...' bracht de hulpbisschop uit. 'Dat noemt u zelfmoord, Von Wallenstein?'

'Ik zeg niet dat het dat was, ik zeg dat we het zouden kunnen aannemen. Luid en duidelijk aannemen, bedoel ik.'

Lobkowicz, die op het gebied van politiek snel van begrip was, knikte. 'Goed,' zei hij. 'Er zijn al genoeg problemen, dan hoeven we ons niet ook nog een paar doodgeslagen dwergen op de hals te halen.'

'Maar degene die de deur open heeft gelaten... Dat kan maar enkele ogenblikken voor de komst van de heer Von Wallenstein zijn geweest... We hebben zelfs een kapotte fles met een op sterk water gezette foetus gezien...'

'Waren er daar maar meer van kapotgeslagen!'

'Maar, meneer de rijkskanselier, er kan wel iets uit het wonderkabinet zijn gestolen!'

'Wat dan? Een opgezette zeemeermin, waarvan iedere idioot ziet dat het geen echte is? Een onwaarschijnlijk kostbare noot? Een automaat die net doet of hij parels vreet en die tien minuten later weer uitpoept?'

Hulpbisschop Lohelius moest naar woorden zoeken. De rijkskanselier was hem te snel af.

'Voor mijn part mag alles daarbinnen gestolen worden. Als Matthias eenmaal keizer is, zal hij toch het meeste verbranden, in de Hertensloot laten gooien of verkopen.'

'Mijn mannen hebben de vracht volgens de regels voor de overdracht voorbereid,' zei Heinrich von Wallenstein-Dobrowitz in de stilte die was ontstaan. 'Een niet-gemerkte kist met een kettingslot.'

'Een zware kist?'

'Als een doodskist.'

Lobkowicz keek de jongeman strak aan. 'Wat een smakeloze vergelijking.'

Heinrich von Wallenstein-Dobrowitz spreidde zijn handen. 'Ik smeek om vergeving.'

'Ik wil de kist zien.' Lobkowicz draaide zich om en drukte de hulpbisschop de groene capsule in de hand. 'Hier, Eerwaarde. Nu u toch als gewone pastoor verkleed bent, kunt u ook de duif op weg sturen. U weet de weg naar de til wel te vinden.'

'Kan ik u verder nog van dienst zijn, Excellentie?' vroeg Heinrich von Wallenstein-Dobrowitz.

Rijkskanselier Lobkowicz schudde zijn hoofd. 'God helpe ons allen,' zei hij. 'Brengt u mij naar uw mannen, dan kunnen we die verdomde overdracht zo snel mogelijk achter de rug hebben.' Geïrriteerd keek hij naar het raam. 'En laat er in godsnaam eindelijk iemand voor zorgen dat die herrie daar buiten ophoudt. Je zou haast denken dat er iemand uit het raam is gevallen!'

3

De perkamentsnippers zouden voor iemand die niets te maken had met het Geheime Archief van het Vaticaan geen enkele betekenis hebben gehad. Wie zich echter de afgelopen jaren met niets anders had beziggehouden dan het in opdracht van paus Paulus v herinrichten van het hele archief met de bedoeling het nog geheimer te maken, zag onmiddellijk wat de rijen getallen betekenden: een plaats in het archief.

De handgeschreven krabbels achter de coördinaten zou iemand die niet de hele dag was omringd door traktaten, decreten en oorkonden niet zonder meer herkennen als een aantekening van paus Urbanus vii, die in september 1590 na een pontificaat van twaalf dagen onverwacht was overleden. Dit laatste zou niet zo ongewoon zijn geweest als de geruchten en ongerijmdheden rond de dood van de pontifex er niet waren geweest. Zoals de zaken ervoor stonden, was het overlijden van paus Urbanus nog steeds een officieel raadsel.

De tekst van de korte aantekening zou een ander dan pater Filippo Caffarelli niet zijn opgevallen: *Reverto meus fides!* Gij hebt mij het geloof teruggegeven!

Wat had paus Urbanus het geloof teruggegeven? Of wie?

En de veel belangrijkere vraag: zou dat of die in staat zijn om ook pater Filippo het geloof terug te geven?

'Je hebt je hoofd er niet bij,' zei de jonge vrouw, terwijl ze hem een plagerig tikje op zijn neus gaf.

'Neem me niet kwalijk,' zei pater Filippo en hij begon weer te stampen. Het viel niet te ontkennen dat zijn hart niet was bij waar hij mee bezig was. Hij voelde de handen van de jonge vrouw die om de zijne lagen, en vermoedde dat zijn bewegingen gauw weer tot stilstand waren gekomen als ze niet na haar laatste aansporing meteen het initiatief had genomen. Hij hoorde haar hijgen en keek in haar bezwete gezicht zonder het echt te zien.

Wie zou zijn geloof niet verliezen in een tijd als deze, waarin een katholieke aartshertog samenzwoer met protestantse Statenleden om zijn broer te beroven van de Boheemse koningskroon, sinds eeuwen het onderpand voor de verkiezing tot nieuwe keizer? Wie zou niet wanhopen aan het keizerschap als zodanig als hij eraan dacht hoe lang keizer Rudolf zijn waardigheid had bekleed, een van elke godsdienst afgevallen ketter die in zijn geheime laboratorium tegennatuurlijke experimenten uitvoerde en sterrenwichelaars, kwakzalvers en alchemistische ketters om zich heen had verzameld? En wie zou niet gek worden van zijn Kerk als zijn hoogste herder niet probeerde de gespleten christenheid weer bij elkaar te brengen, maar volledig opging in zijn drie hoofdprojecten: het Geheime Archief, de nieuwbouw van de gevel van de Sint-Pieter en de verdeling van de mooiste baantjes in de Kerk onder zijn familieleden?

'Dat wordt niets,' zei de jonge vrouw en ze stopte met haar ritmische bewegingen. Ze liet haar handen zakken; beschaamd schoof Filippo van haar weg.

'Je denkt te veel na, broertje,' zei ze. Ze verschoof de boterton een stukje, legde haar beide handen rond de stamper en begon in haar eentje te stampen. Filippo keek naar zijn handen en zweeg. 'En het wordt steeds erger met je.'

'Ik wilde je echt helpen.'

'Help jezelf en vertel me maar eens wat je op je hart hebt.'

'Heb je wel eens van de Duivelsbijbel gehoord?'

'Gehoord niet, maar ik neem onmiddellijk van je aan dat zoiets bestaat. Als die ene daar boven een boek over zichzelf heeft laten schrijven, waarom dan ook niet die ene daar beneden?'

'Vittoria, het is schokkend dat iemand zo spreekt die een levende paus en een kardinaal in de familie heeft.'

'Juist dan leer je dat.' Vittoria Caffarelli liet de stamper rusten en bekeek haar jongere broer Filippo, het nakomertje, door het gordijn van haar losgeraakte lange haar heen. 'Vooral wanneer je het huishouden van de kardinaal doet. Waarom vraag je het hem niet, onze grote broer?'

'Scipione?' Filippo schudde zijn hoofd.

'Wat is er zo belangrijk voor jou aan die Duivelsbijbel? Als je hem vindt, zal het vast en zeker een stompzinnige vervalsing van een niet zo snuggere monnik en geen cent waard blijken te zijn!'

'De Duivelsbijbel is vierhonderd jaar geleden ontstaan. En paus Urbanus is ernaar op zoek geweest.'

'Daar kan hij niet veel tijd aan hebben besteed.'

'Ik denk dat zijn zoektocht zijn dood is geworden.'

'Ik denk dat de blik in de afgronden van smeerlapperij waaruit het Vaticaan grotendeels bestaat, zijn dood is geworden.'

Filippo vroeg zich af of hem het lot van twijfelaar aan de katholieke Kerk bespaard zou zijn gebleven, als hij een minder cynische oudere zus had gehad. Vittoria en hij waren de laatsten in de kinderstoet van de Caffarelli's. Nadat twee andere kinderen voor hen de babyleeftijd niet te boven waren gekomen, gaapte er een groot leeftijdsverschil tussen de oudere kinderen en hen en met het oudste kind van het gezin, aartsbisschop Scipione kardinaal Caffarelli, scheelden ze tien jaar; een enorme afstand, die misschien nog wel te overbruggen was geweest als alle betrokkenen er hun best voor hadden gedaan. Dat was niet gebeurd en daarom trokken de twee jongste kinderen sterk naar elkaar toe, al op jonge leeftijd beseffend dat hun bestaansrecht ooit zou liggen in het feit dat ze op de een of andere manier alle anderen moesten dienen.

Vittoria was Scipiones huishoudster geworden, Filippo een pastoor zonder parochie in het bisdom van zijn grote broer en hij werd voor alle voorkomende werkzaamheden binnen het Vaticaan uitgeleend waarmee Scipione Caffarelli zich geliefd kon maken. Scipione, de grote schaduw over het leven van Filippo, een somber monument van rotsvast geloof, kwezelarij en katholieke ijver, in de klamme, koude duisternis waarvan Filippo zijn persoonlijke brandstapel van twijfel had gebouwd waarop hij brandde.

'Ik heb ontdekt dat paus Urbanus er vast van overtuigd was dat hij met behulp van de Duivelsbijbel de splijting van de kerk kon overwinnen. Er moet iets in staan waardoor je al je twijfels kwijtraakt...'

'Arm broertje. Het geloof komt niet van buiten. Dat zou je toch moeten weten, jij die elke dag wordt geconfronteerd met de lessen van de paus en de andere kerkelijke hoogwaardigheidsbekleders.'

Filippo haalde zijn schouders op. Zelfs tegenover zijn zus had hij niet genoeg vertrouwen om haar op te biechten dat er in zijn ziel een gapend gat was waar zijn geloof had moeten zitten. Daarbinnen was niets anders dan diepe duisternis. Zo'n soort gat schreeuwde erom van buitenaf te worden gevuld.

'Wat heb je nog meer ontdekt?'

'Dat de processen-verbaal over de dood van paus Urbanus niet helemaal op elkaar aansluiten. Maar verder – niks.'

'Wat staat er in de processen-verbaal van de Zwitserse Gardisten?'

Filippo staarde Vittoria aan.

'De Zwitserse Gardisten,' herhaalde Vittoria. 'Wel eens gezien? Die kerels die eruitzien als pauwen, met lange hellebaarden en een afschuwelijk accent...'

'Vittoria!' Filippo haatte het als haar cynisme zich tegen hem keerde. Ze schraapte haar keel en nam de stamper weer ter hand.

'Die kerels weten alles,' zei ze op de maat van de boterstamper. 'Maar je zult niets uit hen los krijgen. Die zeggen alleen iets als je ze onder druk zet.'

'Hoe zou ik de Zwitserse Garde onder druk moeten zetten?'

'Iedereen heeft boter op zijn hoofd.'

'De Zwitserse Garde niet.'

'Dan heb je hun zwakke plek al gevonden.'

Filippo gaf zijn zus een kus op haar voorhoofd. 'Waarom werk en kook je voor onze verdomde grote broer?' vroeg hij. 'Je bent de slimste van ons allemaal.'

Vittoria keek liefdevol naar hem. 'Ik heb te vaak moeten aanzien dat Scipione een spelletje met je speelde,' zei ze, terwijl ze hem over zijn wang streek. 'Het geloofsspel, weet je wel?'

'Ja,' zei Filippo gesmoord.

'Ooit,' zei ze, 'zal ik de moed vinden om een pond rattengif door zijn eten te mengen. Alleen daarom kook en werk ik voor hem.'

4

Het geluid herinnerde abt Wolfgang Selender aan Iona. Waar hij ook was, nooit had hij zich kunnen onttrekken aan het aanzwellen en afnemen van het geluid. Het hoorde bij het leven op het eiland, evenals de kou, de regen, de laaghangende wolken en het altijd slechte humeur van de Schotse broeders. Het geluid klonk hier net zo, het werd harder en zachter, galmde door de gangen van het klooster, weerkaatste tegen zijkanten, hoeken en traptreden, deinde af en aan.

In Iona was het de branding geweest die de monniken in de trotse benedictijner abdij nooit rust had gegund, waarmee ze in slaap waren gevallen en weer wakker geworden.

Hier, in Braunau, had het geluid niets te maken met de geduldige cadans van golven. In werkelijkheid was het het ritmische gejoel van een van haat vervulde menigte dat door de kloostermuren tot een ruis was gereduceerd.

Hij haatte de menigte. Hij haatte haar omdat ze de brutaliteit had voor zijn kloosterpoort kabaal te maken en hij haatte haar omdat ze zich vrij genoeg voelde om hem – de abt van Braunau, de baas van de stad! – te bedreigen. Hij haatte haar om haar protestantse dwaalleer en omdat ze al zijn maatregelen om haar te intimideren en al zijn verleidingspogingen om de ketterij af te zweren weerstond. Het meest haatte hij haar omdat ze zijn herinnering aan Iona bezoedelde.

Abt Wolfgang hoorde de deur van zijn kleine cel opengaan, waar hij overdag meestal zat om vragen van de monniken te beantwoorden of problemen op te lossen. Hij draaide zich niet om.

'Het worden er steeds meer, Eerwaarde Vader,' zei een bibberige stem.

Hij knikte. Zijn blik liet de inscriptie aan de muur niet los. Hij had die daar laten staan, als vermaning voor zichzelf en als verwijzing naar wat er kon gebeuren als je ophield met op de kracht van God te vertrouwen.

'Wat moeten we doen, Eerwaarde Vader? Als ze tegen de poort gaan beuken... U weet toch dat die niet veel kan hebben...'

Natuurlijk wist hij dat de poort het niet waard was zo genoemd te worden. Toen hij hier was aangekomen en het door de dood van abt Martin, zijn voorganger, verweesde ambt had aanvaard, was er geen poort geweest. De kloosterpoort had eruitgezien alsof er een storm overheen was geraasd.

Later, toen hij begreep welke duistere schat zijn klooster bewaarde, kwam hij er ook achter dat dat inderdaad het geval was. Abt Martin had niets meer laten repareren; de kloosterdiscipline was te gronde gegaan. Niet anders dan op Iona, waar ik vandaan ben gekomen, had Wolfgang gedacht. Het weelderige cultuurlandschap en het zich langzaam van de laatste pestgolf herstellende Braunau waren weliswaar heel anders dan het Schotse eiland met zijn karige, maritieme duidelijkheid, maar verder was er nauwelijks verschil: hij, Wolfgang Selender von Prosovic, was naar een plaats geroepen waar God en de benedictijnse regels een doortastende hand nodig hadden die weer orde op zaken kwam stellen. Dat hij, die al sinds decennia gehoor gaf aan deze roeping, dolgraag op Iona had willen blijven, waar de zee het eenvoudige, alles doordringende ritme van het geloof aangaf, mocht geen rol spelen. Hij had de opdracht aanvaard in het vaste vertrouwen dat hij die binnen een of twee jaar zou voltooien.

Inmiddels waren er al tien jaar verstreken en alles wat hij tot stand had gebracht was een nieuwe deur in de kloosterpoort. Maar om die zodanig in te metselen dat hij een bestorming zou kunnen trotseren, was hem toch niet gelukt. Het klooster, ooit een van de centra van geleerdheid in Bohemen, gevoed door de rijke lakenmakersstad voor zijn muren, lag nu aan het einde van de wereld, en de stad was verzwakt door overstromingen, epidemieën en hardnekkige ketterij die zich afsloot voor elke bekering.

Soms, in zijn eenzaamste gebeden, vroeg hij God waarom Hij hem hier had laten mislukken. Het antwoord kwam af en toe uit een andere bron, die in de catacomben diep onder het klooster ademde en zijn verdorvenheid zijn ziel in blies.

'Ga terug naar de anderen. Ga door met bidden. Ga door met zingen. Ze moeten je buiten kunnen horen. Als de poort sneuvelt, moeten jullie lichamen de weerstand zijn die de ketters tegenhoudt.'

De monnik ging er haastig weer vandoor, grauw in zijn gezicht. Abt Wolfgangs blik gleed terug naar die ene inscriptie die hij bewust had laten staan toen hij het bevel had gegeven pleister en verf over alle andere te smeren. Hij had zich erop voorbereid tegen laksheid, dwaalleer en afdwaling te strijden; hij had zich – zoals altijd – erop ingesteld zijn kleine kruistocht tegen het verslappen van het geloof te voeren op de plek waarvoor hij verantwoordelijk was. Niemand had tegen hem gezegd dat hij in werkelijkheid tegen een ding moest optreden dat opgeborgen in een paar kisten en beveiligd met kettingen in een schuilplaats in de catacomben onder het klooster lag, een ding waarvan sommigen zeiden dat ze het voelden zinderen en hoorden fluisteren. Een ding dat zich aan hem niet kenbaar maakte, omdat hij weigerde het verhaal over het ontstaan ervan te geloven en dat toch soms in zijn oren leek te fluisteren, als zijn haat tegen de weerstanden die hier op hem afkwamen zo groot werd dat hij erin dacht te stikken.

Abt Martin, die de maanden voor zijn dood in deze cel had doorgebracht, een vrijwillige gevangene van zijn waan, moest verlamd zijn geweest van angst. Abt Wolfgang wist niet wat er met Martins katholieke geloof of zijn vertrouwen in de regels van de Heilige Benedictus was gebeurd, maar hij nam aan dat iemand die vast geloofde, geen banspreuk nodig had om zich de angst van het lijf te houden. Martin had de banspreuk keer op keer in de muur van zijn cel gekrast, grote letters, kleine letters, zo leesbaar als een grafinscriptie en onleesbaar als een graffito. Telkens weer dezelfde spreuk, tot de muren er helemaal mee bedekt waren en de pleisterlaag op sommige plaatsen al afbladderde. Toen hij hier voor het eerst een blik naar binnen wierp, waren er in Wolfgangs vlees rimpels van ontzetting verschenen.

Wolfgang had een van de spreuken laten staan, precies op ooghoogte. Inmiddels had hij er spijt van; het leek nu alsof hij daardoor een kiertje had geschapen waardoor het gif van de vervloekte schat in de kloostercatacomben in zijn cel kon dringen.

Boven het ruisen van de branding op Iona had hij, als hij zich inspande, aparte geluiden kunnen herkennen: het gekrijs van meeuwen, het blaffen van zeehonden... Hier kon je, als je wilde, ook boventonen horen, niet veel anders dan het schrille krijsen van de witte vogels. Het waren honende woorden en verwensingen. Zijn naam, Wolfgangs naam, kwam erin voor. Hij hoorde de scheldpartijen, en de herinnering aan de overdrijvende wolken en de ervoor zeilende meeuwen bedierf.

Hij staarde naar de muur. Op Iona was hij soms in de striemende wind gaan staan, had zijn armen gespreid en tegen het niet-aflatende geruis geschreeuwd, met zijn ogen gesloten en de regen in zijn gezicht, en in al zijn kleinheid tegenover de elementen gevoeld dat God hem daar had geplaatst waar hij nodig was en hem vulde met Zijn kracht. Het gebrul was in werkelijkheid een psalm geweest. Hier had hij meer en meer het gevoel dat hij zijn kaken op elkaar moest klemmen, omdat er anders een gebrul uit zou komen dat vol was van haat en niet van het besef van de goddelijke macht.

Op zijn ergste momenten wist hij zeker dat hij iets in zijn ziel hoorde kloppen en fluisteren waar niets menselijks aan was. De inscriptie in de muur leek te ademen.

Vade retro, satanas.

De adem was gestokt in zijn keel toen hij alle celmuren ermee bedekt zag. Een enkele kreet, duizend keer herhaald. Jezus Christus had hem vol vertrouwen uitgesproken. Hier schreeuwde de wanhoop je uit iedere letter tegemoet. Abt Wolfgang had een week in deze stom galmende gevangenis doorgebracht en zich steeds meer in het hoofd van abt Martin gevoeld. Toen had hij het niet meer uitgehouden en de keldermeester opdracht gegeven een schilder te zoeken.

Vade retro, satanas.

Hoe dicht was de verderver bij abt Martin gekomen?

De deur van zijn cel vloog open en klapte tegen de muur. Abt Wolfgang draaide zich met een ruk om. Daar stond de broeder portier, zwaar ademend en krijtwit.

'Ze breken de poort open!' riep hij.

De halve cirkel van biddende en zingende monniken, die abt Wolfgang vlak achter de poort stelling had laten nemen, zag er uitgedund uit en totaal niet als een muur van lichamen die zich in een rotsvast geloof tegen de meute ketters zou opstellen.

Hun psalmen klonken ijl boven het gedreun uit dat de in hun hengsels krakende deuren veroorzaakten. Wolfgang zag de droge kalk van de plekken naar beneden dwarrelen waar de ijzeren banden van de deurscharnieren in de muur waren bevestigd. De deuren leken te ademen en even nam het grijsgebleekte hout de kleur aan van de zee die in een hevige storm aan- en afgolfde, de lentehemel boven Iona donkerblauw, dramatisch, doorspekt met voorbij jagende wolkenslierten. De hemel boven Braunau zag er onschuldig uit, een warme, Boheemse aprildag met langzaam wegdrijvende wolkenkussens, muzikaal omlijst door het wilde geschreeuw aan de andere kant van de poort.

'Katholieke smeerlappen!'

'Dood aan Wolfgang Selender!'

'Heilige Wenceslas, sla ze allemaal dood!'

Abt Wolfgang voelde de blikken van de broeders op zich gericht. In een plotseling opkomende vlaag van tomeloze ergernis had hij er spijt van dat hij niet onmiddellijk voor ieders ogen de akte had verscheurd die ze hem in het derde jaar van zijn ambtsperiode voor het eerst onder de neus hadden geduwd. Abt Martins kriebelige handschrift en handtekening waren er op te zien, onder een ellenlange alinea vol ingehouden triomf, waarin de bouw van een protestantse kerk binnen de stadsmuren werd geëist. Alsof dat nog niet brutaal genoeg was, hadden ze hun beoogde heidense tempel aan de Boheemse schutspatroon Sint-Wenceslas gewijd. Martin had destijds '...op het marktplein van de stad...' doorgestreept en vervangen door '...naast de Lage Poort...'; in zijn waan het bouwsel in overweging te moeten nemen had hij toch de tegenwoordigheid van geest gehad om het alleen aan de andere kant van de stad toe te staan. Martin had de akte nooit meer bezegeld, de dood was hem voor geweest. Zonder zegel van het klooster was de vergunning waardeloos. Wolfgang had de procedure nooit herhaald. Door de jaren heen waren de ketters telkens op de sterfdag van hun vervloekte dr. Luther hun zaak komen bepleiten en het zegel eisen. Wolfgang had het iedere keer geweigerd.

De poort bezweek bijna onder een nieuwe bestorming; de monniken weken achteruit en hun gezang ontaardde in gestamel. Wolfgang was ervan overtuigd dat deze situatie al jaren eerder zou zijn ontstaan als hij de akte had bezegeld, dan hadden ze hem niet meer nodig gehad en akte was akte en stelde hen altijd in het gelijk, zelfs wanneer de keizer een afvaardiging naar Braunau had gestuurd om de plundering van het klooster en de dood van een paar monniken (onder wie toevallig ook de abt) te onderzoeken. De deuren rammelden en schudden, het getergde hout kraakte.

'Hang de broeders op!'

Een van de monniken in de rij maakte rechtsomkeert en rende jammerend weg, het hoofdgebouw in. Het gezang verstomde geheel. Wolfgang balde zijn vuisten en nam een sprong naar het gat dat door de vlucht van de monnik was ontstaan. Hij pakte de handen van de broeders links en rechts naast hem en hield die vast.

'*Sed et si ambuvalero in valle mortis non timebo malum quoniam tu mecum es virga tua et baculus tuus ipsa consolabuntur me!*' brulde hij de tekst van psalm 23.

'Al moet ik door dalen van duisternis en dood...'

Een paar stemmen vielen aarzelend in.

'Pones coram me mensam ex adverso hostium meorum...'

De poorten beefden. De stemmen aarzelden, maar ze verstomden niet.

Dat is het, dacht abt Wolfgang. Dat is de kracht van de katholieke Kerk. Dat is de kern van het geloof.

Voor mijn ogen dekt U de tafel, zodat ook mijn belagers het zien;
met olie zalft U mijn hoofd, mijn beker is tot de rand gevuld.

'Wolfgang Selender, jij zult branden in de hel!'

Hij meende het dringende gefluister weer boven al het geschreeuw uit te horen, maar het verdronk in de strofen van de psalm.

Ja, Uw goedheid en liefde blijven mij volgen alle dagen van mijn leven. Zo mag ik telkens weer wonen in het huis van de Heer, tot in lengte van dagen.

De monniken sloten zich tot een gesloten koraal aaneen. Abt Wolfgang staarde de poortwachter aan, die door die dreiging als door de bliksem getroffen was blijven staan en deze pakte de hand van de broeder die het dichtst bij hem stond en stemde ook in met het gezang. Steeds meer monniken pakten elkaar bij de handen. De keldermeester, de novicemeester, de prior... Er kon nauwelijks een broeder meer zijn die zich niet had aangesloten bij de levende muur achter de poort. In al zijn woede voelde Wolfgang dat een haast heilig vertrouwen zich door zijn hele lichaam verspreidde. Zo was het op Iona geweest, toen in de herfst plotseling de stormvloed was gekomen en de vijf oudste broeders in het dormitorium verdronken zouden zijn als niet alle anderen een menselijke ketting hadden gevormd en hen naar de bovenste verdieping van de toren hadden gesleept zonder acht te slaan op het gevaar voor hun eigen leven.

'Een psalm van David!' schreeuwde Wolfgang en de broeders begonnen de psalm weer van voren af aan.

Dat was de glans van de katholieke Kerk, dat was de triomf van het christelijke geloof: gezamenlijk verzet tegen elke dreiging van buiten, ook al was het martelaarschap de prijs die je ervoor moest betalen.

'Geef ons waar we recht op hebben!'

'Verdwijn uit de stad, paushoeren!'

Een van de scharnieren van de poort sprong opeens uit zijn verankering, brokken kalk en stenen sprongen weg. De deur golfde. De poortwachter verslikte zich van angst.

De Heer is mijn herder, het ontbreekt mij aan niets.

Hij laat mij in grazige weiden rusten, Hij voert mij naar vredig water,
daar geeft Hij mij nieuwe kracht. Hij leidt mij op het rechte spoor,
omwille van Zijn naam.

De deuren kwamen tot rust. Het geschreeuw buiten verstomde plotseling. In de stilte galmde de koraal als de stemmen van de engelen zelf en echode tegen de rotshoge wand van het klooster. Abt Wolfgang zong door. De stemmen volgden hem tot de psalm voor de tweede keer was afgelopen. Toen daalde een zwijgen over de kloosterplaats neer. Een laatste stuk pleisterwerk maakte zich los van de uit de muur gesprongen ijzeren band en viel op de grond. De monniken wisselden onzekere blikken. Abt Wolfgang liep met gevoelloze benen naar de poort. Hij pakte de grendel met beide handen vast. De poortwachter bracht een geluid uit. Wolfgang tilde de grendel uit de verankering en liet hem op de grond denderen; de monniken krompen ineen. Met zijn vuist duwde hij de poortdeuren open. Ze draaiden naar buiten. In het straatje dat naar het stadsplein leidde, lagen vertrapte groenten en stenen; de projectielen waren ongebruikt gebleven.

Wolfgang draaide zich om. Hij vond het een van de moeilijkste opdrachten in zijn hele leven om nu niet in een triomfantelijk gejoel uit te barsten.

'Amen,' zei hij kalm.

De broeders maakten een kruisteken. De eersten begonnen te glimlachen.

In Wolfgangs oren zong het.

Toen zag hij de monnik met de zwarte pij uit de ingang van het hoofdgebouw tuimelen. Er stroomde bloed over zijn gezicht.

5

De droom was zo realistisch geweest dat Agnes met open ogen en zwaar ademend in het donker lag, haast verlamd van ontzetting. Eigenlijk was het meer een soort levendige herinnering geweest, want de surreële dingen en ongerijmdheden die bij een droom horen, ontbraken volledig. Vol angst klampte Agnes zich vast aan de gedachte dat de dingen zich in werkelijkheid heel anders hadden afgespeeld. Of niet? Wat was in deze minuten tussen slapen en waken de werkelijkheid? Was wat ze tot nu toe voor realiteit had aangezien soms de droom?

Ze keek nog eens om zich heen in het bouwvallige huis aan de Praagse Kleine Zijde; een lange, slanke vrouw in een japon die niet zo zeer kostbaar was door opvallende versierselen, maar meer door de eenvoudige, waardevolle stof waarvan de kleermaker hem had gemaakt. Haar haar was in een knot gebonden waaruit de eerste pieken zich al hadden losgemaakt toen ze haar huis verliet. Cyprian, die haar beter kende dan wie ook, zei meestal dat een sterke persoonlijkheid en vrijheidsdrang in het hoofd begonnen; bij haar, was zijn credo, begonnen ze óp het hoofd, namelijk bij haar haar dat zich hardnekkig verzette tegen elk ander kapsel dan een losse krullenbol. Met de rest van haar wezen, vond Cyprian, die het kon weten, was het qua persoonlijkheid niet veel anders gesteld. Agnes had zichzelf lang geleden gevonden en waar ze ook naar op zoek was, haar eigen middelpunt hoorde daar niet bij, daar bevond ze zich al in. Afgezien daarvan behoorde ze tot het soort vrouwelijke wezens dat maakte dat andere vrouwen hun begeleiders een por in de ribben gaven omdat deze al te opzichtig naar haar keken en zich dat maar half bewust was, omdat er in haar hart maar plaats was voor één: Cyprian, de man die al twintig jaar aan háár zijde was. Je zou haar gemakkelijk op dertig schatten. Ze was op de kop af veertig.

Agnes drukte zich tegen het deurkozijn en luisterde of ze buiten iets hoorde.

'Moeder...' fluisterde Alexandra. Agnes' dochter zat op het bed, haar handen krampachtig ineen, haar ogen wijd opengesperd en glanzend in het donker. De zwangere vrouw onder de deken kreunde van angst. Agnes vervloekte zichzelf omdat ze het gevaar had getrotseerd om naar de zwangere vrouw te gaan kijken; en ze vervloekte zichzelf nog meer voor het feit dat ze

Alexandra had meegenomen. Ze had gedacht dat het de vijftienjarige goed zou doen om de beschermde wereld van thuis te verlaten en haar bij dit bezoek te vergezellen. Het was Agnes' manier om de behoeftigen aalmoezen te geven: met daadkrachtige hulp, een warme maaltijd en praktische troost voor een meisje dat op Alexandra's leeftijd al de dood in het kraambed of een leven in schande als moeder van een buitenechtelijk kind wachtte. En nu bestond het gevaar dat de schat aan ervaringen van haar dochter zou worden uitgebreid doordat ze door ruwe landsknechten uit de omgeving van Passau zou worden verkracht en doodgeslagen.

Natuurlijk had ze het weer eens beter geweten dan alle anderen. Natuurlijk zou iemand die minder impulsief was dan zij eerst hebben nagedacht en de angstige waarschuwingen voor het leger van de landsknechten in deze overwegingen hebben betrokken. Maar de bevalling werd pas over een of twee weken verwacht en het jonge ding, een ver familielid van haar kokkin, kon iedere troost gebruiken. Vanuit haar eigen geschiedenis voelde ze respect voor iedere aanstaande moeder die besloten had om het kind te houden, hoewel ze voor een donker gat stond en de gang naar een engeltjesmaakster gemakkelijker was geweest. En zo had Agnes het op zich genomen elke tweede dag naar de Kleine Zijde te gaan, een wandeling van een klein halfuur, van de glanzende, rijke wereld langs de fontein naar de sombere armoede van de dagloners en arme sloebers. Ze bracht eten, drinken, afgedankte kleren, hielp de zwangere zich te wassen, praatte met haar, besprak mogelijke namen voor het kind, huilde met haar en lachte met haar en had nog steeds het gevoel dat ze niet genoeg deed om haar eigen vermeende schuld in te lossen tegenover het lot dat in haar geval zo goed was gebleken.

Maar nu vervloekte ze zichzelf voor de derde keer omdat ze Alexandra had meegesleept, haar eerste kind, de dochter die in alles zo op haar leek en die altijd, hoeveel ze ook hield van Alexandra's twee jongere broertjes, een bijzondere plaats in haar hart zou innemen...

...en tegelijk dacht ze er met koude angst over na of dit misschien het moment was waarop de rekening voor twintig jaar geluk moest worden betaald.

'Moeder, het huis heeft toch een uitgang naar het straatje achter? Als we ons best doen, kunnen we haar misschien naar buiten dragen en onopvallend in veiligheid brengen.'

Agnes schudde haar hoofd. Vijf zwangerschappen, waarvan er twee in een miskraam waren geëindigd, hadden in zoverre een expert van haar gemaakt dat ze wist dat de jonge vrouw niet getransporteerd mocht worden. Ze zouden of haar en het ongeboren kind schade berokkenen of de bevalling te vroeg op gang brengen, midden op straat, in de winter, terwijl overal landsknechten rondliepen die op zoek waren naar nieuwe gruwelijkheden.

Agnes legde een vinger tegen haar lippen. Buiten klonk het gelach van een paar mannen die zo dronken waren dat ze zelfs zouden lachen als iemand hun grootmoeder uit het raam gooide. Agnes werd misselijk. Nog maar een paar dagen geleden zou ze hebben geloofd dat deze mannen, als je ze nuchter zou aantreffen, vermoedelijk tamelijk beschaafde, fatsoenlijke knapen waren, die onmiddellijk bereid zouden zijn een vrouw naar huis te begeleiden, in plaats van in de rij te staan om haar midden op straat te verkrachten en vervolgens te doden.

Toen had ze de berichten over de daden van de landsknechten gehoord: over huisvaders die levend in brand werden gestoken als ze hun geliefden probeerden te beschermen, over peuters die aan lansen werden gespietst en door de lucht geslingerd, nog spartelend, nog levend, nog huilend, over zwangere vrouwen die ondersteboven aan deurkozijnen werden gehangen en wier kinderen uit hun buik werden gesneden. Aartshertog prins-bisschop Leopold I had in opdracht van keizer Rudolf de landsknechten uit Passau in zijn bisdom gerekruteerd, vervolgens niet ingezet en in de steek gelaten. De zieke, half uitgehongerde mannen die doelloos in hun tenten lagen, hadden zich ten slotte onafhankelijk gemaakt en waren plunderend naar Praag getrokken, om – zoals ze zeiden – de keizer te beschermen. De protestantse Statentroepen van Praag hadden hun belet de Moldau over te steken, maar voorlopig de Kleine Zijde aan hen overgelaten.

Ze hoorde de aanvoerder van de landsknechten roepen: 'Hé daar, sukkels, waar zijn jullie vrouwen? Breng ze naar buiten!' en ze kreeg het ijskoud. Ze wisselde een blik met de zwangere vrouw en kromp innerlijk ineen van de doodsangst die ze daarin zag; ze keek in Alexandra's ogen en zag daarin dezelfde angst, maar beheerster, niet op de grens van paniek. Opeens wist ze wat haar enige mogelijkheid was. Ze gaf Alexandra een knikje en glipte de deur uit.

'Daar komt er eentje vrijwillig,' brulde een landsknecht na een lange stilte van verbazing. 'Die heeft een beurt nodig, jongens!'

Agnes keek de mannen onderzoekend aan. Ze had niet verwacht dat ze hen met een blik zou kunnen intimideren. Haar hart sloeg zo heftig dat ze haast geen lucht kreeg.

'Maar dat is een lekker ding! Zijn er nog meer waar jij vandaan komt, schatje?'

Agnes knikte.

'Laat ze dan naar buiten komen, anders halen wij ze.'

Agnes dacht aan haar man Cyprian en wilde dat ze hem had kunnen vertellen in wat voor een situatie ze zich bevond en tegelijk voelde ze dankbaarheid omdat hij haar twintig jaar geleden de oplossing had laten zien waarmee ze aan deze toestand kon ontsnappen.

'Haal ze zelf maar,' zei ze. 'Maar schiet op, zolang ze nog warm zijn.'

'Hè?'

Agnes wankelde. Het kostte haar geen moeite te spelen dat ze wankelde; in haar spieren zat water.

'Mijn moeder en mijn grootmoeder,' zei ze, terwijl ze net deed of het spreken haar moeite kostte. 'Ze hebben de pest te pakken. Doe met hen wat je wilt, ze merken er toch niets meer van.'

De soldaten zetten grote ogen op. Ze keken elkaar aan.

'Ertussenuit geknepen?' vroeg er een.

'Mochten jullie er genoegen aan beleven,' zei Agnes, terwijl ze zorgvuldig benadrukte wat ze als haar troef beschouwde, 'om je aan twee doden te vergrijpen, ga gerust je gang. Wat maakt het uit als er een paar pestbuilen openbarsten?' Ze wankelde weer...

...en hoorde tot haar onmetelijke ontsteltenis lachen.

'Waarom zouden we die doden neuken als we jou hebben, schatje?'

'Kan jou niks schelen, je hebt tóch de pest, hè?'

'Laat je nog maar eens lekker nemen, voor je het hoekje omgaat!'

'Ik steek jullie aan, hoor...' bracht Agnes uit.

'Nou en? Wij zijn toch voer voor de kraaien.'

Drie van hen slenterden al op Agnes af, de eerste met zijn hand in zijn zak. Agnes zag zijn vuist bewegen. Ze deinsde achteruit. De grijns op de gezichten werd groter. Plotseling besefte ze dat ze al de verhalen over de verbrande mannen en de opengesneden zwangere vrouwen tot nu toe niet werkelijk had geloofd... en ze wist dat ze precies het verkeerde had gedaan. Misschien was er nog een mogelijkheid geweest om te ontsnappen! In plaats daarvan had ze zichzelf uitgeleverd aan de mannen en hen ook nog op de twee vrouwen in het huis attent gemaakt.

Haar ontzetting was niet te beschrijven toen het tot haar doordrong wat er onvermijdelijk zou gebeuren. Ze week nog een stap naar achteren en voelde de deurpost in haar rug. Hier zou ze dus haar laatste strijd leveren, in de deuropening van een vervallen huis, want het was geen vraag of ze de drempel tot haar laatste snik zou verdedigen. Midden in alle angst voor wat men haar wilde aandoen, bad ze dat Alexandra zich stil zou houden en dat ze haar niet... O, Lieve Heer, geef alstublieft dat die kerels haar niet...

De landsknecht met de heen en weer bewegende vuist in zijn broek friemelde met zijn vrije hand aan het koord waarmee zijn beenlingen om zijn heupen hingen. Hij grijnsde. 'Ik verrek liever op jou en aan de pest dan alleen aan een galg!'

'Daar kan ik inkomen, vriend,' zei een nieuwe stem.

De landsknechten draaiden zich om. Agnes had het gevoel dat ze het met haar ogen kon zien: er stond een man alleen in het straatje. Hij was potig; door zijn ronde schouders en brede lichaamsbouw leek hij kleiner dan hij was. In een wereld waarin de welgestelde mannen pafferige appelwangetjes en vooruitstekende bierbuiken koesterden, behoorde hij tot het atletische type. Toch zou je hem kunnen onderschatten zolang je zijn ogen niet zag. Maar wie een staarwedstrijd met hem aanging, werd met een haast dodelijke kalmte geconfronteerd die aan de ene kant voortkwam uit de wetenschap dat de eigenaar van deze ogen nog altijd een truc achter de hand had zodra het menens werd en aan de andere kant uit de overtuiging dat in een wedstrijd altijd diegene de sterkste was die ergens voor vocht. Wie slim was, begreep dat deze man altijd wilde vechten voor het welzijn van de mensen van wie hij hield.

'Wie is die klootzak?' bromde een van de soldaten.

Agnes' hart maakte een sprongetje. Die man was Cyprian.

'Er zijn twee mogelijkheden,' zei Cyprian. 'Als je de eerste mogelijkheid kiest, kun je je wapens achterlaten en smartengeld betalen voor de heren hier op de grond en dan ongehinderd vertrekken.'

'En als we de andere kiezen, beterweter?'

'Dan zou je willen dat je de voorkeur had gegeven aan mogelijkheid één.'

Cyprian wees naar de ramen van een huis verderop in het straatje. De soldaten keken in de richting die de vinger wees.

Agnes zag vol afgrijzen dat Cyprians glimlach opeens wegstierf. In het huis waarop hij had gewezen, was geen beweging te zien.

'De achterhoede niet gearriveerd?' snaterde een van de soldaten.

Hij hief zijn musket. Agnes ving Cyprians blik op. Haar hart stond stil.

De soldaat vuurde. Ze zag de inslag van de kogel in Cyprians borst. Hij werd achteruit geworpen...

...Agnes gaf een gil en liet zich vallen op de plek waar Cyprian viel, terwijl ze de drempel die ze tot het laatst had willen verdedigen, was vergeten...

...en ze werd wakker van haar eigen gil en lag nu zwaar ademend in het donker. Zo was het niet gegaan. In werkelijkheid had uit bijna ieder raam van het huis de loop van een musket gestoken, voldoende geweren om elk van de landsknechten driemaal dood te schieten en achter een van de ramen had haar broer Andrej gestaan, Cyprians beste vriend, met een doek in zijn opgestoken hand en iedereen wist dat zodra hij die liet vallen, de musketten zouden beginnen te schieten en de kogels de soldaten zouden doorzeven. Andrej had naar haar geknipoogd. De soldaten hadden zich overgegeven.

Agnes tastte naar Cyprians kant, maar die was leeg. Ze stapte uit het bed, nog steeds trillend, en schoot in een kamerjas. De vloer was koud onder haar voeten, het huis pikdonker. Cyprian had de gewoonte soms 's nachts naar beneden te gaan, zelf de haard in de salon aan te steken en dan bij het vuur te zitten en ernaar te kijken alsof hij er na al die jaren nog niet zeker van was dat hij de heer des huizes was. Soms werd Agnes wakker en vond hem daar, bracht hem een deken en wikkelde die om hem en zichzelf heen en dan bedreven ze de liefde op de vloer bij het vuur. Agnes trok Cyprians deken van het bed en haastte zich naar de salon.

Tot haar verrassing brandden er kaarsen. Op de plaats van de grote tafel stonden schragen midden in de kamer. Op de schragen, languit op zijn doodsbaar, lag Cyprian, koud en stijf, als een slecht gelukt wassen beeld.

De droom was werkelijkheid geworden.

Agnes drukte haar vuisten tegen haar mond en schreeuwde.

Ze schoot overeind. Ze hoorde de echo van haar schreeuw in de slaapkamer wegsterven.

'Mijn hemel,' zei Cyprians stem slaapdronken naast haar. 'Dat wordt nog eens mijn dood.'

Agnes draaide zich om. Ze tuurde in het vage donker. Buiten leek de schemering juist ingevallen te zijn. Cyprian gluurde onder de dekens vandaan, half geamuseerd, half nog in diepe slaap. Ze hoorde hoe het snikken zich een weg zocht in haar keel voordat de huilbui haar overviel. Ze sloeg haar armen om Cyprian heen. Hij trok haar tegen zich aan. Ze merkte aan de warmte van zijn lichaam hoe koud ze was en aan de kracht van zijn armen hoe ze beefde.

'Ik zag dat je doodgeschoten werd...' stotterde ze met klapperende tanden. 'En toen zag ik je dood in de salon liggen!'

'Weer die droom?' zei Cyprian, terwijl hij haar zachtjes wiegde. 'Je hebt hardnekkige nachtmerries, liefste. Het is nu toch al meer dan een jaar geleden. En geen van ons is iets overkomen, zelfs die verdomde soldaten niet. Je moet er niet aan denken dat Andrej me er alleen op af had laten gaan.'

Ze klampte zich aan hem vast, heen en weer geschud door haar gesnik. Hij wiegde haar nog steeds.

'Maak je geen zorgen over mij,' zei hij zacht. 'Ik kom altijd weer bij je terug.'

6

Filippo leunde achterover toen kolonel Segesser binnenkwam en in de houding sprong. Hij nam de Zwitserse Gardist zwijgend en nadenkend op. Vroeger beschouwde Filippo het als een persoonlijke zwakte dat hij voor elk gesprek met een vreemde enige tijd nodig had om zijn gedachten te ordenen. De discipline die zijn vader er bij hem had ingestampt was even eenvoudig als solide: hou onder alle omstandigheden je mond en als je iets wordt gevraagd, laat dan mij of je broer Scipione antwoord geven.

Vader Caffarelli had er als zwager van de machtige kardinaal Camillo Borghese altijd op toegezien dat de broer van zijn vrouw niet per ongeluk door kinderlijk geklets werd gecompromitteerd. In huize Caffarelli had kardinaal Borghese in intieme kring koel gepland hoe hij zou opklimmen tot paus en wie van zijn familie daar later van zou profiteren. Natuurlijk deed elke kardinaal dat wel op de een of andere manier, maar het was ongunstig voor de kans om verkozen te worden als dat publiekelijk bekend zou worden. Hooguit Scipione had mee mogen praten, die op dertienjarige leeftijd slim genoeg was geweest om te weten wat goed was voor zijn eigen beloofde carrière in de Kerk.

Filippo had laat ingezien dat wat hij als vloek beschouwde hem vaak genoeg goed van pas kwam. Zijn zwijgzaamheid, gemaskeerd door een uitdrukkingsloos gezicht, maakte iedere gesprekspartner onzeker en vormde een welkome façade voor zijn eigen twijfels. Hij vroeg zich af of Vittoria niet ook wat zijn persoon betrof zou spelen met de gedachte aan rattengif, als ze vandaag had kunnen zien wat hij deed. Filippo wist dat wat hij van plan was niet beter was dan het dagelijkse werk van kardinaal Scipione.

Hij zag dat het onderste ooglid van de kolonel begon te trekken.

'Het gaat over uw vader,' zei Filippo ten slotte.

'Mijn vader heeft de Heilige Stoel naar eer en geweten gediend,' kraste kolonel Segesser. Het vertrouwen van de Zwitserse Gardisten in hun eigen onfeilbaarheid was benijdenswaardig. Filippo moest toegeven dat die ook op een solide basis berustte.

'Vertelt u mij eens over de dood van Giovanni Castagnas,' zei Filippo. Toen kolonel Segesser geen antwoord gaf, voegde hij eraan toe: 'Paus Urbanus VII.'

De kolonel ging nog rechterop staan. Filippo dacht na. Gedrilde soldaten zoals kolonel Segesser waren moeilijkere gesprekspartners dan de meeste mensen; ze verdroegen zijn zwijgen beter dan ieder ander, omdat ze gebruik konden maken van hun lichaamstaal. Zwijgend in de houding staan kon alles betekenen, van instemming tot een regelrechte belediging, zonder dat het een of het ander ooit in woorden hoefde te worden uitgedrukt.

'Paus Urbanus kwam uit het Geheime Archief en zakte dood in de armen van uw vader,' zei Filippo. 'Dat staat in het rapport dat uw vader erover heeft uitgebracht.'

'Ik kan het me niet herinneren, Eerwaarde.'

'Ik heb het rapport gevonden. Het moet per abuis verkeerd zijn gearchiveerd. U was destijds de kapitein van uw vader en hebt het rapport mede ondertekend.'

'Jawel,' zei kolonel Segesser en je moest hem nageven dat er aan zijn stem helemaal niets te merken was. Filippo, die vanbinnen hevig zweette, dacht over iedere volgende stap na als iemand die op blote voeten door glasscherven loopt.

'Voor iedere Zwitserse Gardist moet het erg zijn als de Heilige Vader sterft.'

'Jawel.'

'Onder omstandigheden die uiterst merkwaardig waren...'

Filippo had het niet voor mogelijk gehouden, maar de kolonel ging nog een beetje rechterop staan. Zijn ooglid trok nu heviger. Hij kreeg haast medelijden met de man, maar iemand die de school van de latere kardinaal Caffarelli had doorlopen toen deze nog Scipione was, de hoop van de familie, wist dat medelijden niet tot het doel leidde.

'Ik wil ze zien, kolonel Segesser,' zei hij.

'Ik weet niet waar u het over hebt, Eerwaarde.'

'Paus Gregorius, die Urbanus opvolgde op de Heilige Stoel, heeft uw vader ontslagen. Als ik goed ben geïnformeerd, heeft uw vader daar zelf om verzocht. Natuurlijk is het aannemelijk dat uw vader gewoonweg te geschokt was om zijn taak te blijven vervullen. Dat zou een van de mogelijke verklaringen zijn.'

Kolonel Segesser zei niets.

'Maakt u het ons beiden toch wat gemakkelijker, kolonel Segesser. Voordat uw vader de Zwitserse Garde verliet, is hij op eigen houtje nagegaan wat paus Urbanus in het Archief had gezocht. Men zou dat uiteraard zo kunnen uitleggen dat uw vader er in zijn nauwgezetheid achter wilde komen of iets daar verantwoordelijk was voor de dood van de paus.'

'Jawel.'

'Het doet er echter niet toe aan welke verklaring ik geloof hecht,' vervolgde Filippo. 'Uiteindelijk komt het erop aan wat de Heilige Inquisitie gelooft als zij zich geroepen voelt om de dood van paus Urbanus nog eens te onderzoeken. Of op het idee komt om een verband te leggen met het droevige feit dat nog twee pausen zo snel paus Urbanus in de dood zijn gevolgd.'

'Het onderzoek is gesloten,' zei de kolonel.

'Het onderzoek is gesloten zonder dat het tribunaal wist dat uw vader in het Archief had rondgesnuffeld.'

'Mijn vader heeft niet rondgesnuffeld!'

'Hebt u als kind wel eens een schat gezocht, kolonel Segesser?'

De kolonel knipperde in de war gebracht met zijn ogen.

Schatzoeken, dacht Filippo. Hij herinnerde zich het spelletje dat Scipione eens met hem had gespeeld toen hij in de vakantie thuiskwam van het seminarie; Scipione, de zestienjarige clericus met de tonsuur, die over alles en iedereen een oordeel had. Filippo was toen zes. 'Weet jij wat het geloof is, Filippino?' – 'Nee, Scipione.' – 'De weg naar het geloof moet je zelf vinden, Filippino.' – 'Ja, Scipione.' – 'Geloof je dat ik iets lekkers voor je uit de stad heb meegebracht, Filippino?' – 'Ik weet het niet, Scipione, heb je iets meegebracht?' – 'Volg de aanwijzingen, Filippino, ze zijn rood en groen.'

Filippo was de aanwijzingen gevolgd: kersen, die opvallend op bladeren lagen gedrapeerd, of aardbeien, of frambozen, al naar gelang het jaargetijde. Ze vormden een spoor dat hem naar een of andere schuilplaats had geleid. Toen hij daar aankwam, zat Scipione in de schuilplaats en toonde hem glimlachend zijn lege handen. 'Heb ik het zelf genomen, Filippino, omdat je te lang wegbleef, of heb ik helemaal niets meegebracht? Nou? Wat geloof jij, Filippino?'

Filippo boog zich voorover.

'Er bestaat een legende, kolonel. De duivel heeft een boek geschreven en daarin zijn kennis vastgelegd. De kennis van de duivel, kolonel Segesser. Zegt u mij eens of er een grotere schat bestaat dan dat.'

Filippo kon een zweetdruppel zien die zich op de slaap van de Gardist had gevormd.

'Uw vader is de aanwijzingen gevolgd en ik ben zijn spoor gevolgd. Ik hoef nog maar één stap, kolonel Segesser, dan ben ik waar uw vader ook heeft gestaan. De laatste aanwijzing leidt naar u, naar zijn zoon.'

De zweetdruppel rolde langzaam langs kolonel Segessers wang naar beneden. De man probeerde niet te trillen.

'Waar vind ik de Duivelsbijbel, kolonel Segesser?'

7

Abt Wolfgang rende de trap af zo snel hij kon. Zijn hele triomfantelijke gevoel was tot as vergaan.

'Ze zijn gekomen via de helling waar de keukenresten overheen in de Hertensloot worden gegooid,' hijgde de poortwachter. 'De afrastering is ingetrapt. Langs dezelfde weg zijn ze gevlucht.'

Terwijl Wolfgang naar beneden stormde, telkens met twee treden tegelijk, speelde zich voor zijn geestesoog zijn eerste dag in het klooster van Braunau af. Hij zag de broeders de kapittelzaal verlaten nadat ze hun gelofte van trouw hadden afgelegd, hij zag de gezichten van de gewijde broeders die naast hem stonden verharden, zag zijn eigen vragende gelaatsuitdrukking ten aanzien van de omstandigheid dat de monniken niet, zoals men zou verwachten, aarzelend liepen, maar de kapittelzaal op een drafje verlieten, alsof er na hen pestlijders zouden komen. Hij zag de zeven zwarte gestalten diep weggestopt in grote monnikskappen de entreehal binnenkomen en herinnerde zich dat zijn hart opeens zwaar en angstig begon te bonzen. Hij zag zichzelf nadat de zeven zwarte monniken hun heel eigen gelofte van trouw hadden afgelegd verbijsterd in zijn cel zitten, naar duizenden in de muur gekraste kreten staren en hoorde ze steeds harder en steeds wanhopiger in zijn hoofd galmen: *Vade retro, satanas!*

Hij had gehoord dat het klooster van Braunau zijn heel eigen, verschrikkelijke geheim bewaarde. Die dag was hij, abt Wolfgang Selender, die tientallen keren had bewezen twijfelaars hun geloof terug te kunnen geven, de hoeder van dit geheim geworden en de dagelijkse strijd om in het aangezicht van de donkere schat in de catacomben zijn eigen geloof niet te verliezen, was begonnen.

Hij vloog de trappen af in de bonkende angst dat hij niet in deze opdracht was geslaagd en dat het geheim van Braunau nu over de mensheid kwam.

Onder aan de trap brandde een fakkel. Hij pakte hem beet en scheen de gang in.

De eerste zwarte gestalte lag aan de rand van het lichtschijnsel, een schaduw die opging in het donker daarachter. De lichte heften van kruisboogpijlen staken uit het onbeweeglijke lichaam.

'O, mijn God,' kermde de novicemeester, die achter Wolfgang onder aan de trap was gearriveerd. De poortwachter kwam achter hem aan gestrompeld en zijn adem floot. Tot meer dan een ontsteld gejammer was hij niet in staat.

Wolfgang klemde zijn kaken op elkaar en stapte langs de dode heen. Hij wist al wat hij zou vinden.

De overige vijf bibliothecariussen lagen voor de celdeur, doodgeschoten, doodgestoken, doodgeslagen. Ze hadden hun kruisbogen niet eens gebruikt. De celdeur stond open. Als Wolfgang alleen was geweest, was hij op de grond gaan zitten. Maar de twee andere monniken stonden achter hem en daarom vermande hij zich. Het duister achter de celdeur gaapte, net als het duister dat nu over de wereld zou komen. Waarom zou hij gaan kijken? Hij wist goed dat de kisten opengebroken zouden zijn en de inhoud verdwenen. Zijn hersenen waren niet in staat zijn benen te bevelen hem naar de open deur te dragen.

Nog meer voetstappen naderden van de trap. Hij draaide zich om. De keldermeester stond tussen de beide andere werkbroeders. Zijn gezicht was spierwit.

'Het... Het... Het lijkt erop dat het oproer voor de deur alleen maar... een afleidingsmanoeuvre was,' stamelde de keldermeester. 'Ze waren minstens met zijn tienen, en zwaar bewapend. Ze begonnen meteen te schieten en om zich heen te slaan, al voordat de bibliothecariussen wisten wat hen overkwam. Ze hadden geen mogelijkheid om zich te verdedigen. Eerwaarde Vader... We zijn ze allemaal kwijt.'

'De Heer hebbe hun ziel,' fluisterde Wolfgang. *Mea culpa, mea maxima culpa...*'

'Het is uw schuld niet, Eerwaarde Vader,' zei de poortwachter.

'We moeten gaan kijken,' opperde de novicemeester.

Wolfgang haalde diep adem. Wat bleef er over van zijn leven in het hiernamaals? Wat bleef er over van het geloof, van de hoop, van de liefde, als zij hadden gefaald? Wat bleef er over van de wereld?

Uiterst voorzichtig stapte hij over de doden heen; hij had het gevoel dat hij ging schreeuwen als hij er een met zijn voet zou aanraken. Hij trok de celdeur open zo ver hij kon; dat was niet ver. Zelfs in de dood probeerde de bibliothecariussen hun geheim nog te bewaken. Hij stak de hand met de fakkel uit en verdween in de schuilplaats.

De keldermeester, de novicemeester en de poortwachter staarden naar de deur. Het licht scheen dof naar buiten. Ze wierpen elkaar korte, gegeneerde blikken toe. Ieder van hen dacht dat hij de abt de schuilplaats in had moeten volgen, en ieder schaamde zich omdat hij dat niet had gedurfd. De doden in hun zwarte pijen leken al één te worden met het donker, zelfs hun bloed leek in het fakkellicht zwart.

Eindelijk kwam de abt de cel weer uit. Hij stapte met dezelfde voorzichtigheid als eerst over de doden heen en kwam naar hen toe. De monden van de drie monniken waren droog; ieder van hen voelde zijn hart pijnlijk in zijn keel kloppen. De keldermeester merkte niet dat hij met zijn vrije hand zijn borst kneedde; de poortwachter hield met beide handen zijn rozenkrans vast en trok eraan alsof hij hem in tweeën wilde rukken.

De abt slaagde erin hen te bereiken en zakte toen op de grond. Ze keken met grote ogen op hem neer, niet in staat hem te helpen.

Abt Wolfgang boog zijn hoofd en begon te huilen.

'Iets moet hen hebben gestoord,' fluisterde hij. 'God de Heer moet hen hebben tegengehouden. Ze hebben hem uit de kist gehaald, maar daarna laten liggen.'

Hij keek naar hen op. Tranen stroomden over zijn gezicht.

'De Duivelsbijbel is er nog,' prevelde hij. 'We zijn gered.'

8

Heinrich von Wallenstein-Dobrowitz stond in een van de wachtruimten in Lobkowicz' paleis te wachten tot hij een ons woog en probeerde zich geen zorgen te maken. De ramen van de kamer keken uit op de oostelijke poort van de Praagse Burcht. Heinrich keek naar het levendige komen en gaan en het maakte hem zenuwachtig dat hij geen deel uitmaakte van deze bedrijvigheid.

Natuurlijk wist hij net zo goed als ieder ander in grote lijnen wat zich in het kasteel afspeelde: Matthias, koning van Bohemen en broer van de dode keizer, probeerde zijn kandidatuur als heerser over het Romeinse rijk tussen de verschillende wensen van de protestantse Statenleden en de katholieke geestelijkheid overeind te houden.

Niet dat Heinrich zich daarover zorgen maakte. Protestant of katholiek maakte hem niet uit. Als hij al ergens in geloofde, dan was het dat wie het eerst toesloeg het grootste stuk te pakken kreeg. Wat zijn persoonlijke lot betrof, dat had altijd al van zijn eigen flexibiliteit afgehangen en die had zich – hij kon een glimlach niet onderdrukken – de laatste weken eens te meer bewezen. De bode met het geld was erbij geweest toen hij de bestelling afleverde en hij had voortzetting van de samenwerking in het vooruitzicht gesteld. Meer van dit soort opdrachten was precies wat Heinrich wilde en dat hij niet wist wie er werkelijk achter zat, was eerder spannend dan verontrustend. In elk geval stond vast dat hij er kennelijk in was geslaagd beide opdrachtgevers tevreden te stellen: degene die beter had betaald en degene voor wie hij oorspronkelijk moest werken.

Maar misschien stond het nog niet vast. Hij maakte zich zorgen over het feit dat hij in het huis van de rijkskanselier was ontboden, te meer omdat hij had gehoord dat Zdenek von Lobkowicz inmiddels voor overleg in Wenen verbleef. Hij moest zich vergist hebben of Lobkowicz was stiekem naar Praag teruggekomen. In dat geval leek de oproep om naar zijn paleis te komen dubbel zo dubieus. Lobkowicz was zijn eerste opdrachtgever geweest.

Hij keerde zich af van de ramen en bekeek de schilderijen. Het waren allegorieën, heiligenafbeeldingen, enkele donker geworden voorvaderen van Lobkowicz, een tafereel vol gespierde wapendragers met een halfnaakte vrouw in hun midden, de gebruikelijke wandversiering. Eén portret had een wat prominentere plaats. Heinrich floot tussen zijn tanden. Wie de vrouw ook mocht zijn die daar was afgebeeld, hij zou haar graag leren kennen. Heinrich stapte iets dichterbij. Hij zou haar zelfs héél graag leren kennen. Als je rekening hield met de stijve houding, de formele kleding, het strenge kapsel en de mogelijke incompetentie van de schilder, moest de schoonheid op het linnen doek in werkelijkheid verpletterend zijn. Plotseling begreep hij wie het voorstelde: Polyxena von Lobkowicz, de vrouw van de rijkskanselier.

Hij deed een stap achteruit. Iedereen zei dat Polyxena von Lobkowicz de mooiste vrouw van het hele Heilige Roomse Rijk was. Nu kon hij ook het tafereel met de soldaten plaatsen: dat stelde de offering van de mythologische Polyxena bij het graf van Achilles voor. Hij bestudeerde het schilderijtje nauwkeurig, in de hoop dat de schilder de halfnaakte vrouw de trekken van Polyxena had gegeven, maar dat was ijdele hoop. Slechts half geamuseerd stelde hij vast dat de gedachte hem opwond, en hij plukte aan zijn broek om daarin wat plaats te maken. Hoe had die onaanzienlijke Lobkowicz het klaargespeeld om deze prachtige vrouw te trouwen? Waarschijnlijk likte hij haar voeten en vroeg haar na het bezoek van haar minnaars zorgzaam of ze het prettig had gevonden. Heinrichs broek was zo wijd als de heersende mode voorschreef, maar voelde toch krap aan.

Een korte, door tegenstrijdige gedachten en gevoelens bepaalde tijd later kwam een lakei, die hem eindeloos door het huis leidde en hem in een andere ruimte achterliet. De nervositeit van eerst maakte zich weer van Heinrich meester. Misschien was hij iets te lichtzinnig geweest! Misschien had toch iemand gezien wat Toro bij het lijk van de keizer aan het doen was en had deze laatste weken geprobeerd uit het overlijden van de dwergen inclusief Toro een paar conclusies te trekken. Heinrich had de sleutel van de kist in de Moldau gegooid. Maar misschien had Toro nog genoeg lucht gehad om iemand iets in het oor te fluisteren? Plotseling vervloekte hij zichzelf omdat hij daar niet beter op had gelet. De gedachte aan vluchten was opeens onweerstaanbaar. Wegrennen, vluchten voor een kleine man met bolle wangen, die de voeten van zijn vrouw likte? Als er één ding zeker was, dan dit: dat je beter vijf minuten laf kon zijn dan een leven lang dood.

Hij was al bijna bij de deur toen die openging. Hij botste achteruit en vergat toen dat hij ervandoor had willen gaan; hij vergat zelfs te buigen, zoals het hoorde. Hij stond met open mond te kijken.

9

Filippo had gedacht dat kolonel Segesser hem door een paar verborgen trappenhuizen zou leiden die hem, Filippo Caffarelli, ondanks de vele jaren die hij in het Vaticaan had doorgebracht tot nu toe onbekend waren gebleven. In plaats daarvan stapte de kolonel voor hem uit door de droge, koude keldergewelven, waarin alle rommel was opgeslagen die een of andere voorganger van de huidige paus de Kerk had nagelaten en waarvoor nog niemand genoeg tijd of meedogenloosheid had gehad om deze weg te gooien. In het begin was Filippo nog gefascineerd toen hem was verteld dat de stangen en planken die onder de verfspatten zaten onderdelen waren van de steiger met behulp waarvan Michelangelo Buonarotti honderd jaar eerder de Sixtijnse Kapel had beschilderd, of dat de door houtworm aangevreten composities, waarvan er honderden rommelig door elkaar in kisten lagen, de verschillende ontwerpen voor de verbouwing van de Sint-Pieter waren en uit de handen kwamen van zulke beroemde would-bearchitecten als Bramante, Raffael, Sangallo, Peruzzi en nogmaals Michelangelo. Reliekschrijnen van uit de mode geraakte heiligen, waar eerst nog de edelstenen uit de goudkleurig beschilderde omlijsting waren gebroken, lagen tussen stenen en terracotta beelden, die willekeurige delegaties uit willekeurige steden ooit eens voor de Heilige Vader als geschenk uit hun streek hadden meegebracht. Een stapel perkamentrollen lag in brokkelige kleibuizen in een hoek te schimmelen en zag eruit als het ingewikkelde verwarmingssysteem van een badhuis; kennelijk ging het om kopieën van traktaten van de grote Aristoteles, waarin hij over de kwaliteit van het lachen had geschreven, wat niet paste bij de overige geschriften van de Griekse filosoof waarop de cultuur van de katholieke Kerk berustte en die daarom alleen goed gemaakte vervalsingen konden zijn. Waarom ze in dat geval niet gewoon waren verbrand, wist Filippo niet en dat maakte dat hij zijn eigen conclusies trok.

In zijn eerste maanden was Filippo hier steeds weer teruggekomen en had de dingen aangeraakt die ooit in beroemde handen betekenis hadden gehad. Mettertijd was echter het besef tot hem doorgedrongen dat een bekladde steiger niets meer was dan dat: een bekladde steiger.

Tot zijn verbazing koerste kolonel Segesser op de kleibuizen in de hoek af. Hij zette de lamp neer en schoof de buizen opzij. Stomverbaasd zag Filippo dat de buizen die bovenop en aan de zijkanten lagen, langer waren dan de andere. Ze camoufleerden het feit dat er een lage holte in de muur was en dat een enorme kist zo ver mogelijk in die holte was geschoven. Filippo moest opeens slikken. Hoe vaak was hij hier wel niet langsgekomen; hij had zelfs een keer geprobeerd een van de perkamenten uit zijn buis te trekken, maar gegriezeld van de stank van verrotting en het wegschietende gekrabbel daar binnen. Hij voelde zijn hart in zijn keel kloppen en zijn handen plotseling nat worden.

De kolonel had de doorgang naar de kist vrijgemaakt. De grendel was er nu voor geschoven, niet met een slot beveiligd. Eén enkele gedachte schalde door de chaos heen waartoe Filippo's hersenactiviteit nu was gereduceerd. De zoektocht was afgelopen. Nu zou hij weten of hij het ware geloof kon vinden – en of de vrees bewaarheid zou worden dat er geen geloof, geen hoop, geen liefde bestond, maar alleen de wetenschap dat het goede op de wereld slechts het kwaad was dat zich toevallig niet voordeed.

Tijdens zijn jaren in het Geheime Archief had Filippo zo veel documenten gezien van de onderdrukking van kennis, van bedrog, van opportunisme, van corruptie en ketterij binnen de katholieke Kerk dat het voor drie mensen met zijn karakter voldoende zou zijn om aan de zin van hun geloof te twijfelen. Filippo had ze allemaal bestudeerd, eerst heel gefascineerd, later walgend. Misschien zou hij naar het protestantse geloof zijn overgestapt, als hij niet ook genoeg documenten had gevonden die gingen over de aanhangers van Luther en Calvijn en waaruit bleek dat de leer van Jezus Christus hun ook niet nader stond dan de zogenaamd enige ware Kerk.

Als hij zijn hand op de Duivelsbijbel zou leggen en het kloppen zou voelen, zou hij weten dat er maar één waar geloof kon zijn: het geloof in de macht van het kwaad. Als het testament van de satan net zo bleef zwijgen als de Heilige Schrift, dan zou het allebei niets meer zijn dan bijgeloof. Als de macht van het kwaad de enige waarheid was, dan zou hij, Filippo Caffarelli, berustend onder alle valsheid, gefrustreerd door alle leugens, walgend van alle corruptie, al zijn krachten gebruiken om deze te dienen. Hij was zover dat hij liever met de waarheid het donker in zou gaan dan met de leugen verder te leven in de schemer.

Hij bukte om de overval van het slot op te tillen. Zijn handen trilden zo erg dat het metaal klepperde. Hij haalde diep adem. De overval klemde. Filippo rammelde eraan. De sluiting kwam los met een korte piep. Hij gooide het deksel van de kist open.

Scipione zat erin, spreidde zijn armen en vroeg: 'Heb ik het zelf genomen, Filippino, omdat je te lang wegbleef, of was er helemaal niets?'

De kist was leeg.

1Ø

'Neem plaats, meneer Von Wallenstein,' zei de verschijning. Ze wees op een stoel. 'Of moet ik u met Dobrowitz aanspreken? Hoe wilt u genoemd worden?'

In Heinrichs brein, dat nog geen tijd had gehad om de verrassing te verwerken, won zijn aangeboren brutaliteit het van zijn verstand.

'Mijn vrienden noemen me Henyk,' hoorde hij zichzelf zeggen.

Ze glimlachte. 'Goed dan, Henyk. Neemt u plaats.'

Het portret had gelogen; men zou het penseel in het achterste van de schilder moeten stoppen en het dan aansteken. Heinrich, die moeite moest doen om niet als een zak meel op de stoel neer te ploffen, staarde haar onverholen aan. Haar gezicht was wit opgemaakt, maar dat was dan ook het enige wat overeenkwam met de koelte die het portret had uitgestraald. In werkelijkheid was ze van een vlammende, alles in de schaduw stellende schoonheid waaraan zelfs de zon zich zou verbranden. Heinrich keek in haar ogen en verschrompelde als een mot die in het vuur was gevlogen. Haar ogen waren smaragdgroen, een schokkend kleurcontrast met haar blonde haar en glansden donker in het maskerachtige wit van haar gezicht. Haar gelaatstrekken gelijkmatig noemen zou hetzelfde zijn als zeggen dat het binnenste van een vulkaan warm is; haar gestalte en haar houding perfect noemen zou hetzelfde zijn als een wervelstorm te bestempelen als een briesje. Ze schitterde voor hem, haar witte gezicht, haar japon van witte zijde, bezet met wit brokaat, die op sommige plaatsen fonkelde met een regenboogeffect. Heinrich besefte dat hij al een hele minuut zo zat zonder iets gezegd te hebben. Twee piepkleine rimpeltjes kerfden de make-up bij haar mondhoeken toen ze geamuseerd glimlachte. Ze had haar lippen donkerrood gestift. Het effect was als van een naar de aarde afgedaalde engel die bloed heeft gelikt.

'En u, madame Von Lobkowicz?' vroeg hij. 'Hoe moet ik u noemen?'

Haar ogen lieten de zijne niet los.

'Welke naam vindt u bij mij passen?'

'Aphrodite,' zei hij zonder nadenken.

Haar glimlach werd een fractie dieper. 'Nee,' zei ze.

Heinrichs hersenen hadden zich inmiddels hersteld. Zijn hart en een aantal lager gelegen streken van zijn lichaam waren nog altijd opgewonden, maar hij kon weer denken.

'Nee,' zei hij. Hij beantwoordde haar glimlach. 'Diana,' zei hij.

'Moet het een godin zijn?'

'Absoluut.' Hij probeerde de glimlach waarvan hij wist dat die zelfs kloosterzusters aan het blozen maakte. Hij werd niet teruggekaatst, maar spoorloos geabsorbeerd. Haar eigen gezichtsuitdrukking veranderde niet.

'Diana,' zei ze en ze knikte.

'Wat kan ik voor u doen, madame... Diana?'

Hij dacht eraan hoe hij had gehoopt op het schilderij van de geofferde Polyxena haar gelaatstrekken boven de pronte, geschilderde borsten te zien. Hij schaamde zich daarvoor; niet omdat het hem plotseling onfatsoenlijk voorkwam, maar omdat haar hele verschijning, van top tot teen in deze japon gehuld, honderd keer meer begeerte in hem wekte dan dat belachelijke schilderij. In zijn schoot klopte er iets en hij was blij met de wijde Venetiaanse bovenbroeken, die zelfs een rechtopstaande tweehander nog zouden camoufleren.

Hij vermoedde wel dat ze zijn erectie in zijn ogen kon zien.

'U hebt al iets voor me gedaan... Henyk.'

'O ja?'

'U hebt me een dienst bewezen.'

'Noemt u mij er nog een en ik zal hem u weer met genoegen bewijzen.'

Ze tilde haar hand op en hield die voor zijn gezicht. Hij wilde hem pakken in de veronderstelling dat hij haar hand moest kussen, maar zag toen dat ze tussen haar wijs- en middelvinger een zilveren munt hield. Hij wilde die aanpakken, maar met een vingervlugheid die hij alleen maar bij goochelaars had gezien liet ze de munt over haar vingers rollen tot hij onder de muis van haar hand was verdwenen. Ze glimlachte tegen hem. Hij glimlachte in de war gebracht terug. Haar blik zakte naar haar hand, zijn blik volgde haar en toen kwam de munt weer naar boven, ze wipte hem in de lucht, ving hem op en drukte hem met één beweging in de hand die al die tijd in de lucht was blijven hangen als die van een idioot. Toen deed ze een stap achteruit en keek naar hem.

Hij keek naar de munt. Hij kende dat stempel. Het drong tot hem door als een scheut ijswater die op een golf kokend water volgde.

'Mijn meisjesnaam is Pernstein,' zei ze. 'Pernstein, net als het kasteel in Moravië. Het kasteel waarheen u de Duivelsbijbel hebt gebracht.'

'Ú hebt mij opdracht gegeven hem te stelen?'

'Teleurgesteld, beste Henyk?'

Het trok door zijn lichaam als een harde stomp toen hij zich realiseerde dat zij hem daarmee in haar greep had, net zoals hij haar. Natuurlijk had hij ernaar gegist wie de geheimzinnige opdrachtgever kon zijn die hem tot in detail had beschreven wat hij te pakken moest zien te krijgen. Dat het niet zomaar iemand was, was duidelijk; zomaar iemand had niet eens geweten dat de Duivelsbijbel bestond, laat staan dat die in keizer Rudolfs rariteiten-kabinet lag. Maar dat het de vrouw van de rijkskanselier was... Hij had zich totaal niet afgevraagd wat het te betekenen kon hebben dat hij zijn buit naar Pernstein moest brengen. Pernstein was niet meer dan een vage herinnering aan de roddels op het kasteel over een zoon die de erfenis van zijn vader had verbrast en aan een bezit dat zo zwaar met schulden was belast dat de stenen ervan knarsten. Het kasteel zag er verlaten uit; iedereen had, net als de ontvanger van de Duivelsbijbel had gedaan, voor de poort kunnen gaan staan en kunnen doen alsof hij hier woonde.

'Teleurgesteld? Verrukt!'

'Was de betaling voldoende?'

Wat moest hij zeggen? Op de een of andere manier had hij opeens het gevoel dat er veel van het antwoord afhing.

'Voor een knecht, ja,' zei hij langzaam. 'Voor een partner, nee.'

Ze bekeek hem opnieuw op die zwijgende, taxerende manier die het moeilijk voor hem maakte haar blik rustig te beantwoorden. De kriebel in zijn onderbuik varieerde van lust naar angst. Plotseling boog ze zich over hem heen, steunde met haar handen op de armleuningen van zijn stoel en bracht haar gezicht dicht bij het zijne. Hij rook de geur van haar parfum en make-up met een ondertoon van iets wat zo dierlijk en geil op hem werkte dat hij met zijn ogen knipperde. Hij voelde zijn mannelijkheid schokken.

'Wat vragen partners als betaling?' fluisterde ze.

Onder de make-up zag hij een zweem van schaduw. Hij wilde zijn armen uitstrekken om haar naar zich toe te trekken, maar merkte dat ze de stof van zijn mouw vasthield. Op raadselachtige wijze ontbrak hem de kracht om zijn armen te bevrijden.

'Alles,' kreunde hij.

'Goed,' zei ze. Er fladderde een kolibrie tegen zijn lippen, een vage kus. 'Ik neem het aan... partner!'

Ze stond op, nam hem bij de hand en trok hem achter zich aan mee naar een deur. Toen ze die opende, sloeg een haast verstikkende warmte Heinrich tegemoet. De ruimte erachter was weelderig ingericht. Zware gordijnen sloten het daglicht grotendeels buiten. Voor een reusachtig bed met pilaren en een bloedrode baldakijn stond een kolenkomfoor, dat zijn gloed en een duizeligmakende hitte de kamer in stuurde. Ze leidde hem tot voor het bed. Hij hoorde zijn hart kloppen en voelde haast pijn bij elke slag. Het kolenkomfoor roosterde zijn zij. Met zijn ogen knipperde hij tegen de gloed en hij stelde vast dat er een stuk of zes lange ijzeren staven uit staken met aan het uiteinde een houten handvat, zodat men ze zonder risico kon pakken. De einden die op de gloeiende kolen lagen, hadden alle mogelijke vormen – platte klingen, spitse punten, spiralen… Zijn ogen werden groot toen hij de grof gevormde fallus zag, waarvan de omtrekken fonkelden in de vuurgloed. Zijn ingewanden krompen samen.

Plotseling moest hij aan Ravaillac denken, op de Place de Grève. Daar was zijn tweede leven begonnen; nee, daar wás zijn leven in feite begonnen. Het komfoor van de beul had net zo van hitte geflikkerd. Het zicht was vanaf zijn plaats uitstekend geweest, hoewel naar zijn zin iets te ver weg van het schavot. Toch had hij de rood glinsterende grijpers van de tangen duidelijk gezien toen de beul ze uit de gloed haalde en de menigte een zucht slaakte en Ravaillac luid begon te bidden…

Onder de deken vandaan kwam een dof geluid, als van iemand die probeerde door een knevel voor zijn mond om hulp te roepen. Madame – nee, Diana! – schreed langs hem heen, trok de deken weg en stapte weer achteruit. Er lag een naakte gestalte op het bed, met de polsen en enkels aan de spijlen van het bed vastgebonden en een knevel in haar mond. Hij zag de met builen en schrammen bedekte huid, de ribben die duidelijk zichtbaar waren, de magere, pezige buik die in de krampachtige pogingen om ondanks de paniek en de knevel lucht te krijgen op en neer ging. Iemand had haar gewassen, geschoren en gezalfd. Toch was duidelijk te zien dat ze een goedkoop hoertje was dat gisteren nog haar vrijers achter de stallen bij een van de poorten verlichting had gebracht. Haar ogen waren reusachtig in het door de knevel opgezwollen gezicht en keken hem smekend aan. In zijn schoot klopte er iets; tegelijkertijd was hij teleurgesteld.

'Ook dat is de betaling van een knecht,' zei hij en hij draaide zich om naar de witte gedaante. Hij zweeg. Ze was geruisloos uit haar japon gestapt en stond volledig naakt voor hem. Zoals hij had vermoed, was ook haar lichaam smetteloos. Zijn mond bewoog terwijl hij het beeld in zich opzoog. Het zweet brak hem uit; dat lag maar ten dele aan het kolenkomfoor.

'Praat geen onzin, Henyk,' zei ze zacht. Ze spreidde haar armen een beetje. 'Dit is voor u. Dat daar...' Ze stapte langs hem heen met een natuurlijkheid waardoor hij bijna vergat dat ze naakt was. Haar schouder raakte hem bij het passeren even aan en zijn onderlichaam klopte, waardoor een zucht hem ontsnapte. Tussen het bed en het kolenkomfoor bleef ze staan. 'Dat daar is voor de goden.' Haar groene ogen keken onderzoekend naar de geboeide vrouw, toen greep ze achter zich en haalde de roodgloeiende fallus uit de kolen. De gevangene gooide haar hoofd heen en weer. Haar ogen liepen rood aan toen ze probeerde de knevel kwijt te raken en om hulp te roepen. Diana zette de fallus weer terug in het komfoor.

'Later,' zei ze. Ze kwam naar Heinrich toe en hij moest zich beheersen om niet een stap achteruit te zetten of haar naar zich toe te trekken. Haar blik boorde zich in de zijne. Hij voelde dat ze de banden van zijn Venetiaanse broek losmaakte zonder dat ze omlaag had gekeken; toen ging ze met een koele hand naar binnen en omvatte zijn hitsige lul. Hij kreunde. Plotseling besefte hij hoever ze hem al had gekregen zonder hem zelfs maar aangeraakt te hebben. Ze bewoog haar hand en de glimlach die in haar ogen verscheen, verraadde dat ze hetzelfde dacht. 'Veel later.'

Ze kneep haar vuist dicht en hij kwam met wilde schokken klaar, zijn sperma stroomde in haar hand en in zijn broek; hij slaakte een kreet en voelde tegelijkertijd zijn lust tot as verschrompelen, viel in een zwart gat en besefte geschrokken dat ze meer van hem verwachtte en dat hun partnerschap geen uur zou duren als hij niet aan haar verwachtingen voldeed. Hij probeerde zich te herstellen, merkte dat hij was vergeten te ademen en hapte wanhopig naar lucht.

Haar glimlach was niet veranderd. Ze stapte achteruit en ging naast de geboeide vrouw op het bed liggen. Haar witte lichaam zag er naast het half blauwgeslagen, half verbruikte lichaam van de hoer uit als een beeld van Carrara-marmer. De gevangene kreunde en rolde om en om. Heinrich nam haar alleen als geluid waar.

'Kom, partner,' zei Diana en ze opende haar benen met een nonchalance waardoor zijn lid weer pijnlijk verstijfde.

Hij rukte de kleren van zijn lijf en kroop bij haar op het bed. De geboeide vrouw lag in de weg; hij duwde haar opzij als een stuk hout. Hij zag niets anders meer dan het witgeschminkte gezicht onder hem, de wijd open, groene ogen, het door de zonde geschapen lichaam. Hij kneep een borst samen en zij opende haar mond en ademde sneller, hij verzonk in haar en dacht dat hij in haar zou verbranden, hij voelde dat haar benen om hem heen lagen en hem nog dieper naar beneden trokken.

Het wanhopige gekerm van het hoertje naast hem hoorde hij niet meer. Wat hij plotseling hoorde, was het hijgen van madame De Guise en haar dochter, die tegen de vensterbanken van het stadspaleis geleund stonden met vrij uitzicht op het schavot waar op dat moment de dood van koning Hendrik duizendmaal werd vergolden, met hun rokken over hun heupen opgeslagen en hun billen willig geheven. Hij hoorde de verre, onbelangrijke pijnkreten van Ravaillac, herinnerde zich hoe het was om eenentwintig jaar oud en de koning van de wereld te zijn, herinnerde zich hoe dit jubelgevoel omsloeg in een vage ontzetting toen hij opeens besefte dat de afschuwelijke doodsstrijd van de delinquent op de Place hem meer opwond dan de gewillige poorten van het jonge meisje en de mooie, rijpe vrouw bij het raam, toen zijn onschuld verging in de blik die hij in zijn eigen hart kon werpen, en hij begreep opeens en met een schok die hem bijna van de wijs bracht wat hij er zelf mee had bedoeld toen hij zei dat de betaling van een partner uit álles bestond. Hij behoorde nu al volledig toe aan deze vrouw, die onder hem met de wildheid van een ongetemde merrie lag te bokken en zijn rug en zijn zitvlak kapot krabde; zijn lichaam, zijn hart – en zijn ziel. Als het haar plezier deed om te zien hoe hij de roodgloeiende fallus bij de stakker naast hem op het bed gebruikte, dan... moest dat gebeuren!

Hij kwam opnieuw klaar met een wildheid die hem bijna het bewustzijn benam en hij realiseerde zich dat de gedachte wat hij en die heidense godin nog met hun slachtoffer zouden doen, daar minstens evenveel schuld aan had als het mechanisme van de geslachtdaad.

'Hoever zijn we eigenlijk, partner?' kreunde hij.

Zij spande de spieren in haar onderlichaam. Hij kermde. De rit werd alleen even onderbroken.

'Op weg naar de keizerstroon,' zei ze en toen fluisterde ze in zijn oor: 'Neuk me nog een keer.'

Hij had een verbond met de duivel gesloten.

Hij was een dode man.

Hij was gezegend.

11

Wenceslas von Langenfels balanceerde voorzichtig over de puinhoop. Zojuist was hij uitgegleden en alleen met veel geluk ontsnapt aan het noodlot dat hij aan het kaarsrecht opstaande deel van een spies werd geregen. De spies was een lange, rechte, spiraalvormige hoorn gebleken aan de basis waarvan je kon zien dat die uit een gouden zetting was gebroken. Meer kon je van een dag niet verwachten: tegelijk aan de spies ontsnappen en ook nog een schat vinden.

Wenceslas rende het hele stuk omlaag naar de stad, langs de oever van de Moldau naar de Kleine Zijde en vandaar weer omhoog naar de Praagse Burcht, in de ongebreidelde hoop dat de hoorn van een eenhoorn afkomstig was. Andrej, zijn vader, was thuis en bekeek de vondst met een somber gezicht.

'Dat is de tand van een walvis,' zei hij ten slotte. 'Gooi dat ding weg.'

'Waarom in hemelsnaam? Hij is mooi!'

'Hij brengt ongeluk!'

'Wat?' Wenceslas snoof ongelovig.

Andrej zuchtte. 'Ik kan wel raden waar je dat ding hebt gevonden. In de Hertensloot, op de plaats waar al die oude wortels en takken, kapotte meubelen en het overige afval uit het kasteel liggen.'

Een antwoord was niet nodig. Wenceslas voelde zijn gezicht rood worden. Zijn vader deed alsof hij het niet zag.

'Keizer Matthias zit twee weken op de troon en nu begint hij al Rudolfs verzameling te verwoesten. God weet dat die genoeg omvat wat het beste weggegooid of verbrand kan worden. En nog veel meer wat bewaard zou moeten blijven. De hoorn van een eenhoorn! Je bent in goed gezelschap, mijn zoon. Keizer Rudolf was er vast van overtuigd dat het dat was. Hij had er een paar.'

'Je kunt zien dat het ergens in heeft gezeten.'

'Natuurlijk, geld en juwelen. Keizer Matthias heeft geld nodig.'

'Waarom denk je dat hij ongeluk brengt?'

Andrej draaide de hoorn in zijn handen rond. Zolang Wenceslas zich kon herinneren, was hij bij zijn vader geweest, zowel op reis als thuis; zelfs naar de besprekingen in het huis van de familie Khlesl ging hij altijd mee. Zijn vier jaar jongere nichtje Alexandra was daar zijn speelkameraadje geweest. Zij had het bezoek aanvankelijk brabbelend ondergekwijld, later doodernstig met spullen bekogeld en uiteindelijk als een soort oudere broer beschouwd, die je een schop tegen zijn scheenbeen moest verkopen als hij op je zenuwen werkte. Wenceslas kon zich echter niet herinneren dat hij haar ooit anders dan absoluut verrukkelijk had gevonden.

'Alles wat uit dat wonderkabinet komt, brengt ongeluk.'

'Zoals...?'

Andrej trapte er tot Wenceslas' teleurstelling niet in. 'Als het rariteiten-kabinet niet had bestaan, was Rudolf gedwongen geweest de werkelijkheid onder ogen te zien en dan was het keizerschap niet zo diep gezonken.'

'Wat moet ik er nu mee doen?'

'Voor mijn part hou je het. Maar hou het voor jezelf en laat het niet aan iedereen zien.'

En nu was hij weer hier, voor de vijfde of zesde keer al, transpirerend in de warme junizon, en klom voorzichtig over de wirwar van takken en wortels. Alles wat hij tijdens zijn laatste bezoek hier had gevonden, waren nog meer scherven geweest, een heleboel bizarre slakkenhuizen, gebroken glazen waarin naar alcohol en verval ruikende restanten vloeistof kleefden en gescheurde stukken schilderijdoek.

Er glom iets in de zon. Wenceslas kneep zijn ogen tot spleetjes. Goud? Had de een of andere paleispief vergeten een van de natuurwonderen uit zijn omlijsting te breken? Andrej en Wenceslas waren niet arm, maar een mooi gouden sieraad vinden... Zijn vader zou glimlachen als hij ermee thuiskwam, en zeggen dat er niets van hem bij was en het alleen aan Wenceslas toebehoorde, en dan kon Wenceslas het naar een goudsmid brengen en er een hanger of een armband van laten maken, iets kleins, fijns, iets voor een jonge vrouw... voor Alexandra, zomaar, met neeflijke hoogachting...

Hij deed een greep tussen de takken waar het metalen ding onder was gegleden en trok het niet zonder moeite tevoorschijn. Het had het formaat van een speeldoosje, een vage, vierkante, fantastisch bewerkte vorm en was verbazend zwaar. Het had vooral een matgouden glans, als het topstuk van een schatkamer. Hij sleepte het opgewonden een stuk verder omhoog, waar beter licht was.

Het zag eruit als een volledig mislukt model voor de sokkel van een standbeeld, met drie plateaus boven elkaar, als de treden van een piramide.

Radertjes, spindels en tandkransen vormden een verwarrende geometrische versiering voorop. Op het bovenste plateau lagen twee figuurtjes op hun zij met hun rug naar de toeschouwer. Het leek alsof hun ledematen apart waren aangebracht. Hij schudde het ding voorzichtig; binnenin klonk iets wat leek op een ingewikkeld speeldoosmelodietje. De gedachte dat het van goud kon zijn, had hij al laten varen. De figuurtjes en ook het oppervlak van de laatste sokkel vertoonden rond de kieren afbladderende goudverf met daaronder gewoon blik. Hij schudde nog eens. Een sleuteltje, dat hij tot nog toe over het hoofd had gezien, kwam van zijn haakje los en bungelde aan een dun kettinkje. Wenceslas vond het sleutelgaatje. Voorzichtig stak hij het sleuteltje erin; het paste. Hij draaide het om. Binnen in het ding ratelde iets. Ongelovig liet hij tot zich doordringen dat het een soort mechanisch stuk speelgoed moest zijn. Er klikte iets, de radertjes en tandstangen aan de buitenkant verschoven schokkerig en trillend. De val omlaag op deze berg afval had het apparaat niet bepaald goedgedaan. Hij draaide door. Hij liet zijn vondst bijna vallen, toen de beide figuurtjes plotseling vanzelf op hun rug draaiden. Wenceslas zag staafjes en draadjes, die aan de armen en benen van de figuurtjes waren gesoldeerd. De figuurtjes waren een naakte man en een naakte vrouw. De naakte man had alleen een rechthoekige gleuf waar zijn mannelijkheid had moeten zitten. Het was opmerkelijk dat uitgerekend dat deel was afgebroken. Omdat de beide figuurtjes anatomisch juist waren uitgevoerd, vermoedde Wenceslas dat het niet opzettelijk was weggelaten. Hij draaide de sleutel opnieuw om.

Er kwamen nog meer radertjes in beweging. Schoksgewijs en zo stijf als marionetten kwamen de beide figuren omhoog, stonden na een bibberig geklikklak dankzij ragfijne aandrijvingen van staafjes, draadjes en scharniertjes kaarsrecht en keken elkaar over het hoogste plateau aan. Wenceslas was gefascineerd.

Toen hij de sleutel langer omdraaide, bewogen de figuurtjes zich op de sokkel en er klonk een ijl gezoem.

'Ooo...' steunde Wenceslas.

Tussen de benen van het mannelijke figuurtje was iets te zien wat blijkbaar toch niet was afgebroken, maar alleen door een ander mechanisme tevoorschijn kwam. Met grote ogen zag hij een enorme fallus, die langzaam uit de buik van het figuurtje schoof en zich begon op te richten.

'Aha!' zei iemand haast in zijn oor.

Wenceslas schrok en sloeg per ongeluk met het apparaat tegen een tak. Het gonzen hield op en alle beweging kwam op slag tot stilstand. Er ratelde iets vanbinnen, alsof het laatste uur van het apparaat bijna had geslagen. Wenceslas staarde omlaag naar de voet van de wortelhoop, waar op slechts een armlengte van zijn eigen plaats een jong meisje stond.

Alexandra had alles geërfd wat haar moeder haar aan schoonheid kon meegeven: ze was lang, slank, nu al vrouwelijk, had een smal gezicht met hoge jukbeenderen, dappere ogen en een donkere haardos. Wenceslas was iedere keer weer geïrriteerd als hij in deze ogen keek en het gevoel had dat het de ogen van zijn tante of zijn vader waren. Zelf zag hij er heel anders uit; het leek erop dat hij van deze kant van de familie niet het minste had geërfd. Net als Alexandra moest ook hij het meest op zijn moeder lijken. Hij wist het niet zeker; ze was kort na zijn geboorte overleden.

'Ik wilde wel eens weten wat je hier uitspookt,' zei Alexandra. 'Ik zag je toevallig in de Hertensloot verdwijnen. Daarom ben ik je achternage-gaan.'

'O ja,' zei Wenceslas zwak en hij probeerde onopvallend het apparaat te verbergen.

'Wat heb je daar?'

'Niets,' zei Wenceslas en hij speelde het klaar het toestel zo te draaien dat ze de figuurtjes van onderen niet kon zien. De beweging veroorzaakte iets in het binnenwerk van de machine, en zoemend steeg de fallus van het man-nelijke figuurtje een paar duim hoger.

'Wat was dat?'

'Niets.'

'Denk je dat ik gek ben, Wenceslas? Wat heb je daar?'

'Een... Een... Een apparaat.'

'Heb je dat hier gevonden?'

'Eh... Ja.'

'Laat zien.'

'Eh... Nee.'

'Wat? Laat nou zien!'

In paniek begreep Wenceslas dat ze aanstalten maakte om naar hem toe te klimmen.

'Blijf beneden!' stamelde hij. 'Het is hier gammel!'

'Als het jou houdt, houdt het mij ook.'

Wenceslas drukte het helse apparaat, waarvan hij inmiddels een verschrikkelijk vermoeden had wat het voorstelde, nog dichter tegen zich aan. Wat Alexandra zou denken als ze hem zag, was hem nog veel verschrikkelijker duidelijk. Een kant sloeg tegen een tak. Ratelend en schokkend begon het vrouwenfiguurtje naar achteren te buigen, maar het stond midden in de beweging stil.

'Het werkt nog, toch?'

'N-nee...'

'Je bent gek, Wenceslas!' hijgde Alexandra. 'Ik kom nu naar boven om dat ding te halen.'

Wenceslas probeerde het apparaat achter zijn rug te verbergen. Hij stootte daarbij tegen een tak en het duivelse ding gleed uit zijn zweterige vingers. Een verlammend ogenblik lang stond hij te kijken hoe het omlaag viel en tegen een wortel ketste. Hij greep ernaar met een beweging die zo langzaam was als van een schildpad. Het rolde over de kop, stuiterde verder en landde rechtop vlak voor Alexandra's voeten. Ze staarden er allebei naar. Al Wenceslas' schietgebedjes ten spijt waren de twee figuurtjes niet afgebroken. Ze stonden onbeweeglijk. Wenceslas was ervan overtuigd dat de mechanische voorstelling op het laatste moment verder zou gaan, zoals altijd in zulke situaties, maar de figuurtjes bewogen niet. Alexandra bukte zich en raapte het apparaat op. Ze bekeek het met een frons. Wenceslas' blik kleefde haast aan de figuurtjes vast, aan het metalen mannetje. Hij zag dat de val ervoor had gezorgd dat er een klein deeltje was teruggeschoven, en deze beweging had de fallus weer naar binnen getrokken... Stomverbaasd begon hij te geloven dat hij gered was.

'Is dat alles?' vroeg Alexandra, terwijl ze met haar vinger tegen het mannetje knipte.

Gonzend werd het hele apparaat in gang gezet. Het mannetje zoemde op zijn geliefde af, de fallus richtte zich op en – Wenceslas' blik vertroebelde van ontzetting – werd niet alleen groot, maar reusachtig, van onvoorstelbare afmetingen en niet zomaar een paal, maar duivels gedetailleerd vormgegeven, tot adertjes en krullend schaamhaar aan toe. Het figuurtje van de vrouw ging gracieus op haar rug liggen, het zoemen, ratelen en rinkelen werd steeds indringender, haar benen staken in de hoogte, de man zakte over haar heen en na een korte mechanische aarzeling, dat door de beschadigingen moest komen en de daad er des te echter liet uitzien, begon hij erop los te pompen. Er kon geen misverstand over bestaan wat hier werd getoond. Wenceslas' blik richtte zich omhoog naar die van Alexandra alsof er loden gewichten aan hingen; aan zijn gezicht had je een lont kunnen aansteken.

'Zo,' zei Alexandra uiterst kalm, hoewel ze bleek was geworden. 'Dus dat was je hier aan het doen.'

Ze zette het apparaat rustig op de grond, nam Wenceslas nog een keer van boven tot onder op, draaide zich om en liep weg, van top tot teen een koningin. Het gepomp op het bovenste plateau van het apparaat hield op, de man kwam schokkend weer overeind, met zijn mannelijke pracht ongebroken, de vrouw strekte zich languit, en met het zinderen van metalen tongen snerpte een pittige triomfmars die Alexandra's aftocht door het struikgewas begeleidde.

Wenceslas begroef zijn gezicht in zijn handen en vervloekte zichzelf, keizer Rudolf, het wonderkabinet, de idioot die deze duivelse machine hier naar beneden had gegooid en vervolgens de hele wereld.

1617 DE
DANSENDE DUIVEL

DE HEL IS LEEG
EN ALLE DUIVELS ZIJN HIER!
·WILLIAM SHAKESPEARE, DE STORM·

I

Ze rende.

Ze hoorde haar achtervolgers dichterbij komen en wist dat ze haar zouden inhalen. Toch rende ze door. Zelfs in zijn laatste seconde hoopt de mens nog tegen beter weten in dat hij zal ontkomen.

De takken striemden op haar naakte lichaam. Doornen haakten zich als gesels in haar vast en trokken flarden van haar huid los, takken schraapten langs haar heen of maakten haar aan het bloeden. De februarikou was bijtend, de sneeuwvlakten waar ze overheen snelde, leken ijskoud gloeiende glasscherven onder haar voetzolen. Ze lette er niet op, ze merkte het niet eens, en als ze dat wel deed, dan hechtte ze er niet veel waarde aan, want ze wist dat de pijn die haar stond te wachten wanneer ze haar te pakken kregen oneindig veel erger zou zijn.

En ze zouden haar te pakken krijgen.

De lucht brandde in haar keel alsof ze zuur moest inademen. Haar hart bonkte. Over haar huid liepen koude en hete rillingen en haar maag kwam omhoog en liet haar kokhalzen en naar lucht happen zonder haar tempo te vertragen. Haar blote voeten waren allang ruw vlees. Ze hoorde de paarden hinniken, maar ze had een voordeel, hoewel ze dat niet besefte: ze liep door jong bos, en haar achtervolgers hadden moeite om hun dieren erdoorheen te leiden.

Ze had er niet aan gedacht. Alles wat ze had gedacht was dat ze niet wilde lijden, dat ze niet wilde doodgaan, dat ze haar leven niet in deze trog wilde zien wegsijpelen, dat ze niet boven dit meer van bloed vastgehouden wilde worden met de klingen van messen nog steeds in haar keel om de wond open te houden, en proestend en schokkend en spartelend vergaan, het laatste beeld dat zich op het netvlies vastzette, dat van het eigen gezicht dat weerspiegelde in het zwarte meer van stinkend bloed, terwijl de schimmen al omhoog reikten om haar het donker in te trekken; zonder gebiecht te hebben, zonder verlost te zijn, voor eeuwig bezit van de duivel wiens werktuig ze door de dood was geworden.

Want dat was wat haar achtervolgers in werkelijkheid waren: Lucifers gerechtsdienaren.

Ze had gebruikgemaakt van een moment van onoplettendheid toen iedereen aan het meehelpen was om het nog trillende lijk van haar voorgangster op de glijplank te sjorren die naar de stallen leidde.

Ze wist dat het niets had geholpen. De gerechtsdienaren zouden haar te pakken krijgen. Ze rende verder.

Een open plek! Ze hoorde klokken luiden en geiten mekkeren boven het stromen van het bloed in haar oren uit. Ze struikelde. De hoop vlamde hoog op. Waar dieren waren, waren misschien ook mensen; geitenhoeders, een herder, boeren...

Ze hoorde het gezoem. Plotseling lag ze op de grond naar het mozaïek van naalden, takjes en dode herfstbladeren te staren. De klap op haar rug voelde ze achteraf pas, maar geen pijn. Ze hapte naar adem. Haar borst wilde niet omhoog komen. Ze probeerde op een arm te steunen en die beweging joeg een felle scheut door haar heen. Ze kermde. Ze hoorde het gestamp van de paarden en hun gesnuif. Ze probeerde over haar schouder te kijken, maar haar lichaam was verstijfd, een lijf van versteend hout waar een roodgloeiende paal middendoor ging. Ze hoorde laarzen over de bosgrond naderbij komen. Ze keek in twee ogen en besefte plotseling dat dit geen verbeelding was, maar dat de ogen er werkelijk waren, dat ze bij iemand hoorden die op geen vijf passen bij haar vandaan in de struiken verborgen lag en naar haar keek. Ze wilde haar mond openen en om hulp roepen, maar de gloeiende paal verhinderde ook dat. Ze merkte dat de schaduwen vanaf de randen van haar gezichtsveld aan kwamen spoelen.

Toen werd ze omver getrokken, een harde ruk van pijn en vuur, en ze zag dat haar achtervolgers haar hadden ingehaald. Ze keek in het gezicht van Lucifer, zag het lachen, zag de duivel dansen van leedvermaak.

Ze had gevreesd dat het erg zou zijn. Nu kwam ze erachter dat ze er geen idee van had gehad wat 'erg' kon betekenen.

2

Aan de bouwplaats kon je zien dat hij uit een ruïne was voortgekomen. Als je wilde en er dicht genoeg naartoe ging, kon je het zelfs ruiken: een roet- en brandlucht, oeroude, nat geworden as, bijtend stof in de zomer, broos metselwerk en vermoeide sneeuwresten in de hoeken op een vroege dag in maart zoals vandaag. Alexandra voelde iedere keer dat ze hier kwam dezelfde mix van bedruktheid, spijt en angst. Ze was ver na de brand van de vestiging van de firma Wiegant & Wilfing in Praag geboren en kende het verhaal alleen van horen zeggen: het verhaal van de griezelige monniken die met een doodsmissie waren gekomen en die het risico op de koop toe hadden genomen dat heel Praag in een vuurzee kon veranderen, om die ene ziel uit de weg te ruimen die tussen hen en hun schat stond.

Maar ook de verhalen kwamen niet geheel met elkaar overeen. Soms had Alexandra het gevoel dat haar ouders er bewust onsamenhangend over vertelden om niet alles bloot te geven en er klopte helemaal niets meer van als oom Andrej en Wenceslas erbij waren. Alexandra had het wantrouwige gevoel dat een van beiden of zelfs beiden iets niet mochten weten, iets wat echter de kern van het verhaal was en de reden dat dit zich om een gapend gat in de structuur ervan slingerde als een liaan die lang geleden een boom had fijngedrukt en zich nu aan de lege lucht vasthechtte.

Het huis was voor de helft weer opgebouwd, het werk van Sebastian Wilfing senior, die de partner van haar grootvader Niklas Wiegant was geweest. Maar toen was Sebastian Wilfing senior overleden, en Sebastian Wilfing junior (die ze een paar jaar eerder tijdens een bezoek aan Wenen had leren kennen), was er duidelijk over geweest dat hij niet alleen het huis niet af zou bouwen, maar ook zou stoppen met alle zakelijke activiteiten in Praag en afgezien daarvan geen enkel contact met zulk addergebroed als de Khlesls wenste, zelfs niet op een afstand van meer dan honderd mijl bij nacht en tegenwind. Voordat ze Sebastian junior voor het eerst had horen praten, had ze nooit begrepen waarom haar moeder telkens wanneer ze deze uitspraken herhaalde, een piepend 'Oink!' liet horen en dan in een schaterlach uitbarstte. Toen hij haar afgemeten groette, had ze het 'Oink!' voor het eerst in de originele versie gehoord. Sebastian Wilfing juniors stem galoppeerde over toonhoogten die je van een speenvarken nog net zou accepteren, en als hij probeerde zijn ergernis te onderdrukken, steeg hij tot een gepiep dat het speenvarken in kwestie een geïrriteerd hoofdschudden zou ontlokken.

Hoe dan ook, de ruïne was niet verder gerenoveerd en daar stond het oude, verlaten bouwwerk nu, met aan de zijkanten de restanten van het geraamte afhangend als de gescheurde lijkwade van een allang gemummificeerd lichaam. Inmiddels was het vermoedelijk gevaarlijk om je naar binnen te wagen. Het gebouw zag ernaar uit dat een windvlaag het kon laten instorten en het feit dat het er nog steeds stond, leek minder voor de stevigheid ervan te spreken dan voor het vermoeden dat het in deze hoek van Praag nooit waaide.

Vanzelfsprekend schonk Alexandra maar weinig aandacht aan dit gevaar als ze door het pand draafde. Als uiterste veiligheidsmaatregel had ze geaccepteerd dat ze niet naar de kelder beneden mocht. Die was nog in zijn originele toestand, had het instorten van de muren destijds overleefd en had alleen blootgelegd hoeven worden. De gedachte daar beneden ingesloten te zijn en te stikken als de bouwplaats instortte, was iets wat zelfs een jonge vrouw afschrikte die de hardnekkigheid en onverschrokkenheid van haar beide ouders had geërfd.

Afgezien daarvan oefende het huis een zeldzame fascinatie op Alexandra uit, alsof er niet alleen een halfvertelde geschiedenis binnen zijn bouwvallige muren lag besloten, maar ook een van de geheimen van haar bestaan. Altijd wanneer ze zoals nu haar geboortestad Praag een paar weken moest verlaten – het jaarlijkse bezoek aan Wenen stond voor de deur – voelde ze zich haast gedwongen eerst nog even hierlangs te gaan.

Dat niet alleen zij de onzekere lokroep hoorde, had ze in de verste verte niet kunnen bedenken, als ze niet opeens Wenceslas von Langenfels had zien aankomen, haar lastige neef.

Het was te laat om zich verder in het pand terug te trekken; hij was al bijna bij de deur. Vastbesloten versperde ze hem de weg. 'Bespioneer je me?'

Wenceslas haalde diep adem. Hij was geschrokken, maar hij was niet iemand die dan theatraal ineenkromp en zich aan de deurpost moest vasthouden.

'Nee,' zei hij.

'Wat doe je dan hier?'

Hij haalde zijn schouders op. 'Mijn vader komt hier af en toe.'

'Wat? Dit is het oude pand van Wiegant & Wilfing. Wat heeft jouw vader daarmee te maken?'

'Geen idee. Maar hij komt hier minstens eenmaal per jaar naartoe.'

'Dan bespioneerde je hém, hè?'

Hij haalde weer zijn schouders op.

'Wat doet hij als hij hier is? Zoekt hij iets?'

'Natuurlijk zoekt hij iets.'

'Graaft hij hier?'

Wenceslas glimlachte flauw. 'Om iets te zoeken hoef je niet altijd te graven of stenen om te keren en zo.'

'O. En wat zoekt hij dan? De liefde?' Ze grijnsde spottend. Wenceslas vertrok geen spier en Alexandra begreep welke grofheid ze er zojuist had uitgeflapt. Ze liep helemaal rood aan.

Eigenlijk mocht ze haar oom Andrej von Langenfels wel. Hij straalde een zeldzame combinatie uit van verdriet en tevredenheid, als een man die iets kostbaars had verloren maar het had geaccepteerd en daarvoor in de plaats iets anders had gevonden wat voor hem nu het belangrijkste op de wereld betekende. Hij wekte de indruk van iemand die zijn bestemming had bereikt. Je kon ervan op aan dat hij wist waarover hij sprak en dat hij deed wat hij wilde en in de nabijheid van iemand als hij hoefde je je niet anders voor te doen dan je was. Haar vader was net zo, zonder Andrejs droefheid, maar wel met een kalme gelatenheid die zijn zwager miste. Andrej was degene die vroeger onvermijdelijk op de grond kwam zitten om met de kinderen te spelen. Cyprian zat dan even onvermijdelijk in een hoekje toe te kijken en Alexandra voelde zich altijd gerustgesteld als ze zijn glimlach en het knikje van zijn hoofd opving en wist dan dat hij op haar paste. Alexandra hield van haar vader en aanbad haar oom, de broer van haar moeder. Waarom ze zo moeilijk met haar neef kon opschieten, begreep ze zelf niet goed. Bij Wenceslas vermoedde ze op momenten van zelfinzicht dat het voornamelijk jaloezie was wat haar ertoe aanzette hem telkens een stomp in zijn zij te verkopen. Hij was iemand die voor een ander het kostbaarste ter wereld was – voor zijn vader. Alexandra wist dat haar ouders niet meer van haar zouden kunnen houden dan ze deden, maar ze hadden ook elkaar, en de liefde die ze voor elkaar voelden, was altijd merkbaar. Alexandra voelde zich af en toe een buitenstaander in al die warmte waarmee ze werd omringd. Het vreemdste – en vermoedelijk nog een belangrijke reden voor de wrijving met Wenceslas – was dat zij zich in haar hart een buitenstaander voelde, maar haar neef dat uitstraalde. Het begon er al mee dat een merkwaardige speling van het lot ervoor had gezorgd dat hij op niemand leek. Alexandra was, zei men, het evenbeeld van haar moeder, haar broertjes leken op haar vader, alleen Wenceslas leek op iemand die geen mens scheen te kennen. Het klopte niet. En dat droeg er verder toe bij dat Wenceslas haar irriteerde.

Nu glipte hij langs haar heen en verdween uit het zicht. Ze was verbaasd. Toen zag ze een vrouw over de natte straatstenen stappen. Ze wierp een schuine blik op het huis. Alexandra knikte en probeerde te glimlachen. De vrouw perste haar lippen op elkaar en stapte door. Alexandra kende haar niet, zomaar iemand onderweg van hier naar daar door het sombere, grauwe maartse licht.

Wenceslas tuurde in de verte.

'Waarom verstop je je?'

'Ik wil niet dat mijn vader weet dat ik hier ben.'

'Waarom niet?'

'Ik heb het gevoel dat dit huis een speciale betekenis voor hem heeft. Als hij had gewild dat ik het wist had hij het me wel verteld.'

'Maar je wilt er toch achter komen.'

'Zou jij dat niet willen dan?'

Misschien kwam het doordat ze zich nog steeds schaamde voor haar tactloosheid, want ze zei haast vriendelijk: 'Ik ben hier al zo vaak geweest. Ik denk dat mijn moeder een beroerte zou krijgen als ze me had gesnapt. Je weet wel hoe dicht ons huis eigenlijk bij deze ruïne hier staat. Toch loopt ze er bijna nooit langs. Ze bedenkt op de een of andere manier altijd een andere route.'

'Ik ben hier voor de derde keer. Het is niet zo gemakkelijk...'

Zijn eerlijkheid bracht haar ertoe hem een aanbod te doen. 'Zullen we samen een beetje rondkijken?'

'Ik weet niet waarnaar ik moet zoeken,' antwoordde hij en Alexandra merkte verbaasd dat zijn afwijzing haar teleurstelde. 'Mijn vader zoekt hier ook niets. Hij staat altijd een poosje op de stenen naar de grond te kijken. Dan gaat hij weer weg.'

Alexandra kreeg een ingeving. 'Alsof hij op het kerkhof is.' Wenceslas staarde haar aan. Verrast door zichzelf hoorde ze haar eigen woorden nagalmen. Toen haalde ze haar schouders op. 'Nou? Kom je nog mee of niet?'

Ze zag hem nog een moment aarzelen, toen lichtten zijn ogen opeens op en hij lachte breeduit. Het deed haar bijna pijn om te zien hoe blij hij was dat ze hem eens een keer niet de rug toekeerde en op dit moment had ze spijt van alle gelegenheden in het verleden die ze niet had benut om spontaan en vriendschappelijk met hem om te gaan. In het huis van haar ouders volgden de kandidaten elkaar in de hoop op een mogelijke huwelijksbelofte van haar kant in hoog tempo op en stuk voor stuk waren het op hun beste momenten grotere sukkels dan Wenceslas op zijn slechtste moment. Haar vader noch haar moeder had er ooit op aangedrongen dat ze een van de kandidaten zou kiezen, zelfs als dat zakelijke voordeeltjes kostte. Daar was ze hun dankbaarder voor dan ze kon zeggen. Ze had steeds het gevoel dat haar hart wachtte tot de ware kwam en ze hoopte dat het zich dan met een opwelling van liefde zou openen die haar de adem benam.

'Goed dan,' zei Wenceslas. 'Ik vertrouw erop dat jij alle draken verslaat die we tegenkomen.'

'Is dat niet eigenlijk jouw taak?'

'Ik wil niet voordringen.'

Ze draaide zich om en daar was de trap naar de kelder, die haar aangaapte. Er kwam een bedompte, koude lucht vanaf.

'Wat is daar beneden?' vroeg Wenceslas.

'De kelder. Kom, dan gaan we verder.'

'Laten we gaan kijken.'

'Ben je gek geworden?'

Hij keek haar onderzoekend aan. Alexandra klemde haar kiezen op elkaar. Zojuist had ze een zwakte getoond; zelfs haar schelle stem had haar verraden. Straks zou hij grijnzen en haar uitlachen, en ze kon het hem niet eens kwalijk nemen. Ze had altijd elke zwakte van hem aangegrepen om hem genadeloos belachelijk te maken. Maar Wenceslas zei alleen: 'Ik zou niet graag daar beneden gevangen willen zitten als deze ruïne instort.'

Alexandra zei niets.

'Als hier boven ooit iets interessants te vinden was, is het allang verdwenen,' vervolgde Wenceslas. 'Hier kan iedereen binnenkomen. Daar beneden is het volgens mij anders.'

'Waarom?' vroeg ze ondanks zichzelf. Ze verwachtte dat hij nu zijn kans schoon zou zien en zoiets zou zeggen als: 'Omdat jij niet de enige schijterd bent die niet in een donkere kelder durft!'

'Omdat,' zei Wenceslas, die een paar treden af liep en op zijn hurken ging zitten om beter in de donkere kelder te kunnen turen, 'daar beneden een schot is dat het onmogelijk maakt om naar binnen te gaan.'

Alexandra schaamde zich, omdat ze alle keren dat ze hier was geweest niet één keer de moed had opgebracht om ten minste zo ver in het gewelf door te dringen dat ze het schot had ontdekt. Ze ging Wenceslas achterna, terwijl ze met moeite het stemmetje in haar binnenste onderdrukte dat haar wilde aansporen om te vluchten.

Wenceslas leek haar angst te merken. Hij zei luchtig: 'Ik kan me niet voorstellen dat het huis uitgerekend vandaag instort. Het heeft zoveel jaren overleefd, dan overleeft het vandaag ook nog wel.'

'De duivel lacht altijd het hardst als hij ons kan overvallen,' zei Alexandra. Ze wist dat haar stem kleintjes klonk.

'Voor de duivel is het vandaag veel te koud,' antwoordde Wenceslas.

Het schot stond zo ver van de trap af dat er bijna geen licht tot hier doordrong. Alexandra draaide zich om. Ze was verbaasd toen ze zag hoe dichtbij de laatste traptreden eigenlijk waren; ze had gedacht dat ze minstens honderd manslengten ver in het gewelf reikten. Een onderzoekende blik naar boven toonde het onregelmatige oppervlak van een bakstenen catacombe, waar hier en daar een steen ontbrak en waar uit de kieren korstmossen en mosslierten hingen. Opgewaaide sneeuw lag als een zacht spinnenweb tegen de ene muur. De bodem bestond uit aangestampte aarde, nog half bevroren. Ze ademde uit en zag het wolkje; het was hier beneden veel kouder dan boven, hoewel het gewelf de ruimte eigenlijk had moeten beschermen.

'Dat komt niet van de bouwactiviteiten,' zei Wenceslas.

'Hoe kun je dat weten?'

Hij pakte haar hand en leidde die naar het schot. Zijn vingers waren even koud als de hare, maar dat leek hem niet te deren. Ze voelde de kuiltjes in het hout die van diep ingeslagen spijkers afkomstig waren.

'Bouwvakkers zouden het meeste hout en alle spijkers meegenomen hebben. Dat zijn ijzeren spijkers, Alexandra, die zijn duur.'

'Wie zou dan de toegang hebben afgesloten, als de bouwvakkers het niet hebben gedaan?'

'Geen idee. Je ouders?'

'Mijn ouders hebben niets met dat ding te maken. Het is van Oink junior, of hij het wil hebben of niet.'

'Wie is Oink junior?'

Alexandra voelde een giechel in haar keel naar boven komen. 'Sebastian Wilfing.'

Ze zag in het flauwe licht dat Wenceslas zijn hoofd schudde; hij glimlachte. Alsof het gegiechel een geheel vrije associatie had opgeroepen, hoorde ze zichzelf opeens zeggen: 'Ik wist wel dat dat apparaat niet van jou was.'

Dat ze een tere plek had geraakt, wist ze toen Wenceslas niet vroeg: 'Welk apparaat?' Hij zweeg.

'Ik geloof ook niet dat je er daar voor je plezier naar keek.' Het was ontzettend moeilijk dat te zeggen, maar de vreemde situatie in dit koude, steeds onbehaaglijker wordende keldergat hielp haar. Toen drong het tot haar door wat ze hem ermee had verraden, namelijk dat het haar niet onbekend was wat een jongeman alleen in een schuilplaats meestal deed, terwijl hij naar de onfatsoenlijke voorstelling van een wonderlijk toestelletje keek. Wat was er ineens met haar aan de hand? Ze had de afgelopen twee jaar niet zoveel met Wenceslas gepraat als in de laatste paar minuten en bij elke zin leek ze meer van zichzelf prijs te geven dan ze wilde. Maar Wenceslas ging er niet op in. Alexandra had een flauw vermoeden dat het voor hem nog pijnlijker was dan voor haar.

'Mijn vader zegt,' mompelde Wenceslas ten slotte, 'dat keizer Rudolf tientallen apparaatjes had, hoe gekker hoe liever.'

'En wat deed hij daarmee?'

'Als hij in een goede bui was, liet hij ze aan buitenlandse diplomaten zien.'

'Allemáál?'

'Die jij bedoelt,' zei Wenceslas, en plotseling meende ze een glimlach in zijn stem te horen, 'was voorbehouden aan afgezanten van het Vaticaan.'

Alexandra grinnikte. Wenceslas grinnikte mee.

'Wat deden die prelaten dan? Verontwaardigd de kamer uit lopen?'

'Nee, ze vroegen het adres van de maker.'

Alexandra proestte het uit. Het gelach klonk vreemd hier beneden, dof en rammelend, alsof het volledig misplaatst was. Ze zweeg, maar het was genoeg geweest om een beetje licht in de duisternis te brengen. Ze hoorde dat Wenceslas aan het schot sjorde en dat er iets piepte. Op slag keerde de bezorgdheid terug.

'Wat ben je aan het doen?'

'Ik geloof dat ik hier twee planken los kan maken.' Wenceslas kreunde. 'Dan kunnen we erdoorheen kruipen...'

'Hou daar onmiddellijk mee op! Je laat alles instorten!'

'Nee, dat doe ik niet.'

'Toch moet je ophouden. Ik...'

Het gepiep veranderde en het hout kraakte even. Wenceslas zei: 'Gelukt.'

Ze staarde naar het donkere gat in het niet wezenlijk lichtere schot. Hoewel ze het niet wilde, liep ze er dichter naartoe. Vaag kon ze zien dat de gang daarachter doorliep, met de gebruikelijke gapende deuropeningen van nog meer opslagruimten, die in een bewoond huis de wijn- en vleesvoorraden zouden herbergen. De geur die haar tegemoetkwam, was droog en bedompt en kneep haar keel dicht. Hij deed haar denken aan de geur in de knekelhuizen van het klooster, waar de beenderen van de gestorvenen rondom op planken lagen. Er liep een rilling over haar rug.

Midden in de gang zat een plompe schim. Alexandra's hand greep zich ergens aan vast; ze had niet door dat het Wenceslas' schouder was.

'Hé daar!' brulde een stem van buiten. Alexandra dreef haar nagels in de stof van Wenceslas' jasje en maakte een gesmoord geluid. 'Weg daar, en gauw een beetje!'

Alexandra's blik bleef op Wenceslas' gezicht rusten. Voor zover ze kon zien was hij net zo geschrokken als zij.

'Hebben jullie het niet gehoord? Verdomd boeventuig!'

Geluidloos vormden Alexandra's lippen de paniekerige zin: 'Wie is dat?'

Wenceslas haalde zijn schouders op.

'Wat maakt het verdomme uit,' zei een tweede stem. 'Onze wacht zit er bijna op. Wat kan het ons schelen wie hier rondhangt.'

'Wachters,' mimede Wenceslas.

'Waarschijnlijk zitten ze beneden in de kelder,' zei de eerste stem. Alexandra kromp ineen.

Ze hoorden voetstappen op de keldertrap afkomen. Alexandra merkte dat ze overweldigd dreigde te worden door paniek. De vraag wat het ergste was als ze hier beneden ontdekt zouden worden (ruzie met haar moeder) kwam niet in haar op; de speciale sfeer van de kelder gaf haar het gevoel dat ze in geen geval in handen van de wachters mochten vallen.

Wenceslas pakte haar hand en trok haar mee. Ze verzette zich niet. Hij duwde haar met haar rug tegen de muur en drukte zich ernaast. Haar hand had hij niet losgelaten en ze maakte geen aanstalten om hem terug te trekken. De schaduwen waren groot genoeg om ervoor te zorgen dat iemand die van buiten naar binnen keek, hen hier niet kon ontdekken. Ze staarde Wenceslas aan en hij staarde haar aan. De kou van de muur in haar rug trok in haar vlees.

'Hou maar op,' zei de tweede stem. 'Als die daar naar beneden moesten om te rotzooien zijn ze genoeg gestraft.'

'Kom eruit!' riep de eerste stem. 'Verdomme nog aan toe, als ik jullie moet komen halen moge God jullie bijstaan!'

'Wat is er vandaag met jou aan de hand? Hoe vaak heb ik niet op de uitkijk gestaan als jij in een of andere hoek met je liefje aan het neuken was? Eén keer zelfs onder diensttijd, als ik me niet vergis. Gun hun toch ook hun plezier.'

Alexandra zag dat Wenceslas zijn wenkbrauwen optrok. Ze wendde haar blik van hem af. Zulke toestanden waren haar in de benarde situatie waarin ze zich bevonden een beetje te veel.

'Mijn liefje is nu mijn vrouw, dus pas op je woorden.'

'Wacht maar tot het weer warmer wordt en breng haar dan hierheen. Dan wordt ze misschien weer je liefje.'

Alexandra kon bijna zien hoe de eerste wachter zijn hoofd geërgerd naar zijn collega toe draaide en vervolgens weer probeerde het donker in de catacombe met zijn ogen te doordringen.

'Dan sta ik ook weer graag op de uitkijk,' zei de tweede wachter gemoedelijk lachend.

De eerste wachter zette een paar stappen de trap af.

'Goed dan,' zei de tweede wachter. 'Dat oude wijf dat we onderweg tegenkwamen, zei dat een jongen en een meisje zich hier verstopten. Afgezien van het feit dat dat mens waarschijnlijk alleen jaloers is omdat in deze tijd van het jaar niemand een rottige ruïne binnensluipt om haar gleuf te belagen, moet je maar eens bedenken wat er gebeurt als we echt iemand vinden.'

De voetstappen op de trap stierven weg. Alexandra kon niet anders, ze moest Wenceslas weer aankijken. Op zijn gezicht zag ze haar eigen verrassing weerspiegeld.

'Weet je nog wat er gebeurde toen Blazej en die oude Lumir vorig jaar onder de brug de neef van graaf Martinitz betrapten toen hij nog in het achterste van de diaken van de Thomaskerk zat? En zich niet lieten omkopen, maar die twee voor sodomie insloten?'

Wenceslas' ogen werden groot en zijn mond begon te trekken. De stappen op de trap stopten weer. Alexandra transpireerde hevig, niet alleen van angst, maar ook omdat Wenceslas' gezicht een gegiechel in haar opriep dat ze nauwelijks kon onderdrukken.

'O man!' zei de wachter op de trap.

'Dadelijk zit onze dienst erop. Laten we gaan.'

De man op de trap bewoog niet. Toen bromde hij plotseling iets onduidelijks, de stappen sloften de trap weer op en de wachters dropen af. Alexandra leunde verstijfd tegen de muur.

'Zo, zo,' zei Wenceslas na lange tijd. 'De neef van graaf Martinitz. Wie had dat gedacht?'

Alexandra barstte in een lachbui uit en kalmeerde pas toen Wenceslas zich losmaakte uit de greep van haar hand. Ze veegde de tranen uit haar ogen en haalde diep adem. Wenceslas trok de losgemaakte planken weer op hun plaats en klom zonder iets te zeggen de trap op naar de buitenlucht met Alexandra naast zich. Op de een of andere manier was de belangstelling om het keldergewelf nader te onderzoeken bij beiden verdwenen.

Toen ze boven stonden, kwam de oude verlegenheid weer over hen. Wenceslas verbrak uiteindelijk het zwijgen.

'Heb je iets gezien? Ik kon nauwelijks iets herkennen, alleen een soort schim. Was daar iets?'

Alexandra schudde haar hoofd. Ze was verbaasd hoe rustig haar stem klonk. 'Nee. Alles wat ik heb gezien was een hoop losgeraakte stenen in het midden van de gang. Waarschijnlijk hebben de wachters ooit gemerkt dat de kelder een gevaar is en hebben ze hem afgesloten.'

'Tja,' zei Wenceslas schouderophalend. 'Nou... Tot ziens dan maar.'

'Ja, tot ziens,' zei Alexandra. Ze gingen er als op een geheim teken allebei vandoor, ieder een kant op. Alexandra nam zich voor zich niet om te draaien, maar deed het toch. Wenceslas had zich ook omgedraaid. Hij zwaaide naar haar. Ze boog haar hoofd en liep weg, de Koningssteeg in, enkele tientallen stappen naar haar huis. Achteraf leek het onbegrijpelijk hoe dichtbij dat was; in de oude ruïne had ze zich honderd mijl van huis gevoeld.

Ze vroeg zich af waarom ze Wenceslas niet de waarheid had verteld. Kwam het doordat ze niet zeker wist wat ze eigenlijk had gezien?

Dat ze er een ogenblik lang van overtuigd was geweest dat de gehurkte schim geen stapel stenen was? Dat daar, midden in de gang, een grote, zware kist stond, met kettingen beveiligd alsof er een monster in zat dat er nooit, nooit uit mocht?

3

Andrej was tijdens zijn vele reizen naar de stad Brno verliefd geworden op de Moravische heuvels en door de jaren heen was die liefde beantwoord. Maar vandaag had hij opeens het gevoel dat hij de rol van de teleurgestelde minnaar vervulde.

'Toe,' zei Willem Vlach. 'We rekenen op u.'

'Wie is "we"?' vroeg Andrej.

'De burgemeester, de stadsrechter en gouverneur Von Zerotin.'

'Dan is er genoeg competentie aanwezig, lijkt me,' zei Andrej. Hij grijnsde tegen Willem. 'Om van u nog maar te zwijgen, beste Vlach.'

Willem Vlach was een in Brno gevestigde koopman, die de halve stad en grote delen van de rest bezat. Wie er zeker van wilde zijn dat bij diverse beslissingen alle neuzen dezelfde kant op stonden en de besluiten vervolgens ook werden uitgevoerd, kon niet om hem heen. Wat Andrej betrof, die in de jaren na de dood van keizer Rudolf en het verlies van zijn functie als *fabulator principatus* de taak op zich had genomen de nodige zakenreizen voor de firma Wiegant & Khlesl te ondernemen, was de uiterlijk onaanzienlijke Willem een van zijn belangrijkste en prettigste zakenpartners. Op dit moment vroeg Andrej zich echter af of hij niet in al die jaren stap voor stap in een van beleefdheid en lucratieve transacties gesponnen web was gekropen, dat Willem Vlach met slechts één doel had geweven: om hem, Andrej, vanwege een gunst in verlegenheid te brengen. In elk geval zat hij er nu in klem.

Hij was vastbesloten zich niet zonder verzet te laten opvreten.

'Het gaat om de competentie van buitenaf,' zei Willem.

Andrej had ervaren dat Willem Vlach in zijn vak, het met mooie woorden om de hete brij heen dansen, niet te verslaan was. Willems zwakke punt was hoogstens dat hij daar zo gewend aan was dat hij met directheid van de wijs gebracht kon worden.

'Jullie hebben een zondebok nodig, dat is alles,' zei hij.

Willem stond op, vijf voet vriendschappelijk verontwaardigd goed mens. 'U kent me nu al zo lang!' riep hij uit.

Bijna zolang als ik hier kom, dacht Andrej, maar ook jarenlange routine is geen garantie tegen verrassing, nietwaar? Hij had vandaag al een verrassing beleefd: Leona was er niet. Telkens wanneer Andrej in Brno verbleef, hoorde een bezoek aan Leona er normaal gesproken bij. Hij gaf dan altijd vijf pond correspondentie bij haar af en nam zeven pond mee terug, allemaal van en voor Agnes Khlesl. Leona was vroeger Agnes' kindermeisje geweest, later haar bediende. Toen Cyprian en Agnes waren getrouwd, had ook de oude vrijster nog laat geluk gevonden en was getrouwd met een arbeider uit Brno. Toen Leona drie jaar geleden weduwe was geworden, had ze een jong meisje uit het klooster van de zusters norbertinessen in huis genomen, een stralende, altijd vrolijk lachende schoonheid. Het meisje heette Isolde en was het beeldschone omhulsel van iemand die van het lot niet meer verstand had gekregen dan dat van een klein kind. Leona verafgoodde haar en Isolde was dol op Andrej sinds hij ermee was begonnen haar bij ieder bezoek verhalen te vertellen. Op de een of andere manier scheen het Andrejs bestemming te zijn gestoorde persoonlijkheden met zijn verhalen geluk en vrede te brengen. Twintig jaar geleden was het keizer Rudolf geweest en nu Isolde. Een stap terug... maar Isolde was tevreden met zijn sprookjes en wilde niet telkens weer horen over de dag waarop Andrejs ouders slachtoffer waren geworden van hun zoektocht naar de Duivelsbijbel.

'Wat hier ook is gebeurd en waarvoor u mij ook als "adviseur" nodig hebt, ik weet zeker dat het of de protestantse of de katholieke fractie een doorn in het oog is. Waarschijnlijk beide. En hoe de beslissing ook zal uitvallen, als u naderhand tegen iedereen kunt zeggen dat iemand van buiten de stad er een groot aandeel in heeft gehad, dan hebt u een goede kans dat de rust hier bewaard zal blijven, en het huis Wiegant & Khlesl een nog grotere kans om in Brno nooit meer zaken te doen.'

'De meeste zaken doet u met mij en van die kant hebt u niets te vrezen,' zei Vlach.

'Vlach, u brengt me in een duivels parket. Waarom doet u dat?'

'Omdat het belangrijk is.'

'Voor wie? Voor de gouverneur? Voor de keizer?'

'Voor een arme donder, die anders wordt terechtgesteld,' zei Willem.

'Wat? Ik dacht dat het om een kredietkwestie ging of om een betalingsachterstand of slechte waar...'

'Beste meneer Von Langenfels,' zei Willem. 'Ik weet dat u het niet slecht bedoelt als u denkt dat wij zulke kinderachtige problemen niet zelf de baas kunnen.'

Andrejs ogen fonkelden even, maar het lukte hem niet om echt kwaad op de kleine koopman te zijn.

'Waar gaat het hier dan over? Om hoogverraad? Om doodslag? Wat wilt u van mij? Moet ik adviseren iemand vrij te spreken die een misdaad heeft begaan?'

Willem zuchtte. Hij trok het gezicht dat hij altijd trok als hij een handeltje wilde afronden en de hoop zag vervliegen dat zijn gesprekspartner zich liet plukken. 'Maak het nou, bij de heilige Cyrillus!' riep hij ongeduldig. 'Dat zijn geen dingen waarover je op straat spreekt.'

Andrej keek onwillekeurig op naar de gevel van de portaallijst bij de ingang van het stadhuis en naar het beeld van de gerechtigheid dat zich naar het scheve daktorentje boven hun hoofd keerde. Hij kende de legende over deze architectonische merkwaardigheid, en hij voelde een bedruktheid opkomen, terwijl hij zijn zakenpartner over een duistere inrit volgde naar weer een andere binnenplaats. Vlach leidde hem een brede trap op.

Andrej kende de grote herenzaal in het raadhuis van Brno met de geschilderde gerechtslinde in de ene hoek, maar tot zijn verbazing boog Willem ervoor af en voerde hem naar een spaarzaam verlichte gang.

'Ik had liever gehad dat de stadsrechter het u zou zeggen, maar u dringt zo aan.'

'Dat de stadsrechter me wát zou zeggen?'

'U hebt wel gelijk, beste meneer Von Langenfels. We hebben u als zondebok nodig. Het zou dom van ons zijn als we ervan uitgingen dat u geen lont zou ruiken. Zoals haast overal in het rijk zijn ook hier de burgers en de adel – op een paar uitzonderingen na – protestants. Als het van hen afhangt, moet die kerel voor zijn daad sterven; een ander vonnis accepteren ze niet of ze gaan de barricaden op. Maar als we hem terechtstellen, lopen de boeren te hoop, want die zijn ten eerste voornamelijk katholiek, ten tweede beschouwen ze de gevangene als een van hen, en ten derde ziet de katholieke fractie helemaal niet in dat we weer moeten buigen voor de protestanten.'

'Wat heeft die man dan gedaan?'

'Volgens de gerechtsstukken heeft hij een jong meisje vermoord.'

'Mijn God! Daarvoor moet hij hangen. Dat heeft niets met geloof te maken.'

'U moet adviseren hem op te sluiten. Dat zal de protestanten niet volledig kalmeren en de katholieken niet volledig opwinden en dan kunnen wij de status-quo handhaven. U bent toch zakenman, beste meneer Von Langenfels? Weet u wat een compromis is? Als alle partijen uiteindelijk ontevreden zijn. Maar het houdt in elk geval ons evenwicht in stand.'

'Maar die man is toch schuldig.'

'Juist niet.'

'Wát?'

'U moet adviseren dat een man wordt opgesloten voor een daad die hij volgens iedereen helemaal niet heeft gepleegd,' legde Willem geduldig uit. Ze waren nu aangekomen aan het einde van de lange gang. Aan de kopse kant was een deur.

'Maar waarom in hemelsnaam?'

'Omdat we hem anders moeten terechtstellen om de vrede te bewaren en omdat we van mening zijn dat, áls er een gerechtsslachtoffer moet zijn, er in elk geval geen bloed moet vloeien.' Willem pakte de deurklink. 'Deze werkkamer is voor de markgraaf gereserveerd, voor de keizer dus. Hier kunnen we in alle rust overleggen zonder bang te hoeven zijn dat iemand ons zal afluisteren of storen. Hier is nog nooit een mens geweest.'

Andrej rolde met zijn ogen. Willem stak zijn hand op.

'Nog iets,' zei hij. 'Als we het vonnis verkondigen, zullen we u niet met name noemen als adviseur. Maar er zal in de notulen staan dat een naaste vertrouweling van keizer Matthias ons heeft geholpen; zo hebben we u genoemd. En omdat uw gezicht in de stad bekend is, zullen de mensen denken dat u ook vroeger met een keizerlijke missie hier bent geweest en dat geeft uw "stem" nog meer gewicht.'

Andrej wilde iets zeggen, maar Willem onderbrak hem. 'We hebben het al aan de waard van uw herberg verteld. Die man is net zo'n boekdrukmachine: wat je hem influistert, reproduceert hij duizenden malen. Doet u dus maar een beetje arroganter tegen hem, niet zoals u anders bent, beste meneer Von Langenfels.'

'Dat kost u bij de volgende transactie een korting van tachtig procent,' zei Andrej.

Willem haalde ongelukkig zijn schouders op, zei: 'Ga uw gang!', trok toen de deur open en beende vooruit.

'Dit zijn de feiten,' zei de stadsrechter. 'Komar is een geitenhoeder. Als u weet hoe goed geiten op zichzelf kunnen passen, weet u ook hoe het met

Komars geestelijke vermogens is gesteld. We zitten er waarschijnlijk niet ver naast als we aannemen dat de bok hem als een ietwat achtergebleven lid van zijn kudde heeft geaccepteerd.'

'Op ieder potje past een dekseltje,' zei Andrej, wat hem op enkele boze blikken kwam te staan.

'Op die betreffende dag, drie weken geleden, was er een jachtpartij voor gasten van Zijne Genade.' Gouverneur Von Zerotin boog zijn hoofd. 'De heren waren onderweg in het bos toen de paarden opeens onrustig werden. Ze dachten dat het wel eens een beer kon zijn, maar wie heeft er ooit in dit seizoen gehoord van een beer zo dicht bij de stad? De heren zochten de naaste omgeving af, maakten lawaai, sloegen op de bosjes, kortom, ze deden wat ze konden, maar de paarden waren niet te kalmeren. Ze werden steeds zenuwachtiger en steeds agressiever.'

Andrej luisterde. Hij kon er niets aan doen dat er een lichte rilling over zijn rug liep. De werkkamer van de keizer was een grote ruimte met gesloten gordijnen, waar schaduwen in de hoeken lagen. De lantaarn op de tafel flakkerde in een lichte tocht, die je alleen gewaar werd doordat je haast ongemerkt koude handen en voeten kreeg. Buiten, achter de dichtgetrokken gordijnen, was het een warme lentedag, maar hierbinnen was het hartje winter.

'Ten slotte leidden ze de paarden net zolang aan de teugel terug tot ze waren gekalmeerd. Dat was het merkwaardigste verschijnsel dat de heren ooit hadden meegemaakt, en het verontrustendste eraan was dat ze zich plotseling zelf ook lichter voelden. Het was alsof een vieze geur die je meer met je gevoel dan met je neus waarneemt, was vervlogen. Alsof een langzame, doffe trommelslag die je ingewanden doet zinderen plotseling niet meer te horen is.'

Andrej keek de stadsrechter beduusd aan.

'Zo was het toch, Uwe Genade? Of niet?'

'Zo is het me verteld,' zei Karel von Zerotin.

'Hebben uw gasten het zo gezegd? Dat van dat zinderen?'

'Eh...?' De gouverneur leek verbaasd over Andrejs onverwachte uitbarsting.

'Een kloppen? Was het niet meer een kloppen, Uwe Genade? Zoals de langzame slag van een machtig, slecht hart dat half uit je eigen lichaam lijkt te komen en half uit een land dat we ons niet eens kunnen voorstellen? Alsof een andere tegenwoordigheid opeens ons eigen bestaan binnendringt?'

De vier mannen rond de tafel keken Andrej bevreemd aan.

'Een kloppen dat sterker wordt als we aan geweld denken? Dachten uw gasten aan doden? Aan de doodsteek voor een dier dat met zijn laatste adem voor zijn leven vecht?'

'Gaat het wel goed met u?' vroeg de burgemeester.

'Toe,' zei Willem Vlach.

'We moeten ons bij de feiten houden,' vond de landsrechter.

Andrejs ogen lieten de blik van de gouverneur niet los. Karel von Zerotin leek na te denken. 'Niet met zoveel woorden,' zei hij uiteindelijk. 'Maar ik ben ervan overtuigd dat ze dat bedoelden.'

De blikken van de rechter, de burgemeester en Willem Vlach schoten tussen Andrej en Von Zerotin heen en weer.

'Hebt u dat verschijnsel zelf wel eens meegemaakt?' informeerde de gouverneur.

'Wat gebeurde er toen?' vroeg Andrej.

De stadsrechter fatsoeneerde omstandig zijn kleding en probeerde de draad weer op te pakken. Hij nam Andrej onder neergetrokken wenkbrauwen onderzoekend op.

'Drie van de mannen vatten uiteindelijk moed. Ze hadden een uitgesleten pad door het struikgewas gevolgd en liepen het verder af. Nog geen driehonderd passen verder was een open plek, waar een kudde geiten graasde.'

'De geiten stonden in een kring dicht bij elkaar, de bokken aan de buitenkant, de lammeren middenin en ze waren zo zenuwachtig alsof er noodweer op komst was,' zei Andrej.

De rechter bekeek hem nog wantrouwiger.

'Ik heb wel eens kuddes geiten gezien als er buiten een roofdier rondsluipt,' legde Andrej uit. 'Ik heb gelijk, hè?'

De mannen antwoordden niet. Hun zwijgen was antwoord genoeg. De burgemeester en de stadsrechter roosterden Willem Vlach met blikken die luid en duidelijk zeiden: waar heb je ons nou mee opgezadeld? Alleen de gouverneur bekeek Andrej met grote belangstelling.

'Aan de rand van de open plek,' zei de stadsrechter na enige tijd, 'ontdekten ze Komar...'

'...en zijn slachtoffer,' kraste de burgemeester.

'...en de jonge vrouw,' corrigeerde de stadsrechter. De burgemeester zond een boze blik naar het plafond. 'Ze was dood,' voegde de stadsrechter er voor de volledigheid nog aan toe.

'Hij heeft haar vermoord, dat is duidelijk,' zei de burgemeester.

'Ik ben niet meer zo in de gunst bij de keizer als vroeger,' zei de gouverneur zacht. 'Ik ben bang dat ik binnenkort word afgelost. Ik wil dit afgewikkeld hebben voor het zover is.'

'Maar u wikkelt het niet af, Uwe Genade,' antwoordde Andrej. 'Afgewikkeld zou de kwestie alleen zijn als u Komar zou vrijspreken of ter dood zou veroordelen. Met wat u van plan bent, stelt u alles slechts uit. Uw opvolger zal eerst in de gevangenis kijken en als hij tot de radicale aanhangers van de protestantse Staten behoort, heropent hij de hele zaak nog eens, en dan wordt Komar geradbraakt of in hete olie gekookt tot de dood erop volgt, zoals de wet voorschrijft voor verkrachters. Als hij geluk heeft, hangen ze hem alleen maar op.'

De gouverneur ontweek Andrejs blik. 'Ik zou zijn bloed niet aan mijn handen willen hebben.'

'U wilt misschien weten wat ze de jonge vrouw hebben aangedaan,' zei de stadsrechter. Andrej zag zijn gezichtsuitdrukking en had het gevoel dat hij het niet wilde weten.

De stadsrechter schoof Andrej een vel papier toe. Andrej streek het glad; het was gekreukeld door de wanhopige handen van de rechter, maar niet zo erg dat je het niet kon lezen. Hij had dit gebaar nodig om moed te verzamelen. Plotseling zag hij zichzelf meer dan twintig jaar geleden bij het lijk van een jonge vrouw op de grond geknield zitten met een uitgehongerd kind op zijn arm. Hij haatte het als die herinneringen kwamen; ze bezoedelden de terugblik op de goede tijden en het was toch al moeilijk om de herinnering daaraan te bewaren, omdat ze maar zo kort hadden geduurd. Hij haalde diep adem en begon te lezen.

Toen hij klaar was, las hij het nog een keer. Hij was zich bewust van de vier paar ogen die naar hem keken. Hij wist dat op zijn gezicht geen emotie viel af te lezen. De anderen wisten niet hoeveel moeite dat hem kostte. Ten slotte keek hij op.

'Hier staat niets over dat Komar naakt zou zijn geweest,' zei hij.

'Hij kan ook alleen zijn broek omlaag hebben getrokken,' zei de burgemeester.

'Dan zou het hier staan. Wie van de gasten van Zijne Genade het rapport ook heeft opgesteld, het was een goede waarnemer.'

De burgemeester bromde: 'Hij had bloed aan zijn handen.'

'Had hij dat ook op zijn lichaam? Hij zou helemaal doorweekt moeten zijn. Zat er bloed op zijn lid? Volgens deze beschrijving hier...' Andrej haalde zijn schouders op. Het zwijgen werd sterker. Waarom doe ik dit mezelf aan? vroeg hij zich af en hij probeerde tevergeefs de beelden te verdringen die het lezen van het rapport had opgeroepen.

'Nee,' zei de landsrechter.

'Hij kan het hebben afgewassen.'

'Het rapport zegt dat het jachtgezelschap hem vlak naast het lijk heeft gevonden, niet ergens bij een watertrog voor de geiten. En Komars kleren waren droog.'

'Hij kan het onderweg hebben afgeveegd, op weg naar de stad.'

'Hier staat dat de heren hem hebben neergeslagen en geboeid en dat Komar pas vlak voor de stadspoorten weer bijkwam.'

'Ach, verdomme!' riep de burgemeester.

'Toe,' zei Willem Vlach. 'Waar hebben we het hier eigenlijk over? Wat adviseert u ons, meneer Von Langenfels? Wat adviseert u ons in uw hoedanigheid als vertrouweling van Zijne Majesteit keizer Matthias?'

Willems hand hing boven een vel papier waarop haastig een paar woorden waren gekrabbeld, de notulen. In Willems hand trilde een penhouder.

'Wat zegt Komar er zelf van?'

De mannen keken hem met open mond aan. 'Wát?'

'Wat zegt Komar over de beschuldigingen? Hij zal toch iets hebben gezegd.'

'Hij heeft gezegd dat hij het niet heeft gedaan.'

'Is dat alles?'

Andrejs gesprekspartners keken elkaar aan.

'Is dat alles?!' vroeg Andrej harder.

Eerst dacht Andrej dat er een verfomfaaide vogel op de grond zat, maar daarna, toen de magere lichaamsdelen zich ontvouwden en het hoofd uitstak boven de beschutting van de armen die eromheen lagen, dacht hij dat het een aap was. Uiteindelijk leek het enigszins op een mens die al enige dagen in het donker van een kerker gevangen werd gehouden zonder dat hij begreep waarom en die met moeite genoeg verstand wist te verzamelen om te merken dat zijn bezoekers het tegen hem hadden. Angst straalde van hem af alsof het stank was. Aan zijn enkel rammelde een ketting. Zijn haar was afgeschoren en er was alweer een laagje dons gegroeid. Andrej schatte hem niet veel ouder dan twintig. Ongeveer zo oud als Wenceslas, dacht hij. Een idioot toeval heeft je ervoor behoed zoiets te worden als dit hier, mijn zoon, dacht Andrej. Op de eerste plaats heeft het je ervoor gespaard dat je als baby al moest sterven.

'Komar...' begon de gouverneur.

Komar trok met zijn gezicht. 'O, Uwe Genade, Uwegenade-Uwegenade...' mompelde hij, terwijl hij een paar ongecontroleerde bewegingen maakte. Een stom lachje gleed over zijn gezicht en verdween weer toen hij zijn blik op de landsrechter richtte.

De gouverneur wees op Andrej: 'Komar, deze man hier is een gezant van de keizer.'

'O, Majesteit, o, Uwe Genade, o, Majesteit...' De ongecontroleerde bewegingen kregen iets schokkends. Andrej keek naar de grond, omdat hij de blik van de gevangene niet kon verdragen.

'Hij wil weten wat je hebt gezien,' zei de landsrechter.

Komar staarde van hem naar Andrej en terug. Zijn mond begon te bewegen, toen bewoog hij zijn hoofd heen en weer. 'Nee,' gromde hij. 'Nee-neenee...!' De beweging werd zo hevig dat zijn nek kraakte. Hij schudde zo fors met zijn hoofd dat zijn speeksel in het rond vloog. 'Neeneenee...!'

'Hou daarmee op!' riep de landsrechter. Komar kromp ineen, week een stap achteruit en dook toen weg.

'Komar, vertel Zijne Excellentie de ambassadeur van de keizer wat je hebt gezien.'

'O, Majesteit...' Komar strekte zijn handen en stak ze naar Andrej uit, de handpalmen naar boven. 'O, Majesteit...'

Andrej draaide zich bruusk om. Zijn ogen schoten vuur toen hij de landsrechter aankeek. 'Laten we gaan!' siste hij. 'We laten die arme man met rust!'

De landsrechter schudde zijn hoofd.

'Komar, wat heb je gezien?'

Komars handen bleven naar Andrej uitgestrekt.

'Nee! Nee! Nee...' Komars stem ging over in een gejammer zodra hij wat begon te zeggen. Hij stortte in, met opgetrokken knieën, zijn armen om zijn hoofd geslagen, zijn schouders gespannen. 'Nee,' jammerde hij. 'Ik heb het niet gedaan! Ik heb het niet gedaan!'

'Komar, wat heb je...?'

'DE DUIVEL!' schreeuwde Komar. Zijn hoofd schoot rechtop en zijn blik ging dwars door Andrej heen. De angst die erin lag benam Andrej de adem en maakte dat de rillingen over zijn rug liepen. 'Ik heb de DUIVEL GEZIEN!' Hij begon te snikken. 'O, Majesteit, o, Uwe Genade, ik heb de duivel gezien, zo waarlijk helpe mij God, ik heb hem gezien, hij heeft haar gedood, hij heeft haar lichaam opengesneden en het bloed... O, Majesteit, al dat bloed... De duivel heeft het gedaan, niet ik, ik was het niet, de duivel heeft het gedaan. IK HEB HEM GEZIEN, HET WAS DE DUIVEL, MAJESTEIT, EN HIJ STOND TE LACHEN EN TE DANSEN!'

'Dat zegt hij elke keer,' zei de landsrechter toen ze weer voor de deur naar de kerkers van de stad stonden. Hij maakte een afwerend gebaar, maar aan zijn gezicht was te zien dat hij lang niet zo onaangedaan was als hij voorgaf.

'Hij was het niet,' zei Andrej.

'Toe,' antwoordde Willem. 'Daar hebben we het al over gehad.'

'Hier is een misdaad gepleegd,' zei Andrej. 'Maar in plaats van die op te lossen, verdoezelen jullie dat uit lafheid en politiek opportunisme. Jullie maken het zelfs nog erger. Ik heb het verhaal van de bouwmeester die het middelste torentje boven het stadhuisportaal scheef heeft gebouwd, omdat hij kwaad was over de leugenachtigheid van de gemeenteraad van Brno altijd als een sprookje beschouwd. Vandaag begin ik nog eens over mijn twijfels na te denken. Meneer Vlach, ik heb altijd graag zaken met u gedaan, maar als de prijs daarvoor is dat ik deelheb aan jullie lafheid, kan ik me dat niet veroorloven. Jullie moeten je eigen besluit nemen.'

Andrej draaide zich om en beende weg. Ze bleven voor de deur staan en keken hem na. Als ze hem nog iets nariepen, hoorde hij het niet. Wat hij wel hoorde, was het pijnlijke kloppen van zijn hart, en de echo van een ander, vreemd, krachtig geklop, dat hij had menen te horen toen hij in de kerkercel stond en heel even overwoog toe te geven en ervoor te zorgen dat een onschuldige man voor de rest van zijn leven werd opgesloten.

4

Agnes werd wakker van de geur van versgebakken brood. Ze glimlachte nog half in slaap: Cyprians werk, geen twijfel mogelijk. Al jaren kenden alle bakkers van de binnenstad van Praag hem: een vriendelijk lachende, robuuste man, die 's morgens vroeg in de bakkerswinkel opdook en de verse waar begon uit te zoeken nog voordat buiten de ezel wakker was die de kar naar de markt moest trekken. Niet dat Cyprian ook maar de minste belangstelling voor het bakkersambacht had. Eigenlijk was het zonde, vond Agnes. Hij was waarschijnlijk toch een betere erfgenaam voor de bakkerij van zijn ouders geweest dan zijn ijverige, knorrige, fantasieloze broer.

De tijden waren slechter geworden. Degenen die in navolging van de grote handelshuizen als Welser, Fugger en Loitz vorsten hadden gesteund, waren eraan failliet gegaan. In het geval van de gebroeders Loitz, die hun kredieten aan de adel hadden gefinancierd met leningen bij gewone mensen, waren zelfs duizenden onschuldige mensen geruïneerd. Wie had gedacht zijn geld veilig te stellen door te sparen, was erachter gekomen dat de inflatie waaronder de meeste vorstenhuizen te lijden hadden, zijn bezit verkleinde.

De enige bedrijfstak die nog een beetje was ontkomen aan de teloorgang, was de levensmiddelenhandel. Grote trek was een persoonlijk uithangbord geworden, veelvraten een circusattractie. Waar twintig jaar eerder de vesten nog over gouden kettingen en ingenaaide zilveren gespen spanden, deden ze dat nu alleen nog over dikke pensen. De eertijds kunstmatig opgevulde ganzenbuiken in harnassen en wambuizen waren noodzakelijk geworden als de drager ervan erin moest blijven passen. En wie eten wilde, moest ook drinken om het te smeren. Agnes herinnerde zich hoe ze had moeten lachen toen het verhaal de ronde deed dat er een maatschappij tegen de drankzucht was opgericht, maar dat de eerste voorzitter ervan zich kort daarna dood had gedronken. De situatie was minder grappig als je bedacht dat het de slempende, permanent dronken heren waren in wier jichtige handen het lot van het rijk lag. Agnes tastte naar Cyprians kant van het bed. Meestal glipte hij op dagen dat hij zich verbeeldde dat de ochtend met vers brood moest beginnen, geruisloos het bed en het huis uit, deed zijn boodschap en kwam dan weer terug onder de dekens waar hij leunend op een elleboog naar haar lag te kijken en te wachten tot ze haar ogen opendeed. Soms werd ze niet op tijd wakker, dan wekte hij haar teder en dan kon het gebeuren dat ze daarna allebei de kruimels van de fijngedrukte broodjes van hun lichaam pikten en het beddengoed moest worden verschoond. Haar hand zocht Cyprian en toen ze in de leegte greep, opende ze verbaasd haar ogen. Zijn kant van het bed was leeg.

Agnes kwam overeind. Er stond een mand brood vlak voor haar ogen. Schuin ochtendlicht viel de kamer binnen, goud en zacht. Verward ging ze zitten en keek rond. Cyprian zat op de vensterbank, helemaal aangekleed. Ze kon alleen zijn silhouet zien. Het licht viel op de zijkanten van zijn gezicht, op zijn halflange haar, zijn baard. Ze moest haar ogen tot spleetjes knijpen; hij was zo gaan zitten dat het zonlicht op haar viel. Opeens voelde ze zich ongemakkelijk. Ze trok de deken op.

'Niet doen,' zei hij. 'Laat me naar je kijken.'

'Wat is er? Waarom kom je niet weer in bed?'

Ze zag ondeugende lichtjes in zijn ogen fonkelen. Hij lachte en de lichte kanten van het ochtendlicht op zijn gezicht braken in duizenden rimpeltjes. Zijn gestalte was met de jaren hoekiger geworden, in zijn baard waren de eerste grijze draden te zien en ook in zijn haar, dat hij op een gegeven moment had laten groeien – alsof de drang om zo kortgeschoren als een gevangenisboef zijn eigen individualiteit te bewijzen was verdwenen – waren de eerste grijze haren zichtbaar. Nu, in het tegenlicht, zag ze dat allemaal niet, ze zag alleen hoe zijn lach de schaduw verjoeg, en deze lach maakte dat hij er ook bij deze onvoordelige belichting nog steeds uitzag als de twintigjarige held van wie Agnes altijd had geweten dat hij haar zielsverwant was. Ze glimlachte verward terug.

'Er zit een nieuwe bakker in Praag.' Cyprian knikte naar de broodmand. 'Een protestant. Hij komt uit de Palts.' Nu zag ze dat hij een broodje in zijn hand woog. Hij had er nog geen hap van genomen. Naarmate ze meer aan het tegenlicht wende, onderscheidde ze meer details. Cyprian droeg hoge laarzen en daaroverheen een effen kniebroek, een kort leren jasje met een platte kraag en lange mouwen. Naast hem lag een hoed. 'Die man verstaat zijn vak. Er zullen er een paar hun klanten verliezen als hij hier eenmaal is gevestigd.'

'Heeft hij zijn bakkerij buiten de stad?' vroeg Agnes. 'Je bent gekleed als voor een lange dag.'

'Ik heb hem gevraagd waarom hij uitgerekend naar Praag is gekomen, aan de andere kant van het rijk. De Palts is immers ook protestants. Hij zei dat met de majesteitsbrief waarmee keizer Rudolf destijds de protestantse Staten hier in Bohemen onder andere vrijheid van godsdienst heeft gegarandeerd en die door zowel keizer Matthias als Ferdinand, de nieuwe koning van Bohemen, is erkend, Bohemen vroeg of laat protestants zal zijn, en wel de grootste protestantse macht in het hele rijk. Ik denk niet dat de Boheemse Staten echt geloven dat koning Ferdinand zich aan zijn belofte houdt, maar de majesteitsbrief heeft hun ook de vrije verkiezing van de koning gegeven. Met de geloofsbrieven van Ferdinand hebben ze keizer Matthias een plezier gedaan en in ruil daarvoor worden ze met rust gelaten, zodat ze hun krachten en hun strategie op elkaar kunnen afstemmen. Ik wed dat ergens al de ongeldigverklaring van Ferdinands verkiezing wordt voorbereid. Ze wachten alleen op een gunstige gelegenheid.'

Agnes zweeg. Cyprian gooide het broodje heen en weer in zijn handen. Zijn lach werd breder.

'Wat ben je mooi,' zei hij, en Agnes, die merkte dat ze de deken weer had laten zakken, trok hem weer op. Ze trok een gezicht.

'Ik ben dik,' zei ze onwillekeurig, zoals ze altijd deed als Cyprian haar bewonderde.

Hij schudde zijn hoofd. Natuurlijk had hij gelijk: als het niet uitgesloten was voor de vrouw van een welgestelde aandeelhouder en dochter van een in Wenen woonachtige koopman om oude kleren te dragen, had ze nog steeds de japonnen aangekund die ze op haar twintigste had. Twee miskramen en drie succesvolle geboortes en de jaren hadden hun sporen nagelaten. Ze was zich ervan bewust dat ze wel slank was, maar haar lichaam niet meer zo strak als vroeger en dat haar borsten weliswaar vol waren gebleven, maar inmiddels duidelijk omlaag gezakt. Als Cyprian haar speels in het zachte weefsel boven haar heupen kneep, waar hij vroeger hoogstens haar huid kon pakken, liet ze het vaak gelaten toe. Eigenlijk had ze het gevoel dat ze in haar hart niet meer dan een of twee jaar ouder was geworden sinds haar jeugd, maar haar lichaam verraadde dat ze zich vergiste.

'De bakker denkt dat Bohemen over een paar jaar een protestants paradijs zal zijn en de rest van het rijk zal bekeren. En dat het katholieke geloof al hopeloos ouderwets is.'

'En wat denk jij?'

Hij gooide het broodje in de lucht en ving het weer op. 'Ik denk dat ik mijn broer eigenlijk een paar van deze broodjes moet opsturen, zodat hij eindelijk begrijpt wat het verschil is tussen een bakker en een Bakker.'

Toen hij niet, zoals ze had verwacht, een gretige hap nam, maar alleen op de vensterbank bleef zitten en naar haar bleef kijken, ging haar hart weer sneller kloppen, maar deze keer uit een plotselinge, onbestemde angst. Ze beantwoordde zijn blik, keek nog eens naar zijn kleding – ze had niet gehoord dat hij zich zo volledig had aangekleed, hij kon zo geruisloos zijn als een vos als hij wilde – en merkte dat iedere trek in de verse bakkerswaar in haar verdween.

'Je hebt zeker weer iets van oom Melchior gehoord?' vroeg ze.

Hij zweeg. Een ijskoude hand snoerde haar keel dicht en plotseling was ze werkelijk weer twintig en ervan overtuigd dat ze Cyprian voor altijd was kwijtgeraakt en haar leven, dat zich als één grote leugen had ontpopt, voorbij was voor het had kunnen beginnen. Ze rilde in de koude schaduw die na al die jaren weer over haar heen viel, de schaduw van een monsterlijk boek, waarvoor haar ouders waren omgekomen en er genadeloos was gejaagd op haar familie en de man die ze haar liefde had geschonken. Er kwam kippenvel op haar armen.

'Ik weet niet waar het over gaat,' zei Cyprian.

'Jullie hadden een afspraak, jij en de kardinaal,' zei ze. 'Je bent die destijds meer dan nagekomen. Je bent hem niets meer schuldig.'

'Klopt.'

'Maar toch ren je naar hem toe zodra hij roept.'

Cyprian zond haar een glimlach, die één ding duidelijk zei: hoeveel liefde hij ook voor haar en voor zijn gezin voelde, er zou toch altijd een deel van zijn hart zijn dat niet haar en de kinderen toebehoorde, maar Melchior Khlesl. Ze wilde het niet, maar de angst die haar langzaam naar de keel steeg, was sterker.

'Denk je dat het om... dat het om het boek gaat?' Ze had opeens het gevoel dat ze geen lucht meer kreeg.

Cyprian haalde zijn schouders op.

'Verdorie, Cyprian, waarom ben je in al die jaren niets veranderd? Je bent nog steeds een oester.'

Hij zweeg. Haar ogen schoten vuur toen ze hem aankeek. De zon was verder geklommen en bescheen hem nu van opzij, maakte zijn gezicht smal-

ler en wiste de rimpels en de jaren uit en maakte dat hij er haast net zo uitzag als die dag in de avondschemering op de Karinthische Poort, toen ze
hadden afgesproken met elkaar te vluchten. De gelijkenis schokte haar. Na
die dag was haar wereld ingestort en soms had ze nog moeite om te begrijpen waarom ze niet allemaal waren gesneuveld. Cyprian glimlachte. Ze beet
op haar lippen en drong de tranen terug.

'Alexandra en de jongens komen over drie dagen terug uit Wenen,' zei
hij. 'Voor die tijd ben ik er weer.'

Hij kuste haar op haar mond en ze schrok ervan hoe koud zijn lippen
waren. Opeens haatte ze hem, zijn kalme zekerheid, die overtuiging dat het
zijn taak was om op haar te passen en voor haar te zorgen, zijn loyaliteit
tegenover zijn oom, die nu de machtigste man van het rijk was en van wie je
eigenlijk zou denken dat hij genoeg helpers voor alle mogelijke opdrachten
kon krijgen en niet voortdurend de steun van zijn neef nodig had. Ze haatte
hem omdat hij deed wat fatsoenlijk was, in plaats van de rotklusjes aan anderen over te laten, ze haatte hem om zijn flinkheid, die ertoe had geleid dat
oom Melchior Khlesl in noodgevallen op hem vertrouwde en op niemand
anders. Ze haatte hem omdat hij blijkbaar zijn angst zoveel beter kon hanteren dan zij.

Zichzelf haatte ze omdat ze zijn kus niet op zijn minst had beantwoord.

5

Melchior Khlesl, bisschop van Wenen, persoonlijke minister van keizer Matthias en sinds een jaar in het bezit van een kardinaalsmuts, stond bij een met papieren bezaaide tafel. Achter hem stak een voor allerlei doeleinden gebruikt schoolbord boven alles uit. In zijn linkerhand hield hij een document en een krijtje, in zijn rechterhand, tussen ringvinger en pink, een spons. Zijn middelvinger klemde een rondom afgehapt oud broodje vast, terwijl zijn wijsvinger en zijn duim het krijtje uit zijn linkerhand plukten. Zonder van zijn lectuur op te kijken, krabbelde de kardinaal een paar aantekeningen op het bord, trok een cirkeltje om enkele woorden, verbond sommige cirkels met strepen, schoof het krijtje weg, nam een hap van het broodje en liet toen het papier op een rommelige stapel fladderen. Zijn linkerhand grabbelde een nieuw document van een andere stapel.

'Ik ben bijna zover,' zei hij zonder Cyprian een blik waardig te keuren. De bisschoppelijke wenkbrauwen fronsten zich toen wat hij las zijn ergernis wekte. 'Idioten,' mompelde hij. Het krijtje bewoog zo heftig dat het bord heen en weer ging. 'Leeghoofden. Ze zouden zelfs met een kaart hun eigen achterste niet kunnen vinden. Hè? Wat zei je? O ja...' Krijtje terug, document laten vallen. Cyprian keek belangstellend toe toen het afgehapte broodje ontsnapte uit zijn greep en in de wijde mouw van zijn oom gleed, toen deze zijn rechterarm optilde om een hap te nemen. De tanden van de kardinaal namen een grote hap van de eerdere buur van het broodje. Melchior keek verbaasd op terwijl zijn hersenen het laatste commando uitvoerden: '...hoe is het met je?' en toen naadloos de gezichtsuitdrukking produceerde van een man die zojuist hartstochtelijk een hap heeft genomen van een natte spons met krijtdrabvulling. De kardinaal spuugde en staarde verbaasd naar de spons in zijn hand. Het broodje maakte gebruik van de algemene verwarring, gleed uit de mouw en op de grond. Het was zo droog dat het bij het neerkomen terugstuiterde.

'Heb je tegen Agnes gezegd dat we op reis gaan?'

'Nee,' zei Cyprian. 'Toen ik thuis wegging, wist ik ook nog niet dat we op reis zouden gaan.'

Melchior trok met zijn hand vluchtig een denkbeeldige lijn rond Cyprians verschijning. 'Waarom heb je dan reiskleding aan?'

Cyprian zuchtte. 'Laten we zeggen dat ik zo'n gevoel had...'

'Weet je dat Andrej naar Brno is gegaan?'

Cyprian haalde zijn schouders op. 'Natuurlijk. Als het enigszins gaat, wacht hij daar op het rijtuig met de kinderen en reist hij samen met hen door naar Praag.'

De kardinaal schudde zijn hoofd. 'Ik heb hem aangeraden onmiddellijk te vertrekken.' Hij viste in de zakken van zijn kleding, tastte vervolgens over de tafel en gluurde er ten slotte onder. Een eenzaam rolletje lag daar tussen droge broodkruimels. Cyprian pakte het op. Hij reikte het zijn oom aan. Melchior zwaaide ermee in het rond zonder er ook maar een blik in te wagen.

'Andrej is door een zakenpartner bij een moordzaak betrokken,' zei hij en kort en bondig schetste hij Andrejs belevenis in Brno. De kardinaal kon het nog zo druk hebben, op zijn geheugen was zoals altijd niets aan te merken. Hij vergat er zelfs niet aan toe te voegen dat Andrej adviseerde de eerste tijd niet al te veel te verwachten van de handel met Brno.

'Waarom stuurt hij jou dat bericht? Hij had het aan Agnes en mij moeten sturen.'

'Niet elke duif in de til van jouw handelsagent in Brno komt uit het huis Wiegant & Khlesl in Praag,' zei de kardinaal en hij had het fatsoen er enigszins beschaamd bij te kijken.

'Waarin heb je eigenlijk niet geïnfiltreerd?'

Melchior Khlesl zweeg.

'Goed dan,' zei Cyprian tegen beter weten in. 'In Brno zoeken ze kennelijk een sukkel naar wie ze kunnen wijzen als in de nabije toekomst de ene partij vraagt waarom een onschuldige zit opgesloten en de andere partij tegelijk informeert waarom ze de gevangene niet een kopje kleiner hebben gemaakt. Wat is daar zo bijzonder aan?'

'Kijk eens naar de datum van het bericht.'

Cyprian pakte het rolletje en draaide het uit elkaar. Zijn gezicht toonde geen enkele emotie. Hij liet toe dat het vanzelf weer oprolde, maar hij gaf het niet meer terug aan zijn oom.

'Andrej is een slim kereltje,' zei Melchior. 'Hij kon natuurlijk niet weten dat de duif rechtstreeks naar mijn til zou vliegen. Daarom hield hij rekening met de mogelijkheid dat iemand zijn bericht misschien zou onderscheppen.' Cyprian haalde diep adem, maar Melchior Khlesl stak bezwerend zijn hand op. 'Zijn bericht was op de eerste plaats voor jou en Agnes bestemd. Jullie zouden de betekenis onmiddellijk begrijpen, net zoals ik die heb begrepen. Een vreemde zou zich hoogstens afvragen of de afzender twintig jaar op de bodem van een put heeft gezeten en niet weet welke datum het vandaag is.'

'Brno, lente 1593,' las Cyprian hardop. 'Ik hoop dat hij daarmee niet bedoelt wat ik denk dat hij bedoelt.'

'Ik ben ervan overtuigd dat dat precies is wat hij bedoelt.'

Cyprian stond zichzelf enige opwinding toe. Hij verfrommelde het rolletje in zijn vuist en streek toen heftig met zijn hand door zijn haar. 'Vervloekt,' zei hij. 'Geen van ons zal dat jaar ooit vergeten.'

Melchior Khlesl reageerde niet. Cyprian zag zichzelf voor zijn oom staan, in een andere werkkamer, in een andere stad, in Wenen. De bijeenkomst vond vierentwintig jaar geleden plaats en Cyprian had zojuist tegen zijn oom gezegd dat hij een doel in zijn leven had gevonden, namelijk de liefde voor Agnes Wiegant, en uit zijn dienst ontslagen wilde worden. Alleen deze ene opdracht nog, had oom Melchior gezegd. Het was een opdracht geweest waardoor voor iedereen van wie Cyprian hield de poort naar de hel open was gegaan, in de gedaante van een reusachtig boek, waarvan de bladzijden zich voor Cyprians geestesoog nu weer openden. Als hij toen had geweten wat hij nu wist: dat hij en oom Melchior het ontwaken zouden proberen te verhinderen van iets wat rechtstreeks tot de donkere kant in ieder mens sprak. Wat eruitzag als het Woord Gods en met de stem van de duivel in het oor fluisterde van iedereen die ernaar zocht: wat je wenst, zal ik je geven als je op je knieën valt en mij aanbidt. Cyprian twijfelde er allang niet meer aan dat de Duivelsbijbel werkelijk het werk van de grote verderver was. Wie wist er beter dan de duivel welk kwaad in het hart van de mensen loerde?

Cyprian realiseerde zich dat de blik van de kardinaal op hem rustte. Bitter, omdat het zwijgen van zijn oom hem ertoe dwong het te zeggen, bracht hij uit: 'We moeten kijken of hij nog veilig is.'

'Ik heb Andrej geschreven ons in Braunau op te wachten. Hij gaat er vanuit Brno rechtstreeks heen.'

'Het gaat ook Agnes aan, niet alleen ons mannen.'

'Wil je Agnes meenemen? Over drie dagen komen jullie kinderen terug. Wil je drie dagen verspillen met wachten of wil je dat ze in een leeg huis komen, waar ze door een onverschillige dienstbode worden opgevangen als ze naar hun ouders vragen?'

'Hoe zit het met de kinderen? Als Andrej hen niet begeleidt...'

'Andrej zou maar een enkele man zijn. Afgezien daarvan hebben ze vermoedelijk een escorte uit Wenen bij zich. En niet op de laatste plaats heeft Andrej waarschijnlijk alleen maar zwaar getafeld en zich onnodig zorgen gemaakt.'

'Heel geruststellend.'

'Je handelsagent heeft op mijn aanwijzing nog meer lijfwachten aangenomen. Betrouwbare mannen die ik betaal,' zei Melchior Khlesl zacht.

'Wat doen we als hij daar niet meer is?'

Cyprian wist dat de Duivelsbijbel begon te roepen als hij ontwaakte. Wie zou deze keer voor de verleiding bezwijken en de donkere helft van zijn ziel gehoorzamen? Huiverend dacht hij aan de pater dominicaan, die destijds zijn kruisboog op Agnes had gericht, totaal onnodig, gewoon om haar leven te doven. Welk monster in menselijke vermomming zou deze keer de signalen van de duivelse codex beantwoorden?

Hij had destijds niet geweten hoe kwetsbaar hij in feite was. Nu besefte hij zijn kwetsbaarheid terdege: zijn hart behoorde vele mensen toe, en hij zou het verlies van geen van hen te boven kunnen komen. Hij dacht aan zijn kinderen, aan zijn vrienden, aan Agnes, zijn vrouw...

'De Duivelsbijbel is er nog,' zei kardinaal Melchior, die de gave had om in gebalde vuisten hele verhalen te lezen. 'Maak je geen zorgen.'

Cyprian zei niets terug. Hij beheerste de kunst om zonder woorden te spreken even goed als zijn oom. Hoezeer hij de gedachte ook haatte, hij dacht het toch: hij zou de strijd voor de tweede keer aangaan, niet omdat hij ervan overtuigd was dat hij het kwaad zou kunnen overwinnen, maar omdat de hoop bleef bestaan zolang er maar een mens tegen wilde strijden.

6

Alexandra wendde haar blik af van het langzaam voorbij glijdende landschap achter het open raam van het rijtuig en keek naar haar beide jongere broertjes. Andreas en Melchior junior waren in slaap gevallen. De twaalfjarige Andreas mompelde in zijn slaap, zijn drie jaar jongere broertje lag met een verbazingwekkend volwassen geluid te snurken. Voor ze in slaap waren gevallen, hadden ze om het hardst de weerzinwekkendheid die ze bezaten tentoongespreid, terwijl ze om beurten iets naspeelden wat ze bij een goochelaarsvoorstelling hadden gezien. Een artiest had een weddenschap uit het publiek aangenomen en binnen de kortste keren een heel pond kaas, dertig eieren en een flink brood verslonden, wat hem echter noodlottig was geworden, en Melchior junior en Andreas ertoe had verleid zijn met allerlei niet zo fraaie bijverschijnselen gepaard gaande overlijden en plein public enthousiast na te spelen.

Toen ze achteroverleunde, zag ze vanuit haar ooghoeken de goedige glimlach van pater Meinhard, die hen sinds hun vertrek uit Wenen begeleidde. Zoals altijd had haar vader zijn relaties ingeschakeld. Op de heenweg had een kapelaan uit Praag het groepje reizigers dat bestond uit Alexandra, de jongens en de drie bewapende soldaten begeleid; voor de terugreis had op wonderbare wijze de pater uit Wenen ter beschikking gestaan. Alexandra vroeg zich af hoe de uitwisseling van geestelijken tussen de beide hoofdsteden van het rijk gefunctioneerd zou hebben als de familie Khlesl de kinderen niet af en toe naar de familie Wiegant in Wenen zou hebben gestuurd. Waarschijnlijk reisde ze zonder het te weten met documenten die de keizer en de paus persoonlijk hadden ondertekend.

Ze beantwoordde de glimlach van de jonge kapelaan koeltjes; haar verachting voor de vertegenwoordigers van de beide christelijke gezindten was tijdens deze reis nog verder gestegen. Ze had een tijdje gedacht dat kardinaal Melchior tot het rechtschapen soort behoorde, maar de roddels die in Praag de ronde deden, hadden haar kijk op deze man gescherpt (verminkt, zou haar vader zeggen) en de vriendelijk-ironische man die in haar ouderlijk huis in en uit liep, was in haar ogen inmiddels slechts een vermomming voor een opportunistische, machtsbeluste politicus, die het rijk tussen de twee godsdiensten heen en weer laveerde en de keizer zo stevig in zijn greep had dat deze bijna geen beslissing meer durfde te nemen.

Pater Meinhards glimlach stierf weg. Alexandra vond het best. In haar leefde nog steeds de herinnering aan de dronken beul in Wenen en het smeken van het veroordeelde meisje en het onwaardige gedrag van beide priesters.

Ze tuurde uit het compartiment naar buiten. De wielen rolden nu rustiger. De weg was beter. Ze naderden een stad.

'Brno,' zei pater Meinhard. Ze reageerde er niet op.

Haar gedachten dwaalden af naar Wenceslas von Langenfels, haar neef. Hij verafgoodde haar, dat kon de hele wereld zien. Wat moest ze met die liefde beginnen? Ze wist niet of ze deze beantwoordde en zo ja, dan was het een hopeloze liefde. Ze waren samen opgegroeid. Ze herinnerde zich dat hij er op de een of andere manier altijd was geweest en al haar nukken geduldig had verdragen. Daarbij hield een deel van hem altijd afstand, keek uit de verte met milde spot neer op de preutse plagerijtjes die ze met hem uithaalde en gaf nog net waarneembaar te kennen dat hij ook anders kon. Haar stekeligheden bereikten hem nooit helemaal, en daarom kon ze hem ook nooit helemaal uit haar hart verbannen. Ze betwijfelde of hij dat zelf doorhad. Maar wat hij ook van haar verwachtte, hij zou worden teleurgesteld. Hij en zij? Ondenkbaar!

Het rijtuig stopte. Pater Meinhard en zij keken elkaar verbaasd aan. De pater stapte uit. Ze hoorde hem op gedempte toon spreken met de koetsier. Een paardenlijf verscheen voor de geopende deur. Ze gluurde naar buiten en in het gezicht van een van de mannen met grijze baarden die haar vader als escorte had gehuurd. De man gaf haar een knipoog, maar ze zag dat hij aan zijn bandelier stond te trekken en het musket van de zadelriem losmaakte.

'Wat gebeurt er?' vroeg ze.

'Blijft u in het rijtuig, juffrouw. Dat is beter,' zei de grijze man.

Pater Meinhard drong zich tussen het paard van de soldaat en het rijtuig. Hij keek bezorgd. 'We mogen niet verder. In elk geval niet nu. Het zal wel even duren. Ze houden ons hier vast,' zei hij, en zijn nervositeit was niet alleen aan zijn gezicht af te lezen, maar aan zijn hele warrige taal. 'Het duurt niet lang,' zei hij hoogst overbodig, en na een korte pauze: 'Hopelijk.'

'Wat is er dan aan de hand?'

'Narigheid,' zei de pater. 'Blijft u maar liever in het rijtuig.'

'Allemachtig!' siste ze. De jongens krompen in hun slaap ineen. Alexandra begreep dat haar drift alleen de vrees verdoezelde die in haar was opgekomen nadat ze de beide onbewuste handelingen van de soldaat had gezien.

'Waaróm mogen we niet verder?' Ze probeerde te horen wat er buiten gebeurde. De vogels zongen uit volle borst. Er begon een klok te beieren. Na enkele klokslagen viel het haar op dat er niet meer klokken invielen en dat de enkele toon ijl en blikkerig klonk, minder als een kerkklok dan als een alarmklok aan een stadspoort. Was er brand uitgebroken? Maar dan zou je het moeten ruiken. Ze wilde zich weer tot pater Meinhard wenden, maar die was verdwenen. De soldaat, die met zijn paard beschermend voor het rijtuig was komen staan, was een stukje opzij gegaan om de pater erdoor te laten, en tot haar grenzeloze verbazing zag ze dat de weg een stuk verderop zwart van de mensen zag. De menigte stond er geheel zwijgend bij met de rug naar het rijtuig gekeerd.

'Wat-is-hier-aan-de-hand?'

De soldaat keek nadenkend naar haar omlaag. Zijn paard deed nog een stap terug en ze zag de bewapening van de mannen die de weg hadden versperd. Achter hen en over de hoofden van de menigte heen zag ze nu de enorme stutten van een galg oprijzen. Ze waren leeg. Het klokgelui galmde langzaam en schel door het vroege zonlicht.

'Terechtstelling, juffrouw,' zei de soldaat ten slotte.

Een gezicht schoof plotseling van opzij in de koetsopening. Alexandra deinsde achteruit. De man nam zijn hoed af en maakte een buiging: ze zag lang, donker haar, vrolijke blauwe ogen en een kortgeknipte baard. Toen de man weer rechtop ging staan, werden zijn ogen groot en zijn glimlach bevroor. 'Eeeh...' zei hij verlegen, terwijl hij naar de grond keek.

De soldaat had zijn degen getrokken en hield deze zo, dat je hem haast niet kon zien. De punt van de kling werd tegen de ribben van de man gedrukt. 'Als meneer zo vriendelijk wil zijn een stap achteruit te gaan,' zei hij.

De man met de hoed richtte zijn blik op Alexandra. 'Wilt u alstublieft tegen hem zeggen dat ik onschuldig ben?' vroeg hij krampachtig grijnzend.

'Onschuldig waaraan?' vroeg Alexandra.

'Aan alles. Nou ja, aan het meeste.'

'Achteruit, meneer!'

De man liet zijn ogen rollen.

'Volgens mij doet hij niets,' zei Alexandra en ze was blij dat het vrijmoedig en dubbelzinnig klonk. De soldaat haalde de degen aarzelend weg en de man haalde opgelucht adem.

'Ik had nooit gedacht dat ik zo'n opmerking ooit als compliment zou opvatten,' zei hij.

Boven het klokgelui uit klonk nu een zwak gehuil, als van een kind in de verte. Alexandra fronste haar voorhoofd.

'Zou u misschien zo vriendelijk willen zijn mij te vertellen waarom we niet verder mogen?'

De man zuchtte. 'Dit hier is geen gewone terechtstelling,' zei hij ten slotte.

Het gejank was luider geworden en vanuit de menigte vooraan klonk een geruis als het eerste bladgeritsel voor een storm.

'De stadsrechter is er waarschijnlijk niet gerust op dat de goede burgers van Brno de opknoper niet zullen bestormen en de veroordeelde zullen redden. Naar ik heb gehoord, heeft de beul van Brno geweigerd de terechtstelling uit te voeren. Ze hebben de scherprechter uit Olomouc laten komen.'

'U praat alsof u niet uit Brno komt.'

Hij glimlachte weer. 'Dat kom ik ook niet. Ik ben hier tegengehouden, net als u, enkele ogenblikken geleden.'

Het gejoel was nu tamelijk dichtbij. Met een schok, die koud op haar hart neerdaalde, besefte Alexandra dat het de stem was van een man die luidkeels huilde.

'Tja,' zei haar gesprekspartner kalm. 'Die arme kerel heeft helemaal geen zin om dood te gaan.'

'Hoe kunt u zo harteloos praten.'

Hij trok even met zijn mond. 'Het spijt me als het zo klonk,' zei hij. 'Dat geschreeuw werkt op mijn zenuwen, geloof ik. Hebt u er iets op tegen als ik u een beetje gezelschap hou? Ik heb de indruk dat het lawaai u evenmin koud laat.'

'Nee,' fluisterde ze. Weer hoorde ze het gemurmel van de dronken beul en het panische roepen van het veroordeelde meisje in de groeve in Wenen. Ze was zo jong geweest en haar dood zo... onmenselijk. Ze had om haar moeder geroepen. Was die er getuige van geweest dat men haar kind onbeholpen en afschuwelijk ter dood had gebracht? Alexandra huiverde en drong haar omhoogkomende maaginhoud terug. 'Nee.'

'Wat is er met u?'

Pater Meinhard stond opeens hijgend voor het portier van het rijtuig. Zijn ogen waren groot en zijn wangen verhit. Hij was verbaasd toen hij

Alexandra's gesprekspartner zag, maar toen barstte hij los: 'Het is een geitenhoeder, bijna een beest. Hij heeft dit voorjaar een jong meisje vermoord. Hij moet haar vreselijk hebben toegetakeld. Ze radbraken hem.'

Alexandra rilde. Een hol gevoel nam steeds meer bezit van haar.

'Ze hebben hem vlak bij het lijk gevonden. Er bestaat geen twijfel over zijn schuld. De nieuwe gouverneur, Albrecht von Sedlnitzky, heeft de terechtstelling bevolen.' Pater Meinhard keek over zijn schouder achterom. 'Moge God zijn arme ziel genadig zijn. Daar komen ze.' Hij draaide zich zonder te groeten om en rende weer weg.

'Een mens kan niet wachten om erbij te zijn,' zei Alexandra's gesprekspartner.

'En u? Wilt u niet gaan kijken?'

Hij schudde zijn hoofd, opnieuw zachtjes glimlachend. 'Wat hebt u gezien?' vroeg hij.

Ze staarde hem aan als een haas een slang. 'Wat?' bracht ze uit.

'Wat hebt u gezien? U werd doodsbleek toen ik zei dat het geschreeuw u vermoedelijk net zo aangrijpt als mij.'

'Ik was in Wenen... Ik was getuige van een terechtstelling... Ik wilde er helemaal niet heen gaan, maar toen...'

'Was de nieuwsgierigheid sterker dan u? Dat schijnt wel eens te gebeuren.' Hij glimlachte toegeeflijk.

Het gejoel was nu heel dichtbij. De menigte krijste. Alexandra hoorde dat het gebrul een fractie toenam en overging in een soort gillend 'NeeneeneeneeNEEEE'. Ze hoorde vloeken en het gebakkelei van beulsknechten, die probeerden een veroordeelde vooruit te slepen die zich met hand en tand verzette. Het krijsen van de menigte werd sterker.

'Waarom denkt de rechter dat de inwoners van Brno de scherprechter zouden aanvallen?' Ze wilde het helemaal niet weten, maar ze hoorde liever zijn stem dan het gegil. In haar hart versmolt het met ander hulpgeroep en even wist ze niet of het gefluit en het gejouw van de menigte echt waren of uit haar herinnering kwamen.

'De veroordeelde is katholiek. Het slachtoffer was protestants. In tegenstelling tot wat uw geestelijke reisgezel heeft gehoord, is zijn schuld helemaal niet bewezen, dat heb ik tenminste beluisterd.' Zijn glimlach bevreemdde haar, totdat ze bedacht dat hij die bewaarde om haar gerust te stellen. 'De meerderheid hier is katholiek. Dat maakt Brno tot een eiland in het markgraafschap Moravië. Ze willen waarschijnlijk laten zien dat ze kunnen optreden, ook als het om leden van hun eigen geloof gaat.'

'Met andere woorden: de rechter is bang voor de protestantse meerderheid rond zijn stad en de gouverneur praat de grootste schreeuwlelijken naar de mond.' Ze spuwde de woorden uit. Boven het bonzen van haar eigen hart uit hoorde ze het geklop waarmee de paaltjes in de grond werden geslagen, waaraan de polsen en enkels van de veroordeelde zouden worden vastgebonden. En boven dit geluid steeg weer het geroezemoes uit van de menigte die zich bij het executieterrein op de Weense Berg had verzameld. De kakofonie in haar eigen hoofd maakte haar duizelig. Ze hoorde het gemor waarmee het grootste deel van de menigte discussieerde over de vraag of het niet een ongepaste tegemoetkoming was tegenover de paar katholieken in Wenen om een protestantse vrouw terecht te stellen, alleen omdat ze een katholiek kind had gedood. De veroordeelde hier snikte nu en hinnikte haast onverstaanbaar: 'Ikwashetniet, ikwashetniet, hetwasdeduivel, ikwashetniet...'

'Luistert u daar maar niet naar,' zei de man voor de koets. Alexandra keek hem aan. Zijn blik hield haar vast. Haar hart ging tekeer en er stond zweet in haar handen. In Wenen had ze uit de menigte willen vluchten, maar die was te dicht opeengepakt geweest en een cynische speling van het lot had ervoor gezorgd dat ze helemaal naar voren werd geduwd. De wankelende beul en de nauwelijks zichtbare, kronkelende, om haar leven smekende gestalte in de kuil waren nog geen tien passen van haar verwijderd. Alexandra hield zich vast aan de rustige blik van de blauwe ogen, aan het licht dat er enigszins verborgen in leek te dansen en zijn kalmte een diepte gaf die ze op een ander moment misschien verontrustend zou hebben gevonden.

'Ze had een kind vermoord,' fluisterde ze. 'Maar het kon niemand iets schelen dat ze het niet expres had gedaan. Het kind was tussen haar benen door gelopen toen ze een pan kokend water van het vuur haalde en het water gutste over het kind heen. Het kon ook niemand iets schelen hoe de ouders van het kind hadden geleden toen ze moesten toekijken hoe het kind werd doodgekookt. Sommige mensen wilden haar dood zien als boete voor het afschuwelijke einde van het kind; anderen vonden dat één gekookt katholiek kind nog lang niet genoeg was. En de papen... de papen stonden boven de open kuil ruzie te maken.' Alexandra keek met wijd open ogen naar het directe verleden. De herinnering voelde aan alsof het pas gisteren was gebeurd en tegelijk had ze het gevoel dat ze die altijd met zich had mee-gedragen, zo diep was de indruk die was achtergebleven. 'Er waren twee protestantse dominees en een katholieke pastoor. Nog voordat de scherp-rechter kon beginnen, gingen ze elkaar te lijf en sloegen met hun vuisten op elkaar in. De soldaten moesten ze eerst uit elkaar halen voordat de beul verder kon gaan.'

'Wat was de straf?' Zijn stem klonk zacht.

Ze had niet naar hem geluisterd. Ze voelde de woede weer in zich opko-men over de geestelijken die vochten op de executieplaats en de bedrukt-heid toen de menigte zich langs de geloofsgrens in tweeën deelde en brulde, floot en spotte. Dat is het, waar de twee kerken ons heen brengen, had ze opeens helder gedacht. Over de graven van onschuldige mensen staan we te kijken hoe ze vechten en alleen maar te wachten tot we ons ermee kunnen bemoeien. En een van die voorbeelden moeten we volgen in het leven om de eeuwige zaligheid te bereiken?

Van de executieplaats hier voor de poorten van Brno drong het slepende gezang van een priester tot haar door. Over enkele ogenblikken zou de te-rechtstelling beginnen... zou de ijzeren rand van het wiel omlaag vallen op een over twee blokken gespannen lichaamsdeel... Zou de beul eerst de ge-nadeslag geven tegen de nek van de veroordeelde? Maar nee, je moest hard zijn, dit was een politieke terechtstelling, zoals ook in Wenen een politieke terechtstelling had plaatsgevonden en de kindermoordenares de doodslag vooraf was geweigerd...

'Ze was nog jonger dan ik,' zei Alexandra, zonder te merken dat ze het hardop had gezegd. Haar gesprekspartner trok even met een wenkbrauw.

De menigte vooraan zuchtte. Toen kwam de verlammende stilte van het ogenblik waarop de beul zijn dodelijke werktuig zou bedienen, zijn zwaard, het wiel, de strop die werd vastgetrokken, gevolgd door een immens kabaal en een onmenselijk gekrijs dat door de stilte sneed. Normaal gesproken werd de eerste slag gevolgd door wild applaus van het publiek; hier bleef het zo stil als op een kerkhof.

De scherprechter in Wenen was zo dronken dat hij bijna was gevallen toen hij zijn strafwerktuig hief. Kindermoordenaressen werden levend be-graven; het strafwerktuig was een gewone schop en ging knarsend de ste-nige hoop aarde naast de kuil in. De eerste schep ging ernaast, de tweede raakte het gezicht van de veroordeelde die begon te hoesten en te proesten en kronkelde in doodsangst. En nu, voor de poorten van Brno, vermorzelde het rad de tweede enkel van de idioot, die schreeuwde als een klein kind. De blauwe ogen van de man tegenover haar leken Alexandra tegelijkertijd vast te houden en te absorberen.

Bij de derde keer dat de schop de hoogte in ging, verloor de scherprechter zijn evenwicht, het blad van de schep schoof weg en gleed in de platte kuil en de scherprechter viel erachteraan. De schop moest de veroordeelde hebben verwond, want ze schreeuwde van pijn. De beulsknechten hielpen de scherprechter eruit, die met woedende vuistslagen hen probeerde weg te jagen, maar alleen in de lucht sloeg. Hij begon weer te scheppen, wankelend, zwetend, tuimelend, een verbeten engel des doods vol goedkope wijn, niet meer in staat de hoop aarde vanaf de voeten over het lichaam van de misdadigster te scheppen en haar met een laatste, flinke schep bijna bewusteloos te slaan en ervoor te zorgen dat ze snel stikte. De aarde vloog alle kanten op, de veroordeelde jammerde en kokhalsde en probeerde lucht te krijgen en kwam enigszins overeind, zodat het vanaf Alexandra's plaats leek alsof een waanzinnige in haar eigen graf lag te spartelen, behalve dan dat ze de waanzin zelf voelde. Het was de waanzin van de doodsangst, het was het schokken van iemand die langzaam stikt in modder en steen...

Baf! Kon de idioot daar vooraan nog meer pijn voelen?

Baf! De schep gleed weer weg, raakte het lichaam van de veroordeelde, en ze schreeuwde.

Baf! Alexandra sloeg met haar vuist op de bovenste rand van het portier van de koets, zonder dat ze het merkte en ze voelde nauwelijks dat een slanke hand zich om haar vuist legde en die stil hield.

Plotseling hield het geschreeuw vooraan op. Alexandra's oren piepten. Het tafereel op de Weense Berg bevroor voor haar ogen: de geheven schep, de modder die door de lucht vloog, het gestrekte lichaam in de kuil. Ze knipperde met haar ogen en merkte dat haar maag in opstand kwam. Haar gezicht was nat van tranen.

'Het is voorbij,' fluisterde de man. De blauwe ogen knipperden niet.

'Ja,' fluisterde ze terug, maar even had ze het gevoel dat ze een vrije val maakte en ze dacht: dit is het begin. De gedachte vervloog zodra ze het had gedacht.

De burgers van Brno waren de scherprechter niet te lijf gegaan. De beul had de laatste slag gegeven op de hals van de veroordeelde en daarmee diens nek gebroken. Zijn doodgeslagen lichaam zou op het rad worden gebonden, maar hij zou het niet meer voelen. Weer was een leven onder kwellingen geëindigd, en ongeacht wat de zwakzinnige wel of niet had gedaan, op de eerste plaats was het leven hem afgenomen omdat beide christelijke geloofsrichtingen waren vergeten waarvoor Jezus was gestorven.

'Over een paar minuten kunnen we doorrijden,' klonk de stem van de koetsier.

Ze keek naar haar hand en constateerde dat die nog steeds door de hand van de man naast de koets werd vastgehouden. Hij maakte zijn greep los en boog haar verkrampte vingers zachtjes open, met een vingertop streek hij langzaam en schijnbaar toevallig over haar handpalm en langs een vinger naar boven. Het leek alsof de aanraking werd gevolgd door een spoor van vuur en ijs, als de staart van een komeet. Alexandra klampte zich met haar hand vast aan de rand van het portier. Ze voelde haar hele arm trillen.

'Ik moet ervandoor,' zei hij. 'Het was me een eer, juffrouw...?'

'Khlesl,' zei ze toonloos. 'Alexandra Khlesl.'

'We zien elkaar vast en zeker gauw terug,' zei hij. 'Vraagt u naar mij wanneer u in Praag bent. Ik ben Heinrich von Wallenstein-Dobrowitz, maar mijn vrienden noemen me Henyk.'

7

Filippo Caffarelli stond voor de kerk van Santa Maria in Palmis. Het gebouwtje op de kruising van de Via Appia en de Via Ardeatina was sinds enkele weken zijn nieuwe werkplek, en hij had geen zin om naar binnen te gaan. De gedachte in de biechtstoel plaats te nemen en hulpeloos mee te maken hoe de vreselijkste zonden deze rechtopstaande doodskist vulden tot hij dacht in de pure slechtheid van de mensen te zullen stikken, was voor hem haast onverdraaglijk. Bovendien had hij het waanidee opgevat dat het geloof onder de gewone mensen sterker moest zijn dan onder de in hun lange kerkelijke loopbaan cynisch geworden prelaten en de paus, die uitsluitend aan het welzijn van zijn familie en zijn bouwprojecten dacht. Als hij Vittoria om raad had kunnen vragen voordat hij naar een pastoorsplaats had gesolliciteerd, had ze hem misschien van dit idee genezen.

Hij rilde van de graflucht die uit zijn ziel opsteeg. Vittoria had een klein jaar geleden een koorts opgelopen en was gestorven en hij had niets anders kunnen doen dan als een gek zijn verdriet tegen haar dode gezicht schreeuwen, tot kardinaal Scipione hem naar buiten had laten brengen. Hij had niet eens afscheid kunnen nemen; toen hij bij Scipiones paleis aankwam was ze al dood. Toen het eerste verdriet over was, had hij zich gevoeld als een man in een boot zonder anker, die langzaam de rivier van het leven afdreef, met een onbereikbare reddende oever en zulke krachteloze armen dat hij het stuur niet kon houden. Toen Filippo weer tot zichzelf was gekomen, had hij om overplaatsing naar een parochie gevraagd.

En nu vroeg hij zich af of zijn parochie in deze wijk van Rome, waar de oudste christelijke kerken stonden, waar Petrus op de vlucht voor Nero's soldaten Jezus Christus had ontmoet en beschaamd weer was omgekeerd, niet eigenlijk een straf betekende. In elk geval had er spot doorgeklonken in de stem van de *camerlengo* toen hij bij het afscheid tegen Filippo zei: 'Santa Maria in Palmis? Ik benijd je, mijn zoon. Je treedt in de voetsporen van de Heer.'

In de vloer van de kerk, vlak bij de ingang, was een vloertegel gemetseld, waarin twee voetafdrukken te zien waren. Ze waren afkomstig van Jezus Christus, naar men zei. Filippo, die zich terdege over zijn nieuwe parochie had laten informeren, wist dat het slechts een kopie was van de gedenkplaat die zich bevond op enkele steenworpen afstand in *San Sebastiano fuori le mura*. Sint-Sebastiaan buiten de muren was een paar jaar eerder helemaal verbouwd; in de loop van de opknapbeurt had men de originele plaat uit Santa Maria in Palmis gehaald en daarheen gebracht. Filippo was desondanks in de beide voetafdrukken gestapt, die zo grof waren vormgegeven dat iedere sufferd kon zien dat het een vervalsing was, zelfs als het origineel honderd keer beter was geweest dan de kopie (wat niet zo was). Hij had niets gemerkt wat tot zijn ziel sprak.

Misschien – dacht hij de eerste dagen – was het toch een vingerwijzing van het lot, dat hij uitgerekend hier terecht was gekomen. Zijn kerk heette in de volksmond ook wel de Quo Vadis-kerk, want toen de uit de stad vluchtende Petrus de Heer ontmoette, naar het scheen precies op de plaats waar nu Filippo's kerk stond, had hij hem gevraagd: *'Domine, quo vadis?'* En Jezus had geantwoord: 'Ik ga naar Rome om me opnieuw te laten kruisigen!' *Domine, quo vadis?* Waar gaat u heen, Heer? Waar ga je heen, Filippo Caffarelli?

Hij vermande zich en stapte de kerk binnen, zag totaal onaangedaan de gebogen gedaanten van de gelovigen die onder hun zonden gebukt gingen en hun zonden wilden biechten, en nam ten slotte in de biechtstoel plaats.

Toen er plotseling iets in zijn oor werd gefluisterd, kromp hij geschrokken ineen: *'Confiteor deo omnipotenti, beatea Mariae semper virgini, beato Michaelo archangelo, sanctis apostolis omnibus sactis...'*

'Spreek, mijn zoon,' fluisterde Filippo.

'Ik heb meegedaan aan een diefstal,' zei de man voor het luikje.

'De Heer zegt: gij zult niet stelen.'

'De Heer zegt: gij zult geen valse getuigenis spreken tegen uw naaste.'

Filippo zweeg een hele tijd. 'Hoe moet ik dat opvatten?' vroeg hij ten slotte.

'Vader, kan ik doorgaan met mijn zonde biechten?'

'Ga door.' Filippo hoorde zelf hoe hees zijn stem klonk. Tegen alle regels in probeerde hij door het rooster een gezicht te herkennen, maar alles wat hij kon zien was de doffe glans van twee ogen in een donkere omranding. De stem klonk niet oud en niet jong, hij had een accent dat Filippo vaag bekend voorkwam, maar dat hij niet thuis kon brengen. Het Latijn was onberispelijk en beter dan vaak tussen een paarse muts en een paars gewaad werd gesproken.

'Er kwam een man naar me toe die me vroeg of ik hem wilde helpen een diefstal te plegen. De man overtuigde mij ervan dat het geoorloofd was wat hij van plan was.'

'Het is je plicht ook deze man tot de biecht en inkeer te bewegen.'

De biechteling aan de andere kant lachte zachtjes. 'Inderdaad,' zei hij. 'Dat is het laatste wat ik van plan ben.'

'Je mag je hart niet verh–'

'Luistert u eens, pater Filippo,' zei de man. Zijn stem maakte dat Filippo het opeens nog kouder kreeg. 'Ik zeg het maar één keer. Ik weet niet of ik voor wat ik doe, word verdoemd, en in ieder geval heb ik een eed gebroken. Maar er is een grotere plicht dan een eed waarmee men iets heeft gezworen wat zo ziek en rot is gebleken dat God moeite zou hebben om op de hele wereld tien rechtvaardigen te vinden. Ik zeg het maar één keer. Bijna twintig jaar geleden overtuigde een bisschop uit Wenen me ervan dat de Duivelsbijbel weg moest uit het Geheime Archief van het Vaticaan, omdat anders vroeg of laat weer een of andere ongelukkige hem op het spoor zou komen, en niemand kon erop vertrouwen dat er dan wéér iemand zou zijn die de strijd tegen het testament van de satan zou opnemen. Ik hielp de bisschop de codex te stelen. Hij bracht hem weg. Ik weet niet wat ermee is gebeurd, maar hij schijnt woord gehouden en hem ergens verborgen te hebben, want anders zouden we nu onder de heerschappij van de duivel staan en niet onder de hand van God. Hoewel, als je de wereld goed bekijkt...'

De stem had een militaire afgemetenheid. Een soldaat? Geen gewone, maar een officier...

'...maar als ik de heerschappij van de duivel iets na moet geven, dan is het wel dat ze efficiënt is. Als we zonder het te weten volgelingen waren van het woord van de duivel, dan zou er geen afvalligheid en geen ketterij bestaan, dan was er maar één woord, verder niets.'

'Wie was die bisschop uit Wenen?'

'U hebt toegang tot de Vaticaanse documenten. Kijkt u eens wie er sinds de verkiezing van paus Innocentius tot vlak na zijn dood in Rome was en uit Wenen komt.'

'Ik heb geen toegang meer...'

'Weet u waarom ik u dit heb verteld, pater Filippo Caffarelli uit Rome, die het alleen maar aan zijn broer, de machtige kardinaal Scipione, hoeft te vragen als hij toegang wil hebben tot het Vaticaan?'

'Zegt u het me,' fluisterde Filippo met droge mond.

'Omdat ik een eed heb gezworen, zonder tromgeroffel, zonder wapperende vlaggen, zonder mijn hand op de Bijbel te leggen, maar alleen op mijn eigen hart, dat ik mijn eigen vlees en bloed zal beschermen. En deze eed weegt zwaarder dan de eed die ik de Kerk heb gedaan en waarin ik zwoer het nooit toe te laten dat een vertegenwoordiger van de clerus kwaad wordt gedaan of hem zelf kwaad te doen. Die eed breek ik hierbij, nu ik tegen u zeg: laat mijn zoon met rust, pater Filippo, want ik draai uw nek om, net als een kip. Als u op zoek wilt gaan naar de Duivelsbijbel, ga uw gang. Op het narrenschip is altijd nog plaats voor een passagier meer, en nu hebt u alles wat u moet weten om op reis te gaan. Maar laat mijn zoon met rust.'

Filippo zat erbij alsof hij door de bliksem was getroffen. Hij hoorde de man buiten weggaan en dat bracht hem weer tot zichzelf. Hij stormde de biechtstoel uit, werd zich bewust van de blikken die de twee oude vrouwtjes die voor het altaar knielden hem van onder hun hoofddoeken toewierpen, negeerde ze en rende de kerk uit. De zon verblindde hem. De Via Appia was zoals altijd vol leven dat voorbij zijn donkere grot stroomde. Hij zag het bolwerk van de Via Appia oprijzen en aan de andere kant de kleiner wordende huisjes die overgingen in tuinen en velden. Een reusachtige man met een donkere capuchon aan zijn mantel marcheerde er met snelle stappen vandoor. Filippo tilde zijn soutane iets op en rende hem achterna.

'Kolonel Segesser!' riep hij.

De man had een dunne baard, die zijn hazenlip niet kon verbergen.

'Hnnn?' deed de man. 'Wad isser aan de hangd, bedomme?'

Filippo liet hem los en deed een stap terug. De man trok zijn mantel recht, tikte tegen zijn voorhoofd en marcheerde verder. Filippo stond wanhopig aan de rand van de weg en keek naar beneden en naar boven. Het openstaande kerkportaal van Santa Maria in Palmis trok zijn blik en leek tegelijkertijd op hem af te komen. Hij staarde ernaar.

'Laat me verdoemd zijn,' fluisterde hij. Toen sprintte hij met wapperende soutane terug, slingerde de kerk in, struikelde over de voetafdrukken van Jezus Christus en kon zich nog net aan de muur vasthouden.

Een gebogen gestalte knielde voor het altaar. Hij viel naast haar neer en keek haar recht aan. De oude vrouw deinsde geschrokken achteruit.

'Je vriendin,' bracht Filippo uit, terwijl hij op de lege plek naast haar wees. 'Die er daarnet nog was. Waar is ze heen?'

De oude vrouw antwoordde niet. Filippo liet haar met rust en wankelde weg. Hij had haar niet nodig om te weten dat de zogenaamde tweede oude vrouw in werkelijkheid kolonel Segesser was geweest, echter niet de man die hij had gechanteerd met de dreiging zijn vader uit te leveren aan de Inquisitie, maar de vader zelf. De oude commandant van de Zwitserse Garde. Het had geen zin naar hem op zoek te gaan. Hij had alles al gezegd wat hij ooit vrijwillig zou zeggen. En hij hoefde ook niet meer te zeggen. Filippo wist heel goed wie die geheimzinnige bisschop uit Wenen was. Hij had zijn akte in het Vaticaan gezien. Inmiddels droeg hij een kardinaalsmuts.

Domine, quo vadis? Wat had hij zojuist nog in stilte gedacht over de doodlopende weg die deze plaats voor hem betekende?

Filippo stond op en beende de kerk uit.

8

Pernstein torende uit boven de omliggende bossen als een vuist die iemand van onderaf door de grond had gestoken en tegen de hemel, tegen het land en tegen de hele wereld balde. De muren waren hoog en afwijzend. Erkers keken alle kanten uit, een weergang liep buiten rond het halve paleis, beschermd door een donker houten dak. De burchttoren stond iets apart en was alleen door een houten brug met het hoofdgebouw verbonden. Het deed er niet toe dat de vlak naast het bouwwerk staande muur, die haast op de top van de burchtheuvel stond, niet zo hoog was. Hij wekte een indruk van spot. Je kon over de muur klimmen, maar om de steile wand zelf te bedwingen van het kasteel dat erachter oprees, moest je een titaan zijn. Als je door de poort op de binnenplaats kwam, die zo nauw en donker was als de bodem van een schacht, kon je zien dat de hele monsterlijkheid van het kasteelcomplex in dienst stond van de verdediging tegen buiten. Zulke bouwwerken trotseerden de wereld en lieten niets daarvan doordringen tot binnen de muren en wat er ook gebeurde, kwam uit een zwart hart en een diepe, koude grond.

Heinrich von Wallenstein-Dobrowitz trok zijn schouders op toen hij in de schaduw van de kasteelplaats stapte. Hij legde zijn hoofd in zijn nek en keek naar de al schemerig wordende avondhemel; de muren, erkers en uitsteeksels van het dak vormden er een wonderlijke omlijsting voor. Ook al lagen hier geen sneeuwresten meer, de winterse kou was nog niet helemaal weg. Hij was hier in geen maanden meer geweest en ook in de vier jaar hiervoor sinds hij het kasteel voor het eerst had gezien, slechts sporadisch. Als het aan hem had gelegen, had het best nog minder mogen zijn. Het hele complex leek hem af te wijzen en met elke koude bries die om een hoek of een trappenhuis naar beneden waaide tegen hem te roepen dat hij kon doen wat hij wilde, maar hier nooit helemaal zou horen.

Hij zou Diana nooit helemaal bezitten.

Daartegenover stond dat hij maar al te goed besefte haar met huid en haar toe te behoren.

Hij wist niet zeker wanneer het was begonnen. Op het moment dat zij de wachtkamer in het Lobkowiczpaleis was binnengekomen en accepteerde dat hij haar zijn vriendschap aanbood? Het was maar vleierij tegenover een hogergeplaatste geweest en tegelijk de brutale poging om haar het hoofd op hol te brengen. Hij had niet kunnen denken dat het hierop zou uitlopen. Later, toen ze hem had aangespoord om haar nog een keer te bestijgen? Nog later, toen ze hem onder druk had gezet om de instrumenten te gebruiken die in het kolenkomfoor lagen? Ze had zich in al haar naaktheid tegen zijn rug gedrukt, met een hand zijn geslacht omvat, met de andere zichzelf gestreeld en over zijn schouder gekeken, terwijl hij, eerst aarzelend, daarna met stijgende opwinding, gevolg gaf aan haar uitnodiging. Waren het de door de knevel gesmoorde kreten geweest en het gelijktijdige hijgen in zijn oor, de vaardige hand die hem boven het kronkelende, gemartelde lichaam van de hoer had gemolken? Het besef dat ze in staat was in zijn hart te kijken, daar de wens had gezien om te vernederen, pijn te doen, meester over leven en dood te zijn, en haar woordloze bekentenis dat ze beiden op dit gebied uit hetzelfde hout waren gesneden?

Sindsdien had ze het niet meer toegestaan dat hij haar aanraakte. In Praag hield ze hem op afstand. In het Lobkowiczpaleis werd hij alleen nog uitgenodigd als het erom ging een boodschap van haar kant te beantwoorden en daarvoor haar postduiven moest gebruiken. Ze leek uitsluitend in Pernstein te verblijven, en haar man, Zdenek von Lobkowicz, even uitsluitend in Wenen. Eén keer had hij hen beiden vanuit de verte gezien. Hij had de verre, in het zonlicht van juwelen en dure stoffen schitterende gestalte, die bijna een kop boven haar man uitstak, niet in overeenstemming kunnen brengen met de Diana die hem in de halfduistere slaapkamer had bevredigd terwijl hij de hoer doodmartelde.

In Pernstein, bij een van de zeldzame gelegenheden dat ze hem had ontboden, was ze altijd opgemaakt geweest. Bij hun eerste weerzien daar had hij zijn armen om haar heen geslagen en haar tegen de muur gedrukt, een hand onder haar rok gestoken en geprobeerd haar op te winden. De blik uit de lynxachtige groene ogen had gemaakt dat hij als versteend terugdeinsde. Hij had het kreng moeten verkrachten, zei hij tegen zichzelf toen hij na dagen van verwarde eenzaamheid weer was opgeroepen om te vertrekken en hij had zich voorgenomen haar de volgende keer tot geslachtsverkeer met hem te dwingen, met een paar vuistslagen als toegift en betaling voor haar koelte van eerst. Maar toen hij maanden later weer naar Pernstein was geroepen, had het spelletje zich herhaald. Hij begeerde haar zozeer dat hij soms een paar keer per nacht de hand aan zichzelf sloeg, in de wetenschap dat slechts een verwaarloosde, donkere gang vol spinnenwebben zijn slaap-kamer scheidde van de hare, en hij had haar niet opnieuw durven belagen.

Natuurlijk was ze zich volkomen bewust van dit alles. Natuurlijk speelde ze met hem. Hij haatte haar. Hij haatte haar, terwijl hij probeerde zo lang-zaam mogelijk door de doolhof van gangen en trapportalen te schrijden die het binnenste van Pernstein vormde, en telkens weer vaststelde dat hij het bijna op een lopen had gezet. Hij haatte haar, terwijl hij zich tegelijkertijd voorstelde hoe het zou zijn om haar opnieuw te bezitten, haar koele huid en haar warme schoot te voelen, door haar gekrabd, geknepen en bijna gesmoord te worden en haar hese stem te horen die in zijn oor fluisterde: neuk me nog een keer. Hij moest langzamer lopen omdat hij bijna geen adem meer had en omdat hij zo opgewonden was dat hij zichzelf in zijn schaambuidel tot bloedens toe krabde.

Hij hield van haar.

Hij was van haar.

En zij was van het boek.

Hij duwde de deur naar haar kapel open. Ze noemde het haar kapel. Het kon zelfs wel de slotkapel zijn geweest toen Willem van Pernstein nog zwom in het geld en zijn zoon Ladislaus het enthousiast met bakken tegelijk uitgaf. Nu was het niet meer dan een leeg gewelf. Het boek lag op een grote katheder. Zoals altijd stond zij ervoor en bekeek het toen hij binnenkwam. Hij op zijn beurt bekeek haar. De glans van haar witte gewaad verblindde zijn ogen, hoewel de ruimte donker was.

'Ik kan er niet bij,' zei ze.

Het was bijna een ritueel geworden; hij voelde zich genoodzaakt te zeg-gen: 'Gun uzelf de tijd.' Ze keerde zich maar half naar hem om. Hij zag de lijn van haar witgeschminkte wang en haalde diep adem. 'Het is eeuwen-oud. En als het waar is dat de duivel het zelf heeft geschr...'

Hij voelde haar spottende lachje meer dan dat hij het zag. Hij wist dat ze het geloofde. Heinrich zelf wist niet wat hij moest geloven. Hij voelde dat zijn lichaam begon te trillen als onder een onhoorbare vibratie en zijn oren dreunden zodra hij maar in de buurt van Pernstein kwam. Maar als hij in Praag was, voelde hij de vibratie ook. Hij wist niet meer zeker of het er niet altijd al was geweest of pas vanaf het moment dat hij was ingewijd in het bestaan van de Duivelsbijbel. De vibratie was als een soort aardver-schuiving, die elke keer de binnenste kern van zijn ziel blootlegde en hem er een blik op verleende. Soms beviel het hem wat hij zag. Soms irriteerde het hem. Soms moest hij zich vastgrijpen om niet in de eerste de beste hoek te gaan staan kotsen tot zijn ingewanden naar buiten kwamen. Toen proefde hij al het bloed dat aan zijn handen kleefde op zijn tong en hij meende Toro te horen kermen toen hij deze uit het open raam gooide. En hij hoorde het geluid van hoe hij de zwarte monnik die door geen enkele kruisboog dodelijk was geraakt, een van de pijlen uit de wond trok en door de keel stak, en uiteindelijk het door de knevel gesmoorde uitzinnige gejank van het goedkope hoertje, toen hij de roodgloeiende fallus uit het kolenkomfoor pakte en... En dan hoorde hij meestal het gebrul van Ravaillac, beneden op de Place de Grève, terwijl madame De Guise hijgend uitstootte: 'Har-der-har-der-har-der...!' Het was moeilijk om niet te kotsen. Hij haatte de Duivelsbijbel omdat deze hem die beelden bezorgde.

'Ik had u eerder verwacht,' zei Diana.

'Ze werd in Brno opgehouden. Ik heb van de gelegenheid gebruikgemaakt om haar van dichtbij te bekijken.'

'En?'

'Ze is knap,' zei hij met tegenzin.

Ze draaide zich helemaal om. Over haar schouder zag hij enorme prenten en kriebelige rijtjes tekens voordat haar lichaam hem het zicht benam. Haar witte gezicht trok de lippen op en haar tong werd zichtbaar.

'Uw smaak?'

'Weet ik niet.' Hij verbaasde zich er zelf over hoe weinig spraakzaam hij was en over het onbehaaglijke gevoel dat het hem gaf om met haar over zijn ontmoeting met Alexandra Khlesl te praten.

'Probeert u erachter te komen. Ze is misschien een cadeau. Van mij aan u.'

Hij wuifde haar woorden weg. Toen ze hem tegemoet gleed, hield hij zijn adem in. Ze keek diep in zijn ogen. Hij voelde een koele hand tegen zijn wang, toen bracht ze haar gezicht naar het zijne. Haar tong likte over zijn mond. Toen hij zijn lippen opende, trok ze zich terug. Hij wilde haar grijpen, maar de gladde stof van haar japon gleed uit zijn handen.

'Hoe was het in Brno?' vroeg ze.

'De een of andere arme drommel heeft ervoor geboet dat hij een jong meisje heeft vermoord. Een idioot,' voegde hij eraan toe. 'Hij wist niet eens meer dat hij het had gedaan.'

'Wat een geluk.'

Heinrich klemde zijn kaken op elkaar. 'Ja,' zei hij toen. 'Ze begon spontaan over het onderwerp toen ik tegen haar zei dat de executie om politieke redenen plaatsvond. Ze had in Wenen ook een executie gezien, met precies tegenovergestelde voortekenen.'

'Er zijn te veel executies tegenwoordig,' zei ze, en op het gezicht dat ze trok, lag vals medelijden. 'En de Kerk komt er bijna nooit goed mee weg, de protestantse net zomin als de katholieke.'

Heinrich zei niets. Hij voelde haar blik op zich rusten en vond het onprettig en opwindend tegelijk. Onrustig bewoog hij zijn schouders.

'Ik heb met alle middelen geprobeerd de code van de Duivelsbijbel te ontcijferen. Het is me niet gelukt...'

Met alle middelen, wel wel, dacht Heinrich. Drie van die middelen zijn al door de varkens opgevreten, met hun belachelijke alchemistengewaden. Er was niets aan geweest om die drie oude mannen te doden. Hij had gehoopt dat Diana zich aan hem zou overgeven terwijl ze de werktuigen op hen uitprobeerde die een meubelmaker jaren geleden voor onschuldige doeleinden hier had achtergelaten. Maar ze had hem slechts bevolen hun de keel door te snijden en vervolgens de lijken naar de varkensstal te brengen.

'Denkt u werkelijk dat kardinaal Khlesl meer weet dan u?'

'Méér weet? Hij heeft zich er nooit mee beziggehouden omdat hij bang is dat de Duivelsbijbel wel eens sterker kon zijn dan hij.'

'Maar ik dacht dat u hem door de dochter van zijn neef in onze macht te krijgen wilde dwingen ons te helpen? We moeten haar eerst te pakken hebben. Op dit moment rijdt ze ongehinderd naar Praag.'

'U stelt me teleur, Henyk.'

Hij keek haar verbaasd aan. 'Ik begrijp niet...'

'U begrijpt nog veel meer niet dan u denkt.'

Heinrich haalde zijn schouders op. 'Uit wat u tegen me hebt gezegd, heb ik opgemaakt dat we het meisje hierheen moeten brengen om de oude kardinaal op die manier te bewegen om ons te verraden wat hij over de Duivelsbijbel weet.' Hoewel hij er een vieze smaak van in zijn mond kreeg, voegde hij er welbewust aan toe: 'En mocht hij aarzelen, dan sturen we hem strengen haar, vingers, oren...' Hij zweeg.

'U weet blijkbaar nog steeds niet met wie we te maken hebben, Henyk.'

'Met een kardinaal die tegelijk minister van keizer Matthias is en met zijn neef die een kruidenier is. Nou en? Uw man staat huizenhoog boven die oude paap, en Cyprian Khlesl is helemaal niets.'

'Melchior Khlesl,' zei ze langzaam, 'is degene aan wie we het te danken hebben dat keizer Rudolf afstand moest doen en dat onze nieuwe keizer nu Matthias heet. De baas van het rijk eet uit zijn hand. En aartshertog Ferdinand is zo bang voor hem dat hij hem met haat bestookt in plaats van hem zijn diensten aan te bieden. Melchior Khlesl is de grijze eminentie van het rijk en misschien de op een na volgende paus.'

Heinrich keek naar de grond. Hij voelde zich als een geitenhoeder die niet had gemerkt dat de kudde was weggelopen. En Diana was nog niet klaar.

'Wat Cyprian Khlesl betreft: als u en hij elkaar in een donker straatje zouden tegenkomen, zou ik geneigd zijn om op hem te wedden.'

Verbijsterd stoof hij op. Ze glimlachte fijntjes, haar handen in de schoot gevouwen als de kuiste maagd. Woede laaide in hem op, zo snel dat hij zijn gezichtsuitdrukking niet onder controle kon houden. Ze trok haar wenkbrauwen een beetje op. 'Houdt u op met uw tanden te laten zien. U ziet eruit als een dier!'

'Ik breng u zijn hoofd en dan pis ik in zijn lege oogkassen!' zei hij. Zijn stem trilde van boosheid, en van jaloezie. Toen hij dat besefte werd hij nog kwader.

'Dat zal niet nodig zijn,' zei ze. 'Evenmin als het nodig zal zijn Alexandra Khlesl in mootjes te hakken, in elk geval niet om kardinaal Khlesl ermee af te persen. Alexandra zal een van ons zijn.'

'Wat?'

'Zodra de tijd rijp is, zal ik u vragen het hart van Alexandra Khlesl te veroveren. U zult ervoor zorgen dat ze langzaamaan steeds meer uit uw hand eet.'

'En hoe moet ik dat doen?'

Haar glimlach was vederlicht. 'Toe nou! U zult vast wel iets bedenken. Op haar gezicht zouden engelen jaloers zijn. En voor de rest: iedereen heeft een donkere kant. U bent er goed in die te raken. Neukt u met haar. Daarin bent u nog beter.'

'Dan moet ze me wel eerst dichterbij laten komen, nietwaar?' Hij dacht aan het smalle gezicht van de jonge vrouw in de koets, bijna verborgen in

zijn krans van weelderig donker haar. Een gezicht dat een kwetsbare en tedere indruk maakte, tot je het harde trekje rond de mondhoeken waarnam,
dat een teken kon zijn van een eigenschap waarvan Alexandra zich misschien zelf niet eens bewust was. 'Misschien ben ik haar type niet?'

Ze zuchtte een beetje. 'U beseft kennelijk niet dat u een talent hebt.' Ze
kwam weer dicht bij hem staan en met een stoot die zo pijnlijk was dat
hij ineenkromp, greep ze tussen zijn benen. Haar mond was plotseling zo
dicht bij de zijne dat haar lippen hem raakten als ze praatte. 'Jij straalt een
permanente uitnodiging uit om te neuken,' fluisterde ze, terwijl ze haar
hand bewoog. Hij kreunde. Pijn en lust schoten tegelijk door zijn lendenen.
'Sommigen noemen het charme, anderen uitstraling, maar ik weet wat het
is, wat er in jouw zwarte oogjes gebeurt, mijn vriend Henyk: het is de overweldigende honger naar het volgende stuk vlees. Je scheidt het af als een
geur en het is zo besmettelijk als een ziekte.'

Ze stapte achteruit en met glazige ogen kwam hij kermend overeind.
Zijn schoot klopte zo hard dat zijn organen werden afgekneld.

'Ik zie nog iets wat voor anderen verborgen blijft,' vervolgde ze. 'Dat u
haar vlees het liefst bloederig wilt hebben.'

Heinrich probeerde het met luchtigheid, hoewel hij geschokt was. 'Nu
u zoveel over mij hebt gezegd, doet het u misschien ook plezier om me te
vertellen wat er in uw hoofd omgaat? Ik weet namelijk niet meer wat dat
allemaal te betekenen heeft.'

Ze keerde hem de rug weer toe, ging voor de katheder staan en streek
met haar hand over de zijkanten van de codex. Heinrich had het gevoel dat
ze over een onzichtbare harp streek; er leken opeens bastonen te klinken die
de ruimte lieten zinderen.

'Leid me,' fluisterde ze. Heinrich wist dat ze hem niet bedoelde. Hij had
het inmiddels vaak genoeg meegemaakt: opeens bestond voor haar alleen
het boek nog. De omgeving had opgehouden te bestaan. Zelfs haar witte
gestalte wekte de indruk opeens veel minder stoffelijk te zijn, doorzichtig
te worden, op te gaan in een sfeer waaruit het boek volgens alle legendes
scheen te komen. 'Leid me, opdat ik het rijk kan leiden. Beveel me, opdat ik
het rijk kan bevelen. Geef je aan me over, opdat ik het rijk aan jouw voeten
kan leggen.'

Heinrich rolde met zijn ogen, hoewel zijn middenrif trilde in de onhoorbare bastoon die de ruimte vulde. Het zou hem niet hebben verbaasd

als het pleisterwerk van de muren was gedwarreld, maar wat hij – en zij ongetwijfeld ook – voelde, had op de muren geen enkel effect. Plotseling stak ze haar hand op van opzij en boog ze haar hoofd, en het gevoel dichtbij het middelpunt van een reusachtige trommel te staan werd zwakker.

'Keizer Rudolf was te zwak,' zei ze. 'Hij had het juiste doel, maar de verkeerde weg en hij was niet de uitverkorene. Hij dacht dat hij de Duivelsbijbel bezat, maar in werkelijkheid had hij slechts stof in zijn handen. Hij had ingezien dat de macht van het rijk niet langer kan afhangen van het katholicisme of het protestantisme, niet langer van het christendom, dat zo zwak is gebleken dat zelfs de volgelingen met elkaar vechten. God is te ver weg en Jezus Christus heeft de wereld de rug toegekeerd en huilt omdat hij voor niets is gestorven. Keizer Rudolf was ervan overtuigd dat de wetenschap de enige uitweg was. Dat dacht hij verkeerd.'

Ze draaide zich om en keek hem aan. Het was een van de weinige keren dat ze hem vermoeid en haast menselijk voorkwam. Zelfs na het verzengende liefdesspel destijds in haar kamer in het Lobkowiczpaleis had ze er niet zo moe uitgezien; zoals nu zag hij haar alleen als ze zich weer dagenlang zonder resultaat met de codex had beziggehouden.

'Keizer Matthias heeft ook begrepen dat het katholieke en het protestantse geloof geen van beide de juiste weg zijn. Maar zijn oplossing bestaat erin niets te doen en zijn eigen leven te genieten zolang het nog kan. En dat zal niet lang meer zijn. Hij is ziek. Hoelang heeft hij nog? Twee jaar? Drie? En wie volgt hem dan op?'

'Aartshertog Ferdinand,' zei Heinrich tegen zijn zin. Opnieuw voelde hij zich een kleine jongen die de catechismus van de volwassenen moet nazeggen.

'Die domme, bekrompen, aartskatholieke Ferdinand van Oostenrijk, die nog niet eens naar het privaat gaat zonder het eerst aan zijn oom Maximiliaan te vragen,' zei ze. Haar blik werd afwezig, alsof hij door de muren van het kasteel ging. 'Hij zal alleen bijdragen aan verdere stilstand en de twist tussen de katholieke en de protestantse Kerk zal het land nog altijd als een zweer wegvreten. De wetenschap is niet de juiste weg, al heeft Rudolf ingezien dat er een derde weg moet komen tussen de paus en de protestanten. De mensen moeten ergens in geloven. In wetenschap kun je niet geloven. Maar God heeft zich afgekeerd en de leer van Christus is een perverse geloofsbelijdenis van een paar machtswellustige oude mannen geworden. Ik zal de mensen het geloof teruggeven, het geloof in de enige macht die vanaf het begin geïnteresseerd is in de mensheid en heeft geprobeerd die aan zijn kant te krijgen.'

Ze legde haar hand weer op de opengeslagen bladzijden van het boek, maar deze keer had het geen effect.

'Hij heeft geprobeerd ons kennis te schenken, keer op keer. Het is stuk-gelopen op het bijgeloof en de domheid van de mensen. Ik zal ervoor zor-gen dat het deze keer slaagt.'

Plotseling verscheen er een glimlach op haar gezicht. Hij werd in haar vermoeide ogen niet weerspiegeld. Henyk vond het griezelig. 'Kent u de legende van de millenniumkeizer, vriend Henyk?' fluisterde ze.

Henyk haalde zijn schouders op.

'En ik zag de hemel openstaan, en zie, een wit paard,' fluisterde ze, 'en wie erop zit, spreekt recht en strijdt in gerechtigheid. Zijn ogen zijn als een vurige vlam en zijn hoofd draagt vele diademen. Zijn naam kent niemand anders dan hijzelf. Hij is gekleed in een bloeddoordrenkt gewaad en zijn naam is: het woord.'

Ze glimlachte opnieuw. Heinrichs nekharen gingen rechtop staan toen hij zag dat hardheid en vermoeidheid een moment haar ogen verlieten en deze haast zacht werden. Hij slikte toen hij heel even een blik dacht op te vangen van de vrouw die diep vanbinnen leefde achter het witgeschminkte omhulsel en de ongenaakbare ziel die hem en de wereld werd gepresen-teerd: een vrouw die wanhopig probeerde te geloven, in zichzelf en haar bestemming. Dit wezen was hem zo vreemd dat het hem angst aanjoeg. Een ogenblik was het idee om te vluchten net zo overweldigend voor hem als destijds in de wachtkamer van het Lobkowiczpaleis, en hij deed al een stap achteruit, toen zich een subtiele verandering in haar gezicht voltrok en ze weer degene was die hij kende en die hij zo zelden bij haar ware naam noem-de dat die niet eens in zijn gedachten op de eerste plaats stond. Voor hem was ze Diana, de mooiste vrouw van de wereld, zijn partner, zijn minnares voor een extatische, verschrikkelijke, alles openbarende middag; zijn godin, die hij soms haatte en die hij boven alles begeerde.

'Mijn moeder was streng katholiek,' zei ze. 'Waar andere kinderen de verhalen over prinses Libuse en prins Przemysl te horen kregen, las zij uit de Bijbel voor. In Openbaringen wordt gezegd dat bij het laatste gevecht een koning der koningen opstaat en de grote slag wint; daarna draagt hij de troon over aan degene die recht mag spreken en deze zal duizend jaar heersen.'

'De milleniumkeizer, die de weg vrijmaakt voor de wederkomst van Christus,' zei Heinrich.

'Ik zal de millenniumkeizer zijn,' zei ze zo rustig dat het pertinenter klonk dan wanneer ze het had gedeclameerd of geschreeuwd of als bewijs haar handen op gloeiende ploegscharen had gelegd. 'Maar ik zal het rijk niet aan Christus overdragen. Christus heeft zestienhonderd jaar de kans gehad en er geen gebruik van gemaakt. Die geef ik aan degene die de werkelijke macht bezit.' Ze nam een paar bladzijden van het boek en sloeg ze om. Van de reusachtige bladen steeg een geur van bederf in Heinrichs neus. Ze knikte met haar hoofd en Heinrich trad onwillig naderbij. Op een immense dubbele bladzijde stond het plaatje van een stad, omgeven door muren en omlijst door torens. Rechts stond het portret...

Heinrich sloeg een kruisteken. Ze lachte en liefkoosde de gehoornde gestalte met de hoeven. Zijn gezicht glimlachte, overtuigd van de overwinning.

'U wilt de omstandigheden voor een oorlog scheppen,' zei Heinrich ten slotte met droge mond.

'Die heb ik allang geschapen,' zei ze, terwijl ze een wegwerpend gebaar maakte. 'Gelooft u maar niet dat ik al die jaren alleen op de Duivelsbijbel heb gebroed. Ik heb haar nodig, dat is waar. Maar ik heb haar pas nodig als het rijk in vlammen is opgegaan, om het uit de as te tillen. Tot het zover is heb ik de tijd. En om het rijk in vlammen te laten opgaan, is er niets anders nodig dan voldoende kleingeestige leeghoofden die een hekel hebben aan alles wat anders denkt dan zij. Ik heb ervoor gezorgd dat op alle belangrijke posten in het rijk zulke mensen zitten. De rijkskanselier heeft de macht, en de macht over de rijkskanselier heeft de vrouw die in bed in zijn oor fluistert.'

Heinrich knipperde met zijn ogen; hij kon het niet voorkomen. Haar mond vertrok tot een miniem glimlachje.

'De nieuwe koninklijke stadhouders, graaf Martinitz en Willem Slavata: simpele, vurig katholieke stomkoppen die niet verder kijken dan hun neus lang is en in niets onderdoen voor hun heer, koning Ferdinand. Aan de andere zijde: graaf Von Thurn, de aanvoerder van de Boheemse Staten, die niet eens goed Boheems spreekt, een fantast, een praatjesmaker, verliefd op zijn eigen stem en fanatiek protestants gezind. Het enige talent dat hij heeft is dat hij met zijn grootse plannen ook de wantrouwigste geesten kan inpalmen. En dat zijn nog maar de meest prominente vertegenwoordigers. Dacht u dat zo'n opeenhoping van incompetentie aan beide zijden puur toeval was? Er komt oorlog. Voor iedereen die erin betrokken raakt zal hij zijn als de laatste slag uit Openbaringen. Maar ik zal de keizer zijn die uit de ruïnes verrijst.'

'Een heerser over miljoenen doden.'

'Aangezien het geen gewetensbezwaren zijn die uit uw mond kunnen komen, mijn vriend, wat wilt u mij daarmee zeggen?'

'Als u een geloofsstrijd onder de christenen laat oplaaien – en dat is wat ik in uw woorden hoor – zal er uiteindelijk niemand meer over zijn die iets gelooft. De duivel heeft zijn macht van God en God zal na deze oorlog net zo dood zijn als iedereen die in hem gelooft.'

'Daar heb ik rekening mee gehouden.'

'De kinderen,' zei Heinrich, die het gevoel had dat hem plotseling een licht opging. Hij hield zijn adem in. Hij had haar weer eens volkomen onderschat.

'De kinderen,' knikte ze. 'De kinderen van de hofambtenaren, de kinderen van de rijke kooplieden, de kinderen van de edelen, de kinderen van de families van de bisschoppen en kardinalen. We beginnen met Alexandra Khlesl. Als we haar in onze macht kunnen krijgen, zal het ons ook bij alle anderen lukken. Kardinaal Khlesl is de enige die me op dit moment voor de voeten kan lopen en de terugkeer van de Duivelsbijbel kan verhinderen. Hij heeft het al eens eerder gedaan. Alexandra is de dochter van zijn lievelingsneef. Hij zal niet toestaan dat haar iets overkomt; hij zal er geen idee van hebben dat ze allang een van ons is als hij zich aan mij onderwerpt.'

Het onbehagen stak in Heinrich opnieuw de kop op toen ze over Alexandra begon. Hij schudde het af, maar het kwam meteen terug.

'Hoe weet u dat allemaal?' vroeg hij. 'Vier jaar hebt u hier doorgebracht met alle mogelijke toverrituelen zonder een stap verder te komen. Waar komt opeens de kennis over kardinaal Khlesl en zijn familie vandaan? Toen u mij eropuit stuurde om de dochter op te sporen, wist u dit allemaal al.'

Ze aarzelde heel even en zei toen: 'Komt u mee.'

Ze voerde hem door de doolhof van het kasteel naar de schommelende houten brug, die de burchttoren met het huis verbond. De burchttoren was vanbinnen ruimer dan menig woonhuis van eenvoudige burgers in de stad.

Ze morrelde aan een deur en opende die. De ruimte erachter was leeg op een bed, verbleekte gobelins aan de wanden en een schoorsteen waarin een vuur brandde na. Ondanks de kou die van de muren af kwam, was het er benauwd warm. In een van de nauwe vensternissen zat een gedaante die zich naar hen omkeerde. Heinrich trok zijn wenkbrauwen op. De gedaante was een slanke, knappe, jonge vrouw die een jurk droeg die vierhonderd jaar geleden in de mode moest zijn geweest. Door deze aanblik in combinatie met de ouderwetse sfeer van de ruimte was hij even gedesoriënteerd.

De jonge vrouw klapte in haar handen en lachte. Ze wees daarbij opgewonden uit het raam. De witte gedaante aan Heinrichs zijde liep naar haar toe en boog zich over haar heen. 'Jazeker,' hoorde Heinrich haar zeggen. 'Daar buiten komen de ridders aan, Lancelot, Walewein, Erec... Als je even wacht, komen koning Arthur en koningin Guinevere ook nog. Je moet gewoon geduld hebben.'

De jonge vrouw omhelsde Diana en giechelde opgewonden. Kwijl liep over haar kin. Verbijsterd zag Heinrich dat Diana haar gezicht afveegde. De jonge vrouw ging zitten en nam haar observatiepositie weer in. Toen keerde ze haar gezicht naar hem toe en glimlachte opnieuw, en niemand had kunnen beweren dat er met haar iets niet in orde was. Hij liet zich door Diana naar buiten duwen. Ze deed de deur achter zich op slot.

'Een zwakzinnige,' zei ze. 'Er wordt gezegd dat ze in het bos heeft geleefd tot een jachtgezelschap haar vond en naar de norbertinessen in de buurt van Brno bracht. Daar heeft een burgeres van Brno haar uit gehaald en haar aangenomen als haar eigen kind.'

'Ze is een schoonheid,' zei Heinrich.

'Haar hersenen zijn volkomen leeg. Ik heb er maar twee dingen aangetroffen: de verhalen van koning Arthur – ik weet niet wie die daar heeft geplant – en de overtuiging dat ik een engel ben.'

'Wat speelt ze voor rol?'

'De vrouw die zich haar moeder noemt, wil haar graag weer terug. Dat jonge ding – ze heet Isolde – is niet helemaal vrijwillig hier, al merkt ze dat zelf helemaal niet en denkt ze dat de "engel" haar heeft uitgenodigd om de ridders van de Ronde Tafel te leren kennen.'

'Het gaat dus om de vrouw die haar heeft geadopteerd?'

'Ik weet niet zeker of dat oude mens me alles heeft verteld. Met het meisje heb ik haar nog steeds in de hand. Maar zodra Melchior Khlesl mijn macht heeft erkend, heb ik haar en dat kind niet meer nodig.' Haar glimlach was koud. 'Kunt u overtuigend Tristan spelen voor onze Isolde? Ze zal zich niet al te moeilijk voor de gek laten houden. Als ik haar niet meer nodig heb, is ze van u. Kolenkomfoor, tangen, messen, zagen; wat u maar nodig hebt, vindt u dan hier ergens.'

'Misschien wil ze dan in het bijzijn van haar engel op weg gaan naar de hemelpoort?' Heinrich vond dat het een poging waard was. Hij was verrast dat ze zich opeens tegen hem aan duwde, haar mond op de zijne drukte en hem kuste. Hij beantwoordde de kus hijgend en vol hartstocht, pakte met zijn ene hand haar zitvlak en met de andere haar borst. Ze duwde hem van zich af.

'Wie weet,' antwoordde ze. Hij staarde naar de uitgelopen make-up op haar mond; het zag eruit alsof ze bloed had gedronken. 'Wie weet, mijn mooie Tristan. Maar voor het zover is hebt u nog heel wat werk te doen.'

9

'Goed dan,' zei Melchior Khlesl. 'Rij Andrej dan maar tegemoet als je denkt dat dat beter is. Ik blijf hier op jullie wachten. Ik kan me geen betere plaats op aarde voorstellen.' De kardinaal en bisschop van Wenen wees naar het ruïneveld op de door bos overwoekerde heuveltop waar ze hun kamp hadden opgeslagen. Het ruïneveld was een kasteel geweest tot de tijd het adellijke geslacht had weggevaagd en de hussietenoorlogen hun bebouwing. Je kon het aan kardinaal Melchior Khlesl overlaten als ergens een oude puinhoop moest worden gevonden waar men elkaar ongestoord kon ontmoeten.

'Ik ben terug als de duisternis invalt. Met Andrej, hoop ik.'

Cyprians gedachten gingen langs onberekenbare paden, terwijl hij zijn paard in de doolhof van stenen torens, reusachtige beelden en versteende sagefiguren voerde, waar de weg doorheen slingerde. Hij kende deze plek en hij had er ambivalente herinneringen aan. De rotssteden, zoals de oorspronkelijke bevolking het gebied noemde (en die liever meed als het enigszins ging), waren voor Cyprian een catharsis geweest. Hij vroeg zich af of hij zijn oom had kunnen overhalen om een omweg hierlangs te maken, als ze niet toch al op de route hadden gelegen. Hij tuurde naar boven, waar hij trollengezichten zag en fantastische kasteelgevels, en in de ogen van versteende helden en in liefde verstarde vrouwen. Verbazingwekkend dat hij de afgelopen twintig jaar nooit aanstalten had gemaakt om hierheen te gaan.

De vogels in de toppen van de bomen zongen om het hardst. Een soort rooklucht steeg in zijn neus, maar het was zo vaag dat het ook de geur kon zijn van hars die in de zon droogde.

Hij spitste zijn oren. De vogels verkondigden nog steeds uit alle macht dat het leven kort was en er nog veel moest worden gedaan. Hij haalde zijn schouders op en reed verder.

'Hij is gestopt,' fluisterde de man met de aardappelneus. 'Verdomme, hij heeft het geroken.'

'Sodeju,' zei zijn metgezel, een man met een kaal hoofd.

'Ik zei het toch meteen al tegen je: niet het vuur aansteken. Maar nee, jij moest zo nodig...'

'Hou je kop. Wat doet die kerel?'

Aardappelneus kroop zo ver uit de dekking van een holte van een bizar steenmonster dat hij door de boomstammen heen in de verte de keerbocht in de weg kon zien. Midden op de weg stond een ruiter, die zijn hoofd schuin hield.

'Spits je oren,' zei Aardappelneus.

'Hij kan ons over die afstand toch zeker niet horen, of wel?'

'Nee, dat kan hij niet.' Aardappelneus klonk onzeker.

'Rotzak! Waarom komt die knakker terug?'

'Weet ik veel. Ik wilde dat je het vuur niet had aangestoken.'

'Ik heb gisteren de hele dag uit de verte geloerd en geroken dat die twee rotzakken iets aan het brouwen waren. En wij eten ouwe lijken en havermout. Ik had honger als een paard, man!'

'Smeer je havermout maar op de bouwplaats, schlemiel. Daar is plaats genoeg.'

'Ach, hou je kop.'

Aardappelneus gleed terug in zijn schuilplaats. 'Hij rijdt door!' fluisterde hij.

De kale trok langzaam zijn kruisboog tegen zich aan. Aardappelneus' wenkbrauwen schoven omhoog. De kale keek nadenkend.

'Ze zeiden toch dat het om de kardinaal ging, of niet? Voordat die krentenweger ons ontdekt en herrie begint te schoppen, maak ik hem koud.'

De kale zette zijn voet in de beugel, pakte liggend de pees en spande die. Het hout van de kruisboog gaf mee en kraakte zo hard als een musketschot. Beide mannen hielden hun adem in. De vogels bleven onafgebroken zingen. Op Aardappelneus' voorhoofd verscheen plotseling een zweetdruppel. De kale trok verder aan. Het hout kraakte weer. De pees was bijna zo ver gespannen dat je hem achter de tuimelaar zou kunnen haken. De armen van de kale trilden van inspanning. Aardappelneus' lippen vormden onwillekeurig een o, terwijl zijn kompaan zacht kermend de laatste paar duim aflegde. Als in trance staarde hij naar de vuisten van de ander. De pees sprong terug achter de tuimelaar, een nieuwe knal. Aardappelneus kneep zijn ogen tot spleetjes. Hij had nooit geweten hoe luidruchtig het spannen van een kruisboog kon zijn. De kale blies langzaam zijn adem uit en maakte zijn handen los van de gespannen pees. De knokkels van zijn vingers knakten. Aardappelneus schokte weer even.

'En?' fluisterde de kale in de stilte na alle herrie.

Aardappelneus vermande zich en stak zijn hoofd weer uit de dekking. Hij zag Cyprian langzaam dichterbij komen. Heel zwak was het geluid van een basstem te horen, die onmelodieus neuriede.

'Niks gemerkt, die idioot.'

'Volgens mij is het allemaal overdreven wat ze ons over die kerel hebben verteld. Het is net zo'n sukkel als iedereen.'

'Sssst.'

'Wat?'

'Ik kan hem niet meer zien. De bomen staan ervoor. Hou je kop, dan kunnen we horen of hij nog een keer blijft staan.'

Aardappelneus probeerde door het dichte bos te kijken, terwijl zijn kompaan naast hem op zijn rug met open mond lag te luisteren. Ze hoorden het langzame getrappel van paardenhoeven dat kalmpjes naderde, begeleid door Cyprians geneurie. Toen hield het getrappel opeens op. De grijns verdween van het gezicht van de kale. Aardappelneus liet kwaad zijn ogen rollen.

'Wat nu?' De kale vormde de woorden geluidloos.

Aardappelneus haalde zijn schouders op. De kale draaide zich op zijn buik en kroop ook naar boven. Voorzichtig bracht hij zijn kruisboog in de aanslag. De vogels kwetterden en kwinkeleerden. Het paard bewoog niet. De blikken van de twee mannen hielden elkaar vast.

Toen hoorden ze een zacht geklater, dat ongelooflijk lang aanhield en werd gevolgd door een bevrijde kreun. De onzichtbare ruiter schraapte zijn keel, spuugde op de grond, deed alles wat je doet als je gehoor hebt gegeven aan de roep van de natuur en je daarna meer mans voelt en klom grommend weer op het paard. Aardappelneus merkte dat hij al die tijd zijn adem had ingehouden en liet die sissend ontsnappen.

'Hij heeft gepist,' prevelde de kale ongelovig, terwijl hij terugschoof in zijn dekking. 'Ik hoop dat zijn lul eraf valt.'

Aardappelneus tuurde tussen de boomstammen door de weg af, maar hij kon niets zien. Ingespannen zocht hij een beter gezichtspunt. Het paard liep zo langzaam dat hij zich begon af te vragen of de ruiter van plan was zo dadelijk weer af te stappen en zijn kleine boodschap door een grote te laten volgen. Op de een of andere manier moest hij lachen bij de gedachte. Hij snoof zacht. De kale keek hem vragend aan. Aardappelneus schudde zijn hoofd en beet op zijn lippen.

Toen zag hij dat hij, als hij zich in de juiste hoek vooroverboog, een stukje weg tussen twee takken door kon zien. Hij kneep zijn ogen tot spleetjes. De ruiter naderde deze plaats. Hij gaf de kale een teken en deze kwam weer uit zijn dekking, ontdekte de opening en legde zijn kruisboog aan, likte aan een vinger en hield die in de lucht, richtte het wapen een beetje naar links en keek door het vizier naar de open plek. Aardappelneus had de dodelijke precisie gezien waarmee zijn kompaan de kruisboog wist te hanteren. Cyprian Khlesl zou dood zijn, nog voor hij had begrepen wat de knal van de schietende kruisboog te betekenen had.

De duim van de kale zakte naar de trekker. Het geluid van de langzame stappen van het paard waaide naar hen over.

'Vaarwel, krentenweger,' fluisterde de kale. 'Van deze reis keer je nooit meer terug.'

Aardappelneus hield onwillekeurig zijn adem in toen hij door de opening tussen de bomen iets zag bewegen. Cyprians paard verscheen op de overzichtelijke plek, het hoofd half gebogen. Twee, drie stappen, een halve hartslag, toen was het weer weg.

Aardappelneus staarde de kale aan. De kale hield nog steeds zijn duim op de trekker, maar hij had niet geschoten. Heel langzaam nam hij zijn duim weg en beantwoorde Aardappelneus' blik. Zijn ogen waren groot. Aardappelneus draaide zich met een ruk om en probeerde een ander stuk van de weg te zien. Het paard...

De drie geluiden klonken bijna tegelijk: het volle 'paf!' dat een steen maakt die een schedel heeft geraakt, het scherpe 'krak!' van de kruisboog die schoot en het weelderige 'plop!' waarmee de pijl tien stappen verder in een boomstam insloeg.

Aardappelneus draaide ontsteld op zijn rug en graaide naar een mes. Op een spreekwoordelijke steenworp afstand stond Cyprian Khlesl op een ander rotsblok en knikte hem vriendelijk toe met nog een steen in zijn hand.

Er had geen ruiter meer op het paard gezeten.

Aardappelneus hoorde nog een keer 'paf!', deze keer veel dichterbij, eigenlijk precies tussen zijn ogen.

Mocht er nog meer zijn gekomen, dan hoorde hij het niet meer.

11

Andrej schoot gebukt door het bos naast de weg. De bomen gleden langs hem heen. Sommige groeiden zo dicht op elkaar dat de weg eromheen slingerde en hun hoogste takken een poort vormden.

Hij had zijn paard verderop laten staan toen hij de knal van de kruisboog hoorde. Met samengeknepen ogen probeerde hij de omgeving af te speuren. De boomstammen klommen vooraan omhoog langs een rond, vele malen gespleten blok graniet met de afmetingen van een klein kasteel, tot ze geen grond genoeg meer vonden om zich in vast te grijpen. Het grijze gesteente torende erachter boven de boomtoppen uit. Een half leger kon hier in hinderlaag liggen en als het klopte wat hij vermoedde en wat door kardinaal Melchiors verzoek om hem en Cyprian naar Braunau te vergezellen bijna was bevestigd, dan zou het hem niets verbazen als dat ook het geval was.

Met een wijde boog en terwijl hij probeerde zo zacht mogelijk te werk te gaan, naderde hij de rotsburcht van achteren. Het was een gemakkelijke klim, ook voor een man die stijf was van een rit van enkele dagen en zich afvroeg waarom hij telkens weer in dit soort situaties terechtkwam. Hij had gezien dat zich aan de wegkant van de rots halverwege een soort diepe inham bevond, een ideale schuilplaats om op de loer te liggen. Hij hoopte dat hij die schuilplaats van een onverwachte kant kon benaderen.

Een paardengeur drong zijn neus binnen. Een deel van de achterkant van de rots vertoonde inhammen en had iets gevormd wat leek op een grote, aan een kant open schoorsteen. Er stonden drie paarden in. Andrej glimlachte. Hij had gelijk gehad. En nu? Drie tegen een... Hij trok zijn mes en woog het peinzend in zijn hand.

Na enkele minuten zo geruisloos mogelijk te hebben geklommen, stond hij boven een vlakke plek in de rots en deed zijn best om niet te ademen. Een gedoofd vuurtje, dekens, tassen en daar waar de rand van de vlakte naar de weg afliep, lagen twee mannen naast elkaar die omlaag leken te turen. Andrej pakte zijn mes steviger vast; het zweet stond opeens in zijn hand. Hij probeerde de derde man te ontdekken, maar dat was tevergeefs. Hij deed nog een aarzelende stap om beter te kunnen staan en om de hoek te kunnen gluren.

Een Vlaamse gaai begon boven zijn hoofd te klepperen alsof hij het expres deed. Een van de mannen kromp ineen en draaide zijn hoofd om. Andrej zag een blauwrode buil op zijn voorhoofd prijken. Een hand klemde zijn vuist met het mes als een bankschroef vast en vlak bij zijn oor zei een stem: 'Boe!'

'Als ik in mijn broek had gepist, had je me de jouwe mogen lenen,' zei Andrej.

'Twintig jaar heb ik op de kans gewacht om het je betaald te zetten,' zei Cyprian grijnzend. 'Ik kon het niet laten.'

'Betaald zetten?'

'Die keer bij de struiken langs de beek voor het klooster van Podlazice, toen je me plotseling van opzij aanklampte.'

'Wanneer was dat?'

'In een ander leven,' zei Cyprian en zijn grijns verflauwde.

'Hoe lang heb je hier op me gewacht?'

'Een uur of twee.'

'Het verbaasde me dat niet jij op mijn bericht antwoordde, maar de kardinaal.'

'Je bericht is ook rechtstreeks naar hem gegaan.'

Andrej zweeg enkele ogenblikken. 'Onze handelsagent in Brno... Zo, zo... Die oude kerel heeft overal een vinger in, hè?'

'Op dit moment denkt hij hem weer in de Duivelsbijbel te moeten steken. Wat denk jij, ouwe makker?'

Andrej haalde zijn schouders op zonder antwoord te geven. Cyprian ademde langzaam in en weer uit en trok een somber gezicht.

'Als hij nog in Braunau is,' zei Andrej, 'weten we dat je oom en ik ernaast zaten.'

'Tja.'

Andrej schoof de weinige bezittingen van de twee struikrovers aan de kant. Cyprian had ze al bekeken en ze Andrej zwijgend voorgelegd. 'De munten zijn Praagse valuta,' zei Andrej. 'Maar dat zegt niets.'

'Ik heb die kerels afgeluisterd. Ze komen uit Praag. Ik neem aan dat ze Melchior en mij van het begin af aan zijn gevolgd.'

'Hebben ze verteld door wie ze zijn gestuurd?'

'Waarom zou iemand ze hebben gestuurd?'

Andrej keek Cyprian met gespeeld medelijden aan. Cyprian grijnsde. 'Goed dan,' zei hij. 'Natuurlijk zijn ze ons niet hierheen gevolgd omdat ze eerder geen gelegenheid hadden om ons te bestelen.'

'Wat hebben ze gezegd?'

'Afgezien van een litanie van scheldwoorden, die zelfs een oude klooster-zuster hun niet verbetert?'

Andrej keek naar de struikrovers. Hij en Cyprian stonden aan de andere kant van wat eerst een kampvuur was geweest en praatten op gedempte toon met elkaar, zodat het tweetal niet kon horen wat ze zeiden. De mannen hadden zich rondgewenteld en keken hen vol haat aan. Cyprian had hun handen en voeten aan elkaar vastgebonden.

'Heb je al geprobeerd ze te folteren?' vroeg Andrej luid. Hij zag dat beiden knipperden met hun ogen en onderdrukte een grijns.

'Ik ben zoals altijd alleen met mijn handen bewapend,' zei Cyprian.

Andrej stak zijn dolk in de lucht. Cyprian zuchtte. 'Wanneer leer je nou eens dat je geen halve smederij met je mee hoeft te slepen?'

'Als ik dertig pond meer op mijn ribben en armen als boomstammen heb,' zei Andrej. 'Dus als ik er zo uitzie als jij.'

'Dat zou je geen kwaad doen.'

Ze glimlachten naar elkaar.

'Die twee laten niets los als we geen geweld gebruiken,' bromde Cyprian. 'Dat zijn harde kerels. Wie ze heeft uitgezocht, heeft een goede keus gemaakt.'

'Wat doen we met ze?'

'We laten ze eerst hier en nemen ze op de terugweg mee. Misschien worden ze onderweg spraakzaam. Misschien kan oom Melchior ze bekeren. Hij heeft overtuigingskracht.'

'Hoe ver is het tot ons ontmoetingspunt?'

'Niet ver. Ze konden ons gisteren vast en zeker afluisteren als ze elkaar hebben afgewisseld.'

'Hebben ze iets belangrijks gehoord?'

'Alleen Praagse roddels,' zei Cyprian. 'Wie voor de keizer is en wie voor aartshertog Ferdinand, wie van de heren van de protestantse Staten een laf-aard is die op elk moment naar het katholieke geloof kan overlopen, en wie van de katholieke heren al met de protestanten in gesprek is over een overstap.'

'Hoe is het met Wenceslas?'

'Die lijkt godzijdank niet op jou.' Cyprian klopte Andrej tegen zijn bovenarm. Hij had het gevoel dat Andrejs vraag een diepere betekenis had dan anders en hij kende hem goed genoeg om te weten dat hij meer tot piekeren neigde dan goed voor hem was.

'Hij is nu drieëntwintig,' zei Andrej langzaam. 'Binnenkort zal ons gezinnetje niet meer bestaan.'

'Hij is tot het eind van dit jaar als klerk bij Khlesl & Langenfels in dienst. Waarschijnlijk hoopt hij nog steeds dat jij hem meeneemt op je reizen. Waarom je dat niet doet, is me een raadsel. Je zou best een assistent kunnen gebruiken en de zaak een opvolger, als je eenmaal oud en vet bent geworden.'

'Dat weet ik. Maar ik wil hem niet in dit rusteloze leven meeslepen. Ik wil liever dat hij ergens kan aarden. Dat heb ik nooit gekund.'

Cyprian nam zijn vriend met zijn gebruikelijke rustige blik op. 'Je hebt het hem nog steeds niet verteld.'

Andrej schudde zijn hoofd.

'Je begaat een vergissing, Andrej. Maar dat zeg ik je al twintig jaar.'

'En ik zeg jou al twintig jaar dat dat je – bij alle vriendschap – niets aangaat.'

'Mij gaat alles iets aan,' zei Cyprian gemoedelijk, maar Andrej kende die ondertoon. Als het om de mensen ging die hij in zijn hart had gesloten, meende Cyprian dit heel serieus.

'Ik weet niet hoe ik het hem moet vertellen,' antwoordde Andrej. 'Nu al helemaal niet meer.'

'Ja, het wordt steeds moeilijker met de jaren.'

'Ooit komt het juiste moment. Bij Agnes en mij was het ook...'

'En hoe moeilijk was het voor jullie? Andrej, je bewijst Wenceslas geen dienst. Als je niet naar mij luistert, luister dan in elk geval naar je kleine zusje.'

'Hoe moet ik hem dan dit afschuwelijke verhaal opbiechten, Cyprian? Moet ik zeggen: luister eens, mijn zoon, eigenlijk heb ik je uit het weeshuis gestolen toen je al bijna halfdood was, om je de vrouw van wie ik hield in de schoenen te schuiven, maar die was al door twee zwarte monniken vermoord?'

'Je weet dat Agnes en ik je altijd zullen steunen. We hebben die geschiedenis samen meegemaakt en Wenceslas is de laatste draad in het hele web die nog niet is vastgeknoopt.'

'Fout,' zei Andrej. 'De Duivelsbijbel zelf is de nog open plaats. En zal dat altijd zijn tot iemand eindelijk genoeg moed heeft om hem te verbranden.'

'Je kunt een idee niet verbranden,' zei Cyprian. 'Eerder is het zo dat het idee ons zal verbranden.'

12

Filippo was tot aan het grote bos gekomen dat de scheiding vormde tussen het westen van het rijk en de Boheemse deelstaten, voor hij begon te wankelen. De stad die hij bereikte, verbaasde hem in haar architectonische en topografische perfectie: een koele schoonheid tussen heuvels die naar verse aarde roken, een zelfbewust kunstwerk van bonte gevels, torens, langs de speels aandoende loop van de stadsmuur over hellingen en het nonchalante samenspel van het kasteel op zijn berg met het massieve bouwwerk van de dom, verenigd tegen de stralende achtergrond van de lentegroene bossen die over de heuvels in het oosten schitterden.

Zelfs het samenleven van katholieken en protestanten leek zonder haat. De katholieke meerderheid bekeek de protestanten binnen haar muren gelaten en liet het zakendoen niet voor zichzelf bederven. De protestanten leken de opvatting te hebben dat het niet de goddelijke plicht van een minderheid was om net zo lang tegen de meerderheid te stoken tot die was uitgeroeid, of tot ze wat eerst de meerderheid was tot minderheid hadden gemaakt die ze dan feller onderdrukten dan ze zelf ooit waren geweest.

De verbluffende mogelijkheid dat het geloof in God, Christus en de Kerk toch een alternatief kon zijn, bleef bijna een hele middag bestaan. Toen maakte Filippo de fout dat hij de kerk in ging om te bidden.

Binnen in het enorme schip waren zo goed als geen mensen. Over een uur zou de vesperdienst beginnen; er was nauwelijks een reden om nu al in de kerk te zijn. Filippo ademde de geur van was- en vetkaarsen en de optrekkende zweem van wierook in, liet de galm, die de enorme ruimte bijna vanzelf leek te produceren, op zich inwerken, sloot zijn ogen en voelde de schoonheid en puurheid van een huis dat was gebouwd met het doel Gods roem op aarde te vermeerderen. Voor een zijaltaar knielde een moeder met een kind en wierp hem een schuine blik toe. Hij knikte haar vriendelijk toe. Ze knikte terug. Het meisje was in gebed verzonken, haar lippen bewogen. Filippo kon niet anders dan glimlachen. Hij schreed verder tot een plaats naast een zuil, knielde eveneens en begon te bidden, nog steeds overweldigd doordat zijn cynisme en gebrek aan oriëntatie hier opeens waren verdwenen.

Toen keek hij op, omdat hij een beweging naast zich voelde, en zag tot zijn verbazing het kind uit de zijkapel. Het was een meisje met een vuil gezicht en een haveloos jurkje, dat zwijgend naar hem keek. Ze kon hoogstens tien jaar oud zijn, een mager wezen uit een van de straatjes in de buurt van de muur. Op haar gezicht lag de zweem van een glimlach die haar ogen niet bereikte. Desondanks voelde Filippo de behoefte om terug te glimlachen. Hij vroeg zich af of ze zwakzinnig was en gewoon naast hem was komen staan omdat ze hem als een wereldwonder beschouwde, net als de platgetrapte kever die ze misschien op de weg hierheen had gevonden, en het in een straal van de avondzon dansende stof, dat ze vlak daarna meteen rechts voor het donkere hout van de biechtstoel zou ontdekken. Heel even bespeurde Filippo haast jaloezie op een geest waarvoor alles een wereldwonder leek, en hij meende Jezus' woorden te begrijpen: *Beati paupurus spiritu...*

Het meisje legde haar vinger tegen haar lippen. Filippo glimlachte en deed het gebaar na. Ze stak haar hand uit en toen hij niet meteen reageerde, pakte ze een van zijn handen en trok eraan. Filippo kwam overeind. Wanhopig keek hij naar de moeder van het kind, maar die was in gebed verzonken. Moest hij haar door de halve kerk heen roepen? Het kind trok Filippo zonder iets te zeggen mee in de richting van de biechtstoel en opeens begreep hij: ze hád de lichtstraal en de langzaam dansende stofdeeltjes al ontdekt en wilde die ontdekking met hem delen.

'God verricht zijn wonderen overal,' fluisterde hij, hoewel hij wist dat ze hem niet kon begrijpen. Ze liep achteruit door de lichtstraal, die haar haar en haar gezicht liet opflakkeren en het vuil onzichtbaar maakte. Toen botste ze met haar rug tegen de biechtstoel, liet zijn hand los, draaide zich om en opende het deurtje van het middelste gedeelte, waar de pastoor altijd zat. Ze deed het alsof ze het al duizend keer had gedaan.

'Ik kan je de biecht niet afnemen...' zei Filippo en hij keek nogmaals hulpzoekend om naar haar moeder.

Het kind ging achterstevoren de biechtstoel in. Filippo stak een hand uit om haar deze heiligschennis te beletten. Vanuit het donker van de biechtstoel schonk het kind hem weer haar starre glimlach, bukte, trok haar jurk met één beweging over haar hoofd, liet die vallen, ging op het bankje zitten, opende haar benen en trok haar knieën op. Ze strekte haar vinger en wenkte hem. Ze was poedelnaakt.

Filippo werd misselijk. De kerkvloer was opeens van drijfzand. Het meisje maakte ondubbelzinnige bewegingen met haar heupen en trok haar knieën nog verder op. Haar wenken werd dwingender.

Filippo's knieën begonnen te beven. Hij merkte dat hij in een roes een stap naar voren zette. Zijn maag zat nog steeds in zijn keel. Hij stond nu vlak voor de deur van de biechtstoel en blokkeerde de inkijk. De schaduwen verdiepten zich en reduceerden het meisje tot een doffe gestalte. Ze stak een vinger in haar mond. Filippo zag dat haar blik de hele tijd niet op hem gericht was geweest, maar door hem heen ging naar een plaats waar niemand buiten haar kon komen en waarvan Filippo wenste dat hij die nooit zou leren kennen. Hij stapte de biechtstoel in, pakte haar polsen vast, trok haar omhoog, wees naar de jurk op de grond en gebaarde haar dat ze die weer moest aantrekken; toen strompelde hij naar buiten en sloeg de deur dicht. Hij zag dat verderop de moeder van het kind ineenkromp, maar ze draaide zich niet om.

Na enkele ogenblikken kwam het meisje weer naar buiten en sjorde aan haar jurk. Haar voorhoofd was gefronst. Filippo nam haar bij de hand en liep naar haar moeder. Hij had het gevoel dat het een mijlenlange afstand was.

Toen hij met het kind aan zijn hand naast haar stond, keek ze op. De haat in haar ogen trof hem als een scheut ijswater en de afschuwelijke glimlach die ze met moeite rond haar lippen kreeg, maakte het nog erger.

Filippo duwde het kind voorzichtig naar haar toe, greep in zijn portemonnee en grabbelde er een handvol munten uit. Hij gaf haar het geld zonder haar aan te kijken. Ze pakte het zonder aarzelen aan. Filippo duidde op het kind en op haar, schudde zijn hoofd en wees naar de uitgang van de kerk. Ze keek hem met ontblote tanden aan, stond toen op en trok zonder te groeten het meisje met zich mee. Filippo keek hen na tot ze uit de kerk waren verdwenen. Alles wat hij kon doen, was rechtop blijven staan en dat was moeilijk genoeg. De vreselijke gedachte wat de routine van het meisje te betekenen had, tolde door zijn hoofd samen met de andere gedachte, dat het schijnbaar onschuldige oogcontact tussen Filippo en de moeder in werkelijkheid het taxeren van een mogelijke klant door een koppelaarster was geweest. Uiteindelijk drong het tot hem door dat zijn goedbedoelde aalmoes door de moeder zo moest zijn opgevat dat hij haar dochtertje inderdaad in de biechtstoel had misbruikt – en dat al zijn onschuldige gebaren abusievelijk als de acceptatie van een aanbod waren opgevat, waarvan hij zojuist nog zou hebben gezworen dat alleen de slechtste onder de verloren zielen erin geïnteresseerd waren.

Inderdaad zou de moeder hier niet heen zijn gekomen als ze niet had geweten dat haar handeltje zou slagen.

Hij dacht aan de haat in de ogen van de vrouw en – nog erger – aan de lege ogen van het kind dat in haar persoonlijke hel keek. Het was meer dan zijn maag kon verdragen.

Filippo stormde het domportaal uit, wankelde een paar stappen in de openlucht, toen zakte hij op handen en voeten en kotste op de straatstenen. Telkens weer, het kwam met warme, bittere stralen, alsof iemand uit hem perste wat hij zojuist had meegemaakt terwijl diep vanbinnen zijn stem om genade smeekte, omdat hij nooit hevig genoeg zou kunnen kokhalzen om de smaak van die herinnering te verzachten. Er stroomden tranen uit zijn ogen.

Na enige tijd lukt het hem op zijn knieën te gaan zitten. In zijn midden was een gat, zodat hij zijn bovenlichaam bijna niet rechtop kon houden. Langzaam besefte hij dat er groepjes mensen op hem afkwamen, die voor hem en de stinkende plas uiteenweken en zich achter hem weer aaneensloten om de dom binnen te gaan. De vesperdienst zou zodadelijk beginnen.

Hij wist nu dat wat hij voor gelatenheid en bedachtzaamheid had aangezien, in werkelijkheid een cultuur van wegkijken was, zoals ze allemaal langs hem heen keken, een priester die wankelend voor zijn eigen kots knielde, zouden ze het ook klaarspelen hun blik van ergere dingen af te wenden. Morgen zou er een andere clericus op een andere plek knielen en zijn hart uit zijn lijf spugen, misschien van ontzetting, waarschijnlijker dankzij te veel wijn. Morgen zouden ook de moeder en haar kind er weer zijn, en iemand in een soutane zou het aanbod accepteren en de biechtstoel in gaan om een kinderziel een stuk verder de afgrond in te duwen en zijn eigen ziel reddeloos aan het verderf te vermaken. En ze zouden weer allemaal wegkijken. De haat in de ogen van de moeder had iedereen gegolden: de mannen die zich aan haar dochter vergrepen, de wereld die dat liet gebeuren en haarzelf, die niet de moed had om samen met haar kind te verhongeren omdat ze anders niet konden overleven.

Waar moest je in deze wereld nog geloof vinden als het niet het geloof in het kwaad was?

13

Aardappelneus stelde vast dat hij ondanks zijn hachelijke situatie was ingeslapen. Hij stelde het vast doordat zachte schoppen tegen zijn ribben hem wakker hadden gemaakt. Verbaasd knipperde hij met zijn ogen tegen de gestalte die met gespreide benen over hem en de kale heen stond en zijn hoofd schudde.

'Hé, maak ons los, klootzak,' zei Aardappelneus, tot hij bedacht dat, wie de onbekende ook mocht zijn, een beetje vriendelijkheid op zijn plaats zou kunnen zijn. De man was in elk geval niet aan armen en benen geboeid, zoals zij tweeën. 'Als u wilt,' voegde hij eraan toe.

'Hoe hebben jullie jezelf in deze situatie gebracht?' vroeg de man.

'Wat gaat jou dat aan?'

'Waren dat Cyprian Khlesl en Andrej von Langenfels?'

Aardappelneus zweeg. Hij probeerde niet te laten merken dat hij door het noemen van de twee namen volkomen was verrast. Hoe wist de vreemdeling...? Hij voelde de kale naast zich bewegen en had dolgraag een blik met hem gewisseld, maar dat durfde hij niet, omdat hij daarmee zichzelf zou verraden. In plaats daarvan zei hij na een zo lange denkpauze dat zelfs een honderdjarige latrineschoonmaker met door methaan verweekte hersenen wantrouwig zou worden: 'Wie moeten dat zijn?'

'Zijn ze nog bij elkaar? Die twee en de kardinaal?'

Aardappelneus knipperde zenuwachtig met zijn ogen. Hij hoorde de kale ademhalen en speelde het klaar hem een por in zijn zij te geven. De kale hijgde en smoorde een vloek tussen zijn tanden. De vreemdeling keek van de een naar de ander en leek zich te amuseren.

'Jullie zijn achter de Khlesls aan gestuurd, de oom en de neef,' zei hij. 'Ik heb Andrej von Langenfels achtervolgd. Vanmorgen ben ik hem kwijtgeraakt, doordat mijn paard een hoefijzer had verloren. Ik ben er zeker van dat hij niets van me weet.' De man zakte op zijn hurken en trok aan Aardappelneus' boeien om die te controleren. 'Net zo zeker als jullie te pakken zijn genomen.'

'Wie heeft je opdracht gegeven?' vroeg Aardappelneus slim.

De man glimlachte. Toen vormde hij met de wijsvinger en de pink van zijn rechterhand het duivelssymbool. Aardappelneus rilde onwillekeurig.

'Sodeju, ja,' kermde hij. 'Cyprian heeft ons overvallen.' De wenkbrauw van de man gleed naar boven. 'En Andrej,' zei Aardappelneus snel. 'En hun verdomde knechten, zes of zeven maten hadden ze bij zich, een half leger.'

'Verdomde schande,' zei de kale.

De vreemdeling knikte meelevend.

'Heeft Cyprian gezegd wat hij met jullie van plan is?'

Aardappelneus schudde zijn hoofd.

'Waarschijnlijk willen ze jullie mee terug nemen naar Praag.'

'Nou en?' zei Aardappelneus. 'We gaan er bij de eerste de beste gelegenheid vandoor. Zij zijn maar met zijn drieën.'

'Omdat ze hun halve leger helpers hier achterlaten?' vroeg de vreemdeling onschuldig.

'Ja,' zei Aardappelneus verbitterd en hij voelde zijn gezicht rood worden. 'Omdat ze die hier achterlaten.'

'Jullie moeten eerst een vluchtpoging doen.'

'Wat betekent dat?'

'Nu, bedoel ik.'

'Maak ons dan los, hufter,' bromde de kale. 'Dan zul je eens een fantastische vluchtpoging zien.'

'O, neem me niet kwalijk,' zei de vreemdeling. 'Waar ben ik met mijn hoofd?'

Hij bukte en maakte Aardappelneus' handboeien zover los dat deze zelf zijn polsen kon pakken. Daarbij glimlachte hij tegen hem. De glimlach zakte opeens als een steen in Aardappelneus' ingewanden toen de man Aardappelneus' voetboeien vastgreep.

'Eeeh...' deed Aardappelneus, en hij wilde eraan toevoegen dat hij voor zijn voetboeien zelf zou zorgen. Toen richtte de man zich abrupt op, trok Aardappelneus' voeten omhoog, slingerde hem rond, en Aardappelneus voelde zijn lichaam in beweging komen en over de rand van de kuil vallen. Hij greep met zijn nog steeds geboeide handen wanhopig toe en speelde het klaar om zich vast te houden. De rots liep achter steil af, zeker vijf of zes manshoogten diep. Aardappelneus spartelde, maar met zijn vastgebonden voeten kon hij nergens steun vinden. Hij voelde dat de greep van zijn bijna verdoofde handen losser begon te worden.

Het was een kwestie van een moment geweest. De kale had nog niet eens een schreeuw kunnen geven. Nu brulde hij het uit en Aardappelneus kon zien dat de vreemdeling hem overeind trok, zijn handboeien doorsneed en zo'n harde stomp in zijn maag gaf dat de kale voorovervielt. Het mes kwam er weer aan te pas en sneed de voetboeien door, en terwijl de kale probeerde lucht te krijgen, gaf de man hem een speelse duw. De kale viel achterover over de rand van de kuil, Aardappelneus meende even zijn stomverbaasde gezichtsuitdrukking te zien, toen kwam hij beneden op de grond terecht met het geluid van een zak meel die van de katrol losscheurt en drie verdiepingen lager op de straatstenen open ploft.

Het gezicht van de vreemdeling verscheen boven de rand van de kuil. Hij liet zijn mes speels in zijn hand ronddraaien. Aardappelneus gleed nog een stuk verder weg. Hij klampte zijn nagels in de rots en voelde dat ze scheurden en dat er een afbrak. De pijn verlamde zijn hele linkerhand.

'O... o...' kreunde Aardappelneus, terwijl hij tevergeefs spartelde. Zijn ogen en zijn mond stonden wijd open.

'Je vriend had ergens een mes verstopt en kreeg het te pakken,' zei de vreemdeling. 'Hij heeft bij zichzelf en jou de boeien doorgesneden.'

De man boog met het mes in zijn uitgestoken hand naar voren, Aardappelneus ging met een schok achterover en gleed nog een stuk verder omlaag en het mes sneed de boeien tussen zijn handen open.

'Toen hadden jullie zo'n haast om te vluchten dat jullie hebben geprobeerd hier naar beneden te klimmen en daarbij zijn jullie naar beneden gestort. Het leven is hard voor zulke idioten als jullie.'

Het mes draaide rond. Aardappelneus kneep zijn ogen dicht. Met het heft naar voren hing het opeens voor zijn neus.

'Pak aan,' zei de vreemdeling vriendelijk.

Zo stom ben ik nou ook weer niet, dacht Aardappelneus, terwijl zijn rechterhand het in de eeuwige reflex van de moordenaar, straatvechter en nachtelijke bloedzuiger wilde pakken. Zijn linkerhand verloor het houvast, Aardappelneus hing heel even in de lucht, vervolgens hoorde hij iets pijnloos barsten toen hij met zijn hoofd verderop op de rotsen sloeg, terwijl zijn ziel steeds verder omlaag viel tot de schaduwen hem verzwolgen.

De vreemdeling kwam overeind, bekeek het mes en liet het toen vallen. Het sloeg rinkelend tussen de stille lichamen op de rots beneden open. Hij zag dat de ogen van de kale strak op hem waren gericht en dat zijn mond bewoog als een vis op het droge. Zo krom als hij erbij lag, moest zijn ruggengraat op minstens twee plaatsen zijn gebroken. De vreemdeling haalde zijn schouders op. Sommige dingen maakte de tijd verder af en die zou er niet eens al te lang voor nodig hebben.

Evenals hij niet lang nodig had gehad om de twee idioten uit de weg te ruimen, die onder een pijnlijke ondervraging gegarandeerd zouden doorslaan. Snel en grondig. Leuk was anders. Er waren kerels die beduidend langer hadden geboet voor het feit dat ze idioten waren. Ravaillac bijvoorbeeld. En er waren maatregelen die je wel gehoorzaamde omdat een machtigere geest je dat had bevolen, maar die je pas achteraf begreep. Bijvoorbeeld dat hijzelf de opdracht had gekregen om Andrej te achtervolgen en niet een andere herseloze straatvechter.

Heinrich von Wallenstein-Dobrowitz klom voorzichtig de weg af die Andrej een hele tijd daarvoor had genomen, besteeg zijn paard en volgde de hoefafdrukken die de sporen waren van Cyprian Khlesl en Andrej von Langenfels. In zijn onderbewustzijn kwam heel zachtjes de vraag op hoe Cyprian Khlesl, die twee keer zo oud was als hij, en de niet veel jongere en bovendien slungelachtige hannes van een Andrej von Langenfels het hadden klaargespeeld de twee mannen te overweldigen, die toch tot het puikje van de Praagse knuppelaars hadden behoord. Heel zacht hoorde hij Diana zeggen dat ze op Cyprian zou wedden, als hij en Heinrich ooit in een gevecht tegenover elkaar zouden staan. Hij klemde zijn kaken op elkaar en probeerde zich op het hopelijk niet al te ver verwijderde ogenblik te verheugen waarop hij Cyprian Khlesl zou doden.

14

De jongens buitelden de salon in, twee giechelende en juichende derwisjen die zich op de stijve gestalte bij het raam stortten, gevolgd door Alexandra die sinds ze uit het rijtuig was gestapt de spanning voelde die over het huis lag. Haar moeder draaide zich om en drukte haar broertjes tegen zich aan, die onmiddellijk begonnen te vertellen wat ze in Wenen hadden gegeten, welke beloften ze hun grootouders hadden ontlokt en welke wereldwonderen ze hadden gezien in de stad van de Habsburgers, die keizer Matthias meteen na zijn ambtsaanvaarding weer tot hoofdstad van het rijk had uitgeroepen. Eigenlijk was het elk jaar hetzelfde. Ten slotte stond Agnes op en Andreas en Melchior junior renden de kamer uit om hun thuis te heroveren. Alexandra en Agnes stonden tegenover elkaar. De minieme aarzeling die niet minder van haarzelf uitging dan van haar moeder, gaf Alexandra een steek. Toen omhelsden ze elkaar. Alexandra was verbaasd over de bedruktheid die haar moeder uitstraalde en die ze onmiddellijk signaleerde. Ze maakte zich uit de omhelzing los.

'Waar is papa?'

'Op reis, met oom Melchior,' zei Agnes nors.

'Ik dacht dat hij ons zou opwachten.'

'Ík heb jullie opgewacht, of niet soms?'

'Maar hij wist toch dat we vandaag thuis zouden komen...'

Agnes' blik dwaalde naar het raam. Alexandra wist plotseling dat ze hier vanaf de ochtendschemering uit het raam had staan kijken.

'Is er iets gebeurd, mama?' Haar eigen stem klonk kleintjes.

'Hij had gisteren al terug moeten zijn.'

'Wat maakt een dag meer of minder uit? We zijn zelf een poosje in Brno opgehouden en...'

'Ik heb hem niet eens een afscheidskus gegeven,' zei Agnes.

Alexandra zuchtte. Het was zoals het altijd was geweest. Zij en haar broertjes hadden een vakantie van twee weken achter de rug, met een paar dagen pure reistijd, en haar moeder maakte zich zorgen omdat haar vader een dag te laat was. Natuurlijk was ze zelf eveneens teleurgesteld. Ze had zich op het weerzien met haar beide ouders verheugd, en als ze eerlijk was vooral op het weerzien met haar vader. Aan Agnes Khlesl verslag uitbrengen van een reis was altijd moeilijk. Haar moeder had de gewoonte de clou te bederven, doordat ze op de vraag: 'En wat denk je dat ik toen zei?' onvermijdelijk precies antwoordde wat Alexandra had willen vertellen, alsof ze in haar hoofd kon kijken. Een keer, toen Alexandra daarom uit haar vel was gesprongen, had Agnes lachend gezegd dat ze nou eenmaal te veel op elkaar leken en haar aangemoedigd verder te gaan met haar verhaal, 'omdat ik dan het gevoel heb dat ik zelf nog een keer een jong meisje ben en alles opnieuw meemaak.' Alexandra had zich gevleid gevoeld, maar toch – of misschien juist vanwege deze gelijkenis – voelde ze zich bij Cyprian meer op haar gemak sinds ze geen kind meer was. Cyprian placht te brommen, te knikken of 'ts, ts, ts!' te zeggen als ze hem over haar belevenissen en gevoelens vertelde, schijnbaar half afwezig, maar in werkelijkheid heel geconcentreerd en maakte het haar daardoor mogelijk afstand te nemen van wat ze had meegemaakt en nog eens over haar gevoelens na te denken. Nu was haar vader afwezig en weer werd een gelijkenis tussen moeder en dochter zichtbaar: dat ze hem misten. Eens te meer voelde Alexandra zich buitengesloten in een liefde waarin ze zich het vijfde wiel aan de wagen voelde. Ze vroeg zich met enige afschuw af of ze zelf ook ooit zulke sterke gevoelens voor een man zou hebben dat de omgeving op de tweede plaats kwam. Wenceslas' gezicht dook op voor haar geestesoog en ze rilde. Toen kwam er een ander voor in de plaats, een zachte glimlach, wild, krullend haar en blauwe ogen die de hare niet loslieten. Ze voelde de aanraking van zijn hand en hoe hij haar verkrampte vingers zachtjes openboog.

'Kent u de familie Wallenstein-Dobrowitz?' vroeg ze aan haar moeder. 'Hier in Praag?'

Agnes fronste haar voorhoofd, voor even uit haar gedachten gerukt. 'Er is een Heinrich von Wallenstein-Dobrowitz, die vorig jaar in een geschrift de keizer heeft aangevallen en daarvoor een geldboete heeft gekregen. Voor zover ik weet, heeft hij Bohemen verlaten en woont nu in Saksen. Waarom?'

'Hoe oud is die man?'

Agnes haalde haar schouders op. 'Net zo oud als je vader, schat ik. Ik ken hem niet persoonlijk. Wat heb je met hem te maken?'

'Dat kan hij niet zijn,' mompelde Alexandra. 'Heeft hij een zoon?'

'Dat weet ik niet. Hij zal wel een paar kinderen hebben. In elk geval heeft de naam nergens een goede klank. Wat is er zo belangrijk aan hem, schatje?'

Plotseling voelde Alexandra zich door het kooswoordje eerder geïrriteerd dan gerustgesteld. Het kon door de nonchalance komen waarmee Agnes de opmerking over de naam Wallenstein-Dobrowitz had gemaakt.

'Waar is vader naartoe?'

Agnes zweeg.

'Moeder?'

'Je hoeft niet alles te weten!' zei Agnes fel. Alexandra week achteruit. Een warm welkom, dacht ze bitter. Ik ben nog geen uur thuis en er wordt al tegen me geschreeuwd. Maar ze hield haar mond. In de stem van haar moeder had ze onmiskenbaar angst gehoord. Het was niet de angst die ieder mens had, de angst om het eigen bestaan, om de welstand die men bezat, het welzijn van zijn dierbaren. Het was een angst voor iets wat als een donkere schaduw over het verleden van haar ouders lag, een angst die hoorde bij het hiaat in Wenceslas' verhaal; een schaduw die over alle mensen viel die Alexandra's naaste familie waren en van wie zij noch haar broertjes het fijne wisten, omdat ze op hun vragen steeds te horen kregen dat ze niet alles hoefden te weten en dat dit voor hun bestwil was.

Alexandra ging bij Agnes voor het raam staan en keek omlaag naar de straat.

'Hij is altijd bij ons,' zei ze.

'Wie?' vroeg Agnes.

'Herinnert u zich die hete zomerse dag van een paar jaar geleden nog, toen we een zending wijn kregen geleverd en de beide koetsiers weigerden die uit te laden, omdat ze immers koetsiers waren en geen sjouwers?'

Alexandra zag het tafereel weer voor zich. Waarschijnlijk had ze zelfs voor het hetzelfde raam naar beneden staan kijken, alleen stond het wegens de warmte open. Haar vader en haar oom hadden na de mededeling van de koetsiers een blik gewisseld en vervolgens gegrijnsd. In haar herinnering zag ze de twee mannen hun jasje en hemd uittrekken en naar de wagen toe lopen, haar vader met zijn gespierde worstelaarspostuur en de tanige Andrej.

'Vader en oom Andrej deden een wedstrijdje wie als eerste om een pauze zou vragen. Ze sleepten de vaten bijna in looppas naar de kelder. De koetsiers leken door de bliksem getroffen.'

Agnes knikte glimlachend. Alexandra kon zien dat ook in haar herinnering het beeld van de twee zo verschillende zakenmannen verscheen, die de koetsiers met hun doortastende optreden beschaamden en daar ook nog plezier bij hadden. Het gaf zoals altijd een steekje, toen ze de liefde zag die in de ogen van haar moeder opvlamde bij de gedachte aan Cyprian, die liefde die zo groot was dat zelfs de kinderen die niet konden delen.

'Na de eerste paar vaten werden de koetsiers wakker en hielpen mee, en achteraf trakteerde vader iedereen op vlees en wijn.'

'Ik weet het nog. De twee koetsiers schaamden zich zo dat ze Cyprian en Andrej niet eens in de ogen durfden kijken. Hoe kom je daar zo bij?'

'Toen het werk was gedaan, ging ik naar oom Andrej die zich bij de fontein aan het wassen was. Hij heeft een litteken in de vorm van een kruis op zijn borst.'

Agnes' glimlach doofde uit, net zoals eerst Andrejs glimlach was uitgedoofd, toen Alexandra ernaar had gewezen en gevraagd hoe hij aan dat litteken kwam.

Andrej had Alexandra een knipoog gegeven en gezegd dat iemand vroeger zijn hart had gebroken. Ze had gemerkt dat het grapje hem moeite kostte. Later had ze begrepen dat het litteken bij het donkere gat in het levensverhaal van hen allemaal hoorde.

'Hij was er toen en hij is er nu,' zei Alexandra. 'De schaduw die over ons allemaal hangt. Die schaduw had steeds de kracht om de glimlach van jullie gezicht te verjagen. Welk geheim is er in het duister verborgen, moeder?'

Agnes boog haar hoofd.

'Moeder, ik ben toch lid van deze familie! Waarom sluiten jullie mij buiten?'

'Je hoeft niet alles te weten,' herhaalde Agnes en ze pakte haar hand. 'Het is alleen maar voor je bestwil.'

Alexandra staarde haar aan en trok toen haar hand terug.

'Ik ben moe,' zei ze. 'Ik ga even liggen.'

'Alexandra...'

Alexandra bedekte haar oren met haar handen en ruiste de zaal uit. Haar hart klopte zo heftig dat ze bijna geen adem meer kon halen. Ze was er zeker van dat ze de angst van háár moeder goed had gezien. Het was de angst dat de schaduw weer in haar leven was gekomen. Ze wilde dat Cyprian er was en tegen haar zou zeggen dat ze zich geen zorgen hoefde te maken. Maar de gestalte die in haar geest ontstond, haar in zijn armen nam en zei: 'Het is voorbij,' was niet haar vader. Ze zag een knap gezicht met een krans van lang haar, ze zag stralend blauwe ogen die de hare vasthielden. Onwillekeurig streek ze met haar vinger over de palm van haar hand, waar ze nog steeds een zweem van de aanraking voelde die tegelijk als vuur en ijs had aangevoeld. Een naam die geen goede klank had? Ha! Het was een naam die bij de enige persoon hoorde die haar gevoelens serieus nam, die de moeite nam zich in haar te verplaatsen en naar haar te luisteren, terwijl haar eigen familie zich overgaf aan de geheimen uit het verleden.

Het was de naam Heinrich von Wallenstein-Dobrowitz, en alsof hij haar werkelijk in zijn armen had genomen, voelde ze hoe hij haar tegen zich aan drukte en ze kreeg het warm en koud tegelijk.

15

Abt Wolfgang Selender voelde de ergernis steeds verder oplopen. Ze hadden de brutaliteit hem niet binnen te laten in de kerk (Wat heette hier kerk? Een ketterstempel!) hem de toegang te weigeren en dat in zijn eigen stad en nota bene, als je het zuiver juridisch beschouwde, op een stuk grond dat aan het klooster toebehoorde.

'Blijft u in uw kerk, dan blijven wij in de onze,' zei de burgemeester. 'Bezoek over en weer is niet nodig.'

Abt Wolfgang, die het niet was ontgaan dat het dringende verzoek van de burgemeester elke vriendelijkheid en beleefdheid ontbeerde, klemde zijn kaken op elkaar.

'Ik laat me niets door u verbieden,' snauwde hij. 'U bent maar de burgermeester van een stad die onderworpen is aan het klooster en de koning.'

'Dat geldt voor de katholieken, niet voor ons. Wij staan onder de Boheemse Staten.'

'Dat is een openlijke opstand,' antwoordde Wolfgang.

'Nee,' zei de burgemeester koel glimlachend. 'Dat is de reactie op de contractbreuk van de koning. Of er een opstand van komt, moet nog blijken.'

'U riskeert uw hoofd.'

'Heus? Kijk om u heen. Ik denk eerder dat u het uwe riskeert.'

Wolfgang hoorde de poortwachter die hij had meegebracht zijn keel schrapen. Minstens een twintigtal mensen had voor het portaal van de Sint-Wenceslaskerk gestaan en geweigerd hem door te laten. In de tussentijd was de meute tot meer dan vijftig aangegroeid en op geen enkel gezicht was een lachje te zien.

'Ik zal het aan de koning rapporteren.'

'Laat u mij dan het bericht eerst lezen, zodat ik nog een paar scheldwoorden kan toevoegen,' zei de burgemeester.

Abt Wolfgang kookte. Hij moest erkennen dat hij hier geen stand kon houden zonder het risico te lopen samen met de poortwachter in elkaar geslagen of in stukken gescheurd te worden. Maar dat zou de rechtbank van de koning regelrecht naar Braunau halen en met de instelling van de protestanten hier zouden die de straf niet weerloos ondergaan. Met zijn laatste restje verstand hield Wolfgang zich vast aan de gedachte dat hij niet de geschiedenis wilde ingaan als degene die een verwoestende godsdienstoorlog in Bohemen had veroorzaakt. Maar wat was het alternatief? Zich vernederd terugtrekken?

In de menigte kwam plotseling beweging. Terwijl abt Wolfgang voor het ingangsportaal had moeten terugwijken, splitste de meute zich om drie mannen door te laten die vanaf de bovenstad te voet aankwamen. De aanvoerder van de drie, een magere oude man, glimlachte naar alle kanten en bedankte met een droge, ironische stem. Toen een jonge knaap hem provocerend in de weg ging staan, pakte hij hem bij de arm alsof hij steun zocht, liep langs hem heen, liet de arm los en zei: 'Hartelijk dank, jongeman. Dat is goed, als iemand respect heeft voor de ouderdom.' Abt Wolfgang geloofde zijn ogen niet toen hem duidelijk werd dat de eenvoudige zwarte kleding die van een katholieke priester was, en nog minder toen hij het gezicht herkende. Hij trok wit weg.

De jongeman herstelde zich van zijn overrompeling en zette een stap achter de oude man aan. Op de een of andere manier kwam hij daarbij tussen de twee begeleiders terecht en struikelde. De mannen vingen hem op, een zei: 'Hopla!' en lachte. Ze zetten hem weer op zijn benen en knipoogden naar hem, maar de jongeman was bleek weggetrokken en beet op zijn lip. Toen hij terug in de menigte stapte, hinkte hij.

'U bent hier net zomin gewenst als de abt, wie u ook bent,' zei de burgemeester met toegeknepen ogen.

'Ja, dat kan ik me voorstellen,' zei de nieuw aangekomene. 'De vorige keer dat ik hier was, lagen de pestdoden in alle straten en stegen, en de enigen die zich nog uit hun holen waagden, waren de monniken van het klooster. De tijden zijn wel veranderd.'

De burgemeester dacht lang na over deze woorden. 'Dat is twintig jaar geleden,' zei hij ten slotte. 'De tijden zijn inderdaad veranderd. Wie voor de drommel bent u eigenlijk?'

'Mooie kerk,' zei de oude man, terwijl hij naar de façade voor zich wees. 'Helemaal nieuw. Wie heeft die gebouwd?'

'De burgers van Braunau!'

'Allemaal samen?'

'De katholieken deden niet mee.'

'Jammer. Ik zie kerken altijd als iets verbindends. Een kerk is de plaats van ontmoeting met God, niet met het geloof. Nietwaar?'

De wangspiertjes van de burgemeester bewogen, terwijl zijn ogen rood werden van kwaadheid. Ergens in de menigte giechelde iemand tot Wolfgangs verbazing en bracht hem daarmee tot het besef dat deze hoop hier bestond uit mensen, niet uit een gesloten, hersenloos blok fanatici. Tegelijk wist hij hoe weinig het daarnet maar had gescheeld om dat ervan te maken.

'Is hij te bezichtigen?'

De burgemeester zette grote ogen op. 'Eh...' bracht hij uit. Zijn ogen schoten naar links en naar rechts.

'Ik begrijp het,' zei de oude man. 'Hij is nog niet af.'

'Jawel, hij is wel af!'

'Ah, mooi zo. Komt u mee, beste man. U bent de burgemeester, nietwaar. Toont u mij de trots van uw geloofsgemeenschap. In deze tijden, waarin zoveel wordt verwoest, is het werkelijk bevrijdend om iets te bekijken wat is opgebouwd.'

De burgemeester zocht naar woorden en vond die niet. De oude man stak zijn arm door die van de burgemeester. Toen ze zo dicht bij elkaar stonden, was te zien dat de oude man wel mager was en een gezicht had als een houthakkersbijl, maar dat hij werkelijk een halve kop boven de burgemeester zou uitsteken, als hij niet zo krom zou lopen. Je kreeg de indruk dat hij anders rechterop liep. In verwarring volgde de burgemeester de oude man, tot deze opeens zijn voeten in de grond plantte als een koppige muilezel.

'O ja,' zei de oude man. 'Ik ben iets vergeten. Wat onbeleefd van me. Ik heb nog helemaal niet gevraagd hoe u heet, mijn vriend.'

'Ik ben Leo Kindl,' zei de burgemeester onwillekeurig en toen beet hij op zijn tong.

De oude man stak hem een hand toe.

'Prettig kennis te maken. Ik ben Melchior kardinaal Khlesl, de minister van keizer Matthias. Aangenaam.'

Hij schudde Leo Kindls slappe hand. De ogen van de burgemeester waren reusachtig en de blos trok langzaam uit zijn gezicht als kleur uit een schilderij waar een koude regen op neerdaalt.

Kardinaal Melchior draaide zich om en wenkte de abt toe. 'Komt u, Eerwaarde,' zei hij vriendelijk en zo dat iedereen het kon horen. 'Mijn vriend Leo heeft mij gevraagd ons de kerk te mogen laten zien. Ik verheug me erop. U toch ook?'

Kardinaal Melchior vroeg niet of de abt gek was geworden, wat hij zich verdorie in zijn hoofd had gehaald, of hij het middelpunt had willen worden
van een bloedbad dat heel Bohemen had kunnen beslaan, of hij was vergeten dat hij een vele malen belangrijkere plicht vervulde in Braunau dan de
vlag van het katholieke geloof hoog te houden. Hij vroeg dat allemaal niet,
maar abt Wolfgang kon het luid en duidelijk horen in het zwijgen waarmee
de kardinaal de wijnbeker aanpakte en met kleine slokjes leegdronk. De abt
voelde zich vernederd; hij wist dat zijn gezicht gloeide.

'Abt Martin,' zei de kardinaal uiteindelijk, 'leek destijds de juiste beslissing te hebben genomen, maar uiteindelijk ziet het ernaar uit dat hij ons
voor de gek heeft gehouden.'

'Hij kon niet voorzien dat...'

'Rustig aan. Ik was destijds een van degenen die met zijn beslissing instemden om de bouw van de kerk toe te staan. Achteraf weet je alles altijd
beter.'

Abt Wolfgang had de werkbroeders in de cel onder de hoofdtrap verzameld, waar hij altijd de gesprekken met de leden van zijn klooster hield. Met
zijn bezoeker en zijn civiele begeleiders erbij was het nogal krap. De kardinaal maakte geen aanstalten om zijn begeleiders weg te sturen, die eruitzagen als op leeftijd gekomen lijfwachten en dat vermoedelijk ook waren. Abt
Wolfgang vocht met het besluit het zelf te doen, maar hij vermoedde dat de
twee mannen niet naar hem zouden luisteren.

In theorie was het rangverschil tussen de abt en de kardinaal te verwaarlozen, maar in de praktijk was Braunau door de jaren heen zoiets als kardinaal Melchiors patronaat geweest en zijn positie als minister van de keizer
verschafte hem extra macht. De eigenlijke macht ontleende de kardinaal
aan de geheime schat van het klooster, en aan de veiligheid daarvan leek de
kardinaal veel ondergeschikt te maken; ook de oude vriendschap die ooit
tussen hem en Wolfgang Selender had bestaan.

'De protestantse Staten in Bohemen dachten dat ze met de keizer een
spelletje konden spelen, toen ze instemden met de verkiezing van aartshertog Ferdinand tot koning van Bohemen,' zei de kardinaal. 'Ze hebben immers de majesteitsbrief van keizer Rudolf, die hun de mogelijkheid biedt
Ferdinand wanneer ze maar willen weer af te zetten. Maar Ferdinand trekt
zich geen snars aan van die majesteitsbrief en de overeengekomen beloften.
Hij is over een breed front met de herkatholisering begonnen en heeft de

rechten van de stad ingeperkt. Geen wonder dat de protestanten woedend zijn; ze hebben in zekere zin hun eigen graf gegraven.'

'Ze moeten allemaal worden verbrand!' riep de poortwachter, wat hem een zwijgende blik van de potigste van de twee lijfwachten opleverde. Hij klapte zijn mond dicht en schraapte omstandig zijn keel.

'Maar Ferdinand is net zo kortzichtig als hij nu gelooft dat hij met de protestanten kan spelen. Ze zijn veel te zelfbewust en weten maar al te goed dat ze hier in Bohemen in de meerderheid zijn. We zitten in een kruitpakhuis en de koning en de Staten zijn net kinderen die er met fakkels rondlopen en elkaar op de kruitberg proberen te duwen.'

'De keizer –' begon abt Wolfgang.

'De keizer is ziek,' onderbrak kardinaal Melchior hem. 'Hij is nu zestig. Hij is moe. Oorspronkelijk dacht hij het rijk te moeten redden van zijn broer Rudolf, maar vervolgens had hij geen idee hoe hij dat moest aanpakken.' Hij schudde zijn hoofd. 'Het rijk zit zo diep in de puree dat het zogezegd aan alle kanten aan de afgrond staat. Welke stap we ook zetten, het zal de verkeerde zijn. Hoe is de situatie hier?'

'Ik heb de rijkskanselier geschreven over de Sint-Wenceslaskerk. Het antwoord was dat het voor de pas opgerichte katholieke liga een belangrijke en bindende stap zou zijn de sluiting ervan gezamenlijk te gelasten, maar dat er nog een heleboel diplomatieke inspanningen nodig zouden zijn, zodat er niet op korte termijn –'

'Dat bedoelde ik niet, Wolfgang,' zei de kardinaal. 'Wat ik bedoelde was: is hij veilig?'

Abt Wolfgang staarde de kardinaal aan. De wending was zo onverwacht dat hij zo gauw geen antwoord wist.

'Is hij veilig?'

Wolfgang en de poortwachter wisselden een snelle blik.

Kardinaal Melchior knalde plotseling de wijnbeker op de lessenaar. Alle aanwezigen krompen ineen.

'Is hij veilig?'

'Ja, bij de Heilige Maagd!' riep abt Wolfgang uit. 'Ja, hij is veilig!'

'Wat is er gebeurd?' vroeg de potige. Abt Wolfgang klemde zijn kiezen op elkaar, toen hij besefte dat de korte blik die hij had gewisseld met de poortwachter was opgemerkt. Hij zei niets, maar hij was niet bestand tegen de blik van de man. Trots vlamde in hem op; die kerel was maar een betaalde soldaat van de kardinaal, bij alle heiligen! Maar het lukte hem nog steeds niet hem in de ogen te kijken.

'Er is geen reden om Cyprian niet te antwoorden,' zei de kardinaal, die blijkbaar gedachten kon lezen.

Wolfgang keek hem verrast aan. Natuurlijk had hij over Cyprian Khlesl gehoord. Onwillekeurig viel zijn blik op diens begeleider, en deze glimlachte en wees naar Cyprian, alsof hij wilde zeggen: híj is dat, niet ik. Wolfgang bekroop het vage vermoeden dat hij wist wie die bonenstaak met de vriendelijke glimlach was: Andrej von Langenfels. De tragiek van hun wederzijdse verleden had hem destijds van bewondering en medelijden vervuld toen Melchior Khlesl hem daarin had ingewijd.

De poortwachter haalde adem, maar besloot toen toch te zwijgen. Hij boog zijn hoofd en vouwde zijn handen voor zijn buik.

'Ik wil met de eerste bibliothecarius spreken,' zei de kardinaal met een stem die Wolfgang duidelijk maakte hoe de voormalige protestant en zoon van een meesterbakker het tot minister van de keizer had kunnen schoppen.

'Ik heb de kring van bibliothecariussen ontbonden,' zei Wolfgang en hij voelde zich trots. Was het niet werkelijk waar? De bibliothecariussen hadden hem vanaf het begin tegengestaan. Een kloosteroverste die succes wilde hebben in de strijd tegen het ongeloof en de twijfel, kon het niet gebruiken dat er in zijn kudde een kring bestond die zich aan zijn controle onttrok. Waarom voelde hij zich dan zo trots, als een kleine jongen die tegen een volwassene liegt? De enige reactie die Melchior vertoonde, was dat hij bij het inschenken uit de kruik heel even aarzelde. De kruik sloeg met een zacht geluid tegen de rand van zijn beker. Toen wendde hij zich tot Cyprian en Andrej en schonk hen beiden nog eens bij en aan het feit dat ze hem lieten begaan, hoewel ze nog geen slok hadden gedronken, kon Wolfgang zien hoe geschokt ze waren. Hij voelde zijn boosheid toenemen. Braunau was zíjn klooster, het was zíjn beslissing geweest, niemand behalve hij was hier geweest om die van hem over te nemen! Een stem in zijn binnenste fluisterde dat hij kardinaal Melchior niet om hulp had gevraagd; hij had hem niet eens geïnformeerd. En een andere stem fluisterde terug: waarom ook? Ík ben de abt van Braunau! 'Ik heb ze naar andere kloosters gestuurd.'

'Wijn?' vroeg de stem van de kardinaal. Wolfgang haalde zijn blik terug uit de verte en keek in de fonkelende zwarte ogen van Melchior Khlesl vlak voor zijn gezicht. De kruik zweefde boven Wolfgangs beker. Die ogen konden hem wel doden. Wolfgang schudde zijn hoofd. De onderdrukte ergernis van de kardinaal prikkelde zijn verzet nog meer. Vaag drong het tot hem door dat het in feite nog dezelfde boosheid was die de opstandigheid van de burgemeester had gewekt. De Braunauers behandelden hem als een marionet, Melchior Khlesl gedroeg zich alsof híj de abt was... Waarom had hij zijn schitterende reputatie als kloosterhervormer verworven, als hij hier niets anders ontmoette dan respectloosheid? En het ergste van alles was de man die hij als zijn vriend had beschouwd. Hij zou nog steeds op Iona en in rechtstreekse verbinding met de goddelijke kracht kunnen zijn, in plaats van hier van alle genade verlaten...!

'Waarom niet?' vroeg plotseling een heel zakelijke, koele stem in zijn hoofd. Waarom zou hij de kardinaal niet geven wat hij voortdurend probeert te nemen? Alles wat ervoor nodig is, is een brief aan de abt-primaat met het verzoek hem, Wolfgang, van zijn functie te ontheffen. Alles wat hem scheidde van een terugkeer naar Iona, waren een paar regels, en het uitzicht op een leven als gewone monnik. Niemand zou hem meer verantwoordelijkheid geven als hij toegaf niet tegen zijn taak opgewassen te zijn. En hij had al te veel offers gebracht om zo te eindigen.

'Kunnen we alstublieft met de eerwaarde vader onder vier ogen spreken?' vroeg de kardinaal vriendelijk.

De werkbroeders keken eerst elkaar en toen abt Wolfgang aan en drentelden vervolgens naar buiten. Cyprian en Andrej roerden zich niet, hoewel ze verbaasde blikken van de monniken oogstten. Wolfgang begon te begrijpen dat vier ogen voor de kardinaal in werkelijkheid acht ogen betekenden, waarvan zes aan zijn kant. Hij verstrakte.

'Meer dan tien mensen en drie pausen zijn gestorven toen de Duivelsbijbel de laatste keer ontwaakte,' zei Melchior. 'Daaronder bevonden zich vrienden en mensen van wie we hielden. Cyprian en ik hebben de paus en de keizer bedrogen om ervoor te zorgen dat hij weer in de vergetelheid kon verdwijnen. Zeg me dat hij veilig is, Wolfgang. Zeg me alsjeblieft dat hij veilig is.'

'Je komt hier in míjn klooster,' begon Wolfgang, en hij voelde dat de koppigheid in hem de overhand nam. 'Je loopt míjn monniken te commanderen en nu eis je van míj verantwoording voor iets waar jíj al die jaren niet naar hebt omgekeken...?'

Cyprian maakte een beweging, maar kardinaal Melchior hief zijn hand. 'Is hij veilig?' vroeg hij weer.

'Het rijk is een kruitkamer!' snauwde Wolfgang. 'Braunau is het grootste vat in die kruitkamer en ík zit er bovenop. Jij konkelt in Praag en in Wenen met de keizer en spint je garen om koning Ferdinand mee in te wikkelen, maar ík ben hier, slechts door de kloosterpoort gescheiden van vijfduizend protestanten die allemaal het liefst mijn keel zouden doorsnijden!'

'Is hij veilig?'

Abt Wolfgang balde zijn vuisten. 'Ik breng jullie naar hem toe,' fluisterde hij vol haat.

16

Abt Wolfgang was omstandig in de weer met een slot dat al enige tijd niet meer kon zijn gebruikt. Melchior Khlesl moest zich inhouden om de sleutel niet uit zijn hand te trekken. Wolfgang voelde zich onbeschermd zonder de aanwezigheid van de bibliothecariussen. Abt Martins paranoïde regime in combinatie met de geestelijke toestand van de vroegere Eerste Bibliothecarius Pavel had van de zeven zwarte monniken een onberekenbaar wapen gemaakt, dat, toen Martin het losliet, diverse mensen van kant maakte en Praag bijna in puin had gelegd. Desondanks waren ze de enige verdedigingswal geweest tussen de wereld en een boek dat een ongekende macht bezat omdat de mensen het deze macht toe wilden schrijven.

En abt Wolfgang had de kring van de zeven mannen gewoon ontbonden? De kardinaal geloofde geen woord van wat zijn voormalige vriend had gezegd. Hij hoefde alleen Andrejs en Cyprians blik maar te lezen om te weten dat ook zij de verklaring van de abt voor een leugen hielden. Hoe kwam het dat iedereen die de directe verantwoordelijkheid droeg voor het testament van de satan zich vroeg of laat ging gedragen alsof de duivel hem elke nacht in zijn cel bezocht, tot het *vade retro* van de bezochte ophield en hij begon te bezwijken voor wat de verderver hem influisterde? Bestonden er dan geen sterke karakters meer op de wereld die tegen het boek bestand waren?

Verbaasd over zichzelf begreep hij plotseling wat hij wilde doen.

De abt opende de deur naar de cel, nam de lantaarn uit de standaard en stapte opzij om hen binnen te laten. De cel was kaal en volkomen leeg op een enorme, donkere kist na, die in glimmende kettingen was gewikkeld als slangen die zich eromheen hadden geslingerd. De abt hing de lantaarn aan een haak boven de kist. Melchior hield zijn ogen niet van de kist af; hij voelde zijn hartslag in al zijn ledematen en merkte dat er bij elke bons een snippertje kracht uit verdween. Nog een paar minuten en dan zouden zijn knieën slap worden. Was dat wat een soldaat voelde als de ochtend van de slag aanbrak?

Heer, geef me kracht, dacht hij. Toen corrigeerde hij zichzelf: Heer, ik dank U omdat U mij de nodige kracht hebt gegeven. Laat me nu niet aarzelen om die te gebruiken.

'Ik wil hem zien,' zei hij. 'Maak de kist open, Wolfgang.'

Hij hoorde Cyprian en Andrej diep inademen. Het gezicht van de abt was een verwrongen masker van licht en schaduw, zijn ogen waren dof van haat. Cyprian ging een stap dichter bij zijn oom staan, een onopdringerig aanbod aan rugdekking. Melchior voelde dankbaarheid en deed zijn uiterste best om niets te laten merken.

'Alsjeblieft,' voegde hij eraan toe.

Abt Wolfgang bukte en rommelde aan het slot. Melchior had liever gezien dat de man had geaarzeld. Het gevoel van een naderende ramp werd zo sterk dat zijn handen gingen transpireren. De kettingen vielen rammelend op de grond. Abt Wolfgang maakte het slot los, schoof de grendel opzij en tilde vervolgens het deksel van de kist op. Het sloeg met een doffe klap naar achteren.

Melchior verbeeldde zich dat er iets van een schijnsel uit de kist opsteeg, iets wat naar buiten kronkelde als draden van nauwelijks waarneembare boosheid en fluisterend in het donker van de cel oploste. Zijn hart bonsde luidruchtig. Hij deed een stap naderbij en plotseling stond Cyprian tegenover hem.

'Wil je het echt doen?'

'Ja,' zei Melchior eenvoudig.

'Laten we hem verbranden,' zei Andrej met onvaste stem. 'Nu meteen.'

Melchior keek in de ogen van de abt en zag niet alleen dat elke vriendschap die ze voor elkaar hadden gevoeld was verdwenen, maar ook de uitdaging in de blik van de ander. Ik leef al vijftien jaar in de buurt van dit boek, leek die blik te zeggen. Jij hebt het nog niet eens van dichtbij gezien, laat staan aangeraakt. Wat denk jij te weten wat ik niet allang in mijn nachtmerries heb beleefd? Wat denk jij te beheersen als je in al die jaren niet eens genoeg vertrouwen in je eigen zelfbeheersing had om de confrontatie met het boek aan te gaan?

Melchior stapte om Cyprian heen en keek in de kist, waar hij op nog een gesloten deksel stuitte. Als een schok flitste de woede door zijn lijf, toen hij besefte hoe gemakkelijk abt Wolfgang hem voor de gek had gehouden.

'De sleutel,' zei hij hees.

Wolfgang overhandigde hem een sleutelbos. Melchior probeerde de eerste sleutel in het hangslot te steken dat de grendel van de tweede kist op zijn plaats hield. Het lukte niet. Hij hoorde het gerammel van de sleutel tegen het slot dat door zijn trillen werd veroorzaakt. Hij stelde vast dat de sleutel te groot was.

'Welke is het?' donderde Cyprian. Zijn stem was in staat om het trillen van Melchiors handen te verzwakken.

Abt Wolfgang boog naar voren en wees een van de sleutels aan de bos aan. 'Deze hier. En voor de volgende kist: deze.' Melchior keek op en zag het lachje van de abt, dat bestierf toen deze zijn gezichtsuitdrukking opmerkte. Als ook maar de helft van de zwarte, bodemloze ergernis die de kardinaal voelde op zijn gezicht te zien was, moest hij eruitzien als de goddelijke engel der wrake.

Met het openen van de laatste kist steeg de geur op van perkament dat lang luchtdicht afgesloten was geweest. De geur leek op die, die keizer Rudolf in zijn laatste jaren had verspreid, toen de door de syfilis veroorzaakte beenrot steeds erger was geworden. Hij was bij elke uitademing, elk woord van de keizer aangezwollen als een golf die je aan het kotsen wilde maken; had zich bij elke luchtverplaatsing en elke beweging van het monsterlijk opgeblazen lichaam gemanifesteerd, zelfs als keizer Rudolf zweeg. Melchior had nooit tot de intimi van de keizer behoord, daarvoor was Rudolf altijd veel te bang geweest voor iedereen die tot de Kerk behoorde en had hem veel te duidelijk gezien als wat hij was: iemand die zijn broer Matthias steunde om op de troon te komen. Maar Andrej had Melchior verteld dat de stank er al was op de dag dat een gril van de keizer hem, de voormalige straatjongen en het factotum van een charlatan van een alchemist, tot de Eerste Verhalenverteller aan het hof had gemaakt. Dat was vijfentwintig jaar geleden. Aan het einde van zijn leven had keizer Rudolf een leren kinprothese nodig gehad om het gapende gat in zijn onderkaak te bedekken. Hij was door de ruimten gewankeld als een monster dat meer op een golem leek dan op een levend mens, dik op het belachelijke af, zijn gezicht verminkt, zwaar hijgend van de inspanning die het kostte om zijn lichaam te bewegen, grommend van de pijn van de jicht, een muur van stank voor zich uit duwend als een uitwerpsel van de hel. Kardinaal Melchior had keizer Rudolf niet vereerd of gemogen, maar hij was ervan overtuigd dat diens laatste jaren al de hel waren geweest en had er na zijn dood voor gebeden dat God deze jaren mee zou wegen bij de verlossing van de ziel van de Habsburger.

Hij moest zijn adem inhouden om zijn maag te kalmeren en hoorde Andrej op de achtergrond hevig zijn keel schrapen. Melchior vermoedde dat deze geur je bij de poort van de hel opwachtte.

Diep onder in de laatste kist schemerde grijswit een lichte leren band, afgewisseld door de matte glans van de gespen en knippen op de hoeken en het ornament in het midden. Zoals het daar beneden lag, had het boek klein moeten lijken, maar de lichtinval zorgde ervoor dat de kist leek op een eindeloos diepe schacht van een put met het boek op de bodem, en zo zag het er even monumentaal als ontstellend uit in zijn wit schemerende stilte. Melchior deinsde terug. Plotseling voelde hij dat hij het boek maar open hoefde te slaan of hij zou in een enorme muil worden gezogen.

'Iemand heeft vóór ons de kisten geopend,' zei Cyprian, 'en daarbij de sloten aan de kettingen en die op de kisten kapotgemaakt. Deze zien er zo goed als nieuw uit.'

'Er is geprobeerd de codex te stelen,' zei abt Wolfgang na een heel lange stilte.

'Wanneer was dat?'

'In het kielzog van de onlusten na de dood van keizer Rudolf.'

'Dat is vijf jaar geleden,' hoorde Melchior zichzelf zeggen. 'Vijf jaar geleden! Waarom hoor ik dat nu pas? Waarom heb je me daar nooit iets over gezegd?' De echo van zijn woorden schalde in zijn oren en hij besefte dat hij had geschreeuwd.

'Er is niets gebeurd. Het boek was ongedeerd. We hebben het weer op zijn plaats gelegd.'

'Hadden ze het uit de kist gehaald?' Melchior merkte dat hij nog steeds tegen abt Wolfgang schreeuwde. Zijn keel brandde. Wolfgang was zo bleek dat het lantaarnlicht zijn huid eigeel kleurde.

'Iets heeft ze gestoord. Ze hebben het laten liggen en zijn gevlucht.'

'Iets? De bibliothecariussen?'

'Ze hebben alle bibliothecariussen eerst gedood.'

Melchior staarde in de diepte van de kist. Het glanzende boek lokte. Pak me, leek het te zeggen. Ik ben van jou. Van het begin af aan was ik alleen voor de sterksten gemaakt. Waar ben je bang voor? Pak me en ik ben van jou. En alsof er een andere stem nauwelijks hoorbaar tussendoor fluisterde: ik zal je alles geven als je op je knieën valt en mij aanbidt.

Hij wankelde terug, botste tegen Cyprian aan en voelde hoe deze hem opving. Heel even was de verleiding om gewoon in elkaar te zakken en het initiatief aan zijn neef over te laten zo groot dat zijn knieën slap werden. Toen zette hij zich schrap.

'Waarom die leugens?' fluisterde hij. 'Waarom dat sprookje over de bibliothecariussen die naar andere kloosters waren gestuurd? Waarom heb je gezwegen, Wolfgang?'

'Omdat het hier om belangrijkere dingen gaat dan om dat verdomde boek!' barstte de abt uit. 'De katholieke Kerk in Bohemen lijdt. Het klooster hier in Braunau wordt bespot. Straatjongens gooien stenen naar mijn monniken als ze over straat lopen. De ketterij rukt overal op. Op bevel van jou en de keizer moet ik die tegenhouden, maar het kan niemand iets schelen of ik dat kan of niet. Ik moet op bevel van de koning de Wenceslaskerk sluiten, maar het lukt me niet eens om er binnengelaten te worden zonder dat zich een meute vormt die me bedreigt. Dát is het echte gevaar hier in Braunau! Deze stad is de ketel waarin de alchemisten aan het hoofd van Kerk, ketterij en keizerrijk hun gif mengen, en als het hier overkookt, zal dat het hele land met zijn stinkende zuur overspoelen en het opvreten. Jullie hebben me in het centrum van het vuur gezet, jij, de keizer, de hofambtenaren, de koning, maar het interesseert niemand ook maar een lor of ik aan mijn opdracht kan voldoen! In plaats daarvan val je hier onaangekondigd binnen met je troep avonturiers en alles wat je interesseert is dat DRIEMAAL VERDOMDE BOEK OP DE BODEM VAN DEZE KLOTEKIST!'

Wolfgang was steeds harder gaan schreeuwen, tot hij aan het einde had gekrijst. Hij brak af met een snik en leek naar de nagalm van zijn eigen woorden te luisteren. Hij wiebelde.

'Wie was het?' vroeg Melchior.

'Dat weet ik niet.'

'Waarom heb je me niet op de hoogte gesteld?'

'Ik kan je de stad niet uit sturen, omdat Braunau aan de koning toebehoort en als ik de burgemeester goed begrijp, hem ook niet meer,' zei de abt uitgeput. 'Maar het klooster is míjn grond en daar wil ik je niet meer zien, Melchior Khlesl. Als je me iets te zeggen hebt, stuur je maar een boodschap. Als je me wilt laten vervangen, bespreek het dan met de keizer of met de abt-primaat. Kom hier nooit meer terug. Ik vervloek de dag waarop ik me door jou heb laten overhalen om hier abt te worden.'

'Ik laat me niet...' begon Melchior, en hij voelde toen dat Cyprian hem bij zijn arm pakte.

'Laten we gaan,' zei hij. Melchior voelde zich bijna naar de deur geduwd worden en begon zich te verzetten.

'Nee,' zei hij en het kostte hem moeite om te voorkomen dat zijn woede zich tegen Cyprian richtte. 'Nee, dat kan zo niet...'

'De Duivelsbijbel is hier ondanks alles veiliger dan ergens anders,' siste Cyprian. 'Hij is hier tweehonderd jaar lang verborgen geweest. Er is geen plek waar hij beter op zijn plaats zou zijn, of er nu bibliothecariussen zijn of niet. Als jij en de abt definitief ruzie krijgen, gooit hij ons dat ding voor de voeten of laat het door de keizer ophalen of drukt het de eerste de beste idioot in handen. We gaan nu, dan kunnen de gemoederen tot bedaren komen en hebben we de tijd om een oplossing te bedenken.

'Maar...'

Melchior zag over Cyprians schouder dat abt Wolfgang bukte en de kisten begon te sluiten. Andrej stond naast de benedictijn.

'Hoort u kloppen?' vroeg hij. 'Zinderen? Hebt u het gevoel dat de lucht gonst van duizend kwade gedachten die bezit van u willen nemen?'

De abt keek Andrej met grote ogen aan. 'Bent u gek geworden?' vroeg hij hees.

'Ik ook niet,' zei Andrej. 'Weet u, onder de vermoorde slachtoffers over wie kardinaal Melchior het had, bevond zich ook de vrouw van wie ik hield. Toen ik daarnet hoorde hoe achteloos u met deze slapende draak hierbinnen bent omgegaan, had ik uw nek kunnen omdraaien. Maar ik heb niets gevoeld.'

'Ga weg,' zei abt Wolfgang.

Toen ze voor de kloosterpoort stonden, haalde Melchior diep adem. Hij had het gevoel dat frisse lucht nog nooit zo goed had geroken.

'Ik vermoord hem,' zei hij toen. Het was het eerste wat in hem opkwam.

'Hebt u de Duivelsbijbel gevoeld?' vroeg Andrej.

Melchior knipperde met zijn ogen. 'Ik heb hem nog nooit gevoeld en als er één ding in mijn leven is waar ik trots op ben, dan is het dit.'

'Waar wil je naartoe?' vroeg Cyprian.

'Ik heb hem één keer gevoeld. Toen ik destijds tegenover abt Martin zat, Pavel als Yolanta's moordenaar herkende en hem wilde doden.'

Cyprian en de kardinaal zwegen, de een uit medeleven, de ander uit verlegenheid.

'Vandaag voelde ik de woede van toen weer. Maar de Duivelsbijbel heeft niet tegen me gesproken.'

Melchior staarde Andrej aan. De gedachte die in hem opkwam, was zo vreselijk dat hij die niet onder woorden kon brengen. Hij voelde dat een schaduw zich in zijn hoofd uitspreidde en alles in kou dompelde.

'We moeten zo snel mogelijk terug naar Praag,' zei hij met gevoelloze lippen.

17

Wenceslas had zijn vader een keer horen zeggen dat hij door zijn ouders als kind het hele rijk door was gesleept en dat zijn eigen zoon niet zou aandoen. Wenceslas, die toen ruim tien jaar oud was, had geknikt en het niet over zijn hart kunnen verkrijgen om Andrej erop te wijzen dat zij in Praag tot op dat moment in Andrejs hutje in het Goudmakersstraatje, daarna in een wat groter huis in dezelfde steeg, vervolgens onder aan de kasteelberg, toen een tijdje in het huis van Cyprian en Agnes en ten slotte weer in het Goudmakersstraatje hadden gewoond. In het laatste huis woonden ze nog steeds, ondanks alle aanbiedingen van de Khlesls om hun intrek te nemen in hun ruime huis (waarvoor Wenceslas vanwege de onmiddellijke nabijheid van Alexandra enerzijds bang zou zijn, hoewel hij echter aan de andere kant ook teleurgesteld was dat deze oplossing nooit was overwogen). Na de machtsovername van keizer Matthias had het Goudmakersstraatje zich ontwikkeld van een naar zwavel en recente explosies ruikend bolwerk van keizerlijke alchemisten tot een haast normale steeg, waar de minder goed betaalde hofambtenaren woonden, en degenen die het ooit waren geweest en op tijd hadden toegeslagen. De meeste bewoners waren inmiddels ijverige, ambitieuze mensen die noch de gewoonte hadden om met vreemd staande ogen en zacht mompelend over de keien te strompelen, noch de deur uit te rennen en hard 'eureka!' te roepen, met haar dat nog rookte en gezichten die een levend bewijs waren dat je wenkbrauwen pas miste als ze waren weggeschroeid. Overigens waren de eureka-uitroepen zonder uitzondering voorbarig geweest, omdat de heren alchemisten niet hadden gevonden wat ze zochten, namelijk de steen der wijzen. Afgeleid van de oude naam had de nieuwe aanduiding 'Gouden Straatje' ingang gevonden, wat in zoverre ironisch was dat Andrej von Langenfels beslist tot de meest welgestelde bewoners van het straatje gerekend kon worden, maar ook hij geen gouden soeplepel bezat.

Het huis grensde aan de achterkant aan de noordelijke kasteelmuur en was een smalle doolhof waarin je telkens trappen op moest en waar eeuwige duisternis heerste, die je in verwarring bracht wanneer je bij afwezigheid van de bewoners naar binnen ging. Als de bewoners aanwezig waren, brandde er in een reusachtige oven altijd vuur, dat warme vonken en gezellige schaduwen wierp en de ruwe baksteen veranderde in oud goud. Je kon jezelf er dan opeens op betrappen dat je al heel lang naar het spel van licht en donker had staan kijken en je gelukkig en behaaglijk had gevoeld zonder een gesprek te voeren.

Wenceslas was verbaasd toen hij aan de voordeur hoorde kloppen. Hij verwachtte zijn vader sinds gisteren terug, maar die zou gewoon binnenkomen. De schrik sloeg hem om het hart bij de gedachte dat er iets gebeurd zou kunnen zijn. Hij rende met twee treden tegelijk de trap af en rukte de deur open. Buiten stond Alexandra, die geschrokken achteruit week. In een reflex sloeg Wenceslas de deur weer dicht; daarna, na een halve seconde van totale geestelijke leegte, deed hij hem voorzichtig weer open. Alexandra stond nog steeds buiten.

'Hallo,' zei Wenceslas, en hij voelde zich de grootste stoethaspel op aarde.

'Wat heeft dat te betekenen?' vroeg Alexandra.

'Wat?'

Alexandra gebaarde: 'Dat gedoe met die deur!'

'Het tocht,' zei Wenceslas in een vergeefse poging zijn laatste restje waardigheid te bewaren.

'Mag ik binnenkomen of waait het te hard in je huis?'

Wenceslas stapte opzij en Alexandra perste zich langs hem heen. Ze bleef bij de trap staan. Wenceslas realiseerde zich dat de oude kokkin, die hun mannenhuishouden bestierde, naar de markt was gegaan en hij met Alexandra alleen was. Hij kreeg het heet en koud en hoopte dat Alexandra niet zou vragen of haar bezoek gelegen kwam en hij haar daarom niet hoefde te vertellen dat ze het beste weer kon gaan, en tegelijk vreesde hij dat ze toch zou blijven.

'Eh... Wil je iets eten?' Wenceslas kon zijn tong wel afbijten; de keuken straalde vooral door de afwezigheid van de kokkin. Tot zijn opluchting schudde Alexandra haar hoofd. Ze leek met een besluit te worstelen.

'Ik wist helemaal niet dat je alweer terug bent.'

'Ik ben gisteren aangekomen.'

'O. Ik had je opgezocht als ik het had geweten...'

'Ik was moe. Ik ben meteen naar bed gegaan.'

'Ik had alleen maar uit jullie kantoor hoeven overwippen; we waren zo'n beetje in hetzelfde huis...' Wenceslas' stem brak af toen het hem duidelijk werd dat het ook voor Alexandra maar een kleine moeite was geweest om hem gedag te komen zeggen. Ze wist dat hij nog tot het eind van het jaar aan de firma Wiegant & Khlesl verbonden was. Niet dat het een verplichting voor haar was om hem onmiddellijk van haar terugkomst op de hoogte te stellen. Maar het zou toch fijn zijn geweest als een van haar eerste gedachten aan hem was gewijd.

Vaag drong het tot hem door dat ze iets had gezegd.

'Hè?' vroeg hij en hij bloosde van verlegenheid.

'Ik zei dat ik je iets belangrijks moet vragen,' herhaalde Alexandra. Verbluft zag hij dat ze ook rood was geworden. Zijn hart maakte een sprongetje.

'O. Natuurlijk.'

'Ik wilde niet dat mijn moeder of iemand bij ons in huis het per ongeluk zou horen.' Ze slikte en boog haar hoofd. Het uitspreken van de vraag leek haar zwaar te vallen.

In Wenceslas' door het kloppen van zijn hart geschokte hersenen ontsnapte een gedachte. Hij moest zijn armen uitstrekken, glimlachen, haar tegen zich aan trekken, haar kin optillen, zeggen: 'Ik weet wat je op je hart hebt, want dat is hetzelfde wat ik voel.' En: 'Je hoeft het me niet te zeggen omdat ik het duidelijk op je gezicht kan zien.' En: 'Laat me de woorden van je lippen nemen, mijn engel.' En vooroverbuigen en haar kussen en ervoor zorgen dat de kus haar de adem benam en de klokken van alle kerken in Praag tegelijk aan het luiden maakte en zo lang zou duren dat er honderd soldaten voor nodig zouden zijn om deze twee hartstochtelijk verliefden van de drempel te trekken. Ergens riep een stemmetje: 'Lieve hemel, ze is je nicht!' Maar er was niemand die ernaar luisterde. Zijn verstand, dat intussen had begrepen dat er van zijn lichaam niets viel te verwachten, maakte zich klaar om de nodige commando's te geven.

'Kun jij de oude bekenden van je vader inschakelen om meer over Heinrich von Wallenstein-Dobrowitz te weten te komen?'

Wenceslas' jubelende gedachten spatten uiteen. De jongeman, die door zijn lichaam en geest in de steek was gelaten, deed zijn mond open en dicht en probeerde tevergeefs weer met beide benen op de grond te komen.

'Heinrich von Wallenstein-Dobrowitz. Zijn vader heeft het met de keizer aan de stok gekregen. Hij is groot... Met brede schouders, lange krullen, blauwe ogen...' Alexandra kon een zucht niet helemaal onderdrukken.

'Wat is er met hem?'

'Ik wil gewoon meer over hem weten. Is dat zo erg?'

'Nee, maar... waarom?'

'Waarom bloeien de bloemen? Ik wil het gewoon weten.'

Wenceslas, die vaag dacht dat haar metafoor in verband met zijn gevoelens van zojuist behoorlijk ongepast was, probeerde zijn teleurstelling de baas te worden. Niets zou hem meer in verlegenheid hebben gebracht dan wanneer ze had kunnen zien dat ze hem zojuist tot op het bot had gekwetst. Hij was niet zo dom dat hij niet begreep waarom ze meer over een opgedirkte hoveling met o, zulke lange krullen en o, zulke blauwe ogen te weten wilde komen.

'Gaat het wel goed met je?' vroeg ze. 'Je bent opeens zo bleek.'

'Eh... Ja... De kou...'

Alexandra, die een dikke mantel aan had, veegde haar voorhoofd af. 'Kou? Hierbinnen is het zo heet als in de hel. De schoorsteen gloeit!'

'Ik bedoel de tocht,' zei Wenceslas, terwijl hij een verontschuldigend lachje produceerde. Er waren heldendaden waarvoor meer dapperheid nodig was dan zich met een vochtig doekje gewapend op een leger soldaten te storten, maar waarover toch nooit iemand zong.

'Nou? Kun je me helpen?'

'Ik weet het niet. Na de dood van keizer Rudolf zijn er veel poppetjes aan het hof vervangen; je weet dat mijn vader daar ook bij hoort. Waarschijnlijk is er niemand meer die hem kent, afgezien van het feit dat de meesten toch al jaloers op hem waren en hem links lieten liggen.'

'Waar een wil is, is een weg,' doceerde Alexandra, maar daarbij glimlachte ze zo stralend tegen hem dat in zijn vervlogen hoop een absurde vonk opsprong.

'Ik kan het wel eens proberen...' mompelde hij verdoofd.

'Nu meteen? Probeer je het nu meteen?'

'Wát?'

'Kom op, Wenceslas. Je bent toch mijn lievelingsneef!'

'Zeker,' zei hij, en hij moest zijn blik afwenden.

'Ik zeg tegen onze boekhouder dat je vandaag niet meer op kantoor komt omdat je in opdracht van de baas de deur uit bent.' Ze grijnsde en gaf hem een knipoogje. 'Je zou jezelf toch eens vaker iets moeten veroorloven. Je vader is toch de partner van mijn ouders!'

'Je leert niets als je niet onderaan begint,' zei Wenceslas, die duidelijk het gevoel had dat hij dat ook in het Turks had kunnen zeggen, omdat ze dat in haar actuele gemoedstoestand toch niet begreep.

'We zien elkaar straks in de oude ruïne, vlak voor de vesper!'

'We kunnen toch ook hier... Of ik kom naar jullie huis...'

'Ben je gek? Ik wil niet dat iemand er iets van te weten komt! Van jou weet ik dat je zult zwijgen als het graf.'

'O. Ja.' Hoera voor de betrouwbaren, die het zo verstandig vonden om onderaan te beginnen, die konden zwijgen als het graf en die eeuwig moesten toezien hoe de heren met de lange krullen en de blauwe ogen de harten stalen van degenen voor wie de betrouwbaren in stille liefde waren ontvlamd!

'In de oude ruïne dus. Beloofd?'

'Ik heb toch geen mogelijkheid om in die korte tijd...'

'Bedankt!' Ze boog voorover en gaf hem een kus op zijn wang. 'Je redt mijn leven.'

'Ja,' zei hij, terwijl hij toekeek hoe ze de deur uit glipte.

18

Andrej was op de terugweg van Braunau naar Praag onnatuurlijk zwijgzaam geweest. Hij had verwacht dat het niet gemakkelijk voor hem zou worden om de plaatsen weer te bezoeken waar zijn lot zo'n dramatische wending had genomen, maar hij stond er versteld van hoezeer deze missie hem werkelijk had aangegrepen. Het waren geen loze woorden geweest dat hij even zin had gehad om abt Wolfgang Selender te vermoorden. Je zou kunnen denken dat twintig jaar lang genoeg was om afstand te nemen van het verleden. Hij had het gevoel dat hij zo kwetsbaar was doordat hij die twintig jaar niet had gebruikt om te verwerken wat er was gebeurd. Dus ergerde hij zich over zichzelf, omdat hij er nooit de moed voor had gehad, en hij besefte met tegenzin dat onvermogen als een rode draad door zijn hele leven liep. Cyprian had gelijk dat hij het hem kwalijk nam Wenceslas niet over zijn afkomst op de hoogte te hebben gebracht! Samen hadden ze het verdriet de baas kunnen worden. Andrej had een paar keer gedaan alsof hij sliep en zich in een hoekje van het rijtuig teruggetrokken, om de ander niet te laten zien dat hij tranen in zijn ogen had, hoewel hij vermoedde dat Cyprian heel goed wist hoe hij eraan toe was. De oude kardinaal was in ieder geval een veel te goede mensenkenner om niet ook te kunnen raden dat iets Andrejs hart over de kloof van een hele generatie heen had gegrepen en fijngedrukt, en daar op een verdriet was gestuit dat, diep verborgen en gekoesterd, nog net zo veel pijn deed als op de eerste dag.

Ze waren de stad bij de Weense Poort binnengekomen, dankzij het kardinaalswapen niet gehinderd door de poortwachters. Andrej had nauwelijks op de weg gelet. Hij ontwaakte uit zijn gepeins toen Cyprian zei: 'Je hoeft ons natuurlijk niet tot voor de deur te brengen, oom Melchior, maar als je dat toch wilt, hier hadden we naar de Koolmarkt moeten afslaan om thuis te komen. Ik zou het personeel ook zover krijgen om voor ons allemaal een royaal avondbroodmaal –'

'We moeten ergens anders heen,' zei de kardinaal, en alleen al het feit dat hij Cyprian gewoon onderbrak, zorgde ervoor dat Andrej zijn sombere gedachten afschudde. Niet dat de gedachten over wat de kardinaal in Braunau had gezegd minder somber waren.

'Waarheen dan?'

'Naar mijn huis.'

'Op de Kleine Zijde?' Andrej probeerde een grapje te maken. 'Dat is vlak bij mij. Dan eten we gewoon bij mij thuis.'

De kardinaal wees uit het raam van het rijtuig. 'Niet op de Kleine Zijde. Ik bedoel niet het ministerspaleis. Ik bedoel mijn húís. We zijn er.'

Hij gaf de koetsier een stopteken. Andrej keek naar buiten. Zijn hart was benauwd. De kardinaal opende het portier en leunde bij het uitstappen op Andrejs schouder.

'Het spijt me dat ik je dit aandoe,' zei hij, terwijl hij in Andrejs schouders kneep. 'Maar het is nodig. Kom, mannen, we moeten opschieten.'

Andrej liet Cyprian voorgaan en stapte als laatste uit het rijtuig. Het was normaal gesproken al moeilijk voor hem hier te zijn en de paar keer dat dat voorkwam, brak regelmatig zijn hart. In de stemming waarin hij nu was, rook hij de rook weer, voelde hij de hitte van de vlammen, de zwakke bewegingen van het doodzieke kind op zijn arm, hoorde hij het geschreeuw en het barsten, kraken en breken van de instortende balken. Er was een plek op de keien die niet was gemarkeerd, maar die hij zelfs nog als oude, blinde man 's nachts zou terugvinden. Hij keek ernaar en werd zich bewust van Cyprians afgewende blik.

'Wat betekent dat: jouw huis?' vroeg Cyprian.

De kardinaal, die zich had uitgerekt en kreunend zijn benen had gestrekt alvorens weg te stevenen, draaide zich om. 'Omdat ik het heb gekocht. Wat anders?'

'Wanneer?'

'Vlak voor de dood van keizer Rudolf.'

'Waarom?'

'Omdat ik wist dat ik het nodig zou hebben als de keizer eenmaal dood was. Komen jullie nou!'

Andrej rukte zich los en volgde de kardinaal. Hij keek Cyprian even aan en lachte een scheef lachje.

'Daar zal iemand in Wenen blij mee zijn geweest.'

'Ik hoop dat je die vetzak goed hebt bedonderd!' riep Cyprian, die naast zijn oom ging lopen.

'Natuurlijk,' zei de kardinaal zonder op te kijken. 'Ik heb hem laten denken dat de keizer zelf het huis wilde hebben. Hij was zo enthousiast over de zogenaamde mogelijkheden die het hem zou bieden, dat hij het bijna voor niets verkocht.'

'Doen jullie alsof ik niets heb gezegd,' fluisterde Cyprian opeens. 'Maar ik geloof dat iemand zich in de oude ruïne heeft verstopt. Ik denk dat het er twee zijn.'

'Wel allemachtig,' siste de kardinaal. 'Als we te laat zijn gekomen... Andrej, jij weet de weg. Ga gauw. We mogen geen tijd verliezen als daar iemand rondsnuffelt.' Andrej knikte en liep de straat uit naar de Koolmarkt, draaide naar rechts en holde naar het begin van de Dominicanersteeg. In de wijde omtrek was bijna niemand te zien. Het was vlak voor de vesper en donker, de ideale tijd om geheime activiteiten uit te voeren. Hij rende over de Kleine Ring en dook aan de andere kant het in het donker gelegen verlengde van de Dominicanersteeg in. Voor de Koperslagersteeg was een naamloos steegje, dat niet meer voorstelde dan de toegang tot de achterkant van de gebouwen aan de noordwestelijke vleugel van de Kleine Ring. Andrej ging de hoek om. Zijn ademhaling ging nu sneller. Hij sloeg een amper een manslengte brede brandgang in, vertraagde zijn pas en probeerde oppervlakkig te ademen. Aan de andere kant van de brandgang zag hij het steegje naar de Kleine Ring, rechts omlijst door de hoek van een hoog huis, terwijl zich links de onstabiele, half ingestorte muur van de vroegere firma Wiegant & Wilfing bevond. Jutebanen van de restanten van het geraamte kringelden omlaag. Hij dacht een ogenblik na en besloot toen tot het verrassingseffect.

19

'Ik dacht al dat die hier binnen zouden komen,' kreunde Alexandra.

'Daar ziet het niet naar uit,' zei Wenceslas, terwijl hij vanuit zijn schuilplaats op de straat gluurde. 'Ik vraag me alleen af waar mijn vader naartoe...'

Een geluid maakte dat hij zich met een ruk omdraaide. Hij zag een schim, die een van de gapende raamopeningen in sprong en zich meteen boven op hen stortte. Hij sprong met een gil van ontzetting op en trok Alexandra met zich mee. Zijn eerste gedachte was met haar de deur uit te vluchten, maar hij botste alleen met zijn rug tegen de muur. Alexandra struikelde en viel tegen hem aan. De schim stootte zijn lantaarn met zijn voet om; die rolde met een regen van vonken op de keldertrap af en stuiterde rammelend en rinkelend naar beneden. De schim keerde zich naar hen toe. Wenceslas duwde zich af tegen de muur en keek in paniek om zich heen. Daar was de deuropening. Hij sloeg zijn arm om Alexandra's heupen, tilde haar op en sprong op de reddende deuropening af. De schim kwam hem achterna. Wenceslas tuimelde met zijn vrachtje de binnenplaats op en tegen iets aan wat hem liet struikelen. Er was plotseling een voet tussen zijn benen en hij sloeg languit tegen de keien. Op het laatste moment draaide hij zich zo om dat Alexandra bovenop kwam te liggen. De klap dreef de lucht uit zijn longen. Twee vuisten werden tussen hem en haar geduwd en trokken hen uit elkaar en onwillekeurig stak hij zijn eigen vuisten op om zich te verdedigen.

'Als je me nou beduvelt,' zei een bekende stem.

Wenceslas voelde dat hij overeind werd getrokken. Iemand klopte zijn rug af. Hij keek in het bezorgde gezicht van zijn vader. 'Alles in orde?'

'Met mij best,' kermde Wenceslas naar adem happend.

Alexandra leek besloten te hebben dat de aanval de beste verdediging was. Terwijl langzaam de gedachte in Wenceslas' hoofd opkwam welke conclusies hun vaders zouden trekken uit het feit dat ze hen met zijn tweeën in de donkere ruïne hadden gevonden – zonder enig gezelschap – draaide ze zich met een ruk om en riep: 'Wat bezielt jullie om ons zo te laten schrikken?'

Cyprian Khlesl spreidde zijn armen. 'Volgende keer vragen we eerst of het mag.' Hij grijnsde. Iemand legde een hand op Wenceslas' schouder. Het gezicht van de kardinaal verscheen in zijn gezichtsveld.

Wenceslas had Alexandra's oudoom altijd alleen als vriendelijke heer met droge humor en soms bijtende sarcastische buien meegemaakt en was geschrokken van de fonkeling in zijn ogen.

'Wat deden jullie daarbinnen?' stootte Melchior Khlesl uit.

Wenceslas ving een blik van Alexandra op. Hij wist dat het tijd was om zichzelf voor de tweede keer op te offeren, want het was niets minder dan een offergang geweest om voor Alexandra naar Heinrich von Wallenstein-Dobrowitz te informeren. Daar was overigens niets uitgekomen; de man leek een levende schaduw te zijn.

'Het is mijn schuld,' zei hij.

'Dat is ten eerste een leugen en ten tweede geen antwoord,' zei de kardinaal droog.

Wenceslas keek zijn vader smekend om hulp aan. Andrej trok zijn wenkbrauwen op en leek eveneens op een antwoord te wachten.

'Wilt u soms zeggen dat het mijn schuld is?' stoof Alexandra op. Wenceslas bewonderde haar brutaliteit.

'Een toontje lager, jongedame,' bromde Cyprian.

Alexandra draaide zich furieus om. 'Valt u me nu ook al in de rug aan, mijn eigen vader?'

'Hebben jullie daarbinnen rondgesnuffeld?' Wenceslas staarde weer in de brandende blik van de kardinaal. 'Hebben jullie iets ontdekt?'

Ik heb ontdekt dat Alexandra op iemand verliefd is en dat het pijn doet verder te leven als je hart is uitgerukt, dacht Wenceslas. Hij schudde zijn hoofd.

'Zijn jullie hier voor het eerst?'

Wenceslas knikte, hoewel het hem moeilijk viel om voor de borende blik van de kardinaal nog een leugen op te dissen.

'Laten we ze naar huis sturen,' zei Cyprian. 'Ik wil niet dat de kinderen erin worden meegetrokken.'

'Ik ben geen kind meer,' zeiden Wenceslas en Alexandra tegelijk.

'Cyprian, de kinderen maken deel uit van de hele geschiedenis. Het is net als toen; je wilde niet onder ogen zien dat Agnes in het brandpunt van de ontwikkelingen stond tot het bijna te laat was.'

'Desondanks,' zei Andrej en hij legde zijn hand op Wenceslas' schouder.

De kardinaal snoof. Toen schudde hij zijn hoofd.

'Goed dan,' zei hij. 'Maar ik wil dat uw zoon achteraf nog een paar vragen beantwoordt.'

'Dat wil ik ook,' zei Wenceslas' vader tot diens grote ongenoegen.

'Alexandra, jij neemt je vriend mee naar jullie huis,' zei kardinaal Khlesl. 'Geen commentaar. Jullie blijven daar tot wij naar jullie toe komen.'

Ook Alexandra's vrijpostigheid reikte niet zo ver om de kardinaal nog een keer tegen te spreken. Wenceslas zag hoe ze vanbinnen kookte, maar toen boog ze haar hoofd en zei: 'Goed.' Met enige vertraging drong in Wenceslas' hoofd de vraag naar de oppervlakte, waarom de kardinaal hem Alexandra's vriend had genoemd en niet haar neef.

'Kom mee, Wenceslas,' zei Alexandra. Wenceslas ontweek de blik van zijn vader en voegde zich bij haar. Hij werd zenuwachtig toen hij aan het fonkelen van haar ogen zag dat ze een mogelijkheid had gevonden om toch het laatste woord te hebben. Hij zag zichzelf de planken voor de schuilplaats in de kelder lostrekken. Ze zou toch niet...

'Daar is een kist met kettingen eromheen,' zei Alexandra.

Het zou grappig zijn geweest, als het er niet zo afschrikwekkend had uitgezien. De drie mannen richtten zich simultaan op, alsof ze allemaal tegelijk door een zweepslag waren getroffen. Van Andrej en Cyprian leken de jaren opeens af te vallen, alsof ze op slag weer begin twintig waren, zo oud als Wenceslas nu. De kardinaal daarentegen werd grauw in zijn gezicht. Cyprian zette een stap in hun richting, die Wenceslas ertoe aanzette achteruit te wijken, maar kardinaal Melchior hield hem tegen. Hij slofte naar hen toe en posteerde zich voor Alexandra. Uit haar gezicht was alle triomfantelijkheid geweken, en ze was alleen nog een jong, bang meisje, dat te hoog in een boom was geklommen en niet wist hoe ze weer veilig beneden moest komen. De kardinaal zou er veel minder dreigend hebben uitgezien als hij een sprong had genomen of was gaan schreeuwen. Het leek erop dat hij alleen maar zo langzaam liep omdat hij al zijn kracht nodig had om zich in te houden. Als hij zich had laten gaan, dan was hij – dat voelde Wenceslas – als een razende tegen hem en Alexandra tekeergegaan.

'Een kist,' zei Melchior Khlesl.

'Waarschijnlijk is het geen kist,' zei Alexandra gauw. Ze deed een stap achteruit en botste tegen Wenceslas aan. Onwillekeurig pakte ze met koude vingers zijn hand. 'Het zag er alleen maar zo uit. Het zal wel gewoon een stapel stenen zijn die van het plafond zijn gevallen. Ik kon het niet eens goed zien. Het was een grote schaduw, meer niet.'

'Deze schaduw valt al vierhonderd jaar over de mensheid,' zei de kardinaal met een stem die niet bij hem leek te horen.

Cyprian stond opeens naast hem. Alexandra keek naar haar vader op als naar een man die haar van de verdrinking wilde redden. Hij knikte haar toe, toen wendde hij zich tot Melchior.

'Wat heb je gedaan, oom Melchior?' vroeg hij en Wenceslas merkte dat Alexandra bij zijn woorden begon te trillen.

Kardinaal Khlesl probeerde de door Andrej naar beneden geschopte lantaarn aan te krijgen met de lont die hij aan de koetslantaarn had aangestoken. Uiteindelijk nam Wenceslas de lont met een verontschuldiging uit zijn handen en stak de lamp aan.

De kardinaal knikte hem toe. Zijn gezicht was nog steeds grauw. Wenceslas hield de beide lantaarns omhoog, keek in Alexandra's bange gezicht en verlichtte toen zijn vader en Cyprian, die met een paar rake schoppen een gat in het luik maakten. Er dwarrelde stof op dat hem aan het hoesten maakte.

'Genoeg,' zei Cyprian. Hij stak zijn hand naar een van de lantaarns uit en glipte door het ontstane gat.

'Jij en Alexandra, jullie blijven hier buiten,' zei Andrej en hij pakte de tweede lantaarn om Cyprian achterna te gaan. Kardinaal Melchior drong zich langs Wenceslas heen. Alexandra stond opeens naast hem, alsof het plotselinge donker haar aan zijn zijde had geduwd. Ze keken elkaar even aan en volgden toen de mannen de gang in. Niemand stuurde hen terug.

Natuurlijk was het een kist. De kettingen glommen in het lantaarnlicht.

'Waarom heb je me daar niets van verteld?' fluisterde Wenceslas. Alexandra schokte met haar schouders.

'U wist dat keizer Matthias geen benul had van de waarde van de Duivelsbijbel,' zei Andrej tegen kardinaal Melchior. 'Het gevaar bestond dat hij hem samen met de andere schijnbaar waardeloze rariteiten gewoon zou weggooien. Zelf heb ik er de eerste maanden na Rudolfs dood voortdurend rekening mee gehouden dat ik iets zou horen over een reusachtig boek dat was gevonden.'

'Ik vreesde dat, als hij in handen zou vallen van een alchimist die ook maar een beetje op de hoogte was van de oude legenden, die gauw genoeg zou begrijpen dat het maar de kopie was,' zei Melchior.

'En dat de jacht op de Duivelsbijbel opnieuw zou losbreken.' Cyprian schudde zijn hoofd. 'En ik was zo naïef om te denken dat we het onderwerp eens en voor altijd hadden afgedaan. Waarom hebben jullie me niet verteld waar jullie bang voor waren?'

'Omdat we je niet uit je zalige naïveteit wilden rukken,' zei Andrej met een flauw lachje. 'Onder ons drieën ben jij de rustige pool. We wilden je niet onnodig opwinden.'

Zelfs over het gezicht van de kardinaal gleed een glimlach. 'Maar we hadden het er niet over gehad, hoor,' zei hij.

'Prima,' vond Cyprian. 'Is er nog meer waarvoor jullie me al die jaren te dom vonden?'

'De aarde is rond,' zei Andrej.

'Onmogelijk,' zei Cyprian.

Wenceslas' blikken schoten van de een naar de ander. Na de eerste schrik over de reactie van de kardinaal won de nieuwsgierigheid het van zijn angst, en de omstandigheid dat Alexandra als vanzelfsprekend zijn hand had gepakt.

De plagerij leek hun vaders en de kardinaal een beetje ontspannen te hebben. Cyprian ging langzaam met de lantaarn over de kist.

'Ziet er niet beschadigd uit.'

Andrej pakte het slot dat de kettingen bijeenhield en schudde eraan. Toen verlichtte hij het met zijn lantaarn. Wenceslas en Alexandra kwamen dichterbij en keken over zijn schouders.

'Dat is in elk geval niet nieuwer dan de kettingen,' zei hij. 'Ik neem niet aan dat een van de heren de sleutel heeft?'

Kardinaal Khlesl grabbelde in zijn gewaad en haalde een halsketting tevoorschijn. Daaraan bungelde een enorm gouden kruis. De kardinaal pakte het kruis en hield het boven de kist. Alexandra's greep om Wenceslas' hand werd vaster, en Wenceslas slikte opeens alsof hij verwachtte dat er een bliksem uit het kruis zou schieten die de ketting zou laten springen. Zelfs Cyprian en Andrej gingen rechtop staan en deden een stap achteruit. De kardinaal keek van de een naar de ander, draaide toen met zijn ogen, pakte het langste been van het kruis en trok eraan. Iets wat leek op een metalen huls maakte zich los en onthulde dat dit been in werkelijkheid een lange, ranke sleutel was.

'Wat dachten jullie dan?' vroeg hij.

'Niets, niets,' zei Cyprian. 'Ga door met ons te imponeren.'

'Er waren precies twee sleutels van dit slot,' zei Melchior. 'De ene droeg keizer Rudolf op zijn lichaam; die is mogelijk met hem begraven. De andere heb ik stiekem laten maken, voor een noodgeval als dit.'

Hij bukte en stak de sleutel in het slot.

'Ik heb rijkskanselier Lobkowicz en kruisheergrootmeester Jan Lohelius in de weken voor het overlijden van de keizer aan onze kant gekregen, zonder hen precies te verraden welke macht de Duivelsbijbel feitelijk heeft. Ze hebben meteen na de dood van Rudolf de kist met de kopie van de codex uit het wonderkabinet gehaald en hierheen laten brengen. Ik wist dat dit de laatste plaats was waar iemand komt kijken.' Een blik over zijn schouder trof Wenceslas, die zijn hoofd introk. Alexandra gooide koppig haar haar naar achteren.

De ketting viel rinkelend op de grond. De kardinaal kwam kreunend overeind, pakte de deksel van de kist en opende hem.

Alexandra ging op haar tenen staan om in de kist te kunnen kijken.

Toen begon ze te gillen.

2∅

Gewoonlijk gaf Heinrich von Wallenstein-Dobrowitz de boodschappen die hij naar Diana in Pernstein wilde sturen af in het paleis van de rijkskanselier, waar het dan aan de bedienden werd overgelaten ze door te sturen. Tot nu toe had hij zich er altijd aan gehouden. Maar vanavond was hij veel te opgewonden om het spelletje te kunnen verdragen. Toen de lakei de deur voor hem opende, drong hij zich gewoon langs hem heen en dwong de man hem naar de duivenkooien op zolder te brengen.

'Meneer, dat is...' begon de bediende, geïntimideerd door Heinrichs meedogenloze vastbeslotenheid.

'Welke duiven zijn het, die altijd voor mijn boodschappen worden gebruikt?'

'Eh...'

'Verdomme, welke duiven zijn het? En breng me inkt en iets om te schrijven, en gauw een beetje!'

'Eh...'

Heinrich draaide zich met een ruk om en greep hem bij zijn wambuis. 'Als jij het niet weet, druiloor, breng me dan iemand die beter op de hoogte is!'

'K-k-komt eraan, meneer!'

Heinrich haalde uit met zijn voet, maar de lakei was er op de een of andere manier in geslaagd de trap al half af te glippen. 'En denk aan de inkt!' schreeuwde hij hem achterna.

Er was maar één duiventil. De vraag drong zich aan hem op hoe Diana ervoor zorgde dat er geen verwisselingen plaatsvonden met eventuele boodschappen aan de rijkskanselier, die de meeste tijd in Wenen doorbracht. Heinrich besefte gekrenkt dat hij niet beter van haar doen en laten op de hoogte was dan een lakei. Welk woord had er aan het begin van hun partnerschap gestaan? Knecht? Het was vervangen door 'partner', maar hij was niet meer dan een loopjongen, als je erover nadacht.

'Maar de loopjongen heeft de meesteres geneukt...' fluisterde hij grijnzend. Het was een armzalig plezier.

En wat deed hij hier, met de boodschap waarop Diana de hele tijd had gewacht? Fluisterde hij die in haar oor, terwijl ze hem op de deken trok en hem de kleren van het lijf rukte? Nee, hij zat voor een duiventil op een stinkende zolder en moest schreeuwen tegen de bedienden. Het ergste was dat hij vanavond weer in een van de vrouwenhuizen bij de muur zou binnenvallen en nog meer schulden zou maken om de lust te bevredigen die hem hulpeloos maakte zodra hij maar aan haar dacht. En dat hij niet meer terug zou kunnen komen in het etablissement waar hij de laatste keer was geweest en waar de mooiste meisjes waren die hij tot nu toe in Praag had gevonden, omdat hij het voor zichzelf had verpest. De waard had hem op zijn verzoek twee meisjes voorgesteld, een blonde en een donkere. Hij had de blonde gedwongen haar gezicht wit te schminken en daarna de meisjes aan elkaar laten friemelen, terwijl hij bevend en kreunend had toegekeken. Opeens had hij het niet meer uitgehouden. In blinde drift had hij zich op de twee schoonheden gestort, de donkere gepakt en een pak rammel gegeven. De blonde probeerde te vluchten, maar hij had haar vastgehouden en geschreeuwd: 'Is dat wat je wilt, Diana? Zeg het me en ik ruk haar hart uit haar lijf! Zeg het me en ik drink haar bloed. Zeg het me! Zeg het me! Zeg het me en ik doe wat je wilt, maar laat me je nog een keer bezitten!' Toen was hij boven het snikkende donkerharige meisje in elkaar gezakt, had haar enkels uit elkaar geduwd, was in haar gedrongen en onmiddellijk klaargekomen en daarna had hij naar haar gezicht met de opgezwollen lippen en de bloedneus gestaard en geconstateerd dat ze geen enkele gelijkenis had met Alexandra Khlesl... En hij had zijn vuisten opgestoken en zou de snol hebben doodgeslagen als ze hem niet van haar af hadden getrokken. De blonde had hulp van de begane grond gehaald en hij, Heinrich, was halfnaakt de straat op gegooid met het dreigement dat hij zou worden ontmand als hij zich hier ooit nog vertoonde. Hij was naar huis gewankeld, had zich op zijn bed laten vallen en zichzelf afwisselend snikkend en schreeuwend van woede bevredigd in een vergeefse poging de herinnering aan de tot bloedens toe geslagen schoonheid Alexandra's gezicht te geven.

De droge veren- en strontlucht uit de duiventil, vermengd met de geuren van hout en dakpannen en nauwelijks waarneembare specerijen op de oude zolder, maakte zijn hoofd licht en vertraagde zijn hartslag. Er bestond niets aardsers dan deze lucht. Hij werd erdoor herinnerd aan het werk om de til schoon te houden, aan zonnestralen die door de kieren in het dak vielen, aan de warmte van een zomeravond op een ruime droogzolder als je soezerig werd van de hitte, aan de duiven die vertrouwelijk heen en weer gingen, opfladderden, op je schouder gingen zitten of vriendelijk in de rug van je hand pikten. Hij werd erdoor herinnerd aan de simpele oplossing die er soms was voor lastige problemen: er een einde aan maken. Heinrich zag zichzelf plotseling weer opstaan, het huis verlaten en de avond in lopen, weg van hier, weg van Praag, ergens naartoe waar een nieuw begin denkbaar was. Hoe had hij zover kunnen zinken dat hij voor een bordeel op straat lag, met een bloedneus en de dreigementen van de hoerenbaas?

De geur van de duiven werd hem te veel. Hij moest hoesten. Het geluid maakte de dieren aan het schrikken. Ze weken voor hem achteruit en drongen zich koerend en fladderend achter in de til opeen. Hij dacht hun hysterische angst bijna te kunnen ruiken. Hij trok een grimas en trok zijn bovenlip op en ging toen met zijn vinger langs de tralies. De vogels fladderden opgewonden heen en weer en buitelden van paniek over elkaar heen. Heinrich constateerde dat hij de dieren verachtte.

'Kom er maar uit,' fluisterde hij vol haat. 'Kom er maar uit, dan kan ik jullie opeten.' Hij ratelde weer langs de tralies van de kooi. 'Kom eruit, stinkende verenbollen, en laat jullie kop afbijten. Ik ben een kat en ik heb honger!' Hij kromde zijn handen tot klauwen en blies tegen de duiven, die doodsbang door elkaar dwarrelden. Er vlogen veren naar buiten. Heinrich zag dat ze elkaar in hun hysterie bevuilden.

'Hèhèhè!' deed hij, terwijl hij weer langs de tralies ging. 'Ik vreet jullie op!'

Toen drong het tot hem door dat hij niet meer alleen was. Hij schraapte zijn keel, kwam overeind en zei terwijl hij zich omdraaide: 'Waar zat je, luie d...?'

Ze observeerde hem zwijgend zonder een spier te vertrekken. Hij staarde haar aan en voelde zich van top tot teen rood worden. Ze had geen inkt meegebracht. Heinrich deed zijn mond open en weer dicht. Hij had haar nog nooit anders gezien dan met een witgeschminkt gezicht. Deze keer was ze niet opgemaakt. Hij herinnerde zich de schaduwen die hij onder de make-up gezien dacht te hebben, maar haar huid was smetteloos. Ze was mooier dan ze met beschilderd gezicht ooit zou kunnen zijn en hij hoorde iemand jammeren en wist dat hij het zelf was.

'Er is nieuws?' vroeg ze.

'I-ik wist niet... Ik wist niet...'

'Nee, dat wist u niet.' Haar stem was vlak. Hij verbeeldde zich de verachting erin te horen en kromp vanbinnen ineen.

'Ik...' Hij wees met zijn duim over zijn schouder naar de duivenkooien. Hij besefte dat geen enkele uitleg zijn gedrag minder belachelijk zou laten lijken. Zijn schouders zakten naar beneden.

'Zeg het maar.'

'Als... Als ik had geweten dat u hier...'

'De boodschap.'

'U bent zo beeldschoon!' barstte hij uit.

Ze stond boven aan de trap in haar witte gewaad, haar handen kuis voor haar schoot gevouwen, een naar de aarde afgedaalde engel. Zijn gevoelsuitbarsting raakte haar net zo hevig als een ademtocht van een vlinder een berg raakt. Hij probeerde wanhopig zijn gedachten onder controle te krijgen. Haastig deed hij een stap in haar richting. Ze knipperde niet eens met haar ogen.

'Diana,' stotterde hij rauw. 'U bent in al mijn gedachten, in alle vezels van mijn lichaam... Diana...' Hij verslikte zich en kwam met moeite voor haar tot stilstand.

'De boodschap.'

'De kardinaal heeft ontdekt dat de kopie van de Duivelsbijbel uit het rariteitenkabinet zich niet in de oude ruïne bevindt,' stootte hij uit. 'Het is zover!'

Ze leek even na te denken. Haar blik gleed langs hem heen alsof hij een insect was. De codex zit in haar bloed, dacht hij voor de honderdste keer, net als in mijn bloed.

'U weet wat u te doen staat,' zei ze ten slotte.

'Ja. Maar...'

Ze wachtte af.

'Maar... Ik wil... Ik kan...' Zijn gedachten stokten. Hij hoestte en pakte haar bij haar schouders, trok haar tegen zich aan, perste zijn mond tegen haar lippen en probeerde haar met zijn tong te openen, duwde er zo hard tegen dat zijn eigen mond er pijn van deed. Ze beantwoordde zijn kus op geen enkele manier. Het was alsof hij had geprobeerd een warm lijk te kussen. Kreunend liet hij haar los.

'Hier,' zei ze langzaam en zonder zijn speeksel van haar gezicht te vegen, 'gelden andere wetten. Als u dat nog een keer doet, laat ik u het huis uit slaan.'

'Maar... Ik sta in brand, Diana, ik sta in brand!'

'De boodschap is overgekomen,' zei ze. Ze draaide zich om en schreed de trap af zonder hem nog een keer aan te kijken.

'En de kardinaal dan?' riep hij haar achterna. 'En Cyprian Khlesl?'

'Doet u wat u moet doen,' ze zei. Het klonk als: *doodt u hem*. Het klonk als: *wat Cyprian Khlesl betreft: als u en hij elkaar in een donker straatje zouden tegenkomen, zou ik geneigd zijn om op hem te wedden.*

Hij strompelde terug naar de duiventil, bevend, trillend van woede. Met vliegensvlugge vingers wurmde hij de opening open, deed een greep, kreeg een duif te pakken, trok die eruit, staarde ernaar... en jammerend als een halvegare balde hij zijn vuist, tot hij de botjes hoorde kraken, een vlies over de ogen van de duif verscheen en het kopje opzij zakte.

Het bloed dat tussen zijn vingers door sijpelde, bracht hem tot bezinning. Zwaar ademend keek hij om zich heen, even volledig gedesoriënteerd. Toen rende hij de trap af, de gangen door en via de hal naar buiten alsof demonen hem op de hielen zaten. Pas verderop onder de Praagse Burcht, bijna al in de steegjes van de Kleine Zijde, zag hij dat de mensen naar hem keken. Hij keek naar zijn vuist en zag dat hij het lijkje van de duif nog steeds vast had. Hij opende zijn bebloede vingers en liet het ter plekke vallen. Niemand durfde hem aan te spreken. Hij liep weg, terwijl hij meer op een duivel dan op een mens leek en moordlust voelde.

21

Eerst zag het eruit als een hoopje kleren, bruin en vlekkerig onder een laag witte schimmel. Toen kregen details uit de schaduw vorm: een droge vo-gelklauw, de ronde vorm van een leren beurs vol barstjes en scheurtjes, de verkleurde rij kralen van een rozenkrans, nog een leren beurs waar de huid van afbladderde, daartussen de opengesprongen wattenvoering van een bro-kaathemd en de zijden overtrek van een hooggehakte laars die er nu uitzag als een spinnenweb. De beurs was aan één kant beschadigd, door een rafelig gat was nog een rozenkrans te zien, andere gaten zagen eruit als...

Alexandra schreeuwde.

Het was een kwestie van perspectief. Toen Andrej de lantaarn liet zak-ken, werd de vogelklauw een hand, de rijen kralen waren tanden, de gaten in de leren beurzen in werkelijkheid gapende monden in gemummificeerde gezichten.

Andrej sloeg het deksel dicht. Het gaf een knal als een kanonschot en rolde door het hele keldergewelf. Alexandra bleef schreeuwen. Ze deinsde achteruit tot ze met haar rug tegen de muur stootte. Zag dan niemand het behalve zij? Het deksel van de kist trilde alsof er van binnenuit iets tegen-aan duwde. Ze probeerde de anderen erop te wijzen, maar afgezien van een panisch gegil kwam er niets uit haar mond. Ze probeerde haar hand op te steken. Het deksel ging langzaam omhoog, er bewoog iets schokkerig in het donker van de kist, iets wat ritselde en knisperde en leek te fluisteren met perkamenten lippen en een tong van gebarsten leer, iets met blinde, ver-steende knikkers als ogen, wat zich met een klauw vol lange, zwarte nagels aan de rand van de kist vastklampte en met de andere de deksel optilde, langzaam, zo langzaam, iets wat de tijd had om langzaam te zijn omdat Alexandra als verlamd was en geen kracht had om te vluchten, iets met een zwarte mond waarin tandjes glommen als een afschuwelijke parodie op een ivoren rozenkrans, iets wat zich langzaam oprichtte, met zijn mummie-tweeling opzij, een verdroogde arm uitstrekte en een piepklein dun vinger-tje aan een schoepvormige hand, iets wat de afgrijselijke, zwart verkleurde, uit de diepten van de hel omhoogklimmende parodie was van een dwerg, die zijn steeds langer wordende arm naar haar uitstak en haar bij de schou-der pakte...

'Schatje?'

Alexandra knipperde tegen het gezicht van haar moeder. Ze had het ijskoud gekregen. Ze beefde over haar hele lichaam. Het gemummificeerde gezicht van de dwerg dook uit haar herinnering op en maakte haar misselijk. Ze slikte krampachtig.

'Je was aan het woelen en kreunen. Je had een nachtmerrie.'

'De kist...' stamelde Alexandra.

Agnes' gezicht verstrakte. Alexandra voelde de hand van haar moeder, die haar haar streelde. Haar vingers voelden klam aan.

'Ja. Je vader heeft me verteld wat jullie hebben gevonden. De kardinaal zegt dat in de kist de gemummificeerde lijken van twee van keizer Rudolfs hofdwergen lagen. Ze werden sinds zijn dood vermist. De anderen heeft men sindsdien allemaal dood gevonden, een op de straatstenen onder de kasteelmuur, de anderen in het rariteitenkabinet van de keizer. Iemand bracht toentertijd het gerucht in omloop dat de dwerg die was doodgevallen, ene Sebastian-nog-wat, de anderen had vermoord omdat ze samen het wonderkabinet wilden plunderen en het niet eens konden worden over de buit. Daarna schijnt hij uit het raam te zijn gesprongen. Hoe dan ook...'

'Hoe kwamen de lijken in de kist?'

'Dat is de vraag die de hele theorie over moord en zelfmoord van de hofdwergen overhoopgooit, hè?'

Op momenten als dit, wanneer haar moeder een ironisch commentaar gaf of op een andere manier liet blijken dat ze totaal niet van het niveau was van andere moeders van haar maatschappelijke niveau, voelde Alexandra zich tegelijk tot haar aangetrokken en van haar vervreemd. Het neutrale wezen 'moeder' was een mens genaamd Agnes Khlesl geworden, met eigen gedachten, eigen wensen en opvattingen en die in staat was haar dochter volledig te verbazen. Alexandra was gefascineerd door het inkijkje in het hart van haar moeder dat daardoor mogelijk werd, maar tegelijk voelde ze de afstand die daardoor ontstond en die niet door de simpele familieband was te overbruggen. 'Moeder' was iemand die dichtbij stond omdat dat moest; Agnes Khlesl was iemand wier respect en liefde verdiend moesten worden.

'Wat zocht de kardinaal in de kist?' vroeg Alexandra, en op hetzelfde moment wist ze het weer.

Wenceslas, die naast de op de grond gezakte Alexandra hurkte en had geprobeerd haar te kalmeren.

Haar vader, wiens stem nog nooit zo hol had geklonken, zei: 'Wat heb je gedaan, oom Melchior? Waar is de Duivelsbijbel?'

Melchior Khlesl die stomverbaasd had gefluisterd: 'Die had hier moeten zijn. De rijkskanselier... Maar nee... Bisschop Lohelius... Mijn god, hebben de kruisheren die vervloekte codex soms? Hoe kon dat gebeuren? Ik had toch de enige extra sleutel...?'

Andrej, die zei: 'Blijft u rustig, mijne heren,' en op de twee jonge mensen had gewezen: Wenceslas met zijn onbeholpen troostpogingen en Alexandra, die hem met wijd opengesperde ogen en blind van tranen had aangestaard.

'Niets,' zei Agnes.

'De Duivelsbijbel,' zei Alexandra.

Agnes' gezicht werd wit.

'Moeder... Ik ben geen kind meer!'

'Ik was net zo oud als jij en dacht ook dat ik geen kind meer was. Ik word nu nog gillend wakker als ik ervan droom. Wil je wat je daarnet hebt beleefd iedere nacht doormaken?'

'Wat is de Duivelsbijbel?'

'Ik beantwoord geen vragen meer.'

'Moeder!'

Agnes trok een wenkbrauw op. Daar was ze weer, de vastbesloten, indien nodig harde Agnes Khlesl, met wie Alexandra ruziemaakte zodra ze verscheen en bij wie ze zich klein en zwak voelde. Ze klemde haar kiezen op elkaar maar voelde zich niet in staat opnieuw met haar moeder te ruziën. Daarvoor zat de schok van haar afschuwelijke ontdekking nog te diep.

Agnes liep naar het raam en trok de zware gordijnen op. Tot haar verbazing zag Alexandra dat het klaarlichte dag was. Haar moeder was volledig aangekleed. Hoelang had ze geslapen, of liever gezegd: hoelang was ze in de greep van de nachtmerrie geweest?

'Dit is voor je afgegeven,' zei Agnes. Ze hield een opgevouwen stuk papier omhoog. Ze probeerde te glimlachen. 'Heb je een aanbidder zonder dat ik het weet?'

Heel even lag het antwoord op Alexandra's lippen: ik beantwoord geen vragen meer. Maar ze was te moe.

'Nee,' zei ze. Ze nam het papier in ontvangst en draaide het om en om.

'De hele familie is beneden,' zei Agnes. 'Kom je? Je vader heeft een zending ontvangen van een bakker voor wiens burgerrechten hij zich heeft ingezet. We zijn onder elkaar, geen kardinalen deze keer.' Ze bracht opnieuw een lachje tot stand.

'En oom Andrej?'

'We zijn onder elkaar.' Deze keer leek de glimlach van haar moeder een nieuwe eigenschap te bevatten, het was een glimlach waarin zoveel onuitgesproken dingen meespeelden, die in Alexandra's hoofd net zo ronddwarrelden als in dat van Agnes: het hiaat in het levensverhaal van haar neef, de koppige volharding van haar oom in een bestaan als eeuwige vrijgezel, Wenceslas' volkomen ongepaste gevoelens voor Alexandra, die zo duidelijk op zijn voorhoofd waren te lezen alsof ze daar waren ingegraveerd...

'We wachten op je.'

Alexandra zwaaide haar benen uit het bed. Ze voelden aan alsof ze van hout waren. Lusteloos ging ze met haar nagel onder het zegel en opende het bericht. Toen verstijfde ze onder het lezen.

Herinnert u zich Brno nog? Ik heb u sindsdien niet meer kunnen vergeten. De koerier wacht in de buurt van uw huis. Als hij voor het angelus van u geen bericht voor mij heeft gekregen, weet ik dat het bij u niet zo is als bij mij en zal ik de rest van mijn leven in duisternis doorbrengen.
Geheel de uwe,
getekend: *Heinrich von Wallenstein-Dobrowitz.*

Alexandra sprong op. Hoelang duurde het nog tot het angelus? Waar was papier? Waar was een veer?

22

Toen hij in Praag was aangekomen, wist Filippo dat zijn reis voorlopig was afgelopen. Hij stond op de grote brug en draaide zich om zijn as, liet afwisselend het beeld van het kasteel op zijn steile rots, de daken en gevels van de Kleine Zijde en de tientallen oprijzende torens van de oude stad aan zich voorbij glijden en begreep dat hij de donkere tweelingbroer van zijn geboortestad Rome had gevonden. Niet dat Rome niet ook genoeg donkere kanten had, welbeschouwd meer dan lichte, maar de stad op zichzelf maakte een lichte indruk. Praag leek echter verder in de schaduw te reiken dan Rome, leek meer geheimen te verbergen, diepere steegjes en verstoptere hoekjes te hebben. In het nachtelijke Rome van bijgeloof en spokerij marcheerden spooklegioenen met trommels en fanfares door de straten, op weg naar de dood in een of ander ver land, vijfduizend maal een niet genomen afscheid van thuis per legioen, die hun ziel over de dood heen aan thuis en aan hun kameraadschap bonden. Maar in Praag joegen de zuchtende schaduwen van versmade geliefden, opgehangen verraders en door de duivel gehaalde alchemisten over de pleinen, eenzame spookgedaanten die de even eenzaam weglopende golem inhaalden.

In Wenen was tegen Filippo gezegd dat de bisschop, Melchior kardinaal Khlesl, in Praag verbleef. De reis door de beginnende advent naar het noorden was moeizaam geweest. Filippo had zichzelf een van de door iedereen verlaten spookgedaanten gevoeld toen hij door de eindeloze schemer over bevroren wegen was gestapt. Als hij niet al maanden onderweg was geweest, had hij waarschijnlijk niet de kracht gehad voor deze laatste etappe van zijn reis. Als hij niet al zo lang moederziel alleen over de wegen was getrokken dat hij soms 's nachts begon te geloven dat hij zelf maar een spook was, dat vanwege zijn twijfel was verdoemd om over de wereld te zwerven tot een medelijdende ziel hem verloste, had hij het misschien opgegeven. Maar een vacuüm in de ziel kan iemand net zo voortdrijven als een tot barstens toe met geloof en vertrouwen gevuld hart.

In het aartsbisschoppelijke paleis voor de poorten van het kasteel wilden ze Filippo niet binnenlaten. Hij was erop voorbereid geweest; in Wenen had hij niet anders meegemaakt. Maar er bestond een toverformule en hoewel deze Filippo elke keer buikpijn bezorgde, gebruikte hij hem ook hier.

'Ik ben pater Filippo Caffarelli, de broer van Scipione kardinaal Caffarelli uit Rome, aartsbisschop van Bologna, grootpenitentiair en kardinaalnepoot van de Heilige Vader,' zei hij, terwijl hij aan Vittoria dacht en aan de gemeenschappelijke afkeer die haar en hem tegen hun grote broer had verbonden. Vandaag misbruikte Filippo de naam van de kardinaal om zichzelf te legitimeren. Je kon er lang over nadenken wie je was als je de naam van de meest gehate man nodig had om zelf als mens betekenis te krijgen. 'Ik kom in zijn naam een dringende en geheime boodschap van de Heilige Vader brengen.'

De toverformule deed onfeilbaar zijn werk. Wie er nog aan mocht hebben getwijfeld of de machtige kardinaal Caffarelli zo'n vogelverschrikker als Filippo eropuit kon hebben gestuurd, werd uiterlijk door de woorden 'dringend' en 'geheim' overtuigd. Agenten reisden onopvallend en iets onopvallenders dan een sjofele clericus kon men zich haast niet voorstellen.

In het kantoortje van aartsbisschop Jan Lohelius heerste een even onchristelijke als onadventachtige opwinding. Aartsbisschop Lohelius regeerde midden in die hectiek als een kapitein op een zinkend schip. Uiteindelijk viel zijn blik op de binnengekomene en zijn begeleider, en de man aan Filippo's zijde rechtte zijn rug en riep: 'Pater Philippus Kasperelius uit Rome, Eerwaarde Vader!' met de zelfverzekerdheid van een lakei die een naam verkeerd heeft verstaan, maar weet dat de juiste naam nooit tot zijn baas zal doordringen als de verkeerde maar vaak en hard genoeg wordt gezegd.

De aartsbisschop keek Filippo beduusd aan.

'Met een gehéíme boodschap van de paus!' trompetterde de lakei.

Op Lohelius' gezicht voltrok zich een verbluffende verandering. Hetzelfde kon je zien op het gezicht van een drenkeling die opeens een reddende stok kreeg voorgehouden. De aartsbisschop haastte zich naar de deur, pakte Filippo's hand en kneep erin; vervolgens leidde hij hem naar het dichtstbijzijnde raam.

'Eindelijk, mijn beste, eindelijk!' zei Lohelius in het Latijn. 'Je hebt geen idee hoe ik op je heb gewacht. Of ten minste op een spoedbericht. Maar dat paus Paulus me meteen zijn vertrouweling stuurt...' Lohelius schudde blij verbaasd zijn hoofd. 'Ik neem aan dat de Heilige Vader je van de situatie op de hoogte heeft gebracht?'

Filippo aarzelde. Deze wending had hij niet verwacht.

'De sluiting van de kerken?' vroeg aartsbisschop Lohelius.

Filippo had het gevoel dat hij het spelletje mee moest spelen als hij met de aartsbisschop verder wilde komen. 'De Heilige Vader vond dat u daar beter zicht op had,' zei hij.

Lohelius knikte eerbiedig. 'Dat heb ik wel, dat heb ik inderdaad. Maar het is een moeilijke kwestie. Er zijn in Noord-Bohemen twee plaatsen waar kortgeleden protestantse kerken zijn gesticht: Hrob en Braunau. De koning wil dat ze allebei worden gesloten. In Braunau hebben ze het verdict naast zich neergelegd en uit Hrob is een brutaal antwoord gekomen. Er is echter een brief gekomen van de abt van de benedictijnen daar, dat de stemming bijna explodeert en dat hij niet voor de veiligheid van het klooster kan instaan als de protestanten te erg onder druk worden gezet. Dus heeft koning Ferdinand verordend dat we ons eerst met Hrob moeten bezighouden, en wel definitief, omdat ze zo brutaal hebben geantwoord en omdat het hopelijk helpt om de ketters in Braunau te intimideren. Dat betekent dat ik als primaat van Bohemen de afbraak van de kerk van Hrob moet afkondigen.'

Filippo haalde zijn schouders op. De kwestie interesseerde hem niet in het minst. De aartsbisschop interpreteerde zijn gebaar verkeerd.

'Juist,' zei hij. 'Juist. Wat moet ik doen? De koning maakt het zich gemakkelijk. Hrob behoort tot het bezit van het aartsbisdom Praag, dus ik draag de verantwoordelijkheid daarvoor dubbel. Braunau behoort formeel aan de koning, daarom kan deze de verantwoordelijkheid op de katholieke liga afschuiven, die zich in alle contrareformatische aspecten bij Bohemen heeft aangesloten. Ik heb duidelijke aanwijzingen van die kant gekregen dat de Staten in Bohemen het niet zonder verzet zullen accepteren als ik de afbraak afkondig.'

'Wat kunnen de Staten doen?'

'Ze kunnen bij de keizer over me klagen,' kreunde Lohelius. 'Of ze vallen bij nacht en ontij binnen en gooien me uit het raam. Dat doen ze hier zo, als ze iemand willen laten zien dat ze niet tevreden zijn over zijn politiek. De laatste keer dat zoiets gebeurde, trof het zeven raadsheren hier in Praag. Hussieten hadden het stadhuis bestormd. De zeven pechvogels werden buiten door een meute aan een spies geregen. Dat is tweehonderd jaar geleden. Ik kan me voorstellen dat velen in de protestantse Staten denken dat het tijd wordt om weer eens iemand te defenestreren.' De aartsbisschop keek uit het raam naar het ettelijke manshoogten lager gelegen plaveisel voor zijn paleis. Hij veegde de zweetdruppels van zijn voorhoofd.

'Ik kan me niet voorstellen dat de keizer en koning zoiets toestaan zonder de Staten de oorlog te verklaren.'

'Dat komt er nog bij. En het ergste is,' zei Lohelius met ontwapenende eerlijkheid, 'dat eerst mijn schedel daar beneden op de straatstenen aan stukken breekt.'

Hij veegde zijn zweet af. Plotseling begon hij te stralen, wendde zich van het raam af en spreidde zijn armen alsof hij Filippo aan zijn hart wilde drukken.

'Maar die zorg is nu nergens meer voor nodig. Welke boodschap heeft de Heilige Vader je meegegeven?'

Filippo dacht een fractie van een seconde na. Hij vermoedde dat de aartsbisschop nergens bruikbaar voor was, zolang niemand het besluit van hem had overgenomen wat er met de twee kerken moest gebeuren. Tegelijkertijd kon degene die hem van die last bevrijdde rekenen op zijn dankbaarheid. En Filippo kon de dankbaarheid van de aartsbisschop goed gebruiken. Tot slot overwoog hij wat paus Paulus zou beslissen. Ongetwijfeld lag de boodschap van Lohelius al een tijdje in het Vaticaan en keek de paus er dagelijks naar, nagelbijtend en luisterend naar de adviezen van zijn vertrouwelingen. Filippo wist heel goed wie de lievelingsadviseur van de paus was en welke beslissing die zou goedkeuren. Het geloof was iets waar je doorheen moest. Zijn jullie je kerk kwijtgeraakt omdat jullie geloof in de macht van het katholicisme te zwak of die in de macht van jullie protestantse ketterij te sterk was? Hij wist wat kardinaal Scipione Caffarelli zou adviseren.

'Brand de ketterse tempel plat, Eerwaarde Vader,' zei Filippo en hij had een duizelingwekkend, heel beangstigend moment het gevoel te weten welke gevoelens er door iemand als zijn broer heen gingen.

Lohelius sloot zijn ogen. 'Dank je wel,' fluisterde hij. 'Dank je wel. Dat bevestigt wat ik zelf van plan was. Nu is mijn geweten zuiver.'

'Vrede zij met u, Eerwaarde Vader.'

Lohelius stak zijn hand uit. Filippo staarde wanhopig naar de open hand. Die was niet uitgestoken om de zijne te schudden. Hij moest er iets in leggen.

Er verscheen een rimpel in het voorhoofd van de aartsbisschop. 'Is er geen document?' vroeg hij.

'Het bevel is mij mondeling meegedeeld,' hoorde Filippo zichzelf zeggen.
Hun blikken ontmoetten elkaar. Filippo sloeg zijn ogen neer zodat de
aartsbisschop er niets in zou kunnen lezen, maar op een verwrongen manier
had deze al begrepen wat Filippo onwillekeurig had gedacht.

'Als het op een ramp uitloopt, zal er geen bewijs zijn dat de verordening
van de Heilige Stoel komt en dan zal ik voor de geschiedenis de verantwoording dragen.'

Verdorie! dacht Filippo. Toen kreeg hij een idee. Hij hield de ring omhoog die hij aan zijn vinger droeg, het enige wat zijn vader hem ooit vrijwillig had gegeven, natuurlijk met de vermaning bij elke missie eerst hem of
minstens zijn broer Scipione om raad te vragen. Logisch dat Filippo hem
nooit had gebruikt.

'Ik ben u verkeerd voorgesteld, Eerwaarde Vader,' zei hij. 'Mijn naam
luidt Filippo Caffarelli.'

Dat was een schok voor de aartsbisschop. Filippo knikte.

'Precies,' zei hij. 'Waarom denkt u, Eerwaarde Vader, waarom de paus mij
heeft gestuurd? De kardinaal-nepoot is mijn broer.'

Lohelius lachte onzeker.

'Laat een van uw klerken een document opstellen waarin staat waar de
verordening vandaan komt. Ik zal het met de zegelring van mijn broer bevestigen.'

Lohelius' lach werd breder. En Filippo wist opeens hoe hij het moest
aanpakken.

Toen hij even later toekeek hoe de schrijver zegellak op het haastig gekrabbelde, volkomen waardeloze document liet druppelen, zei hij langs zijn
neus weg: 'U zou mijn broer nog behulpzaam kunnen zijn bij iets waarmee
hij de Heilige Vader een plezier wil doen.'

'Met genoegen,' zei Lohelius.

'De Heilige Vader gaat bijna volledig op in de taak om het Geheime Archief opnieuw te ordenen,' zei Filippo. 'Een kostbaar stuk daaruit is twintig
jaar geleden weggegeven. Het zou een groot geluk voor de Heilige Vader
betekenen als hij het een tijdje kon lenen om een kopie voor het Archief te
laten maken.'

'Wat is dat voor een zeldzaam document?'

'Paus Innocentius heeft het ooit de bisschop van Wiener Neustadt cadeau gegeven, de huidige kardinaal en keizerlijke minister...'

'...Melchior Khlesl,' riep Lohelius verrast uit.

'Ik heb gehoord dat hij op dit moment in Praag moet zijn. Eventueel zou u me kunnen helpen...'

'Mijn hemel,' zei Lohelius. 'Bedoel je met het kostbare stuk soms een enorme codex?'

Het vers bezegelde stuk perkament zwaaide in Filippo's hand. Lohelius plukte het ijverig uit zijn meegevende vingers.

'Dat is gemakkelijk,' zei hij. 'Toen keizer Rudolf stierf, heeft kardinaal Melchior het boek uit het wonderkabinet laten weghalen. Hij vroeg mij en kanselier Lobkowicz om hulp. Hij zei dat het boek uniek was en dat hij bang was dat het in de chaos rond de opvolging van de keizer vernietigd zou kunnen worden. We hebben het in veiligheid gebracht.' De aartsbisschop glimlachte. Zijn ogen vlogen over het document dat hij uit Filippo's hand had aangepakt en hij gaf het ten slotte door aan zijn secretaris.

'Kunt u me de codex meegeven?' vroeg Filippo met bewonderenswaardig gespeelde nonchalance.

'Ik heb het ding niet,' zei de aartsbisschop. 'Maar ik zal je een aanbeveling meegeven voor kanselier Lobkowicz. Hij heeft er toen voor gezorgd dat het werd weggebracht.'

1618 DEEL I – DE ZEIS VAN DE MAAIER

STIJFHEID EN ONBUIGZAAMHEID ZIJN
KENMERKEN VAN DE DOOD.

·LAO TSE·

I

Ignatz Martinitz voelde zich tegelijkertijd gevleid en verward. Gevleid, omdat hij niet iedere dag een persoonlijke uitnodiging uit de hand van de mooiste vrouw van Bohemen kreeg: Polyxena von Lobkowicz. Verward, omdat de situatie absoluut uitzonderlijk en bizar was. Het begon er al mee dat men hem niet op het Praagse paleis van Lobkowicz had uitgenodigd, maar hier, aan het einde van de wereld, in Moravië, op het stamslot van Polyxena's familie, een afstotelijke hoop stenen, Pernstein genaamd. Sinds hij hier was, bewogen zijn gedachten als door een moeras; het leek te komen door een overal aanwezig gegons dat zijn hoofd vulde. En niet op de laatste plaats: sinds zijn aankomst had hij zijn gastvrouw nog niet gezien. Eigenlijk was het een belediging.

Natuurlijk voelde hij wel dat hij de eer te zijn uitgenodigd niet aan zijn natuurlijke charme had te danken, maar aan het feit dat zijn oom, graaf Jaroslav, een van de koninklijke stadhouders was. Maar dat stoorde Ignatz verder niet. Een man met zijn smaak en zijn levensstijl kwam met de toelage die zijn oom de vroeg wees geworden Ignatz altijd betaalde, lang niet uit. Als men hem, Ignatz, probeerde om te kopen om bij zijn oom in de gunst te komen of hem te kunnen benaderen, nou, dan moest dat maar. Je moest tenslotte kijken hoe je je redde in de wereld.

Toen een bediende de deur opende naar de ruimte waarin men hem bij zijn aankomst had binnengelaten, en hem door de gangen van het kasteel leidde met de aankondiging dat mevrouw hem verwachtte, zette Ignatz zijn verleidelijkste glimlach op. Met een chagrijnig gezicht kon hij hier niets bereiken.

Het gezelschap dat hem in een achteraf gelegen ruimte in het hoofdgedeelte van het kasteel opwachtte, bezorgde hem eerst een schok. Hij had Polyxena von Lobkowicz tot dan toe alleen in Praag en bovendien uit de verte gezien. Hij was op haar slanke gestalte en het blonde haar voorbereid, maar niet op haar witgeschminkte gezicht. Ze keerde zich naar hem toe toen hij binnenkwam, en in enkele ogenblikken doorliepen zijn emoties de hele bandbreedte van ademloosheid vanwege haar profiel, betovering door de doordringende groene ogen die op hem waren gericht, en afschuw van de rode mond, die er obsceen uitzag in al dat wit. Naast een lessenaar waarop een gesloten boek lag, stonden twee gedaanten die eruitzagen als de lijfwachten van zijn gastvrouw, afgezien van het feit dat ze ruwe boerse kleding droegen. Haast nog bizarder dan de witgeschminkte vrouw en de zwijgzame mannen waren echter de in pijen gehulde monniken die achter de lessenaar op de grond geknield zaten. Ze hadden hun hoofd gebogen en hun gezicht was onder de capuchons niet te zien. Ze zagen er onnatuurlijk klein uit, maar zijn verstand vertelde hem dat dat alleen maar door de imposante lessenaar en de forse gestalten van de twee wachters kwam. Toen hij hen voor de tweede keer bekeek, zag hij dat de monniken in werkelijkheid erg mager waren. De woorden ter begroeting die Ignatz had bedacht, raakten een beetje door elkaar, sloegen opeens nergens meer op en blokkeerden alle verdere gedachten zo effectief als een ingestorte handkar in een poortgang het verkeer ophoudt. De hoofdpijn die veroorzaakt werd door het gegons, werd op slag heviger.

'Komt u verder, mijn vriend,' zei de vrouw in het wit. Ignatz knipperde met zijn ogen. Als ze praatte, was het rood van haar mond opeens niet meer zo afstotend. Niets kon afstotend zijn wat deze stem voortbracht.

'Eh...' stamelde hij. 'Eh...' Zijn manieren wonnen het van zijn lichaam en hij nam zijn hoed af en maakte een diepe, zwierige buiging, waarbij tot slot zijn hoed en achterste in de lucht staken. 'Ignatz Martinitz, tot uw dienst,' zei hij.

Ze hield een hand met een opvallende ring voor zijn neus. Hij kuste de ring en vroeg zich achteraf af waarom hij dat had gedaan. Normaal gesproken kuste men de ringen van bisschoppen, kardinalen en de paus. Toch had hij niet het gevoel dat zijn gebaar misplaatst was.

'Goed dat u de weg hierheen hebt gevonden,' zei ze toen hij weer rechtop stond en zijn best deed om zijn atletische lichaamsbouw zo goed mogelijk te laten uitkomen. Hij had de kappen van zijn laarzen zo ver mogelijk omgeslagen, zodat zijn stevige dijen en de rode veters te zien waren die zijn pofbroek onder de knie bij elkaar hielden.

'Laten we ter zake komen.'

'Eh... graag,' stamelde Ignatz.

'U zit in moeilijkheden,' zei ze.

Hij keek haar verbluft aan, terwijl zij glimlachte; toen sprak ze verder en de wirwar van zijn gevoelens kwam tot stilstand in één gewaarwording: doodsangst.

'Twee jaar geleden hebben de Praagse stadswachters u betrapt toen u met diaken Matthias van de Thomaskerk onder een brug sodomie pleegde. U bent beiden gearresteerd. Uw oom, graaf Martinitz, heeft de kwestie voor u geregeld en ervoor gezorgd dat in uw plaats de wachters problemen kregen.'

'Maar...' hoorde hij zichzelf stotteren.

'Uw geluk was dat de wachters niet een kwartiertje eerder langskwamen, want dan hadden ze de diaken en u betrapt toen u zich door twee straatjongens met de –'

'Waarom doet u dat?' piepte hij, bleek van ontzetting.

'Afgezien van het feit dat het geen twee straatjongens waren, maar een koorknaap en een acoliet uit de Thomaskerk, toch?'

Hij probeerde weer iets te zeggen, maar hij kon geen woord uitbrengen. Zo'n razendsnelle omslag van zelfingenomen enthousiasme naar de naamloze afschuw die hem nu gevangenhield, zou iedereen sprakeloos hebben gemaakt.

'Uw pech is dat uw vriend Matthias – of moet ik zeggen: uw pooier Matthias – weliswaar ook door uw oom is vrijgekocht, maar nog steeds als diaken van de Thomaskerk in zijn levensonderhoud moest voorzien. De pastoor van de kerk heeft hem de afgelopen twee jaar goed in de gaten gehouden; hij heeft nooit echt geloofd dat de wachters u beiden alleen maar zwart hebben gemaakt omdat u niet meteen hun aanwijzingen hebt opgevolgd. De diaken kon echter zijn neigingen niet langer onderdrukken en probeerde nog een keer een acoliet te verleiden. De knaap heeft zich tot de pastoor gewend en de diaken zit nu in de kerker. Het gerucht gaat dat hij heeft aangeboden andere medeplichtigen te noemen als hem de folteringen en vooral de executie wegens sodomie bespaard blijven.'

Ignatz' mond bewoog als een vis op het droge. Hij wankelde.

'U moet niet denken dat ik u dit vertel om te dreigen, mijn vriend. U hebt vast en zeker sinds de ongelukkige ontmoeting met de wachters elk contact met de verdorven diaken Matthias gemeden.'

Zoals een haas een slang fixeert, staarde Ignatz naar het gezicht onder de witte make-up. De groene ogen waren meedogenloos. Hij voelde dat hij zijn hoofd schudde.

'Hoe weet u dat allemaal?' bracht hij ten slotte uit.

Ze glimlachte. Het zou een volmaakt onschuldige glimlach zijn geweest, als hij niet door de vuurrode lippen in het witte gezicht was gevormd en als het koude smaragdvuur van de ogen er niet was geweest. 'Ik wil u iets laten zien.'

Hij volgde haar wenk, tegelijk willoos en doodsbenauwd. Toen ze een stap opzij deed en het zicht op het boek op de lessenaar vrijgaf, leek het gegons als een onverwachte golf over hem heen te spoelen. Zijn oogleden knipperden even. Ze leidde hem naar de lessenaar. Nu zag hij pas wat een enorm boek het was dat erop lag. Met zijn grootte leek het alles te overheersen en elk perspectief onnatuurlijk te maken. Je stond ervoor en voelde je gedesoriënteerd. Het gonzen dreunde in zijn hoofd en ging door zijn hele lichaam. Vaag zag hij een slanke hand langs hem heen grijpen en het boek op een gemarkeerde plaats openslaan.

De duivel stak zijn hand naar hem uit.

Hij merkte pas dat hij op zijn zitvlak was gaan zitten, toen een van de mannen naast de lessenaar zich bukte en hem weer overeind trok. Ignatz hield zijn hand voor zijn gezicht om de duivelse afbeelding niet meer te hoeven zien. Toen hij met de wijsvinger en pink van zijn rechterhand een hoorntje vormde om de kwade invloed af te weren, voelde hij dat zijn hand werd gepakt. Scheel van paniek keek hij in de groene ogen van zijn gastvrouw.

'Niet doen,' fluisterde ze. 'Wacht u af wat de enige ware macht u te bieden heeft.' Ze duwde zijn hand naar beneden en hij had niet de kracht om zich te verzetten.

Het gonzen vibreerde in zijn middenrif. Ignatz vreesde dat hij zou gaan overgeven. Er waren geen woorden voor zijn angst. In zijn herinnering hoorde hij de stem van zijn voedster zeggen dat ongehoorzame jongetjes allemaal op een keer door de duivel zouden worden gehaald en op een onvoorstelbare manier eeuwig gekweld zouden worden. Hij had destijds altijd gerild van angst en de angst van de kleine jongen die iets had uitgespookt en nu met eeuwige verdoemenis werd gedreigd, overbrugde twintig jaar en greep zijn ziel.

'Helpt u mij,' bracht hij uit.

Ze was nu zo dicht bij hem dat hij de schaduwen onder de make-up zag. De schoonheid van elk ander gezicht zou door een nog zo kleine onvolkomenheid menselijker worden, maar het hare zag er slechts nog geheimzinniger, nog extatischer, nog kouder uit. Hij slikte krampachtig. Als ze hem kuste, zou hij echt gaan overgeven. Daarna zou ze hem vermorzelen als een luis. Toen ze zich van hem afwendde, voelde hij zich zo opgelucht dat er een tastbaar gewicht van hem af viel.

'Er bestaan twee principes,' zei ze. 'Het ene interesseert ons en we noemen het God. Het andere interesseert zich voor ons; de papen noemen het de duivel.'

Ignatz keek vanuit zijn ooghoeken naar het plaatje. Op het tweede gezicht was het niet meer zo schokkend – een afbeelding van de duivel die grijnzend van de pagina naar de wereld reikte.

'Ik hoef u niet te helpen,' zei de vrouw in het wit. 'Integendeel, ik heb uw hulp nodig. En ik heb twee geschenken voor u.'

'Mijn hulp?' Een dun stemmetje in zijn binnenste dat nog te geschokt was om zich luider te laten horen, vroeg: Geschenken? Geld?

'Eerst het ene geschenk.'

Een van de mannen naast de lessenaar trad naar voren en frunnikte aan een leren zakje. Toen hij het omkeerde, hield Ignatz onwillekeurig zijn hand eronder. Er viel een gewichtje uit. Het was koel. Ignatz staarde ernaar. Het glom mat in zijn hand, een vaag rechthoekig geslepen stukje goud ter grootte van een vingernagel.

'O god!' Hij trok zijn hand terug alsof hij zich had gebrand. Het stukje goud stuiterde rinkelend over de grond. 'Is dat...?'

'Diaken Matthias droeg het op de plaats van zijn linker bovenhoektand,' zei zijn gastvrouw. 'In elk geval is dat mij verteld. Hebt u begrepen dat ik zei: droeg?'

Ignatz kon niet meer stoppen met trillen. Tegelijk begon het stemmetje dat naar het geschenk had gevraagd voorzichtig te jubelen.

'U wilde vragen: wat is er gebeurd?' souffleerde ze.

Ignatz piepte iets.

Ze zuchtte. 'Het ziet ernaar uit dat de diaken in de gevangenis iemand heeft lastiggevallen die daar niet van gediend was. Na afloop van het handgemeen lag de diaken met een gebroken nek op de grond.'

'Eh...' deed Ignatz en hij voelde dat hij knikte. Hij zou ook hebben geknikt als dat had betekend dat er een draak uit het privaat was gekropen en de diaken naar zijn hol op de hoogste berg ter wereld had gesleept.

'U wilde zeggen: bedankt.'

'Bedankt,' zei hij. Beetje bij beetje speelde hij het klaar zijn ontzetting en verbijstering af te schudden. Hij ontmoette haar ijskoude blik en sloeg zijn ogen neer. Hij vermoedde wat er van hem werd verwacht: 'En hoe kan ik u helpen?'

'Ik zal het u straks vertellen. Maar nu... het tweede geschenk!'

De beide mannen verlieten hun post naast de lessenaar en stapten achter de op de grond geknielde monniken. Precies tegelijk trokken ze dezen de capuchons van hun hoofd en de pij tot aan de navel open. Ignatz' ogen rolden uit hun kassen.

'Kiest u maar,' fluisterde de stem van een engel de woorden van de duivel in zijn oor. 'Het eerste geschenk was van mij. Het tweede komt van hem.' Hij hoefde zijn blik niet af te wenden om te weten dat ze naar het boek wees.

De monniken waren geen monniken. Links van hem knielde een jonge vrouw met blote borsten en loshangend haar op de grond. Haar gezicht was bleek. Ze wankelde even door de ruk waarmee ze was ontbloot. Het leek alsof ze dronken was, of in trance. De valse monnik rechts van hem had net zo'n roomwit, onbehaard bovenlichaam, maar zijn borstkas was plat. Hij staarde in de ogen, de wijd open neusvleugels, de trillende lippen van de jongeman.

'Kiest u maar,' herhaalde ze.

Het stemmetje in Ignatz' binnenste, dat sterker was geworden, sprak hardop: 'Moet ik kiezen?'

Ze lachte. 'Bedient u zich.'

'Nu?'

'Alleen dit moment bestaat.'

'Hier?'

'Alleen deze plaats bestaat.'

'Gaat u dan met uw lijfwachten naar buiten...?'

'Nee,' zei ze zacht.

Het had hem moeten afstoten. Maar in plaats daarvan begon het gonzen dat hij de hele tijd had gehoord ritmisch te worden. Het leek vanuit zijn borst naar zijn onderlichaam te zakken. Het zinderen dat zijn hart had geschokt, begon nu zijn lendenen op te winden. Hij stapte tussen de licht schommelende, geknielde gestalten en wurmde aan zijn broek. Die maakte zich los en krulde op zijn omgeklapte laarzen. Hij greep in twee bossen haar en trok hun hoofden tegen zich aan.

Terwijl hij kreunend, ademloos en bevend over zijn hele lijf genoot, hoorde hij haar fluisteren in zijn oor, onophoudelijk, prikkelend, heet, op-windend, een heen en weer schietende slangentong in zijn hoofd. Hij hoor-de verklaringen, instructies, conclusies. Terwijl zijn schoot in een tweeton-gige vlam laaide en hij zijn knieën stijf moest houden zodat ze niet zwakker zouden worden, luisterde hij naar haar woorden. Ze waren duidelijk. Ze waren logisch. Ze waren waar. En de hele tijd had hij het beeld van de ge-hoornde voor ogen, grijnzend, naar de wereld grijpend, triomfantelijk, de armen naar hem uitstrekkend, en het werd almaar groter en vulde zijn ge-zichtsveld en vervolgens de hele wereld, en het gefluister kwam niet meer uit haar, maar uit zíjn mond en toen hij de controle over zichzelf verloor en hijgend begon te schokken, behoorde hij haar toe... en hem.

Knipperend met zijn ogen en bezweet probeerde hij te blijven staan. Hij wilde bukken om de opgezwollen monden van de twee die voor hem op hun knieën zaten te kussen, maar voelde opeens dat hij omvergetrokken werd. Het gezicht van de lijfwacht, die hem de gouden tand van de over-leden diaken Matthias had gegeven, hing voor zijn ogen. Moeizaam drong het tot hem door dat zijn broek nog steeds om zijn dijen hing.

Er vloog een vuist op hem af. De wereld waarin hij nog niet helemaal was teruggekeerd, brak pijnlijk in stukken.

2

Alexandra keek met grote ogen om zich heen. 'Hier ben ik nog nooit geweest,' zei ze. Haar adem vormde een wolkje voor haar gezicht.

Heinrich glimlachte. 'Hier is bijna een generatie lang niemand meer geweest. Erdoorheen gelopen misschien, op weg met een boodschap. Maar echt hier geweest om de schoonheid op zich te laten inwerken...' Hij schudde zijn hoofd.

Alexandra Khlesl draaide een keer rond met het hoofd in haar nek. Onder al die jaren waarin kou en hitte elkaar hadden afgewisseld hadden de fresco's en het beschilderde houten plafond te lijden gehad, stof van jaren bedekte de vensterbanken en lag op de wandpanelen. De ramen waren geblindeerd; ondanks de januarikou rook het muf. Als er nog een echo was blijven hangen van de glorieuze feesten die in de Wladislawzaal in het oude koninklijk paleis van de burcht waren gevierd, kon Heinrich het niet horen. Desondanks was hij vastbesloten hem tot leven te wekken, voor Alexandra.

Heinrichs methode om een vrouw gewillig te maken, was gewoonlijk een andere: of ze nu dienstmeid of edelvrouw was, de tegenstelling tussen zijn engelengezicht en zijn wreedheid fascineerde hen allemaal. De belofte die hij uitstraalde, dat iedere geheime, illustere wens zou worden vervuld, veroverde de meesten van hen, dienstmeid zowel als edelvrouw, en de laatsten zelfs vele malen gemakkelijker. De fascinatie kwam eerst, daarna de perversie. Sinds Diana hem op zijn angstwekkende uitstraling attent had gemaakt, had hij daar eens goed op gelet, had ermee geëxperimenteerd, en haar niet gebruikt. Nadat hij de donkerharige hoer bijna had doodgeslagen, durfde hij buiten de vrouwenhuizen geen vrouw meer te verleiden; hij stond niet meer in voor de controle over zijn gevoelens. Het was niet niks om uit een bordeel de straat op te vliegen, omdat je de neus van een meisje had gebroken en haar tanden had uitgeslagen. Met dezelfde aanklacht in een paleis te worden geconfronteerd, ongeacht of het de vrouw des huizes of een dienstmeid betrof wier gezicht hij had verbouwd, was iets anders. Met alleen een huisverbod zou hij er niet van afkomen. Ze zouden hem in de gevangenis gooien, en dan zou hij onbruikbaar zijn voor Diana en haar plannen en dat zou er weer toe leiden dat hij maar een paar dagen in de nor zou overleven.

Hij nam aan dat zij zelf zou toekijken als een omgekochte bewaker hem wurgde. Misschien zou ze zelfs boven op hem gaan zitten en de erectie benutten die de wurgdood een man bezorgde, wat een nastrevenswaardig moment had kunnen zijn, gemeten naar de hulpeloze begeerte die hij voor haar voelde; als hij niet zo bang voor de dood was geweest en nog meer om te sterven waar ze bij was. Dit te weten en toch bij elke gedachte aan Diana de begeerte in zichzelf te voelen branden, te weten hoe genadeloos ze was en er desondanks van te genieten aan haar te zijn uitgeleverd, was een heel bijzonder soort perversie, die hem – die haast alle andere kende en had gepleegd – hete rillingen over zijn lichaam bezorgde.

Wat hem wel irriteerde, waren de gevoelens die met betrekking tot Alexandra waren ontstaan. Hij voelde zich in de omgang met haar zeker, en tegelijk op geheel vreemd terrein. Zeker, omdat hij op de eerste plaats lust voelde bij de gedachte dat de weg waarover hij haar leidde, zou eindigen met haar onderwerping en met het feit dat haar lichaam binnenkort net zo aan het zijne zou zijn uitgeleverd als haar hart gedeeltelijk nu al was, zeker ook omdat er nauwelijks een geheim bestond dat hij niet wist van Alexandra. Wat de pleegmoeder van Isolde had geweten en verraden, wist hij nu ook. Het was gemakkelijk om haar telkens te verrassen door een kleine, geheel onschuldige wens te vervullen, want hij kende ze allemaal. Het was gemakkelijk om haar te laten geloven dat hij de engel was die de Heer naar beneden had gezonden om haar gelukkig te maken, want ogenschijnlijk leefde hij slechts om haar blij en gelukkig te stemmen. Als hij de sport bij het veroveren van een vrouw had gezien in de moeilijkheid om haar hart te winnen, en niet in de opdracht om haar te vernederen en om genade te horen smeken zodra hij haar bezat, zou zijn opdracht hem vermoedelijk allang vervelen.

En toch... Toch voelde hij zich bij elke stap op hun gezamenlijke weg tegelijk een kant op gaan die hem volkomen onbekend was. Verbaasd had hij gemerkt dat het hem een warm gevoel bezorgde om getuige te zijn van haar verrassing als hij haar een plezier had gedaan. Verbaasd had hij geconstateerd dat hij, hoewel hij ervan droomde haar naakt en geboeid op een bed te zien en haar pijn te doen, door een weldadige koorts werd bevangen als haar handen hem toevallig aanraakten. Als hij zijn eigen fantasieën ver genoeg volgde, zag hij hoe Diana en hijzelf hun lust op Alexandra botvierden, net zoals ze de eerste dag dat ze elkaar kenden met de goedkope hoer hadden gedaan, maar dat hij zichzelf opeens zag ingrijpen als Diana op het punt stond om haar wreedheid op Alexandra te beproeven.

Het bracht hem in verwarring. De hoeren in de vrouwenhuizen bij de muur konden er verhalen over vertellen (nasale, tandeloze verhalen) hoever de verwarring Heinrich von Wallenstein-Dobrowitz voerde; Alexandra merkte er allemaal niets van.

Ze liep naar een raam en wreef erover tot ze naar buiten kon kijken. Heinrich wist dat het uitzicht over Praag vanaf deze kant van de burcht adembenemend was. Het heldere middaglicht, de loodrecht naar de blauwe hemel opstijgende rookzuilen en het mozaïek van zwarte muren en sneeuwwitte daken zouden de stad voor haar ogen laten schitteren. Ze deinsde achteruit, alsof ze ergens door was gebeten en bekeek haar hand. Heinrich stond meteen naast haar.

'Een splinter,' zei ze en ze liet hem haar vinger zien. Het was een belachelijk wondje, maar hij zag het druppeltje bloed en voelde de opwinding over zich komen als heet lood. Zonder na te denken pakte hij haar hand en likte het bloed van haar vinger. Hij keek op. Hun ogen ontmoetten elkaar. Hij zag dat ze van top tot teen rood werd en haar hand terugtrok, maar dat deed ze niet meteen.

'Neem me niet kwalijk,' zei hij.

Ze kuchte. Hij had niet verwacht dat ze hem zou terechtwijzen, maar was toch blij toen ze dat niet deed.

'U moet de splinter eruit laten trekken,' zei hij.

'Mijn dienstmeid is handig met naald en pincet,' zei ze. Haar stem klonk onvast.

'Ongetwijfeld.' Ze stonden nog steeds dicht bij elkaar voor het raam. Heinrich voelde de spanning te groot worden. Het was nog te vroeg, ook al verlangde alles in hem ernaar om gebruik te maken van haar verwarring en haar te kussen. Ze zou absoluut de zijne zijn, en elk ogenblik uitstel maakte zijn overwinning kostbaarder en bezegelde haar onderwerping nog meer. Hij deed een stap naar achteren en voelde haar teleurstelling, die ze zelf waarschijnlijk nauwelijks besefte.

'Stel u voor,' zei hij, terwijl hij een weidse beweging met zijn arm maakte, 'dat alles hier glimt en blinkt. Het goudbeslag is gepoetst, de kleuren van de fresco's schitterend vol en fris. Aan de wanden hangen gobelins, aan de plafondbalken vaandels met de wapens van de Staten, en daartussen is dat van de koning van Bohemen het grootste. Daar aan de andere kant is een podium waar muziek wordt gemaakt. Voor de ramen staan tafels met allerlei lekkers, in de menigte lopen dwergen rond en balanceren met zilveren schalen met gebak op hun hoofd, zodat de feestgangers er gemakkelijk bij kunnen. De vloer ruikt naar de dikke lagen hooi, gras en bloemen, daartussen de scherpe geur van de paarden –'

'Paarden?' onderbrak ze hem verbaasd.

'In deze zaal werden toernooien gehouden,' vertelde hij. 'Achter die dubbele deur daar loopt een helling omlaag naar de binnenplaats. Die heeft men laten aanleggen om de paarden de zaal in te kunnen brengen.'

'Mijn oom heeft me een keer meegenomen naar het kasteel toen keizer Rudolf nog leefde,' zei ze. 'Sindsdien heb ik ervan gedroomd hier nog een keer terug te komen, maar mijn ouders vonden nooit een aanleiding.' Dat weet ik, dacht Heinrich, dat weet ik. En waarom vonden ze nooit een aanleiding? Omdat ze niet wisten dat je die wens had. Omdat je je wensen nooit uit, want diep in je hart ben je ervan overtuigd dat je omgeving je wensen van je voorhoofd kan aflezen. Maar dat kan niemand, op één na: ikzelf.

Hij vond het moeilijk om zijn glimlach niet in een triomfantelijke grijns te laten omslaan. Je bent van mij, formuleerde hij in gedachten en hij was opnieuw verrast dat deze overtuiging niet het beeld van een kronkelend, geschonden lichaam in hem opriep, maar een ontspannen, bezweet gezicht, dat zich tegen zijn schouder vlijde en hem vroeg zijn kunstje nog een keer uit te halen. Hij bewoog onrustig, omdat zijn schaamkap weer te krap werd.

'Zegt u mij wat u wilt bezichtigen, dan zal ik u rondleiden.'

'Mag u dat?'

Hij grijnsde. 'Nee,' zei hij.

'O!'

Hij spreidde zijn armen. 'Ik ben uw ridder, juffrouw Khlesl, wist u dat niet? Waar is het kruis waaraan ze me moeten slaan, als dat u helpt? Waar is de draak die ik moet verslaan om u te redden?' Hij draaide zich een keer om zijn as, declamerend als een toneelspeler en met gesloten ogen. Ze lachte klaterend. 'Waar is de vijand, in wiens lans ik me moet storten om u te impo–'

'Wat voor de drommel doet u hier?' klonk een stem. Heinrich brak zijn pirouette beduusd af en tuurde naar de deur.

De man was in gezelschap van twee op het eerste gezicht als klerk herkenbare mannen; zelf was hij lang en fors. Zijn hoofd welfde uit zijn kanten kraag, vertoonde kortgeschoren bakkebaarden en een weelderige snor met omhooggedraaide punten en eindigde in een hoog voorhoofd met een belachelijke kuif. Heinrich plantte zijn vuisten op zijn heupen.

'En wie voor de drommel wil dat weten?' vroeg hij op zijn beurt. Hij keek schuin naar Alexandra. Er was een frons in haar voorhoofd verschenen toen ze probeerde over de lengte van de donkere zaal heen te zien wie er was binnengekomen. Het leek bijna alsof ze een vermoeden had wie het kon zijn.

'Ik ben Willem Slavata, landsrechter van Bohemen, burggraaf van Karlstein en stadhouder van koning Ferdinand,' zei de man met de kuif. 'En wie bent u?'

'Ik ben keizer Rudolfs geest,' zei Heinrich. Hij zag vanuit zijn ooghoek Alexandra's hoofd omdraaien. 'Hebt u voor mij een ketting waarmee ik kan rammelen?'

Uit de verte zag hij Slavata's mond openvallen. Hij sprong naar Alexandra toe, pakte haar bij de hand en samen renden ze naar de andere uitgang van de zaal en naar buiten, schoten langs de Sint-Georgbasiliek, het vlak aflopende straatje uit, kregen de slappe lach, sloegen voor de oostelijke poort linksaf de hoek om en struikelden de hoek om van het Sint-Georgklooster buiten het zicht van het oude koninklijk paleis, waar Alexandra hijgend en lachend bleef staan.

'Komt u nu door mij in moeilijkheden?' vroeg ze toen ze weer op adem was gekomen.

Heinrich schudde zijn hoofd. 'Wie kan de geest van de oude keizer iets kwalijk nemen?'

Ze lachte weer. Heinrich stond ervan te kijken hoe gemakkelijk het was om mee te lachen.

'Is er verder nog iets hier op de burcht, wat u wilt zien en wat ik u eigenlijk niet mag tonen?'

'Mijn oom heeft verteld over de kunstverzameling van keizer Rudolf...'

Even flitste het donkere gewelf voor Heinrichs geestesoog op, de geur van alcohol, rottende menselijke conserven, mummies, de slachtpartij onder de dwergen, het idee dat hij op het laatste moment had gekregen om de lijken van twee van die gedrochten in de kist te stoppen in plaats van de stenen, zoals hij oorspronkelijk van plan was geweest. Opeens wist hij dat dit de plaats was waar hij de laatste stap zou zetten en Alexandra in zijn macht zou krijgen. Het rariteitenkabinet was bijna het hele jaar gesloten. Keizer Matthias verachtte het, maar was zich van de waarde van de overgebleven werken bewust en beschouwde het als een soort reserveschatkamer, waaruit hij zich af en toe zou bedienen. Koning Ferdinand had een gedeelte van de verzameling al aan zijn jongere broer Leopold beloofd, die na de dood van Matthias keizerlijke stadhouder van Tirol zou worden en die van plan was de door aartshertog Ferdinand II (die door zijn huwelijk met een koopmansdochter uit Augsburg berucht was geworden) geërfde kunstcollectie op slot Ambras uit te breiden. Beiden lieten daarom de restanten van het wonderkabinet jaloers bewaken, reden waarom niemand de gewelven meer bezocht. Ook Heinrich was er sindsdien niet meer geweest, maar hij had nog steeds de sleutel.

Alexandra legde een hand op zijn arm. 'Vergeef me,' zei ze. 'Nu heb ik u in verlegenheid gebracht.'

Heinrich legde zijn hand eroverheen en hield de hare vast.

'Niets brengt de geest van keizer Rudolf in verlegenheid!' declameerde hij.

Alexandra lachte, maar een paar hartslagen later bestierf de lach op haar gezicht en ze keek nadenkend naar zijn hand. Hij tilde die aarzelend op, en even aarzelend nam ze de hare van zijn arm. Ze schraapte opnieuw haar keel.

'Ik wist niet dat u Slavata kent,' zei hij na een lange stilte, waarin hij had geprobeerd haar vorsende blik niet door zich heen te laten kijken en tegelijk van het zwijgende oogcontact te genieten.

'Ik ken hem niet.'

'Zo zag u er wel uit.'

'U blijft ook niets verborgen, hè?'

Hij glimlachte.

'Het was niemand,' zei ze. 'Ik dacht dat ik een van zijn begeleiders kende, maar...' Ze wuifde het weg. 'Het waren zijn klerken maar.'

3

'Je bent nieuw hier, jochie, dus laat me het je uitleggen.'

Wenceslas knikte. Hij had moeite om zich op Philip Fabricius, de Eerste Klerk van graaf Martinitz, te concentreren. Kon het waar zijn dat het Alexandra was geweest die hij gisteren in de Wladislawzaal had gezien, die lachend met een jongeman naast zich was weggerend alsof het niet meer dan een grap was om zonder toestemming het oude koninklijke paleis binnen te dringen? Nee, dat was onmogelijk. Maar de lange krullen, de lijn van haar wang, die manier van bewegen... Hij had haar alleen bij het raam zien staan en ook nog van achteren, gekleed in een lange mantel met een capuchon. Het had iedere jonge vrouw kunnen zijn die toevallig lang, krullend haar had en het los droeg. Toch wist hij zeker dat zíj het was. Hij zou haar zelfs in het donker uit duizenden herkennen. Haast de hele nacht had hij erover liggen piekeren wat zijn ontdekking te betekenen had. Ze had hem ook herkend, ongetwijfeld, maar net gedaan of hij een vreemde voor haar was. Het kostte niet veel moeite om te bedenken wat dat betekende, maar meer om dat besef te verdringen.

'Waar was je eerst, jochie?'

Wenceslas keek op. 'Wat?'

'Ik vroeg waar je eerst hebt gewerkt.' Tussen Philip Fabricius' wenkbrauwen verscheen een verticale plooi.

'Ik heet Wenceslas,' zei Wenceslas, die minstens een kop groter was dan de Eerste Klerk. 'Ik was bij Khlesl & Langenfels. Mijn vader is een van de partners.'

'Hebben ze je eruit gegooid omdat je de hele dag zat te dromen?'

'Neem me niet kwalijk,' zei Wenceslas.

'Waarom hebben ze je eruit gegooid, jochie?'

'Ik ben er niet uit gegooid!' Plotseling klonken zijn redenen voor Wenceslas zelf kinderachtig. 'Ik wilde op eigen benen staan en niet meer onder de hoede van mijn vader.' Die hoede was niet merkbaar geweest. Er was een zwijgende afspraak geweest dat Wenceslas onder werktijd op kantoor niet anders werd behandeld dan ieder ander, zoals ook Cyprian en Andrej ondanks hun vriendschap twee keer per jaar bij elkaar gingen zitten en nuchter berekenden hoe de zaak ervoor stond, wie daar wat aan had bijgedragen en welke fouten in de toekomst moesten worden vermeden. Maar er was geen enkele reden om de blozende Philip Fabricius te onthullen dat Wenceslas de zaak vanwege Alexandra had verlaten. Haar voortdurende aanwezigheid was meer geweest dan hij op den duur kon verdragen. Het was al erg genoeg om verliefd te zijn zonder te mogen hopen dat de liefde vervuld zou worden; het voorwerp van zijn liefde voortdurend voor ogen te hebben was pure marteling.

'Heb je wel eens genotuleerd?'

'Bij zakenbesprekingen... jawel.'

'Hier gaat het om staatsaangelegenheden, jochie!'

'Wenceslas. En ik neem aan dat ook bij staatsaangelegenheden de notulist alleen opschrijft wat de betreffende partijen zeggen.'

Fabricius glimlachte. Hij was een rijzige man met een gezicht dat er tien jaar ouder uitzag dan het feitelijk was, met dikke wallen onder zijn ogen en bolle wangen, waarop gesprongen adertjes allemaal rode rivierdelta's vormden. Fabricius liet zich erop voorstaan dat hij de seniorklerk was. Nog trotser was hij op het feit dat hij stevig kon drinken en op zijn succes bij de vrouwen. Soms viel hij overdag in slaap. Van de andere klerken had Wenceslas echter gehoord dat niemand zo goed kon notuleren als hij. Het kwam wel eens voor dat hij eerder klaar was met een zin dan de spreker. Als men hem – wantrouwig geworden – liet voorlezen wat hij had opgeschreven, bleek dat de spreker precies dat had willen zeggen. Philip Fabricius had dronken op handen en voeten het kasteel in kunnen kruipen, zonder daarvoor te worden gestraft. Wat zijn werk betrof, was hij een genie en dat hij dat niet rondbazuinde, bewees dat hij het wist, evenals hij wist dat hij zijn talent hier eigenlijk verspilde. Wenceslas had nog nooit een drinker ontmoet die daar geen reden voor kon aanvoeren.

'Ten eerste moet je weten dat je alles in het Latijn moet opschrijven.'

'Wat? Dat heeft niemand me –'

'Ken je soms geen Latijn?'

'Nou ja... Dat wel... Tenminste...'

'Het moeilijke is,' zei Fabricius, terwijl hij veelbetekenend een vinger tegen zijn neus legde, 'dat natuurlijk niemand tijdens de bijeenkomst Latijn spreekt. Je moet dus vertalen terwijl je schrijft.'

'Lieve hemel.'

'Tja, jochie. Hier onderscheiden we de klerken van de inktmorsers.'

'Ik kan het,' zei Wenceslas met de moed der wanhoop.

'Mooi!' Fabricius glunderde. 'En nu vertel ik je nog een paar trucjes, zodat je de eerste keer niet al te groen overkomt.'

'Waar gaat het eigenlijk over bij deze bijeenkomst?'

'Geen idee. Als je je notulen hebt gelezen, weet je het.'

'En wie zijn de deelnemers?'

'De apostolische nuntius? De koning? De geest van ridder Dalibor?'

'Al goed, al goed. Als ik mijn notulen heb gelezen...'

'Precies,' zei Philip. Wenceslas probeerde zijn blik te interpreteren. Hij was er haast zeker van dat de oudere klerk loog.

'Waar moet ik verder nog op letten?' zuchtte Wenceslas ten slotte.

'Vers perkament is stijf,' vertelde Philip, duidelijk tevreden omdat zijn kennis werd gevraagd. 'Perkament wordt pas mooi als je een stuk te pakken krijgt dat honderd jaar onder in een kist heeft gelegen en waarvan je voorgangers al tweemaal de letters hebben afgekrabd. Jij krabt ze er voor de derde keer af en wat er dan voor je op tafel ligt, voegt zich zo soepel naar je veer als een kut naar je tong, als je die lang genoeg hebt gelikt.' Hij keek Wenceslas aan. 'Je begrijpt toch wel waar ik het over heb, jochie?'

'Wat het perkament betreft: nee,' zei Wenceslas venijnig, die ook wat de andere kwestie aanging geen benul had, maar liever zijn tong zou afbijten dan toegeven dat zijn intieme contacten met vrouwen tot nu toe beperkt waren gebleven tot donkere hoekjes of haastige geslachtsgemeenschap in een portiek aan de rand van een feest, ontmoetingen waarbij iedere raffinesse boven de oude beweging in, uit, in, uit had ontbroken. Dat hijzelf daarbij alleen aan Alexandra had gedacht en zich daar tegelijkertijd voor had geschaamd, zou hij zelfs op zijn sterfbed niet opbiechten.

Philip glimlachte en leek precies te weten wat Wenceslas had gedacht. Als Wenceslas wat meer door de wol geverfd was geweest, had hij begrepen dat de Eerste Klerk het plotselinge wantrouwen van zijn jonge gesprekspartner had gemerkt en zijn gedachten een kant op had gestuurd waar ze volop met zichzelf bezig waren.

'Het perkament dat hier wordt gebruikt is gloednieuw,' zei Philip. 'Verschrikkelijk, kan ik je vertellen. De veer glijdt weg, de inkt loopt uit en droogt in geen duizend jaar, en iedere haal piept en krast tot iedereen in de zaal alleen nog probeert te bedenken hoe ze je kunnen vermoorden.'

'Wat moet ik doen?'

'Je moet erop spugen. Zo echt vanuit je tenen... Zo...' Philip schraapte een denkbeeldige rochel naar boven en deed alsof hij die op de tafel wilde spugen. Wenceslas rilde. 'Dan smeer je de fluim uit... Zo...' Philip trok zijn mouw over de muis van zijn hand en maakte cirkelende handbewegingen alsof hij iets in het tafelblad masseerde. 'Dat helpt.'

'O, mijn god,' zei Wenceslas, terwijl hij probeerde zijn ontbijt binnen te houden. Voor zijn geestesoog doemden de duizenden perkamenten op die hij in zijn tijd bij Khlesl & Langenfels in handen had gehad. Sommige daarvan waren inderdaad nieuw geweest. Zijn handpalmen jeukten en voelden opeens plakkerig aan.

'Als je vóór de anderen binnen zou zijn, zou ik je adviseren eroverheen te pissen, maar ik denk dat dat vandaag niet lukt.' Philip leek oprecht bedroefd.

'Godzijdank,' zei Wenceslas zwak.

'Wat de veer betreft, je moet een stuk van de punt afbijten en op de grond spugen.'

'Wat is dat nu weer voor bijgeloof?'

'Een waarin graaf Martinitz gelooft,' zei Philip. 'Bovendien ligt de veer anders niet goed in de hand als je snel moet schrijven.'

Wenceslas boog zijn hoofd. Hij voelde zich vriendelijk terechtgewezen. 'Goed,' zei hij.

'Was er verder nog iets?' mompelde Philip en hij richtte zijn blik naar het plafond. 'Even den... Ja, natuurlijk, de meeste mannen praten als een waterval en raken verstrikt in hun eigen gedachten. Het helpt als je na iedere voltooide zin hardop "Punt!" roept.'

'Echt waar?'

'Wat heeft deze vraag te betekenen?'

'Neem me niet kwalijk, Philip,' zei Wenceslas met het gevoel dat hij op een kolkende maalstroom afging en het enige wat hij had om te peddelen een grasspriet was.

Philip Fabricius klopte Wenceslas op de schouder. 'Het gaat je lukken, jochie.'

'Wenceslas,' zei Wenceslas.

'Nou, heb je het in je oren geknoopt? In het Latijn vertalen, spuug inwrijven, "Punt!" roepen. Zeg me na.'

Wenceslas herhaalde de instructies, terwijl Philip hem naar de deur van het kamertje duwde waarheen hij was geroepen.

'En u weet zeker dat alleen de graaf en meneer Slavata aanwezig zijn?'

'Waarschijnlijk die niet eens, maar alleen hun secretarissen. Doe het niet in je broek, jochie. O ja, Slavata ziet graag dat de schrijvers een ritueel uitvoeren, voor ze beginnen.'

'Een ritueel?' jammerde Wenceslas aan het eind van zijn krachten.

'Dat heeft hij ooit bij een dichter gezien. Wat heb jij voor ritueel, jochie?'

'Dat wil ik niet doen. Neem het van me over, Philip.'

'Flauwekul. Voor iedereen is het eens de eerste keer. Kom, je kunt mijn ritueel gebruiken tot je er zelf een hebt gevonden. Mij heeft het altijd geluk gebracht.'

'Dank je wel.'

'Het gaat zo: je gaat zitten, dan sta je weer op, loopt een rondje om je kruk heen, wijst naar het perkament, stopt je vinger en je mond en laat hem ploppen, gaat weer zitten, wrijft de veer tussen je handen en zegt hardop: "Kunnen we nu eindelijk beginnen, bij Apollo?"'

'Nooit van mijn leven,' zei Wenceslas beslist.

'Ieder is de smid van zijn eigen fortuin,' zei Philip.

'En er zijn echt alleen maar de graaf en meneer Slavata...?'

'Hun secretarissen!'

'Goed dan.'

'Je zult ze allemaal versteld doen staan.' Philip opende de deur en duwde hem naar binnen. 'Zet hem op, jochie.'

'Wenceslas,' verbeterde Wenceslas. Toen stond hij voor de tweede deur, die rechtstreeks op het kamertje uitkwam, haalde diep adem en ging naar binnen.

Had hij gedacht dat het zou zijn alsof hij in een maalstroom stapte met een grasspriet als peddel?

Het was veel erger.

'Dat zal tijd worden,' zei graaf Martinitz onbarmhartig. Zijn haar zat in de war, hij leek op het punt van ontploffen te staan. Na zijn begroeting bekeek hij Wenceslas onderzoekend. 'Mijn hemel, de nieuwe!'

'Hij kan het wel,' zei Willem Slavata. 'Nietwaar, Ladislas?'

'Wenceslas,' fluisterde Wenceslas. Hij was misselijk. Rond de tafel in het kamertje zaten vijf mannen. Twee daarvan waren graaf Martinitz en Willem Slavata. Van hun secretarissen was geen spoor te bekennen. De derde man was rijkskanselier Lobkowicz. De vierde man was koning Ferdinand. Wenceslas viel op zijn knieën en probeerde tevergeefs flauw te vallen.

'Majesteit!' stamelde hij.

'Geen formaliteiten,' zei de koning en het klonk alsof hij zei: 'Hang hem op, die idioot.'

Wenceslas' ogen zogen zich vast aan de man in de soutane.

'Dat is patriarch Ascanio Gesualdo, de apostolische nuntius van paus Paulus v,' zei Willem Slavata. 'Wees maar niet bang, mijn jongen. Ga zitten en doe je plicht.'

In Wenceslas' oren snerpten kerkklokken toen hij naar zijn plaats aan de andere kant van de tafel toe liep. Zijn hoofd was leeg. Ergens in deze galmende leegte dobberde de eenzame gedachte dat Philip hem een streek had geleverd, maar die gedachte kon nergens in de paniek houvast vinden. Zijn overlevingsdrang probeerde de eerste de beste strohalm te pakken, vond de adviezen van Philip Fabricius en klampte zich er dankbaar aan vast.

Wenceslas ging zitten, stond weer op, liep een rondje om zijn kruk, stak een vinger naar het perkament uit en liet de andere schallend uit zijn mond ploppen, nam weer plaats en gilde: 'Kunnen we nu eindelijk beginnen, bij Zeus?' Zijn blik – die van een konijn dat vijf slangen tegenover zich ziet – ging rond de tafel.

Het zwijgen was ijzig. Graaf Martinitz liep rood aan. De koning schoof zijn geprononceerde onderkaak naar voren als een belegeringstoren. De pauselijke ambassadeur bestudeerde zijn nagels. Wenceslas wenste dat hij doodging. Mocht er eerst nog een kans hebben bestaan om eigen gedachten te ontwikkelen over het verloop van een vergadering in aanwezigheid van de hoogste hoogwaardigheidsbekleders van het rijk, dan was die nu definitief verkeken.

'Hoogstwaardige Excellentie, we zijn het erover eens,' zei Willem Slavata in de stilte, 'dat de bevolen afbraak van de protestantse kerk in Hrob niet alleen gerechtvaardigd was, maar ook de wens van de Heilige Vader.' Hij had een paar zweetdruppels op zijn voorhoofd.

'De Heilige Vader is er niet van op de hoogte gesteld,' antwoordde Ascanio Gesualdo.

'Jawel, dat is hij wel,' bromde Martinitz.

'Ja, maar helaas pas achteraf.'

'We hebben drie postduiven gestuurd...'

'God de Heer moet ze allemaal de weg van valken hebben laten kruisen.'

'We hebben antwoord gekregen en dat gaf ons de pauselijke zegen.'

'Dat moet een misverstand zijn,' zei de nuntius, totaal niet onder de indruk.

'Wanneer begin je eigenlijk te notuleren, knaap?' vroeg graaf Martinitz.

Wenceslas staarde vol afschuw naar het blad voor zich. Het was een vers perkament en rook nog flauw naar leerlooierij en dood vlees. Het oppervlak glansde mat; het gaf de indruk dat iedere inktstreep erop meteen zou uitlopen en weg zou vloeien als een waterdruppel op was. Toch niet al Philips adviezen zouden een kwalijke grap zijn?

'Majesteit, mijne heren, de situatie is toch duidelijk...' begon Gesualdo. Wenceslas' wanhopige geschraap onderbrak hem. *Kras!* 'Als de Heilige Vader zo ondubbelzinnig stelling neemt...' *Piep!* Gesualdo's ogen werden groot. Zijn stem stierf weg. Vijf paar ogen waren op de cirkelende bewegingen gericht waarmee Wenceslas een enorme fluim in het perkament wreef. Het piepte ritmisch. Wenceslas keek verbeten naar zijn eigen hand, maar realiseerde zich toen dat hij iets moest zeggen.

'Perkament te glad,' mompelde hij en hij probeerde de moed te vinden om op te kijken. Toen het hem lukte, ontmoette hij uitgerekend de blik van de koning. Ferdinand zag eruit alsof hij elk moment het bevel tot executie kon geven.

Het perkament lag nu slap en dof op zijn plaats. Wenceslas doopte de veer in de inktpot en trok de eerste haal van de eerste letter op het perkament. Zijn onderbewustzijn herinnerde zich de volgende instructie.

'Ben je nu eindelijk zover?' In graaf Martinitz' stem klonken glasscherven en messen.

Wenceslas beet in de pen en probeerde een stuk van de veertjes af te bijten. Dat zat verrassend vast. Hij trok er harder aan. De veertjes schoten los en de verse inkt spoot eruit. Nuntius Gesualdo keek langs zijn soutane naar beneden en depte een plaats met zijn vingertoppen. Zijn vingertoppen werden zwart. Gesualdo keek er stomverbaasd naar. Wenceslas zat met de veren in zijn mond. Hij draaide zijn hoofd om en spuugde ze uit. De veren dwarrelden op de grond. Van de schrijfveer in zijn gevoelloze hand maakte zich een inktdruppel los en viel haarscherp naast het perkament op de tafel.

'Nu ben ik zover,' fluisterde Wenceslas en hij bedekte de inktvlek op de tafel met zijn mouw. Hij voelde het vocht door de stof heen dringen. Vaag herinnerde hij zich dat hij voor vandaag zijn beste kleren had aangetrokken. Toen zag hij dat zelfs koning Ferdinand een paar inktspatten in zijn gezicht had. Hij had het kennelijk niet gemerkt en Wenceslas kon zich op het laatste moment inhouden om hem er attent op te maken. Laat me doodgaan, bad hij in gedachten, Heer, hier en nu, laat me doodgaan, alstublieft...

'De Heilige Stoel heeft er in het verleden geen problemen mee gehad stelling te nemen,' zei koning Ferdinand. 'Zoals toen Giordano Bruno werd verbrand.'

'O ja, Majesteit... goed, dat was destijds paus Clemens.' Gesualdo kuchte. 'Majesteit zal zich herinneren dat de monnik maar een paar verdwaalde aanhangers had. Bovendien is het bijna twintig jaar geleden. De tijden zijn veranderd.'

'Toen het tegen de hussieten ging, aarzelde de Heilige Stoel ook niet. En de hussieten hadden heel wat aanhangers.'

'Majesteit moet maar eens in de kronieken nalezen hoe het land door de hussietenoorlogen is verwoest.'

'Verwoest?' Graaf Martinitz rees plotseling op als gistdeeg. 'De verwoesting vindt toch al plaats! Ik wilde er niet over beginnen, maar in mijn huis ligt een jongeman, mijn geliefde neef! Hij is door protestanten overvallen, hier, in Práág! Vlak voor onze neus! In onze straten! Ze hebben hem in elkaar geslagen en voor dood in de goot laten liggen. Ze hebben zijn kaak gebroken en zijn tanden uitgeslagen, om geen andere reden dan dat hij katholiek is. Wilt u wachten tot de eerste katholieke pastoors tot bloedens toe geslagen aan de oever van de Moldau liggen, Excellentie? Ik zeg: geen genade voor separatisten, rebellen, ketters en moordenaars!'

'Schiet op,' zei koning Ferdinand woedend. 'Wij hebben met onze geliefde oom Maximiliaan van Beieren en met ieder individueel lid van de katholieke liga onderhandeld, met de bisschop van Keulen, van Mainz, van Trier, van Würzburg! Wij zijn persoonlijk bij de onderhandelingen aanwezig geweest. Zonder Ons was de contrareformatie de afgelopen jaren geen stap verder gekomen en vermoedelijk zou heel Bohemen nu protestants zijn. Is dat de beloning? Dat de gezinnen van Onze stadhouders in de Boheemse hoofdstad worden aangevallen? Zegt u tegen de Heilige Vader dat Wij Ons zullen herinneren hoe weinig hij Ons heeft ondersteund bij

Onze grote taak, als Wij eenmaal keizer zijn... Bij alle heiligen, man, wat zit je met je mond te trekken? Ben je een vis? Spuug het uit als je wat wilt zeggen!'

'P-punt!' zei Wenceslas met gesloten ogen en in de absolute zekerheid zijn eigen doodsoordeel te hebben geveld.

Van buiten klonk een gedempt geschreeuw en het gonzen van rennende voeten in zware laarzen. Toen vlogen beide deuren tegelijk open en een wirwar van armen en benen rolde naar binnen. De mannen sprongen op. Het tafelblad wipte op, Wenceslas' inktpot kiepte om en goot een zwart meer over de haastig gekrabbelde regels op het perkament. De kluwen op de grond vloekte met twee stemmen en probeerde zich te bevrijden. Koning Ferdinand trok zijn rapier tevoorschijn. Wenceslas ontdekte soldatenlaarzen, een hoed met een brede rand en een stevige riem met een lege schede voor een zwaard, daartussen een licht, kleurig vest en glimmende schoenen aan benen in een pofbroek. De soldaat kwam overeind, gaf de andere man, met wie hij tegelijk was binnengevallen, een schop en viel voor de koning meteen weer op zijn knieën. Ferdinand hield zijn rapier stevig vast en was zo bleek dat Wenceslas begreep dat de koning aan een aanslag had gedacht. En met nog grotere verbazing zag hij dat de tweede man Philip Fabricius was.

'Spoedbericht voor Zijne Majesteit,' hijgde de soldaat terwijl hij een telegram in de hoogte hield. Hij rook naar zweet en paarden en zat onder het stof, zijn handschoenen dampten, zijn laarzen waren nat en onder de riempjes van de sporen zaten nog langzaam smeltende sneeuwresten. Het was duidelijk wat er was gebeurd. De koerier was de antichambre binnengestormd met zijn boodschap, Philip had achter de deur staan luisteren en was volkomen verrast, en in plaats van uit te wijken was hij direct tussen de benen van de soldaat door gerend en samen waren ze als een kluwen om zich heen slaande armen en benen het kamertje in gevallen. De Eerste Klerk stond langzaam op. Zijn normaal gesproken rode gezicht was bijna paars.

Koning Ferdinand trok het bericht uit de hand van de soldaat. Hij verbrak het zegel, zag dat het rapier hem daarbij hinderde, legde het even op tafel, vouwde het papier open en las. 'Dat is in het Latijn!' zei hij geërgerd. 'Hebben we niet allang verboden belangrijke stukken in het Latijn te schrijven?' Toen las hij moeizaam verder en zijn gezicht verstrakte.

'Antwoord terug, Majesteit?' vroeg de soldaat zonder op te kijken.

'Nee,' zei Ferdinand, met een stem die dik was van kwaadheid. 'Nee. Dank je, mijn zoon.'

De soldaat sprong op, sloeg met zijn vuist tegen zijn hart, draaide zich abrupt om, vergat niet bij het naar buiten gaan Philip aan de kant te schuiven en was weg. Zijn geur hing nog in de kamer. Wenceslas en Philip wisselden een blik. Philip sloeg zijn ogen neer en bloosde opnieuw.

'Wat is er gebeurd, Majesteit?' vroeg rijkskanselier Lobkowicz.

'Openlijke opstand in Braunau,' zei de koning. 'Abt Wolfgang heeft geprobeerd de protestantse kerk te sluiten. De rebellen belegeren het klooster met versterking van de Statentroepen.'

'Dat is het begin,' fluisterde Lobkowicz. Wenceslas' blikken schoten van de een naar de ander. Op Martinitz' en Slavata's gezicht was wanhoop te lezen, koning Ferdinands gezicht was donker van woede, Ascanio Gesualdo zag er om ondoorgrondelijke redenen zelfgenoegzaam uit en alleen Zdenek von Lobkowicz leek oprecht geschokt te zijn.

'We moeten overleggen,' zei de koning ten slotte. 'We moeten ze nú tegenhouden, anders komt het halve land in opstand. Weg jullie.' Hij maakte een hoofdbeweging naar Philip en Wenceslas.

'Geen notulen!'

Wenceslas en Philip maakten haastig een buiging en sloften achterwaarts naar buiten, tot ze door de deur waren. Daar sloot Philip zorgvuldig de buitenste deur, toen draaide hij zich om, leunde tegen de muur, veegde over zijn voorhoofd en blies in een lange, haperende ademteug zijn adem uit. Wenceslas stond midden in de kamer en wist niet of hij de Eerste Klerk om de nek moest vliegen of gewoon op de grond zou zakken en zich huilend opkrullen. Philip knorde plotseling en begon toen opeens te grinniken en ten slotte te lachen. Wenceslas staarde hem aan.

'Je bent de beste!' kakelde Philip. 'Werkt het helemaal af, hè. Om zelfs nog "Punt!" te stamelen! Man, dat heb ik nog nooit meegemaakt! Je bent de allerbeste, jochie!'

'Wenceslas,' gromde Wenceslas tussen zijn tanden door.

Philip sloeg zich op zijn knieën. Hij lachte zo erg dat hij langzaam tegen de muur op de grond gleed. De deur vloog plotseling open en Willem Slavata kwam naar buiten. Hij bukte zonder te aarzelen en klemde Philips oor tussen zijn vingers. Philips gezicht vertrok toen de koninklijke stadhouder hem aan zijn oor omhoogtrok.

'Au... Au... Excellentie, alstublieft... Au au!'

'Elk jaar treedt hier een nieuwe klerk in dienst,' siste Slavata, 'En bij iedere eerste keer maak ik een knaap mee die groen van angst is, die "Zijn jullie eindelijk klaar?" of zoiets piept, op het blad spuugt of andere onzin uithaalt die een weldenkend mens zich nooit in zijn hoofd zou halen.'

'Au...' kreunde Philip, die inmiddels op zijn tenen stond en zijn hoofd scheef hield om mee te geven met het onverbiddelijke trekken van Slavata's vingers aan zijn oor.

'Denk je soms, Philip Fabricius, dat het niet allang in me is opgekomen dat jij achter die streken zit?'

'Au, Excellentie!'

'Denk je dat ik dom ben?'

'Nee, Excellentie!' Philips stem schoot enkele toonhoogten naar boven. Slavata hield zijn arm bijna gestrekt en je zou kunnen denken dat Philip aan zijn oor in de lucht hing.

'Wat doen we, Philip Fabricius?'

'Ugh... Het nooit meer, Excellentie!'

'Fout!'

'Jawel, Excellentie... Auauau!'

'Wat doen we, Philip Fabricius?'

'Gee... Geen idee, Excellentie!'

'We bedenken eens iets nieuws!' brulde Slavata. 'Die streek met het papier en het afbijten van de pen en al die andere onzin is honderd jaar oud! Daarmee ben ík al bang gemaakt toen ik hier als groen blaagje in dienst kwam en ik ben een oude man!'

'Aaaah... Jawel, Excellentie.'

Slavata liet Philips oor los en de Eerste Klerk zakte in elkaar. Zijn oor gloeide vuurrood. Slavata grijnsde toen hij zich naar Wenceslas toe draaide.

'Maar ik heb nog nooit iemand gezien die al die onzin tot op het laatst volhield. Alle anderen kwamen al eerder bij hun verstand.'

'Vergeeft u mij, Excellentie,' fluisterde Wenceslas.

'Al goed.' Slavata's stem werd zakelijk. 'Fabricius, de koning heeft een notulist nodig. Graaf Martinitz wil bloed zien wegens de overval op zijn neef en Zijne Majesteit staat aan zijn kant.'

'Uitstekend,' zei Philip zwak.

'Over een minuut met schrijfgerei en wat dies meer zij in het kamertje. Ingerukt!'

Philip vloog ervandoor. Een niet te interpreteren blik trof Wenceslas, maar die meende erin te kunnen lezen dat de Eerste Klerk hem dankbaar was omdat hij zijn mond had gehouden en hem er niet nog dieper in had geduwd.

Slavata glimlachte tegen Wenceslas. 'Je hoeft niet bang te zijn dat je in ongenade bent gevallen. We zijn allemaal ooit jong geweest, behalve de pauselijke nuntius, die is zo geboren.' De koninklijke stadhouder knipoogde. Toen werd zijn gezicht ernstig. 'Voor wat er nu besproken wordt, is een ervaren notulist nodig. En Fabricius mag dan wel een uilskuiken zijn, maar hij is de beste. En jij hebt een pauze verdiend. P-punt!' Slavata schudde zijn hoofd. 'Ga maar naar huis, Ladislas.'

'Wenceslas,' zei Wenceslas, maar hij zei het al tegen de rug van de stadhouder.

4

Cyprian voelde zich moe, door en door koud, hongerig en geprikkeld. De eerste drie klachten kwamen door de onvermoeibare zoektocht naar aanwijzingen waar de kopie van de Duivelsbijbel uit het rariteitenkabinet zich kon bevinden, de vierde door het voortdurende gebrek aan succes. Oom Melchior was deze keer grondig in zijn eigen val getrapt. Natuurlijk waren ze alle sporen nagegaan, voor een deel gebruikmakend van Andrejs zeldzame betrekkingen aan het hof uit zijn tijd als Eerste Verhalenverteller. De oude kardinaal had er zich na ampel beraad met tegenzin bij neergelegd dat hij niet meer de bewegingsvrijheid had die hij genoot toen hij alleen maar bisschop van Wiener Neustadt was. Waarnaar een kardinaal en keizerlijke minister – en helemaal iemand die zo impopulair was als de starre Melchior Khlesl – informeerde, riep duidelijk meer belangstellenden op het toneel dan de vragen van een onbeduidende bisschop. Al die naspeuringen hadden niets opgeleverd. Wat hun restte, was de beide mannen die oom Melchior destijds enigszins had vertrouwd, namelijk Zdenek von Lobkowicz en Jan Lohelius, rechtstreeks te benaderen. Maar Cyprian had het afgeraden. Als die twee bij de macabere verwisseling waren betrokken, gaven hij en zijn vrienden het voordeel weg dat de tegenpartij niet wist dat hun bedrog was ontdekt.

Cyprian had het idee dat de oplossing van het raadsel gezocht moest worden in het feit dat er niet zomaar lijken in de kist hadden gelegen, maar twee van keizer Rudolfs hofdwergen, zonder twijfel met geweld van het leven beroofd. Maar ook dit spoor liep dood. Alles wees er weliswaar op dat de stumpers hadden geprobeerd zich na de dood van de keizer in diens rariteitenkabinet te verrijken, waarbij ze elkaar hadden vermoord, en dat de laatste overlevende, Sebastiàn de Mora, zelfmoord had gepleegd, maar hij was noch in staat geweest de verwisseling alleen uit te voeren, noch was er een aanknopingspunt wat hem en zijn makkers betrof. Er had er een kunnen zijn, als twee van de dwergen vermist waren gebleven, maar die draad was met de afschuwelijke ontdekking in het keldergewelf onder de ruïne van de firma Wiegant & Wilfing geëindigd. Iemand speelde nog een rol, iemand die het al die jaren had klaargespeeld volkomen onder de oppervlakte te blijven, iemand die de codex uit de kist had gehaald en de twee doodgeslagen dwergen erin had gelegd, iemand die een sleutel moest hebben gehad die niet kon bestaan. Cyprian had zichzelf er al diverse keren op betrapt dat hij eraan dacht dat ze het twintig jaar geleden in werkelijkheid met de duivel zelf hadden aangelegd en niet alleen met een groepje samenzweerders die de macht van de hel voor zichzelf hadden willen veroveren. Vooral had hij echter het akelige gevoel dat die geheimzinnige iemand, die in het middelpunt van de geschiedenis stond, dichter bij hem en zijn geliefden stond dan ze allemaal dachten. Een deel van zijn prikkelbaarheid kwam ook voort uit het feit dat hij de laatste tijd steeds meer in de verleiding was geweest om over zijn schouder te kijken; iets wat zo onkenmerkend voor iemand als Cyprian Khlesl was dat hij het zelf niet begreep.

Het kerstfeest was in een soort geestelijke afwezigheid langs hem heen gegaan. Hij moest bekennen dat de sterker geworden spanningen tussen Alexandra en haar moeder hem niet zouden zijn opgevallen als Agnes hem haar zorgen niet op een nacht had verteld. Ze was gaan huilen en had zichzelf de schuld gegeven. Haar eigen moeder had zo lang alleen haat en minachtig voor de kleine Agnes gevoeld dat Agnes ervan overtuigd was dat ze die gevoelens had overgenomen en ze de slechtste moeder aller tijden was. Cyprian had haar maar met moeite gerust kunnen stellen. Daarna had hij Alexandra apart genomen en alles bedorven, want toen ze tegenover hem nors en koppig was geweest, was hij gaan schreeuwen. Ze had teruggeschreeuwd en was slaand met de deuren de salon uit gerend, en had een vader achtergelaten die nu net als zijn vrouw aan zijn belevenissen met zíjn vader terugdacht en zich afvroeg of het ooit mogelijk was de ketenen van zijn eigen verleden af te stropen.

Hij liet zich door een bediende de nauwe, met sneeuw doorweekte laarzen van zijn voeten trekken en keek verbaasd op toen hij merkte dat Agnes al een hele tijd in de deuropening had gestaan. Hij glimlachte. Ze glimlachte niet terug.

'Kom mee,' zei ze.

Hij volgde haar zonder schoenen, terwijl hij onder het lopen de natte wollen lappen afstroopte die de kou niet merkbaar hadden tegengehouden. Agnes klom voor hem de trap op en hij probeerde zich niet aan haar afgemeten toon te ergeren. Dat dat een goede beslissing was, merkte hij toen Agnes boven aan de trap bleef staan en zich naar hem omdraaide. Haar gezicht was bleek en stortte in één ogenblik in; ze huilde geluidloos. Hij nam haar in zijn armen en wiegde haar zwijgend met angst in zijn hart.

'Vertel me wat we verkeerd hebben gedaan,' fluisterde ze.

Cyprian hield haar bij haar schouders vast en keek haar in het gezicht. Ze veegde haar tranen af en keek naar de grond.

'Vertel het me,' fluisterde ze haast onhoorbaar.

'Ik weet het niet,' antwoordde hij. Zijn stem was donker en hees.

'Ik ook niet.' Agnes schudde wanhopig haar hoofd. 'Ik ook niet.'

'Wat is er gebeurd?'

In plaats van antwoord te geven draaide ze zich om, nam hem bij de hand en leidde hem naar een deur. Een koude hand klemde zich om zijn binnenste toen hij zag dat het de deur van Alexandra's slaapkamer was. Hij slikte. Agnes duwde de deur open en trok hem naar binnen.

Een smalle gedaante zat in elkaar gedoken op de rand van het bed, het haar los en de handen stijf in elkaar in de schoot. Cyprian kneep zijn ogen tot spleetjes. De jurk was gekreukt, maar hij herkende het als de jurk die hij Alexandra nog maar kortgeleden cadeau had gegeven. De jonge vrouw die hem droeg, keek op en haar gezicht was rood en opgezwollen van het huilen. Het was Alexandra's dienstmeid.

'Vertel het nog eens!' zei Agnes. De jonge vrouw kromp ineen en boog haar hoofd.

'Dat kahahahahan ik nieieiet...' brulde ze uit. 'Genade, heer, genade.'

'Wat is er gebeurd?' vroeg Cyprian voor de tweede keer. Bij de klank van zijn stem schrok hij zelf, de meid dook in elkaar en sloeg haar handen voor haar gezicht.

'Alstublieft, alstublieft, alstublieieieieft...!'

Agnes was in twee passen bij het bed en greep de meid bij haar haar vast. Cyprian stak zijn hand in een roes uit en pakte Agnes' pols. Hij wist niet hoe hard hij had geknepen, maar Agnes hijgde en maakte haar vingers los. De meid huilde tranen met tuiten. Agnes en Cyprian keken elkaar aan. De woede die Cyprian in haar ogen zag, maakte dat hij naar adem hapte. Hij had wel eens eenzelfde woede in een ander paar ogen gezien, in dat van Theresia Wiegant, Agnes' moeder. Soms was het zo geweest als ze naar hem, Cyprian, keek en dacht dat niemand het merkte; meestal was het zo geweest als haar blik op Agnes bleef rusten. Hij voelde een golf van misselijkheid opkomen en moest slikken. Vervolgens schudde hij langzaam zijn hoofd zonder het oogcontact te verbreken. De boosheid in Agnes' ogen veranderde in schrik en daarna in een bedroefdheid die hemzelf bijna de tranen in de ogen dreef.

Hij liet Agnes' pols los, hurkte voor de meid op de grond neer, nam haar handen en hield die vast tot de jonge vrouw kalmeerde en hem kon aankijken zonder meteen haar ogen weer te moeten afwenden. Hij bekeek haar zwijgend en deed zijn best om een soort glimlach op zijn gezicht te toveren.

'Ze heeft tegen me gezegd dat ik het aan niemand mocht vertellen!' snikte de meid.

'Ik trek die instructie in,' zei Cyprian.

'Maar...'

'Ik trek die instructie in,' zei Cyprian. 'Wat jou betreft, je kon niet anders dan gehoorzamen; Alexandra is je bazin.'

'Ze had meteen naar ons...' snauwde Agnes, maar Cyprian keek haar veelbetekenend aan. Hij zag dat ze begreep wat hij haar duidelijk wilde maken. Haar blik dwaalde af naar het verleden en nam de zijne mee en hij zag weer hoe hij de smalle trap naar de Karinthische Poort in Wenen beklom, waar Agnes op het hoogste bastion op hem wachtte. Hij zag Agnes' dienstmeid Leona onder aan de trap staan en net doen of ze hem niet zag en niet wist dat een minnaar op weg was naar de andere helft van zijn ziel.

'Dat was iets heel anders!' zei Agnes.

Cyprian schudde zijn hoofd. Hij liet de blik van zijn vrouw niet los. Agnes brieste en klemde haar kiezen op elkaar om niet ook weer in tranen uit te barsten.

'Ik zou het niet eens hebben gemerkt,' zei Agnes ten slotte. 'Alexandra had haar haar jurk aangetrokken en haar opgedragen op het bed te gaan liggen, met haar rug naar de deur en net te doen of ze sliep.'

'Ik ben echt in slaap gevallen,' snikte de jonge vrouw. 'O, juffrouw Khlesl, vergeeft u mij, ik ben echt in slaap gevallen.'

'Je zou óns om vergeving moeten vragen,' zei Agnes, maar de ergste scherpte was uit haar stem verdwenen en had plaatsgemaakt voor het verdriet van een moeder van wie haar eigen kind een geraffineerd plan had bedacht om haar om de tuin te leiden. 'Ze snurkte. Alexandra snurkt niet. Opeens wist ik dat degene in die jurk niet onze dochter was. Ik liep naar het bed en...' Ze spreidde haar handen.

'Hoe vaak?' vroeg Cyprian.

De meid begon weer te huilen. Cyprian wachtte af, al was hij het liefst opgesprongen en het huis uit gerend, in welke richting dan ook. Toen ze zag dat hij niet razend werd, vatte ze moed.

'De vijfde keer,' fluisterde ze.

'Sinds wanneer?'

'Sinds afgelopen advent.'

'Waar gaat ze heen?'

'Ik weet het niet, meneer Khlesl. Ik weet het echt niet.'

'Met wie heeft ze afgesproken?'

De meid perste wanhopig haar lippen op elkaar. Cyprian keek Agnes opnieuw van terzijde aan. Ze leek zich voldoende te hebben hersteld en zei met een zweem van een glimlach: 'Niet iedereen is zo'n fatsoenlijke kerel als jij was, schat.'

'Jouw moeder vond me allesbehalve dat.'

'Ja,' zei ze en haar glimlach verdween.

'Het is iemand van het kasteel,' zei de meid gelaten. 'Hij heet Heinrich von Wallenstein-Dobrowitz.'

Agnes haalde haar schouders op. Toen versmalden haar ogen. 'Ik geloof dat ze die naam een keer heeft genoemd. Ze vroeg of ik hem kende. Ik heb er geen aandacht aan besteed. Ik geloof dat ik niet goed naar haar heb geluisterd, verdomme!'

Cyprian dacht na. 'Er bestaat ene Albrecht von Wallenstein... een rijke edelman in Moravië, door-en-door katholiek en loyaal aan koning Ferdinand, naar ik heb gehoord. Vorig jaar is hij koning Ferdinand met geld en troepen te hulp geschoten, toen deze in de oorlog tegen Venetië betrokken raakte, als enige van Ferdinands vazallen. Waarschijnlijk zal het verre familie zijn.'

Agnes' ogen fonkelden. 'Als dat kereltje gelooft dat hij alleen omdat zijn achter-achter-achterneef een hoop geld heeft en de koning hem dankbaar is...'

'Hij is van adel,' flapte Alexandra's meid eruit.

'Ken je hem?'

De jonge vrouw bloosde. 'Ik heb hem een keer gezien.'

'Wat is hij voor iemand?'

'Hij is zo mooi als... een engel,' zei ze beschaamd.

Agnes trok een wenkbrauw op.

'Dat heeft hij dan ten minste op mij voor,' zei Cyprian. Agnes draaide zich verrast naar hem toe. Cyprian grijnsde een beetje. 'Ik wilde je alleen maar vóór zijn.'

'Cyprian, wat moeten we doen?'

'Onze dochter is verliefd.'

'Ze heeft ons voor de gek gehouden!'

'Dat zit in de familie, of niet soms?'

'Bij ons was het iets anders!'

'Het wordt niet meer waard door het te herhalen.'

Agnes balde haar vuisten, toen liet ze haar schouders zakken. 'Ik kan het niet zo gemakkelijk opnemen als jij.' Ze keek hem onderzoekend aan. 'Jij neemt het ook niet gemakkelijk op, hè?'

Hij spreidde zijn handen. 'Ach wat.'

'Je hebt wel eens beter gelogen, Cyprian.'

'Ik ben er net zomin blij mee dat ze ons niet in vertrouwen heeft genomen,' bromde hij. 'Maar we zijn niet in de positie om daar met haar over te praten, hè?'

Ze bleef onderzoekend naar hem kijken. Het kostte hem moeite tegen haar blik stand te houden. Ten slotte wendde zij zich af. Hij wist dat hij haar van de onschuld van zijn gedachten maar ten dele had overtuigd.

'Mevrouw Khlesl?' vroeg de meid op het bed met een bedeesd stemmetje. 'Zet u me nu op straat?' Ze begon weer te snikken.

Cyprian zag de gedachten over het gezicht van zijn vrouw fladderen: de gedachte aan de keer dat haar moeder haar eerste, geliefde kindermeisje het huis uit had gegooid. Agnes ging naast de huilende jonge vrouw op het bed zitten en sloeg een arm om haar heen. 'De bazin hoort gestraft te worden, niet de meid,' zei ze verdrietig, terwijl ze het huilende hoopje troostend op de rug klopte. Cyprian stond op en keek omlaag naar zijn vrouw. Hij voelde opnieuw hoeveel hij van haar hield.

'Ze is vier keer ongedeerd teruggekomen,' zei hij. 'Dat zal ze de vijfde keer ook wel doen. En vanavond praten we met haar.'

'We moeten een huwelijkskandidaat voor haar zoeken,' zei Agnes met bitterheid in haar stem. 'We hebben haar veel te lang haar gang laten gaan. Wenceslas zou zijn rechterarm ervoor overhebben als hij en zij...'

'Zolang Andrej niet de moed vindt om Wenceslas klare wijn te schenken, zal daar niets van terechtkomen,' zei Cyprian. 'Wenceslas denkt dat hij en Alexandra neef en nicht zijn en hij is veel te fatsoenlijk om daaroverheen te stappen. Bovendien zal ik Alexandra nooit een man als huwelijkskandidaat voorstellen en daar moet jij ook maar niet aan denken, al is het nog zo'n droomkandidaat als Wenceslas von Langenfels. Denk eraan hoeveel verdriet het ons heeft gedaan toen je vader je eigenlijk met Sebastian Wilfing wilde laten trouwen.'

'Ik weet het,' fluisterde Agnes. 'Ik weet het. Ik ben alleen maar bezorgd om haar.'

'Dat zij en die Heinrich von Wallenstein elkaar stiekem ontmoeten, betekent nog niets slechts. Ik zal zo snel mogelijk eens met die jongen gaan praten, dan weten we meer. Zolang moeten we op Alexandra's verstand vertrouwen. Ze is onze dochter!'

'Dan kan ze niet veel verstand hebben geërfd,' zei Agnes, maar over haar lippen gleed een lachje.

'Het arme kind.' Cyprian grijnsde.

'Wat ben je nu van plan?'

Hij bukte naar de natte wollen doeken die hij naast het bed had laten vallen. 'Ik ga nog even mijn benen strekken. Misschien kom ik wel een verliefd paartje tegen.'

'Is er nog iets, Cyprian?'

'Nee. Hoezo?'

Agnes keek hem doordringend aan. Hij glimlachte en schokte met zijn schouders en vormde toen met zijn lippen een kus.

'Ik hou van je,' zei hij.

Ze knikte. 'Ik hou van jou, Cyprian Khlesl.'

Toen hij door de dienstmeid zijn voeten weer in zijn laarzen liet persen, dacht hij erover na dat het niet gemakkelijk was om de vrouw met wie je al zoveel jaren samen had doorgebracht om de tuin te leiden. Ze vermoedde dat hem iets was opgevallen. Hij is zo mooi als een engel, had de meid over de man gezegd aan wie Alexandra blijkbaar haar hart had verloren. Vermoedelijk had ze er zelf geen erg in gehad, maar het had eigenlijk geklonken alsof ze eerst wilde zeggen: Hij is zo mooi als de duivel. Cyprian geloofde dat de meeste mensen een instinct hadden dat slimmer was dan hun verstand en dingen opmerkte die hun verstand nooit waarnam. Hij stampte met zijn voeten op de grond om de laarzen beter te laten zitten. Had hij de laatste weken niet steeds de behoefte gehad om over zijn schouder te kijken omdat hij bang was dat de duivel hem en zijn familie op de hielen zat? Had hij de verkeerde kant op gekeken? Had hij in het hart van zijn familie moeten kijken om te zien dat de duivel daar al was aangekomen? Hij voelde een steek en klemde zijn kaken op elkaar. Allemaal bijgeloof, mopperde hij op zichzelf, je bent nog erger dan een oude wasvrouw! En tegelijk vroeg hij zich af of het ook door zijn bijgeloof kwam dat hij de laatste zin van Agnes als een vaarwel had ervaren.

Met een bedruktheid die hij in zijn leven maar zelden had gevoeld, opende hij de deur.

Buiten stond Melchior Khlesl, en hij had zijn hand uitgestoken om de deur open te duwen. Hij zag eruit alsof hij de duivel had gezien.

5

Kardinaal Melchior had het gevoel dat de gebeurtenissen om hem heen een kolkende rivier waren en hij zich aan een steen probeerde vast te houden om niet weggespoeld te worden. 'Ik heb Andrej al op de hoogte gebracht!' hijgde hij.

'Ik dacht dat je in Wenen was om de vrede met Venetië te vieren?'

Melchior pakte Cyprian bij het borststuk van zijn mantel. 'We mogen geen tijd verliezen!'

'Je hebt niets op je hoofd,' zei Cyprian. 'Dat wordt je dood nog.'

'Ik spuug op de dood,' zei Melchior. 'Er zijn ergere dingen om bang voor te zijn. En ik spuug op de vrede met Venetië, het is tevergeefs als we het nu laten afweten.'

Cyprian zweeg. Melchior beantwoordde de blik uit de koele blauwe ogen; zijn hartslag werd rustiger. Hij besefte dat hij Cyprian nog steeds hoog bij zijn kraag vasthield en liet hem los. De zware stof was gekreukt. Melchior beklopte hem en deed een zwakke poging om hem glad te strijken. Plotseling drong het tot Melchior door dat hij moest opkijken naar zijn neef. 'Toen we voor het eerst tegen de Duivelsbijbel streden, was ik zo oud als jij,' zei hij onwillekeurig.

'Ja,' zei Cyprian. 'En nu voel ik me zo oud als jij er toen uitzag.'

'Ik wilde niet dat dit ons lot zou zijn. Als ik het had geweten...'

'We hebben altijd geweten dat we maar een slag hadden gewonnen, niet de oorlog. De oorlog tegen het kwaad kun je niet winnen. Je kunt altijd alleen vechten, dat is alles.'

'Cyprian, wij zijn nu de wachters van de Duivelsbijbel. Begrijp je dat niet? Sinds Wolfgang Selender de zeven bibliothecariussen niet heeft vervangen, komt het op ons aan!'

Melchior zag aan Cyprians gezicht dat hij het begon te begrijpen. Het werd hem duidelijk dat zijn neef zich hiervan nog niet bewust was geweest. Het besef was bij hemzelf, kardinaal Khlesl, als een brok ijs in zijn ziel gedaald toen ze enkele weken geleden na hun bezoek aan Braunau waren vertrokken. Hij had niets tegen de beide anderen gezegd; hij had gehoopt dat ze de rol niet zouden hoeven vervullen, want ondanks alles lag de Duivelsbijbel veilig verborgen in de catacomben van het klooster van Braunau. Dat had hij tenminste aangenomen.

'Oom Melchior, ga naar binnen en warm je op. Ik loop een blokje om en dan kom ik ook.'

'Cyprian, we hebben geen tijd!'

Cyprians blik dwaalde af. Melchior volgde hem en zag een paartje dat met de armen om elkaar heen over de bevroren sneeuwblubber balanceerde. Ze liepen op Cyprians huis af. Melchior hoorde een lichte vrouwenlach. Cyprians gezicht spande zich toen hij probeerde in de capuchon van de vrouw te kijken. Het tweetal stapte langs hem heen en verder de straat uit, op weg naar de vroege avondschemering. Melchior keek zijn neef onderzoekend aan.

'Wie zoek je?'

'Alexandra.'

Melchior knikte. 'Ze wordt zelfstandig, mijn jongen. Denk aan jezelf en Agnes, jullie waren er een paar jaar eerder bij dan zij...'

'Ga naar binnen en vertel dat maar aan Agnes,' zei Cyprian zwak grijnzend. 'Misschien gelooft zij de wijsheid van moeder de kerk en vader de kardinaal.'

De oude kardinaal haalde diep adem. 'Is het serieus?'

'Ik weet helemaal niets. Dat is het ergste, of niet?'

'Cyprian, jij en Andrej, jullie moeten zo snel mogelijk naar Braunau.'

Cyprian maakte zijn blik los van de richting die het paar op was gelopen. Omdat hij niets zei, voelde Melchior zich aangemoedigd om verder te spreken.

'Ik kan jullie een stuk of zes betrouwbare mannen meegeven. Ze maken zich al klaar voor vertrek. Over twee uur kunnen jullie op weg zijn.'

'Over een uur is het donker, oom,' zei Cyprian met dezelfde intonatie waarmee hij gezegd zou hebben: wil je nog een beker wijn? 'Dan gaan de poorten dicht.'

Melchior keek om zich heen. Plotseling voelde hij zich een idioot. Hij realiseerde zich dat er een koude wind door zijn dunne, witte haar woei, het in de war blies en hem hoofdpijn bezorgde, dat hij een te dunne mantel had aangetrokken, dat zijn laarzen nat waren en langzaam bevroren en dat hij, toen hij het bericht een goed uur geleden had ontvangen, als een kip zonder kop door zijn paleis en vervolgens naar Andrej was gerend en zich ten slotte hierheen had gespoed, een hijgende, strompelende, veel te oude prooi van de paniek. Hij slikte en haalde nogmaals diep adem.

'Laten we naar binnen gaan. Ik leg het je uit,' zei hij.

Cyprian schudde zijn hoofd.

'Ik kom straks.'

'Andrej kan elk moment –'

'Andrej vindt ook alleen de weg wel. Ga samen bij het vuur zitten en vrolijk mijn vrouw op. Ik ben zo snel mogelijk weer bij jullie.'

'Ik zie in dat het vandaag niet meer gaat, maar jullie moeten morgen vertrekken, zodra de poorten opengaan!'

'Goed, daar valt over te praten. Maar niet nu.'

Melchior voelde Cyprians handdruk. Zijn neef draaide zich om. De kardinaal kreeg een slip van zijn mantel te pakken.

'Cyprian, hij is niet meer veilig,' fluisterde hij.

Met tegenzin draaide Cyprian zich om. 'Is hij dat ooit geweest dan?'

'Wolfgang en de monniken zijn niet meer in Braunau. Ik heb een postduif ontvangen. Op het kasteel weten ze er nog niets van; ze denken dat de abt wordt aangevallen. Maar hij heeft het klooster niet meer kunnen houden. Hij is sinds vanmorgen op de vlucht. Vermoedelijk wordt het klooster op dit moment geplunderd.'

'En de codex?'

'Ik hoop dat hij die heeft meegenomen.'

'Verdomme,' zei Cyprian.

'Kom je nu mee naar binnen?'

'Straks,' zei Cyprian. Melchior kon zien dat hij heen en weer geslingerd werd. Hij zou niet degene zijn voor wie de oude kardinaal hem hield, als hij niet ook op dit moment voor zijn gezin had gekozen.

'Ik maak de duurste wijn open die er in je kelder ligt,' dreigde Melchior. Hij vond het maar wat moeilijk om een lichte toon te vinden.

'Eet de kurk niet op,' zei Cyprian en hij liep weg.

Melchior Khlesl keek zijn neef na. Hij was niet blij dat hij hem nog eens extra onder druk had gezet. Niet voor het eerst dacht hij erover na hoeveel waarheid er zat in de uitspraak dat je op de duivel ging lijken naarmate je je meer met hem inliet, zelfs als je alles deed om hem te bestrijden.

Cyprian sloeg de hoek om, een donkergeklede man met brede schouders, die nooit zou beseffen dat hij een waarachtigheid uitstraalde, die door zijn kalme uitstraling des te indringender werkte en dat eigenlijk iedereen zich tot hem aangetrokken voelde die oprechtheid, geborgenheid en trouw wist te waarderen. Onwillekeurig stak de oude kardinaal zijn hand op en wuifde zijn neef na.

Hij zou hem niet meer levend terugzien.

6

'Ik moet uiterlijk het derde uur post meridiem terug zijn,' hijgde Alexandra. Toen ze Henyks niet-begrijpende blik zag, begon ze uit haar hoofd te rekenen. 'Dat is volgens de Boheemse tijdrekening met de Grote Klok... Zonsondergang was gisteren het vijfde uur post meridiem... Dus het uur nul volgens de Grote Klok... Dan was zonsopgang het veertiende uur volgens de Grote Klok... Nu is het middag, dat is het negentiende uur volgens de Grote Klok... Dus het tweeëntwintigste uur!'

Ze zag Henyk zijn hoofd schudden en glimlachte. 'Ons huis doet met zoveel landen zaken dat mijn vader de tijdrekening met de Kleine Klok bij ons heeft ingevoerd. Hij zegt dat we daarmee gelijk opgaan met onze handelspartners overal in het rijk en daarbuiten en bovendien het voordeel hebben dat het middageten altijd op het twaalfde uur wordt opgediend en niet afhankelijk van het jaargetijde de ene keer op het vijftiende en de andere keer op het negentiende uur, al naar gelang wanneer de zon de vorige dag is ondergegaan.'

'Ik denk dat ik niet slim genoeg ben voor het leven van een koopman,' zei Henyk. Alexandra vroeg zich af of die bekentenis niet eigenlijk een steek onder water was voor haar en haar familie, maar schoof toen dat gevoel aan de kant. Henyk was een echte edelman en bovendien – daar was ze intussen vast van overtuigd en het bezorgde haar een rilling – tot over zijn oren verliefd op haar. Hij zou haar niet uitlachen.

Op de een of andere manier moest hij iets gemerkt hebben van het golfje twijfel in haar hart, want hij trok een gezicht zoals haar broertjes altijd deden als hun iets werd gevraagd en ze geen idee hadden wat het antwoord was en wilden voorkomen dat er meer dan nodig op hen zou worden gemopperd. Onwillekeurig stak ze haar hand uit en legde die tegen zijn wang en trok hem toen geschrokken terug. Ze merkte dat haar gezicht begon te gloeien. Hij greep haar hand en kneep erin, maar toen liet ook hij weer gauw los. Alle twee keken ze om zich heen.

Nu, tussen de middag, was de oostelijke poort van het kasteelcomplex bijna verlaten, en de wachters, die leven in hun voeten probeerden te stampen en voor wie het volgens welke tijdrekening dan ook te lang duurde voor ze werden afgelost, letten nauwelijks op hen. De poort stond overdag open zolang er geen gevaar dreigde, en niemand die erdoor wilde, werd tegengehouden. Deze toestand zou gauw veranderen. Maar op dit moment was het noch de koning, noch de rijkskanselier, noch de burggraaf duidelijk dat de grote brand die definitief een einde zou maken aan hun tijdperk al was uitgebroken.

'U wilde naar het wonderkabinet van keizer Rudolf?' vroeg Henyk na een verrukkelijke stilte, waarin hun blikken zich hadden veroorloofd wat ze hun lichaam niet toestonden: in elkaar te verzinken.

Alexandra knikte.

Henyk glimlachte. 'Ik moest een draak verslaan en vijf reuzen martelen voor ik de sleutel te pakken kreeg, maar ik heb hem.'

Alexandra wist niet of ze de opmerkingen die hij soms maakte over onderwerpen als marteling grappig moest vinden. Ze vielen steeds terloops en samen met een humoristische of bijna tedere uitspraak en dat schreef ze toe aan het feit dat mannen nu eenmaal een grovere humor hadden dan vrouwen. Aan de andere kant had ze haar vader noch haar oom daar ooit grappen over horen maken, maar dat kon weer liggen aan het feit dat edelen zoals Henyk die in geval van nood in dienst van het rijk moesten strijden, wat hardere humor bezaten dan mannen als Cyprian Khlesl of Andrej von Langenfels, wier grootste heldendaad eruit bestond een procent meer winst uit een transactie te slepen. Toch kon ze er moeilijk om lachen. Het beeld van de ongelukkige executie in Wenen of het geschreeuw van pijn van de geradbraakte man bij Brno kwam elke keer in haar herinnering boven en liet haar rillen.

'Waarom zo'n haast?' vroeg Henyk, terwijl ze hem het steile straatje in de richting van de dom in volgde. Hij had haar zijn arm aangeboden en die had ze genomen. Het leek een onschuldig gebaar en het zou niemand zijn opgevallen dat ze zijn arm steviger vasthield dan nodig en dat hij zijn elleboog niet zo ver had uitgestoken als eigenlijk hoorde, zodat hun schouders en heupen elkaar onder het lopen telkens raakten. Alexandra moest denken aan wat ze zich vandaag had voorgenomen en de angst dwarrelde tegelijk met de lust door haar lichaam en zorgde ervoor dat ze oppervlakkig ademde. De weg leek steiler dan anders en veel langer.

'Mijn ouders zijn achter mijn trucje met mijn meid gekomen.'

'O.'

'Ja. Eigenlijk had ik vandaag het huis niet eens uit gemogen, maar mijn moeder is bij kardinaal Melchior uitgenodigd en is niet binnen drie uur terug en zo kon ik naar buiten sluipen.' Ze keek hem van opzij aan. 'Mijn vader heeft gezegd dat hij u wil leren kennen voor hij het goedvindt dat we elkaar vaker ontmoeten. Weet u zeker dat u kardinaal Melchior goed hebt begrepen?'

'Liefste Alexandra, ik stond toch vlak naast hem.' Ze hoorde hem zuchten en zette haar volgende stappen zo dat hun lichamen elkaar nog meer raakten dan eerst. Henyk liet zijn hoofd hangen. 'Uw vader wilde u alleen maar niet voor het hoofd stoten, dat is alles. In werkelijkheid heeft hij zijn plan allang gesmeed en ik kom daar niet in voor. De kardinaal heeft duidelijk tegen bisschop Lohelius gezegd dat uw huwelijk binnen een jaar zou plaatsvinden, als uw vader maar een geschikte kandidaat onder zijn zakenrelaties kon vinden. En dat in geen geval een "bruingebakken edelman met niets dan grote plannen en een knap gezicht, zoals er tientallen aan het hof rondlopen" in aanmerking komt. Henyk haalde zijn schouders op en pakte haar hand. Zijn hand was warm, hoewel het snijdend koud was en hij geen handschoenen droeg. Hij leek altijd vanbinnen te branden en genoeg warmte te hebben om hen allebei te verwarmen. 'Hij had waarschijnlijk zijn mond gehouden als hij had geweten dat er een edelman naast hem stond met niets dan grote plannen en een hart dat volledig toebehoort aan de vrouw over wie hij sprak. Maar iemand als hij ziet altijd een onbetekenend persoon als ik over het hoofd.'

'U bent niet onbetekenend! Voor mij bent u de belangrijkste op de wereld!'

Hij klopte op haar hand en draaide zich om. Alexandra nam aan dat hij haar de wanhoop niet wilde tonen die over zijn gezicht viel. Ze had gedacht dat het verdriet over wat Henyk haar de vorige keer aarzelend en kennelijk onwillig had verklapt minder zou worden, maar het werd eigenlijk alleen maar erger. Gisteren tijdens het gesprek met haar vader, toen deze er met geen woord op was ingegaan en ze hem het liefst 'leugenaar!' naar zijn hoofd had geslingerd, had ze al haar kracht nodig gehad om zich in te houden.

Ze legden de rest van de weg zwijgend af. De zoete spanning die Alexandra had gevoeld, maakte steeds meer plaats voor een beginnende bedruktheid. Dat gevoel ging ook wel met wat opwinding gepaard, maar tegen de weerstand van deze opwinding vochten zich langzaam reserves een weg naar buiten. Wilde ze het echt? Er bestond geen twijfel aan dat ze het met hem wilde doen, maar hier? Op dit gazon? Half uit wraak tegenover haar ouders? Ze vroeg zich af hoe ze op dit pad was terechtgekomen; het leek nog maar zo kortgeleden dat haar moeder het voorbeeld van haar leven en haar vader de kopie van de man was met wie ze ooit zou trouwen. Wat had haar zo van hen vervreemd?

Maar die vraag was gemakkelijk te beantwoorden: haar oneerlijkheid. Ze was ervan overtuigd dat Henyk liever zijn tong had afgebeten dan zijn geheimen met haar te delen als hij had geweten waartoe ze Alexandra hadden gedreven. Maar ze had zelf tegen hem gezegd dat er niets tussen hen in mocht staan en daarom had hij aarzelend het een of ander laten doorschemeren. Dat haar moeder haar het liefst voor altijd naar Wenen zou sturen, omdat ze dacht dat ze het leven in Praag niet aankon. Dat kardinaal Khlesl al jaren een plaats in het klooster van Sint-Agnes voor haar vrijhield, omdat hij van mening was dat ze te opstandig was en alleen achter de kloostermuren de familie en daarmee hem niet te schande kon maken. Dat haar vader af en toe teleurgesteld had gezegd dat zijn oudste kind een meisje was en geen jongen. Het ergste eraan was dat ze helemaal niets van die twijfels tegenover haar persoon had gemerkt. Hoe kon iemand twee gezichten hebben? En hoe kon het dat iemand je zo na stond en je er toch niets van merkte?

Een stemmetje dat een beetje klonk als dat van de Alexandra Khlesl die ze een paar weken eerder nog was geweest, stak de kop op en vroeg wat dit besef omtrent Henyk – Heinrich von Wallenstein-Dobrowitz – betekende die haar ook erg na stond. Ze legde het stemmetje het zwijgen op.

De binnenkomst in het rariteitenkabinet van de zes jaar na zijn dood al in de sferen van onbehaaglijke legenden opgegane keizer Rudolf was tegelijk ontzagwekkend en een teleurstelling. Een luid galmend gewelf, dat zo koud was als een grafkuil en bijna zonder licht, ontving hen. Alexandra's adem vormde wolkjes die glinsterden in het licht van Henyks lantaarn. Het vale schijnsel spookte over de zuilen en wierp flauwe schaduwen in het donker van het plafond. Onaangenaam getroffen hield ze zichzelf voor dat de kou allesbehalve bevorderlijk was voor het plan de man van haar hart enkele van haar geheimen toe te vertrouwen. Toen wendde Henyk zich naar haar toe en glimlachte. 'Schrik niet,' zei hij. 'Dit is nog maar de antichambre.'

Alexandra hield haar adem in toen ze het gewelf achter zich had gelaten. Houten stellingkasten verhieven zich in het donker. Ze waren leeg, maar het lantaarnlicht toverde er flakkerend leven in. Uit de hoeken klonk het geritsel van vluchtende ratten. Op een paar plaatsen tegen de muur lagen stapeltjes gebarsten balken, die pas wanneer je dichterbij kwam hun juiste proporties kregen en van balken veranderden in delen van kapotgeslagen schilderijlijsten.

'Hier begon het rijk van keizer Rudolf,' fluisterde Henyk. 'Hier ging men de drempel over naar de bizarste geest van onze tijd. Stelt u zich voor dat deze kasten vol stonden met dingen die tegelijk zonderling en afschuwelijk waren: geconserveerde levende wezens, gemummificeerde stukken lijk, fabelwezens, waarvan nog steeds niemand weet of ze echt waren of knappe vervalsingen, merkwaardig gevormde noten...' Hij glimlachte tegen haar en ze kon merken dat hij over zijn volgende woorden goed nadacht. Haar blik moedigde hem aan om verder te gaan. 'Sommige zagen eruit als lichaamsdelen, wordt er gezegd.'

Ze stond dicht bij hem en voelde de warmte die van hem afstraalde.

'Handen?' vroeg ze, maar ze wist dat dat niet het geval was. 'Voeten?'

Zijn ogen glansden. Zijn lippen waren nog steeds geopend in een lachje en Alexandra probeerde een gedachte naar hem toe te sturen: Kus me! Kus me!

'Nee,' fluisterde hij. Zijn vrije hand tekende iets vaags in de lucht. 'Nee.'

Haar oogleden fladderden. Plotseling merkte ze hoe dicht ze tegenover elkaar stonden. Ze stak een hand uit en raakte het voorpand van zijn mantel aan. Ze hoorde dat hij zijn adem inhield. Ze sloot haar ogen en hief haar gezicht naar hem op. Verbaasd voelde ze dat hij zich afwendde.

'Komt u verder,' zei hij hees. Ze was even teleurgesteld, maar toen ze haar ogen weer opende, zag ze zijn blik en de blos op zijn wangen. Hij wilde het spel rekken? Goed, ze zou het hem moeilijk maken om het uitstel vol te houden!

Een vlaag warme lucht kwam haar tegemoet toen ze het rariteitenkabinet verder binnendrongen. De lucht werd er minder koud maar wel benauwder en deed denken aan een geurenmengeling van alcohol, kruiden en de afgevoerde lucht van een grote keuken.

'De muren hingen vol schilderijen,' zei Henyk. 'Keizer Matthias heeft ze er allemaal af laten halen en verkocht of aan bevriende vorsten geschonken: Arcimboldo's, Michelangelo's, Raffaels... Keizer Rudolf had ze in schitterende lijsten van ivoor, wortelnotenhout of been laten doen; men heeft ze eruit gesneden en de gebroken lijsten gewoon laten liggen. De kasten stonden vol met dierentanden en beeldsnijwerk, in goud gevat, met edelstenen bezet. In de eerste maanden van keizer Matthias' regering is alles wat geen directe waarde had in de Hertensloot terechtgekomen.' Het lantaarnlicht gleed over verstofte objecten, waarvan je alleen nog kon vermoeden hoe mooi ze voorheen waren geweest, over kisten en doosjes, haalde gesneden maskers uit het donker, de door de motten aangevreten lichamen van opgezette dieren... Er lagen nog steeds honderden voorwerpen in de vakken. Alexandra durfde zich niet voor te stellen hoe het rariteitenkabinet eruit had gezien toen het nog in ere werd gehouden. Ze stelde zich goud voor dat in de schaduw glansde en smeedwerk dat reflexen op de muur wierp, overal brandende kaarsen en olieschalen, tapijten, bonte gobelins, aan de muren de matte glans van de schilderijen en daartussenin, hinkend en grotesk en verrukt van zijn schatten, de golem waarin keizer Rudolf de laatste jaren van zijn leven was veranderd. Ze slikte, betoverd, beklemd, ademloos en eerbiedig tegelijk. Ze wist dat dit zo'n moment was dat Henyk en zij telkens weer zouden beleven. Ze zouden elkaar aankijken en hij zou zeggen: Weet je nog die keer toen ik de sleutel van het rariteitenkabinet had gepikt om het je te laten zien? En dan zou zij zeggen: Weet je nog dat ik je toen een heel andere sleutel heb gegeven, die van mijn hart? Maar je had hem helemaal niet nodig, want het stond voor je open vanaf het eerste ogenblik dat ik je zag. En hun kinderen zouden vragen: Waar hebben jullie het over? En ze zouden zwijgend naar dat ene stuk wijzen dat ze vandaag – het plan kwam in een oogwenk in Alexandra op – uit het rariteitenkabinet zouden smokkelen, het eerste stuk van hun toekomstige gemeenschappelijke huishouding. En terwijl de kinderen het voorwerp bekeken, zouden haar en zijn blikken elkaar vasthouden en een belofte inhouden die 's nachts zou worden ingelost.

Alexandra knipperde met haar ogen. De kou was uit haar lichaam geweken. Henyk dwaalde door de laatste van de drie kamers waar ze doorheen waren gelopen en liet zijn lantaarn op alles schijnen wat interessant leek.

'Waarom is het hier zo warm?' vroeg ze.

'De keuken van het kasteel ligt onder dit deel van het rariteitenkabinet. De keizer bracht hier het grootste deel van de dag door. Hij wilde het niet koud hebben, neem ik aan.'

Henyk slenterde weer op haar toe. Zijn glimlach vroeg om een echo op haar gezicht.

'Bevalt het u?'

'Is dit het laatste kamertje al?'

Hij hield zijn hoofd schuin en keek naar haar. Zijn ogen versmalden zich en haar hartslag werd sneller. De lucht tussen hen leek te zinderen.

'Is dit een dag voor geheimen?' vroeg hij.

Alexandra beantwoordde zijn blik en knikte toen langzaam. Wat haar betrof, kon zijn dubbelzinnigheid maar één ding betekenen.

'Er is nóg een kamertje, keizer Rudolfs geheime laboratorium. Buiten hem zullen er hoogstens tien mensen zijn geweest. Zullen we...' Hij keek haar opnieuw onderzoekend aan, 'zullen we het geheime zegel verbreken?'

Hij stond nu vlak voor haar. Zij zette de eerste stap die hen nog scheidde, ging op haar tenen staan en kuste hem bij wijze van antwoord op zijn mond. Laten we het zegel verbreken, dacht ze, laat me het geschenk geven dat ik geen enkele andere man meer zal kunnen geven of ooit heb willen geven. Ze voelde hem verstijven, maar ze wist dat dat niet uit afkeer was, maar omdat hij zijn lichaam anders niet onder controle kon houden. Haar verging het net zo. De lucht kon warmer zijn geworden door de luchtafvoer van de keuken, maar het vuur dat nu in haar woedde, was heter dan alles wat van buitenaf kon komen en zette haar in gloed. Ze wilde zijn armen om haar lichaam voelen, ze wilde voelen dat hij haar tegen zich aan drukte, ze wilde hem door de stof van haar dikke kleding heen voelen en dan wilde ze zich door de lagen stof heen woelen tot ze zijn gladde huid aanraakte en haar eigen huid ertegenaan drukken... Haar lichaam begon te schokken en ze merkte dat zijn lippen zich onder haar kus openden. Hij maakte zich van haar los. Zijn ogen straalden.

'Kom mee,' zei hij haast onhoorbaar.

Hij bukte en sloeg een vloerkleed terug dat hier in zijn eenvoud zo duidelijk niet hoorde dat het na keizer Rudolfs dood hierheen gebracht moest zijn. In de vloer werden de lijnen van een valluik zichtbaar. Toen hij overeind kwam, stond Alexandra al vlak naast hem. Henyk sloeg het kleed verder terug en net buiten de lichtcirkel viel iets van metaal rammelend op de grond. Het was een klein, zwak glanzend kistje vol radertjes en palletjes.

'Een speeldoosje,' zei Henyk.

'Wenceslas heeft zo'n ding in de Hertensloot gevonden, in het jaar van keizer Rudolfs dood,' zei Alexandra onwillekeurig.

'Wie is Wenceslas?' vroeg hij en ze moest glimlachen om het gezicht dat hij erbij trok.

'Niemand,' zei ze.

Hij trok een wenkbrauw op. Ze kuste hem weer. Deze keer beantwoordde hij de kus. Alexandra had zoals bijna alle jonge vrouwen van haar tijd haar eerste kussen met haar meid gewisseld, toen die met het nieuwtje van deze handeling was aangekomen en het Alexandra duidelijk was dat het voor haar zelf geen optie was om een van de knechten in de stal te kussen. De oplossing was de meid te laten voordoen hoe het moest en zichzelf daarna met flauwe opwinding af te vragen wat iedereen daar nu voor drukte over maakte en waarom haar ouders soms hele minuten besteedden aan het wisselen van een enkele kus wanneer ze 's avonds bij het vuur zaten. De kussen van de meid waren vluchtig geweest, Henyks kus was lang en diep. Haar tong nam onwillekeurig het ritme van de zijne over en een zoete dans lang verzonk de wereld voor haar in het niet en haar gevoel balde zich samen op twee plaatsen in haar lichaam, de punt van haar tong en haar schoot, die leek op te bloeien als een roos die zich in enkele ogenblikken opent. Toen ze adem moesten halen en ze haar ogen opende, zag ze dat de zijne open waren gebleven. Hij leek haar aanblik in zich opgezogen te hebben. Alexandra voelde zich duizelig en halverwege de totale verrukking. Ze dacht dat ze de hele weg waren gegaan als hij was doorgegaan met haar te kussen. Ze voelde haar lichaam kloppen en de behoefte om op een aantal plaatsen op haar lichaam tegelijk te worden aangeraakt, maar hij maakte daar geen aanstalten toe, hij liet haar gloeien.

'Op het mechaniek dat Wenceslas had gevonden,' zei ze hees, zich er nauwelijks van bewust dat haar opwinding een uitlaatklep zocht, 'stonden een man en een vrouw. Ze waren naakt. De man had een enorme fallus. Hij drong de vrouw binnen en beminde haar.' De opwinding schoot weer door haar lichaam. Ze had zulke woorden nog nooit tegen een man gezegd. Wat zou hij van haar denken? Ze hoopte dat hij dacht wat zij voelde: dat ze de zijne was met elke vezel van haar lichaam, dat ze wilde dat hij haar nam, zoals de gouden man op Wenceslas' mechaniek zijn gezellin had genomen. En opeens wist ze dat ze niet wilde dat het hier gebeurde. Er was niets verkeerds aan hun liefde. Haar moeder zou de komende twee uur nog niet thuis zijn. Henyk en Alexandra zouden naar haar huis gaan, Alexandra zou haar meid om een boodschap naar de markt sturen en de twee jongens met hun kindermeisje meteen mee laten nemen, en in haar kamer, onder haar dak, in haar bed, zou ze zich aan hem geven tot de extase hen beiden doodde of al levend naar het paradijs voerde.

'Te gevaarlijk,' mompelde Henyk en ze realiseerde zich dat ze hardop had gepraat.

'Nee,' zei ze en ze verzonk weer in een kus. 'Nee. Ik heb toch gezegd dat er niemand thuis is.'

'Je moeder, ja. Maar je vader?'

'Mijn vader... Kus me, Henyk...' Ze moest zich vermannen om vastberaden te spreken. 'Mijn vader is vanochtend samen met oom Andrej op reis gegaan.'

'Dat is snel gegaan!'

'Ja. Kardinaal Melchior was er gisteren. Ze hebben zelfs paarden genomen in plaats van het rijtuig, hoewel mijn vader een hekel heeft aan paardrijden.'

Ze had het gevoel dat zijn kussen minder vurig werden. Ze wilde niet over haar vader of iemand anders in haar familie praten als ze in plaats daarvan hem kon kussen. Ze bewoog zich tegen zijn lichaam en voelde zijn bovenbeen tegen haar venusheuvel duwen. De beweging was door duizend lagen stof afgezwakt, maar desondanks opwindender dan alle kussen bij elkaar.

'Waar is je vader heen gereisd?'

'Een of andere stad in Noord-Bohemen. Ik ben de naam vergeten. Wat is er, Henyk?'

'Braunau?'

'Ja... Wat heb je, Henyk? Wat is er in Braunau?'

Hij ademde in, toen kuste hij haar weer en de kus maakte dat ze bijna vergat waarover ze de laatste ogenblikken hadden gesproken.

'De grootste schat ter wereld is in Braunau,' zei hij glimlachend. Ze glimlachte terug. 'En je vader wil hem opgraven.'

Hij hield haar voor de gek. Zijn glimlachende gezicht sprak boekdelen. Ze wilde verontwaardigd doen, maar in plaats daarvan proestte ze het uit. Zijn ogen flikkerden vreemd en helemaal niet geamuseerd, maar ze schoof die gedachte aan de kant toen hij meelachte.

'Graaf jij hem op,' zei ze. 'Voor mij.'

'Zoals je wilt,' zei hij. Heel even schrok ze, omdat zijn stem voor dat deel van haar dat nog dezelfde was als afgelopen november, dreigend klonk.

Verbluft begreep ze dat hij daar tenminste geen grapjes over maakte, toen hij het vloerkleed weer over het valluik trok.

'Maar... Ik dacht...'

Hij keek haar over zijn schouder aan, terwijl hij het kleed rechttrok. Zijn blik was wild.

'Dacht je dat ik het niet ook wilde?' antwoordde hij hees. 'Wat denk je waaraan ik denk als ik 's nachts alleen in bed lig? Wie denk je dat ik in gedachten in mijn armen neem als ik de deken over me heen trek? Ik wil jou, Alexandra, ik wil je kussen voelen en elk plekje van je huid proeven en in je verzinken en met jou verenigd als een vlinder door de storm dartelen en in de zon verbranden. Jouw eerlijkheid tegen de mijne, liefste: ik wil de man op het speeldoosje zijn, en jij moet mijn gouden geliefde worden en ik wil in je verteren.' Hij stond op en pakte haar schouders. Ze trilde van opwinding en teleurstelling tegelijk, want op zijn gezicht was duidelijk te lezen dat datgene waarvoor hij zojuist even heftige als poëtische woorden had gevonden, vandaag niet zou gebeuren. Zijn ademhaling ging heftig, zijn wangen gloeiden. De zeldzame tweestrijd die ze de afgelopen minuten had gevoerd, was weg, de twee delen van haar ziel die het zo oneens waren, waren ditmaal eensgezind: hij had alle zelfbeheersing nodig waarover hij beschikte om haar niet hier ter plaatse op de grond te trekken en de gemeenschap in een wolk van stof, omlaag getrokken gewaden en een flakkerende lantaarn te voltrekken. Wat haarzelf betrof, had ze zich hijgend van lustgevoelens aan hem overgegeven als hij het wel had gedaan.

'Maar niet zo,' stootte hij uit. 'Niet hier in dit mausoleum van mislukte plannen en niet in het huis van je ouders, stiekem en luisterend of er niet plotseling iemand terugkomt. Liefde is een menu met vele gangen en dat prop je niet naar binnen, daarvan proef je tot je niet meer kunt en ik wil er met je van genieten, bij alle heiligen en bij de oude heidense goden die daar meer van wisten dan elke kerkvader!'

Ze keek hem in een roes aan. In haar hart meende ze te weten dat hun liefde altijd een bijsmaak van gemeenheid en dierlijke copulatie had gehouden als ze ervoor waren gezwicht op de manier die ze had gewenst. Dat hij, hij, niet zij, hij aan wie ze zich met huid en haar en onvoorwaardelijk had aangeboden! weigerde, in plaats van te profiteren van het aanbod, en bovendien met dit opwindende argument... De waarschuwende, wantrouwige Alexandra in haar hart verdronk in een vloed van gevoelens en was definitief niet meer te horen. Ze voelde de tranen in haar ogen opwellen.

'Je zei dat je vader me wilde leren kennen? Dat zal gebeuren, liefste. Ik zal je meevoeren op de weg van de hoogste lust, maar dat doe ik pas nadat ik met je vader heb gesproken en hem de waarheid over mijn gevoelens voor je heb meegedeeld.'

'Henyk...' fluisterde ze, totaal in de war. Hij legde haar het zwijgen op door haar te kussen. De kus deed bijna pijn. Ze drukte haar mond op de zijne en voelde enige verrukking in de pijn die de kus veroorzaakte.

'Ik breng je naar huis,' zei hij. 'Ik wil geen tijd verliezen. Ik zal je vader achterna reizen, en als ik terugkom, zal er geen wantrouwen van zijn kant meer tussen ons in staan.'

'Ik hou van je,' fluisterde ze dronken. 'Ik ben van jou.'

'Ja,' zei hij, terwijl hij haar tegen zich aandrukte. 'O god, ja!'

7

Filippo had geen idee wat er de laatste dagen was voorgevallen, alleen de effecten kon hij merken. Ze bestonden in groepen van schreeuwende, vloekende mannen met opgestoken vuisten, die zich op straat verzamelden, samen nog harder schreeuwden en nog woester met hun vuisten zwaaiden, weer uiteengingen en andere groeperingen vormden die het geschreeuw en gedoe voortzetten alsof ze een wedstrijd moesten winnen, en als hij geen vermoeden had gehad waarop dit getij afkoerste, had het hem geamuseerd. De opgewonden mannen, zoveel begreep hij er wel van, waren protestanten. Voor een buitenstaander zagen ze eruit als padden, die zich in de lente in de plassen van Rome stortten, verbitterd kwakende trossen vormden die in het water neerstreken of uit de bosjes aan de waterkant vielen, en dat allemaal op zoek naar een vrouwtje. Hier, en dat was de reden waarom Filippo er niet om kon lachen, zochten ze echter een reden om het gevecht te openen en het was te verwachten dat ze die zouden vinden. Wie katholiek was en op de burchtheuvel moest zijn, waar de demonstraties van bloeddorstige geloofsijver zich voornamelijk afspeelden, zocht omgekeerd een reden om daar plotseling niet meer te hoeven komen.

Als Filippo een inwoner van Praag was geweest, had hij geweten waarom uitgerekend rond de burcht de protestantse gevoelens zo tot het kookpunt opliepen: ten eerste verbleven daar de vertegenwoordigers van de uitsluitend katholieke regering, en ten tweede verhief de burchtheuvel zich direct boven de Kleine Zijde en de inwoners van dit gedeelte van Praag waren nog altijd niet vergeten dat men hen destijds dagenlang aan de oorlogssoldaten uit Passau had gevoerd. Iemand als Filippo Caffarelli zou, als hij dit had geweten, beslist hebben opgemerkt dat ook de protestantse Statentroepen destijds geen aanstalten hadden gemaakt om de Kleine Zijde van de terreur van de plunderende soldaten te bevrijden, maar alleen het rijke centrum hadden beschermd. Maar iemand als Filippo vertoonde ook niet de neiging op straat op en neer te springen, met zijn vuisten in de lucht te boksen en: 'Schurft aan de paus!' te brullen in plaats van erover na te denken wat hij deed.

Op dit moment dacht hij erover na of het gepeupel dat zich in het straatje voor het paleis van de rijkskanselier had verzameld hem zou helpen om

eindelijk binnen te komen. Bij zijn vorige pogingen was hij telkens weggestuurd met de mededeling dat de rijkskanselier op reis was naar Wenen en
zijn echtgenote ook niet thuis was.

Hij stapte uit de schaduw van de portiek van een huis verderop, van-
waaruit hij de situatie had verkend en stapte op het Lobkowiczpaleis af of
het de gewoonste zaak van de wereld was als een door zijn versleten soutane
duidelijk als katholieke clericus herkenbare persoon op een protestantse
menigte afliep. De Filippo Caffarelli in de straatjes van Praag was niet meer
de man die uit Rome was vertrokken; of liever gezegd: op zijn lange reis was
meer tevoorschijn gekomen van de man die hij vanbinnen eigenlijk was, en
de sukkel die zijn vader en zijn oudere broer van hem hadden gemaakt, was
door het reisstof weggeschuurd.

'Moet je die zien!'

'Dat is het toppunt!'

'Alsof hij hier de baas is!'

'Hé, we bedoelen jou! Draai je om als er tegen je wordt gepraat!'

Filippo balde een vuist en bonsde daarmee tegen de toegangspoort van
het paleis. Daarna draaide hij zich om en bekeek de meute die dichterbij
was gekomen. Hij knikte de mannen waardig toe. De opmars van de meute
kwam daardoor tot stilstand.

'Wat zijn jullie een armzalige bende,' zei Filippo in het Latijn. Hij had
niet alles verstaan wat ze naar hem hadden geroepen, maar om de inhoud
van de boodschap te begrijpen hoefde je geen licht te zijn.

Ze bleven beledigingen naar hem roepen. Filippo stak zijn hand op – hij
aarzelde even om het heilige gebaar te gebruiken voor een provocatie, maar
bedacht toen dat hij een afvallige priester was en dat hij niet veel meer zonden op zich kon laden – en zegende de massa. De verbazing steeg ten top.
Iemand bukte om een projectiel te zoeken en vond er een. De steen kwam
ongevaarlijk tegen de huismuur terecht, ver van Filippo's hoofd.

'Mikken kunnen jullie ook niet!' riep Filippo, nog steeds in het Latijn en
met een gezichtsuitdrukking alsof hij zojuist: 'Dank u, met mij gaat het ook
goed' had gezegd.

De deur ging open en Filippo zag een lakei die hij tot nog toe niet had
getroffen. De man was groen in het gezicht en keek vanuit zijn ooghoeken
angstig naar de troep herrieschoppers. Die voelden zich door zijn verschijning opgezweept tot een serie vergelijkingen waarin de voorvaderen van de

lakei op een rij werden gesteld met diverse dieren, waarbij de dieren gunstig afstaken. Filippo zag grote zweetdruppels op het voorhoofd van de man verschijnen.

'Dat is het grootste slangennest van heel Praag!'

'De rijkskanselier eet uit de hand van de paus!'

'Nee, hij likt zijn voeten!'

'Hé, lakei! Hoort dat hok van je baas eigenlijk al bij het Vaticaan?'

'Ik kom voor rijkskanselier Lobkowicz, alstublieft,' zei Filippo in het onbeholpen Boheems dat hij zich eigen had gemaakt.

'Komt u binnen, Eerwaarde, komt u maar binnen,' mompelde de man en hij trok hem aan zijn mouw achter de portiek. 'Dat zijn moordenaars!' De rest ging in Filippo's krakkemikkige kennis van de taal verloren. Opgetogen over het succes van zijn trucje had Filippo nog even spijt dat hij de horde niet ook nog zijn vuist had laten zien voor hij door de deur ging.

De bediende die hem had binnengelaten, maakte een kruisteken en zei: 'Zulke kerels hebben in Braunau alle benedictijner monniken doodgeslagen en het klooster in brand gestoken. De abt, die arme drommel, hebben ze gekruisigd. Hun as ruste in vrede.' De bediende maakte weer een kruisteken. 'We zijn nog geen vijf uur terug en dan krijgen we al zulke berichten.'

'Rijkskanselier Lobkowicz is toch weer terug, alstublieft?' hakkelde Filippo.

'Nee, nee, meneer niet. Mevrouw Polyxena...' De man keek hem onderzoekend aan. 'Mevrouw Polyxena heeft vanwege de berichten uit Braunau iemand naar eerwaarde Lohelius gestuurd. Ik dacht dat u de bode was.'

'Lohelius,' zei Filippo, voor wie het te snel ging en die alleen deze ene naam had verstaan. Hij knikte en wees op zichzelf. Het gezicht van de lakei werd wantrouwig. Nu pas leek hij Filippo's armzalige verschijning op te merken.

'Spreekt u Boheems, Eerwaarde?'

'Een beetje maar, alstublieft.'

'Het spijt me,' zei de lakei en hij zette een stap in de richting van de deur. 'De familie ontvangt vandaag niet.' Hij pakte de klink en toen schoot hem weer te binnen wat buiten wachtte. Hij verstijfde besluiteloos. Ten slotte liet hij de deur los en keek Filippo aan. 'Wat wilt u, Eerwaarde?'

'Als het zin zou hebben om het jou te vertellen, mijn zoon, dan had ik je baas niet nodig,' zuchtte Filippo in het Latijn.

Tot zijn grenzeloze verbazing zei een zachte, schorre stem achter hem eveneens in het Latijn: 'Vertel het dan aan míj, Eerwaarde. Ik luister naar je.'

Filippo draaide zich om. Hij had niet gehoord dat ze de trap af was gekomen en toch stond ze daar op de onderste tree, een schoonheid in een witte overjapon met wijdhangende mouwen die in hun lichte kleur het effect hadden van engelenvleugels. De rode mouwen van het onderkleed, die vanaf de elleboog omlaag zichtbaar waren, en het driehoekje rode stof onder de kraag gaven hem haast een schok. Een rand van gouden rozen lag om haar hals, nog meer gouden rozen waren op het lijfje van de overjapon genaaid, volgden de elegante omtrek van haar lichaam tot aan de smalle taille en vloeiden vooraan op de rok in een enkele lijn tot de grond. De versiering glansde donker op het wit van de japon. Haar haar was opgestoken, met geen andere versiering erin dan de bloem van één verse rode roos, wat nu, in januari, op tovenarij leek. Haar gezicht was bleek, haar ogen glommen door de een of andere flauwe straal licht die alleen zij opvingen. Filippo, die maar een paar keer in zijn leven de gelofte van kuisheid had gebroken, stelde zich plotseling voor hoe het zou zijn als ze haar haar losmaakte en het geurend over hem heen viel, als ze het pantser van haar overjapon openmaakte en haar lichaam toestond zich te ontvouwen en zijn gedachten begonnen te haperen en raakten verstrikt in fragmenten van een sonnet dat hij een keer had gehoord:

Wanneer de liefste zich mij toont in zijde
en de stof zo kostbaar zich laat glijden
van haar schouders als water door de weide...

Ten slotte maakte hij een buiging.

'*Salve, domina*,' zei hij.

'Waar kom je vandaan, Eerwaarde?'

Hij dacht dat ze niet wilde weten vanaf welk veldbed zijn voetstappen hem hierheen hadden gebracht. 'Uit Rome.'

'Uit Rome, rechtstreeks naar ons huis?' Haar gezicht vertoonde geen zweem van een lachje.

'Niet rechtstreeks.'

'Maar?'

'Een omweg.'

'Bestaan al je antwoorden maar uit twee woorden?'

'Nee, mevrouw.'

Haar mond vertrok even. 'Als je wilt wachten tot de meute buiten zich heeft verspreid, dan ben je welkom.'

'De meute,' zei Filippo, 'kan een zoekende helemaal niet schelen.'

'Een zoekende? Wat zoek je?'

Filippo wist dat de waarheid in dit geval het machtigste was. 'Het geloof,' zei hij.

'En dat hoop je hier te vinden?'

'Hier hoop ik een antwoord te vinden.'

'Een antwoord dat ook maar twee woorden heeft?'

'Misschien,' zei Filippo. 'Wat dacht u van *codex gigas*?'

Ze zweeg zo lang dat Filippo dacht dat hij er helemaal naast zat. Maar toen merkte hij dat de atmosfeer opeens was veranderd. Haar slanke, lange figuur leek nu een kou uit te stralen die er eerst niet was. Beduusd begreep hij dat de kou tegen hem gericht was.

'Volg me,' zei ze en ze ging zwijgend de trap weer op.

8

Abt Wolfgang Selender strompelde voorop. Hij had het idee dat de verlamming van zijn lichaam minder zou zijn geworden als hij de situatie meer zou hebben geaccepteerd, maar dat was onmogelijk. Accepteren dat hij en zijn monniken werkelijk hadden moeten vluchten – vlúchten, niet zomaar ordelijk terugtrekken of een gedeeltelijke ontruiming van het klooster overwegen – was gewoon te veel. Hij had het gevoel dat het allemaal een nachtmerrie was. Dat hij zijn benen nauwelijks kon optillen en de kou in zijn voeten sneed en het gezang van de monniken door de met hevige buien waaiende, vochtige koude wind tot een spookachtig lamento werd verscheurd, maakte het gevoel van verlorenheid nog groter. Af en toe kwam een heldere gedachte bovendrijven in de kluwen die zijn verstand vormde, en verweet hem dat hij zich niet als een herder van zijn kudde gedroeg en dan schaamde hij zich een beetje en week terug voor het beeld van abt Wolfgang die hulpeloos in zijn cel zat te bidden terwijl de keldermeester en de portier (uitgerekend hij!) vrijwel koelbloedig de vlucht om hem heen organiseerden. Hij herinnerde zich dat hij bij de arm werd gepakt en uit zijn cel geleid en de laatste aanblik van de ruimte die zo lang het middelpunt van zijn werk was geweest, flitste op voor zijn ogen: dat ene *Vade retro, satanas!* dat hij had laten staan, en daarnaast (hij wist dat het met de blote nagel in de zachte kalk was gekrast, omdat hij het zelf had gedaan) een nieuwe kreet: *Eli, eli, lama sabachthani!*

Hij had abt Martin, zijn voorganger, veracht omdat deze de waanzin niet had kunnen trotseren. Maar was *Ga weg, Satan!* niet toch krachtiger dan het vertwijfelde lamento dat hij er zelf naast had gekrast: *Vader, waarom hebt U mij verlaten?*

Ze vormden een onsamenhangende rij gestalten die zich schrap zetten tegen de wind en wankelden onder de last die ze om beurten op hun schouders hadden gedragen. Een groot gedeelte van de kloosterschat hadden ze kunnen redden: monstransen, gouden kelken, juwelen, gewone munten, maar de boeken waren allemaal op één na achtergebleven, en dat ene lag in zijn kist in een ingewikkelde draagconstructie tussen twee ezels.

Het was hun gelukt het klooster te verlaten door de uitgang onder de brug die van de boomgaard naar de Molenpoort leidde. De diepe greppel waar de brug overheen ging, voerde van de benedenstad steil omhoog naar het rotsplateau waarop de bovenstad lag. Een paar kloostersoldaten konden de brug aan de bovenkant gemakkelijk bewaken. De monniken waren intussen snel de greppel afgegleden, langs het badhuis en de gevangenis, en meteen naar het noorden gegaan. Na een haastige mars van een uur hadden ze nog steeds geen achtervolgers gezien, en zelfs de kloostersoldaten hadden zich heelhuids weer bij hen aangesloten. Het leek erop dat de vlucht was geslaagd. Hield God Zijn hand dan toch nog boven de abt en zijn kudde? Wat er met het klooster was gebeurd, dat nu onbeschermd was overgeleverd aan de invasie van de rebellen, was een tweede. Wolfgang was lang bang geweest plotseling de rode weerschijn van de brandende gebouwen boven het sneeuwlandschap te zien; het zou de passende kleur bij deze nachtmerrie zijn. Maar de hemel was donker en de sneeuw in de traag opkomende schemering was blauw gebleven. Sneeuwverstuivingen waarvan de oppervlakte in de wind ontdooide en uit de wind weer bevroor, zagen eruit als open muilen die hapten naar de voeten van de reizigers. De hoop dat God ondanks alles aan zijn kant stond, was per uur kleiner geworden. Waar vroeger de zekerheid over de macht van God had gezeten, gaapte nu een gat in abt Wolfgangs buik.

Tegen de noen kwamen ze pas in Hyncice aan. De huizen stonden langs de rotsen alsof ze niet bij elkaar hoorden, gebukt in het hier krap geworden rivierdal tussen het Heidelgebergte, de Sterrug en de Kale Kop. De eerste dag van de vlucht eindigde hier. De broeders konden niet meer verder en zelfs Wolfgang was het in zijn verdoving niet ontgaan dat hij zijn tenen niet meer voelde en de warmte moest opzoeken als hij niet wilde dat ze er afvroren. Ze vonden onderdak in een pachtershutje, waarvan de eigenlijke bewoners eerst schuw in een hoek kropen. Na een poosje leek de gedachte bij hen op te komen dat de monniken de vertegenwoordigers van de katholieke Kerk waren en dat het de taak van eenvoudige mensen was de nodige offers te brengen; des te meer wanneer de Kerk ook nog de landheer was. Ze kregen gerookt vlees en brood. Iemand wees de heer des huizes aan wie de abt was en de pachter kroop bijna letterlijk op zijn knieen naar hem toe en drong Wolfgang een kruik bier op, waarvan hij eerst eerbiedig een dikke laag van de schuimig gefermenteerde kop afschepte. Het bier smaakte net zo afschuwelijk als de resultaten van de voorzichtige brouwpogingen waarmee Wolfgang op Iona was begonnen, maar het maakte hem duidelijk dat dit echt was: geen enkele nachtmerrie kon een dergelijke smaak voortbrengen.

Twee kloostersoldaten werden naar de pastoor van Ruprechtice gestuurd, onder wie de bewoners van Hyncice vielen. Wolfgang was opgelucht toen de man binnenkwam en van ontzetting over de gebeurtenissen eerst moest gaan zitten. Zijn eerlijke verbazing toonde de abt dat de opstand zich tot Braunau beperkte en er absoluut geen jacht was begonnen op alle katholieken in de directe omgeving van de stad. Maar dit was de situatie vandaag, morgen kon het er weer anders uitzien. Met zijn verstand, dat langzaam weer in de werkelijkheid terugkeerde, begreep Wolfgang dat het niet ondenkbaar was dat de Braunauers hem en zijn schare zouden achtervolgen zodra ze hun wraaklust op de stenen van het klooster hadden bevredigd. Toen de werkbroeders voorzichtig de plaats bij het vuur naderden waar Wolfgang op de enige stoel in huis zat, wenkte hij hen naderbij en gebaarde ook de pastoor van Ruprechtice dichterbij te komen.

'We kunnen hier niet blijven,' zei hij. Hij schrok van de papierachtige klank van zijn stem. 'We moeten er rekening mee houden dat ze ons achternazitten.'

'Heilige Maagd, Moeder van God, dat is het einde van de wereld,' kreunde de pastoor.

'Het is al donker, Eerwaarde Vader. We kunnen vandaag niet meer verder,' zei de keldermeester.

'Nee. Maar dat geeft ook niet. Voor vandaag zijn we hier veilig. Als de jacht begint, dan pas morgen.'

'En dan?'

'We hebben een dag voorsprong,' zei de portier stoer, in wie de ernst van de situatie nieuwe kanten gewekt leek te hebben.

'Een halve dag, gemeten aan de snelheid te paard. Als ze ons willen krijgen, zullen ze ons niet te voet achterna komen.'

'Heilige Maria, Moeder van God!'

Abt Wolfgang wendde zich geïrriteerd tot de pastoor van Ruprechtice. 'Is baron Hertwig nog steeds de heer van Starkov?'

De pastoor knikte. 'Hij is oud, maar kranig,' stotterde hij.

'Het geslacht Zehusicky was altijd trouw katholiek,' mompelde de keldermeester.

Wolfgang knikte. 'En Starkov is een versterkte plaats, met een eigen rechtspraak zelfs. Ze zijn daar het klooster van Braunau niets verschuldigd, maar er is ook geen concurrentie. Baron Hertwig zal ons voorlopig onderdak verlenen en samen met hem kunnen we bedenken hoe we terug naar Braunau kunnen.'

'De kardinaal zal ons helpen,' zei de poortwachter. 'We hebben een postduif gestuurd voor we vanmorgen het klooster verlieten. Er waren er nog een paar in de til, en...'

'Kardinaal Khlesl?' vroeg Wolfgang.

De andere monniken keken elkaar aan. Eerst was Wolfgangs verbijstering zo groot dat er geen plaats was voor een ander gevoel. Ze vestigden hun hoop op de kardinaal terwijl ze wisten dat er tussen hem en hun abt vijandschap heerste? Hij liet zijn blik van de een naar de ander gaan; ze bogen hun hoofd. Alleen de pastoor van Ruprechtice en de heer des huizes sloegen hun ogen niet neer. Geen wonder, die wisten niet waar het over ging. In het gezicht van hun gastheer kon hij het blinde geloof lezen dat God de Heer alles goed zou maken, en nu helemaal, omdat zijn huis door het bezoek van de monniken was gezegend en daarom onder Gods bescherming stond. Zijn geloof werd ook niet aan het wankelen gebracht door het feit dat iedereen de verhalen van overvallen op kloosters kende, of de aanvallers nu Turken, een vijandelijk christelijk leger of een roversbende waren, en van overvallen na afloop waarvan de monniken en hun wereldse dienaars afgeslacht zij aan zij lagen. In hun geval had God de Heer niets goedgemaakt. En God de Heer liet ook toe dat het gif van de protestantse ketterij het land overspoelde. Hoe konden ze toch blijven geloven? Hij wist het niet, hij vermoedde alleen dat ze zelfs nog zouden blijven geloven als een protestantse meute in hun dorp opdook en het verwoestte. Wat bracht hen ertoe? Hij voelde aan het gat in zijn buik dat daar was gekomen waar hij zelf tot nog toe de kracht voor dit geloof had gevoeld. De mens was niets zonder deze kracht die God in hem plantte en hem, Wolfgang, had Hij het weer afgenomen. Hij begreep dat hij had verzuimd zijn twijfels te verhullen. De monniken begonnen hun vertrouwen in hem te verliezen. Hij had altijd het beste van zichzelf gegeven, zowel hier als ergens anders. Waarom was het hier niet genoeg geweest? Als de kardinaal er maar niet was geweest en dat verduivelde boek dat hij zo belangrijk vond! Het had Wolfgang besmeurd. Misschien had het het hele land besmeurd, want wie

anders dan de duivel kon baat hebben bij ketterij en het verval van het geloof? God had zich afgekeerd van de mensen en van hun land en vooral van
abt Wolfgang, de gesjeesde herder.

'Kardinaal Khlesl?' herhaalde Wolfgang. Zijn stem klonk hard.

De keldermeester legde zijn hand op Wolfgangs schouder. Die schudde
hem af.

'U was in gebed verzonken, Eerwaarde Vader,' zei de keldermeester di-
plomatiek. 'We konden u niet om raad vragen. Als we de duif niet hadden
gestuurd, had de buitenwereld niets geweten over ons lot.'

'Kunnen we de kloosterschat niet zolang achterlaten?' vroeg de portier.
'Zonder die last zouden we sneller opschieten. En onze broeder hier zou
hem in zijn kerk in Ruprechtice...'

'Heilige Maagd, ik kan de verantwoordelijkheid niet op me nemen!'

'Hou dan op met telkens de naam van de hemelse koningin te misbrui-
ken!' hijgde de abt.

De pastoor van Ruprechtice schoot geschrokken achteruit.

'Geen denken aan. Wat we hebben gered, is het hart van onze gemeenschap. We laten het niet achter.'

De keldermeester bracht zijn mond heel dicht bij het oor van Wolfgang.
'En het boek?' fluisterde hij. 'Het is de zwaarste last van alles...'

Wolfgang zweeg. Als het aan hem had gelegen, had hij de codex ter plaatse in het vuur gegooid. Een ogenblik lang leek de gedachte haast onweerstaanbaar. Misschien was dat precies wat zijn monniken verwachtten, een
beslissing die de hele gang van zaken veranderde. Maar toen stak langzaam
de trots in hem de kop op. Ze hadden hem de verantwoordelijkheid voor
de codex gegeven en die zou hij dragen, al was zijn haat tegenover kardinaal
Khlesl en alles wat ermee te maken had, nog zo groot. Hij staarde naar de
kist, die schijnbaar onschuldig in een hoek van het pachtershutje stond. Hij
schudde zijn hoofd.

De tweede dag had de ernst van de situatie de abt definitief en met volle
kracht ingehaald. Om tijd te sparen, hadden ze de smalle weg naar Starkov
genomen, die over de bergtop tussen Friedstock en Kirchberg liep, twee
heuvelruggen die een reiziger in de zomer nauwelijks als stijgingen zouden
zijn opgevallen, maar die voor een schare bepakte en bezakte monniken
in de winter een krachttoer betekenden. De langere, gebruikelijke weg via

Aderspach zou gemakkelijker zijn geweest, maar die had hun niet alleen tijd gekost, maar hen ook door de rotssteden geleid, en Wolfgang wilde de groep deze donkere dwaalweg door de stenen giganten niet aandoen. Bovendien hadden ze dan hoogstens het domein Teplice bereikt, niet meer dan een markt voor de wijde omgeving, die uit een paar schuren en het houten kasteel van de familie van smeden bestond en zelfs door de kasteelheer niet vaker dan een keer per jaar werd bezocht. Het massieve, trouw katholieke Starkov bood hun meer veiligheid.

De wind joeg de sneeuw van opzij in hun ogen en voor hun voeten, en tijdens de afdaling aan de op de wind gerichte kant van de heuvel moesten ze een paar keer blijven staan en kloostersoldaten vooruitsturen om de verdere loop van de weg te onderzoeken. De hemel trok met blauwgrijze wolken over hen heen, het landschap varieerde tussen het grijs van de naaldbossen en de hier en daar door de wind blank geveegde beenkleurige kleibodem of vervaagde in het wit van de sneeuw. Dit was de via dolorosa, die de monniken dankzij de onbeschaamdheid van de Braunauers waren gedwongen te gaan! Jezus Christus had de zonden van de wereld op zijn schouders geladen; de monniken en hun abt droegen het kwaad tussen zich in, opdat het niet over de wereld zou komen en de wereld was hun er net zo dankbaar voor als ze de Verlosser waren geweest voor Zijn offergang. Wolfgang draaide zich om. De rommelige stoet monniken leek door het niets te marcheren alsof er geen bestemming was die ze konden bereiken, alsof er slechts de eeuwige voettocht bestond die ze waren begonnen. Het sneeuwlandschap zag er opeens uit als de witte leren omslag van de Duivelsbijbel en Wolfgang moest met zijn ogen knipperen toen het beeld voor hem opdoemde dat ze niet meer waren dan piepkleine insecten die over het gigantische boek kropen, zonder te weten dat hun weg hen niet aan het kwaad zou laten ontkomen. Hij merkte de vertwijfeling zo sterk in zichzelf dat het hem de adem benam. Vader, waarom hebt U mij verlaten?

Toen de sext voorbij was, werd duidelijk dat ze hun bestemming ondanks alle inspanningen vandaag niet zouden bereiken.

'We moeten in Teplice stoppen!' schreeuwde de keldermeester tegen de wind in. Abt Wolfgang keek naar hem met zijn lippen op elkaar geperst. De verbittering steeg naar zijn mond als een nare smaak. Zwijgend draaide hij zich om en stapte op de ezels af waartussen de kist hing. Hij ging ervoor staan.

'Wat wil je?' fluisterde hij. 'Ben jij het, die ons geen rust gunt? Jaag je ons het land door alsof we allang spoken zijn? Voel je je bevrijd van je ketens en wil je voorkomen dat ze je ooit weer worden omgelegd?'

Hij keek om zich heen. De monniken dromden tot een groepje samen. Tientallen paren ogen staarden hem aan. De keldermeester was achter hem aan gekomen en stond tussen hem en zijn kudde. Abt Wolfgang werd zich er langzaam van bewust dat hij niet slechts had gefluisterd. Zijn keel deed pijn. Hij wendde zich weer tot de kist.

'Wat wil je?' schreeuwde hij, van het ene moment op het andere in razernij ontstoken. Als hij een bijl had gehad, had hij de kist kapotgeslagen. 'Heb je diep daarbinnen in je kist ieders hart vergiftigd? Heb je de verdoemden van Braunau tot opstand gebracht, heb je ons gedwongen onze eigen gemeenschap op te breken? WAT WIL JE?'

'Eerwaarde Vader...' zei de keldermeester. Hij twijfelde of hij zijn hand op de schouder van de abt zou leggen. Ten slotte liet hij hem vallen.

Abt Wolfgang draaide zich om en stapte weg, weer aan het hoofd van hun armzalige optocht. Vanbinnen kookte de woede nog steeds. Hij moest een paar keer opnieuw beginnen, maar toen slaagde hij erin zijn stem boven de wind uit te tillen en te zingen. Hij wist niet meer dat hij de psalm al eens eerder in een dergelijke wanhopige situatie had aangeheven: *Sed et si ambulavero in valle mortis non timebo malum quoniam tu mecum es virga tua et baculus tuus ipsa consolabuntur me!'* Toen had hij de woorden geschreeuwd; nu trok de wind ze van zijn lippen en verwaaide ze over het ruwe land. Als zijn monniken in het lied hadden ingestemd, kon hij het niet horen. Hij marcheerde voorop, een man die nog altijd wilde geloven dat hij met de psalmen ook de kracht van God kon terughalen, en die tegelijk vocht tegen de wetenschap dat hij alles al was kwijtgeraakt wat ooit belangrijk voor hem was geweest.

Op de ochtend van de derde dag zagen ze in de verte de rookpluimen van de schoorstenen van Starkov opstijgen. Wolfgang hoorde dat de keldermeester 'De Heer zij geloofd!' uitstootte en dat onder de monniken een zwak gejuich opging. Hij had de leiding van de groep sinds hun vertrek uit Hyncice niet meer afgestaan en nu keerde hij zich naar de monniken toe. Op dat moment ontdekte hij de ruiters die op de weg achter hen opdoken en in galop op hen af denderden.

9

Toen Cyprian zag dat de monniken bij elkaar dromden en een van hen zich opeens uit de groep losmaakte, met maaiende armen van de weg af het eerste het beste veld in vluchtte, daar in de sneeuw viel en paniekerig op handen en voeten probeerde verder te kruipen, realiseerde hij zich dat ze er voor de benedictijnen moesten uitzien als de ruiters van de Apocalyps. Hij liet de mannen stoppen en liep met alleen Andrej naast zich rustig verder op de monniken af. Hij zag de kist in de draagconstructie hangen en voelde enige opluchting, en voor het eerst sinds hun overhaaste vertrek uit Praag zijn lichaam. Ze hadden de afgelopen twee dagen nauwelijks geslapen om de tijd goed te besteden, en waren eerst in Braunau geweest om te zien of daar alles in orde was. Dat ze abt Wolfgangs kudde niet gisteren al waren tegengekomen, verbaasde hem. Hij wist niet dat het aan de sluiproute via Friedstock en Kirchberg te danken was dat ze elkaar hadden gemist.

'Hij zal niet willen horen dat het klooster volledig is geplunderd,' zei Andrej.

Cyprian schudde zijn hoofd. De abt zou ook niet willen horen dat er twee protestanten waren gedood toen er vanuit een huis met een musket was geschoten op de meute die de kloosterpoort uit zijn hengsels had getild, en hij zou evenmin willen horen dat de jeugdige schutter uit het huis gesleept en voor de ogen van zijn familie in de boog van de binnenste poort was opgehangen.

'Ik word te oud voor zulke dingen,' bromde hij en hij keek toe terwijl de vluchteling vanwege het feit dat zijn broeders niet neergemaaid werden, beschaamd opstond en terug naar de groep drentelde.

De abt was voor zijn metgezellen gaan staan. De wind had de capuchon van zijn hoofd getrokken. Cyprian taxeerde hem met samengeknepen ogen. Als hij ooit een man had gezien die door zijn eigen gevoelens werd opgevreten, dan was het abt Wolfgang Selender. Hij was naar Braunau gehaald om de Duivelsbijbel te bewaken, zich tegen het sterker wordende protestantisme te verweren en van het klooster een bolwerk van het katholieke geloof in een voor ketterij bezweken land te maken. Hij had in al zijn opdrachten gefaald en dat hij daar geen schuld aan had, maakte het ook niet beter. Cyprian dacht dat hij de man en zijn boosheid kon begrijpen.

Hij schoof de bontgevoerde capuchon van zijn mantel naar achteren, dacht eraan dat hij twintig jaar geleden in zijn hemd van Praag hierheen was gereden zonder het koud te hebben gehad en knikte de abt toe.

Wolfgang zette grote ogen op toen hij Cyprian herkende. 'Maak dat u hier wegkomt,' zei hij hees.

Andrej boog zich naar Cyprian toe. 'Het moet aan jou liggen,' zei hij. 'Ik ben eigenlijk overal welkom waar ik verschijn.'

'De weg naar Starkov heeft geen zin,' zei Cyprian.

'Wat gaat u en uw kompaan dat aan?'

'Zie je wel,' zei Cyprian. 'Jou mag hij ook niet.'

Andrej haalde zijn schouders op. 'Dat komt ervan als je in slecht gezelschap reist.' Cyprian gooide de teugels naar Andrej en sprong van zijn paard. Al zijn ledematen deden pijn en het was alleen aan de stijfheid van zijn benen te danken dat hij niet door zijn knieën zakte toen zijn voeten op de grond kwamen. Hij stapte op de abt en de monniken toe als iemand met glasscherven in zijn laarzen.

'Weet u waarom baron Hertwig nog steeds aan de macht is, hoewel hij geen enkele tand meer heeft en de jicht zijn knieën zo heeft laten opzwellen dat ze dikker zijn dan zijn hoofd?'

Abt Wolfgang bekeek hem verbitterd. De monniken waren collectief een stap achteruit geweken.

'Starkov is weliswaar een stad, maar die heeft in totaal maar net zoveel inwoners als Braunau aan protestantse mannen heeft die wapens kunnen dragen. Baron Hertwig zal u en de uwen uitleveren zodra een delegatie uit Braunau dat eist.'

'Is de jacht op ons al geopend?'

Het was vermoedelijk het beste de boosheid van de abt op iets anders te richten. 'Nog niet,' zei Cyprian. 'Tot gisteravond hadden ze het nog te druk met uw inventaris in mootjes hakken.'

Uit de groep monniken kwamen ontstelde kreten; een paar broeders sloegen een kruisteken of verborgen hun gezicht in hun handen.

'Bent u hiernaartoe gekomen om u te verlustigen aan mijn aanblik?' vroeg de abt bitter. 'Heeft de kardinaal u gestuurd?'

Cyprian draaide zich om. Andrej was naast hem komen staan. Aan hem was niet te merken hoeveel de rit van hen had geëist.

'Eerwaarde Vader,' zei Andrej. 'Weest u blij dat u uzelf niet hoort praten; u zou versteld staan van de onzin die u zou horen.'

Over het gezicht van een dikke monnik die dicht bij de abt stond, gleed even een grijns die onmiddellijk weer verdween. Abt Wolfgang sloot van boosheid zijn ogen en ademde krampachtig in en uit.

'Is die kist leeg?' vroeg Cyprian.

'Dat is alles waar het jullie om gaat,' mompelde de abt met gesmoorde stem, zonder zijn ogen te openen. 'Jullie hebben me hierheen geroepen om het geloof te beschermen, maar het enige wat jullie interesseert, is de kist. De codex. Het testament van de duivel is voor jullie belangrijker dan het geloof in God. Jullie zijn net zo verdoemd als de ketters in Braunau.'

'Is hij leeg?'

De abt deed zijn ogen open en keek Cyprian moordlustig aan. 'Natuurlijk niet.'

Cyprian keek naar Andrej. Andrej knikte met een somber gezicht. 'De ezels zijn veel te vriendelijk,' zei hij.

Cyprian stak zijn hand uit. 'Geeft u mij de sleutel.'

'Loop naar de hel!'

'Daar gaan we allemaal heen. Geeft u mij de sleutel.'

De abt schudde zijn hoofd. Cyprian haalde diep adem.

'Goed,' zei hij. 'We pakken het als volwassen mannen aan. Laten we een stukje opzij gaan en dan luistert u enkele ogenblikken naar ons en vergeet dat u mijn oom de schuld wilde geven van alles wat er in uw leven de afgelopen jaren is misgegaan.' Cyprian voelde dat Andrej hem van opzij aankeek en schraapte zijn keel. 'Alstublieft,' voegde hij er nog aan toe.

De dikke monnik liep op de abt af en probeerde hem iets in het oor te fluisteren. De abt schudde hem af. Cyprian keek naar hem.

'Wat is uw functie?'

'Ik ben de keldermeester.'

'Weet u wat er in de kist wordt bewaard?'

'Alle werkbroeders weten het,' zei de keldermeester en hij maakte een kruisteken.

'Eerwaarde Vader, we gaan nu met uw keldermeester praten,' zei Cyprian. 'Ik wil heel eerlijk zijn: het kan me geen zier schelen of u meewerkt of niet. En het kan me ook niet schelen of ik u naderhand door de sneeuw moet rollen om u de sleutel af te nemen. Ik zou het graag als verstandige mannen onder elkaar regelen. Maar mijn vriend en ik zijn niet onder begeleiding van de halve lijfwacht van kardinaal Khlesl als door furiën opgejaagd hierheen komen rijden om ons door u een stok tussen de benen te laten gooien.'

'Cyprian...'

'De duivel mag u en uw oom en al uw vrienden komen halen!'

'En ik zeg: moge de Heer ons allen en de uwen beschermen. Staan we nu quitte?'

De abt wenkte twee monniken naderbij. Cyprian herinnerde zich een van hen van hun laatste bezoek aan Braunau. Het was de nerveuze portier. Hij leek nu niet meer zo nerveus. De andere bleek de novicemeester te zijn. Ze deden enkele stappen opzij.

'Kardinaal Khlesl en Andrej von Langenfels...' zei Cyprian, en Andrej maakte een buiginkje, '...hebben een theorie. Die luidt dat tijdens de onlusten na de dood van keizer Rudolf de Duivelsbijbel van u is gestolen.'

'U hebt toch gezien...' begon de abt.

'Wacht u even. U weet dat er twee exemplaren van de codex zijn, het origineel uit het klooster van Podlazice en de kopie die keizer Frederik II van Hohenstaufen heeft laten maken? En dat keizer Rudolf, toen hij de codex bijna vijfentwintig jaar geleden bij het klooster van Braunau heeft weggehaald in werkelijkheid slechts de kopie heeft gekregen? De kopie, waarin de sleutel ontbreekt van de code waarin de Duivelsbijbel is geschreven?'

Abt Wolfgang knikte. De andere monniken zetten grote ogen op. Het leek erop dat de eerwaarde vader hen niet in alle details had ingewijd. De mannen waren verstandig genoeg om zwijgend te blijven luisteren. Cyprian voelde de blikken van de gewone monniken in zijn rug en hun angstige nieuwsgierigheid als vingers die langs zijn ruggengraat op en neer gingen. Hij dempte zijn stem nog verder.

'Onmiddellijk na keizer Rudolfs dood heeft mijn oom ervoor gezorgd dat diens exemplaar uit het rariteitenkabinet werd verwijderd. Het was duidelijk dat Matthias van Habsburg de keizerskroon van zijn broer zou erven en Matthias' aversie tegen Rudolfs wonderkabinet was alom bekend. Het gevaar was te groot dat iemand de Duivelsbijbel in handen kreeg en zou beseffen dat het niet het origineel was, en dat dan de jacht op de codex opnieuw zou losbreken.'

'De bibliothecariussen hebben het origineel met hun leven beschermd,' zei abt Wolfgang.

'Kardinaal Khlesl kreeg bij zijn actie hulp van rijkskanselier Zdenek von Lobkowicz en grootmeester Lohelius, die nu aartsbisschop van Praag is. Hij heeft de kopie van de Duivelsbijbel goed laten verstoppen.'

'Toen we vorig jaar in Praag terugkwamen van ons bezoek aan u, zijn we bij de schuilplaats geweest,' ging Andrej verder. 'De kist was er, maar daar zat de gekopieerde codex niet in. We denken dat ze u met de zogenaamd mislukte diefstal om de tuin hebben geleid, Eerwaarde Vader. De twee boeken werden verwisseld. Degene die de kopie uit het wonderkabinet in Praag heeft gehaald, heeft die naar Braunau gebracht en het laten lijken alsof zijn poging het origineel te stelen, was mislukt. In werkelijkheid bewaakt u sinds die dag de kopie van de Duivelsbijbel.'

'Iemand kan kardinaal Khlesls schuilplaats in Praag hebben ontdekt en de kopie daar hebben meegenomen,' wierp de keldermeester tegen.

Cyprian haalde zijn schouders op. 'De kist en de sloten waren onbeschadigd. En wat we in de kist hebben gevonden, bewees dat de kopie eruit is gehaald op de dag waarop de kardinaal die uit het wonderkabinet liet verwijderen.'

'Wat zeggen de rijkskanselier en de aartsbisschop?'

'Rijkskanselier Von Lobkowicz is in Wenen. Aartsbisschop Lohelius kan zich alleen nog herinneren dat de rijkskanselier betrouwbare mannen met de missie heeft belast. Mijn oom gelooft hem.'

'Uw theorie is onzin!' snauwde abt Wolfgang. Hij wees op de kist. 'De Duivelsbijbel zit daarin, goed opgeborgen. U wilt insinueren dat ik en mijn gemeente dat ding niet goed hebben bewaakt!'

'Kent u dat verhaal van die ezels die destijds bij het transport van de Duivelsbijbel van Podlazice naar Braunau bijna gek werden van angst voor de inhoud van de kist?'

Cyprian wees naar de ezels, die in de ijzige wind met hangende oren maar verder heel rustig stonden. 'De originele Duivelsbijbel is het brandpunt van het kwaad en dat voelen de dieren. Ze zouden het merken als het origineel hier was. In deze kist bevindt zich de onschuldige kopie van keizer Frederik II.'

'En u denkt dat u het verschil kunt zien?'

'Ik hoef het niet te zien. Als de ezels niet onrustig zijn, is de kist of leeg, of de kopie ligt erin. Dus geeft u me nu de sleutel maar, dan kan ik kijken.'

De abt schudde zijn hoofd.

'Bij al die boosheid die u in uzelf voelt,' zei Andrej plotseling. 'Moest u de Duivelsbijbel dan niet in uw ziel horen echoën? Iedereen die zich heeft overgegeven aan de haat kan het horen. Merkt u er iets van?'

'Ik heb me niet aan de haat overgegeven,' fluisterde de abt met verstikte stem. Cyprian zag dat de drie werkbroeders nadenkend naar hun klooster-overste stonden te kijken.

'Ik weet wat ik zeg,' zei Andrej.

'Deze mannen willen ons helpen, Eerwaarde Vader,' bracht de kelder-meester naar voren.

'Als ze de Duivelsbijbel hadden willen stelen, hadden ze ons alleen maar hoeven neerslaan,' zei de portier.

Abt Wolfgang draaide zich met een ruk om. 'Ik weet dat ze hem niet wil-len stelen!' riep hij uit. 'Praat geen onzin!'

De portier spreidde zijn armen uit. 'Waarom laat u hem dan niet even kijken, Eerwaarde Vader?'

De abt staarde zijn drie plaatsvervangers aan. Ze sloegen hun ogen niet neer.

'Jullie zondaars,' zei hij ten slotte haast onhoorbaar. 'Jullie zondigen te-gen de vijfde regel van de heilige Benedictus.'

De keldermeester keek Cyprian aan. Cyprian begreep wat hij wilde zeg-gen. Hij en Andrej gingen een paar stappen buiten gehoorsafstand. De vier monniken staken de hoofden bij elkaar, de abt zichtbaar met tegenzin. Cy-prian wist wat ze nu zouden bespreken. De regel van de heilige Benedictus zei dat de abt in alle belangrijke kwesties de raad van de broeders moest vragen, ook al lag de beslissing bij hem. Het was de broeders niet toegestaan koppig bij hun standpunt te blijven, maar het was aan de andere kant hun plicht om hun mening vrij te uiten. Als er geen overeenstemming werd be-reikt, mocht dit in geen geval buiten de kloostermuren komen. Dat was wat er nu gebeurde: door Cyprian en Andrej buiten te sluiten, bleef de discussie tussen hen. Cyprian schopte met zijn laars tegen een hoopje sneeuw en ver-wenste de monniken en hun vasthoudendheid aan de regels in een situatie als deze.

'We hebben minstens een dag voorsprong,' zei Andrej, die Cyprians ge-dachten zoals altijd had geraden. 'Als degenen die de verwisseling op hun geweten hebben zich zorgen maken dat hun daad nu de monniken op de vlucht zijn, ontdekt kan worden en op weg hierheen zijn, komen ze op zijn vroegst morgen hier aan.'

'Ik ben er pas weer gerust op als dat vervloekte ding werkelijk in zijn schuilplaats in de oude ruïne is aangekomen. En terug naar Praag is een hele afstand.'

'We hebben de soldaten als versterking bij ons.'

'Denk je dat de anderen alleen komen?'

'Wie zijn de anderen, Cyprian?'

'Als je het weet, kun je het mij vertellen.'

Ze keken elkaar aan en trokken allebei een bedroefd gezicht.

De monniken beëindigden hun gesprek. Abt Wolfgang stond met gebogen hoofd. De drie oudste broeders keken vol medelijden naar hem. Toen de keldermeester een beweging wilde maken, draaide de abt zich bruusk om, stapte naar Cyprian en Andrej toe en hield Cyprian zwijgend een sleutel voor. Cyprian pakte hem even zwijgend aan, liep naar de kist, opende de sloten en klapte het deksel open. Hij keek erin. Na een poosje klapte hij het weer dicht, deed de kettingen er weer omheen en bracht de abt de sleutel terug. Hij voelde Andrejs blik op zich rusten. Hij knikte.

'Hoe kon het ook anders?' zuchtte Andrej.

'We begeleiden u en uw gezelschap naar Praag,' zei Cyprian. 'Er is maar één veilige plaats die ik kan bedenken en dat is onder de hoede van kardinaal Khlesl.'

1∅

Heinrich von Wallenstein-Dobrowitz kroop voorzichtig uit zijn dekking achter besneeuwde boomstammen tevoorschijn en trok zich verder terug in het bos dat de heuvelrug begrensde. Hij wierp nog een laatste blik over zijn schouder op de groep speelgoedpoppetjes beneden naast de weg, en zag hoe een van hen het deksel van de speelgoedkist dichtsloeg. Hij zou zelfs van een grotere afstand nog hebben gezien dat het speelgoedpoppetje Cyprian Khlesl was. Het bos belemmerde een verder zicht en een paar stappen later stond Heinrich midden tussen het dozijn zwaarbewapende mannen dat hij had meegebracht. De zadelpijn die hij voelde was niets in vergelijking met het kloppen van opwinding in zijn borst. Het was bijna nog sterker dan in het verlaten wonderkabinet van keizer Rudolf, toen hij er met Alexandra over had gesproken dat hij haar vader wilde ontmoeten. Hij had elk woord bitter eerlijk gemeend, dat hij Cyprian Khlesl zijn ware gevoelens voor haar wilde verklaren en dat er na hun ontmoeting niets meer tussen Alexandra en hem in zou staan. De dubbelzinnigheid was haar niet opgevallen.

'Khlesl is op de hoogte,' zei hij. 'Iedereen weet wat er moet gebeuren?'

De mannen knikten.

'Khlesl is voor mij,' zei Heinrich. 'Als ik op zijn lijk pis, wil dat er een kogel uit mijn pistool in zijn hart zit.'

De mannen knikten weer.

'Als ze bij de smalle plaats bij de rivier zijn aangekomen, maken we ze af.'

De mannen knikten voor de derde keer. Heinrich sprong op zijn paard en ze reden bijna geruisloos door het bos, onzichtbare, dodelijke begeleiders van de vermoeide optocht van monniken, die zich beneden langs de weg eveneens in beweging zette. Als de kloosterbroeders geloofden dat ze aan het gevaar waren ontkomen, zouden ze gauw worden teleurgesteld. Cyprian Khlesl en zijn mensen mocht hun als beschermengel zijn verschenen, maar de beschermengel reed zijn eigen dood tegemoet en hij zou flink wat van hen meeslepen.

11

'Hoe schat jij de situatie in?' vroeg Andrej.

Cyprian wees naar voren. De scheiding tussen de heuvels werd nauwer. Rechts van hen klotste een smal riviertje: de Mettau, in de zomer niet meer dan een dromerig bosriviertje, nu, dankzij de dooiwind, een snel stromende wilde beek, die telkens weer over de oever schuimde en zompige plekken van sneeuwblubber schiep waar ze met een wijde boog omheen moesten lopen.

'Als we deze plaats voorbij zijn, is het naar Starkov nog een stukje van niks.'

'Dan zijn we tenminste voorlopig veilig.'

Cyprian knikte. Andrej liet de teugels knallen.

'Ik zal vast vooruitrijden om poolshoogte te nemen.' Hij sloeg onder het langsrijden een van de bereden soldaten van Melchior Khlesl op de schouder. De man volgde Andrej toen deze weg galoppeerde. Cyprian bleef bij de ezels met hun last en luisterde of hij een stem in zijn binnenste hoorde. Hij had het gonzen van de Duivelsbijbel nooit gehoord en hoorde nu, vlak bij de onschuldige kopie, ook helemaal niets. In plaats daarvan voelde hij een beklemmende angst dat hij zou falen en deze missie niet zou kunnen voltooien. Hij stond van zichzelf te kijken. Het was niets voor hem zo aan zichzelf te twijfelen, en zijn eigen gevoelens maakten hem onzeker. Zelfs vroeger, toen hij in het gevang in Wenen zat en niet had kunnen voorkomen dat Agnes door haar ouders mee naar Praag werd genomen, had hij zich niet zo hulpeloos gevoeld, en zo overtuigd dat hij het verkeerde deed. Plotseling had hij er spijt van dat hij in Praag zo haastig afscheid van zijn gezin had genomen dat het pijn deed. Het leek wel of hij bang was hen nooit meer terug te zien.

'Wilt u me er iets over vertellen?' klonk een stem naast hem. Verbaasd zag hij de keldermeester naast zich door de sneeuw stappen. Automatisch trok Cyprian het paard een beetje opzij, zodat de benedictijn kon uitwijken voor de diepe kuilen aan de rand van de weg. De monnik wees naar de kist. 'Over de Duivelsbijbel, bedoel ik. U bent toch Cyprian Khlesl, en uw vriend is Andrej von Langenfels. Er doen een heleboel verhalen over u beiden de ronde.'

'Vast allemaal overdreven,' zei Cyprian, die tevergeefs probeerde zich op de benedictijn te concentreren. 'Andrej en ik waren altijd alleen maar poppetjes in een spel dat de duivel en God met elkaar speelden.'

'Zoals Job?' vroeg de keldermeester. Er liep een koude rilling over Cyprians rug. Zoals Job... God had de man alles afgenomen en toch was hij nooit zijn geloof kwijtgeraakt. De opmerking van de keldermeester leek zo profetisch dat hij zijn kiezen op elkaar moest klemmen. Zo lang had hij met de zijnen in vrede geleefd; was het nu tijd om te betalen? Iemand was er met de echte Duivelsbijbel vandoor gegaan en dat zich tot nu toe geen rampen hadden voltrokken, betekende niet dat ze niet morgen konden gebeuren. Of was de haat tussen katholieken en protestanten, die steeds verder op een grote brand afkoerste, al de aankondiging daarvan? De duivel had tijd genoeg om langzaam te werken. De zes jaar na de dood van keizer Rudolf en hun ontdekking dat de monniken van Braunau de waardeloze kopie bewaarden, waren niets voor hem.

'Nee,' zei hij. 'Bij Job was het altijd duidelijk dat God eigenlijk aan zijn kant stond.'

De keldermeester sloeg beteuterd zijn ogen neer. Plotseling wist Cyprian heel zeker dat hij een gigantische fout had gemaakt. Hij had niet aan deze missie mogen beginnen; hij had Agnes en de kinderen niet alleen in Praag mogen laten. Het was bijna onmogelijk de opkomende paniek de kop in te drukken. Hij zag zichzelf naast het warme bed staan waarin Agnes opgekruld lag. Was dat pas twee dagen geleden? Hij had het gevoel dat hij al weken van zijn geliefden gescheiden was. Hij was de deur uit geglipt, had zich aangekleed en was toen nog een keer de slaapkamer binnengegaan. Hij had het moeilijker dan ooit gevonden om weg te gaan. Op het laatst had hij zich nog omgedraaid en wilde met zijn laarzen in zijn hand wegsluipen, toen was Agnes wakker geworden en had nog zacht iets tegen hem geroepen. Hij was bij de deur blijven staan en had haar aangekeken. Hij dacht terug aan het korte gesprek dat hem inniger en tederder was voorgekomen dan de liefdesdaad waaraan het grootste deel van de nacht was opgeofferd.

'Kom weer heelhuids terug,' had Agnes gezegd.

Hij hield van haar. Ze was altijd de enige geweest. Hij hield van zijn oom Melchior, hij hield van Andrej, hij hield van zijn kinderen, maar de grootste kamer in zijn hart was altijd voor Agnes gereserveerd geweest. Om haar had hij in het gevang gezeten, om haar was hij het vuur in gerend, om haar

had hij geprobeerd bijna in zijn eentje een klooster te bestormen dat vrijwel een vesting was en waarin het testament van de duivel en de paranoia
van de abt een verschrikkelijk verbond waren aangegaan. Hij kon zich niet
voorstellen zonder haar te leven. Hij kon zich niet meer voorstellen dat er
ooit een tijd was geweest waarin hij niet naast haar wakker was geworden
en naar haar had gekeken tot ze haar ogen opende en hem een kus gaf en
dan met haar hand onder zijn deken ging om te controleren of zijn liefde
voor haar ook deze ochtend een lichamelijke uitdrukking had. Niet dat de
herinnering aan het bed zijn hoofd vulde. Wat hij zich achteraf hoofdzakelijk herinnerde, waren de momenten waarop ze transpirerend en hijgend
naast elkaar lagen, loom en ontspannen en tegelijkertijd op een hoger plan
zwevend, en er deze kostbare ogenblikken geen enkel geheim was en geen
enkele valse toon en de wereld volledig zonder mensen leek te zijn, behalve
hen beiden.

'Kom weer heelhuids terug.'

Cyprian had geantwoord wat hij altijd antwoordde: 'Maak je geen zorgen, ik keer altijd weer bij je terug.'

Waarheen zou hij terugkeren als ze over een paar dagen in Praag aankwamen? Zou er weer een huis in brand staan, zonder dat deze keer Cyprian
Khlesl ter plaatse was om de bewoners te redden? Zouden de restanten deze
keer hetgeen begraven waar hij het meest van hield? Cyprian had eigenlijk
nooit begrepen hoe Andrej erin was geslaagd om na het verlies van zijn geliefde door te gaan. Hij vermoedde dat hij dat niet zou presteren.

Cyprian keek op, alsof hij een onhoorbare boodschap had opgevangen
en hij zag Andrej en zijn begeleider in galop een bocht in de weg om stui-
ven.

'Brengt de Duivelsbijbel echt het onheil over ons?' vroeg de keldermeester. Cyprian hield hem met een handbeweging op afstand. Wat had Andrej
geroepen? Hij trok aan de teugel om de aanstormende mannen tegemoet te
rijden en het paard nam een sprong voorwaarts.

Hij zag de twee beelden bijna gelijktijdig: de keldermeester, die opeens
in de lucht hing, alsof een geweldige duw hem onderuit had gehaald, vrij
zwevend in een wolk van stof, bloed en flarden textiel om hem heen, en,
toen hij zijn hoofd omdraaide, de soldaat naast Andrej die in het zadel ging
staan. De beelden bevroren. Hij hoorde het eerste schot knallen, als een
langgerekt gedonder dat in zijn hoofd echode. De keldermeester had zijn

ogen wijd opengesperd, alsof hij nog niet kon begrijpen wat hem was over-komen. Cyprian wist dat het schot hem zou hebben geraakt als het paard er niet vandoor was gestoven. De keldermeester draaide langzaam in de roze wolk waarin zijn leven uiteenspatte. De ruiter vooraan werd steeds groter, alsof hij een paardrijdkunstje wilde laten zien.

Toen bereikte de knal van het tweede schot Cyprian, en het gebeuren kreeg zijn normale snelheid terug. De keldermeester plofte in de sneeuw en bleef onder de kist liggen. De ruiter naast Andrej viel uit het zadel en rolde over de grond als een bundel kleren. De monniken gilden. Cyprians paard draaide zich een keer om zijn eigen as. Sneeuw spoot op in de buurt van de abt en met de gebruikelijke vertraging klonk de knal van het derde schot. De monniken renden terug op de weg, een dichte, door paniek overweldig-de troep, niet anders dan een schaapskudde. Zelfs de soldaten van kardinaal Melchiors lijfwacht stonden verstijfd en gaapten het ruiterloze paard van hun kameraad aan dat zigzaggend naast Andrej rende.

'Verspreiden!' schreeuwde Andrej. 'Verspreiden! Apart kunnen ze ons moeilijk raken!'

Hij stormde voorbij Cyprian langs de monniken en de eersten maakten zich los van de groep en renden allemaal een andere kant op. In de menigte grijze pijen verdween plotseling een hoofd, een lichaam zakte neer en de monniken vielen over elkaar heen. Cyprian hoorde de vierde knal al niet meer. Hij trok aan de teugel en dwong zijn paard de helling op te galoppe-ren waar de schoten vandaan waren gekomen. Op hetzelfde moment werd een schare ruiters zichtbaar die uit het bos sprong waar de schutters zaten. Hun aanvoerder was een duur geklede man met lang, donker haar die met een rokend musket zwaaide.

Cyprian hoorde dat Andrej probeerde de vijf overgebleven lijfwachten bij elkaar te roepen. Hij herinnerde zich dat ze geen vuurwapens hadden meegenomen. Hun wapenrusting bestond alleen uit drie kruisbogen, een paar messen en een lans. Hij galoppeerde op de mannen af alsof een leger hem op de hielen zat. De aanvallers trokken in een wijde boog uit elkaar, een klassieke manoeuvre om hen te omsingelen. Hun aanvoerder stootte een kreet uit en stuurde zijn paard Cyprians kant op. Het struikelde op de gladde helling.

Ze kwamen tegenover elkaar te staan als ridders bij een toernooi. De langharige man zwaaide zijn musket als een knuppel, maar Cyprian bukte onder de slag door. Hij stak een been uit om zijn tegenstander uit het zadel te trappen, maar de man was te behendig. De paarden denderden langs elkaar heen. Cyprian wendde zijn hengst. Die ging op zijn achterbenen staan en gooide hem bijna uit het zadel. Zijn tegenstander stormde verder de helling af, op de monniken toe, die als een horde kleine kinderen door elkaar liepen te schreeuwen. Nog een schot knalde uit de dekking van de bomen, maar raakte niets. Cyprian zag een van de aanvallers op een vrijstaande benedictijner monnik afstormen met de lange loop van een zadelpistool in de aanslag. De monnik sprong opzij, het schot miste. De aanvaller trok aan de teugel en haalde een bijl uit de zadelkoker die hij naar de monnik slingerde. Die sprong snel opzij en de bijl viel in de sneeuw. De ruiter dwong zijn paard te steigeren en met roffelende hoeven op de monnik af te gaan. Op de een of andere manier speelde de benedictijn het klaar ook aan deze aanval te ontkomen, maar hij viel op de grond en rolde om, met zijn armen in paniek afwerend uitgestrekt. Het paard steigerde weer. Een schaduw raasde langs hem heen; Cyprian zag een lichaam uit het zadel vliegen en de schaduw ontpopte zich als Andrej, die zijn leeg geschoten kruisboog snel omdraaide. De gevelde aanvaller sloeg tegen de grond en bewoog niet meer; zijn paard sloeg met wilde bokkensprongen op de vlucht. De monnik stond op en rende door.

Het had maar enkele ogenblikken geduurd. Cyprians paard kwam trippelend overeind. Hij stuurde het de helling af, de aanvoerder van de aanvallers achterna, die net tussen een groepje monniken sprong en de vluchtenden als poppen aan de kant duwde. Op dat moment begon de sneeuw rood te kleuren.

Andrej reed aan het hoofd van twee soldaten de helling op. Tussen de bomen knalde een volgend schot en een van de paarden sprong op en begon toen schel hinnikend om zich heen te trappen. Zijn ruiter viel uit het zadel. Andrej en de andere soldaat drongen het bos in, er viel weer een schot, toen vlogen twee mannen uit hun dekking en gooiden hun rokende geweren weg. Andrej en de tweede man reden hen omver. Andrej sprong van zijn paard, pakte een van de geweren, trok een van de gevallenen de kruitgordel van het lijf en laadde het geweer met behendige vingers.

Cyprian liet zijn paard op de ezels met de kist afkoersen. Een man kwam overeind uit de sneeuw, een van Melchiors soldaten. Een kant van zijn gezicht zat onder het bloed. Hij hield Cyprian het heft van een afgebroken lans voor, en Cyprian pakte hem aan en draaide hem een keer om, zonder halt te houden. Hij zag de abt, met zijn armen om de voorste ezel heen geslagen, die hem door de sneeuw sleurde; hij zag een van de aanvallers, die van de andere kant op het span af galoppeerde, een kling hoog boven zijn hoofd. Cyprian kreunde en gooide zich in het zadel naar voren en zijn paard nam een grote sprong over de constructie met de kist, tussen de twee ezels door en kwam glibberend aan de andere kant op zijn voeten terecht. Cyprian verloor zijn houvast en viel bijna achterover uit het zadel. De kling van zijn tegenstander flitste ongevaarlijk over hem heen en Cyprian voelde een schok die bijna zijn pols brak. Hij draaide zich met een ruk om en zag zijn tegenstander als een zak vodden uit het zadel vallen. Het heft van de lans was in Cyprians hand nog maar half zo lang en hij begreep dat hij in een reflex zo hard moest hebben geslagen dat de staalharde stang was gebroken.

Het had niet veel geholpen. Een andere aanvaller sprong van zijn galopperende paard, greep de abt, duwde hem opzij en sprong op de voorste van de twee ezels. Het dier zakte door. De man vloog plotseling achterover. Andrej boven op de heuvel stond op en laadde zijn geweer opnieuw. De knal dreunde hard. De aanvaller lag onbeweeglijk in een rood, verbijsterend snel groter wordend tapijt van bloederige sneeuw. Abt Wolfgang kwam tuimelend weer op de been en viel opnieuw op zijn knieën. De op de grond gedwongen ezel schreeuwde en kon niet opstaan. De kist hing scheef in zijn draagstel. Een nieuwe aanvaller sprong ernaast in de sneeuw en sloeg op de leren riemen in. Er sprongen vonken van de kist, maar Andrej had te haastig geschoten. De aanvaller bleef op de riemen inhakken.

Cyprian trok zijn hijgende hengst om. Hij hinkte.

'HÉ, KHLESL!' brulde iemand met overslaande stem.

De aanvoerder van de aanvallers had zijn paard tot staan gebracht.

Vanuit de verte zag Cyprian zijn ogen, die hem over de loop van zijn geweer aankeken. Het knappe gezicht van de man was vertrokken van haat. Vanuit het niets bedacht Cyprian dat Lucifer er zo moest hebben uitgezien toen God hem uit de hemel verstootte. Cyprians lichaam spande zich om uit het zadel te springen, maar hij had geen enkele kans. Hij zag de vonk die het radslot produceerde en de rookwolk die uit de loop opsteeg. De kogel bereikte hem tegelijk met de knal en tilde hem half van de rug van het paard. Hij voelde zijn lichaam verdoofd worden. De hengst draaide hinnikend om zijn as. Cyprian verloor de teugels en probeerde de manen te pakken.

Hij zag het tafereel tijdens de wilde dans van het paard voorbijschieten: de overige monniken, die in kleine groepjes vluchtten, achtervolgd door een of twee ruiters, de ezels met de kist waarmee nu twee mannen in de weer waren, de wijd open monden van de lijfwachten, die hadden gezien dat hij werd geraakt. Toen nam het paard een sprong, rende op de rivier af, zakte in de drassige grond, viel voorover en Cyprian vloog van de rug van het paard en in een koude omhelzing die hem de adem benam. Hij rolde op zijn rug en gilde het uit van de pijn. Hij kwam op zijn knieën en merkte dat hij zich niet verder kon oprichten. Beduusd zag hij dat om hem heen de sneeuwdrab roze begon te kleuren Het was merkwaardig. Alles was plotseling duidelijk. De dood had niet op zijn familie gewacht, maar op hem. Zo was het goed. Als hij hen kon beschermen door dood te gaan, dan was zijn leven niet mislukt. Zijn blik werd helder en hij kon tot aan de helling kijken waar Andrej stond, zijn geweer half opgericht, verstijfd en met grote ogen. De kou begon uit zijn lichaam te wijken. De rivier kolkte op nog geen twee stappen bij hem vandaan; bijna had het paard hem daar afgegooid. Hij had geluk gehad. Hij hoorde iemand diep in zijn ziel hooghartig lachen. Geluk gehad, je meent het. Het geschreeuw van de monniken en het gehinnik van de paarden verderop op de weg leken er opeens niet toe te doen.

Het snuiven van een paard dwong hem op te kijken. De langharige man keek vanuit zijn zadel op hem neer. Langzaam hief hij zijn pistool en richtte. Een paar manslengten verder spoot een sneeuw- en modderfontein op. De man lette er niet op. Cyprian draaide zijn hoofd om – het kostte hem zoveel moeite alsof hij een molensteen moest bewegen – en zag Andrej van de helling af lopen terwijl hij tegelijk probeerde te herladen en op de been te blijven. Te ver, dacht hij, en hij voelde bijna de teleurstelling voor zijn vriend, te ver... Hij wendde zijn blik af en keek in de drie ogen die hem aanstaarden, de blauwe van de langharige man en het zwarte van het pistool.

'Ik ben Heinrich von Wallenstein-Dobrowitz,' zei de man en in de verdoving die Cyprian voelde begon kou binnen te sijpelen. 'Ik heb je dochter beloofd dat er hierna niets meer tussen haar en mij in zal staan. Ze zal van mij zijn, Khlesl, van mij en mijn godin, maar dat zul je niet meer beleven. Maar troost je, je zult haar gauw weerzien in de hemel.'

Cyprian probeerde iets te zeggen. Zijn stem rochelde. De ontsteltenis die hem vervulde was grenzeloos. Hij tilde een hand op, alsof hij de man op het paard om genade wilde vragen.

'Je komt toch wel in de hemel, Khlesl? Je dochter zal ook in de hemel komen, daar twijfel ik niet aan. Als ik met haar klaar ben, zal er niets in het vagevuur of de hel zijn wat erger is dan haar dood.'

Heinrich von Wallenstein-Dobrowitz hief zijn pistool.

'Vaarwel, Cyprian Khlesl. Jammer dat het zo gemakkelijk was.'

12

Agnes' verschijning op het kantoor van de firma Wiegant & Khlesl was ge-vreesd, niet omdat ze daar de arrogante bazin speelde, maar vanwege haar lastige talent om fouten in de boekingen te vinden. Het zou nog te verdra-gen zijn geweest als ze zich van dit talent bewust was geweest en met haar vinger mopperend op een onjuiste boeking zou wijzen. In plaats daarvan ging een gesprek met haar (en een meestal nog onervaren, nieuwe boekhou-der) gewoonlijk zo:

Agnes: 'Waarom staat hier een hoger getal dan daarboven?'

Boekhouder: 'Dat is het saldo, mevrouw Khlesl.'

Agnes: 'Dat weet ik, maar waarom is het getal hier hoger dan aan de andere kant?'

Boekhouder: 'Eh... die twee kanten worden debet en credit genoemd. Onder debet staan onze inkomsten, onder credit onze uitgaven. Als we een rekening sluiten, vergelijken we het totaalbedrag aan beide kanten; het ver-schil noemen we saldo. Als het verschil aan de creditkant staat, dan was de debetkant hoger en hebben we winst gemaakt. Dan boeken we die winst van de creditkant van de handelsrekening op de debetkant van onze zaken-rekening waar hij dus als inkomsten wordt genoteerd. Is het omgekeerd, dan... eh... is al het andere ook omgekeerd... eh... mevrouw Khlesl.'

Agnes: 'Goed, maar ik vraag me alleen af waarom dit getal hier hoger is.'

En terwijl de boekhouder nog overwoog of het gunstig was voor zijn aanwezigheid in de firma, als hij de vragensteller met rollende ogen en een verwijzing naar zijn vakkennis wegstuurde, en zich begon af te vragen waar-om zijn collega's zo opvallend stil over hun lijsten gebogen zaten, ontdekten zijn ogen die ene verborgen fout in zijn boekingen, die in een heel andere rekening was binnengeslopen en die er, volgens de raadselachtige wegen van de dubbele boekhouding, ten slotte in de bewuste rekening toe had geleid dat er een verkeerd saldo uit was gekomen.

Boekhouder: ' Eh...'

Agnes begreep genoeg van boekhouden om in grote lijnen te weten wat er gebeurde. De eigenlijke fout zou ze niet hebben kunnen vinden. Maar ergens scheen ze een talent te hebben om hem te ruiken, en ook al hadden haar vragen meestal betrekking op een heel andere post en klonken ze voor de vakman gespeend van elke vakkennis, deed men er goed aan ze toch maar ter harte te nemen. Als het voor een boekhouder mogelijk was geweest met zijn baas een vertrouwelijk gesprek te voeren, dan had hij te horen gekregen dat dit talent van Agnes zich ook op andere gebieden manifesteerde en dat haar echtgenoot er allang in berustte, maar er altijd naar luisterde. Vandaag had deze onrust haar naar het kantoor beneden gedreven. Sinds ze vanmorgen wakker was geworden, was het gevoel steeds sterker geworden, beklemmend, ongemerkt toenemend als een rivier die langzaam buiten zijn oevers trad. Het had haar eerst uit bed, toen uit haar kamer en ten slotte van de bovenverdieping van het huis naar de begane grond beneden gedwongen. Haar nervositeit was er niet minder door geworden. Ze probeerde zich te herinneren of een haast vergeten nachtmerrie de oorzaak was, maar tevergeefs. Ze wist dat een bericht van Cyprian zou helpen, maar ze hoefde nu nog lang niet op een paar regels van hem te hopen, laat staan op zijn en Andrejs terugkomst. En toch: hoe meer tijd er verstreek, hoe zekerder ze ervan werd dat haar bedruktheid met Cyprian te maken had, en toen ze bij het oppakken van een beker merkte hoe erg haar handen trilden, kon ze haar onrust niet anders bestrijden dan door bezig te zijn.

Het kantoor van de firma was een grote, lichte hal aan de voorkant van het gebouw. In tegenstelling tot de meeste concurrenten waren Cyprian en Agnes van het begin af aan van mening geweest dat de plaats waar hun geld gelukkig moest worden beheerd, niets van de kerkerachtige charme van de meeste kantoren mocht hebben. Het liep voor een deel onder de salon op de bovenverdieping door, en ook de slaapkamer van Cyprian en Agnes lag erboven, wat het voordeel had dat de slaapkamer door de warmte van het haardvuur werd meeverwarmd. Toen Agnes de laarzen boven haar hoofd hoorde stampen, keek ze verrast omhoog.

Ze zou Cyprians stap overal herkennen. Hij kon zich zo zacht als een kat bewegen, maar als zijn voeten in de zware laarzen staken die de winter en vooral de krijgshaftige mode van de laatste jaren voorschreven, zou zelfs een spook optreden als een soldaat. Ze keek naar het plafond.

De voetstappen gingen van de salon naar de slaapkamer en keerden terug naar de salon.

Agnes realiseerde zich dat iedereen naar haar keek. En pas toen drong het tot haar door dat een wurgende angst haar gezicht verminkte.

Ze rende het kantoor uit en met twee treden tegelijk de trap op naar de bovenverdieping. Ze had het ijskoud gekregen. Ze stormde de salon binnen. Melchior junior en Andreas, die met houten paardjes en poppetjes de Derde Punische Oorlog tegen elkaar voerden, doken geschrokken weg. Hun kindermeisje keek op.

'Was hier iemand?' hijgde Agnes.

Het kindermeisje schudde haar hoofd.

'Wanneer komt papa weer terug?' vroeg Melchior junior. Agnes keek naar hem. De jongens vroegen altijd naar Cyprian als hij te lang naar hun zin wegbleef, en toch schrok ze deze keer van die vraag. Ze kon niet antwoorden. Het jongetje merkte iets van haar angst. Zijn gezicht betrok en zijn onderlip begon te trillen. Ze streek met een bevende hand over zijn hoofd en vluchtte toen uit de salon naar de slaapkamer.

Ook die was leeg. Agnes voelde dat ze langzaam ijskoud werd. Ze durfde zich nauwelijks in de kamer om te draaien, uit angst iets te zien wat ze niet wilde zien.

Ten slotte deed ze het toch.

In de slaapkamer bevond zich een altaartje. Agnes zag de lege plek op de muur. Haar blik kroop omlaag. Het kruis lag op de grond. De Christusfiguur had zich van het kruis losgemaakt en lag eronder.

'Cyprian?'

Ze wist dat hij hier niet was. Hij kon nog niet terug zijn.

Hij zou nooit meer terugkomen.

Ze keek naar de deur. Daar stond Alexandra, lijkbleek. Wat ze ook gemerkt mocht hebben, het had haar hierheen gevoerd.

'Moeder?'

De kracht trok weg uit Agnes' lichaam. Ze zakte op de grond, te ontzet om iets uit te kunnen brengen. Alexandra viel bij haar neer.

'Moeder!'

Agnes schudde haar hoofd. Ze hoorde Cyprian zeggen: 'Ik keer altijd weer bij je terug.'

'Leugenaar,' fluisterde ze. Toen wist ze niets meer.

13

Andrej drukte het geweer onder het lopen tegen zijn wang en richtte. Door de terugslag verloor hij even zijn evenwicht, de kruitdamp verblindde hem tijdelijk. De man op het paard waarvoor Cyprian geknield zat, werd omvergetrokken. Het paard trippelde een keer om zijn as. Hij zag de man neerzijgen en een hand tegen zijn schouder drukken. Het pistool gleed uit zijn vingers. Andrej wist het niet, maar hij juichte. Hij gooide het geweer weg en rende met grote sprongen verder. Dat twee van de aanvallers de kist uit het draagstel hadden losgemaakt en lange touwen om de hengsels wikkelden die van de zadels van hun paarden hingen, registreerde hij niet, evenmin als de wanhopige poging van abt Wolfgang om bij de kist te komen. Ook dat de laatste soldaat die nog op zijn paard zat, voorover in de sneeuw viel toen zijn rijdier door een schot werd geraakt, nam hij niet waar. Alles wat hij zag, was Cyprian Khlesl, die met hangend hoofd op de grond geknield zat, en zijn beul op het paard... En alsof ze allemaal onder water waren, zag hij dat het pistool dat van het zadel van de gewonde afketste, een salto maakte en bijna gracieus door de lucht viel, rookte.

Cyprian viel om.

De beide mannen bij de kist sprongen op hun paarden, floten hard, en de dieren draafden ervandoor, trokken de kist mee, die achter hen aan sprong en hobbelde, vastgebonden aan de lange touwen, de abt aan de kant schoof, een voor tussen een paar monniken ploegde toen de mannen naar het zuiden weg galoppeerden, hun wild dansende last achter zich aan slepend.

Ze moesten tegelijk hebben geschoten, hij, Andrej, en de man op het paard. Het lot manifesteert zich vaak in een fractie van een seconde.

Cyprian viel in de rivier en verdween in de grijze golven.

Iemand versperde Andrej de weg en zwaaide met zijn lans. Hij glipte eronderdoor zonder dat hij het besefte, tilde zijn tegenstander terwijl hij naar voren stormde gewoon op en liet hem achter zich op de grond vallen. De lans was opeens in zijn hand. De eerste aanvallers lieten hun buit met rust en spurtten hun beide kompanen met de kist achterna. Een stuk of zes gedaanten lagen onbeweeglijk in de sneeuw, slordig over de plaats van handeling verdeeld; het waren niet allemaal monniken of lijfwachten van de kardinaal. Het ergste waren de paarden eraan toe. Ze steigerden hinnikend of trapten met hun benen, getroffen door geweerkogels of uitgegleden in de sneeuw en met gebroken ledematen rochelend en draaiend.

Andrej hoorde iemand schreeuwen.

'JE BENT DOOOD!'

Zijn keel brandde als vuur. Hij begreep dat hij het was die schreeuwde.

De langharige man op het paard kromp ineen; hij had als in trance naar de rivier gestaard. Andrej slingerde de lans boven zijn hoofd. De man keek naar hem en liet zijn schouder los. Andrej zag dat zijn kleding daar aan flarden was gescheurd, maar hij zag haast geen bloed en wist dat God niet alleen beide vuurwapens tegelijk had laten afgaan, maar ook Andrejs kogel zijn doel slechts had laten schampen. Het paard van de man steigerde. Er lagen nog twintig manslengten tussen hen. Andrejs ademhaling piepte in zijn borst, maar hij verminderde zijn snelheid niet.

De man op het paard stak zijn rechterhand op, vormde met zijn duim en wijsvinger een pistool en mikte op Andrej. Hij liet zijn duim omlaag kantelen en glimlachte. Toen keerde hij zijn paard om en galoppeerde met een schelle oorlogskreet zijn mannen achterna.

Andrej struikelde en viel op zijn knieën. Blindelings spetterend baande hij zich een weg door de bijna vloeibare sneeuwblubber, toen verloor hij de grond onder zijn voeten en lag half in het water, dat om hem heen spoelde met een kou die hij nooit had kunnen bedenken en die onmiddellijk aan hem begon te trekken. Druipend en spugend vocht hij zich terug naar wat vaster land. De plaats waar Cyprian was gesneuveld, gloeide rood. Andrej kwam overeind en waadde de rivier in. De kou was zo snijdend dat ze hem de adem benam en pijn deed als zweepslagen. Veel verder stroomafwaarts geloofde hij een lichaam in het water te zien, dat een keer om zijn as draaide – de lichte vlek van een gezicht dat hij op duizend passen afstand zou herkennen – en toen definitief onderging. Hij krabbelde terug en rende tot hij dacht de plek te hebben bereikt, maar er was alleen maar sneeuw en blubber en het snelle, grijze stromen van de rivier. Hij strompelde toch het water in en dook erin onder, verloor de grond onder zijn voeten, voelde vuisten, die hem pakten en weer op de oever trokken.

Hij kon alleen nog maar bibberen van de kou. Zijn knieën konden hem niet meer dragen. Hij gleed uit de handen van de monniken die hem uit het water hadden getrokken, zakte in de sneeuw en begon te huilen.

Cyprian Khlesl was dood.

14

Toen haar ouders haar destijds tegen haar wil mee naar Praag hadden genomen om haar van Cyprian te scheiden, had Agnes geweigerd de hoop te laten varen. Ze had erop gewacht dat hij haar op het laatste moment zou komen redden. Ze had ook gewacht toen ze al in het rijtuig zat. Ze probeerde dit vertrouwen ook nu overeind te houden, maar het lukte haar niet. Het verschil was: toen had ze nog niet mee hoeven maken dat ook een Cyprian Khlesl voor het lot moest capituleren en een belofte niet kon houden. Agnes hield zich groot en voerde de juiste handelingen uit, maar vanbinnen groeide bij elk verstrijkend moment een moordende angst. Ooit moest er bericht komen, of Cyprian zelf. Ze was zo bang voor dat moment dat het wachten erop even erg was als de voorstelling dat hij arriveerde. Wat moest ze doen als er beneden een onbekende stond, verlegen zijn hoed in zijn handen draaiend, en haar vertelde dat... Als achter hem een rijtuig op de keien stond, met als enige vracht een ingepakt lichaam? Tegelijk dacht ze onwillekeurig aan dingen die ze nog met Cyprian wilde bespreken en aan wat zijn mening zou zijn over wat dan ook en binnen enkele ogenblikken ging er een stroom van gevoelens door haar heen die heen en weer schommelden tussen het monsterlijke verdriet dat hij er niet meer zou zijn en de vurige hoop dat ze zich alles maar verbeeldde.

'We hebben nog geen bericht,' zei Alexandra, die er bleek en smal van angst tien jaar jonger uitzag. Agnes zat als een ledenpop aan tafel en zelfs de twee jongens liepen met een boog om haar heen. Ze voelde zich een geest, een schim van een levend wezen waarvan de ziel dreigde te scheuren.

'We hebben wel bericht,' fluisterde Agnes.

'Die hebt u alleen gehoord, verder niemand.'

'Jij hebt het gehoord.'

'Ik heb niets gehoord,' zei Alexandra. Agnes had de energie niet om te zeggen dat ze loog.

'Alexandra, wanneer komt papa terug?'

Agnes voelde een steek in haar hart toen ze zag dat Melchior junior Alexandra's hand pakte. Alexandra slikte.

'Gauw,' zei ze. 'Heel gauw.'

'Beloofd?'

Alexandra antwoordde niet. Haar blik boorde zich in Agnes' ogen. Zegt u het hun, riepen ze zwijgend. Zegt u hun dat hun vader gauw terugkomt, omdat het uw plicht is om dat te zeggen. Zegt u het, zodat ík het ook kan horen. Agnes begreep het signaal maar al te goed, maar ze kon er niet op reageren.

Bij de ingang van de salon kuchte iemand. Agnes hoorde een gedempt gesprek. Opeens begreep ze dat het moment was gekomen waar ze naar had uitgekeken en tegelijk bang voor was geweest. Ze dreef haar nagels in de rok van haar japon. Met elke vezel van haar wezen hoopte ze dat er zo dadelijk een bediende zou binnenkomen en zeggen dat de heer des huizes zojuist was gearriveerd. Het ogenblik leek een eeuwigheid te duren. Ze keek op toen Alexandra naast haar kwam staan.

'Moeder, er is iemand met een bericht.' Alexandra's stem klonk ziek. Agnes begon onbedaarlijk te trillen. 'Zal ik...?'

Er bewoog iets in Agnes wat haar zei dat het aannemen van deze boodschap niet de taak van haar dochter kon zijn. Ze stond op. De bediende, die de salon in was gekomen, deed onwillekeurig een stap naar achteren. Haar angst bereikte een nieuwe dimensie toen ze zich realiseerde dat het niet Andrej kon zijn die was gearriveerd, omdat Andrej meteen naar boven zou zijn gekomen. En als het het bericht was dat Agnes vreesde, en het niet door haar broer werd overgebracht, moest ook Andrej iets zijn overkomen.

'Beneden?' vroeg ze. Elke letter was een marteling voor haar keel. Ze zag dat de bediende in werkelijkheid een van de klerken was.

'In het kantoor, mevrouw Khlesl.'

'Ik kom zo,' zei ze.

De klerk knikte en verdween. Agnes speelde het klaar om Alexandra's blik te beantwoorden. Ze zag er de angst in van iemand die op het punt staat een met moeite in stand gehouden illusie te moeten opgeven. Ze stak haar hand uit en haar dochter kneep erin.

'Is papa terug?' vroeg Melchior junior.

Alexandra sloot haar ogen. Er rolde een traan tussen haar wimpers vandaan.

'Jullie blijven hier boven,' zei Agnes. Ze liep langzaam naar de deur en iemand die op weg was naar zijn executie kon niet banger zijn dan zij. Toen ze onder aan de trap was gekomen, hoorde ze snelle voetstappen achter zich aan komen. Ze draaide zich om.

'Ik heb gezegd dat jullie boven moesten blijven.'

'De jongens blijven boven,' zei Alexandra. 'Ik ga met u mee.'

Agnes was niet in staat om haar tegen te spreken. Alexandra pakte haar hand en samen liepen ze naar het kantoor, waar sinds twee dagen een onnatuurlijke stilte heerste en waar de beide vrouwen alleen van onder neergeslagen oogleden naar het personeel durfden te kijken. Niemand had gezegd dat de vrouw des huizes ervan overtuigd was dat de heer des huizes niet meer in leven was, niemand had Cyprians naam de laatste twee dagen zelfs maar terloops genoemd, maar toch wisten ze allemaal wat Agnes en Alexandra dachten. Adam Augustyn, de hoofdboekhouder, stelde vast dat hij niet verder kon schrijven, omdat de pen in zijn hand te erg beefde, en onder een druppel die plotseling op de bladzijde viel, liep de geslaagde verkoop van een baal Engelse wol uit in een zwart spoor.

Op een bank bij de ingang zat een dik ingepakte gedaante, van wie je de indruk kreeg dat ze dagenlang te voet door de sneeuw onderweg was geweest. Een bord dampende soep stond naast haar, onaangeroerd. Agnes sleepte zich naar voren, Alexandra's hand ijskoud in de hare, en bleef voor de gedaante staan, die van uitputting in slaap gevallen leek te zijn. Ze was oud en krom. Vanuit het niets kwam de gedachte aan kardinaal Melchior. Ze had hem nooit helemaal vertrouwd, maar ze hadden vrede met elkaar gesloten. Ze wist hoe hij op Cyprian gesteld was, al had hij er nooit een probleem van gemaakt om de wederzijdse genegenheid genadeloos uit te buiten. Kardinaal Melchior zou een gebroken man zijn als Cyprian... In haar welde het besef op dat, als Cyprian iets was overkomen, een missie voor de kardinaal daar de schuld van was.

'Ik ben Agnes Khlesl,' zei Agnes met gevoelloze lippen. Ze dacht dat ze opeens geen lucht meer kreeg.

De gedaante bewoog langzaam. Haar hoofd ging omhoog, een capuchon en enkele lagen wollen doeken gleden opzij. Het gezicht dat tevoorschijn kwam, kende Agnes het eerste moment helemaal niet, tot de gedaante plotseling in een wanhopig gesnik uitbarstte, opstond en in Agnes' armen viel.

'Och, kindje,' snikte de gedaante. 'Och, kindje...'

Waarom uitgerekend zíj? dacht Agnes, terwijl ze met gevoelloze benen langzaam onder het lichte gewicht op de grond zakte en Alexandra's hand losliet.

Hoe weet ze het? Ze omklemde het pakketje mantel en bont, dat haar hoofd in haar nek begroef en schudde van het huilen. Ze kreeg nog steeds geen lucht. Zwarte flitsen schoten langs de randen van haar gezichtsveld.

Toen voelde ze iets opnieuw ontwaken wat onder twintig jaar leven bedolven lag: een gevoel, niet van troost, maar van begrepen worden, een overdracht, niet van kracht, maar van de zekerheid dat dingen doorstaan moesten worden, een verlichting, niet van het geloof in God, maar van het geloof dat het leven gewoon doorging. Het was een band zoals tussen moeder en kind. Het was een band die Agnes nooit bij haar eigen moeder had gevoeld en waarvan ze altijd had geweten dat ze wat ze niet bezat ook niet aan Alexandra kon doorgeven. De angst om Cyprian maakte heel even plaats voor het verdriet om het feit dat de hardheid van haar eigen moeder zich nog op Alexandra wreekte, en als ze de kracht voor tranen had gehad, had ze om Alexandra willen huilen.

'Leona,' prevelde Agnes en ze drukte haar wanhopige meid tegen zich aan.

Het duurde zo lang voor Leona kalmeerde dat de hoofdboekhouder kwam vragen of hij kon helpen. Agnes schudde zwijgend haar hoofd, en Alexandra schonk hem een spookachtig lachje. Samen met haar dochter lukte het Agnes de vrouw terug op de bank te sjorren. In het kantoor was het warm genoeg voor de klerken om zonder handschoenen hun werk te kunnen doen. Agnes pelde Leona uit haar vermomming en schrok van het magere bundeltje stokjes, waarin haar meid met de jaren was veranderd. Van het bundeltje straalde een warmte af die Agnes nog van een afstand voelde. Ze legde een hand in Leona's nek. De oude vrouw gloeide van koorts.

Nog langer duurde het tot Agnes begreep dat Leona niet door een bovennatuurlijk vermoeden was gekomen om haar te troosten.

'Kindje,' snikte ze. 'Ik heb je hulp nodig. Van jou en je man!'

Ooit, het leek wel duizend jaar geleden, had Leona tegen Agnes gezegd dat zij en Cyprian in hun hele leven misschien maar één uur samen zouden hebben en dat je je een leven lang aan één zo'n uur kon vasthouden. Toen had ze Agnes aangespoord om dit uur aan te breken. Leona was er steeds van overtuigd geweest dat Cyprian altijd het juiste zou doen en iedere jonkvrouw uit de klauwen van de draak zou redden.

Alexandra wilde iets zeggen, maar Agnes schudde haar hoofd.

'Wat is er gebeurd?'

'Mijn kind... Mijn Isolde... Ze hebben mijn kind meegenomen!'

'Wat?'

'Ze weet toch niet beter. O Heer, bescherm mijn kind. O Agnes, help me, help me...'

Agnes slikte en streelde het behuilde, rimpelige gezicht, dat ruw was van de vrieskou. De warmte van de huid was werkelijk beangstigend. Niemand kon zo warm zijn en toch blijven leven, leek het. Agnes keek naar Leona's in lappen gewikkelde voeten. Was ze vanuit Brno helemaal naar Praag komen lopen? Een afstand van minstens zes of zeven dagen te voet? Door weer en wind?

'We brengen je naar boven,' zei ze zacht. Leona klampte zich aan haar vast.

'Waar is Cyprian?'

'Hij is op reis,' zei Agnes met bovenmenselijke inspanning.

Leona zakte in elkaar.

'Vertel me wat er is gebeurd, Leona. Is er iets met Isolde?'

Eerst aarzelend en onsamenhangend, daarna steeds sneller ratelend, ontrolde Leona een verhaal dat Agnes een paar minuten haar verlammende angst om Cyprian liet vergeten. Het was een verhaal, zo akelig als het leven zelf schreef, en Agnes geloofde haar op haar woord. Ze had ervaren hoe gemeen mensen konden zijn: niets wat je bedacht werd niet vroeg of laat met gemak door de werkelijkheid overtroffen. Leona's woorden riepen de gebeurtenissen voor Agnes' geestesoog tot leven.

Ze zag zichzelf in de persoon van Leona, die thuiskwam van de markt. Het kleine huisje in de buurt van de stadsmuur waar ze met Isolde woonde, was leeg. Het was Isolde streng verboden zonder Leona het huis uit te gaan. Leona was altijd bang dat haar schoonheid, die gepaard ging met de naïveteit van een geestelijk achtergebleven vijfjarige, haar zou schaden als niemand op haar paste. Isolde ervoer de regel niet als beknotting, daar was Leona zo zeker van als ze maar zeker kon zijn van Isoldes gevoelens, wat altijd een restje onzekerheid overliet. Maar Leona was ervan overtuigd dat ze slechts in het belang van het jonge meisje handelde. Inderdaad was het een tic van Isolde voor het raam te zitten en naar buiten te kijken. Als je tegen haar zei dat er bezoek zou komen of iets anders interessants achter het raam zou gebeuren, dan was ze gelukkig als ze voor het raam kon gaan zitten wachten. Op die manier bracht ze hele dagen volmaakt gelukkig door. Het wachten tot de aangekondigde gebeurtenis zou plaatsvinden, leek ergens in haar trage, vage gedachtegang een oneindige kriebel op te roepen.

Maar Isolde zat niet voor het raam in de woonkamer op de begane grond en ook niet voor dat van de gemeenschappelijke slaapkamer boven. Ze was weg. Ze was niet te vinden op een van de pleinen in de stad waar ze wel eens samen met Leona naartoe ging, en evenmin in het tehuis waar Leona haar uit had gehaald. De buren hadden niets gemerkt. Het was marktdag en wie dan thuis was, was bezig de boodschappen op te bergen of te koken. Maar één ding leek duidelijk: Isolde moest vrijwillig zijn meegegaan. Ze kon niet goed praten, maar ze kon schreeuwen als er iets tegen de zin van haar normaal gesproken duldzame karakter in ging en als ze het op een krijsen zette, begonnen de wachters op de stadsmuur uit te kijken naar aanvallende Tataren.

Drie dagen hoorde Leona niets. Ze probeerde de stadsrechter te spreken te krijgen en daarna de gouverneur, maar die lieten haar beiden wegsturen. De derde dag drongen er drie mannen onaangekondigd Leona's huis binnen. Haar instinct zei haar te vluchten, maar een van de mannen bewaakte ook de achteruitgang en bracht haar weer terug naar de kamer. Daar had zich inmiddels een gesluierde vrouw bij de mannen gevoegd. De bezoekers brachten enkele van Isoldes goedkope sieraden mee om te bewijzen dat ze haar in hun macht hadden.

'Je moet me haten, kindje,' fluisterde Leona. Inmiddels beefde ze zo erg dat haar tanden klapperden.

Agnes trok haar tegen zich aan. 'Welnee. Waarom dan?'

Leona moest een paar keer opnieuw beginnen met praten. 'Omdat ik je heb verraden,' stootte ze uiteindelijk uit.

Agnes en Alexandra wisselden een onthutste blik.

'De vrouw zei tegen me dat Isolde niets zou gebeuren. Dat ze alleen onderpand was voor mijn... mijn samenwerking.'

'Waarbij?'

'Ze begonnen me over Praag uit te horen. Over de tijd dat ik hier was. Daarna lieten ze me alleen. De vrouw zei dat ze terug zouden komen en dat ik Isolde terug zou krijgen zodra ik hun alles had verteld.'

'Alles? Wat allemaal?'

'Een paar weken later kwamen ze weer, juist toen ik gek begon te worden van bezorgdheid. Ik moest opnieuw verklaringen afleggen.'

'Weer over Praag?'

'Nee, over... over... de kardinaal!'

'Wanneer is dat allemaal begonnen?' kwam Alexandra ertussen.

'Bijna een jaar geleden,' snikte Leona. 'De dooi was net ingevallen.'

'Wat? Een jaar? Mijn god! En waarom kom je nu pas naar ons toe?'

'Ze zeiden toch dat ze Isolde iets zouden aandoen als ik ze verraadde. En ze hebben... Ze hebben...'

'Wat dan?'

Leona's ogen werden groter. 'Op een keer legden ze een doek voor me neer. Er zat iets in gewikkeld. Ik moest het openmaken. Ik zag het opgedroogde bloed... En toen... Het was een vinger, o Heilige Maagd, een afgesneden vinger!'

Alexandra kokhalsde. Leona maakte een nerveuze beweging.

'Hij was niet van Isolde, maar ze zeiden tegen me, bij het eerste verraad zou het de hare zijn, en ik... Ik... Ik moest er de hele tijd aan denken van wie hij geweest zou kunnen zijn. Hij was zo klein, zo smal... van een meisje.'

De blikken die Agnes en Alexandra wisselden, schoten beide vuur van woede. Leona snikte heftig. 'O, mijn liefje, mijn liefje, de hele tijd moest ik eraan denken van wie die vinger was geweest!'

'Waarom heb je Andrej geen boodschap meegegeven? Hij kwam je toch altijd in Brno bezoeken?'

Leona schudde wanhopig haar hoofd. 'Ik durfde het niet. Ik deed alsof ik niet thuis was, toen hij aan de deur kwam.'

'Leona,' zei Agnes. 'Leona, kijk me aan. Wie denk je dat die mensen zijn?'

'Ik weet het niet. Ik dacht eerst dat ze met de protestantse Staten te maken hadden, omdat ze me immers over de kardinaal uithoorden. In Moravië broeit het niet zo openlijk tussen katholieken en protestanten als in Bohemen, maar haat is er toch wel.'

'Waarom geloof je dat nu niet meer?' wilde Agnes weten.

Alexandra vroeg op hetzelfde moment: 'Wat heeft je bewogen nu toch nog hiernaartoe te komen?'

Moeder en dochter keken elkaar aan. Agnes herkende in Alexandra een onverbiddelijkheid die alleen van haar vader kon stammen. Cyprian had altijd met zijn vragen tot de kern weten door te dringen. Agnes' medelijden met Leona, die voor haar een moeder was geweest, was veel te groot om helder te kunnen denken. En toen schoot plotseling weer de ontzetting omhoog toen ze aan Cyprian dacht. Leona's antwoord drong gehavend door de wervelstorm in haar hoofd.

'Omdat ze... Omdat ze... Omdat ze me uiteindelijk over jullie ondervroegen. Ze wilden alles weten. Vergeef me, kindje, vergeef me. Ik heb jullie verraden!'

'Wat?' Agnes' stem was nauwelijks te horen.

'Ik was zo bang om Isolde.'

'Over ons?' Alexandra rekte de woorden uit. 'Hebben ze je over ons ondervraagd?'

'Over jou, kleine Alexandra... en over de jongetjes... en Agnes... en Cyprian... Andrej...'

'O, mijn god,' zei Agnes, zonder goed te begrijpen wat Leona's woorden konden betekenen. Ze wist alleen dat ze het nog kouder kreeg dan ze het al had. 'O, mijn god!'

'Ben je daarom naar ons toe gekomen? Om ons te vertellen dat ze je over ons hebben uitgehoord?' Alexandra's toon maakte dat Leona ineenkromp en een akelig moment lang had Agnes de behoefte om haar oude meid tegen haar eigen dochter in bescherming te nemen.

'Nee,' zei Leona zwak. 'Ik ben gekomen omdat ik sinds het begin van de herfst niets meer van de gesluierde vrouw en haar kompanen heb gehoord, omdat er met Kerstmis in de bossen boven Brno weer een jong meisje dood is gevonden en...' Ze barstte opnieuw in een toonloos, volledig uitgeput gesnik uit. '...En omdat ik bang ben dat de moorden en die geheimzinnige vrouw iets met elkaar te maken hebben... En dat Isolde... Dat ze Isolde... Dat ze mij niet meer nodig hebben, en dan hebben ze haar ook niet meer nodig...' Ze zakte tegen Agnes aan en klampte zich aan haar vast. De rest van de woorden ging bijna onder in haar gehuil: 'Help me, kindje, help me! Cyprian moet mijn Isolde vinden!'

Het lichte gewicht in Agnes' armen nam een klein beetje toe. Ze keek in het oude gezicht. De ogen waren weggedraaid, de lippen blauw. Ze probeerde Leona omhoog te trekken, maar het slappe lichaam gleed weg. Samen zakten ze op de vloertegels. Agnes hield de flauwgevallen oude meid in haar armen, een levend geworden Pietà.

'Leona...?' vroeg Agnes en ze schudde aan het onbeweeglijke lichaam. Opeens merkte ze dat er iets was veranderd. Ze stopte met haar pogingen om Leona bij te brengen en keek op naar Alexandra, die de hele tijd naast haar en Leona was blijven staan. Alexandra staarde naar de ingang van het kantoor. Een koude tochtvlaag streek langs Agnes' huid. Ook de klerken en de boekhouder, die even daarvoor nog deden alsof ze in hun werk verdiept waren, staarden ernaar. Agnes liet Leona's lichaam voorzichtig op de grond glijden, krabbelde op en ging naast Alexandra staan, met een hand halverwege opgestoken om iemand te bevelen de bewusteloze vrouw naar boven te brengen.

Toen was Leona vergeten, was Alexandra vergeten, was het kantoor om haar heen vergeten. Ze keek naar buiten en wist dat alles voorbij was waarvoor ze ooit had geleefd en dat geen verstand haar ooit zou helpen haar verdriet aan iemand anders duidelijk te maken, dat geen besef dat de dingen doorstaan moesten worden dit verdriet ooit zou verminderen en dat geen geloof dat het leven doorging haar eigen leven zou laten doorgaan.

Voor de ingang stond iemand met kapotte kleren, modderspetters en verward haar. Het was Andrej, de tranen stroomden over zijn wangen en hij was alleen.

15

De dooi en een onmiddellijk daaropvolgende nieuwe vorstperiode hadden Heinrich opgehouden en hem bijna gek gemaakt van ongeduld. Hij was erop gebrand naar Pernstein te gaan en zijn buit te laten zien, maar in plaats daarvan zat hij ten oosten van Praag vast in een gehucht, omdat de weinige wegen naar het zuiden onbegaanbaar waren. Naar het westen, naar Praag, zou hij wel doorgekomen zijn – alle wegen leidden naar Praag, tenminste hier in de omgeving – maar zijn bestemming lag in Moravië en wie wilde er nu naar Moravië? Hij had een paar dagen doorgebracht met als een gevangen dier te ijsberen in de boerenstulp die hij zonder omhaal had gevorderd. De bewoners had hij verjaagd. Het huisje stonk naar het boerenvolk en de dieren die in de achterste helft verbleven. Hulpeloos had hij moeten toezien hoe het overweldigende gevoel van triomf waar zijn hart van overliep, langzaam overging in de nervositeit die door de vertraging bezit van hem nam. Hij had gewonnen! Hij had Cyprian Khlesl uitgeschakeld, met niet veel meer dan een knip van zijn vingers! Goed, die andere rotzak – Andrej von Langenfels – was ontkomen, maar wat deed die ertoe? Had Diana soms ook over hem gezegd dat ze bij een gevecht eerder op hem zou wedden? Nou dan.

Hadden Diana's ogen destijds niet geglinsterd toen hij zei dat hij haar het hoofd van Cyprian Khlesl zou brengen? Hij meende het zich nog precies te herinneren. Ze had gedaan alsof het haar niet kon schelen, maar in werkelijkheid had de gedachte haar opgewonden. Als ze Cyprian Khlesl al zo bewonderde, hoe verrukt moest ze dan zijn van de man die hem ten val had gebracht? Vast en zeker zou ook zij vinden dat er een overwinningsfeestje moest worden gevierd. Ze hield hem zo op afstand en toch voelde hij haar laatste aanraking nog steeds, alsof het pas een paar minuten geleden was. Haar hand in zijn broek, knijpend, wrijvend, masserend. Hij had spijt dat hij zich niet had laten gaan en in de palm van haar hand was klaargekomen, maar in werkelijkheid had ze haar hand te snel weer teruggetrokken. Ze wist precies hoe ze het lijntje waaraan hij hing wel lang, maar ook onbreekbaar kon maken. Maar als hij nu als overwinnaar naar Pernstein terugkeerde? Hij en zij, en als extraatje...

Hij dacht eerst aan een van de simpele jonge meisjes die vanzelf in de muil van het beest renden, als Diana maar in de boerendorpen tussen Pernstein en Brno bekend liet maken dat er op het kasteel een dienstmeisje werd gezocht. Maar nee! Het was veel gemakkelijker, veel opwindender! Hij stelde zich Diana's zondige, witte lijf voor, tegen hem aan gedrukt, en Alexandra's maagdelijke lichaam voor hem op het bed... En het gloeiende kolenkomfoor... Haar smekende blikken die zich in zijn ogen boorden en de glimlach die hij haar zou schenken...

De opwinding die hij daarnet nog had gevoeld, werd koud. Zijn gedachten vervaagden in de nasmaak van de afscheidskus die Alexandra hem had gegeven. Die smaak was zoet, en enkele ogenblikken had hij warempel de kracht om vraagtekens te zetten bij de herinnering aan Diana's aanraking in zijn broek. Beide gevoelens balanceerden in een wonderlijk evenwicht, en in die korte tijd – het verbaasde knipperen van Heinrichs oogleden – was er een tweede pad, een dat de hoogten van wilde lust en het genot van pijn verliet en afdaalde naar de laagvlakten van alledaagse gevoelens, een pad dat zijn prijs had om het te begaan, namelijk die van de dagelijkse strijd tegen de verlokkende roep van de eigen perversie. Op die momenten leek het Heinrich mogelijk dat deze strijd was te winnen als Alexandra hem aan zijn zijde uitvocht. Toen herinnerde hij zich wat hij haar en haar familie had aangedaan en het pad sloot zichzelf af, omdat er geen mogelijkheid meer was om het te kiezen. De herinnering aan Alexandra's kus vervaagde, maar zou in staat zijn geweest om ook de herinnering aan Diana en de hoop op hun wederzijdse contact te laten verbleken.

Het eerste wat Diana zou zeggen als hij terugkwam, was dat het idee om de kopie van de codex te stelen die hij zelf zes jaar geleden in de kist in het klooster van Braunau had gelegd, aan glans had verloren doordat Andrej had overleefd. Als alles zo was verlopen als hij had gepland, was er nu geen enkele aanwijzing geweest dat er meer dan één exemplaar van het verdomde boek bestond dan alleen het origineel of dat er ooit een verwisseling had plaatsgevonden. Maar Andrej von Langenfels bestond, en als Cyprian had begrepen wat er was gebeurd, wist Andrej het ook. Daarmee zou ook kardinaal Melchior Khlesl het weten, de enige tegenstander die Diana vreesde. Welbeschouwd had hij gefaald.

Nee, dat had hij niet! Er was altijd nog Alexandra. Zelfs als de oude kardinaal de gebeurtenissen na de dood van keizer Rudolf juist interpreteerde en ten slotte op hem, Heinrich von Wallenstein-Dobrowitz, stuitte, die zo opvallend bereid was geweest om voor de rijkskanselier en de wijbisschop dat rotklusje op te knappen, dan had hij door Alexandra toch macht over hem. Daarbij was het voldoende als de kardinaal geloofde dat Alexandra nog in leven en in gevaar was. Er was geen enkele reden waarom hij haar ware lot zou moeten horen. In de huidige situatie zou de oude man helemaal niets ondernemen als dat weer een familielid in gevaar bracht. Het verlies van Cyprian was genoeg. Hij had de zaak onder controle.

Alleen zou Diana het niet zo zien. En elke dag dat hij hier vastzat, vergrootte de indruk dat hij eigenlijk niets had bereikt.

Zijn ogen versmalden zich van boosheid.

'Houden jullie nu eindelijk eens die beesten stil?' brulde hij over zijn schouder de kamer in.

'De geiten willen gemolken worden,' bromde een van de kerels die hij uit Praag had meegebracht. De mannen lagen op het stro, verveelden zich en waren net als Heinrich allang over de blijdschap heen dat er zo onverwacht velen van hen bij de aanval op de monniken in het stof hadden gebeten, wat de overlevenden een groter deel van de beloning garandeerde. Tot nog toe was de enige heldendaad die ze hadden volbracht sinds ze hier waren het doodstenigen van een poesje dat ze in een met schaapswol gevulde mand hadden gevonden. Ze hadden het lijkje erin teruggelegd; het boerenjong moest zelf maar ontdekken dat het beest het tijdelijke voor het eeuwige had verruild.

'Kun jij ze melken?' vroeg Heinrich.

'Nee.'

'Sla ze dan dood, verdomme. Ik kan dat gemekker niet meer aanhoren.'

De man kwam onzeker overeind. 'Alle drie?'

'Melk ze of sla ze dood. Drink de melk op of vreet vanavond geitenbout. Doe wat je wilt. Maar snel een beetje!'

Ze keken hem aan en hij begreep dat het beter was als hij niet zo duidelijk liet zien hoe zenuwachtig hij was. De hele tijd had hij de superieure, spottend grijnzende en zacht sprekende aanvoerder gespeeld. Zoiets waren ze niet gewend en ze hadden gehoorzaamd. Ze waren het ergste gespuis, en als ze het gevoel kregen dat hij zwakte toonde, zouden ze zich gaan afvragen of de zwakte soms groot genoeg was om hem te overmeesteren. Hij liep een paar snelle stappen van het raam vandaan, trok zijn rapier uit de schede en stapte vastberaden op de schaapskooi achter in de ruimte af, waar de geiten waren.

'Eh... Wat ben je van plan?'

'Ik steek de beesten neer, omdat jij daar te stom voor bent.' Heinrich maakte aanstalten om over de balk te stappen die de dierlijke en de menselijke woongemeenschap van elkaar scheidde. De geiten kwam onbeholpen aangehuppeld, in de hoop dat ze nu gemolken werden. Heinrich keek ze fonkelend aan.

'Ik doe het wel,' zei de man, en hij schraapte zijn keel. 'Ik melk ze. Ik heb al jaren geen verse geitenmelk meer gedronken. Zou toch jammer zijn, hè?' Hij keek Heinrich aan, wachtend op toestemming.

Heinrich zwaaide zijn been terug en stak het rapier in de schede. 'Breng ze tot zwijgen, hoe dan ook,' zei hij zacht.

De deur van de kooi ging open en een van de beide mannen die de prooi bewaakten, kwam er gebukt doorheen. Aan het huisje was een varkensstal gebouwd. De dieren schenen aan een slachtfeest in de afgelopen herfst ten prooi gevallen te zijn en Heinrich had besloten zijn buit hier onder te brengen, zodat de mannen niet begerig zouden worden.

'Kom eens kijken,' zei hij tegen Heinrich.

Tussen de andere huisjes van het gehuchtje stonden vermomde gedaanten in de kou naar hun onderkomen te kijken.

'Wat is dat?'

'De andere boeren. Waarschijnlijk hebben ze er genoeg van dat de familie die wij eruit hebben gegooid bij hen de boel opvreet.'

Heinrich keek de man naast zich verbaasd aan. 'Denk je dat ze ons aanvallen?'

'Wie weet wat zo'n beest van een boer denkt.'

'Ga terug naar de varkensstal. Ik regel het wel.'

'Ze doen geen kwaad, Henyk.'

'Daar zal ik voor zorgen.'

God – of waarschijnlijker de duivel – moet die idioten hebben gestuurd, dacht Heinrich, terwijl hij twee geweren laadde en de loop van het eerste daarna door een van de kleine raampjes naar buiten schoof. Wie het ook was geweest, hij had gevoel voor timing. De mannen in het huisje keken nieuwsgierig naar hem. Achter in de schaapskooi liep de ene die de geiten wilde melken te vloeken.

De boeren stonden nog steeds zwijgend in de kou naar hun huisje te kijken. Het waren er nu meer dan eerst, zeker een dozijn. Wat ze deden, was duidelijk: ze probeerden genoeg moed te verzamelen om een van hen te sturen die om teruggave van het huisje zou kunnen vragen. Natuurlijk zouden ze geen alternatief te bieden hebben, alleen een huilerig argument dat ze niets te eten hadden en hun kinderen al halfbevroren waren en dat de heren toch alstublieft medelijden met hen moesten hebben... Heinrich richtte zorgvuldig en zwaaide de geweerloop langzaam langs het front van de vermomde gedaanten op vijftig manslengten afstand. Hij concentreerde zich op het stuk direct rond het vizier van de geweerloop. Alsof hij in de verte kon kijken, zag hij de half achter wollen doeken of onder capuchons verstopte gezichten alsof hij er vlakbij stond. Gerimpelde, oude, afgetobde gezichten. Zelfs de kinderen hadden die vermoeide oudemannengezichten al. Ze waren hoogstens door hun grootte van de volwassenen te onderscheiden. De geweerloop gleed langs deze gezichten, zakte instinctief naar een kleinere gestalte tussen de andere en ging toen weer omhoog naar het volgende hoofd, stopte en zwenkte terug. Heinrich zag ernstige gezichten, sproeten, die er haast blauw uitzagen in het bleke gezicht, sombere ogen. Hij glimlachte. De opwinding kwam in zijn schoot terug.

'Voilà!' zei hij zacht.

De terugslag was hard; hij had iets te veel kruit genomen. De kruitdamp hing wit en scherp om hem heen. De knal dreunde in zijn oren. Toen hij weer iets kon zien, renden de gestalten buiten al naar de dekking van het dichtstbijzijnde huisje. Een van hen lag als een smal hoopje vodden waar hij eerst nog had gestaan. Hij had op het hoofd gericht. Hij betreurde het dat hij niet had kunnen zien hoe de kogel hem had gespleten. Hij legde het geweer op de grond en pakte het volgende op, richtte weer. Als hij die bende goed inschatte...

'Heb je er een geraakt?' vroeg een van de mannen, die naast hem op de grond kwam zitten en probeerde uit de vensteropening naar buiten te gluren.

Bij het huisje waar de boeren allemaal dekking hadden gezocht, bewoog iets. Heinrich mikte. Een van de vervloekte idioten rende gebukt naar buiten en probeerde het lijk het huisje in te trekken.

'Daar heeft hij niets meer aan, pappie,' bromde Heinrich halfluid. 'Maar als je bij je jong wilt zijn, stuur ik je naar hem toe.'

Het schot dreunde. De man naast Heinrich trok zijn hoofd opzij en hield zijn linkeroor dicht. 'Hé, verdomme!' stootte hij uit. 'Kun je niet waarschuwen?' Hij hoestte toen hij de stinkende kruitdamp inademde.

De lompengedaante sprong van de grond in de hoogte en hield zich weer met het lijk bezig. Ongelovig zag Heinrich dat hij zijn doel had gemist. Hijgend van woede sjorde hij aan zijn bandelier om een kruitmaat te pakken. Met zijn duim duwde hij het deksel omhoog: leeg. Hij vloekte. De gezichtloze gestalte buiten viel in de haast in de sneeuw en krabbelde weer op. Heinrich pakte de volgende kruitmaat. Het leren riempje waaraan deze aan de bandelier bungelde, brak af, maar hij was tenminste vol. Hij goot het kruit in de pan en smeet de lege maat in een hoek, toen herlaadde hij met vlugge vingers. De boer met zijn dode kind achter zich aan had de ingang van het huisje bijna bereikt. Heinrich gunde zich geen tijd om te richten. Hij haalde de trekker over. Het derde schot knalde over het dorp en echode.

Heinrich legde zijn musket weg. Hij keek nog even uit het raam, toen stond hij op alsof er niets was gebeurd, opende de deur en liep naar buiten. De koude lucht voelde prettig aan. De zwavelstank van de drie schoten en de geur die al eerder in het huisje hing, hadden het ademhalen binnen tot een kwelling gemaakt. Heinrich ademde diep in. Hij gluurde naar de stal, waar door een kier in het schot twee bebaarde gezichten naar hem keken en onder de indruk knikten. Voor het venster van het huisje hoorde hij het geschuifel waarmee de mannen bij elkaar dromden om naar buiten te kijken. Heinrich keek naar de hemel. In het westen vormde zich langzaam een spleet tussen de wolken, de randen van de wolken kleurden roze. Bij de boerenhuisjes was geen beweging meer te horen; twee hoopjes bruine lompen lagen nu vlak naast de ingang van het voorste huisje stil naast elkaar. Hij voelde de geschokte bewondering die zijn mannen voor hem hadden als een warme wind in de rug.

'Morgen kunnen we verder,' zei Heinrich. Hij spuugde in de sneeuw en wreef in zijn klamme handen. 'Eindelijk!'

16

Het is een van de ergste dingen, voor altijd afscheid te moeten nemen van een geliefde persoon die je hebt verloren. Een geliefde persoon verliezen zonder afscheid te kunnen nemen, is nog erger. Dat is als een wond die nooit geneest, een los eindje leven dat voortdurend in de wind van het lot wappert en de steek in het hart openhoudt. Andrej was nog een keer de weg naar Noord-Bohemen tot Jermer gereden, waar de Mettau in de Elbe mondde, en had overal gevraagd of er ergens een dode was aangespoeld. Men had hem verteld dat een lijk dat de weg naar de Elbe heeft gevonden, ook de weg naar zee zou vinden. Agnes had voortdurend het beeld voor ogen van haar broer in het stadje waar de Aupa, de Mettau en de Elbe samenvloeiden, die met zijn magere figuur op een spook leek en de afgelopen weken nog smaller was geworden, en hoe de mensen hem hoofdschuddend uit de weg gingen en hem vermoedelijk als een verloren ziel beschouwden die slechts toevallig niet om middernacht op een kruising van wegen stond te jammeren. Als iets door de doffe rouw heen drong die haar omhulde als haar eigen lijkdoek, dan was het het besef van de rouw die Andrej voelde.

Ze keek hem schuin aan. Hij stond naast haar, een halve kop groter dan zij; zijn haar was in de war en viel gedeeltelijk in zijn gezicht. Zijn rechterhand hield haar linker stevig vast. Hoe vreemd het ook was, ze putte kracht uit het feit dat hij haar kracht nodig had.

De jongens bewogen onrustig en probeerden om het hardst wolkjes in de kou van de kerk te blazen.

'Ssst!' zei Agnes zacht en ze gehoorzaamden en lieten hun hoofd hangen. Agnes benijdde hen; hun rouw om hun vader leek vaag. Ze dacht dat ze niet helemaal begrepen hadden hoe definitief de dood was, ook al had ze geprobeerd het hun uit te leggen, en dat ze er op de een of andere manier op wachtten dat Cyprian terugkwam – 'Ik keer altijd weer bij je terug!' – en dat alles weer zo was als eerst. Als ze eindelijk begrepen dat niets ooit weer zo zou zijn als eerst, zou de tijd de ergste pijn al hebben verzacht.

Ze had de eerste dagen na het bericht van Cyprians dood geschreeuwd, gehuild, getierd, met haar vuisten haar bed bewerkt en met haar nagels haar gezicht opengekrabd. Ten slotte had ze geen kracht meer gehad om iets anders te doen dan te zitten als een pakketje lege kleren. Alleen vanbinnen trappelde en brulde een dodelijk gewond iets en vervloekte het lot. Nu moest ze deze dag doorkomen zonder in te storten. Ze was het al deze mensen verschuldigd die waren gekomen om de illusie in stand te houden dat men afscheid kon nemen van Cyprian Khlesl.

'Daar komen ze,' fluisterde Alexandra hees. Ze stond aan Andrejs andere kant, tussen hem en Wenceslas. De jongeman was bleek. Agnes had nooit goed geweten wat hij van Cyprian dacht, Cyprian, die naar Wenceslas' beste weten zijn oom was, de jongensachtige, hard lachende, zijn verlegen neef tot diens ontzetting soms gewoon in zijn armen sluitende Cyprian. Ze had altijd gedacht dat Wenceslas bang voor hem was. Toen hij bij hen thuis was gekomen om haar en Alexandra zijn steun aan te bieden, was hij in tranen uitgebarsten en moest door haar worden getroost en met haar eigen tranen was het besef tot haar doorgedrongen dat Cyprian ook in dit gesloten, onzekere hart alleen maar liefde en genegenheid had opgeroepen.

God haalt de besten het eerst, want hij heeft hen graag bij zich, dacht ze. Ze voelde een bitterheid die haar de adem afsneed.

De misdienaars hadden even daarvoor de aanwezigen gesplitst en een soort middenpad laten ontstaan. Agnes had er geen opdracht toe gegeven, maar later begreep ze waar de instructie vandaan kwam: kardinaal Melchior. Over het pad zou normaal gesproken het lijk op zijn doodsbaar worden gedragen als het op zijn op een na laatste weg van zijn huis in zijn parochiekerk was aangekomen. Maar er was geen lijk. Agnes had begrepen dat de oude kardinaal net zomin als zij aan de gedachte kon wennen dat dit een afscheid zonder laatste groet was.

Ze keek niet op toen ze de voetstappen en het rammelen van de ketting van de navicula hoorde naderen. De wierookgeur had een troostende werking moeten hebben, maar had die niet. Ze hapte naar lucht en voelde dat Andrej de druk van zijn hand verstevigde om haar tegendruk te geven. Ze probeerde te ontspannen. De kardinaal, die erop had gestaan zelf de mis te lezen, en de diakens, acolieten en misdienaars kwamen prevelend dichterbij.

Requiem aeternam dona eis, Domine.

Ze boog haar hoofd. Cyprian, dacht ze wanhopig. Cyprian, hoor je me? Ben je ergens waar je mijn verdriet ziet en mijn hart hoort breken? Ik heb van niemand zo gehouden als van jou. Je was mijn andere helft, je was mijn betere ik, je was mijn zielsverwant. Ik probeer je te bereiken, maar ik voel je niet meer.

Eigenlijk was het altijd andersom geweest: hij had altijd de weg naar haar gevonden als ze in nood had gezeten. Vandaag stond ze voor de ergste ervaring van haar leven, namelijk de rest van haar weg zonder hem te moeten gaan en hij kon haar niet bijstaan.

Hoe kun je dood zijn, dacht ze, als je in mijn hart zo levend bent?

Ze begon te trillen, de tranen stroomden over haar gezicht. Ze voelde dat Andrej zijn andere hand over de hare legde. Ze schudde haar hoofd. De pijn was te erg. Niemand kon deze pijn verdragen en toch bleef ze staan.

Over de kerk daalde een verlammende stilte neer. Uit haar ooghoek zag ze de misgewaden glimmen, zilver, goud en de glans van zijde. Ze keek op. De processie was voor haar blijven staan. Kardinaal Melchior keek haar aan. Ze had hem een paar dagen geleden voor het laatst gezien. Ze rilde toen ze zag hoeveel ouder hij sinds hun laatste ontmoeting was geworden. Zijn huid spande zo strak over de botten van zijn gezicht dat je al een indruk kreeg van hoe zijn doodshoofd eruit zou zien. Zijn mond bewoog. In de kerk klonk een gemurmel op. Zijn ogen waren vochtig. Opeens wist ze wat ze had moeten doen: ze had uit de rij moeten stappen en haar hand naar hem uitsteken. Ze wist dat hij zichzelf de schuld gaf van Cyprians dood, hoe kon het ook anders, zij gaf hem de schuld eveneens.

Ze kon het niet; ze kon niet voor de hele parochie doen alsof ze hem ooit zou kunnen vergeven. Andrej maakte zijn hand los en ze keek toe hoe beide mannen elkaar een hand gaven en hoe de kardinaal daarna Wenceslas en Alexandra de hand drukte. De jongens schuifelden langs haar heen en gaven de kardinaal ook verlegen een hand. Melchior Khlesl lachte door zijn tranen heen tegen hen en richtte zijn blik toen weer op haar. Ze kon hem niet verdragen, maar ze kon ook niet naar hem toe gaan. Daarom vouwde ze haar handen in haar schoot en boog haar hoofd.

Requiem aeternam dona eis, Domine.

Ze hoorde het gefluister door de kerk gaan en dacht uitgeput: schijnheilige schepsels, wind je op over je eigen fouten. Andrej nam haar hand weer in de zijne en ze rechtte haar rug. Het gefluister werd langzaam minder. De processie vervolgde haar weg naar het altaar. De kardinaal ging gebogen alsof zelfs de wierookwolken zwaar genoeg waren om hem omlaag te duwen. Ze zag dat hij moeite had om de paar treden op te klimmen die van het kerkschip naar het altaar leidden. Hij was een oude man, en ook hij had de enige mens verloren aan wie zijn hart volledig had toebehoord. Ze had hem moeten vergeven. Cyprian zou gewild hebben dat ze hem vergaf. Zelf zou hij zijn oom zijn dood hebben vergeven. Met een lege blik staarde ze naar de prachtige gewaden die langs haar heen trokken.

Toen was de laatste witte schim van een albe voorbij en haar oog viel op de mensen aan de andere kant van het middenpad. Enkelen observeerden haar nieuwsgierig en keken meteen weg toen ze merkten dat ze waren betrapt. De meesten volgden de langstrekkende clerici met hun ogen. Slechts één gezicht bleef naar haar toe gewend, een vage, lichte vlek in het donker van dikke mantels. Haar wazige blik focuste langzaam op dit gezicht en met een schok die zo langzaam door haar lichaam vibreerde als een hartslag, herkende ze het.

De man trok een medelijdend gezicht dat tegelijk bemoedigend probeerde te lachen; zijn gelaatstrekken veranderden in die van een huilerige oude vrouw. Hij leek op de gezichtsuitdrukking te hebben geoefend. Hij knikte langzaam met zijn hoofd en wendde zich toen majesteitelijk af om eveneens naar het altaar vooraan te kijken. De jaren waren in zoverre goed voor hem geweest dat ze zijn gezicht en zijn lichaam heel wat extra vlees hadden gegund.

Agnes keek bedrukt naar de grond. Plotseling lag er een piepklein steekje angst in haar rouw.

Ze was een welgestelde weduwe en nu verschenen de aasgieren al aan haar persoonlijke horizon.

De man in het rouwpubliek aan de andere kant was duur gekleed en naar zijn uiterlijk te oordelen kon hij niet pas een paar minuten geleden in de stad zijn aangekomen, maar moest hij al een paar dagen in Praag verblijven. Hij had haar niet één keer iets laten horen; hij had ingezet op het effect dat het op Agnes zou hebben als ze hem hier in de kerk voor het eerst zag. Hij had zich niet vergist. Haar hart sloeg een slag over.

De man was Sebastian Wilfing.

Het requiem voor Cyprian Khlesl zwoegde zich door zijn verloop: *introïtus, kyrie, graduale.* Kardinaal Khlesl leek er de steun in gevonden te hebben die Agnes uit Andrejs aanwezigheid putte. Hij keek geen enkele keer haar kant op. Agnes op haar beurt merkte dat haar ogen steeds weer over het middenpad afdwaalden en Sebastian Wilfing zochten, maar die had zijn hoofd gebogen en zag eruit als iemand die opging in zijn devotie. Agnes vroeg zich af of hij uit zichzelf de moed had gevonden om te komen. Ze betwijfelde het. Ze geloofde de hand van haar moeder erin te herkennen. Theresia en Niklas Wiegant, haar ouders, waren te oud om naar Praag te reizen, maar het was niet onwaarschijnlijk dat Theresia haar vroegere droomschoonzoon had ontboden en er bij hem op had aangedrongen Agnes in Praag te bezoeken. Misschien had ze hem zelfs in het oor gefluisterd: 'Gods molens malen langzaam, maar als je het handig aanpakt, malen ze nu jouw graan. De Heer heeft Agnes weduwe gemaakt.' Agnes huiverde, het vonkje angst ging over en veranderde in een veel sterkere vonk boosheid.

Het gedragen gezang van de *tractus* bereikte haar hart niet. Zoals op alle boete- en rouwdagen verving het het *halleluja*, dat anders altijd voor de offerande werd gezongen. Ze wist wat er daarna zou volgen: de hymne van het laatste oordeel. Ze merkte verrast dat ze ernaar uitkeek dat het ingezet zou worden, want ze had het gevoel dat het *dies irae* de boosheid die ze begon te voelen, nieuwe voeding zou geven en met die boosheid zou ze zich kunnen wapenen als na afloop iedereen naar haar toekwam om deelneming te betuigen; als ten slotte Sebastian Wilfing voor haar stond en zijn huilerige gezicht opnieuw opzette. Ze rechtte haar rug. Boosheid was een warm gevoel, en niets was welkomer dan een beetje warmte in deze bodemloze kou die haar ziel vulde.

Dies irae, dies illa, dag van wraak, dag van zonden...

Ze merkte dat de snelle stappen van laarzen door het jengelende gezang knalden en dat de eerste misgangers zich omdraaiden. Opnieuw ging een gefluister door de rijen. Ze hoorde het langzame geluid waarmee de deur van de kerk zich weer sloot en de door de kerk galmende knal waarmee hij dichtviel.

Welk een angst zal er zijn wanneer de rechter zal komen...

Ze draaide haar hoofd tegelijk met alle anderen om, om te zien wie er aankwam.

Ze geloofde haar ogen niet.

17

Filippo had een paar dagen in het Lobkowiczpaleis doorgebracht zonder iemand anders te zien dan de bediende die hem zijn eten bracht. Hij had moeten twijfelen of hij het juiste had gedaan, maar eigenlijk was hij vol vurig vertrouwen. Hij kon er zijn vinger niet op leggen waarom dat zo was. Mogelijk voelde zijn ziel dat hij bijna bij het einddoel van zijn verlangens was. Na verloop van tijd kwam een man het kamertje binnen waar Filippo verbleef. Hij droeg een zware reismantel, een dik pakket onder zijn arm en zat van top tot teen onder een soort gele modderspetters die maar half waren opgedroogd. De man knikte hem toe en vroeg: 'Kunt u paardrijden, Eerwaarde?'

Filippo haalde zijn schouders op. De man gooide hem het pakketje toe. Daarin zat nog een reismantel van zware stof.

Filippo's reisgenoot rook sterk naar paard, zweet en naar een lange reis. Filippo dacht dat hij niet al te lang had kunnen uitrusten, voor hij hem had opgezocht en hem dringend verzocht mee te komen.

Later, toen ze langs de plek kwamen waar de gele modder was, en Filippo in zijn hoofd de reistijd had nagerekend, had hij begrepen dat de man helemaal niet had gewacht. Hij was in Praag aangekomen, naar hem gegaan en was samen met hem meteen weer teruggereisd. Beide paarden zagen er een beetje ruig en net zo vuil als hun berijder uit. De man had ze om en om bereden en vermoedelijk alleen 's nachts gerust. Als er een voorbeeld bestond voor toewijding, gehoorzaamheid of gewoon slechts angst voor de hogere macht van zijn meesteres, dan was hij het: een lange, breedgeschouderde man, van wie je kon aannemen dat hij voor niets ter wereld bang was, behalve misschien voor de duivel, en waarschijnlijk was het precies die angst die hem dreef. Filippo was onder de indruk.

'Waar rijden we heen?'

'Naar Pernstein, het familieverblijf van mijn meesteres.'

'Waar ligt dat?'

Filippo had de laatste dagen gebruikt om zijn Boheems te verbeteren. Het was nog steeds hakkelig en hij moest nog vaak naar woorden zoeken, maar hij begreep tenminste wat er werd gezegd en wat hij de anderen wilde meedelen, werd meestal ook begrepen.

'Weet u waar Brno ligt, Eerwaarde?'

Filippo schudde zijn hoofd. Zijn reisgenoot haalde zijn schouders op.

'Waarom blijven we niet in Praag? Je meesteres heeft me daar immers ontvangen.'

Daarop gaf de man geen antwoord en dus zetten ze hun reis grotendeels zwijgend voort. Het einde van de winter was nu overal ingetreden. De wegen waren modderpaden of volkomen onbegaanbaar, en wat de akkers betrof waarop de eerste boeren begonnen te werken, dat waren weinig meer dan moerassen waarin de werkende gedaanten tot hun knieën wegzakten, tot ze zich eraan hadden aangepast qua kleur, uiterlijk en stank. Filippo moest aan het verhaal van de golem denken, de man van klei, dat hij in Praag had gehoord. De Joden hadden hem geschapen om hen te helpen. De boeren waren hun eigen golems en het leek net alsof de aarde hen had voortgebracht, niet van klei, maar van drek gemaakt, geboren uit de modder waarin ze ooit weer zouden wegzinken. Je hoefde maar naar hen te kijken en jezelf voorhouden dat er werd gezegd dat God de mensen naar zijn eigen beeld had geschapen, om te weten dat er geen God kon bestaan. Je hoefde daarvoor niet eens te zien dat een van die modderschepsels plotseling kreunend op haar knieën viel en iets uitperste wat later blèrend en kronkelend in een vuurrode plas bloed in een slijmerige akkervoor lag, met lompen bedekt en onmiddellijk na zijn intrede in het leven bestemd voor de dood of beginnend aan een bestaan dat een god voor iets wat op hem leek niet kon hebben gewild.

Je hoefde geen slagvelden te bezoeken of gevangenissen of martelkamers of een terechtstelling bij te wonen. Het was genoeg deze door iedereen geminachte schepsels te zien, zonder wier zware dagelijks werk geen van de hoge heren die hun neus ophaalden iets te eten zou hebben en uit wier laag hun voorouders ooit waren voortgekomen, om te weten dat het geloof in de almachtigheid van het goede en in een onzichtbare macht die de dingen goed zou maken, volkomen onzin was. De laatste vijftig jaar waren de boeren bijna overal in het rijk lijfeigenen geworden, hadden het recht op het gebruik van meentgronden en gemeenschappelijke weiden en bossen verloren, moesten feodale diensten verrichten zoals vijfhonderd jaar geleden en hadden niet eens meer hun eigen rechtspraak. Wie zich boven de grond niet meer staande kon houden, werkte eronder, in uitgeputte zilvermijnen, waarvan het bestaan een bedreiging was voor het goedkope zilver uit de

Nieuwe Wereld. Wie dacht dat er in de stad vrijheid en de bescherming van gilden bestonden, maakte de uitbuiting van de dagloners door de meesters mee, werkte meer dan negentig uur per week en begon zijn werkdag om vier uur 's morgens, terwijl die om zeven uur 's avonds eindigde, volgens de Boheemse tijdrekening.

De golem had geprobeerd het juk van de knecht af te schudden; zijn scheppers hadden hem uiteindelijk kapotgemaakt. Ook de boeren hadden al diverse keren geprobeerd de heerschappij af te werpen van degenen die door hen werden gevoed, terwijl de arbeiders in opstand kwamen tegen de machines die hun het brood uit de mond stootten. Ze werden er erger voor gestraft dan soldaten voor een overval van een vijandelijk leger. De analogie met de golem was werkelijk deprimerend.

De aanblik van Pernstein riep een golf van emoties in Filippo op. Eerst was het een schok. Het kasteel verhief zich niet anders uit de bossen en boven de boomtoppen dan Sant'Angelo in Rome boven de daken en torens. Filippo voelde zich bedrukt toen deze vergelijking in hem opkwam. Plotseling besefte hij weer wat hij was: een afvallige, een verrader, een deserteur. Iemand die alle geloften had gebroken, alle eden overboord gegooid, die de Heer had verraden, iemand op de weg naar het duister.

Maar toen wist het koppige gedeelte van zijn verstand, het deel dat altijd met de stem van Victoria sprak, dat het – als Pernstein met Sant'Angelo vergeleken kon worden en dezelfde gevoelens in hem opriep – een juiste beslissing was geweest om hierheen te gaan, dat Pernstein zijn bestemming was geweest sinds de tijd dat Scipione in zijn schuilplaats zat en de standvastigheid van de ziel van zijn kleine broertje op de proef stelde. Als Sant'Angelo de vesting van een verschraald, verstard geloof was dat niemand meer kon aanhangen, dan was Pernstein misschien het monument van een nieuw geloof. Alles ter wereld moet zijn opponent hebben. Als dat waar was, moest er naast de Engelenburcht ook een Duivelsburcht zijn, en als die hier in Moravië lag en om Filippo riep, dan was een weg voltooid. Zoals Filippo het katholieke geloof had leren kennen, kon het tegenovergestelde alleen maar aantrekkelijk zijn.

Geschokt bekeek hij de steile wanden, het mozaïek van de daken, de torens en erkers, die vanuit de muren grove reuzengezichten maakten, de los en iets afzijdig staande burchttoren, alleen door zijn houten brug met het hoofdgebouw verbonden: een monument, iets wat zich aan de reiziger op-drong en hem uitdaagde zijn moed te bewijzen omdat hij wist dat die zou falen.

Er waren dingen die Filippo niet graag zag. De boeren en pachters in de omgeving van het kasteel hoorden daarbij. Ze waren stom en bleek, ze werkten gebukt en als iemand een blik over zijn schouder op de berg wierp die achter hem dreigde, dan leek het Filippo of die blik werd gekenmerkt door angst en onderwerping. Maar dan meldde Victoria zich weer en zei dat het in de gangen en onder het personeel in het Lateranenpaleis ook niet beter was, dat ook daar gebukte gestalten rondliepen die bang waren, bang voor de macht van de priesters, de kardinalen, de secretarissen van de paus die zich met niets anders bezighield dan met het vergroten van de rijkdom van zijn familie en zijn eigen roem in een nieuwe stenen gevel voor een oude kerk te metselen in plaats van met naastenliefde en de dringend nood-zakelijke hervormingen van het geloof. Het kon zijn dat in Pernstein de heerschappij van de duivel was aangebroken, maar uiterlijk onderscheidde die zich nauwelijks van de heerschappij van God in Rome.

Filippo werd op de middelste verdieping van de burchttoren onderge-bracht. Hij trof een schaal water aan, die zowel om te drinken als om zich te wassen was bedoeld; andere levensmiddelen waren er niet. Zijn maag knor-de, maar die stelde hij tevreden met een slok water en hij waste zijn gezicht en handen. Zijn soutane was zo gescheurd en vuil dat hij die het liefste had uitgetrokken en verbrand, maar niemand stelde hem andere kleren ter be-schikking en daarom liet hij het maar. Juist toen hij zich afvroeg of hij zich op net zo'n lange wachttijd als in het Lobkowiczpaleis moest instellen, ging de deur open en werd hij gesommeerd mee te komen.

De bediende bracht Filippo over de brug naar het hoofdgedeelte van het kasteel en daar door eindeloze gangen, die, hoewel ze leeg waren, Filippo een beetje aan de gewelven vol schijnbaar nutteloze kunstobjecten in Rome de-den denken, waarin hij destijds had geloofd de Duivelsbijbel te vinden. Ten slotte kwam hij in een ruimte die vroeger de kapel van het kasteel moest zijn geweest. Daar stonden twee mensen en Filippo kreeg de volgende schok.

Het waren een jongeman en een vrouw. De jongeman had lang haar, een keurig geknipte baard en het knappe gezicht dat je op engelenbeelden kon aantreffen. Hoewel hij een beledigd gezicht trok, had zijn schoonheid al-les in de schaduw moeten stellen, maar naast de glans van de gestalte naast hem was hij hoogstens een donkere schaduw die een grijze vlek wierp op de lichtgevende vrouw.

In Praag had Filippo uitgebreid de tijd gehad om Polyxena von Lobko- wicz' profiel te bestuderen. Haar schoonheid had hem geobsedeerd, evenals de kou die ze uitstraalde. Hier in Pernstein had ze zich stralend wit opge- maakt. Filippo hield zijn adem in toen ze zich tot hem richtte. Hij had het gevoel dat de grond onder hem openging en hij in een diepe afgrond viel.

'Filippo Caffarelli,' zei ze. 'Denkt u dat u op uw bestemming bent aange- komen?'

Alleen al vanwege die stem zou zelfs een nog preutsere man dan Filippo overwegen om uit de Kerk te treden en zich aan haar voeten te werpen. Bij hun eerste ontmoeting in Praag had haar sensuele schoonheid iets in zijn hart geraakt. Het facet van haar persoonlijkheid dat hier zichtbaar was, greep echter iets in zijn lichaam, schoof zijn ziel en zijn geweten aan de kant en pakte hem daar waar ook in een man die als kind voor het priesterschap was bestemd, het dier zat dat met wijd open neusvleugels de geur van harts- tocht opsnoof. Filippo had er geen idee van dat het hem in feite niet anders verging dan de duister kijkende jongeman aan de zijde van de witte verschij- ning. Het verschil was alleen dat waar zich in Heinrich von Wallenstein- Dobrowitz een monster bewoog dat anderen zoveel mogelijk pijn moest doen, bij Filippo Caffarelli iets trok wat zichzelf wilde verscheuren vanwege het nutteloze leven dat het tot dan toe had geleid.

'Ik weet het niet,' loog Filippo.

'O, een twijfelaar,' zei de jongeman lachend. Het klonk onecht. De wit- geschminkte vrouw negeerde hem.

'Is hij hier?' vroeg Filippo.

De vrouw deed een stap opzij en Filippo ontwaarde een lessenaar, waar- op een enorm boek opengeslagen lag. Filippo's lijf begon te gonzen, alsof iemand vlakbij een reusachtige trommel sloeg. Hij stapte naderbij.

De jongeman versperde hem de weg. 'Mag ik vragen waarom die paap hier is?' vroeg hij zonder Filippo uit het oog te verliezen.

Filippo las een mateloze woede in de ogen van de man, en hoewel zijn zintuigen onder het voortdurende gedreun dat hij hoorde in de war raak- ten, begreep hij wel dat het grootste deel van die woede niet tegen hem, maar tegen de vrouw in het wit gericht was. Filippo wist niet welke positie de man met het engelengezicht bekleedde; hij sprak Boheems, maar hij onderscheidde zich van alle andere mensen die hij tot nu toe in dienst van de prinses van Pernstein had leren kennen.

'Iedereen heeft zijn plaats in het nieuwe tijdperk waarvan we op de drempel staan,' zei ze zacht. 'Zelfs een paap. Zelfs iemand als u, mijn vriend.'

'Ik heb mijn waarde wel meer dan eens bewezen!'

'Toen u zonder overleg een rij monniken overviel en een boek hierheen bracht dat volkomen waardeloos is?'

'Diana!' zei de jongeman, en onder alle boosheid en pijn in zijn stem hoorde Filippo een smekende ondertoon. 'Als ik eerst met u had overlegd, waren de monniken in geen velden of wegen meer te zien geweest. Ik moest snel zijn. Ik heb slechts in uw belang gehandeld!'

'Hoe kunt u weten, beste Henyk, wat mijn belang is?'

'We zijn partners! Uw belang is ook mijn belang!'

'Soms,' zei ze. 'Op de momenten waarop het voor u zwaar weegt.' Ze glimlachte. Filippo volgde haar blik en zag dat die op het kruis van de jongeman was gericht. Zijn eigen mond werd plotseling droog. Henyk werd eerst bleek en begon toen te blozen. Filippo had intussen zijn eigen idee ontwikkeld van de relatie tussen de twee, en was ervan overtuigd dat Henyk daarin de ondergeschikte partij was. De hartstocht die hij uitstraalde en de zinnelijkheid die haar begroeting in het begin in hem, Filippo, had gewekt, werkten samen en maakten zijn soutane ondanks de heersende kou onverdraaglijk warm en krap. Met het instinct dat de jarenlange oefening als priester in hem had ontwikkeld, begon hij het martelende gevoel om te draaien in diepe, messcherpe concentratie. Het gonzen dat van de Duivelsbijbel uitging, leverde er het ritme bij, langzamer, lager en schokkender dan elke hartslag. Het was de concentratie die een dienaar van God af en toe liet geloven dat hij contact met zijn Schepper kon leggen. Filippo zou de kracht echter niet gebruiken om met God te communiceren. God was dood. Het dreunen van zijn lichaamsvezels toonde hem de enige macht die nog in leven was, en het boek op de lessenaar was de poort ernaartoe.

'U hebt alleen naar uw eigen kleine gevoelens geluisterd toen u de confrontatie met Cyprian Khlesl zocht,' zei ze. Filippo spitste zijn oren toen hij die bekende naam hoorde.

'En ik heb gewonnen!' riep Henyk. 'U zou als Cyprian en ik het ooit tegen elkaar zouden opnemen, geen rooie cent op mij zetten; en nu ziet u wie het onderspit heeft gedolven!'

'Ik had getuige van die overwinning moeten zijn,' zei ze. 'Dan had ik die misschien op waarde kunnen schatten.'

Het gezicht van de jongeman verstarde. Hij slikte zo hard dat zijn adamsappel op en neer wipte. De blik die hij vervolgens op Filippo wierp, was dodelijk. Filippo wist dat het niet persoonlijk bedoeld was; hij was de enige in de kamer die Henyk deze blik durfde toe te werpen. Het maakte de dodelijke dreiging die van hem uitging alleen maar indringender. Filippo had het gevoel dat meer dan één mens onder de handen van deze knappe jongeman de dood had gevonden alleen omdat hij niet sterk genoeg was geweest om zijn woede op het eigenlijke voorwerp van zijn haat uit te leven. Was de kracht van de Duivelsbijbel er niet geweest die de ruimte beheerste, dan hadden de gevoelens tussen hem en haar de lucht in de kapel vermoedelijk laten zinderen.

'Denkt u eraan dat ik degene ben via wie u kardinaal Khlesl onschadelijk wilt maken. Als ik er niet was, zou Alexandra –'

'Kardinaal Khlesl,' zei ze, terwijl ze naar hem keek alsof hij een insect was, 'is geen gevaar meer.' Ze richtte haar aandacht op Filippo.

'Wat heeft dat te betekenen?'

De vrouw in het wit negeerde Henyk. Ze maakte een uitnodigend gebaar. 'Komt u dichterbij,' zei ze. 'Kom en zie waarnaar u al die jaren hebt gezocht.'

De Duivelsbijbel was opengeslagen op een plaats die aan beide kanten dicht met letters was bedekt. Aan het begin van een hoofdstuk stond een geïllumineerde letter: blauwe, rode en groene inkt, een klein kunstwerk in de vorm van een enkele hoofdletter. Filippo had goud en zilver verwacht en illuminaties die in hun pracht straalden over de bladzijde waarop ze zich bevonden en reflexen wierpen op de wanden ertegenover. In werkelijkheid was de illuminatie nogal pover. De letters waren klein, nauw en gelijkmatig en stonden verspreid over de twee bladzijden die hij bekeek in vier symmetrische blokken van op- en neergaande halen en de verdikte bochten van het oude unciaalschrift. Hij kon zien dat het rechterblad pas was omgeslagen: in de buurt van de middenvouw was een welving gevormd, die bijna uitnodigde er met je vinger onder te gaan en de hele bladzijde naar links te slaan, door te bladeren en te kijken wat er op de volgende twee bladzijden stond. Filippo, wiens middenrif trilde en die zijn ogen niet kon scherpstellen, gaf als in trance aan die uitnodiging gehoor.

Ontsteld deinsde hij achteruit en stootte daarbij tegen Henyk aan, die hem was gevolgd en haast tegen zijn wil over Filippo's schouder scheen te gluren. Onwillekeurig schoot Filippo's rechterhand naar zijn voorhoofd om een kruisteken te maken, maar toen bedacht hij zich. Dit was daar niet de goede plaats voor.

'Wat is uw bijdrage?' hoorde hij Henyks stem.

Filippo zette zich schrap. Hij constateerde dat hij het portret van de duivel kon weerstaan. Een moment had hij geloofd dat de opgestoken klauwen van het papier zouden komen, hem grijpen en het boek in trekken. Zijn hart ging als een razende tekeer.

'Hebt u de code ontcijferd?' vroeg hij met bibberende stem.

Toen er geen antwoord kwam, draaide hij zich om. Het viel hem zwaar zijn blik los te maken van het boek en de hellevorst die op de opengeslagen bladzijde prijkte. Henyks mond was vertrokken tot een glimlach. De vrouw in het wit keek Filippo glimlachend aan. Ze antwoordde niet.

'Ik heb alles over dit boek gelezen wat ik in het Vaticaan kon vinden,' zei Filippo. 'Paus Urbanus heeft onderzoek gedaan; ik heb bijna al zijn aantekeningen gevonden.'

'Ga door,' zei ze.

'Ik denk dat ik de code kan ontcijferen.'

Haar glimlach veranderde niet. Haar ogen lieten Filippo niet los terwijl ze zei: 'Is dat voor u voldoende bijdrage... partner?'

'De duivel hale de papen,' bromde Henyk.

Filippo keerde zich weer naar de codex toe. Voorzichtig streek hij over de bladzijde met het portret van de duivel. Het perkament voelde aan alsof het zich daartegen verzette. De aanraking was onprettig en opwindend tegelijk. Plotseling kreeg hij een visioen. Hij zag zichzelf voor de voorgevel van de Santa Maria in Palmis voor de poorten van Rome staan. Hij was alleen. De straat zinderde in de hitte, in de kuilen van de weg lagen plassen van spiegelend zonlicht en suggereerden water, de hemel was bijna wit. Het zinderen nam bijna ongemerkt een vorm aan, werd een schaduw die dansend en met schokken dichterbij kwam tot er plotseling een menselijke gedaante in te herkennen was. Filippo slikte en rechtte zijn rug. Pijnlijk steeg in hem de zekerheid op dat hij zich nu zou moeten rechtvaardigen. Toen was de gedaante bij hem en tot zijn verbazing was het Vittoria. Zij nam hem onbewogen op. Langzaam stak hij zijn hand naar haar uit en voelde dat zijn pols werd vastgepakt. Hij knipperde met zijn ogen en realiseerde zich dat hij zich in de koele oude kapel van Pernstein bevond. De blauwe ogen van Henyk waren vlak voor zijn gezicht en leken zijn gedachten te willen lezen.

'Beloof niet te veel, paap,' zei Henyk zacht. 'Hier worden gebroken beloften met bloed vergolden.'

Filippo luisterde nauwelijks naar hem. Zijn ogen zochten Polyxena von Lobkowicz, maar hij was alleen met Henyk en het boek. Hij had niet gehoord dat ze de zaal had verlaten.

'Dat is niet degene die ik in Praag heb leren kennen,' fluisterde Filippo. 'Deze vrouw heeft twee zielen.'

Henyks gespannen gezicht verzachtte zich. Hij liet Filippo's pols los. 'Werkelijk?' vroeg hij. 'Ik was ervan overtuigd dat ze er helemaal geen had.'

Filippo staarde hem aan. Even later klopte Henyk hem op de schouder en keerde zich eveneens om om weg te gaan. 'Veel succes, paap,' zei hij. 'Je bent niet de eerste die het ding te lijf gaat. Ik zal je lijk met plezier voor de varkens gooien.' Bij de deur draaide hij zich nogmaals om. 'Maar misschien hou je je belofte wel, nietwaar?'

Filippo lette niet op hem. Zijn visioen had ervoor gezorgd dat zijn hart nog sneller tekeerging. Op het laatste moment, voordat Henyk het drogbeeld had verstoord, was Vittoria's gezicht veranderd in dat van Polyxena. Haar mond was open, alsof ze iets wilde vragen. Hij kon zich voorstellen hoe de vraag zou luiden: *Quo vadis, domine?*

18

Het zag eruit als een golf. Vooraan bij de kerkdeur vielen de eerste misgangers op hun knieën, de volgende deden hen na, met een voetstap vertraging welfde de golf de stampende laarzen achterna op het altaar af. Agnes staarde de binnengekomene stomverbaasd aan.

Het was koning Ferdinand.

Nooit van haar leven had ze gedacht dat de Boheemse koning (en binnenkort keizer van het Heilige Roomse Rijk volgens de geruchten) bij Cyprians rouwdienst zou verschijnen. Nooit van haar leven had ze gedacht dat de koning er zelfs maar in de verte een vermoeden van had dat er buiten de oude kardinaal nog iemand met die naam was. En nu kwam de Habsburger hier voor de mis binnen.

De koning was bijna op haar hoogte, toen haar instinct wakker werd en maakte dat ze een stap naar voren zette uit de rij waar ze stond. Ze zag de gedrongen, corpulente gestalte met de nauwsluitende haarkap en de geprononceerde onderkaak op zich af stevenen en zakte ineen toen ze een knieval maakte. Wanhopig probeerde ze haar stem onder controle te krijgen om hem te kunnen begroeten.

Koning Ferdinand keek verbaasd, liep toen om de gebukte gestalte heen en marcheerde het altaar op. In de kerk nam het gefluister toe. Agnes draaide zich om en keek hem na; ze had de energie niet meer om op te staan. Het koor was stilgevallen, het *dies irae* weggestorven in een gemompel. Kardinaal Khlesl was te verbluft om zelfs maar zijn hoofd ter begroeting te buigen. De koning bleef voor het altaar staan. Over het altaar heen keken beide mannen elkaar aan. Toen draaide de koning zich even stug als eerst om en hief zijn handen. Het geroezemoes, dat steeds luider was geworden, verstomde.

'In naam van de keizer van het Heilige Roomse Rijk,' riep Ferdinand van Habsburg, 'en in naam van de kroon van Bohemen, waarvan Wij de drager zijn, en in naam van de Heilige Katholieke Kerk: deze man is gearresteerd.'

Hij draaide zich volmaakt theatraal om en wees op kardinaal Khlesl.

Het was zo stil in de kerk dat je de kleding kon horen ruisen. Agnes zat verdoofd op de grond. Ze had het gevoel nu definitief in een nachtmerrie gevangen te zijn. Iemand schoof een hand onder haar oksel en trok haar omhoog. Ze kwam overeind als een oude vrouw. Andrej stond naast haar en hield haar vast. Ze probeerde te zeggen dat ze zelf wel kon staan, maar haar lippen gehoorzaamden haar niet. Vaag merkte ze de aanwezigheid van nog iemand aan de andere kant naast haar. Ze rook parfum, die royaal over ongewassen lichaamsplaatsen was verdeeld. Uit haar ooghoek herkende ze Sebastians vollemaansgezicht. Het was weer verwrongen tot hetzelfde medelijdende lachje. Ze had hem het liefst op zijn gezicht geslagen, maar ze kon zich niet bewegen.

Koning Ferdinand schoof zijn onderkaak naar voren en keek furieus naar de menigte mensen in de kerk. De stilte was nog steeds absoluut.

'Deze man,' zei de koning in de stilte, 'is ongedierte voor het Rijk en voor de persoon van onze geliefde keizer. Hij verzet zich tegen alle inspanningen om de uitdrijving van de protestantse ketterij met het nodige geweld uit te voeren. Hij bedreigt het leven van keizer Matthias door er niet tegen in te grijpen dat de protestantse Staten van Bohemen soldaten werven. Hij belemmert de bewapening van een keizerlijk leger, omdat hij geldmiddelen achterhoudt die de keizer nodig heeft om zelf te werven.' Nog steeds was het rouwgezelschap doodstil. De koning was bleek van boosheid. Als hij applaus had verwacht, werd hij teleurgesteld. Agnes deed tevergeefs haar best om te verstaan wat Ferdinand van Habsburg de kardinaal verweet, want al zijn beweringen klopten, behalve dat zij en iedereen die ze kende Melchiors strategie hadden goedgekeurd, omdat die een oorlog verhinderde. Dat koning Ferdinand alles nu omkeerde in verwijten, was zo doorzichtig dat je onwillekeurig dacht dat je hem verkeerd had begrepen. Wat de geldmiddelen betrof die Melchior achterhield, dat waren overigens zijn eigen geldmiddelen. Niet keizer Matthias, maar koning Ferdinand en aartshertog Maximiliaan hadden diverse keren tevergeefs bij hem aangeklopt.

'Deze man,' zei de koning ten slotte, 'wordt aangeklaagd wegens hoogverraad.'

De kerkdeuren zwaaiden weer open en er naderden nog meer stappen. Agnes herkende het nog hardere stampen op de grond: zware soldatenlaarzen. Ze wankelde en zag twee officieren aankomen. Van buiten fonkelde het staal van iemand die met een vendel was gewapend voor de deur weer dichtviel. Sebastian maakte van de gelegenheid gebruik en schoof een hand onder haar vrije arm. Zijn aanraking voelde aan als een brandijzer.

'Trek uw priesterkleed uit en ga mee met de heren Dampierre en Collalto,' kraakte de stem van de koning.

'Ik teken protest aan,' zei kardinaal Melchior rustig en zo dat men het tot op de achterste rij in de kerk kon verstaan. 'In naam van de keizer en de paus...'

'Kop houden!' snauwde de kolonel, die de koning met Dampierre had aangeduid. Het trof Agnes als een mokerslag. 'Slang! Als u nog een keer het woord neemt in het aangezicht van de koning, trappen we u deze kerk uit die u met uw aanwezigheid besmeurt.' Hij gooide iets donkers over het altaar. 'Trek dat aan!' De zware soldatenmantel gooide de kelk met de wijn en de schaal voor de hosties om. De wijn liep over het kleed op het altaar, de hosties vielen op de grond en rolden over de vuile vloer. Kardinaal Khlesl stond opeens helemaal alleen achter de offertafel; zijn diakens en acolieten hadden zich teruggetrokken alsof hij een zieke was.

Agnes merkte dat ze weer kracht kreeg. Ze merkte het aan het feit dat Andrej haar aan de ene en Sebastian aan de andere kant moest vasthouden, zodat ze niet naar het altaar vooraan rende en naast de kardinaal ging staan.

'Laat me los!' fluisterde ze woedend.

Andrej schudde zwijgend zijn hoofd. Op zijn voorhoofd stonden zweetdruppels. Agnes zag dat hij met zijn andere hand Alexandra's bovenarm omklemde. Alexandra vocht zwijgend en met haar kiezen op elkaar tegen hem. Ze had hetzelfde idee gehad als Agnes. Moeder en dochter wisselden een blik. Agnes kreeg haar verstand terug. Alexandra deed haar mond open om iets te roepen, en Agnes' ogen schoten vuur. Alexandra klapte haar mond weer dicht.

'Toe nou...' fluisterde Andrej gespannen.

'Het is voor jullie bestwil,' piepte Sebastian.

Kardinaal Khlesl liep tussen de beide kolonels de kerk uit. Hij had de mantel over zijn schouders gegooid en zag er tussen de soldaten klein en tenger uit. Dampierre en Collalto keken naar het rouwgezelschap en lieten hun tanden blikkeren. Koning Ferdinand marcheerde met opgeheven kin achter zijn gevangene aan. Hier en daar vielen een paar mensen op hun knieën; de helft van hen deed het in een reflex en stond meteen weer op toen ze merkten wat ze deden. De stilte was als een muur en de gezichten van de misgangers bleek, van steen en vol haat. Stap voor stap trok de eigendunk van de koning weg. Collalto voor hem struikelde toen Ferdinand sneller ging lopen en de man op de hielen stapte. Uit de menigte klonk een gemompel op dat een verscheurde melodie vormde, waarin woorden als een dreiging lagen:

Dies irae, dies illa...

De kerkdeuren zwaaiden open, een dozijn soldaten kwam met veel vertoon binnen en vormde een kordon. Ook Dampierre en Collalto liepen nu harder. Ze sleepten kardinaal Khlesl als een pop tussen zich in. De koning rende bijna.

Wenceslas stond opeens voor Agnes, omhelsde haar, trok haar zwijgend tegen zich aan en rende toen de mannen achterna. De kerkdeur sloeg dicht.

Het geïmproviseerde koor van kerkgangers verstomde.

Agnes leunde tegen Andrej aan en huilde om alles wat ooit goed was geweest en nu verloren.

19

Heinrich trof Diana op de brug naar de burchttoren aan. Ze nam hem onbewogen op.

'Waarom doet u mij dat aan?' bracht hij uit.

'Ik doe u helemaal niets aan.'

'U hebt de kopie van de Duivelsbijbel niet eens goed bekeken. Er is bloed gevloeid voordat ik me die kon toe-eigenen.'

Haar hand ging omhoog en raakte zacht de plek op zijn schouder aan waar Andrejs kogel de stof had gescheurd en de huid eronder had verwond. Hij had de wond verbonden; die had pijn gedaan maar was niet erg geweest. De aanraking deed hem goed. Toen duwde ze erop en het begon pijn te doen. Als het een proef was, was hij van plan die te doorstaan. Opeens zakte haar hand naar beneden. Verbaasd merkte hij dat de pijn een wellustige echo in zijn schoot had gevonden en dat hij tegelijk opgelucht en teleurgesteld was dat ze niet doorging.

'Het leer van de band zit aan de achterkant vol kleine brandgaatjes, die eruitzien alsof er met een bijtende vloeistof overheen is gespetterd en die het origineel niet heeft. Vermoedelijk is er iets overgekookt bij een van keizer Rudolfs experimenten. Het metalen beslag van de kopie is duurder en fijner, omdat keizer Frederik II, die de kopie destijds heeft laten maken, over meer geld beschikte dan de monniken van Podlazice. De afbeelding van de duivel in het origineel heeft zwarte vegen van de handen die eroverheen hebben gestreken in de hoop zijn macht met een eenvoudige beweging uit te kunnen wissen. De bladzijde in de kopie is haast onberoerd omdat iedereen die met de kopie te maken had zwak van geest en hart was. Verder zijn beide exemplaren identiek, op de ontbrekende bladzijden na. Verder nog iets?'

Haar stem had zo verveeld geklonken dat Heinrich begon te trillen van boosheid. 'En wat moet dat gedoe met die paap?' Hij was zich ervan bewust dat hij zich in haar aanwezigheid weer eens als een kleine jongen gedroeg.

Tot zijn verbazing observeerde ze hem lang vanonder haar geloken oogleden. Hij had nog meer spot verwacht. Een vluchtig lachje gleed over haar lippen.

'Vanwaar toch die boosheid, partner?' vroeg ze.

Het is geen boosheid, wilde hij antwoorden, het is alleen de verwachting die me verstikt. Verlost u mij! Maar ze had zich al afgewend en bekeek het verbleekte mozaïek van het terrein dat zich onder aan de brug uitstrekte, afgewisseld met steeds dichter wordende stukken bos, tot het veranderde in een grijze zee van kruinen die in de verte een werd met de wolken.

'Denkt u dat hij de code kan ontcijferen?'

'Vertelt u het me maar. U bent de expert voor die verdomde codex.'

'Misschien is hij wel voor niets gekomen...' Ze zond hem opnieuw het stille lachje.

Heinrich deed zijn best om zijn boosheid in te slikken. Hoe langer hij naar haar keek, hier op deze luchtige uitkijkpost, met haar lange blonde haar dat speelde in de wind en haar ogen die glinsterden in de witte make-up, hoe gemakkelijker het hem viel. Een niet minder heftig gevoel kwam voor de boosheid in de plaats. Zoals zo vaak wilde hij niets liever dan haar bezitten. Hij ging naast haar staan, maar in plaats van het uitzicht te bekijken, verzonk hij in haar profiel.

'Wat hebt u gedaan?' vroeg hij.

Haar gezichtsuitdrukking veranderde niet. 'Een slimme politicus roeit met de riemen die hij heeft,' zei ze slechts.

Heinrich dacht aan wat ze hem tijdens hun laatste lange gesprek in Pernstein had verteld. 'Koning Ferdinand en aartshertog Maximiliaan van Oostenrijk, die twee zwengelen de oorlog aan die ze nodig hebben om hun plannen uit te voeren.'

'Er komt een millenniumkeizer,' zei ze.

'U hebt de koning en de aartshertog tegen de kardinaal opgestookt.'

'De Oostenrijkse aartshertog en de Boheemse koning willen oorlog. Ferdinand denkt dat alleen bloed en vuur de contrareformatie kunnen bespoedigen en voelt bovendien nog steeds de schande dat de Boheemse standen alleen maar hebben ingestemd met zijn benoeming omdat ze dachten dat hij een sukkel was. Maximiliaan wordt gedreven door de heethoofden in de Duitse Orde, waarvan hij grootmeester is, en door zijn nog steeds niet verwerkte nederlaag tegen Sigismund Wasa bij de strijd om de Poolse troon. Er is haast geen sterkere kracht dan die van twee verliezers die samenwerken om hun schande op de hele wereld te wreken.'

'U hoeft alleen de keizer zover te brengen dat hij zich stilhoudt en niet voor zijn vriend Khlesl in de bres springt.'

Ze keek naar een roofvogel, die uit een boom kwam en zich met steeds grotere cirkels naar de hemel schroefde. In de stille lucht steeg een kreet op die klonk alsof de genadeloze snavel zijn prooi al verscheurde.

'Diana, u hebt gezegd dat Alexandra Khlesl van mij is!'

'Ik heb niet gezegd dat daaraan iets is veranderd.'

'Maar we hebben haar nu toch niet meer nodig?'

'Ze is mijn geschenk aan u.'

'U weet dat voor mij dat geschenk niets betekent in vergelijking met de geefster.'

'En u moet weten dat de kortste weg naar het hart van een vrouw via geschenken loopt.'

Heinrich wilde iets zeggen, maar toen bedacht hij zich. In hem borrelde een wonderlijke mengeling van gevoelens die het bloed naar zijn wangen liet stijgen: de afkeer van Diana's onverschilligheid in de omgang met Alexandra's leven die er vanaf het begin was en tegelijk het geile vooruitzicht om Alexandra te bezitten en alles met haar te doen wat hij tegen de gewonde Cyprian voor het genadeschot had gezegd. Hij wist dat als Diana hem zou bevelen Alexandra Khlesl met rust te laten, de helft van zijn wezen opluchting zou voelen, en de andere zou ontsteken in blinde razernij.

'Wilt u dat ik u Alexandra als offer breng? U hoeft maar één woord te zeggen...'

Ze haalde haar schouders op. Haar blik gleed ongegeneerd naar zijn kruis. 'Zou u dat een prettig vooruitzicht vinden?'

Voor hij zich kon inhouden, had hij een van haar handen gepakt. 'Doet u mee,' stootte hij uit. 'Alstublieft! Ik bereid alles voor. Ik... Denkt u aan Praag... Ik... Doet u mee...' Met een kreun viel hij stil.

Ze trok haar hand terug en keek naar hem. Hij verstijfde in de lynxogen in haar gezicht en op de schaduwen die onder haar make-up bewogen en die een van haar raadsels waren. Ze streek met een vinger over zijn lippen; hij opende zijn mond en zoog erop. Ze trok de vinger zonder haast uit zijn mond, liet hem verder over zijn keel naar beneden dwalen, over de knoop van zijn vest, over de wijde kanten kraag en naar zijn schouderwond. Voor ze zover was, nam ze haar hand weg en beantwoordde zijn blik. Hij knipperde krampachtig met zijn ogen toen ze de vinger waaraan hij had gezogen tegen haar eigen lippen drukte en vervolgens in de lengte aflikte. Haar ogen bleven onbewogen, haar mondhoeken vertrokken tot een spottend lachje.

'Diana...' fluisterde hij. 'Alsjeblieft...'

'De dag zal komen,' zei ze, en ze liep terug naar het hoofdgebouw.

Hij struikelde de paardenstal in als een dronkenman. Een slank figuurtje stond in een pilaar van in het zonlicht dansende stofdeeltjes te neuriën. Het was Isolde. Diana was er sinds enige tijd toe overgegaan haar in het kasteel vrij te laten rondlopen. Hij had het als test voor zijn standvastigheid opgevat en was haar telkens als hij in Pernstein verbleef uit de weg gegaan. Nu gaapte hij haar met rode ogen aan. Ze glimlachte haar zonnige, lege glimlach. Hij zag hoe zijn handen de belachelijke gotische japon vastklemden en deze van boven tot onder openscheurden. Hij voelde de aanraking van haar lichaam, toen hij haar tegen de muur duwde en de onderjurk afstroopte, voelde de zachtheid van haar borst, die hij ruw fijnkneep en de zachtheid van haar schoot waar hij met zijn andere hand in verdween. Ze gaf een gil. Hij kneep haar keel dicht en probeerde met zijn vrije hand zijn broek omlaag te trekken. Zijn rapier klapperde; hij zou het haar... Hij zou haar daarmee...

Wankelend bleef hij staan. Zijn handen waren uitgestrekt, maar de afstand tussen hen was te groot om haar aan te kunnen raken. Ze klapte in haar handen en wees opgewonden naar de paarden en vervolgens naar hem. Haar gestamel leek zich rond enkele onverstaanbare woorden te concentreren. Ze sprong opgewonden en giechelde zo vrolijk als een kind dat in de zon danst.

Plotseling verstond hij het woord dat ze uitbracht: Lancelot. Het was Lancelot. Ze had hem gezien toen hij met zijn legertje en de buit van zijn gevecht op Pernstein was aangekomen en hem aangezien voor de terugkerende ridder uit de heldensagen waar haar hoofd vol mee zat. Het was Lancelot. Hij hoefde haar niet te verkrachten, omdat ze alles zou doen wat er in hem opkwam, eenvoudigweg omdat in de onwetende onschuld die ze in plaats van een verstand had meegekregen geen schaamte voorkwam. Bovendien was het Lancelot, en ook als het morgen Walewein of Erec was, zou het er niets aan veranderen dat ze zich met haar vrolijke lach aan hem zou overgeven. Ze herkende hem niet. Hij bestond niet voor haar, behalve als fantasiefiguur in verhalen die ze niet snapte. Met een verrassende helderheid begreep hij dat het hem niet zou bevredigen haar te verkrachten, zelfs als hij erin slaagde haar daarbij onder duizend martelingen te doden.

Hij zou het nooit zelf hebben gedaan, maar een van de ridders van de Ronde Tafel.

'Ja,' hoorde hij zichzelf zeggen. 'Ik ben Lancelot.'

'Gnnnh!' riep ze, terwijl ze op en neer sprong. Toen maakte ze een onbeholpen buiging, maar ook dat ging niet zonder gegiechel.

Heinrich boog stug, trok toen zijn paard uit de stal en begon het op te zadelen zonder op een van de knechten te wachten. De volgende stappen stonden hem eindelijk duidelijk voor ogen. Hij moest zo snel mogelijk naar Praag.

2∅

Het was griezelig hoe in het leven situaties zichzelf herhaalden. Agnes zag zichzelf vijfentwintig jaar geleden bij het raam staan en een Praagse straat afturen die nat was van de eerste lenteregen. Sebastian Wilfing praatte op haar in, maar niets van wat hij zei kwam in haar hart binnen. Ze moest vechten om de tranen terug te dringen toen ze daaraan dacht. Ook vandaag staarde ze zonder iets te zien uit het raam in een zacht beginnende lente, hoorde ze Sebastian Wilfing praten en weigerde te begrijpen wat hij zei. Cyprian was weg. Ze slikte en klemde haar kiezen op elkaar. Ze moest stoppen met huilen en proberen het leven weer op te pakken, niet voor zichzelf, maar voor haar kinderen en voor de mensen die afhankelijk van haar waren. Haar toekomst kon dan voorbij zijn, maar dat mocht niet betekenen dat die ook voorbij was voor Alexandra, Andreas en Melchior junior of voor de firma Wiegant, Khlesl & Langenfels.

'...en daarom hebben bijna alle Weense kooplieden het geweigerd,' oreerde Sebastian, die in de salon aan tafel zat met een beker wijn voor zich, en probeerde te doen alsof hij maar een bode was en een vriend met goede bedoelingen uit het verre Wenen, terwijl zijn lichaamstaal verraadde dat hij zich hier al op zijn gemak begon te voelen. 'Alleen omdat er sinds een paar jaar een handelsverdrag met het Osmaanse Rijk bestaat, waarin staat dat beide zijden in het gebied van de tegenstander handel mogen drijven, wil dat nog lang niet zeggen dat wij Weners nu onze waren naar Hamburg brengen omdat de staathuishoudkundigen van de keizer dat zo graag willen. We hebben toch helemaal geen reden om ons in het gebied van de Turken te wagen! Zolang hij Hongarije bezet houdt, moeten de Hongaarse kooplieden maar naar Wenen komen. Sinds de Turken in Hongarije de dienst uitmaken, is Wenen de complete nederlaag geweest voor de Duitse en Italiaanse handel met het Oosten. Waarom zouden we zo'n monopolie opgeven?'

Agnes vermande zich en draaide zich om. Ze was blij dat Sebastian haar gezicht in het tegenlicht van het raam niet zo goed kon zien. Ze had haar tranen toch niet binnen kunnen houden.

'Ik dacht dat men zich in een tijd als deze, waarin de handel overal zieltogend is, op nieuwe handelswegen moest storten,' zei ze. 'Kunnen de waren uit de Levant niet goedkoper worden ingevoerd als er tot aan Constantinopel directe handelscontacten zijn, in plaats van dat de Turken met de Hongaren en de Hongaren weer met ons handelen? Voor zover ik weet, is die omweg bijna net zo duur als wanneer je die waren rechtstreeks via Venetië zou invoeren. Zou het niet beter zijn om aan de oprichting van een oosterse handelscompagnie te denken in plaats van de vooroordelen van de laatste honderd jaar elke keer weer op te warmen?'

'De handel via Venetië was door de oorlog onmogelijk,' zei Sebastian. Zijn stem piepte bij zijn laatste woorden, een teken dat hij niet was voorbereid op gefundeerde tegenargumenten.

'Sinds het begin van dit jaar is er vrede tussen Venetië en het Rijk. Als ik een koopman was, zou ik nu handelen, voor de Venetianen de handel met de Oriënt weer inpikken en de prijzen voorschrijven.'

'Aha,' zei Sebastian. 'Dat brengt ons tot de kern, hè?'

'Welke kern?'

Sebastian schraapte zijn keel en keek in zijn beker. Die was duidelijk leeg. Zijn ogen zochten de kamer af en ontdekten de keukenmeid, die met het vuur bezig was. 'Hé,' zei hij in onbeholpen Boheems. 'Jij nog wijn mij, hè?' Hij wierp Agnes een snelle glimlach toe, alsof hij wilde zeggen: kijk eens wat ik kan. Agnes' ogen versmalden zich.

De meid keek Agnes vragend aan zonder zich te verroeren. Sebastians glimlach werd kleiner. Als hij had gehoopt met deze poging te demonstreren dat het personeel hem de laatste vier weken als een soort plaatsvervanger voor de heer des huizes had geaccepteerd, dan had hij zich vergist. Agnes speelde even met de gedachte de mislukte poging te negeren en vooral de meid niet te gebaren aan de wens van de gast te voldoen, maar dat zou kinderachtig zijn. Ze knikte. De jonge vrouw haastte zich de salon uit. Sebastian schudde zijn hoofd.

'Behoorlijk laks,' zei hij. 'Ze missen de hand van de baas.'

Ze zag hem ertoe in staat dat hij het liefst een denigrerende opmerking over Cyprians omgang met het personeel had toegevoegd, maar dat durfde hij niet. Hij draaide zijn beker tussen zijn handen.

'Eindelijk wordt het lente,' zei Agnes.

'Ja,' zei Sebastian. 'Ja, niet?'

'Ik ben blij dat je niet meteen na de rouwplechtigheid naar huis bent gegaan. Ik zou me zoveel zorgen over je hebben gemaakt. Maar nu zijn de wegen gelukkig weer begaanbaar. Dank je wel dat je me zo lang ter zijde hebt gestaan.'

'Eh...' deed Sebastian, maar voor Agnes klonk het als Oink! 'Eh... Ik heb helemaal niet...'

'Nee, dat weet ik,' zei Agnes en ze bespeurde iets wat tussen alle rouw in haar hart door als leedvermaak voelde. 'Je had al veel eerder naar huis gewild. Er wacht ten slotte een zaak op je. Daarom ben ik je ook zo dankbaar.'

Sebastian haalde diep adem. De meid kwam met een kruik wijn en schonk hem bij, en uit het feit dat ze uit zichzelf de kruik weer meenam in plaats van hem gewoon naast de beker neer te zetten, bleek Agnes heel duidelijk hoe ze over Sebastian dacht. Je kon ook je mening laten blijken terwijl je je keurig gedroeg. Het gebaar was aan Sebastian verspild.

'Eh...' stamelde hij. 'Eh... Je vader heeft er helaas op gegokt dat de exporthandel met de Turken beter zou worden. Hij heeft behoorlijke verliezen geleden.'

'Daar heb ik nog niets over gehoord. Hij had het ons moeten laten weten, Cyprian is zijn partner.' Ze beet op haar lippen en probeerde haar gevoelens onder controle te houden. Cyprian wás de partner van Niklas Wiegant. Cyprian was er niet meer. Het partnerschap zou alleen op Cyprians weduwe overgaan als er genoeg mensen werden omgekocht, het plaatselijke gilde het verzoek steunde en vooral Niklas Wiegant en zijn eigen zakenpartners ermee instemden. Niklas' belangrijkste partner zat voor haar en dronk zijn wijn. Ze kreeg het koud toen het tot haar doordrong hoe groot de problemen werkelijk waren die voortvloeiden uit Cyprians dood.

'Ja,' zei Sebastian op een toon die insinueerde dat Cyprian er wel van op de hoogte was geweest, maar te lui, te onbenullig of te bot was om het bericht te begrijpen of Agnes erover in te lichten. Agnes spande zich in om haar toenemende woede te onderdrukken. 'Je vader heeft al met de gedachte gespeeld voor kredieten naar de Joden te gaan, maar natuurlijk heb ik hem uit de brand geholpen.'

'Uit de brand?'

'Nou ja, zijn verliezen waren in feite erg hoog.'

In gedachten corrigeerde Agnes zichzelf. Om de status van zakenpartner te krijgen, had ze geen toestemming van Niklas Wiegant & Co. nodig, maar rechtstreeks van Sebastian Wilfing & Co. Dat was wat uit zijn woorden bleek, ook al danste hij om de hete brij en hoopte duidelijk dat ze er uit zichzelf op kwam hoe netelig haar positie was. O, vader, dacht ze, waarom hebt u ons niets gezegd? Wij hadden u ook krediet gegeven! Maar niemand hoefde haar te vertellen wie er werkelijk achter zat: Theresia Wiegant, haar moeder. Ze was al vijfentwintig jaar boos omdat de huwelijksplannen tussen Agnes en Sebastian niet waren doorgegaan. Ze mocht krom zijn van de jicht en de reuma en het grootste deel van de dag in bed doorbrengen, maar op het functioneren van haar geest was nog steeds niets aan te merken. De wetenschap dat haar moeder haar na zoveel tijd weer een mes in de rug stak, was een langzame schok voor Agnes.

Sebastian zou niet tevreden zijn met een partnerschap. Hij zou op nakoming van de huwelijksbelofte aandringen, die haar vader destijds aan de oude Sebastian Wilfing senior had gegeven. Agnes voelde zich misselijk worden. De belofte was vijfentwintig jaar geleden, Niklas Wiegant had die gedaan om een huwelijk tussen Agnes en Cyprian te verhinderen en Agnes had het nooit geaccepteerd. Hoe moest het gesteld zijn met het hart van een man die nu, in deze situatie, bij haar thuis kwam en eiste dat de belofte zou worden ingelost? Ze liep langzaam naar de tafel en ging tegenover Sebastian zitten. Niet uit beleefdheid, maar ze wilde hem niet laten zien dat ze wankelde.

'Ik wil mijn broer bij dit gesprek betrekken,' zei ze. 'Hij is... Hij was Cyprians partner.'

'Het gaat hier niet om Wiegant, Khlesl & Langenfels,' zei Sebastian koud. Het gaat om Wiegant & Khlesl. Om Wilfing, Wiegant & Khlesl, om precies te zijn.'

In de zes weken na het bericht van Cyprians dood had Agnes zich nog geen helder beeld gevormd van hoe het met haar persoonlijk verder zou gaan. Ze had iedere andere situatie gewenst om dit beeld onder ogen te zien, en iedere andere gesprekspartner dan deze corpulente voormalige verloofde, die niet in staat was zijn innerlijke triomf met een neutrale gezichtsuitdrukking te camoufleren. Was het haar lot toch nog mevrouw Wilfing te worden? Gal steeg naar haar mond. Maar wat was het alternatief? Waarheen zou haar weg voeren als Sebastian er niet was? Zou ze het pad volgen dat zoveel weduwen van kooplieden of ambachtsmeesters voor haar waren gegaan? Trouwen met een van haar boekhouders, zoals de weduwe van een smid de gezel tot echtgenoot nam, een koppel met een leeftijdsverschil van twintig jaar, wat voor de boekhouder of de gezel de enige mogelijkheid betekende om zelf baas van de onderneming te worden, waarvoor hij op de koop toe nam dat hij in bed een oude vrouw moest bevredigen? Terwijl de vrouw zelf altijd zou weten dat de liefkozingen niet uit het hart kwamen en de man aan wie ze zich vastklampte zich moest inspannen om niet van afschuw terug te deinzen?

Sebastian zou niet van afschuw terugdeinzen. Hij had nooit een andere vrouw genomen. Agnes was er zeker van dat hij de hoeren of de meiden op wie hij zijn eigen behoeften bevredigde wel eens Agnes had genoemd. De afschuw was geheel aan haar kant en hij was gigantisch.

Natuurlijk kon ze hem afwijzen. Er hing alleen maar het voortbestaan van de onderneming van haar vader, haar eigen firma en de toekomst van haar kinderen van af.

Ze keek op met grote ogen van ontzetting. Sebastian proostte naar haar.

'Goede wijn heb je,' zei hij met overslaande stem. 'Waar is die meid gebleven?'

21

Alexandra wiebelde van haar ene been op het andere en probeerde een droge plek te vinden. Sinds het geheim dat in het keldergewelf van de oude ruïne had gelegen, was weggehaald (kardinaal Melchior had ervoor gezorgd dat de gemummificeerde lijken van de beide dwergen in alle stilte een fatsoenlijke begrafenis kregen), was blijkbaar ook de kracht geweken die het oude bouwwerk bijeenhield. De regen leek nu meer dan vroeger binnen te dringen, de wind nog kouder dan eerst tussen de muurresten te waaien. Een deel van het geraamte was ingestort en had een rechtopstaande hoek van het gebouw blootgegeven als de beenderen van een kadaver. Alexandra rilde en zette de capuchon van haar mantel op. Een deel van haar had het vanbinnen koud en zou, leek het, nooit meer warm worden.

Sinds het bericht van de dood van haar vader was alles alleen nog maar erger geworden. En wat het ergste was: ze had niets meer van Heinrich gehoord. In het begin had de bezorgdheid om hem onder het verdriet gelegen dat ze om het verlies van haar vader had gehad. Maar met de weken was het verdriet een vertrouwde metgezel geworden en staken andere gevoelens de kop op. Heinrich had gezegd dat hij haar vader naar Braunau achterna wilde reizen. Ze schenen elkaar niet getroffen te hebben, want dan had oom Andrej het wel verteld. Volgens de woorden van haar oom waren ze door struikrovers of door de opstandelingen uit Braunau aangevallen, toen ze probeerden de monniken van het Wenceslasklooster te escorteren. Heinrich reisde alleen. Kon hij ook in handen van de vogelvrijen zijn gevallen? Haar hart trok samen van angst als ze eraan dacht.

Toen ze de voetstappen hoorde, trok ze zich terug in het donker van het achterste deel van het gebouw. De voetstappen aarzelden voor de ruïne.

'Alexandra?'

'Ik ben hier.'

Wenceslas stapte over de plassen heen en omzeilde de op de grond gevallen balken. Hij droeg een korte mantel en glimmende schoenen met gesp in plaats van zijn laarzen. Haar bericht had hem op de griffie bereikt; hij had zich niet eens omgekleed. Ze verwachtte dat hij zou zeggen dat hij was weggeslopen en maar weinig tijd had, maar in plaats daarvan vroeg hij slechts: 'Hoe is het met je?'

Alexandra haalde haar schouders op. Ze zag dat hij het gebaar imiteerde. Zijn gezicht was de laatste weken magerder geworden. Hij was de afgelopen jaren veranderd van een slungelige tiener in een knappe jongeman. Maar nu leek er een oudere, harder geworden man door zijn gelaatstrekken heen te schemeren. Alexandra was verbaasd geweest hoe erg hij zich de dood van haar vader had aangetrokken. Met een slecht geweten had ze zich gerealiseerd dat de dood van Andrej haar lang niet zo zou raken. De arrestatie van kardinaal Khlesl had Wenceslas eveneens erg aangegrepen. Toen hij na de afgebroken rouwdienst de kerk uit was gelopen, had Alexandra hem eerst veracht. Ze dacht dat hij naar buiten was gegaan uit pure nieuwsgierigheid waar de oude kardinaal heen werd gebracht, of – nog erger – uit een overijverig plichtsbesef, dat hem terug naar zijn werk op de griffie bracht, die hij waarschijnlijk met tegenzin had verlaten om naar de kerk te gaan. Ze had er met beide veronderstellingen naast gezeten.

'Veel ben ik niet te weten gekomen,' zei Wenceslas. 'Maar in essentie heeft jullie... bezoek... de waarheid verteld. Aan het hof in Wenen hebben ze inderdaad de smoor in dat de Weense kooplieden tegenstribbelen bij het uitvoeren van de handelsovereenkomst met het Osmaanse rijk. Die hebben ze niet in de laatste plaats afgesloten om de handel in de hoofdstad nieuw leven in te blazen, en nu profiteren alleen de in Wenen gevestigde Neurenbergers, Graubünders en Venetiaanse kooplieden ervan omdat ze hun kans grijpen. Behalve zij maken ook de Joodse geldschieters winst, waar de magistraat weer boos om is, want die moet niets van de Joden hebben.'

'En mijn grootvader?'

'Zover ben ik in die korte tijd niet gekomen. Maar ik heb gehoord dat heel wat kantoren in de problemen zitten, omdat ze in factorijen of gebouwen in Hamburg hebben geïnvesteerd en nu niemand de stad als nieuwe overslagplaats gebruikt voor de handel met de Oriënt. Het kan zijn dat Sebastian Wilfing ook hier de waarheid spreekt.'

'Of dat hij gewoon het bedrijf heeft overgenomen omdat mijn grootvader te oud is om zich tegen hem te verzetten.'

'Dat komt op hetzelfde neer, vrees ik.'

Ze voelde zijn blik op zich rusten. Vreemd genoeg had hij daarin iets van haar vader. Ze moest slikken toen ze zich realiseerde dat Cyprian nooit meer zo naar haar zou kijken.

'Ik begrijp niet dat mijn moeder die stinkerd niet de deur uit gooit!' barstte ze uit.

'Je moeder pakt het heel verstandig aan, denk ik, als ze momenteel geen schandaal uitlokt.'

'Schandaal? Dan komt er maar een schandaal! We hebben geen contact met Wenen nodig. Jouw vader en de mijne hebben zoveel vrienden hier in Bohemen gemaakt. We hebben het aandeel van de firma Wiegant niet nodig. Khlesl & Langenfels redden zich alleen ook wel!'

Wenceslas trok zijn schouders op. Het leek alsof hij nog iets wilde zeggen. Toen hij na het vertrek van koning Ferdinand en zijn gevangene de kerk uit was gerend, had hij zich rechtstreeks naar de hofkanselarij gespoed en was erin geslaagd als notulist voor de rechtzitting tegen kardinaal Khlesl ingezet te worden, niet dat er zoiets als een eerlijke rechtzitting was in al die tijd dat aartshertog Maximiliaan en koning Ferdinand hadden geprobeerd de kardinaal ertoe te bewegen het hoogverraad toe te geven. Maar op die manier was het voor Wenceslas mogelijk om in de buurt bij Melchior Khlesl te blijven en een soort communicatie tussen hem en de rest van zijn familie in stand te houden. In elk geval hadden ze de hele tijd geweten hoe het met de kardinaal was. Alexandra had er geen idee van hoe Wenceslas had moeten smeken om zelf te mogen notuleren in plaats van een van de oudere klerken, maar het was hem gelukt. Het leek niet zo'n grote heldendaad. Maar Alexandra, die wel enig vermoeden had van de slangenkuil die de hofkanselarij was, voelde tegen wil en dank toch een soort bewondering voor wat Wenceslas had gedaan.

'Mijn moeder heeft alle moed verloren,' zei ze. 'Bij ons thuis kun je niet meer ademen. Je stikt onder het slijmspoor dat Sebastian Wilfing door de gangen trekt of onder het verdriet dat mijn moeder uitstraalt.' Haar ogen werden vochtig, het ergerde haar zelf. 'Ik heb ook verdriet om mijn vader!' riep ze uit. 'Maar vroeg of laat moet het leven toch weer doorgaan. Maar nee, mijn moeder wentelt zich er helemaal in!' Woedend veegde ze over haar wangen.

'Alexandra,' zei Wenceslas. 'Dat je moeder zich stil houdt, is goed.' Hij stond even in tweestrijd. 'Bij de laatste zitting tegen kardinaal Melchior, vlak voor ze hem naar Tirol hebben overgebracht, wijzigde aartshertog Maximiliaan zijn tactiek. Hij dreigde ermee dat ze de rest van de in Wenen en Praag gevestigde familie Khlesl in de gevangenis zouden gooien en proberen een van hen een bekentenis van hoogverraad te ontlokken.'

Alexandra staarde hem aan. Ze had het plotseling zo koud gekregen dat ze begon te beven. 'Wat...?' stamelde ze met lippen waaruit het bloed was weggetrokken.

'Kardinaal Khlesl stond meteen op en gaf het hoogverraad toe. Vervolgens gaf hij toe keizer Rudolf in bed gewurgd en zijn leeuw vergiftigd te hebben, bekende schuld aan de dood van alle pausen die tijdens zijn leven waren gestorven en biechtte bovendien op in opdracht van de Osmaanse sultan de autochtone banketbakkers hun recepten ontfutseld te hebben.'

Alexandra knipperde stomverbaasd met haar ogen.

'De bijzitters waren allemaal aanhangers van Maximiliaan en Ferdinand, maar ondanks dat schaterden ze het uit. Toen men de kardinaal terechtwees en nogmaals dreigde de hele familie ter verantwoording te roepen, zwoer hij bij God dat hij alles zou toegeven wat ze maar van hem verlangden, maar dat zijn familie onschuldig was en dat hen gevangennemen onder deze omstandigheden een misdaad was die zelfs de paus niet zou goedkeuren.'

'O, mijn god.'

'Alexandra, ook al heeft de kardinaal daarmee zijn vijanden voorlopig de wind uit de zeilen genomen, het hoogste gebod voor ons is nu ons hoofd tussen onze schouders te houden.'

'De staart tussen onze benen houden, bedoel je,' zei ze bitter.

Hij zuchtte en ze had spijt van haar scherpe woorden. Ze wist dat hij gelijk had. Het maakte de situatie niet makkelijker voor haar. Integendeel, het gevoel dat ze geen lucht kreeg, werd alleen maar sterker. Met schrik vroeg ze zich af of dat de reden was waarom ze niets van Heinrich had gehoord. Hij had niet onder stoelen of banken gestoken dat zijn welbevinden afhing van zijn goede contacten, niet op de laatste plaats met rijkskanselier Lobkowicz. Had iemand hem duidelijk gemaakt dat hij bij haar uit de buurt moest blijven? Maar zou hij naar een dergelijke waarschuwing luisteren? Hij hield toch van haar! Moest zij hem misschien van zich afduwen zodat zíj hem geen kwaad kon doen?

Wenceslas kuchte en legde een hand op haar arm, en ze constateerde dat ze was gaan huilen. Ze huilde van angst. Hoe had binnen nog geen twee maanden haar hele toekomst zo uitzichtloos kunnen worden?

'Wat komt er allemaal nog meer?' vroeg ze. Onwillekeurig pakte ze zijn hand en hield die vast. Hij kneep erin. Zijn gezicht loste voor haar ogen op. Hij bewoog zich naar haar toe en opeens was het het natuurlijkste op de wereld om zich tegen hem aan te vlijen en zich aan hem vast te houden. Wenceslas reageerde na een beduusde seconde en legde zijn armen om haar heen. Het was fijn gewoon vastgehouden te worden. Hij was maar een beetje groter dan zij en toen zij hem ook omhelsde, leek het niet alsof zij bij hem houvast zocht, maar of ze elkaar houvast gaven, en misschien was dat ook zo.

'Mijn vader,' hoorde ze hem zeggen, 'heeft contact opgenomen met kooplieden in Engeland en de Republiek die leveren aan de Engelse kolonie in de Nieuwe Wereld.

'Weet mijn moeder daarvan?'

Hij schudde zijn hoofd. 'Je moeder en je vader hadden een droom. Ze hebben hem nooit verwezenlijkt. Die droom was samen weglopen en in Virginia een nieuw leven beginnen. Zo heet de Engelse kolonie in de Nieuwe Wereld. Iemand die nog een keer van voren af aan wil beginnen, kunnen ze daar altijd gebruiken.'

'Zou je vader daar met jou naartoe willen?' Alexandra draaide haar hoofd en keek hem aan. Hij glimlachte weemoedig. Plotseling vond ze het vooruitzicht hem te verliezen onverdraaglijk.

'Ik ben mijn eigen baas,' zei Wenceslas. 'Als ik niet wil gaan, blijf ik. Maar misschien willen we er wel allemaal heen?'

Ze staarde hem aan. Hij leek in tweestrijd en heel even had ze het gevoel dat hij haar tegen een waarheid wilde beschermen. Van het ene op het andere moment werd ze wrevelig, maar toen hij besloot te spreken, wilde ze dat hij haar toch maar had ontzien.

'Er komt oorlog,' fluisterde hij. 'Aartshertog Maximiliaan en koning Ferdinand willen het per se; ze willen de protestanten te vuur en te zwaard bestrijden. Kardinaal Khlesl was het laatste obstakel dat hun nog in de weg stond. Nu staat er niets meer tussen hen en de keizer in, en de keizer is als was in hun handen. Het erge is dat de protestanten een directorium hebben gekozen om hun belangen tegenover de keizer te verdedigen, en in dat directorium zijn alle heethoofden en politieke fantasten verzameld die de Staten maar kunnen vinden, aangevoerd door Heinrich von Thurn, de grootste fantast van allemaal. Hij had vroeger het commando over het Statenleger dat de Passause soldaten uit Praag heeft verdreven en denkt nu dat hij een militair genie is, en alle vertegenwoordigers van de Staten steunen hem in dat geloof. En hij spreekt niet eens goed Boheems. Met Heinrich von Thurn aan het hoofd zullen de protestanten niet toegeven als koning Ferdinand ze uitdaagt.'

'Maar dat wordt een oorlog die door alle steden loopt, door alle families!' zei Alexandra. 'In elke straat wonen protestanten en katholieken naast elkaar. Iedereen zal op iedereen inhakken.'

'Dat wordt Armageddon,' zei Wenceslas somber. 'Het einde van de wereld zoals we die kennen.'

Alexandra was zo geschokt dat ze hem alleen maar kon aanstaren. Zijn woorden hadden haar angst onnoemelijk veel groter gemaakt. Ze was blij dat hij haar in zijn armen hield; ze was nog nooit zo blij geweest dat hij er was. Hij moest het hebben gemerkt. Ze kon de verwarring voelen die hem beving en tegelijk een wens die ook haar op dit moment niet vreemd voorkwam. Geen stemmetje in haar riep: hij is je neef! Ook hij scheen geen waarschuwing te horen. Zijn gezicht kwam dicht bij het hare, de punten van hun neuzen raakten elkaar, ze voelde zijn adem op haar lippen, en toen kusten ze elkaar.

Op slag dacht ze aan Heinrich von Wallenstein-Dobrowitz. Maar Wenceslas' kus was van een kwaliteit waarvan ze zich niet kon losscheuren. Ze bedroog Heinrich, ze bedroog de man van wie ze hield met haar eigen neef! En terwijl ze dit dacht, beantwoordde ze Wenceslas' kus, voelde ze haar hart sneller kloppen en een warmte in haar opstijgen die ze al weken niet had gevoeld. Buiten adem maakte ze zich van hem los. Ze zag de verbijstering in zijn gezicht. Hij wilde iets zeggen.

Alexandra schudde haar hoofd. Wenceslas deed zijn mond weer dicht. Ze trok hem tegen zich aan en voelde dat hij haar omhelzing beantwoordde en haar bijna fijndrukte. Zijn snelle ademhaling dreunde in haar oren, maar hij dreunde nauwelijks harder dan haar eigen hartslag. Haar gedachten tolden.

Op dat moment zag ze, omlijst door opeenvolgende rijen afbrokkelend metselwerk en verzakkende vensters als in een marionettentheater, een stuk van de straat die naar haar huis leidde en een man de hoek om komen die ze kende. Ze verstijfde in Wenceslas' armen. Haar gedachten hielden op met tollen en richtten zich op één punt: Heinrich mocht er nooit achter komen wat hier was gebeurd. Het had niets te betekenen, maar het zou hem kwetsen. Wat hier gebeurd was, zou ze mee het graf in nemen.

Wenceslas keek in haar ogen. Net als eerst leek hij nu ook Alexandra's stemming te hebben opgevangen.

'Het was een vergissing,' zei hij hees.

'Het is mijn schuld,' zei Alexandra.

'Nee, het is mijn schuld.'

'We zeggen het tegen niemand, goed?'

Zijn armen zakten omlaag. Ze deed een stap achteruit, gedeeltelijk omdat de dodelijke teleurstelling die van hem af straalde, te pijnlijk was om van dichtbij te verdragen. Een ogenblik lang wist ze niet wat ze met haar handen moest beginnen, toen kruiste ze haar armen voor haar borst, alsof ze het koud had. In werkelijkheid had ze het warm.

'Ga jij maar eerst,' zei ze. 'Voor het geval dat iemand hier net komt kijken.'

'Ja. Je hebt gelijk.' Het spreken viel hem zo moeilijk dat Alexandra haar kaken op elkaar klemde. Hij kuchte hevig. 'Als ik iets nieuws te weten kom, laat ik het horen.'

'Ja,' zei ze. 'Ja, doe dat.'

Hij probeerde een glimlach. Het zag er vreselijk uit. 'Virginia,' mompelde hij en hij wuifde onhandig.

Ze keek hem na toen hij wegliep.

'Virginia,' zei ze haast onhoorbaar.

Toen leunde ze tegen de muur en ademde krampachtig in en uit. Ze proefde de kus nog steeds. Ze tilde een hand op en wreef over haar lippen, maar de smaak bleef. Haar wangen gloeiden. Wat had ze gedaan? Haar slechte geweten groeide met ieder moment dat verstreek sinds ze Wenceslas' kus had beantwoord en de warmte in haar lichaam had voelen opkruipen. De kus was heel anders geweest dan de intimiteiten die ze met Heinrich had gewisseld. Heinrichs kussen hadden hittevlagen naar haar schoot gestuurd en haar het gevoel gegeven dat ze zich naakt en wellustig in warme olie wentelde, bijna gek van lust. Wenceslas' kus had echter een gevoel opgeroepen alsof er na een hete dag een warme zomerse regen kwam met een onweersbui erachteraan, die al rommelde en een gouden licht op alles wierp en je liet weten dat het nog opwindend en heet zou worden, maar dat je samen onder een linnen deken veilig was. Ze schudde het gevoel van zich af en gluurde voorzichtig naar het stukje straat buiten.

De man stond er nog.

Het was de bode die Heinrich altijd naar haar toe stuurde, en als hij daar stond, betekende het dat hij een boodschap van Heinrich voor haar had.

22

'Dat is het paleis van rijkskanselier Lobkowicz,' zei Alexandra en ze bleef verontrust staan.

'Volgt u mij alstublieft,' zei de bediende.

Alexandra moest zich ertoe zetten om over de drempel te stappen. Het huis leek bijna onbewoond, binnen was het koud en het rook er schoon en haast kunstmatig. De stenen vloer in de hal van de begane grond vertoonde slechts minimale slijtage door hoef- en wagensporen. De traptreden waren hier en daar licht beschadigd, maar het was geen vergelijking met het huis van haar familie en het parket op de bovenverdieping glom zo dat het wel leek of het pas was gelegd. Alexandra liep achter de bediende aan, terwijl ze met al haar zintuigen in de gaten hield of rijkskanselier Lobkowicz of zijn geheimzinnige vrouw niet een deur uit kwam en haar zou vragen wat ze hier voor de drommel had te zoeken. Normaal gesproken was ze niet zo verlegen voor hooggeplaatste personen. Kardinaal Melchior was, wat zijn positie in de Kerk en het Rijk betrof, een zeer hooggeplaatste persoon geweest, en ze had als kind op zijn schoot gezeten en hem aan tafel grappen horen vertellen. Maar Wenceslas' woorden hadden haar onzeker gemaakt. Helemaal tegen haar karakter in was ze plotseling bang om ongunstig op te vallen en zo toch nog het onbarmhartige oog van koning Ferdinand op haar familie te vestigen.

'Moet ik mijn opwachting maken bij de rijkskanselier? Daar ben ik niet op gekleed...'

Haar begeleider opende een deur en bleef op de drempel staan. 'Ga uw gang,' zei hij, hij maakte een buiging en wees de ruimte in.

Alexandra ging naar binnen als in de leeuwenkooi. De ruimte was voor een deel werk- en voor een deel slaapkamer, met een groot bed dat in de donkerste hoek was geschoven. Onder de deken bewoog iemand. Alexandra stond klaar om een diepe reverence te maken, toen ze het gezicht herkende en alles vergat wat zich het afgelopen uur had afgespeeld. Ze rende op het bed af en omhelsde de bewoner stormachtig.

'Rustig, rustig,' kreunde Heinrich von Wallenstein-Dobrowitz. 'Oei...'

Alexandra kuste zijn wangen, zijn voorhoofd, het puntje van zijn neus. Haar hart buitelde van blijdschap om hem te zien. Pas na enkele ogenblikken lukte het haar zich te beheersen. Gegeneerd wierp ze een blik op de deur; de bediende had die allang gesloten en was verdwenen. Opnieuw werd ze verlegen toen ze zich herinnerde waar ze zich bevond. De aanblik van haar bleek en mager in het bed liggende geliefde verjoeg echter alles behalve het geluk in zijn buurt te zijn.

'Hoe is het met je? Wat doe je hier? Waar is de rijkskanselier? Waarom heb je zo lang niets laten horen...?'

Heinrich stak een hand op en legde een vinger op haar mond. Ze kuste het vingertopje en hield zijn hand vast.

'Als je me de tijd geeft om je te antwoorden, krijg je alles te horen,' zei hij.

'Wat zie je er moe en mager uit. Gaat het niet goed met je? Kan ik...'

Hij nam haar handen tussen de zijne en keek haar aan. Ze zweeg. Zijn gezicht werd ernstig.

'Ik heb gehoord dat je vader is gestorven,' zei hij zacht. 'Het spijt me zo.'

Alexandra snikte, maar onderdrukte haar verdriet. 'Dank je,' zei ze en ze haalde haar neus op.

'Weet je wat er precies is gebeurd?'

Alexandra constateerde dat het haar meer goed dan kwaad deed om erover te praten. 'Hij en oom Andrej zijn op verzoek van kardinaal Khlesl naar Braunau gereden. We weten alleen dat ze monniken uit het klooster van Braunau hebben geholpen om zich tegen struikrovers te beschermen. Daarbij is mijn vader... is mijn vader...' Haar stem weigerde. Ze schraapte haar keel.

'Ssst,' maande Heinrich. Hij glimlachte tegen haar en tilde zijn hand op om haar haar te strelen.

'Struikrovers?'

'Niemand weet er het fijne van. De overvallers hebben een deel van de kloosterschat gestolen. Alles ging zo snel, zegt oom Andrej. Hij is net zo ongelukkig als wij allemaal.'

'En wat zegt de kardinaal?'

'De kardinaal is gearresteerd!' riep ze uit.

'Gearresteerd?'

'Bij de rouwmis voor mijn vader. Oom Andrej zegt dat het niet veel had gescheeld of er was in de kerk een opstand uitgebroken. Iedereen was zo kwaad op de koning.'

'Daarboven denken ze dat ze met de gevoelens van gewone mensen kunnen doen wat ze willen,' zei Heinrich. 'Was het heel erg voor je?'

'Eerst was ik net zo kwaad als alle anderen. Maar toen achteraf duidelijk werd dat de rouwdienst niet eens kon worden afgemaakt...' Ze schudde haar hoofd. 'We hebben de mis ingehaald, alleen wij, de familie, maar het was niet meer hetzelfde,' zei ze hees.

Hij knikte en ging door met het strelen van haar haar. Ergens vandaan klonk een stemmetje in haar binnenste dat wantrouwig zei dat Heinrich er een fractie van een seconde tevreden had uitgezien, maar ze kon het niet goed horen. Als Heinrich tevreden was, dan was het omdat ze eindelijk weer samen waren. Ze streek over zijn voorhoofd.

'Heb je mijn vader nog getroffen, in Braunau?'

'Iemand heeft mij getroffen,' zei hij.

Heinrich ging moeizaam rechtop zitten, strikte zijn hemd open en terwijl ze verbaasd toekeek, stroopte hij het over zijn linkerschouder af. Over de schouderspier liep een dik, vers litteken, dat er lelijk uitzag. Ze meende zich te herinneren dat echt gevaarlijke verwondingen er meestal minder erg uitzagen dan oppervlakkige, maar het stond buiten kijf dat dat hier niet gold. Met trillende vingers raakte ze het weefsel aan. Heinrich liet zich langzaam achterovervallen. Het liefst was ze naast hem gaan liggen en had ze hem in haar armen genomen om de pijn te verzachten.

'Alexandra, het was verschrikkelijk in Braunau. Openlijke opstand. In de straten liepen gewapende mannen rond, enkele huizen waren alleen nog maar uitgebrande ruïnes, aan de galg hingen een stuk of tien ongelukkigen en het klooster werd geplunderd. Ik werd al bij de poort tegengehouden en moest toestaan dat ze me fouilleerden.'

'Protestanten?'

'Ze moeten helemaal gek zijn geworden.' Hij pakte plotseling haar hand steviger vast. Hij deed haast pijn. 'Dat is nog maar het begin,' stootte hij uit. 'Deze haat kan niemand tegenhouden. Binnenkort zal het overal zo zijn – in de ene plaats protestantse burgerwachten die de katholieken uitmoorden, in de andere katholieke milities die de protestanten neerslaan. Onze wereld staat aan de rand van de afgrond.'

Het was angstaanjagend hem hetzelfde te horen zeggen als Wenceslas. Alexandra merkte dat ze haast geen lucht meer kreeg. Opnieuw breidde de angst zich in haar uit als vergif.

'Ik vroeg naar je vader. Dat was mijn fout. Toen ze de naam Khlesl hoorden, werden ze razend en scholden me uit voor knecht van de paus en weet ik wat nog meer. Ik denk dat ze eigenlijk de kardinaal bedoelden, maar dat kon ik niet meer duidelijk maken. Iemand richtte een oud lontmusket. Ik zag de lont glimmen en...' Hij zweeg.

'Wat?' fluisterde ze. 'Wat?'

'Ik keek de man met het musket aan... Alexandra, ik ben geen lafaard, maar ik keek in zijn ogen en wist dat ik zou sterven.'

Nu was zij het die haar vinger op zijn lippen legde. 'Ssst,' zei ze. 'Daar moet je niet over praten.'

Hij keek haar recht aan. 'Ik trok mijn paard de andere kant op, maar ik was te langzaam. Ik voelde een klap en het volgende wat ik weet, is dat ik op mijn knieën op de grond zat en mijn linkerkant gloeide als vuur. Mijn paard rende met wilde sprongen weg. De man met het musket kwam naar me toe, hief het opnieuw, richtte op me en zei: 'Heb je een geliefde, vuile katholiek? Ik zal haar halen, maar helaas zul jij haar in de hel niet tegenkomen, want als ik met haar klaar ben, komt ze rechtstreeks in de hemel na alles wat ik met haar zal doen.'

'O, mijn god,' mompelde ze. Angst overspoelde haar bonzende hart.

'Dat zei hij,' gromde Heinrich met glinsterende ogen, 'terwijl ik voor hem op de grond geknield zat en alleen maar kon luisteren. Toen liet hij de lont in de kruitpan zakken en...'

Alexandra hijgde. Heinrich grijnsde plotseling.

'Hij had niet herladen, de idioot! Hij had niet herladen! Ik stond op en zijn makkers grepen hem en namen hem zijn wapen af, eentje bracht mijn paard en vroeg of ik kon rijden. Ik knikte, en toen tilden ze me in het zadel en spoorden mijn paard aan. Ik ben gevlucht, Alexandra, maar niet voor mij, maar voor jou! Ik hoorde die kerel praten en was plotseling zo bang om jou.'

'Ik ben de hele tijd hier geweest, Henyk. Ik was veilig.'

'Niemand is veilig in deze tijd,' zei hij. Hij werkte zich weer omhoog. Ze trok zijn hoofd tegen haar borst en hij legde zijn gezonde arm om haar heen en drukte haar tegen zich aan.

'Ik kreeg koorts,' zei Heinrich. 'Ik moet half bewusteloos door de omgeving hebben gezworven. Ik kwam tot Starkov. Er is daar een hospitaal en ze hebben zich over me ontfermd en me opgelapt. Ik ben daar een week geleden tegen het advies van de dokter in vertrokken. Ik kon niet meer buiten je. Maar ik heb te veel van mezelf geëist. Ik heb hier in Praag nog een paar dagen met koorts gelegen, tot ik me vandaag voor het eerst sterk genoeg voelde om je te laten halen.'

'Hoe kom je uitgerekend hier? In het paleis van de rijkskanselier?'

'Dat is een lang verhaal. Zijn familie en de mijne hebben oude banden en ik heb het huis Lobkowicz wel eens een pleziertje gedaan. Maar dat brengt me ook op het onderwerp dat ik met je wilde bespreken.'

Hij tilde zijn hoofd op en ging omstandig goed zitten. Ze kon het niet laten om hem te helpen. Zijn hemd gleed weer af en toen ze haar hand voorzichtig onder zijn oksel schoof om hem te steunen, realiseerde ze zich plotseling dat ze voor het eerst zijn huid aanraakte. Ze kreeg het warm. De hitte verspreidde zich over haar hele lichaam en daalde naar haar schoot. Haar gedachten raakten in de knoop en cirkelden plotseling rond de vraag wat hij behalve het hemd nog meer op zijn lichaam zou dragen en de wens onmiddellijk bij hem onder de deken te kruipen. Ze had nog nooit een man naakt gezien; het verlangen om Henyk naakt te zien deed bijna pijn. Ze beet op haar lippen. Aan zijn blik kon ze zien dat hij haar gedachten had geraden. Ze werd rood. Hij glimlachte en haar schaamte verdween onder deze glimlach. Ze boog zich naar voren en drukte haar lippen op de zijne. In de dans van hun tongen werd elke herinnering aan de kus die ze met Wenceslas had gewisseld uitgewist.

'Wat wil je met me bespreken?' vroeg ze buiten adem. Vraag of ik in je bed kom! riep haar hart. Vraag me of ik je ter wille zou willen zijn! Vraag me of ik je maîtresse wil zijn en ik zal net zo snel ja zeggen als wanneer je me zou vragen of ik je vrouw wil worden!

'Ken je het markgraafschap Moravië? Dat ligt in het zuiden, twee of drie dagreizen van hier. Daar is een plaats waar jij en ik horen. Niet hier in Praag, niet in het centrum van de waanzin, die gauw zal beginnen. Kom met me mee naar Pernstein. De vrouw van de rijkskanselier, Polyxena von Lobkowicz, komt daarvandaan en er is me aangeboden op het kasteel te wonen.'

'Maar...'

'Ik heb gevraagd of ik je mee kan brengen.' Hij lachte plotseling. 'Ja, dat heb ik gevraagd. Niemand heeft er bezwaar tegen. Kom met me mee, Alexandra. Ons lot ligt in Pernstein, niet hier!'

'Ons lot?'

'Ons gezamenlijke leven. Ik dacht dat we een gezamenlijk leven wilden.'

Haar hart sloeg met wilde, onregelmatige sprongen. Was dat een huwelijksaanzoek? Maar hoe kon ze Praag verlaten, uitgerekend nu? Haar moeder had haar nodig. Haar broertjes hadden haar nodig.

Heinrich knikte.

'Ik begrijp het,' zei hij. 'Het spijt me dat ik je zo heb overvallen.'

'Nee, nee! Dat is het niet. Ik moet alleen... Ik moet alleen nadenken. Ik... Er is niets op de wereld wat ik liever zou doen, maar...'

'Je familie zal erop tegen zijn, hè?'

'Mijn moeder wilde toen ze zo oud was als ik met mijn vader naar de Nieuwe Wereld vluchten. Ze moet het begrijpen! Daar gaat het niet om.'

'En Moravië is lang niet zo ver weg als de Nieuwe Wereld,' zei hij met een schalks lachje.

'Ik moet... Ik... Kan ik je morgen mijn antwoord geven? Toe, kan ik je morgen zien?'

'Ik zal hier op je wachten,' zei hij en hij liet zich langzaam terugzakken. 'Ik zal wachten tot de Jongste Dag.'

'Alleen tot morgen maar. Tot morgen, mijn geliefde!'

Hij sloot een ogenblik zijn ogen. Geschrokken realiseerde ze zich hoe erg hun gesprek hem had uitgeput. Ze blies een kus op zijn lippen.

'Tot morgen.'

'Tot morgen,' zei hij en hij drukte haar handen.

Toen ze zich hij het weggaan omdraaide en nog een keer naar zijn gezicht keek, stak het wantrouwige stemmetje in haar binnenste opnieuw de kop op. Het stemmetje zei dat ze een glinstering zoals in zijn ogen lag al eens eerder had gezien. Dat was bij een komediant geweest, die op een plein zo pakkend zijn verhaal had verteld dat de mensen aan het slot ervan onbeweeglijk naar het podium omhoog hadden gegaapt en een hele tijd niet terug in de werkelijkheid wisten te komen. Toen hadden ze geapplaudisseerd en als bezetenen munten gegooid. De komediant had wel meer dan tien keer glimlachend gebogen en in zijn ogen had dezelfde triomf geglinsterd, omdat hij hen allemaal met zijn vertelling had gevangen.

Heinrich wuifde en kromp ineen, en wreef toen met een verontschuldigend gezicht zijn schouder.

Alexandra vergat het wantrouwige stemmetje en sloot de deur achter zich.

23

Helemaal in het begin was Andrej in aanwezigheid van zijn zus altijd verlegen geweest, nou ja, ook gelukkig en de nabijheid die hij in haar buurt had gevoeld nog voordat hun afkomst duidelijk was geworden, was eveneens gebleven en zelfs sterker geworden, maar toch had hij zich aanvankelijk niet vrij gevoeld. Hetzelfde gevoel had zich nu weer van hem meester gemaakt en hij betrapte zichzelf erop dat hij met zijn handpalmen over de tafel veegde en stoelen rechtzette en een snelle blik in de hoeken wierp terwijl zij in de deuropening stond en haar mantel uittrok. Hij keek voorzichtig naar haar en zag de zwakke glimlach waardoor haar bleke gezicht opklaarde.

Ze streek met een gehandschoende vinger over de bovenkant van het raamkozijn en blies er demonstratief op. 'Allemaal schoon,' stelde ze vast.

Andrej stopte verlegen.

'Wat wil je met me bespreken? Of was dat maar een smoesje om me het huis uit te lokken?'

'Heb je een smoesje nodig?'

Agnes antwoordde niet. Haar blik dwaalde naar de verte. Hoewel ze elkaar pas als volwassenen hadden leren kennen, stonden ze elkaar zo na dat ze vaak elkaars gedachten konden raden. In de weken na Cyprians dood had haar verdriet Andrej zo aangegrepen dat hij zijn eigen rouw over het verlies van zijn enige grote liefde, Yolanta, weer opnieuw had beleefd. Deze rouw kwam nog boven op zijn verdriet omdat hij met Cyprian zijn beste vriend had verloren.

'Gooi die papzak eruit,' zei hij na een tijdje.

'Weet je wat ik vandaag heb gekregen? Een bericht van Niklas en Theresia uit Wenen. Ze schrijven dat ze opgelucht zijn dat Sebastian en ik zo goed met elkaar overweg kunnen en dat ik ook de positieve kanten moet zien, want in elk geval heeft het lot in die donkerste dagen een redder naar Praag gestuurd, namelijk de heer Wilfing, die zich al op zo'n uitstekende manier over de braakliggende zaken in het bedrijf heeft ontfermd...'

Andrej liet zijn ogen rollen. 'Ik hoop dat hij de handelsboeken nog steeds niet heeft gevonden.'

'Die heb ik Adam Augustyn mee naar huis gegeven.'

'Onze hoofdboekhouder?'

'Voor zover ik weet, bewaart hij ze onder in de wieg van zijn jongste dochtertje.'

'Dan zullen ze wel stinken als hij ze teruggeeft.'

'Liever naar kinderpoep dan naar Sebastians geparfumeerde poten. Het bericht uit Wenen is natuurlijk een reactie op een brief van Sebastian, die hij zonder mijn medeweten heeft verstuurd. Dat gaat snel tegenwoordig. Dank zij al het gedoe tussen Wenen en Praag vanwege de gespannen politieke situatie is de communicatie tussen de beide steden beter dan ooit. Sebastian heeft me zijn brief niet laten zien, omdat hij wel wist dat ik hem zou verscheuren.'

'Gooi die papzak eruit,' herhaalde Andrej.

'Dat is niet zo eenvoudig. Hij kan ons in één klap ruïneren, en sinds de kardinaal in ongenade is gevallen, durf ik onze naam niet luider dan nodig openbaar te maken. Je kunt ervan op aan dat Sebastian hemel en aarde zal bewegen om ons zwart te maken als ik hem op straat zet.'

'Laten we daarover praten,' zei Andrej.

'Ik wil er niet meer over praten. Ik wil alleen maar dat deze nachtmerrie voorbijgaat.'

'Vertrouw je me?'

'Natuurlijk.'

Andrej ging omslachtig aan tafel zitten. Zijn lange benen zaten hem altijd in de weg en hoe opgewondener hij was, hoe meer. 'Beloof me dat je me laat uitpraten.'

Ze glimlachte. 'Ben ik zo berucht om mijn interrupties?'

'Het heeft alleen zin als je tot het einde naar me luistert.'

'O, help! Ik geloof dat ik naar huis moet. Ik heb iets op het vuur staan.'

Andrej pakte haar hand, maar ze had helemaal geen aanstalten gemaakt om hem te verlaten. Verrast begreep hij dat ze een grapje had gemaakt. Dat was de eerste keer in weken. Ze moest zijn gedachten op zijn gezicht hebben kunnen lezen, want haar ogen vulden zich met tranen.

'Het doet nog steeds net zoveel pijn als in het begin,' fluisterde ze. 'Maar zelfs verdriet went.'

Hij zweeg, want hij wist dit beter dan wie ook. Je wende er ook aan dat het nooit overging. Hij hield haar hand vast tot ze zich had hersteld.

'Kort en goed,' zei hij. 'Van Wenceslas weet ik dat ze de kardinaal intussen hebben onteigend. In elk geval aartshertog Maximiliaan schijnt het grotendeels om het geld te zijn gegaan en nu heeft hij het. Maar de oorlogsge-ruchten nemen toe en de protestantse Staten hebben zo'n groot leger op de been gebracht dat ook kardinaal Melchiors vermogen niet voldoende is om aan katholieke zijde sterke troepen in dienst te nemen. Koning Ferdinand en zijn oom Maximiliaan zijn daarom op elke cent aangewezen. Vroeg of laat zullen ze erachter komen dat er een firma in Praag is waar ook de naam Khlesl in de papieren staat. Dan zullen ze zeggen dat wij toch zeker graag onze bijdrage zullen leveren om de schuld van de kardinaal af te betalen om onszelf daarmee van zijn praktijken te distantiëren.'

'Allemaal leugens, wat ze kardinaal Melchior verwijten.'

Andrej maakte een afwimpelend gebaar. 'Sebastian vreest dat het ervan zal komen. Daarom zet hij je zo onder druk. Als de naam Khlesl eenmaal uit de onderneming is geschrapt, is het voor de koning niet meer zo gemak-kelijk om aan het geld te komen. Zonder jouw en Cyprians aandeel is de firma nog maar een vleugellamme vogel die niet eens goed kan zwemmen en hinkt.'

'Dat begrijp ik allemaal.'

'Daarom zullen we ze te snel af zijn. We geven de koning het geld als donatie om onze vaderlandslievende gezindheid te bewijzen.'

Agnes haalde adem. Andrej legde zijn vinger op zijn lippen. 'Je hebt het beloofd,' zei hij.

Agnes deed haar mond weer dicht. 'Goed dan,' zei ze.

'Dat haalt de waarde uit de onderneming, waar Sebastian op uit is. Je zult zien dat zijn belangstelling daarna zo goed als over zal zijn.'

'En wat blijft er dan om van te leven?'

'Daar kom ik later op. Laten we eerst eens samen bekijken hoe we dat voor elkaar krijgen.'

'Het werkt bovendien niet. Zolang het gilde en de koning er niet mee heb-ben ingestemd dat ik de erfenis van Cyprian aanvaard, kan ik niet beschikken over zijn aandelen in de firma. Ik kan het geld helemaal niet weggeven.'

'Over welke erfenis heb je het? Er is een testament van Cyprian, dat jou onterft als hem iets mocht overkomen voordat zijn jongste kind – dat is Melchior junior – meerderjarig is.'

Het was niet fijn om haar gezicht te zien. Haar uitdrukking ging een paar keer tussen ontzetting en ongeloof heen en weer. Het ergste was het wantrouwen dat erin doorschemerde, wantrouwen tegenover haar broer.

'Ik weet niets van zo'n testament,' zei ze toonloos.

'Ik heb het hier. Ondertekend, met getuigen en al, notarieel gewaarmerkt, bezegeld. Het is waterdicht.'

'Ik geef je tien seconden om uit te leggen wat je van plan bent, Andrej. Dan verlaat ik dit huis.'

'Nee, Agnes. Luister tot het einde. Je hebt het beloofd.'

'Speel je een spelletje? Met je eigen zus?'

Hij zweeg. Ze staarde hem aan. Na een tijdje sloeg ze haar ogen neer. Ze leek het echter niet te kunnen opbrengen om zich te excuseren.

'Je volgende vraag zou moeten luiden: wanneer heeft Cyprian dat testament ondertekend?'

Ze keek naar het tafelblad en zei niets. Andrej zuchtte. 'Het is van vorig jaar. Hij heeft het opgesteld toen kardinaal Melchior ons opzocht en ons meedeelde dat hij bang was dat de Duivelsbijbel weer zou ontwaken.'

'Wat heeft dat te betekenen?'

'We hebben het samen gepland, Cyprian, de kardinaal en ik. Het diende om jullie vermogen – jouw vermogen, Agnes! – te beschermen als Cyprian zou omkomen.'

'Tegen Theresia en Niklas te beschermen. Zijn eigen schoonouders. En tegen Sebastian.' Haar stem was schor.

Andrej knikte. 'Cyprian maakte zich geen illusies over Theresia's liefde voor hem of over Niklas' kracht om zich serieus tegenover haar staande te houden. Cyprian heeft steeds geweten dat ze jouw huwelijk met Sebastian altijd alleen maar als opgeschort hebben beschouwd.'

'Wie is er tot erfgenaam benoemd?'

'Wenceslas. De kardinaal vond dat als ik benoemd zou worden het te doorzichtig zou zijn. Alexandra benoemen zou net zo zinvol geweest zijn als jou erfgenaam te maken en de jongens zijn nog steeds niet meerderjarig.'

'Dan zouden we dus van Wenceslas' genade moeten leven.'

Andrej probeerde niets in haar woorden te leggen. Wenceslas, die het bloed van geen van ons in zijn aderen heeft. Wenceslas, die eigenlijk een vreemde is, met een trucje uit het weeshuis gered. Wenceslas, de complete bastaard. Het was zeker dat ze dat niet had willen zeggen. Maar toch had het voor hem geleken alsof er in wat ze zei iets had doorgeklonken.

'Pas op, Agnes, het is nog veel ingewikkelder. Een van de beide getuigen die dit testament hebben ondertekend, is kardinaal Khlesl. Maar die is nu aangeklaagd wegens hoogverraad. Daarmee kan de koning alle door hem ondertekende testamenten aanvechten, omdat ze mogelijk in het belang van verraad tegen de kroon kunnen zijn opgesteld. Als hij Cyprians testament aanvecht, is alles wat we hebben bedacht zinloos geweest. Maar toen kon niemand vermoeden welke diepe val Melchior zou maken. Voor ons was hij altijd de rots in de branding.'

Agnes keek op. 'Daarom moet Wenceslas als hij zegt dat hij de erfgenaam is van de aandelen in het bedrijf van de familie Khlesl, meteen een deel van het vermogen naar de Boheemse koning doorsluizen? Dat zal de koning ervan weerhouden het testament aan te vechten, omdat hij er anders zelf voor zorgt dat hij naar de schenking kan fluiten.'

'Driekwart van het bedrag.'

'Goed,' zei ze. 'Goed.' Het klonk niet alsof ze het ook goed vónd. 'Daarmee zijn we Sebastian kwijt, hebben de naam Khlesl gezuiverd voor wat betreft kardinaal Melchiors familie en hebben de koning op een paar compagnies soldaten getrakteerd die door het land trekken en boerendochters verkrachten. O ja, en van onszelf bedelaars gemaakt. Uitstekend idee.'

'Ik ben nog steeds niet klaar,' zei Andrej geduldig.

'Heb je je schat aan trucs vroeger in de goot geleerd?'

Andrej sloot zijn ogen. 'Ik ben je vijand niet,' zei hij zacht.

Agnes veegde met de rug van haar hand over haar wangen. Toen stond ze op. 'Het gaat niet,' zei ze. 'Ik kan niet goed nadenken. Ik weet dat je niet mijn vijand bent. Maar als ik je zo hoor praten, weet ik niet meer wat ik moet voelen.'

Andrej wachtte tot ze bij de deur stond. 'Virginia,' zei hij toen.

Agnes bleef staan. Hij hoorde haar snikken en zag haar schouders schokken.

'Ik zeg dat niet om je te pesten. Ik zeg het omdat het de enige uitweg is.'

Andrej deed zijn best om rustig te praten. Het verdriet van zijn zus voelde hij bijna net zo sterk als zij. Maar hij voelde dat hij het de familie verschuldigd was om hun toekomst te redden, ongeacht hoeveel pijn het deed. En hij was het vooral Cyprian verschuldigd, die de beste vriend was geweest die hij ooit had gehad.

'De Virginia Company heeft haar kolonie in de Nieuwe Wereld versterkt sinds een man genaamd John Rolfe daar een populaire tabaksoort produceert. Er is nu een versterkte nederzetting die Jamestown heet. De kolonisten zijn bijna uitsluitend mannen. Ze beschouwen de situatie inmiddels als veilig genoeg en willen er nu ook vrouwen en kinderen naartoe halen.'

'Cyprian en ik hebben het lot van de kolonisten in Virginia gevolgd zo goed we konden. We zijn meer dan eens blij geweest dat we er niet heen waren gevlucht.'

'Maar die slechte tijden zijn nu voorbij. Die tabakplanter, John Rolfe, is zelfs met een inheemse prinses getrouwd, Pocahontas. Ze is aan het Engelse hof ontvangen en christelijk gedoopt. Sindsdien zijn er ook geen vijandelijkheden meer tussen de kolonisten en de inheemse bevolking. Als je tabak kunt verbouwen, kun je ook iets anders verbouwen. Misschien kunnen we handelspartners overhalen om mee te gaan, of onze bestaande contacten gebruiken. Engeland heeft de laatste generaties oorlog gevoerd met de halve wereld. Ze zouden blij moeten zijn als er handelscontacten tot diep in het hart van het Rijk ontstaan, vooral in het belang van de kolonie. Met het geld dat na de schenking nog overblijft en met wat van mij is, kunnen we hier misschien geen nieuw bestaan opbouwen, maar in de Nieuwe Wereld heel goed wel!'

'Andrej, Bohemen is voor ons thuis geworden. Hier zijn onze kinderen geboren, hier is de plaats waar we ons leven hebben vormgegeven. De plaats waar Cyprian en ik twintig jaar gelukkig zijn geweest. En hier is de plaats waar Cyprian is gestorven. Dat kan ik niet allemaal achterlaten.'

'Maar Agnes, juist omwille van de kinderen! Je maakt hun thuis tot een gevangenis voor ze. Ook jij bent ooit van huis weggegaan, je hebt Wenen verlaten en hier een nieuw leven gevonden. Misschien denk je dat ik makkelijk praten heb, omdat ik nooit echt een thuis heb gehad. Maar dit hier, Praag, dit huis, de zaak, jullie huis, dat is voor mij net zo goed thuis geworden als voor jou. En toch ben ik ervan overtuigd dat nu het moment is gekomen om een nieuw leven te beginnen.'

'Zou je dat ook zeggen als Cyprian nog leefde?'

Andrej liet zijn hoofd hangen. 'We weten allebei dat die vraag geen zin heeft.'

'Denk je dat het verdriet en de rouw ons niet zullen achtervolgen? Denk je werkelijk dat we dáárvoor kunnen weglopen?'

'Maar het is een nieuwe wereld, een nieuwe kans! Onze oude wereld zal ten onder gaan. Als die oorlog komt, de oorlog die ze allemaal willen, dan zal die niet tot een paar schermutselingen tussen soldaten beperkt blijven.

Hij zal zich over het hele Rijk uitstrekken, hij zal ons land en alle buren naar de afgrond brengen. Hij zal als een gigantische vuurbal alles platwalsen en verzwelgen waarvan we houden. Na deze oorlog zal de wereld niet meer hetzelfde zijn, en zelfs als wij – jij, ik, onze gezinnen – niet sneuvelen, zal het geen wereld meer zijn waarin we nog willen leven.'

'Je weet niet of die oorlog er komt!'

'Hij zal komen.'

Agnes was bij de deur blijven staan, duidelijk heen en weer geslingerd. Andrej verwenste zichzelf omdat hij haar deze pijn toebracht. Hij stond op en liep de paar passen naar haar toe. Hij verwachtte haast dat ze zich zou omdraaien en het huis uit rennen, maar in plaats daarvan sloeg ze haar armen om hem heen en drukte hem tegen zich aan.

'Ik ben zo bang, Andrej. Niet voor mezelf, maar voor de kinderen. Voor jou. Ik ben bang voor... alles...'

'Ik ben bij je, Agnes. Dacht je dat ik je alleen zou laten? Mijn kleine zusje nog een keer achterlaten? Denk je dat ik niet aan jouw kant zou staan? Agnes, het verlies dat we hebben geleden, is zo groot dat we het niet onder woorden kunnen brengen. Maar we moeten verder. Laten we het op zijn minst proberen. Als we het plan uitvoeren en jij Cyprians aandelen op Wenceslas overschrijft, dan hebben we een kans. Dan kunnen we ons van alles vrij maken en...'

'Als ik het zou doen,' zei Agnes, 'dan alleen onder één voorwaarde. Wenceslas moet weten wie hij is.'

'Daar is het nu het allerongunstigste tijdstip voor.'

'Nee, Andrej! Als Wenceslas dit zou doen, dan wil ik dat hij het uit vrije wil doet en niet omdat hij zich aan de familie verplicht voelt. Zijn leven begint pas. Hij moet het zo vrij kunnen leven als maar kan.'

'Hij hééft een verplichting tegenover de familie!'

'Die heeft hij alleen als hij die vrijwillig op zich neemt.'

'Zou je dat voorbehoud ook maken als het Alexandra betrof?'

'Het is geen voorbehoud, Andrej! Begrijp je het dan niet? Wenceslas is de enige van ons die een keus heeft. Hij is niet door het bloed aan ons gebonden, maar alleen door een belofte die je jezelf vroeger hebt gedaan toen je hem uit het weeshuis haalde. Alexandra kan niet tegen de familie kiezen. Zelfs als ze ons de rug toe zou keren, bleef ze er altijd deel van uitmaken. Je hebt Wenceslas de hele tijd laten geloven dat het ook voor hem zo was. Geef hem eindelijk de vrijheid. Geef hem de zekerheid dat hij niet tot deze familie móét behoren omdat hij erin is geboren, maar dat hij ertoe kán behoren als hij wil. Dat zijn bestaan een geschenk voor ons is en de geborgenheid die we hem als familie kunnen geven ons geschenk aan hem. Als hij dat inziet en voor ons kiest, pas dan is hij de man aan wie ik mijn toekomst en die van mijn kinderen zou durven toevertrouwen.'

'Agnes, ik kan hem de waarheid niet zeggen... na al die tijd!'

'Ik weet het. En ik weet ook hoe ik me voelde toen ik erachter kwam dat de twee mensen die me hebben grootgebracht niet mijn echte ouders waren. Misschien had de waarheid zelfs de harteloosheid van Theresia draaglijk gemaakt. Misschien was haar hart niet eens zo erg verhard als vanaf het begin duidelijk was geweest dat weliswaar een andere vrouw mij onder haar hart had gedragen, maar dat het lot haar tot mijn moeder had gemaakt. Dat jij zo lang hebt gewacht, is jouw fout. Dat het ons niet is gelukt je ervan te overtuigen hoe belangrijk de waarheid vanaf het begin zou zijn geweest, de onze. Ik heb nooit begrepen waar je bang voor was. Dat je Wenceslas kwijt kon raken? Theresia Wiegant is nooit lief voor me geweest en toch denk zelfs ik vandaag de dag eerst aan het woord "moeder" als het gesprek op haar komt.'

'Ik doe het toch niet in mijn voordeel of dat van Wenceslas! Ik doe het voor ons allemaal, zodat we als familie kunnen blijven bestaan. Voor jou, zodat Sebastian Wilfing geen macht over je krijgt! Voor je kinderen. Hoe moet ik het hem vertellen, Agnes? Hoe moet ik het Wenceslas dan vertellen?!'

'Hoe moet je me wát vertellen, vader?'

Andrej keek op. Wenceslas stond in de deuropening.

'Wat moet je me vertellen, vader?'

Andrej staarde hem aan. 'O god!' zei hij uit de grond van zijn hart.

24

Het kon niet. Ze zou het niet doen.

Ze kon het niet doen.

Ze zou niets liever willen, maar...

Ze zou het niet doen.

Ze zou niet met Heinrich naar Pernstein gaan. Ze zou hier blijven, waar haar plaats was, bij haar moeder, bij haar twee broertjes, bij haar familie.

Het zou haar hart breken en er zou nooit meer een man zijn van wie ze zoveel hield als van Heinrich, maar ze zou niet met hem meegaan.

Het verdriet dat ze voelde nadat ze deze gedachte had toegelaten, was enorm. Ze probeerde zichzelf te troosten met de gedachte dat er een later zou zijn, maar eigenlijk geloofde ze er niet in. Als ze Heinrich nu afwees, zou ze de liefde die tussen hen was ontkiemd, kapotmaken. De terugweg van het Lobkowiczpaleis over de Kleine Zijde naar de oude binnenstad was een spitsroedenloop langs gechoqueerde, nieuwsgierige of verlegen ogen, die wegkeken van haar tranen of haar in het gezicht staarden.

Vlak bij haar huis stokte haar adem toen ze een ogenblik dacht dat ze Heinrichs bode tussen de mensen had gezien die over het plein liepen. Had hij toch zijn geduld verloren? Wilde hij haar beslissing nu meteen horen in plaats van morgen? Ze wist niet wat ze had kunnen zeggen als Heinrich haar besluit nu meteen had geëist. Het plan – voor zover je het een plan kon noemen wat in haar wanhopige hoofd omging – was geweest, haar moeder in vertrouwen te nemen en bij haar de nodige kracht te halen om Heinrich af te wijzen. Hoewel ze het zichzelf eigenlijk niet wilde bekennen, lag onder dit plan een sprankje hoop dat haar moeder haar zou vragen tegen de familie en voor haar geliefde te kiezen. Ze zou niet aan het verzoek voldoen, maar het deed goed te denken dat het echt haar eigen keus was, tegen Heinrich te kiezen. Ze had het gevoel dat het haar leven zou vergiftigen als ze de zware beslissing dankte aan familieverplichtingen; ze zou nooit meer aan haar moeder en haar broertjes kunnen denken zonder hun te verwijten haar liefde verwoest te hebben. Maar het was hoe dan ook een illusie geweest dat ze de bode zag, voorgespiegeld door de om het hardst strijdende gevoelens van verlangen en angst.

Wat echter geen illusie was, was het ronde gezicht van Sebastian achter een van de bovenramen, dat zich terugtrok toen ze omhoogkeek. Een sterke weerzin vlamde in haar op, en ze rende de trap op om hem niet tegen te hoeven komen. Maar Sebastian stond al boven aan de trap, zijn handen op zijn heupen geplant en zijn gezicht vertrokken tot een grimas dat er half streng, half dreigend moest uitzien en in werkelijkheid niets anders was dan doorzichtig, een belachelijke parodie van een vader die van zijn bijna volwassen dochter wil weten waar ze heeft uitgehangen.

'Zo, jongedame,' zei hij met overslaande stem. 'Waar zijn we geweest?'

'Ik weet niet waar u bent geweest,' zei Alexandra. 'En waar ik ben geweest gaat u niets aan.'

'Ik geloof niet dat die brutale toon op zijn plaats is.'

'Laat u mij erlangs. Ik wil naar mijn kamer. Ik ben moe.'

'Jij denkt zeker dat je alleen aan je moeder verantwoording schuldig bent. Maar dat zal gauw veranderen, jongedame!'

'Hoezo zal dat veranderen?'

'Vroeg of laat zal hier een nieuwe heer des huizes zijn intrek nemen.'

'En dat wilt u zijn?'

'Dat zál ik zijn.'

Alexandra lachte spottend. Ze was verbaasd dat ze het kon. 'Over wiens hoofd heen denkt u dat te kunnen beslissen?'

'Ik hoef over geen enkel hoofd heen te beslissen. Dit is een gezamenlijke beslissing.'

'Als u met "gezamenlijk" uzelf en mijn grootouders in Wenen bedoelt, die raadsbesluiten spelen hier geen rol.'

'Natuurlijk willen je grootouders dat ik het bedrijf overneem.'

'U kunt helemaal niets overnemen zonder de instemming van mijn moeder. Al denken mijn grootouders dat ze hun aandeel moeten terugtrekken, Khlesl & Langenfels zal zich heel goed zonder Wiegant redden.'

Sebastian glimlachte hooghartig. 'Ik hoef je natuurlijk niet te vertellen, jongedame, hoe de juridische status van je moeder na de dood van je vader is. Vooral nu is gebleken dat de oude kardinaal Khlesl niet alleen een woekeraar is en een bedrieger van eerlijke kooplieden die een huis kopen, maar ook nog hoogverraad pleegt.'

'Laat me er eindelijk langs!'

Alexandra liep om Sebastian heen. Tot haar verbijstering greep hij haar bij haar bovenarm vast. Ze keek naar zijn hand en toen naar zijn gezicht, maar hij maakte geen aanstalten om haar los te laten.

'Alexandra,' sprak hij sussend, 'ik wilde helemaal niet dat ons gesprek deze kant op zou gaan. Het gaat ook niet om juridische belangen. Het gaat om... hartsaangelegenheden.' Zijn stem piepte bij het laatste woord. 'Natuurlijk is het een gezamenlijk besluit dat ik de nieuwe heer des huizes word. Een besluit van je moeder en mij.'

'Mijn... moeder...?!'

'Ja, natuurlijk.'

'Mijn moeder wil u tot haar nieuwe man nemen?'

'Je moeder en ik zouden vijfentwintig jaar geleden trouwen, voor je vader zich tussen onze liefde drong. Nu is dit obstakel uit de weg geruimd en de liefde die je moeder in de grond van haar hart voor mij...'

'Mijn moeder heeft altijd alleen van mijn vader gehouden!'

'Nou, je was er destijds niet bij, of wel soms?'

'Ik heb hier ook nog iets over te zeggen,' snauwde Alexandra. 'Ik zal niet toestaan dat u de opvolger van mijn vader wordt...'

'Je wilt in de toekomst niets meer met je familie te maken hebben?'

'...en laat u mijn arm los! U hebt het recht niet om me aan te raken!'

Sebastian haalde zijn hand demonstratief langzaam weg. Door de glimlach die hij daarbij opzette, had ze het gevoel dat de groezelige aanraking er nog steeds was.

'We moeten aan elkaar wennen, meisje! Ik geloof best dat het niet gemakkelijk is. Maar voor de zaak is er alleen nog toekomst als ik het roer overneem, net als voor de familie: mij, je moeder, je broertjes en jou.'

'En mijn oom en...'

'Wel, er zullen wat ingrepen gebeuren.'

'Ik geloof niet dat mijn moeder daar allemaal in heeft toegestemd.'

'Dat is maar een formaliteit. Geloof me, liefje, je moeder is verstandig en ze weet precies wat voor jullie allemaal het beste is. We kennen elkaar al zo lang en haar genegenheid voor mij is nooit verdwenen.'

'Ze noemt u Oink!' fluisterde Alexandra vol haat.

Sebastian knipperde met zijn ogen en zijn gezicht verschoot van kleur. Alexandra constateerde dat ze hem had geraakt. Haar weerzin tegen de man voor haar maakte dat ze er een schepje bovenop deed.

'Omdat uw stem klinkt als van een varken. En weet u? Dat past precies bij de inhoud van wat u zegt.'

Sebastian had even nodig voor de glimlach weer op zijn gezicht gebeiteld lag. Het was nog verwrongener dan eerst.

'Geniet maar van je Khlesl-arrogantie, zolang je nog kunt, jongedame! Zodra ik de baas ben, zal voor zulk gedrag geen plaats meer zijn onder dit dak, of voor iemand die daar zo stijf van staat als jij.'

Hij stapte opzij en Alexandra stormde langs hem heen naar haar kamer. Ze sloeg de deur met een knal dicht. Ze stikte bijna bij de gedachte dat ze hem het laatste woord had gegund, maar ze had gevreesd dat ze met haar nagels over zijn gezicht zou krabben als ze ook maar een ogenblik langer in zijn buurt was gebleven. De meid, die op haar had gewacht, dook ontzet ineen.

'Laat me alleen.'

'Kan ik u iets brengen?'

'Nee,' zei Alexandra. 'Laat me gewoon alleen.'

Dat was het dus, dacht ze, toen de woedeaanval bedaarde, waarin ze haar bed overhoop had gehaald, de kussens door de kamer had gegooid, met haar vuisten op haar matras had getimmerd en met haar voeten tegen de kisten had geschopt. Dat was het dus, het leven dat ze enkele minuten geleden nog had willen inruilen voor Heinrichs liefde. Ze wilde opeens niets liever dan dat ze Heinrichs bode buiten nog had gezien. Ze zou hem onmiddellijk een boodschap mee hebben gegeven en die boodschap zou uit maar één woord bestaan: ja!

25

Een gedaante verliet het huis door de zij-ingang en haastte zich langs de muur de straat uit. De gedaante was dik en vermomd in een mantel die zelfs een minder gezet iemand nog strak had gezeten, met een capuchon die met twee handen vooraan moest worden vastgehouden om niet over de stevige nek naar beneden te glijden. Sebastian Wilfings vermomming was ongeveer zo onopvallend als die van een stapel paardenvijgen op een damasten tafelkleed.

Hij ging haastig de hoek om en piepte geschrokken, toen hij opeens tegenover een man stond die net als hij de bocht krap had genomen. Wat volgde, was de gebruikelijke dans: beiden deden tegelijk een stap in dezelfde richting, keken elkaar aan, corrigeerden zichzelf in de andere richting en stonden weer tegenover elkaar. De man begon te glimlachen. Sebastian stak zijn mollige handen uit en schoof hem aan de kant.

'Hé, verdomme!'

Sebastian haastte zich verder met zijn hoofd tussen zijn schouders, opeens geschrokken van zijn grofheid. Tegenover iemand die groter en sterker was dan hij was dat anders niet zijn gewoonte. Hij gluurde over zijn schouder achterom, maar de onbekende was godzijdank doorgelopen.

'Hier ben ik,' klonk een stem vanuit een portiek.

Sebastian draaide zich met een ruk om. De man in de portiek greep hem vast en trok hem naar zich toe. Hij droeg platte schoenen, een pofbroek en het in de kleuren van het huis Lobkowicz gehouden jasje van de bediende die Heinrich als bode placht te gebruiken. Hij was niet de bediende.

'Wie bent u?' piepte Sebastian. 'U draagt de kleding van mijn... eh... van mijn... eh... maar u bent het niet.'

'Ik vond dit een boodschap voor de baas en niet voor de bediende,' zei Heinrich grijnzend.

'Ik heb het tegen haar gezegd,' zei Sebastian gejaagd. 'Precies zoals u wilde.'

'Ik wist dat ik op u kon rekenen.'

'En het decreet?'

'Uiteraard.' Heinrich stak hem een opgerold document toe waaraan een zegel hing.

Sebastian rolde het open en wierp er een oog op. 'Hier staat dat de belasting veertig procent zal bedragen.'

'Inderdaad,' zei Heinrich, die geen bijzondere moeite deed om de verse inktvlekken op zijn vingers te verbergen. Hij had het document in haast geschreven, nadat Alexandra het Lobkowicpaleis had verlaten. De rijkskanselier had een verbazingwekkend gemakkelijk te vervalsen handtekening.

'We hadden vijfentwintig procent afgesproken. Vijfentwintig procent in ruil waarvoor de rijkskanselier van tevoren bepaalt dat de erfenis van Cyprian Khlesl uit zijn bedrijf aan mij zal toevallen. En dat ik alleen beslis wat ermee gebeurt.'

'De oorlog staat voor de deur. Dan wordt alles duurder.' Heinrich wist dat hij vanaf het begin de veertig procent had kunnen noemen en dan zou die rijke koopman toch hebben toegehapt. Maar het was potsierlijk om te zien hoe hij nu kronkelde. Heinrich had er veel voor over gehad om het domme gezicht van die vetbult te zien als die eenmaal probeerde met het waardeloze decreet zijn aanspraak op de overdracht van de erfenis te claimen. Waarom zou Heinrich het vermogen aan die stomme Wener geven dat hij via Alexandra zelf kon binnenhalen? Hij dacht aan Alexandra en aan hoe hij over haar gemartelde lichaam heen het geld aan Diana zou overhandigen. De voorstelling was minder opwindend dan hij had gedacht.

'Het is me een raadsel waarom de rijkskanselier deze zaak zo belangrijk vindt.'

'Weest u blij dat er zoveel aandacht is voor een vreemde als u.'

'Ik ben een goede zakenman. Ik breng handel en omzet naar Praag.'

'Het is genoeg als u ervoor zorgt dat een bepaald iemand Praag verlaat.'

'Die slet!' zei Sebastian. 'Ze had allang moeten worden uitgehuwelijkt. Aan iemand die haar brutaliteiten met de roede beantwoordt tot ze op haar knieën om genade smeekt.'

'Goed,' zei Heinrich. 'Ik zal uw suggestie in overweging nemen.'

26

'Dat verklaart veel,' zei Wenceslas.

'Ik ben opgelucht dat je het zo kalm opneemt,' zei Andrej. 'Ik was bang voor dit gesprek.'

'Ja. Zo bang dat je het hebt laten gebeuren dat het twintig jaar te laat werd gevoerd.'

'Te laat? Maar het is de waarheid.'

'Als het niet de waarheid zou zijn, hoe moest ik dan na dit leugenverhaal nog iets geloven? En al is het de waarheid, hoe kan ik nog iets geloven van wat je me de afgelopen vijfentwintig jaar hebt verteld?'

'Ik zat ooit in dezelfde situatie als jij,' zei Agnes. 'Ik kan precies begrijpen hoe je je voelt.'

'Als dat zo is, mevrouw Khlesl, waarom hebt u dan toegestaan dat er zolang over is gezwegen?'

'Wenceslas, er is geen reden om me plotseling als een vreemde aan te spreken.'

'Natuurlijk. En er wordt waarschijnlijk ook verwacht dat ik meneer Von Langenfels mijn vader blijf noemen.'

Andrej sloot zijn ogen. Het was hem aan te zien dat hij zich niet goed voelde. Wenceslas was zo bleek dat het leek of zijn wimpers en wenkbrauwen op zijn gezicht waren getekend.

'Ik wilde dat je nooit hoefde te twijfelen of je bij deze familie hoort,' zei Andrej.

'We hebben je nooit anders beschouwd,' vond Agnes.

Wenceslas' gezicht verschoot plotseling alsof een windvlaag een kaarsvlam liet flakkeren. 'Er is nog een mogelijkheid om tot deze familie te behoren. Die hebben jullie me afgenomen.'

Andrej probeerde te begrijpen wat Wenceslas bedoelde. Zijn maag rebelleerde nog steeds. Hij zag zichzelf weer in het spreekkamertje in het weeshuis zitten, zag de overste het spreekluikje sluiten, zag zichzelf naar het document staren dat hij in zijn gevoelloze handen hield, voelde de flits van het wanhopige idee dat opeens in zijn hoofd zat. Alles wat hij toen had gedaan, had hij uit liefde voor Yolanta gedaan. Plotseling begreep hij wat Wenceslas had bedoeld en wist dat hij bij zijn zoon iets serieuzer had moeten nemen wat hij als het hemzelf betrof, altijd serieus had genomen. Misschien zou dat hem dan de kracht hebben gegeven het te zeggen, als het niet al te laat was.

'Alexandra,' zei hij. Hij zag Wenceslas' kaakspieren trekken en keek Agnes hulpeloos aan. In haar ogen kon hij lezen dat zij zich altijd bewust was geweest van Wenceslas' gevoelens voor haar dochter.

'Waarom heb je niet...' begon hij. Hij zweeg. De waarheid was dat ze dat wel had gedaan. Zij en Cyprian hadden hem er telkens met zachte aandrang aan herinnerd dat hij Wenceslas onrecht deed. Ze hadden hem niet verteld wat zij veel eerder hadden begrepen, namelijk dat Wenceslas verliefd op Alexandra was. Andrej begreep dat dit de reden was waarom de beslissing om Wenceslas' afkomst te onthullen uit zijn hart moest komen en niet uit de dwang van invloeden van buitenaf. Hij had gedacht dat hij nooit meer zo'n pijn kon voelen als hij bij het zien van zijn dode geliefde had gehad. Zelfs Cyprian zien sterven was daar niet bij in de buurt gekomen. Nu begreep hij dat het moment was gekomen dat alles zich herhaalde, ook het verdriet. Hij probeerde lucht te krijgen en constateerde dat zijn borst zich niet kon bewegen. Hij was Yolanta kwijtgeraakt en hij zou Wenceslas kwijtraken.

Je bent hem al kwijt, zei iets in hem.

De omgeving begon voor zijn ogen op te lossen.

'Ik kon nooit tegen haar zeggen...' hoorde hij Wenceslas fluisteren.

'Ze weet het,' antwoordde Agnes. 'Diep in haar hart. Maar ze dacht altijd dat jullie liefde onmogelijk was.'

'En uiteindelijk heeft haar hart iemand anders gekozen.'

'Ik weet het.' Aan Agnes' stem was te horen dat ze huilde.

'Waarom nu?' vroeg Wenceslas. 'Wat heb ik nu aan de waarheid?'

Het antwoord zou alles wat er ooit aan liefde tussen Andrej en Wenceslas was geweest de genadestoot geven. Omdat je deel uitmaakt van een plan, zou het antwoord luiden. Een plan dat ik heb bedacht. Ik zou je je leven lang hebben bedrogen, mijn zoon, maar nu hebben we je nodig. Andrej moest zijn best doen om de gal in te slikken die in zijn mond omhoog was gekomen.

'Ik...' begon Agnes.

Hij legde een hand op haar arm. Hun blikken ontmoetten elkaar.

'Het was allemaal mijn idee,' zei Andrej.

'Maar ik heb je...' Toen ze zweeg, wist Andrej wat ze in de laatste seconde had gedacht, namelijk hoe het voor Wenceslas zou hebben geklonken als ze haar zin had afgemaakt: *Maar ik heb je ertoe gedwongen je zoon de waarheid te vertellen.* Hij vroeg zich af of het de situatie werkelijk nog erger had kunnen maken.

'Jullie hebben me nodig,' zei Wenceslas. 'Het gaat om de zaak.'

'In zekere zin ja,' zei Andrej. 'Maar...'

Wenceslas draaide zich om en liep zonder nog een woord te zeggen naar buiten.

1618 DEEL 2
EEN DIEPE VAL

ALLEEN DE DODEN HEBBEN HET EINDE
VAN DE OORLOG GEZIEN.

·PLATO·

I

Filippo volgde het ritme met gesloten ogen. De stoten brachten zijn hele lichaam in beweging.

'Harder,' hijgde Vittoria. 'Harder.'

'Ik doe wat ik kan, zusjelief,' zei Filippo, althans, dat wilde hij zeggen, maar hij constateerde dat hij geen stem had. Hij voelde Vittoria's handen, die de zijne omvat hielden, hij rook haar zweet en het zijne. Hij voelde zich glibberig.

'Harder.'

'Ik zweer dat ik nooit meer boter eet!' Ook voor dit grapje was er geen stem. Filippo probeerde zijn ogen te openen. Zijn oogleden waren lood-zwaar. Inmiddels had hij gemerkt dat de stoten op een ritme gingen dat van buiten kwam. Hij kende dat ritme. Het was een gonzen dat elke lichaams-vezel aan het trillen maakte en je het gevoel gaf dat elke slag je ziel een stukje verder van alle andere mensen verwijderde en naar een donker gebied dreef waar deze voor eeuwig gebonden zou zijn.

'Harder.'

Het was het gonzen waarmee de Duivelsbijbel iemand vervulde die na-derbij kwam. Het was het aan- en afzwellende zoemen van een zwerm grote wespen. Het was de hartslag van de satan.

'Harder, Filippo.'

'Ik kan niet meer.'

'Niet ophouden, Filippo. Niet ophouden.'

Hij werd duizelig. Plotseling leek zijn lichaam het signaal te willen geven dat hij niet in de keuken van Scipione kardinaal Cafferelli's huis in Rome tegenover Vittoria zat, maar op zijn rug lag. Zijn ledematen beefden. Vit-toria's handen pakten de zijne steviger vast en trokken ze omhoog en opeens begreep hij dat hij niet de glibberige, vochtige stamper van de boterton had vastgehouden, maar dat zijn handen op een warme, transpirerende huid hadden gelegen. Vittoria trok en duwde zijn handen op iets anders, een ste-vige, meegevende zachtheid waarin twee harde knoppen onder zijn hand-palmen opbloeiden. Ontzetting verspreidde zich in hem als bloed in water.

'Harder, Filippo. Raak ze aan. Zo is het goed. Harder.'

'Vittoria...' kreunde hij. 'Mijn God...'

'Nee,' zei ze. 'Je hebt geen God. Je hebt jezelf de vraag niet gesteld.'

Hij probeerde haar af te schudden, probeerde onder haar vandaan te kruipen. Zijn oogleden waren nog steeds gesloten, het zwart om hem heen volledig. Zijn ogen brandden.

'Alsjeblieft!'

'De vraag, Parcival,' zei Vittoria. 'Stel de vraag. Weet je wat de heilige graal is? Het vat waarin het wezen van God wordt bewaard. Stel de vraag, Parcival, of de graal blijft dicht voor jou.'

'Nee!' Hij richtte zich op. Vittoria's dijen hielden hem in hun greep. Haar knieën drukten zijn ribben samen. Hij voelde haar gewicht niet op zijn onderlichaam, maar hij merkte dat ze hem tegenhield.

'De vraag, Parcival!'

'NEEEEE!' Plotseling scheen overal licht om hem heen en hij begreep dat zijn ogen niet gesloten waren geweest, maar dat hij ze de hele tijd wijd open had gehad. Hij was alleen in volkomen donker gevangen geweest. Nu kon hij zien en hij zag de vrouw die naakt op hem geknield zat, haar perfecte lichaam, haar blonde haar dat het gezicht verborg. Ze boog zich naar hem voorover, het haargordijn deelde zich doormidden en ze glimlachte.

'Mevrouw Polyxena...'

Haar mooie gezicht vertrok plotseling alsof het een spiegelbeeld was in een vijver waarin iemand een steen had gegooid en aan het einde van een ademloos, horrorachtig ogenblik was het het gezicht dat hij in de Duivelsbijbel had gezien, het grijnzende masker waaruit een gespleten tong heen en weer schoot. Hij rilde van ontzetting en haar schoot trok in een verrukkelijke, pijnlijke beweging samen en trok hem over de grens. Hij voelde dat de kracht uit zijn lichaam werd gepompt en zijn hart stokte. De afschuw was net zo gigantisch als de lust, en hij was wakker.

Een echo in zijn hoofd galmde zacht in de vergetelheid: '*Quo vadis, domine?*' De echo had de stem van de prinses van Pernstein.

Zijn borst ging krampachtig op en neer. Zijn ademhaling ging snikkend. Wild keek hij om zich heen. Hij was alleen in het kamertje dat hem was toegewezen. De kaars was nauwelijks verder opgebrand; hij moest even zijn ingedommeld. De herinnering aan Vittoria, al was ze bezoedeld door het verloop van de droom, maakte hem voor het eerst sinds dagen weer aan het twijfelen. Was echt alles verloren en de hand van de duivel de enige onder de hoede waarvan de mensen nog konden vluchten? Of was pas alles verloren als alles werkelijk verloren was? Vittoria zou zo'n vraag hebben gesteld. Het antwoord, daar was Filippo zeker van, stond in de Duivelsbijbel, evenals het antwoord op die andere vraag die nog steeds in zijn oor nagalmde.

Hij gooide zijn benen uit het bed, maar toen hij natte lakens voelde, stopte hij. Aarzelend en met groeiende ontzetting trok hij zijn soutane op en staarde naar zijn schoot. Het linnen hemd was zwaar en nat. De restwarmte van de ejaculatie sloeg door de lucht om in een koude klamheid en plakte aan zijn huid als de aanraking van een amfibie. Hij huiverde. Toen sprong hij plotseling op en knoopte razendsnel de soutane open, smeet deze op het bed, schoot uit zijn hemd en kreunde toen de natte plek over zijn buik en zijn borst omhoog gleed en hij de melige geur in zijn neus kreeg. Toen hij naakt in zijn kamer stond, begon zijn bleke, magere lichaam in de kou te bibberen. Hij maakte een prop van het hemd en liet het daarna walgend vallen toen er een taai, koud vocht aan zijn handpalmen kwam. Opgejaagd keek hij om zich heen. Ten slotte trok hij het laken van de stromatras op zijn bed en boende zich daarmee af, kreunend en hijgend, tot zijn huid rood en opengehaald was en hij het gevoel had dat hij zijn schaamhaar met bossen tegelijk had uitgetrokken. Hij streek met zijn hand tussen zijn benen en rook eraan. Hij wendde zijn gezicht af. De waterkuip was zijn volgende doel. Hij spetterde wild in het kamertje in het rond en begon te rillen door de kou van het water en de lucht. Het laken kwam er opnieuw aan te pas.

Maar hoe hij zich ook waste en afboende en met zijn tanden klapperde, het ergste teken liet zich niet wegpoetsen: de keiharde erectie die na de lozing in zijn droom was gebleven en doorklopte alsof zijn mannelijkheid de roep van de Duivelsbijbel nog steeds voelde.

Toen hij na het invallen van de duisternis werd geroepen, was de verstijving weggeëbd, maar niet die mengeling van walging en verlangen, die door zijn nachtmerrieachtige gemeenschap met een wezen was opgeroepen dat met Vittoria's stem sprak, Polyxena's lichaam had en hem met de gespleten tong van de satan aangrijnsde. Het zou hem veel waard zijn geweest om ten minste de herinnering aan Vittoria uit de echo van de droom te verbannen. Ze was voor hem, toen en nu, altijd het enige goede geweest dat zijn leven had bepaald en die zekerheid was voor hem nu bezoedeld. Vaag vroeg hij zich af of dit de essentie was van de macht die hem had aangetrokken: alles wat edel en goed was te bezoedelen tot het alleen nog gewoon en verdorven leek. Toen schoten hem het jonge meisje en haar moeder in de dom van die ene stad te binnen en hij wist dat er geen macht van buiten voor nodig was om de mensen alles in de stront te laten trekken.

In de voormalige kapel brandden meer kaarsen dan in een grote dom. De warmte en de geur van was, talk en olie maakten het hoofd licht en lieten het lichaam naar evenwicht zoeken; de wierookgeur sloeg op zijn hersenen. Honderden vlammen dansten en knetterden, het klonk alsof een onzichtbaar koor een nauwelijks hoorbaar koraal zong en alsof de klank van het gezang opsteeg vanuit een diepte die geen mens zich kon voorstellen. Het boek lag op zijn lessenaar, bedekt onder een in alle kleuren glanzende doek. Twee gedaanten draaiden zich om toen Filippo binnenkwam: een slanke en een mollige vrouw, van wie de prachtige gewaden nu gekreukt waren en van wie de gedaanten flakkerden in het kaarslicht. De in het wit geklede verschijning tussen hen in leek over de tegels te zweven alsof haar voeten de grond niet raakten. Het was moeilijk om gezichten te herkennen en het was moeilijk zijn blik op de gewone gelaatstrekken van twee oudere dames van duidelijk niveau te laten rusten, als hij in plaats daarvan in de groengouden edelstenen kon kijken die in het witte gezicht van de prinses van Pernstein glommen.

Een van de beide dames ging met haar rechterhand naar haar voorhoofd om een kruisteken te slaan, maar een perfect witte hand hield haar tegen.

'Dat is hier niet nodig, liefje.'

'Maar dat is een priester...'

'In deze zaal gaat het om de verlossing, niet om het slaventeken van het kruis.'

'Maar Jezus Christus..."

'...is in smarten gestorven. Uw doel is toch niet de doodsstrijd van uw geloof, gravin, maar de glans van zijn onomstotelijke macht. Heb ik gelijk?'

'Eh... Ja, natuurlijk... Eh...' De mollige vrouw liet haar rechterhand zakken, zichtbaar in de war gebracht. Ze sprak Boheems met een minstens net zo sterk accent als Filippo. Ook zij scheen de taal laat te hebben geleerd.

'Komt u toch binnen, pater Caffarelli. Ik zal u aan de aanwezige dames voorstellen.'

Filippo volgde de aantrekkingskracht van de groene ogen. Pas nu zag hij dat er twee in pijen en capuchons gehulde gestalten onbeweeglijk in een hoek van de kapel stonden, vaste schaduwen in de schittering van het

kaarslicht. Hij begon te transpireren. Zoals altijd zag zijn gastvrouw er onberispelijk uit, terwijl het haar van haar beide gasten een verwaaide indruk
maakte en mat en vochtig tegen hun slapen en voorhoofd plakte.

'Caffarelli?' vroeg de slankste van de twee vrouwen. 'Uw naam komt me
bekend voor.'

'Mijn broer is de pauselijke grootpenitentiair,' dwong Filippo zichzelf te
zeggen.

'Ach? Nou ja, dat zou kunnen. Mijn man heeft met de hoogste kringen
van de katholieke Kerk gesproken.'

'Ik heb niets meer met de katholieke Kerk te maken.'

'Ik ben blij dat te horen, beste man.'

'Mijn vriend Filippo, mag ik u Bibiana Ruppa voorstellen...'

Filippo's gesprekspartner boog even haar hoofd.

'...en gravin Susanna von Thurn.'

De dikste van de twee dames maakte een kleine buiging, nog steeds uit
haar evenwicht door Filippo's verschijning en zijn onduidelijke positie. Filippo begreep dat Polyxena von Lobkowicz een schitterende tactiek had gekozen om zijn persoon met een geheimzinnig waas te omgeven. Hij vroeg
zich af waarom hij naar de kapel was geroepen. De beide vermomde monnikengedaanten bewogen niet. Filippo wist dat er op Pernstein geen bedel- of
andere monniken waren. De pijen konden alleen een vermomming zijn.

'De echtgenoten van de dames, Willem Ruppa en graaf Matthias von
Thurn, behoren tot de belangrijkste woordvoerders van de protestants-Boheemse Staten.'

Filippo maakte een buiging. 'Zeer vereerd.'

Bibiana Ruppa stak hem een hand met een ring eraan toe om te kussen.
Filippo aarzelde heel even. Een koude windvlaag ging plotseling door de
zaal en blies een paar kaarsen uit. Bibiana keek geschrokken om zich heen.
De ogen van haar gastvrouw gloeiden in haar witte gezicht dat er in het
kaarslicht uitzag alsof het uit ijs was gevormd. Toen Bibiana zich weer naar
Filippo toe wendde, was deze allang rechtop gaan staan en hij monsterde
de dames onbewogen. Langzaam liet Bibiana haar hand zakken. Haar gezichtsuitdrukking was onzeker geworden. Filippo voelde de tocht waarmee
de deur achter zijn rug onhoorbaar weer werd gesloten. In de zes weken dat
hij hier was had hij de voorliefde van de prinses van Pernstein voor dramatische ensceneringen leren kennen. Mystiek daaraan bleef desondanks haar

griezelige zevende zintuig voor wanneer zo'n enscenering op zijn plaats was. Waarschijnlijk hoorden de verklede monniken er ook bij.

'Dames,' hoorde Filippo de hese stem van Polyxena zeggen, 'beseft u wat ik bedoelde toen ik het zojuist over de verlossing had?'

'Natuurlijk. De verlossing van het ware christelijke geloof van de onderdrukking door het katholieke bijgeloof.'

'De katholieke Kerk loopt op haar einde.' Een witte hand wees naar Filippo. 'De paus is een verwarde man en zijn belangrijkste plaatsvervangers zijn al tot het ware geloof overgegaan.'

Filippo voelde de blikken van de beide edelvrouwen op zich rusten. Schitterend gedaan, mevrouw Von Lobkowicz, dacht hij opnieuw. Mijn aanwezigheid alleen lijkt die bewering te bevestigen. Pater Caffarelli, de broer van de machtige grootpenitentiair; als iemand het kon weten, dan hij wel. Hij begreep dat het moest lijken alsof hij speciaal uit Rome was gekomen om de woorden van zijn gastvrouw kracht bij te zetten. Hij onderdrukte een even spottend als bewonderend lachje. Ze wist waarschijnlijk niet hoeveel gelijk ze in werkelijkheid had. De paus was wel niet in de war, maar had zich reddeloos in zijn beide projecten vastgebeten – de rijkdom van zijn familie en zijn zelfverwezenlijking in de verandering van de domgevel – maar op de gelovigen had het hetzelfde effect. En zijn kardinalen waren misschien niet overgegaan tot het ware geloof (wat dat ook mocht zijn, het protestantisme was het in elk geval ook niet) maar met de regels van de katholieke Kerk hadden ze ook niet veel meer op. Toen hij begreep waar Polyxena naartoe wilde en wat ze het ware geloof noemde, ging er een schok door hem heen. Hij kreeg het helemaal koud.

Het ware geloof was het niet-geloof. Het geloof dat er niets goeds bestond en dat God Zijn schepping de rug had toegekeerd. Het geloof dat de wereld geregeerd werd door het recht van de sterkste. Het geloof in het credo van de duivel.

De kardinalen zouden het misschien anders noemen. Eigenlijk kwam het op hetzelfde neer. Het benam Filippo de adem toen hij zich realiseerde dat de vrouw naar wie zijn zoektocht hem had gedreven met behulp van de Duivelsbijbel een vrucht wilde plukken die daar meer dan rijp voor was. De appel was de wereld. Wat nog ontbrak aan de heerschappij van de duivel was dat iedereen zich ervoor openstelde. God was dood. De kou in zijn binnenste werd nog groter. Was hij op zijn zoektocht slechts een cirkel verder in de hel terechtgekomen? *Laat alle hoop, gij die hier intreedt, varen...*

Gravin Von Thurn zette grote ogen op. 'Zijn álle kardinalen tot het protestantisme bekeerd?'

Het witte gezicht glimlachte toegeeflijk. 'Hoe oud denkt u dat ik ben, lieve?'

'Eh... Eh... Ik weet niet...'

'Voelt u mijn hand eens.'

Filippo keek toe hoe de dikke, rozige vingers van Susanna von Thurn over de smalle hand van haar gastvrouw fladderden. Op de rug van de hand van de gravin waren de eerste onzuiverheden al te zien, de huid was bij de knokkels gerimpeld en een paar ouderdomsvlekken zagen er in het kaarslicht uit als vuil. Het leek alsof een boerin de hand van een albasten beeld betastte.

'Kijkt u in mijn ogen.'

Susanna von Thurn keek omhoog als een konijn.

'Hoe vurig brandt de hartstocht nog in u, lieve?'

'Eh...?'

De handen van het albasten beeld gingen omhoog en hielden het bolle gezicht van de gravin links en rechts vast. Toen kwam het witte gezicht naar voren, boog, en de bloedrode lippen drukten zich op de bevende mond van de gravin. De ogen van Susanna von Thurn werden groot, vervolgens begonnen haar oogleden te knipperen en sloten zich. Haar gestalte leek te verslappen en naar haar gastvrouw te neigen. Filippo zag dat de beide lippenparen zich in elkaar versmolten; hij hoorde het zachte kreunen van de corpulente gravin. De aanblik van de twee elkaar met steeds grotere hartstocht kussende vrouwen druppelde vuur in Filippo's schoot. Hij wierp vanuit zijn ooghoeken een blik op de stomverbaasde Bibiana Ruppa; haar mond stond halfopen. Ze wist het vast niet, maar de punt van haar tong gleed voortdurend over haar lippen. Polyxena maakte zich van de gravin los en die verloor haar evenwicht. Haar mond zat onder de rode lippenstift.

'Hoe vurig heeft de hartstocht ooit in u gebrand, lieve?' De hese stem drong onder Filippo's huid.

'Dat is...' begon Bibiana Ruppa.

'Ik...' stotterde Susanna von Thurn.

'Ik ben een halve eeuw oud,' zei de hese stem. 'Hoe oud bent u?'

Filippo was verstijfd. Hij zou niet weten waarom de vrouw in het wit zou moeten liegen. Hij had haar op halverwege de dertig geschat. Hij was stomverbaasd. Vittoria was gestorven toen ze begin veertig was; zelfs als ze nog gezond was geweest, had ze er niet zo jong uitgezien als de prinses van Pernstein. Hoe had... Wat had... Hij kreeg het koud toen de reden ervan in hem opkwam. Enkele bladzijden van de Duivelsbijbel bevatten recepten; elk recept bestond voornamelijk uit giftige bestanddelen. De voortdurend bibberende, voortdurend als een hond die een keer te veel was geschopt om zich heen kijkende man met het uitgemergelde figuur dook voor zijn geestesoog op, die af en toe door de poort en het hoofdgebouw van het kasteel in schoot. Hij had een keer gezien dat hij een verrekte vinger van een soldaat weer had rechtgezet. De man was een heelmeester. Had Polyxena hem opdracht gegeven om de recepten uit te proberen? Er liep een rilling over Filippo's rug, toen het tot hem doordrong dat ze ondanks al zijn studie van de afgelopen weken waarschijnlijk meer over de codex wist dan hijzelf.

'Zes... zesenveertig,' stamelde Susanna von Thurn.

'Wat is uw geheim?' stootte Bibiana Ruppa uit.

De vrouw in het wit keerde zich om. De monnikengedaanten in de hoek gingen rechterop staan. Met een handgebaar zorgde ze ervoor dat ze weer verstarden. Filippo meende opeens te weten wie zich onder de pijen verborgen: twee jonge, strakke, frisgewassen soldaten, die voor de beide adellijke dames klaarstonden om het onderwerp jeugd en hartstocht te bestuderen. Niet voor niets was Filippo overgeleverd aan nachtmerries als die van vandaag; de atmosfeer van het kasteel was volgeladen met doelgerichte, manipulatieve, genadeloos uitgebuite lust.

In plaats van de beide vermomde gedaanten naar voren te laten komen, trok Polyxena het doek van de Duivelsbijbel weg. De beide dames kwamen dichterbij. Filippo kende de aantrekkingskracht die alleen al het zien van het boek opriep. Het viel hem zwaar op de achtergrond te blijven. Zijn geslacht had het gonzen al gevoeld toen hij binnenkwam, nu verspreidde het zich door zijn hele lijf. Hij kon aan de plotselinge beweginkjes van de beide vrouwen zien dat het hun net zo verging. Ze wilden het geheim van schoonheid en jeugd, dat hun gastvrouw leek te bezitten, bestuderen en voor zichzelf gebruiken. Ze wensten het uit alle macht. Ze wisten het misschien zelf niet, maar ze waren nu al bereid om ervoor te zondigen.

Het boek had hen gevangen. Iedereen had een zwakte en daar bouwde de Duivelsbijbel zijn macht op.

'Wilt u het ware geloof leren kennen?' fluisterde de hese stem.

'Ja.' Twee stemmen klonken als een.

'Wilt u het ware geloof aan de macht brengen?'

'Ja.'

De witte hand wenkte de monnikengedaanten dichterbij. Filippo maakte aanstalten om de kapel te verlaten. Wat er nu ook mocht komen, hij wilde geen getuige van de gebeurtenissen worden. Als gehypnotiseerd staarden Bibiana en Susanna de vermomde gestalten aan die door het geflakker van de kaarsen naderbij gleden. In wijde mouwen verstopte handen gingen omhoog om capuchons af te schuiven. Filippo tilde zijn benen op alsof hij ze uit taaie modder moest trekken en stak een arm uit naar de deur alsof hij zich onder water bevond. De capuchons gleden af, waardoor twee vrouwen zichtbaar werden met gezichten die glommen van zweet. Op het eerste gezicht leken ze haast jonge meisjes. Het kaarslicht glinsterde op de zweetlaag en camoufleerde rimpeltjes, verfde hier en daar blond door een grijze piek.

'Ursula von Fels,' hijgde Bibiana Ruppa.

'Gravin Anna-Katharina Schlick,' stotterde Susanna von Thurn.

'Zegt u het hun, vriendinnen,' fluisterde de hese stem, die overal vandaan leek te komen. 'Wijst u hun de weg naar de schoonheid van het ware geloof.'

De groene ogen van de prinses van Pernstein richtten zich op Filippo. Ze maakte een lichte beweging met haar hoofd. Filippo's verstijving ontspande. Hij zag haar op zich af glijden en wist dat hij de zaal moest verlaten. Tot zijn verrassing ging ze met hem mee. Toen ze de deur sloot, hoorde hij een van de twee vrouwen met de monnikspijen, van wie de echtgenoten, Leonhard Colonna von Fels en Andreas graaf Schlick, tot de invloedrijkste vertegenwoordigers van de Boheemse Staten behoorden, zeggen: 'We vegen de paus en de hele katholieke ziekte weg. Zeg het tegen jullie mannen. De Statenvergadering moet de oorlog willen...'

De deur ging dicht. Filippo knipperde krampachtig met zijn ogen om de betovering van de met kaarsen verlichte kapel af te schudden. Zijn gastvrouw, ook in de grijze halve schemering van de gang een etherische verschijning, glimlachte.

'En waarmee laten mannen zich gemakkelijker sturen dan met de pas ontwaakte schoonheid en hartstocht van hun vrouwen?'

'Met het vooruitzicht van macht,' zei Filippo met enige inspanning.

Hij hoorde haar lachen. 'Ze zullen zich met het eerste tevreden moeten stellen. Denkt u dat ze dat doen, vriend Filippo?'

'De zwakken onder hen wel.'

'Er zijn geen sterken meer. Tegenwoordig niet.'

Filippo boog zijn hoofd. 'U leidt de wereld naar de oorlog.'

'Dat is de weg,' zei ze. 'Stelt u me niet teleur door nu verbaasd te doen. Dat is de weg en ik zal hem gaan.'

Hij boog zijn hoofd opnieuw. En toen hoorde hij haar tot zijn onnoemelijke ontsteltenis zeggen: 'En wat is uw weg, vriend Filippo? Houdt u op met uzelf die vraag te stellen. U hebt hem immers al gevonden.'

Stomverbaasd keek hij haar na toen ze de gang uit schreed en om een bocht verdween. Het leek alsof ze het licht had meegenomen. De schaduwen verzamelden zich aan Filippo's voeten. Maar het leek ook alsof hij plotseling weer vrijer kon ademhalen.

2

Agnes had geprobeerd zichzelf met werk te verdoven. Ze had persoonlijk de verzorging van Leona op zich genomen, die door haar reis door de januarikou eerst in een gloeiende koorts en daarna in een soort half wakende toestand was gevallen, afwisselend rillend, naar adem snakkend, hoestend, ijlend of naar het plafond starend, terwijl de tranen over haar versleten wangen stroomden. Agnes had haar best gedaan om in Brno inlichtingen in te winnen over wat er met Leona's pleegdochter was gebeurd, maar het was zoals Andrej vorig jaar had voorspeld: de handelsrelatie met Brno bestond niet meer en behalve diverse koele afwijzingen van Willem Vlach had ze geen antwoord gekregen. Leona was niet helder genoeg om begrijpelijke informatie te geven. Ze leek iedere dag een beetje dunner, een beetje grijzer, een beetje doorzichtiger te worden en het bed om haar heen begon reusachtige afmetingen aan te nemen, terwijl zij in de matras wegzakte. Het was alsof haar aftakeling al vooruitliep op haar begrafenis.

Er was nog iemand die zich van dag tot dag verder leek te verwijderen, zonder dat Agnes wist wat ze ertegen kon doen. In het begin had Alexandra Agnes bij het verzorgen van het oude kindermeisje afgewisseld, maar vervolgens had ze steeds vaker haar plicht verzuimd tot Agnes zwijgend al het werk op zich had genomen. Ze had niet de indruk dat het haar dochter was opgevallen. Agnes had het gevoel dat ze ergens op wachtte. Maar als ze haar vroeg of ze erop wachtte dat Wenceslas iets van zich zou laten horen (hij was de familie sinds het fatale gesprek in Andrejs huis uit de weg gebleven), schudde ze haar hoofd. Hetzelfde antwoord kwam op de vraag naar Sebastians vertrek, behalve dat er dan een glimp van zo'n onverholen haat over haar fijne gelaatstrekken gleed dat Agnes niet anders kon dan die haat meevoelen. Ten slotte had Agnes naar Heinrich von Wallenstein-Dobrowitz gevraagd. Alexandra had haar alleen minachtend aangekeken en was de kamer uit gegaan.

Als Sebastian de deur uit was, ging ze samen met de hoofdboekhouder Adam Augustyn naar diens huis om de handelsboeken bij te werken. Ze verfoeide zichzelf om die stiekeme tochtjes, maar ze dacht dat Sebastian niets zou doen zolang hij de boeken van het bedrijf niet in zijn bezit had en ze zou nog wel verachtelijkere dingen hebben gedaan om dat te voorkomen. Als je erover nadacht, was ze een gevangene in haar eigen huis, met een dochter die ze niet begreep, een zieke, oude vrouw die wartaal sprak en twee zoontjes om wie ze zich meer zou moeten bekommeren om hen niet ook nog kwijt te raken. En elk geluid, elke voetstap galmde als in de leegte van een verlaten kerk, al waren er nog zoveel mensen in de buurt, omdat de leegte in haar hart zat en alleen gevuld kon worden door iemand die niet meer terug zou komen.

Ik keer altijd weer bij je terug.

Je hebt tegen me gelogen, Cyprian.

Ze hoorde zijn zwijgen – het veelzeggende zwijgen dat hij altijd deed als hij wilde dat je ergens zelf op kwam, of als je net iets heel doms had gezegd – vanbinnen net zo duidelijk als zijn stem.

Cyprian.

In de middagstilte van de kamer met de haar dood tegemoet slapende oude vrouw in haar bed probeerde ze zijn naam hardop te zeggen. Het lukte haar niet. Ze zuchtte en keek naar het gezicht op het kussen, dat haar tot ze volwassen was vertrouwder was dan dat van haar moeder. Ze wist uit ervaring dat Leona tot de schemering zou slapen. Het zonlicht wierp een lange, lichte rechthoek op de vloer. Agnes liep naar het raam en keek naar buiten. De lente liet de daken van Praag glanzen alsof ze echt van goud waren en iedere straatsteen een diamant. Het deed pijn dat je de schoonheid kon zien terwijl er in jezelf niets anders was dan grauwe as.

Buiten op de gang hoorde ze de stemmen uit het kantoor omhoogkomen. Sebastians gepiep klonk er ook in door. Ze had de boekhouders en klerken niet opgedragen Sebastians inspanningen te saboteren, uit angst dat hij zo geïrriteerd zou raken dat hij de aandacht van het hof voor de familie trok. De mannen deden het toch, met zo'n scala aan trucs waar ze zelf nooit op zou komen, en maakten net zo'n ijverige indruk als wie dan ook. Sebastian dacht vast dat hij met een stel van de grootste idioten van Praag te maken had. Alleen al hierom mocht hij nooit de leiding over het bedrijf krijgen; hij zou de mannen onmiddellijk ontslaan. Af en toe konden ze niet anders dan inzage geven in zakelijke transacties, contacten of incidenten, maar dat was maar zelden het geval. Sebastian Wilfing moest zich een truffelvarken voelen dat zoekt in het verkeerde bos. Agnes zou even goed niet om de treffende vergelijking kunnen lachen.

De gedachte tegen Sebastian op te treden was onverdraaglijk. Eigenlijk was hij de vriendelijkheid zelve tegenover haar. Ze kende die vriendelijkheid

nog van hun eerste gezamenlijke verblijf in Praag, toen de firma Wiegant &
Wilfing nog bestond. Ze was er banger voor dan voor zijn malle woedeaan-
vallen.

Besluiteloos stond ze in de gang, toen draaide ze zich om en ging de ech-
telijke slaapkamer binnen. Háár slaapkamer, verbeterde ze zichzelf, terwijl
ze wist dat het voor altijd hun gezamenlijke slaapkamer zou zijn. Ze kon
de kisten in mootjes hakken en het bed uit het raam gooien en de wand-
betimmering lostrekken en de vloer eruit laten halen en daarna alles nieuw
inrichten, en het zou toch hun gezamenlijke kamer blijven. Ze had al met
de gedachte gespeeld naar een van de andere kamers te verhuizen, maar dat
voelde als verraad aan Cyprian.

Cyprian.

Het bed was groot en donker. Je wist pas dat je alleen was als je wakker
werd in een bed dat plaats bood aan een tweede lichaam en deze plaats leeg
was. Je voelde pas wat alleenzijn betekende, als je 's nachts wakker werd en
de muizen achter de betimmering hoorde scharrelen, omdat de ademhaling
van je geliefde was verstomd en nu andere geluiden domineerden. Ze rilde
en wendde zich van het bed af.

In de hoek hing het kruisbeeld dat ze weer had laten ophangen nadat het
zo plotseling op de grond was gevallen, op de dag dat ze Cyprians voetstappen op de bovenverdieping had gehoord, hoewel hij er niet was geweest. Ze
keek ernaar op. Er was enige overredingskracht voor nodig geweest om een
van de bijgelovige knechten zover te krijgen dat hij de Christusfiguur weer
op het kruis bevestigde en het kruis aan de muur hing. Ze had toen geweigerd en weigerde ook nu te geloven dat iets wat met Cyprian in verband
stond, al was het het spookachtige bericht van zijn dood, haar ooit kwaad
kon doen.

'Cyprian.'

In de eenzaamheid van de slaapkamer lukte het haar zijn naam te fluisteren.

'Ik hield zo veel van je.'

De gebeeldhouwde Verlosser keek met zijn van pijn vertrokken gezicht
op haar neer. Het was niet voor het eerst dat ze dacht dat ze Zijn pijn graag
had willen ruilen tegen die van haar ziel.

Ken je het verhaal van de spinster bij het kruis?

Cyprian?

Onwillekeurig draaide ze zich om. Zijn stem had zo luid in haar hoofd geklonken alsof hij naast haar stond.

Cyprian?

De stem in haar hoofd zweeg.

Je zou me niet bang willen maken, toch? vroeg ze in gedachten en meteen daarop voelde ze zich meer bedrukt dan onnozel. Ze schudde het gevoel af. De doden keren niet terug, zelfs niet als spoken. Wat dat betrof, was Cyprian de grootste leugenaar aller tijden.

Ken je het verhaal van de spinster bij het kruis?

Ze liep achteruit van het kruisbeeld aan de muur vandaan tot haar benen tegen het ledikant stootten.

Onwillekeurig ging ze zitten.

Vertel het me, zei ze.

De spinster bij het kruis was verloofd met een ridder uit Wenen die tijdens de kruistocht naar Jeruzalem spoorloos was verdwenen. Ze wachtte op hem, maandenlang, zittend op de grote wegkruising bij het oude houten kruis. Ze spon wol en maakte er dekens van, die ze schonk aan iedereen die terugkwam van de kruistocht. Na een hele tijd kwam een kameraad van haar liefste en vertelde haar dat hij door de vijand gevangen was genomen en waarschijnlijk al geëxecuteerd. Toen hield ze op met dekens maken, maakte in plaats daarvan stevige kleren voor zichzelf, liet haar oude dienaar een maliënkolder, een helm en een zwaard voor haar kopen en ging zelf op weg om haar geliefde te bevrijden. Ze zwoer bij het oude houten kruis waaronder ze zo lang had gezeten, dat ze niet terug zou komen voordat ze haar geliefde had bevrijd of hem had kunnen volgen in de dood. Van beiden is nooit meer iets vernomen. Misschien is hij geëxecuteerd en zij bij de overtocht met het schip gekapseisd en verdronken, of misschien zoekt ze hem nog steeds.

Misschien, zei ze.

Ik persoonlijk, herhaalde Cyprians stem het verhaal dat hij haar had verteld op de dag dat het tot haar was doorgedrongen dat hun vriendschap zich tot iets groters had ontwikkeld, *geef er de voorkeur aan te denken dat ze hem heeft gevonden en dat ze samen oud zijn geworden.*

'Ja,' fluisterde ze. 'Daar zou ik ook de voorkeur aan geven.'

Tot haar eigen verbazing kwamen er deze keer geen tranen. Ze liet zich op het bed achterovervallen en sloot haar ogen. Het gevoel dat ze haar hand maar hoefde uit te steken en Cyprians lichaam naast zich zou voelen, was zo sterk dat ze niet durfde te bewegen om de droom niet te verstoren. Ze glimlachte in de stilte van de kamer. Het was alsof de gebeurtenissen die Cyprian en zij samen hadden beleefd, stuk voor stuk weer in haar herinnering opkwamen. Iedere keer dat hij haar op de een of andere manier had geholpen, altijd met een heel speciale gezichtsuitdrukking, alsof het niets bijzonders was, maar alsof dit precies was waarvoor hij leefde. Iedere keer dat ze zijn diepe innerlijke angst had gevoeld om haar te verliezen en hem zwijgend in haar armen had genomen, terwijl ze wist dat haar schijnbare afhankelijkheid van zijn vindingrijkheid in werkelijkheid alleen de andere kant van hun relatie was. Dat ze hem vanaf hun eerste ontmoeting, toen ze nog kinderen waren, het gevoel had gegeven dat hij iets waard was, terwijl zijn vader niet moe werd het tegendeel tegen hem te zeggen. Dat hij in werkelijkheid haar nodig had om de man te zijn die hij altijd had willen zijn. Hij had haar tientallen keren uit de knel geholpen of een stommiteit voorkomen. Daartegenover stond haar bereidheid om deze reddingsacties toe te laten. De weegschaal was in evenwicht. Haar glimlach bestierf toen ze besefte dat ze dat allemaal was vergeten. Sinds het bericht van zijn dood had ze zich gedragen alsof ze echt van hem afhankelijk was geweest. Ze kreeg het koud. Niet hij had haar verlaten, maar eigenlijk had ze hem verraden.

Ze zwoer bij het oude houten kruis waaronder ze zo lang had gezeten, dat ze niet terug zou komen voordat ze haar geliefde had bevrijd of hem had kunnen volgen in de dood.

Destijds had ze gedacht dat hij haar het verhaal alleen vertelde om haar af te leiden van het gevaar waar ze zich door haar blinde vlucht uit haar ouderlijk huis in had gestort. In werkelijkheid was het een boodschap geweest. Ze wist niet of hij zelf helemaal had begrepen welke diepere betekenis het verhaal had, maar nu ze in de zonneschijn in de zachte omhelzing van het bed lag, begreep ten minste Agnes wat het verhaal van de spinster bij het kruis voor haar en Cyprian betekende.

Ze slikte. Hoe had ze toch zo blind kunnen zijn? De liefde tussen haar en Cyprian was zo groot dat ze niet had gezien wat overduidelijk was: bij de liefde hoort het geloof. Het geloof dat liefde iets was waar je voor moest vechten. Het geloof dat liefde het grootste van alles was. Het geloof dat liefde nooit stierf.

Ze opende haar ogen. Sebastian Wilfing stond voor het bed en keek op haar neer en zijn gezicht was vertrokken van haat.

3

Kardinaal Melchior had altijd gedacht dat Cyprian zijn levenswerk zou voortzetten. En nu zag het ernaar uit dat hij, de oude man, in plaats daarvan Cyprians taak moest overnemen en voor diens gezin zorgen. Hij snoof. Over het gezin van zijn broer, de lang geleden gestorven meesterbakker in Wenen, maakte hij zich geen zorgen. Keizer Matthias was te zwak of te wankelmoedig geweest om hem, zijn minister, de hand boven het hoofd te houden, maar de keizer was in Wenen, evenals de tak van de familie Khlesl die hem, de kardinaal, en Cyprian als zwarte schapen had beschouwd. Koning Ferdinand zou de Weense Khlesls geen kwaad durven doen. Afgezien daarvan had hij het waarschijnlijk te druk met het stichten van een brand waarin het huidige Heilige Roomse Rijk zou ondergaan. Maar de situatie in Praag was anders.

De kardinaal tuurde uit het raam. Op de bergen hier in Tirol lag nog tot in de hogere regionen een dik pak sneeuw. Onder de metaalblauwe lentehemel deed het wit pijn aan je ogen. Melchior Khlesl was nooit iemand geweest die graag in de natuur was. De bergen waar hij van hield, waren de bergen documenten op zijn bureau. Koning Ferdinand had het waarschijnlijk niet zo bedoeld, maar eigenlijk leek de gevangenschap op slot Ambras midden in het hautaine berglandschap rond Innsbruck een verzwaarde straf. Melchior zoog de lucht naar binnen, koud, sneeuwig, onverzoenlijk. Hij stak zijn tong uit tegen het bergpanorama.

Hij werd niet bepaald in een kerkercel vastgehouden. De vertrekken waarover hij kon beschikken, waren niet minder comfortabel dan die in zijn bisschoppelijke paleis in Wenen of in het huis waarin hij in Praag resideerde. Maar de wachters buiten voor de deur van zijn suite hadden de instructie de grendels ervoor te schuiven en men had hem opgedragen om toestemming te vragen als hij de kamers wilde verlaten. Deze extra vernedering liet kardinaal Melchior langs zich afglijden; al in Wenen of Praag was zijn behoefte aan frisse lucht met een koetsritje door de velden en langs de visfuiken in de Donau of met een ommetje naar de heuvels rondom Praag te bevredigen geweest. Feitelijk was de beheerder van slot Ambras, nadat zijn gevangene dagenlang geen verzoek in die richting had geuit, bij hem langsgekomen en had zich geëxcuseerd voor het feit dat men het hem aandeed te moeten vragen om de vrijheid waarop een staatsman in ballingschap (het woord 'gevangenschap' zou de beheerder ook met alle middelen van pijnlijke ondervraging niet over zijn lippen kunnen krijgen) recht had, en gevraagd of Zijne Eminentie er prijs op stelde als hij, de beheerder, onderdanig informeerde of Zijne Eminentie de goedheid wilde hebben om hem, de beheerder, te vergezellen als hij, de beheerder, zijn wekelijkse ronde langs de bezittingen van het hof maakte. De man had zichtbaar getranspireerd. Kardinaal Melchior had de goedheid gehad de uitnodiging aan te nemen en had de beheerder op zijn beurt uitgenodigd om zijn tegenstander bij het schaken te zijn. Sindsdien verloor Melchior de ene partij na de andere (niet zonder moeite) wat de beheerder elke keer nog meer liet transpireren. Melchior benijdde de man niet. Welwillendheid en wrevel sloegen in kringen waarin een kardinaal en minister zich normaal gesproken bewoog, sneller om dan het Tiroolse weer en het kwam telkens weer voor dat de gratieverlening en herbenoeming in de oude waardigheid voor een ingesloten rijksambtenaar al onderweg waren, terwijl zijn kerkermeester zich er nog het hoofd over brak welke vernedering ze de gevangene konden aandoen. Niet alle weer in genade aangenomen ambtenaren waren zo weinig wraakzuchtig als kardinaal Melchior, en de beheerder van slot Ambras wilde niet uitgaan van de eventuele goedhartigheid van zijn gevangene.

In zoverre week het leven van de kardinaal in zijn gedwongen ballingschap in Tirol niet al te veel af van zijn vroegere dagen, als je buiten beschouwing liet dat hij niets te doen had, elke vorm van correspondentie hem was verboden, hij zich zorgen maakte over Cyprians gezin en het verdriet om de dood van zijn neef permanent aan hem knaagde.

De grendels voor de deur gleden opzij. Melchior wendde zich van het raam af. De slotbewaarder had zijn eigen lijfdienaar vrijgemaakt om voor zijn gevangene te zorgen. Het was vermoedelijk bedoeld als compensatie voor het feit dat er altijd twee soldaten in de kamer de wacht hielden als de kardinaal iets te eten kreeg, een partijtje schaakte of op een andere manier niet alleen was. De soldaten maakten deel uit van het regiment van kolonel Dampierre en deden hun best om de slechte manieren van hun kolonel te kopiëren.

'Uw eten, Eminens,' zei de lijfdienaar grijnzend. De man zag eruit alsof hij de eerste zestig jaar van zijn leven boven op een berg had doorgebracht en daarna nog zestig jaar in dienst van de slotbewaarder was geweest. Zijn leeftijd was niet te schatten, maar je zou zonder meer geloven dat hij al op de wereld was toen Christus werd geboren. Hoewel hij de meeste tijd op het kasteel doorbracht, was zijn huid diep gebronsd, zijn haar en wenkbrauwen gebleekt en zijn handen gerimpeld, groot en zo gespierd als van een bergbewoner. Als hij sprak, deed hij dat met de keelklanken van de Tirolers. Het klonk alsof er stenen rolden achter het rommeltje van tanden die hij in een permanente grijns toonde. Hij en de kardinaal waren vrienden sinds de dag dat ze elkaar voor het eerst zagen.

De lijfdienaar liet een dienblad op zijn handen balanceren. Over het bord en de kruik die erop stonden lagen doeken. Twee van de soldaten kwamen mee naar binnen.

'Hé!' zei er een, wiens gezicht kardinaal Melchior niet kende. De lijfdienaar draaide zich half naar hem om en trok zijn wenkbrauwen op. Het was een spelletje, dat zich telkens herhaalde wanneer er een nieuwe man voor de bewaking van de kardinaal was aangesteld. Koning Ferdinand liet het bewakingspersoneel iedere maand volledig vervangen en daartussen aparte soldaten rouleren. Afgezien van het feit dat de voorzichtigheidsmaatregel bewees hoe bang de koning voor zijn gevangene was, wat kardinaal Melchior amuseerde, had hij het gevoel dat hij de enige was die intussen genoeg had van die komedie.

'Laat zien,' zei de soldaat.

De lijfdienaar haalde zijn schouders op.

De soldaat trok de doek van het bord af. De geur van gebraden gevogelte steeg op. De soldaat nam het zilveren rekje weg waar de doek op had gelegen, tilde toen met zijn blote hand (en vingers die zwart waren van wapenolie en vuil) het haantje op en draaide het om, keek in de opening in het achterlijf en liet het ten slotte terug op het bord ploffen. Hij schudde zijn hand en likte zijn vingers af. Zijn blik liet de hele tijd die van de lijfdienaar niet los. Nu keerde hij zich om en grijnsde de kardinaal koud toe. Het gebaar verloor iets aan effect omdat hij zich nogmaals genoodzaakt zag zijn vingers te schudden.

'Warm, hè?' vroeg de lijfdienaar.

De soldaat gooide het rekje en de doek achteloos op het dienblad en onthulde de kruik. Hij tuurde in de opening.

'Muskadel voor meneer, huh?' bromde hij. Hij stak er een vinger in, deed alsof hij ermee roerde, tilde toen de kruik op en nam uitdagend een lange slok.

'Om zijn handen te wassen,' zei de lijfdienaar. 'Uit de paardentrog.'

De soldaat keek hem woedend en met een dansende adamsappel aan. Ten slotte gebaarde hij met zijn hoofd. 'Vooruit, klootzak.'

'Tuurlijk,' zei de lijfdienaar. Hij droeg het dienblad naar de tafel, zette het neer, spreidde de twee doeken weer over het eten uit, trok ze toen plechtig weg en zei: 'Kapoen, Eminens,' alsof het de grootste onthulling aller tijden was.

'Dank u,' zei kardinaal Melchior en hij ging zitten.

'Eminens staat toe dat ik straks nog een keer terugkom?' vroeg de lijfdienaar. 'Mijn baas heeft nog een klusje voor mij.'

'Natuurlijk,' zei kardinaal Melchior.

De lijfdienaar maakte een buiging en verdween door de deur. De beide soldaten keken elkaar besluiteloos aan, verlieten toen de kamer en knalden buiten de grendel demonstratief voor de deur. Melchior nam het bord van het dienblad en tilde het blad toen op. Op tafel lag een minutieus gladgestreken vel papier, dichtbeschreven. Nog nooit was een van de soldaten op het idee gekomen de lijfdienaar het blad uit handen te nemen en eronder te kijken, hoewel ze er anders nooit voor terugschrokken etenswaren uit elkaar te trekken en op geheime briefjes te controleren. Melchior bewonderde de vaardigheid van de dikke, lange bergbewonersvingers waarmee de lijfdienaar de geheime boodschappen zo vast onder het dienblad klemde dat er nooit ook maar een puntje van te zien was, en waarmee hij het dienblad zo op de tafel zette dat het papier geen enkele keer verschoof.

Vervolgens pakte Melchior de rand van de kruik met de toppen van zijn vingers vast en tilde er de koperen inzet uit. Die was maar half zo diep als de kruik. Daaronder lagen schrijfgerei en een stukje hard geworden sleedoorninkt, het resultaat van een lang proces van uitkoken van sleedoornschors, indikken, mengen en drogen van het aftreksel, tot er uiteindelijk een harde massa ontstond waarvan je kleine stukjes kon afbreken die je in wijn of water vloeibaar kon maken. Kopiisten in kloosters en klerken op kantoren noemden de massa ietwat onnauwkeurig inktsteen, hoewel echte inktsteen een soort leisteen was, die in het verre China werd gebruikt.

Het water in de kan was meer dan voldoende om de inkt weer geschikt te maken om te schrijven. Er was ook nog nooit een soldaat op het idee gekomen dat de aardewerken kruiken meer konden bevatten dan alleen hun metalen inzet.

Wanneer er water in plaats van wijn in de kruik zat, was dat een teken dat er langs geheime wegen correspondentie voor de kardinaal was gekomen. In zulke gevallen wendde de lijfdienaar een extra boodschap voor, om ervoor te zorgen dat de soldaten de kardinaal alleen lieten en hem zo de mogelijkheid gaven het bericht te lezen en te beantwoorden. De wachters hadden het bevel de kardinaal telkens van dichtbij te bewaken als hij bezoek had. Je kon ervan op aan dat ze niet vrijwillig bij hem in de kamer bleven als hij zijn overigens uitstekende eten opat en hun eigen rammelende magen later alleen brood en pap kregen.

De kardinaal at een paar stukken vlees, zonder acht te slaan op het feit dat de vuile poten van de soldaat het hadden aangeraakt. Daarna dronk hij van het water, dat natuurlijk niet uit de paardentrog kwam, zonder zich te storen aan het milde aroma van soldatenvingers. Er waren ergere dingen. Zijn hart was al sneller gaan kloppen. Het handschrift op het papier was van Wenceslas von Langenfels en berichten die rechtstreeks van hem kwamen, betekenden meestal niets goeds.

4

'Dat...' piepte Sebastian, terwijl hij een verfrommeld stuk papier in de hoogte hield, 'dat...'

'Hoe kom je hier binnen?' vroeg Agnes. Ze steunde op haar elleboog en wist niet of ze door de ruwe onderbreking van haar gedachten en door Sebastians binnendringen in haar toevluchtsoord geïrriteerd, door zijn klaarblijkelijke woede bang gemaakt of door zijn pathos geamuseerd moest zijn. Terwijl ze daar nog over nadacht, won de irritatie het. 'Maak dat je wegkomt. Je hebt niets in onze slaapkamer te zoeken. In míjn slaapkamer!'

'Wist je dat?' hijgde Sebastian. 'Natúúrlijk wist je dat!'

'Verdwijn.'

'De hele Moravische handel is sinds vorig jaar ingestort. De opbrengsten van het bedrijf zijn meer dan tien procent gedaald. En nu vind ik dit!' Hij verfrommelde het papier nog verder.

'Goed,' zei Agnes. 'Dan roep ik hulp.'

'Een bericht van Willem Vlach, die tot vorig jaar de voornaamste handelspartner van de firma was. In het bericht staat... Maar dat weet je immers, jij en die nietsnut van een' – hij spuwde het woord uit – 'bróér van je! En Cyprian heeft het allemaal gedekt. Dat is oplichterij! Dat is op de eerste plaats oplichterij van de kroon! De tolopbrengsten uit de im- en export tussen Bohemen en Moravië behoren toe aan de koning. Dat hebben jullie van hem gestolen! Omdat je bróér weigerde een oude zakenpartner een heel normale dienst te bewijzen. Zo leid je geen zaak!'

Agnes begon overeind te komen. Sebastian deed onwillekeurig een stap achteruit, maar toen flitste er iets op in zijn ogen. Hij duwde Agnes terug op het bed. Haar boosheid laaide op. Ze was zo snel weer opgestaan dat ze tegen hem aan botste. Hij was groter en driemaal zo zwaar als zij, maar hij struikelde naar achteren. Ze haalde uit en gaf hem links en rechts een draai om zijn oren. De ringen aan haar hand haalden zijn wang open. Een straaltje bloed liep uit een van de schrammen en verdween in zijn vlassige baardje.

'Raak me niet nog eens aan!' snauwde ze. Ze deed een stap naar voren. Hij dook instinctief weg. Ze hief haar hand opnieuw. 'Weg hier!'

'Ik...' Hij betastte de snee in zijn wang. 'Je hebt me...'

'Weg hier!' fluisterde ze. 'Ga met je vette achterwerk deze kamer en dit huis uit. Als je er morgen nog bent, ga ik naar de stadsrechter en dien ik een aanklacht tegen je in.'

'Dat waag je niet...' Zijn lippen trilden.

'Wacht jij maar af.'

'Een aanklacht wil je indienen? Als wat? Onder de naam Khlesl? Zodat de koning eindelijk een smoesje heeft om zijn boosheid tot de zaak uit te strekken? Wil je met die rotkinderen van je morgen bedelen bij de muur?'

'Liever dat dan nog een dag langer naar jouw gezicht te moeten kijken.'

'Slet dat je er bent,' bracht hij uit. 'Jij vuil kreng! Jij en Cyprian, jullie zijn het laagste uitschot en ik hoop dat hij piepend als een vrouw is gestorven!'

'Net zo piepend als jij door het leven gaat?'

Hij liet de prop papier vallen en balde zijn vuisten. 'Ik zal je... Ik zal je...'

Zijn ogen puilden tussen de vetkussentjes in zijn gezicht uit alsof hij stikte. Zijn stem was zo schril dat het pijn deed aan je oren.

'Hoor jezelf nou eens,' zei Agnes. '*Oink!*'

Het volgende ogenblik was hij boven haar. De dingen leken in de verkeerde volgorde te gebeuren. Ze voelde zich op het bed gegooid worden, hoewel ze er daarnet nog een paar stappen van af had gestaan. Ze kon geen lucht meer krijgen en een doffe pijn explodeerde in haar lichaam, en pas daarna besefte ze dat hij met zijn vuist in haar buik had geslagen. Ze trok onwillekeurig haar benen op, maar hij duwde ze omlaag. Zijn gewicht drukte haar in de matras. Zijn wriemelende hand perste zich tussen haar dijen en gleed naar boven. Met de pijn kwam de ontzetting toen ze begreep wat hij van plan was. Ze probeerde zich ergens aan vast te houden, maar het leek of er een rotsblok boven op haar lag. Ze kreeg het bedgordijn te pakken, maar het hield niet en viel in een stofwolk over hen beiden heen. Sebastian hoestte. Zijn gezicht was boven het hare, hij ademde snel, een beetje spuug spetterde op haar gezicht.

'Jij hoer!' jammerde hij. Zijn hand spartelde tussen haar dijen als een glibberige vis. 'Jij snol! Jij...'

Haar hoofd schoot naar voren, haar voorhoofd raakte zijn neus. Hij jankte. Heel even was de druk van zijn lichaamsgewicht minder. Ze draaide met haar heup en trok zijn hand tussen haar dijen vandaan voor ze zijn pols zou breken. Toen viel zijn dikke lijf weer boven op haar en perste het beetje lucht uit haar longen dat ze naar binnen had kunnen zuigen. Uit zijn neus liep bloed op haar gezicht. Ze rilde van afschuw. Bloedbellen spatten op zijn lippen uiteen. Hij rochelde en drukte toen zijn mond op de hare. Ze proefde alleen maar bloed.

Ze opende haar lippen om te bijten. Hij was haar te vlug af. Een dikke pluk haar zat opeens tussen zijn vingers. Daaraan trok hij haar hoofd naar achteren. De pijn verdoofde haar en dreef de tranen in haar ogen. Ze hijgde en kreeg nog meer van zijn bloed in haar mond. Ze had het gevoel dat ze zou verdrinken.

Hij gooide zich opnieuw boven op haar. Zijn vrije hand trok aan haar korset, maar de stof gaf niet mee. Door haar gespartel was haar rok tot op haar heupen opgekropen. Zijn hand ging naar beneden. Ze werd bijna overweldigd door ontzetting, toen ze hem tegen haar schoot voelde en daarna de hevige pijn, toen zijn vingers zich in haar schaamhaar en gevoelige vlees kramden. Haar handen sloegen hulpeloos alle kanten op. Ze voelde het branden toen zijn vingers begonnen binnen te dringen en een walging en schaamte die al wat ze voelde beheersten. Haar hand kreeg een van de koorden te pakken dat het bedgordijn had gesierd, maar het duurde even tot dat besef het won van de paniek die in haar lichaam schreeuwde.

'Je bent mijn...' kreunde Sebastian en hij stootte nog harder. Ze had willen schreeuwen, als ze daarvoor genoeg lucht had gehad. Ze voelde dat zijn lippen aan haar hals zogen. Zijn hand in haar haar trok bijna de hoofdhuid los. 'Je bent...'

Ze draaide het koord om zijn nek. Haar tweede vuist kwam als vanzelf naar boven en greep het vrije uiteinde. Ze trok uit alle macht naar beide kanten. Sebastian schoot omhoog.

Zijn gezicht was een afgrijselijk masker van bloed en uitgesmeerd speeksel. Zijn hand ging van haar schoot naar boven. Hij probeerde zijn vingers tussen zijn hals en het koord te krijgen, maar Agnes had al te vast aangetrokken. Zijn ogen werden groot van ontzetting. Hij draaide zich met een ruk om; zijn tweede vuist maakte zich los uit haar haar. Ze draaide zich om en hij viel naar opzij van haar af. Zijn gewicht trok haar mee en plotseling zat ze schrijlings boven op hem. Hij sloeg naar haar, maar ze ontweek de slagen en trok steeds harder aan de beide uiteinden van het koord. Zijn tong kwam tussen zijn lippen naar buiten en schoot heen en weer als de tong van een slang. Hij verzette zich, maar ze zat als een Osmaanse ruiter op zijn robuuste lijf.

Sterf, dacht ze volkomen helder. Ik wil je zien sterven. Ik wil je met mijn eigen handen doden.

Plotseling waren er armen om haar heen, die haar in de hoogte en van Sebastian af tilden. Ze verzette zich en sloeg om zich heen, maar wie haar ook had beetgepakt, hij liet niet los. Ze werd van het bed getrokken, hoewel ze probeerde zich aan een van de stijlen vast te houden. Ze was niet bang, maar zo boos dat haar hart bijna barstte. Sebastian haalde rochelend adem en begon te kokhalzen. Agnes voelde dat ze op haar benen werd gezet en omgedraaid. Ze stak haar nagels uit om zijn ogen uit te krabben, maar haar handen werden vastgehouden. Ze liet haar knie naar boven schieten, maar ze raakte alleen een beschermend naar voren geschoven bovenbeen.

Iemand met Andrejs stem zei: 'Au, verdomme!'

Haar blik werd helderder. Sebastian op het bed achter haar rochelde en hijgde nog steeds. Ze zag Andrejs rood aangelopen gezicht vlak voor zich, half verborgen achter het verwarde gordijn van zijn haar. Hij ademde snel. Het besef dat het haar broer was die haar vasthield, verdronk het volgende moment in een nieuwe golf van woede en schaamte en ze probeerde met haar nagels zijn gezicht te krabben. Hij ving haar handen ternauwernood op.

'Agnes!' riep hij, terwijl hij haar door elkaar schudde. 'Ik ben het!'

Ze hoorde hem als door een lange tunnel. Wat ze rechtstreeks in haar oren leek te horen, was het gehijg van Sebastian Wilfing. Door haar woede mengde zich spijt omdat hij nog leefde.

'Agnes!'

Op de achtergrond zag ze nog meer gezichten: personeel, de boekhouders van het kantoor.

'Agnes, bedaar!'

'O mijn god, meneer Von Langenfels, ze is gewond! Al dat bloed...'

'Dat is zíjn bloed,' hoorde ze zichzelf krassen, en een veldheer die over een met dode vijanden bezaaid slagveld keek, kon niet meer triomf in zijn stem hebben.

Haar voeten voelden dat ze op de grond stonden. Haar knieën knikten, maar toen zette ze zich schrap. Naast Andrej herkende ze nu de bleke gelaatstrekken van de hoofdboekhouder Adam Augustyn.

'Ik kan staan,' zei ze. Ze maakte zich van Andrej los en wankelde een stap opzij. Augustyn maakte de beweging mee. Het ergerde haar, maar toen gleden haar blikken langs zichzelf omlaag. Haar korset was zo ver losgemaakt, dat haar borsten bijna volledig bloot waren, haar rok was gescheurd en haar onderrok zo aan flarden dat hij om haar enkels hing. Augustyn probeerde haar voor de blikken van de anderen af te schermen, terwijl hij daarnaast wanhopig zijn best deed niet naar haar te kijken. Ze trok haar korset omhoog, gooide toen haar hoofd achterover en richtte zich op. Ze was verbaasd dat zijn gezicht door de beweging opklaarde; ze kon niet weten dat het het gebaar van een koningin was geweest.

'Stuurt u ze weg,' zei ze.

Het bevel was niet nodig: ze hoorde het ruisen van kleren en het verlegen kuchen waarmee de toeschouwers zich terugtrokken. Langzaam draaide ze zich om. Sebastian Wilfing probeerde met zwakke bewegingen van zijn armen en benen van het bed op te staan. Een laatste restje laaiende boosheid gaf haar benen het commando op hem af te rennen en zich weer op hem te storten, maar haar benen gehoorzaamden niet. Ze voelde zich plotseling zwak worden. Ik moet blijven staan, dacht ze vaag. Als ik flauwval, is het alsof hij heeft gewonnen.

'Jij bedorven, vuil, smerig secreet...' kreunde Sebastian, terwijl hij verder tegen de deken en het bedgordijn vocht.

Andrej was met twee stappen bij hem en trok hem overeind. Sebastians handen gingen afwerend omhoog. Het koord lag nog steeds om zijn nek, los nu. Het vlechtpatroon was in zijn huid achtergebleven.

'Ik breng je naar beneden,' zei Andrej. Hij draaide hem om en boog een arm op zijn rug. Sebastian gaf een gil en boog voorover. Andrejs andere hand had zijn haar vast. Sebastian kreunde. Andrejs stem was haast rustig, maar zijn gezicht was donkerrood. 'Vooruit!' Hij trok Sebastian mee de gang op en de trap af. Sebastian schreeuwde als een mager speenvarken. De bedienden en het kantoorpersoneel hadden zich op de trap verzameld. Ze maakten een pad vrij. Agnes constateerde dat ze de beide mannen was gevolgd; de hoofdboekhouder fladderde als een kloek om haar heen. Iedere stap brandde als vuur in haar schoot, maar ze liet niets merken. Ze liepen het kantoor door en gingen naar buiten, de straat op. Een paar voorbijgangers bleven verbaasd staan.

Andrej liet Sebastians haar los, draaide hem aan zijn arm om en gaf hem toen een duw tegen zijn borst. Sebastian kwam zo hard op zijn achterwerk terecht dat zijn tanden klapperden. Andrej haalde diep adem.

'Help!' schreeuwde Sebastian. Hij wees naar Andrej en Agnes. 'Help! Ze hebben me aangevallen. Ik heb ontdekt dat de Boheemse kroon is opgelicht en deze twee hebben me aangevallen!'

Sebastians blikken waren niet de kant op gericht waarheen zijn beschuldigende vinger wees, maar op een kleine schare stadswachters, die in de buurt van de portiek was opgedraafd. In hun midden stond een man die Agnes maar één keer had gezien, maar ze herkende hem meteen: Willem Vlach, de voormalige partner uit Moravië, die haar vijand was geworden. Er was geen fantasie voor nodig om je voor te stellen hoe de wachters het plaatje opnamen dat ze zagen: Sebastian op de grond gezeten, verfomfaaid, opengekrabd, tot bloedens toe geslagen en Andrej die met gebalde vuisten boven hem stond.

De wachters richtten hun spiesen op Andrej. 'U bent gearresteerd,' zei de commandant.

5

'Wanneer?' vroeg Alexandra.

'Gauw,' zei Heinrich.

'Waar wachten we nog op?'

Waar wachtte Heinrich von Wallenstein-Dobrowitz nog op? Hij wist het zelf niet. Alles wat hij wist, was dat hij elke keer wanneer hij aan hun gezamenlijke vlucht dacht (voor haar was het een vlucht, voor hem een sluw voorbereide reis naar het definitieve doel van zijn dromen, die met de aanvaarding hiervan onvermijdelijk werkelijkheid zouden worden) de onbedwingbare behoefte voelde om hem uit te stellen. Uitvluchten waren er genoeg en in feite speelde de tijd hem in de kaart, want de situatie in huize Khlesl was zo ondraaglijk geworden dat Alexandra alles zou doen om eraan te ontsnappen.

'Je hebt gezegd dat we in Pernstein allebei welkom zijn.'

'Dat zijn we ook. Mij gaat het om de reis op zich. Je weet zelf hoe de situatie in het rijk zich heeft toegespitst. Het zal niemand iets kunnen schelen als we worden overvallen.'

'Met jou naast me ben ik nergens bang voor.'

Heinrich bedacht nog net op tijd dat hij een getergd gezicht moest trekken en moest doen alsof de wond waarvan hij de ernst zo voortreffelijk had overdreven, nog steeds niet volledig was genezen. Ze kuchte verlegen.

'Mijn moeder is elke dag in de gevangenis en probeert de wachters om te kopen zodat ze oom Andrej mag bezoeken. Hij zit sinds een week vast en ze heeft nog geen succes gehad. Als ze haar de kosten voor zijn eten en drinken niet lieten betalen, kon hij net zo goed dood zijn. Van Wenceslas heb ik al weken niets gehoord of gezien. De boekhouders en klerken zijn sinds de dag na de arrestatie allemaal thuisgebleven. Sebastian heeft iedereen tegelijk ontslagen, maar ik neem aan dat ze toch niet van plan waren om voor hem te werken. Hij en dat serpent uit Brno, die Willem Vlach, zitten de hele dag met hun koppen bij elkaar. Ik hou het thuis niet meer uit, Henyk!'

'Wat is er eigenlijk gebeurd?'

'Mijn moeder praat er niet over. Ik geloof dat ze Sebastian heeft aangevallen.'

Heinrich, die heel goed wist wat er was gebeurd, trok zijn wenkbrauwen op. Alexandra haalde haar schouders op.

'Ik heb iemand van het personeel horen vertellen dat ze geschreeuw en kabaal uit de slaapkamer van mijn ouders hoorden. Toen de eersten boven-kwamen, zat mijn moeder op die vette Sebastian, van top tot teen onder zijn bloed, en probeerde hem te wurgen.'

'Wat hadden die twee in de slaapkamer te zoeken?' Heinrich had er goed over nagedacht hoe hij die vraag moest formuleren en Alexandra trapte erin.

'Moet ik daar echt over nadenken?' viel ze uit. 'Sebastian heeft me een tijdje geleden verteld dat mijn moeder ermee heeft ingestemd dat hij mijn vaders opvolger werd. Wat zouden ze nou in de slaapkamer hebben ge-daan?'

'Een van de twee lijkt er geen plezier aan beleefd te hebben.'

'Gemeten naar het feit dat een van de twee naar de heelmeester moest om zijn verwondingen te laten bekijken, zou ik zeggen dat de benadeelde rol die van Sebastian Wilfing is geweest.' Alexandra leek nog even naar haar eigen woorden te luisteren. Ze liet haar hoofd hangen. 'Ik weet helemaal niet meer wat ik moet geloven.'

Heinrich keek naar haar, weer in haar ban geraakt door haar schoonheid en opgewonden over het feit dat ze volledig uit zijn hand at. Hij voelde zo'n sterk verlangen dat hij op zijn bed heen en weer schoof om de druk te verzachten. Hij had haar al weken geleden kunnen bezitten, maar hij had het uitgesteld met het onuitgesproken excuus dat hij nog niet voldoende was hersteld. In werkelijkheid bewaarde hij haar voor een scène waarin ze de dood zou vinden. Haar al eerder aanraken zou afbreuk doen aan de belevenis. De gedachte die soms naar boven kwam en die iets fluisterde over de angst dat hij misschien niet meer in staat zou zijn om haar te doden als ze eerst zo dicht tot elkaar waren gekomen, duwde hij koppig weg.

De afgelopen dagen had hij vaak aan Ravaillac gedacht. Met Ravaillac was alles begonnen. Het leek hem dat dit verhaal op de een of andere manier met Alexandra zou eindigen. Als hij in staat was haar onschuld, haar geloof in hem en hun liefde te overwinnen en ook haar tot zijn slachtoffer te ma-ken, dan wist hij zeker dat de mens Heinrich von Wallenstein-Dobrowitz daar was waar hij hoorde. Hij had er de laatste jaren wel eens aan getwijfeld, maar nog nooit zo vaak als sinds hij Alexandra kende. Hij probeerde het besef te verdringen dat ze zijn geloof in zichzelf aan het wankelen had gebracht.

'Wat is Rawajak?' vroeg Alexandra.

'Wat?'

'Je fluisterde: Rawajak, of zoiets.'

Heinrich keek haar verbaasd aan.

'Ravaillac,' zei hij ten slotte, 'heeft de Franse koning vermoord. Acht jaar geleden. François Ravaillac heette die man.'

Harder-harder-harder, kreunde madame De Guise naast hem. Hij hoorde de Franse edelman hijgen die zich op haar afmatte. Mademoiselle De Guise, op dit moment Heinrichs prooi (hij had het vermoeden dat ze binnenkort weer zou worden vervangen, want de Fransman scheen niet genoeg kracht te hebben om de lust die rijkelijk in madame De Guises weelderige lichaam aanwezig was te bevredigen), kermde, terwijl hij zo hard in haar stootte dat zijn geslacht er pijn van deed en haar pronte borsten fijndrukte. Mademoiselle De Guise was veertien, even struis als haar moeder en Heinrich vocht met verminderende weerstand tegen het verlangen om op haar naakte achterwerk te slaan en aan haar haar te trekken. Ze was nat van het zweet, zo glibberig tussen haar benen als een pot boter en Heinrichs ballen stonden op knappen, maar hij hield zijn zaadlozing met bovenmenselijke inspanning in. Zijn bloed suisde in zijn oren. Erdoorheen schreeuwde een onbelangrijke stem in de verte en beval zijn ziel aan in Gods genade en de stank van brandend vlees en zwavelvuur drong steeds sterker door het open raam naar binnen.

Heinrich kreunde onwillekeurig.

'Doet je wond weer pijn?' vroeg Alexandra, terwijl ze over zijn voorhoofd streek.

Heinrichs vader, de oude Heinrich, had zijn enige zoon naar het buitenland gestuurd om zijn wilde haren kwijt te raken. Zijn eigenlijke motief lag eerder in het feit dat hij de cynicus tot wie zijn spruit was opgegroeid en die de katholieken en protestanten allebei even belachelijk vond, niet vertrouwde. Toen speelde de oude al met het idee om op zijn bezit een drukkerij te beginnen en katholiek geïnspireerde pamfletten tegen de keizer te verspreiden. Heinrich junior was er niet rouwig om geweest zijn ouderlijk huis te verlaten. De familie had relaties in Parijs, met het huis De Guise, en hoe verder de bestemming van Bohemen verwijderd was, des te beter.

Eerst ervoer Heinrich het als een compliment dat madame De Guise, die maar een beetje jonger was dan zijn moeder, gecharmeerd van hem was. Ze was niet zijn type, maar hij was jong, hij had het gezicht en het figuur van een strijdlustige engel, de wereld was vol vrouwenvlees, en voor iedere mollige oude vrouw die hij besprong waren er vijf jonge, slanke, die stonden te dringen om de volgende in de rij te zijn, en als iemand die in het uithollen van matrassen klaarblijkelijk zo ervaren was als madame De Guise dol was op Heinrichs kunstjes, dan kon hij wel tevreden over zichzelf zijn.

Toen hij in Parijs arriveerde, was koning Hendrik IV al dood en het proces tegen zijn moordenaar, François Ravaillac, de schoolmeester uit de provincie, in volle gang. Twee weken na de moord was het vonnis bepaald en Heinrich was uitgenodigd om de terechtstelling vanuit de ramen van het De Guisepaleis bij te wonen.

'Henyk?'

Hij herinnerde zich dat hij die dag vanbinnen beefde. Getuige zijn als de beul iemand van de ladder duwde en liet bungelen of zijn hoofd met een zwaardhouw van het lichaam scheidde, was één ding. Niemand die in die tijd de meerderjarigheid had bereikt, bleef een dergelijk schouwspel bespaard. De gruwelijke manier waarop de moordenaar van een koning volgens de wetten van Frankrijk ter dood werd gebracht, was iets anders, en hij wist toen niet of hij in staat was om toe te kijken bij de urenlange procedure en daarbij intelligente grapjes te maken. Tegelijk wist hij echter dat alleen al de aanwezigheid van de aangekondigde dames het zou verbieden zich terug te trekken of sentimenteel te zijn.

Wat hij niet wist, was dat het beven in zijn middenrif (goed beschouwd verschilde het niet zo erg van het kloppen dat hij veel later in verband met de Duivelsbijbel zou voelen) in feite geen angst was, maar de verwachting van een ontdekking.

Bedienden brachten hem en een hem onbekende jonge Fransman, die blijkbaar net als hij een uitnodiging had gekregen, naar een van de vertrekken die op de Place de Grève uitkeken. De beide mannen bekeken elkaar als hanen in de arena, maar concurrentie was niet gewenst, eerder broederlijke samenwerking. Terwijl het plein buiten zich vulde met een verwachtingsvolle, opgewonden menigte die elkaar de staties van François Ravaillacs kruisweg toeriep, realiseerde Heinrich zich dat hij veel meer te doen had dan alleen naar de executie kijken. Door het open raam hoorde hij dat

Ravaillac juist het eerste deel van zijn boete volbracht, namelijk in het armezondaarshemd knielen voor de kathedraal van Notre Dame en met een twee pond zware kaars in zijn handen spijt betuigen voor de verwerpelijkheid van zijn daad. Madame De Guise knielde intussen ook op de grond en woog twee kaarsen van vlees en bloed tegen elkaar af, opmerkzaam gadegeslagen door mademoiselle De Guise.

'Het vonnis luidde dat Ravaillac met gloeiende tangen bewerkt moest worden en er daarna gesmolten lood, brandende zwavel en hete pek in zijn wonden zou worden gegoten,' zei Heinrich langzaam en hij zag uit de verte dat het bloed uit Alexandra's gezicht wegtrok. 'Daarna werd de hand waarmee hij de dolk had gebruikt langzaam in zwavelvuur tot aan de pols afgebrand. Vervolgens zouden vier paarden zijn lichaam uit elkaar trekken.'

'O, mijn god,' zei Alexandra hees. 'Moest je dat ook aanzien?'

Die dag in Parijs bleek de keuze van de kamer uitstekend. De vensters boden niet alleen duidelijk zicht op het schavot, maar lieten ook het geluid de kamer binnen, wat mager misschien, maar prima te begrijpen. Heinrich kon het gebed verstaan waarmee Ravaillac zich aan de beulen overgaf en het *Salve, Regina,* dat een van de priesters probeerde in te zetten voordat het volk hem overschreeuwde. Geen gebed voor de verdoemde! Naar de hel met die judas!

Toen begon het werk met de roodgloeiende tangen. Ze trokken de tepels en het vlees van zijn armen, dijen en kuiten af. De geluiden die de veroordeelde maakte, waren goed te horen, evenals de zucht die de menigte bij elke handeling slaakte. Heinrich voelde zich plotseling met Ravaillac verbonden, voelde zijn pijn niet meer, maar het zinderen van zijn zenuwen, voelde zijn ellende niet meer, maar het dreunen van het machtige oergevoel dat de ellende in het lichaam van de man op het schavot teweegbracht, had het gevoel veroordeelde en beul tegelijk te zijn, op een extatische manier te ondergaan hoe de gloeiende kaken van de tangen in het vlees woelden en degene te zijn die de instrumenten bediende.

En dat allemaal terwijl madame De Guise voor hem op haar knieën lag en haar gezicht tegen de spleet in zijn open geknoopte broek drukte. Hij had deze mengeling van lust en plaatsvervangend afgrijzen nog nooit eerder gevoeld. Hij huiverde zo hevig als hij nog nooit had gehuiverd en hij spoot nog voor hij iets had kunnen zeggen of zich terugtrekken. Als madame de Guise het daar niet mee eens was, gaf ze in elk geval geen krimp.

'Ik kon er niet omheen,' zei Heinrich tegen Alexandra. 'Ik zou als lafaard te kijk staan. Een stuk of twaalf mensen liepen om me heen, de heren De Guise, hun vrouwen en dochters...' Hij merkte dat zijn stem trilde. Hij verfoeide zichzelf tot hij besefte dat Alexandra niet wist dat de herinnering aan deze eerste zaadlozing van de dag zijn stem liet trillen en niet de herinnering aan het barbaarse schouwspel dat hij zogenaamd gedwongen was geweest om te zien.

'Ik zie je niet aan voor iemand die daar plezier aan heeft beleefd,' zei Alexandra.

De beul hield Ravaillacs rechterhand boven het vuur en verbrandde zijn vlees en botten terwijl hij er telkens nieuwe zwavel op goot. De gebeden van alle zondaars in de hel werden niet zo gebruld als Ravaillacs smeekbeden aan God om hem te vergeven. Mademoiselle De Guise leunde over de vensterbank en sloeg haar rok over haar billen omhoog. Ze wierp Heinrich een gloeiende blik toe en hij en de Franse edelman ruilden zonder een woord. Mademoiselle De Guise merkte verontwaardigd op dat er een onaangename geur uit de richting van het plein kwam en begon daarna te kreunen. Terwijl de beul het geheel gestoofde lichaamsdeel van de armstomp afsloeg en meer pek en kokende olie in de wond goot, ruilden de Fransman en Heinrich een paar keer van plaats en mademoiselle De Guise begon voor de zoveelste keer zich te rekken en gilletjes uit te stoten.

'Hij viel niet flauw,' zei Heinrich tegen Alexandra. 'Wat ze hem ook aandeden, die kerel viel niet flauw.'

'Was het toen eindelijk afgelopen?'

'Ja,' loog hij. 'De paarden werden aangespoord en trokken hem uit elkaar. Toen kon ik eindelijk naar huis.'

'God hebbe zijn arme ziel.'

De dames wilden een versterking. Een pasteibakker die door de menigte liep, werd geroepen, en hij ging gehoorzaam onder de ramen staan. Heinrich ging naar buiten. De pasteibakker vertelde hem dat de paarden niet sterk genoeg waren om het lichaam van de veroordeelde uit elkaar te trekken; ze probeerden het al een halfuur. In een roes werkte Heinrich zich door het kordon soldaten te paard heen die het schavot afschermden en maakte mee hoe een edelman die in de buurt stond zich er plotseling mee bemoeide, een van de bloedig geslagen paarden losmaakte en zijn eigen paard inspande. Het getrek begon opnieuw, de beulsknechten wisselden een blik, toen gingen ze om de aan de gespannen kettingen heen en weer getrokken Ravaillac heen staan en sneden met vleesmessen de spieren onder zijn armen en in zijn liezen door.

De paarden gingen er spoorslags in alle richtingen vandoor.

De toeschouwers applaudisseerden. Hij lette niet op hen. Hij staarde in de ogen van de veroordeelde, de veroordeelde die nog maar een kronkelende torso op de grond was, tot ze braken. Een fractie van een seconde had er iets als begrip tussen hen bestaan, op het moment waarop de beulsknechten de hakmessen hadden gebruikt; het begrip dat ondanks alle voorgaande martelpartijen van deze soort, dit slagersambachtelijke doorsnijden van de spieren als bij een geslacht dier, de eigenlijke vernedering was geweest en de mens François Ravaillac, wiens haar tijdens de procedure wit was geworden, reduceerde tot een bloederig stuk vlees.

De toeschouwers stormden langs Heinrich heen, duwden hem, schoven hem aan de kant, probeerden een afgetrokken lichaamsdeel te pakken te krijgen. Hij liet zich achterovervallen. Een bijzonder harde stoot draaide hem half om en hij zag de ramen van het De Guisepaleis en de twee verhitte gezichten van de dames, en voor de ramen van de aangrenzende vertrekken nog meer blozende gezichten, zodat hij wist dat in alle kamers die uitkeken op het Place de Grève de verscheuring van de koningsmoordenaar met lust was begeleid. Hij had het kunnen bedenken; toch gaf het hem een schok. Enkele ogenblikken voelde hij zich niet minder vernederd dan de dode naast het schavot. De rode wangen en de glanzende ogen leken spiegels van zijn eigen gezicht te zijn en tegelijk voelde hij er een grenzeloze minachting voor. Ze hadden zich slechts door het sterven van de veroordeelde laten opgeilen, wat ze morgen weer vergeten zouden zijn. Maar hij had een blik in het diepste van zijn ziel geworpen en dat zou hem voor de rest van zijn leven boven hen uit tillen.

Hij kon niet terug naar het paleis. Hij wist niet wat hij zou doen als madame of mademoiselle een toetje zouden willen, maar hij vermoedde dat er dan bloed zou vloeien. Wat in hem was ontwaakt, snerpte en raasde door zijn hersenen. Het laatste restje moraal dat het geraas had kunnen indammen, was tot as vergaan. Hij buitelde een straatje in en botste op een gedaante die geschrokken een gil gaf. Zijn rode ogen zagen dat het een vrouw was, zonder dat hij zou kunnen zeggen of ze oud of jong, knap of lelijk was. Grommend als een dier dwong hij haar op de grond en verkrachtte haar en terwijl hij in haar zat, sloeg hij met zijn vuist in haar gezicht, telkens en telkens weer, tot ze niet meer bewoog en hij er snikkend en bloeddorstig tegelijk jankend vandoor ging.

Hij was gestorven. Hij was pasgeboren. Soms, zoals nu, als de herinnering ontwaakte, had hij het gevoel dat hij zijn ziel uit zijn lijf wilde kotsen.

'Je bent doodsbleek,' zei Alexandra en ze koesterde zijn hoofd tegen haar borst. Hij voelde haar hand, die over zijn haar streek, en door haar bovenlijfje de zachtheid van haar borsten waar ze zijn gezicht tegenaan drukte. Een duizelingwekkend moment lang zag hij de borsten voor zich van de vrouw die hij in het straatje had verkracht. Hij had al zijn zelfbeheersing nodig om er niet zijn tanden in te zetten en het zachte vlees van Alexandra te verscheuren.

'Ik hou van je,' zei ze.

6

Wenceslas merkte pas dat Willem Slavata naast hem stond, toen hij de vriendschappelijke por tussen zijn ribben voelde.

'Slaap je, Ladislas?'

Wenceslas keek de koninklijke stadhouder verbaasd aan. Als Slavata niet op zijn tenen was gaan staan en had geprobeerd te zien wat Wenceslas voor zich op het bureau had liggen, zou de gezichtsuitdrukking van zijn klerk hem zijn opgevallen en had hij vermoedelijk op zijn gebruikelijke, vriendschappelijk bulderende manier gevraagd: heb je je eigen geest gezien, Ladislas?

'Wat heb je daar?'

Wenceslas hield zijn adem in om een beetje kleur op zijn wangen terug te toveren. 'Net binnengekomen, Excellentie!' stootte hij toen hijgend uit. Slavata nam hem van opzij op. De rijksambtenaar moest in de jaren in dienst van keizer en koning zo veel excentriciteit hebben meegemaakt, dat Wenceslas' gedrag hem niet meer stoorde.

'Belangrijk?'

'Weet ik niet, Excellentie.'

'Waarvoor laat ik de binnenkomende berichten sorteren als je niet...?'

'Belangrijk, Excellentie!' Er was geen andere mogelijkheid.

'Laat eens zien.'

Wenceslas nam het blad op en overhandigde het aan de koninklijke stadhouder. Hij had bijna al zijn kracht nodig om het trillen van zijn handen te onderdrukken.

De eerste dagen na Andrejs arrestatie had Wenceslas erop gerekend elk moment uit zijn functie ontheven en de kasteelheuvel af geschopt te kunnen worden. Hij kon zich niet voorstellen dat een klerk in de hofkanselarij werd toegelaten, wiens vader wegens oplichting van de kroon in de kerker zat. Hij was zo zenuwachtig geweest dat Philip Fabricius er plezier in had geschept af en toe in de stilte van de schrijfkamer met zijn vlakke hand op zijn lessenaar te slaan. Door de knal schoot Wenceslas iedere keer drie voet de hoogte in. Maar de andere klerken sprongen ook van schrik mee en nadat ze Philip hadden beloofd dat ze hem de volgende keer met een scherp mes en inkt het opschrift 'Hier gezicht' op zijn billen zouden tatoeëren, was hij er weer mee opgehouden.

Het ongeluk was tot nu toe aan Wenceslas voorbijgegaan en inmiddels had hij het gevoel dat hij enigszins veilig was. De andere klerken waren niet geïnteresseerd in de naam van een of andere koopman die in de nor zat, en Willem Slavata... Wel, Willem Slavata, die Wenceslas voortdurend verwisselde en met Ladislas aansprak, kwam niet eens op het idee dat zijn jongste klerk níet Ladislas Kolowrat heette. Kolowrat was tot vlak voor Kerstmis klerk in de hofkanselarij geweest en tijdens langere afwezigheid van Slavata naar het hof in Wenen overgeplaatst en omdat hij geen afscheid van hem had kunnen nemen, leken de hersenen van de stadhouder te weigeren zijn vertrek te accepteren. Dus was Wenceslas nu Ladislas, en hoefde hij voorlopig niet bang te zijn eruit gegooid te worden. Hij had het razendsnel afgeleerd zijn naam te corrigeren.

Slavata trok zijn wenkbrauwen op.

'Khlesl & Langenfels?' vroeg hij slepend. 'Waarom komt dat me bekend voor?'

'Vanwege kardinaal Khlesl, vermoedelijk, Excellentie, die...'

'Stil! Ik bedoel natuurlijk de naam Langenfels.'

Wenceslas keek voorzichtig om zich heen. De andere klerken zaten over hun lessenaars gebogen.

'Er is kortgeleden een man die zo heet gearresteerd,' zei hij. 'Maar voor zover ik weet, staat de aanklacht op losse schroeven en –'

'Juist. Die kerel die de kroon voor een enorme hoop belastingduiten heeft opgelicht.'

'Die wordt verwéten dat hij –'

'En wat heeft dit hier te betekenen?'

'Vermoedelijk een kwalijke grap, Excellentie,' zei Wenceslas met zijn laatste beetje kracht.

'Hoogverraad is geen grap.'

Wenceslas zweeg en keek toe hoe de stadhouder het bericht een tweede keer las. Wenceslas had er lang genoeg ongelovig naar gestaard om het uit zijn hoofd te kennen. Hij dacht aan het als afval weggegooide speelgoed en de verkeerd begrepen kunstvoorwerpen in de Hertensloot, die hij daar na de dood van keizer Rudolf had gevonden. Vast en zeker bestonden er inventarislijsten uit de tijd toen de verzameling compleet was geweest. Eveneens zou keizer Matthias, van wie werd gezegd dat hij zijn dagen sinds de afzetting van kardinaal Khlesl in melancholie doorbracht, zich vast en zeker niet meer herinneren dat hij destijds zoveel had laten weggooien.

En daarom moest het in de oren van koning Ferdinand en zijn stadhouder heel plausibel klinken wat er in het bericht stond.

'Daar kan iemand zijn zaak ook op grondvesten,' bromde Slavata. 'Alles komt een keer aan het licht en voor Gods rechterstoel, Ladislas, dat kun je hier zien.'

'Men moet natuurlijk voorzichtig zijn met iets wat anoniem wordt meegedeeld.'

'Natuurlijk moet dat worden onderzocht. Dacht je soms dat we een aanwijzing dat ene...' Slavata keek snel in het bericht. '...Cyprian Khlesl samen met zijn vrouw en die Langenfels na de dood van keizer Rudolf waardevolle stukken uit het wonderkabinet van keizer Rudolf heeft gestolen, gewoon naast ons neerleggen? Als het waardevolle stukken waren, had de kroon ze nu te gelde kunnen maken. We moeten ons bewapenen voordat de protestanten ons voor zijn en dat kost geld. Ik wed dat kardinaal Khlesl ook toen al een vinger in de pap had. Tenslotte is hij immers' – Slavata raadpleegde de tekst nogmaals – 'de oom van die Cyprian Khlesl. Vreemd dat de firma ons na de arrestatie van de kardinaal niet is opgevallen, met die naamsovereenkomst en zo.'

'Ja, vreemd,' zei Wenceslas, die twee aanvragen van Cyprian om nieuwe zakenrelaties buiten het rijk te mogen aangaan, die nog in de hofkanselarij lagen uit de tijd dat er niets aan de hand was, onopvallend had laten verdwijnen.

Slavata klopte Wenceslas op de schouder. 'Goed gedaan, Ladislas,' zei hij. 'Het was juist me op dit schrijven te attenderen. Zorg ervoor dat de zaak wordt onderzocht. Maar heel onopvallend. Niet dat die Cyprian Khlesl er lucht van krijgt en ervandoor gaat of de sporen van zijn diefstal uitwist.'

'Ik geloof dat Cyprian Khlesl begin dit jaar is gestorven,' zei Wenceslas. Een laatste poging...

'Iemand zal hem toch hebben opgevolgd,' zei Slavata opgewekt.

'Ik maak er meteen werk van,' zei Wenceslas, en hij greep naar zijn hoed.

'Goede jongen.'

Wenceslas twijfelde er geen moment aan dat de anonieme brief door Sebastian Wilfing was geschreven. Natuurlijk miste de beschuldiging elke grond, maar dat was het doel ook niet geweest. Het was alleen de bedoeling de aandacht op Agnes en Alexandra Khlesl te vestigen, nadat de arrestatie van Andrej kennelijk nog niet tot de gewenste cirkelredenering in de hoofden van de rechters had geleid. Het ergste daaraan was dat de dikzak daarmee onopzettelijk aan iets raakte wat inderdaad zes jaar geleden een diefstal was geweest, een waarbij de dief uiteindelijk zelf was bestolen: de verdwijning van de kopie van de Duivelsbijbel uit het rariteitenkabinet. En natuurlijk was de naam Khlesl daar nauw mee verbonden.

Wenceslas rende zo hard de kasteelberg af dat zijn mantel als een vlag achter hem aan wapperde. Agnes en Alexandra moesten zo snel mogelijk van deze ontwikkeling op de hoogte worden gebracht. Aan de plannen van zijn vader (hij had een poosje geprobeerd Andrej ook in gedachten meneer Von Langenfels te noemen, maar dat was mislukt) had hij geweigerd mee te doen en hij vond dat hij daar goed aan had gedaan. Maar hij wilde niet toezien hoe de familie waarvan hij onvrijwillig deel was geworden, door een hebzuchtige, wraakzuchtige aasgier uit het verleden uiteindelijk in het verderf zou worden gestort.

Hij vertraagde zijn voetstappen pas toen hij in de buurt kwam van Alexandra's huis en keek rond of hij een straatjongen zag die hij naar de jonge mevrouw kon sturen met het verzoek hem op de bekende plek te ontmoeten. Sebastian Wilfing wilde hij in geen geval tegen het lijf lopen.

Wenceslas had er geen idee van dat Willem Slavata terwijl hijzelf naar de Kleine Zijde rende, was vergeten dat 'Ladislas Kolowrat' zich om de kwestie zou bekommeren. De koninklijke stadhouder verplaatste de brief naar zijn eigen werkkamer, legde hem op zijn tafel, liep nog een keer weg om Philip Fabricius te vragen hoe het stond met een document dat moest worden gekopieerd, kwam weer terug en vond als eerste de anonieme brief. Enkele ogenblikken dacht hij dat de kwestie al in behandeling was, maar toen besloot hij het zekere voor het onzekere te nemen. Hij leunde uit de deur van zijn werkkamer.

'Philip Fabricius!'

'Ja, Excellentie?'

'Breng dit naar de stadsrechter. Hij moet het regelen.'

7

De lakei opende de deur van het Lobkowiczpaleis en wilde zacht gaan mopperen (je kon nooit weten hoeveel macht de bezoeker had) dat het niet nodig was om tegen de deur te schoppen. Dat er een klopper was en dat men toch niet lang hoefde te wachten tot er werd opengedaan, anders dan in de paleizen van andere hoge heren, waar het dienstpersoneel iemand vaak uit pure koppigheid urenlang voor de ingang...

Alexandra duwde hem opzij voor hij zelfs maar adem had gehaald. Ze stormde de gang door en omhoog naar de eerste verdieping van het paleis zonder er een gedachte aan te verspillen dat ze zich in het huis van de machtigste man op de keizer na gedroeg alsof ze thuis was. Pas voor de kamer waarin Heinrich lag, stopte ze even en streek het haar uit haar gezicht, en toen stapte ze naar binnen. Heinrich keek verrast op. Het deed haar goed te zien hoe zijn gelaatsuitdrukking omsloeg in verbijstering toen ze het nieuws spuide. Het toonde haar hoe haar welzijn en dat van haar familie hem aan het hart ging.

'Hij heeft wat?'

Alexandra vertelde hem wat Wenceslas haar hijgend en steun zoekend bij de muur tweemaal had moeten vertellen voor ze het één keer begreep.

'Die vette idioot!'

Heinrichs uitbarsting kwam zo plotseling dat ze ineenkromp. Een ogenblik dacht ze op zijn gezicht een woede te zien oplaaien die hem zo lelijk als een dier maakte. Alexandra knipperde met haar ogen en de gezichtsuitdrukking was weg. Ze slikte en schoof de herinnering in de war gebracht opzij.

'Wenceslas probeert mijn moeder in de gevangenis te bereiken en haar te waarschuwen.'

'Alexandra! Luister naar me. We vertrekken vanavond nog naar Pernstein!'

'Maar... Maar ik... Ik kan toch mijn moeder en mijn broertjes nu niet...'

'Je moeder kan voor zichzelf zorgen. Wil je in de kerker worden gegooid?'

'Nee, maar...'

'Denk je dat de wachters je met rust laten als je er eenmaal bent? Denk je dat het iemand iets kan schelen wat ze met je doen, een familielid van iemand die hoogverraad pleegt en een dochter van dieven?'

'Maar... Mijn moeder...'

Heinrich pakte hij bij haar bovenarmen. Zijn stralendblauwe ogen waren vol bezorgdheid dat men...

...hem...?

...met de kwestie in verband zou brengen? Ze meende opeens op zijn gezicht en in zijn ogen te kunnen lezen dat zijn gedachten uitsluitend om hem draaiden en dat hij op een geheimzinnige manier iets te maken had met de daad die Sebastian Wilfing in zijn klikbrief had geschilderd, de daad waarvan zij evenals Wenceslas wist dat die – weliswaar anders dan Sebastian vertelde – daadwerkelijk had plaatsgevonden. Maar wat had Heinrich...?

...haar iets zou aandoen, en de zweem van woede die er nog steeds in te zien was, gold de peilloze kwaadaardigheid van Sebastian Wilfing. Alexandra merkte dat ze het koud had gekregen.

Heinrich trok haar tegen zich aan. Het voelde alsof een inktvis zijn tentakels naar haar uitstrekte en ze verstijfde, maar toen verdwenen alle twijfels en alle vage verdenkingen voor het kloppen van haar hart dat zijn aanraking teweegbracht en ze vlijde zich tegen hem aan.

'Je moeder,' zei hij, 'is niet in gevaar. Maar geloof me, jou zouden ze te pakken nemen. Wil je jezelf dat aandoen, of je moeder, dat ze moet toezien hoe ze...'

'Hou op,' zei ze gesmoord.

'Neem me niet kwalijk.'

Ze maakte zich van hem los.

'Ik bereid alles voor.'

'Laat in geen geval een briefje achter. En zeg niets tegen Sebastian Wilfing!'

'Maar hoe moet mijn moeder dan...?'

'We sturen haar bericht als we in Pernstein zijn.'

'Dat kan ik haar niet aandoen!'

'Liefje, we zijn vanaf vanavond vluchtelingen!'

Haar hart begon te gloeien, omdat hij 'we' had gezegd.

'Ik heb een idee. Leona – dat is moeders kindermeisje – woont al weken bij ons. Ze was bijna dood, maar intussen gaat het weer beter met haar. Ze heeft gezegd dat ze naar huis wil. Sebastian wilde haar al op straat zetten toen ze nog bedlegerig was. Ik zal tegen hem zeggen dat ik haar naar huis breng. Dan weet mijn moeder tenminste dat ik niet spoorloos ben verdwenen.'

Ze merkte zijn aarzeling, maar schreef het toe aan de verbazing over haar inval. 'Waar komt die oude vrouw vandaan?'

'Uit Brno.'

'Dat is te dicht bij Pernstein.'

'We doen het zo of helemaal niet,' hoorde ze zichzelf zeggen. Hij keek haar onderzoekend aan, toen glimlachte hij opeens. Ze hield haar adem in. Had haar stem echt zo bars geklonken? Stelde ze hem soms een ultimatum, hem, die niets liever wilde dan dat het goed met haar ging? Als ze hem voor het hoofd stootte, wie zou haar dan helpen? Ze had alleen hem.

Als hij echt van je houdt, kun je hem met zoiets niet voor het hoofd stoten, zei een stemmetje in haar hoofd, dat niet doordrong.

'Leona zal geen last zijn,' zei ze.

'Ik weet zeker dat ik met haar overweg kan,' zei Heinrich. Zijn glimlach werd breder, en ze trapte eens te meer in deze glimlach en verging van liefde voor hem.

8

De gevangenis van Praag bevond zich in het uitgestrekte kasteelcomplex, vooraan op een van de steile hellingen van de berg omlaag naar de stad. In het oorspronkelijke plan was het een verdedigingstoren geweest. Sinds de bij de hele Praagse bevolking geliefde en legendarische opstandige ridder Dalibor daar in afwachting van zijn terechtstelling gevangen had gezeten, was de bestemming van het gebouw gewijzigd en het was nu de officiële kerker van de stad geworden. Als je ervoor stond en over de muur keek, werd je beloond met een adembenemend uitzicht over het grote lint van de Moldau en de stadsdelen die het dal vulden. Dan zou je willen dat je vleugels kreeg en als een adelaar in dit panorama weg kon vliegen. Het leek alsof de gevangenen daarmee extra werden uitgejouwd, want die konden hoogstens een vluchtig moment van het uitzicht genieten voordat ze naar de toren en daar naar een van de donkere cellen werden gebracht, waar de hoog bovenin geplaatste, onbereikbare kijkgaatjes wel schemerig licht binnenlieten, maar hun geen blik op de vrijheid buiten gunden.

Agnes stapte de laatste traptreden op die uit het binnenste van de machtige toren omhoog naar het licht leidden en keek zonder iets te zien over de muur. De mensen boven gingen opzij. Men was beleefd tegen elkaar hier in deze dagelijks opnieuw gevormde groep van bange mensen, die steeds groter in getal werden. Agnes wist niet of hier vroeger ook al familieleden van de gevangenen stonden te wachten tot ze een ons wogen om hun geliefden nieuws of etenswaren te brengen, maar ze nam aan dat de steeds verder oplopende spanning in het rijk en de naderende oorlog tot meer arrestaties leidden dan anders. Ze snoof. Had ze dat niet aan den lijve ervaren? Iemand als Andrej von Langenfels zou in een andere tijd niet puur naar aanleiding van kwaadsprekerij door een vreemde in de kerker zijn gegooid.

Natuurlijk was Sebastians optreden in haar slaapkamer als gebaar bedoeld. Hij moest al dagen op de hoogte zijn geweest van de briefwisseling tussen Willem Vlach en de firma. Dat de koopman uit Brno juist in Praag aankwam op de dag dat Sebastian Agnes ter verantwoording riep, was geen toeval geweest, maar een perfide berekening van haar vroegere verloofde. Hij had er zelfs aan gedacht wachters op te roepen om Andrej onmiddellijk te laten arresteren. Het roze varken, zoals ze Sebastian altijd had beschouwd, was veranderd in een zwarte spin die een genadeloos web om haar en haar gezin had gesponnen. Maar toen hadden Sebastians eigen frustratie en zijn slechte karakter hem de voet dwars gezet en was alles uit de hand gelopen. Agnes had intussen wel begrepen dat het uiteindelijk toch geen rol speelde. Niemand zou geloven dat hij zich op haar had gegooid. Sebastians schrammen waren nog steeds zichtbaar, terwijl de enige wonden die Agnes had opgelopen op haar ziel zaten. Sebastian had bijna alles gepland en datgene wat uit de hand was gelopen, zou hem zelfs nog tot voordeel strekken.

Ze werd weer niet bij Andrej toegelaten. Haar onveranderlijke vriendelijkheid tegen de wachters en de loszittende munten hadden er echter wel toe geleid dat die het verse brood en de andere levensmiddelen die ze meebracht niet voor haar ogen zelf opaten maar beloofden het aan de gevangene zelf te brengen. Niets was Agnes zwaarder gevallen dan het negeren van de lompheid en arrogantie van het kerkerpersoneel. Ze had aan Cyprians kalmte in dergelijke situaties gedacht, die iemand soms het bloed onder de nagels vandaan kon halen, en daaruit de kracht gehaald om niet anders te handelen dan hij zou doen. God wist dat ze ervan overtuigd was geweest dat haar schijnheiligheid de wachters zou opvallen, maar achteraf had ze min of meer het gevoel dat die niet al te vaak een vriendelijk woord te horen kregen en daarom gemakkelijk waren te paaien als ze deed alsof ze wel wist dat ze eigenlijk oprechte mannen waren die alleen maar hun plicht deden.

Praag lag in het gouden middaglicht aan haar voeten. De boomgaarden op de hellingen rondom de stad leken dwarrelende sneeuw tussen de velden, maar het waren de bloesems aan hun takken maar. Het struikgewas en de stukjes bos die her en der waren blijven staan, gaven malsgroen licht. Ze ademde diep in, ondanks zichzelf geraakt door de schoonheid. Opnieuw had ze hier bijna een hele dag doorgebracht zonder haar broer te hebben gezien. Haar zoontjes misten haar en haar dochter leek steeds afstandelijker in de omgang te worden. Agnes weet het aan het feit dat ze huis en gezin met haar ongenode indringer alleen liet. In haar hart wist ze dat het de enige kans voor haar was om niet gek te worden. Zelfs als Sebastian en zij elkaar in het ruime pand uit de weg zouden gaan, had ze zijn aanwezigheid overal geroken. Het was beter door je moeder een poosje te worden verwaarloosd dan de terechtstelling van je moeder bij te wonen omdat ze een gast die in haar huis logeerde met een bijl had doodgeslagen.

Ze draaide zich om om de lange terugweg te aanvaarden. Een paar andere wachtenden knikten haar toe. Ze knikte terug, zonder daarbij onderscheid te maken tussen mensen die in lompen of in brokaat gekleed waren. Men kende elkaar inmiddels en de standsverschillen werden opgeheven als men wist dat de eigen familieleden misschien naast elkaar aan kettingen op schimmelig stro lagen en op dezelfde emmer hun behoefte deden.

Een schriel mannetje stond aan de rand van het groepje en haastte zich een paar stappen vooruit, toen ze zich ervan losmaakte. Ze bekeek hem wantrouwig en probeerde met een korte groet langs hem heen te komen. De weg naar de stad voerde een paar uitgesleten trappen af en bij de oostelijke poort het kasteel uit. Plotseling bedacht ze hoe eenzaam de eerste paar honderd stappen door de verwaarloosde kasteeltuin waren.

'U bent toch mevrouw Khlesl?' vroeg de man.

'Wie wil dat weten?'

'Ik heb alleen een boodschap voor u. Ik doe u geen kwaad.'

Agnes bekeek hem over haar schouder zonder te blijven staan. Had Sebastian hem in dienst genomen om haar in de gaten te houden en te terroriseren? De man had slechte tanden en versleten kleren en zag eruit als iemand die voor geld heel wat zou doen.

'Blijft u toch alstublieft staan. Ik ben slecht ter been.'

Agnes klemde haar kiezen op elkaar. Ze stopte en keerde zich naar de man toe.

'Nou?'

'Gaat u liever niet terug naar huis,' zei de man. Er gleed iets over zijn gezicht wat een ongelukkig trekje kon zijn, maar wat je ook als onderdrukte grijns zou kunnen uitleggen.

'Wát zegt u?' snauwde Agnes.

'Als u verstandig bent, blijft u ver van uw huis vandaan.'

Agnes zette een stap in zijn richting. Ze was langer dan hij. De man zette grote ogen op.

'Luister eens, kleine rat,' zei ze, hees van woede. 'De volgende keer dat je je opdrachtgever tegenkomt, vertel je hem maar dat hij zich het geld voor jou kan besparen. Ik ben de hele dag nergens anders dan hier boven, en 's nachts slaap ik in mijn bed in mijn kamer en als hij me bang wil maken, moet hij een hele compagnie soldaten sturen in plaats van zo'n aanfluiting van een man als jij.' Ze draaide zich op haar hakken om en liet hem staan, maar bedacht zich toen en sprong de paar treden weer op. Hij stond er nog steeds als door de bliksem getroffen.

'O ja,' zei ze. 'Dat vergat ik nog. Ratten doen niets voor niets. Hier, wat geld om mijn boodschap door te geven.' Ze gooide de munten voor zijn voeten.

Ze was net terug op de tree waar ze zojuist was omgekeerd, toen ze hem hoorde zeggen: 'Ik ben hier omdat mijn jongste broer in de kerker is gegooid. Hij is een benedictijn uit de abdij van Brevnov, maar zijn abt heeft hem op non-actief gesteld en overweegt hem uit de orde te zetten. Maar zijn enige misdaad is dat hij een klerk van kardinaal Khlesl is geweest.'

Agnes bleef staan. Ze kreeg het warm en koud tegelijk.

'Er is hier een jongeman helemaal buiten adem aan komen lopen toen u beneden in de kerker was. Hij vroeg naar u. Ik ken uw gezicht door mijn broer. Ik zei dat ik aan u zou vertellen wat hij me voor u wilde meegeven.'

Agnes draaide zich om en klom opnieuw naar hem toe. Haar gezicht gloeide.

'O, mijn God, het spijt me zo,' zei ze. Haar blik viel op de glimmende munten op de grond. 'O, mijn God.'

Met een verwrongen glimlach zei hij: 'Geeft niet.'

'Ook ik heb mijn broer hier in de kerker zitten. Net als u.'

De man trok zijn schouders op en liet ze weer zakken. Even dacht ze dat hij zou gaan huilen. Het zou de situatie onnoemlijk veel pijnlijker maken.

'Het spijt me zo erg wat ik heb gezegd,' stootte ze uit. 'Ik dacht dat u...'

Ze bukte en begon de munten op te rapen die ze hem had toegeworpen. Tot haar ontzetting bukte hij ook om haar te helpen.

'Nee, alstublieft...' stamelde ze.

'Wat heeft uw broer gedaan?'

'Hij heeft fatsoenlijk gehandeld toen werd verwacht dat hij onfatsoenlijk zou zijn.'

De man knikte. Hij overhandigde haar de munten die hij had opgeraapt. Ze zaten nog steeds op de trap. Zijn gezicht was vlak bij het hare. Ze kon zijn adem ruiken: onvoldoende voeding en zorgen. Zijn duim wees over zijn schouder naar boven, waar achter enkele draaiingen van de trap het nauwe plaatsje voor de ingang van de kerkertoren lag.

'De heren willen de oorlog, de katholieken én de protestanten,' zei hij. 'De duivel fluistert ze allemaal wat in hun oor. Hij heeft ze mee de berg op genomen, net als Jezus, en hun getoond welke schatten op hen wachten als ze zich aan hem onderwerpen. Anders dan Jezus hebben ze het allemaal gedaan en nu willen ze om de schatten vechten die de duivel hun heeft beloofd. Het kan ze niets schelen dat daarbij alles zal ondergaan wat ze hebben.'

'De beloften van de duivel,' zei Agnes, 'zijn alleen de wensen die de donkere kant van onze ziel ons ingeeft.'

Hij knikte. 'De paus had het niet mooier kunnen zeggen. Als u aan uw broer denkt en ik aan de mijne, gelooft u dan dat het jammer is van alles wat ondergaat in deze oorlog die eraan komt?'

'Het is altijd jammer van ieder mens die te vroeg de dood vindt.'

Hij snoof. 'Zoals die arme stakkers daar in de kerker? De winter zit nog in de stenen. Binnenkort zullen de eersten gaan hoesten en koorts krijgen. De gevangenis zit tjokvol. Zelfs als ze goed voor de zieken zouden zorgen, kwamen de heelmeesters niet klaar met hun werk. Binnen een week wordt de eerste naar buiten gedragen, dat verzeker ik u. Mijn broer is aan het eind van zijn krachten.' Hij slikte en zijn stem klonk onvast. 'Ik ben zo bang voor hem.'

Agnes' keel werd dik. 'Beschrijft u me de jongeman eens, die u de boodschap heeft opgedragen.'

'Lang, slank, haast slungelachtig,' zei hij zonder aarzelen. 'Rossig haar, bleke huid, ook al hadden zijn wangen kleur gekregen van het hardlopen. Groene ogen. Een knappe jongen. Is hij familie van u, mevrouw Khlesl?'

Ze beantwoordde zijn verlegen glimlach onzeker. Wat zou Wenceslas op die vraag antwoorden?

'Meer dan sommige anderen,' hoorde ze zichzelf zeggen.

Als haar gesprekspartner dit een cryptische uitspraak mocht vinden, liet hij dat in elk geval niet merken.

'Wat zei de jongeman precies?'

'Dat u niet naar huis moet gaan. Dat u in het huis van zijn vader moet overnachten. Dat hij morgen iets bedacht zal hebben. Dat hij niet langer kon wachten, omdat ze hem anders zouden missen en vragen zouden gaan stellen.'

'Meer niet?'

'Dat er meer achter zit dan hij een vreemde wilde toevertrouwen.'

De verlegenheid schoot opnieuw in Agnes op. 'Ik wil u nogmaals mijn excuses aanbieden voor wat ik heb gezegd.'

'Wat gaat u doen?'

'Ik heb kinderen. Ik kan niet zomaar wegblijven zonder dat ze weten waar ik ben.'

Maar dat was niet de ware reden, zoals ze zichzelf moest bekennen. Waarschijnlijk had Wenceslas op de een of andere manier ten minste Alexandra ingelicht of zou hij dat nog doen. Alexandra en de jongens zouden zich in elk geval geen zorgen hoeven maken dat hun moeder was vermist. Eerder had ze zich afgevraagd of het niet beter was door je moeder te worden verwaarloosd dan haar terechtstelling bij te wonen. Nou, dat klopte ongetwijfeld, of niet? Leek die vraag niet erg op de vraag wat beter was: je moeder te zien wegrennen of getuige te zijn hoe ze het gevaar tegemoet trad, omdat ze daarmee te kennen gaf niets kwaads te hebben gedaan.

'Mag u uw broer zien?' vroeg Agnes.

'Om de paar dagen.'

'Zegt u tegen hem dat hij de wachters moet vragen samen met mijn broer een cel te delen. Hier, geeft u hem alstublieft deze munten, die moet hij de wachters toestoppen als hij het vraagt. Mijn broer is Andrej von Langenfels. Het is me gelukt om hem behoorlijk eten te sturen. Hij zal het met uw broer delen. Dat biedt hem een betere kans om niet ziek te worden.'

'Ik sta diep bij u in het krijt,' zei de man met tranen in zijn ogen.

'Nee,' zei Agnes. 'Ik bij u. Maar dat doet er niet toe. U vroeg me daarnet of het jammer is van onze wereld als de oorlog haar verzwelgt. Als niet ieder van ons af en toe iets goed doet zonder daartoe gedwongen te zijn, zal het waarschijnlijk niet zonde zijn. Maar zolang de vernietiging van iets spijtig is, is er altijd hoop dat het niet definitief zal zijn.'

9

Op weg naar huis vroeg ze zich af wie er in haar had gesproken: de stem van Cyprian, die de legende van de spinster bij het kruis vertelde, of zijzelf? Maar ook deze vraag was uiteindelijk al beantwoord: zijzelf. Haar eigen ziel had zich alleen maar van zijn stem bediend omdat ze onbewust begreep dat ze alleen daarnaar zou luisteren. Ze was Agnes Khlesl, geboren Wiegant. Haar eigenlijke naam zou Langenfels geweest zijn als het lot niet een van zijn waanzinnige capriolen met haar leven had uitgehaald. Als Agnes Wiegant had ze moeten leren dat ze eigenlijk Agnes von Langenfels had moeten zijn en dat het haar enige wens was om Agnes Khlesl te worden. Als je vaak genoeg je huid afgooide, kwam je innerlijke kern tevoorschijn, die de eigenlijke mens was. In Agnes' geval was de kern tevoorschijn gekomen van iemand die haar lot in eigen hand nam en niet van plan was de touwtjes ooit weer uit handen te geven, en die geloofde dat liefde nooit stierf.

Cyprian stond voor deze liefde. Haar eigen hart had met zijn stem gesproken om haar daaraan te herinneren.

Toen ze de stadsknechten zag die voor de ingang van haar huis dromden, liep ze zonder aarzelen door. Toen ze Sebastian naast de commandant zag, deinsde ze niet terug. De commandant keek haar aan en tikte toen respectvol tegen zijn hoed.

'Dag, mevrouw...'

'Ik ben net bezig hen ervan te overtuigen dat er een misverstand in het spel moet zijn,' zalfde Sebastian en hij probeerde met weinig succes de voorpret van zijn gezicht te halen bij de gedachte dat Agnes zich dankbaar tegenover hem zou moeten tonen voor zijn inspanningen om haar arrestatie te voorkomen en het veel grotere genoegen over het feit dat die inspanningen uiteraard geen succes zouden hebben.

'U bent gekomen om mij te arresteren,' zei Agnes.

'Eh...' zei de commandant, overrompeld door zoveel onverwachte openheid.

'Een misverstand, zoals ik u al uitlegde,' zei Sebastian en hij haalde adem om nog iets te zeggen.

'Ik geef me aan u over,' onderbrak Agnes hem. Ze keek de commandant in de ogen.

'Eh, goed dan...'

'Maar nee, Agnes, ik probeer het toch te regelen...'

'Ik heb kinderen. U wilt hen toch niet uit de armen van hun moeder trekken, of wel soms?'

'Natuurlijk niet.' De commandant rende stram en haastig af op de val die Agnes voor hem had gezet. 'Ze gaan met u mee naar de gevangenis.'

'Ja,' zei Agnes. 'De wet is hard maar rechtvaardig.'

'We doen alleen onze plicht, mevrouw.'

'Ik werk ook erg mee, vindt u niet, kolonel?'

'Konstabel, mevrouw, gewoon konstabel... ahum... eh... ja...' De commandant krabde besluiteloos tussen zijn benen en vervolgens, toen hij zich herinnerde dat hij in vrouwelijk gezelschap was, gauw en niet erg overtuigend op zijn buik. 'Eh...'

'Die arme kinderen!' zei Agnes opeens, terwijl ze haar handen voor haar gezicht sloeg.

'Maar...'

'De gevangenissen zijn tjokvol en zo koud. De jongste is zo vatbaar, ze zullen koorts oplopen.'

'Maar dat is toch helemaal niet...'

'Ze gaan dood,' zei Agnes tussen de handen voor haar gezicht door. 'En dan ga ik dood van verdriet. Was ik maar gevlucht in plaats van me aan uw genade uit te leveren, kolonel.'

'Konstabel, gewoon konstabel, mevrouw!' In de stem van de commandant lag nu iets van wanhoop.

'Mijn kinderen zijn onschuldig, kolonel! En ik ben onschuldig! Vier onschuldige mensen zullen sterven omdat ze u vertrouwden. Maar ik vergeef u, kolonel, ik vergeef u. U kunt niet anders.'

'Ik kan...'

'We hadden kunnen vluchten. Maar we hebben het niet gedaan omdat we vertrouwen hebben in het recht en de wet en ervan overtuigd zijn dat alle verwijten tegen ons onterecht zijn. Maar zo worden we beloond voor ons vertrouwen.'

'Mensen, zeggen jullie tegen mevrouw dat de gevangenis niet zo slecht is. Eh...'

De stadsknechten keken verbaasd naar hun commandant.

'Goed dan,' zei de commandant gelaten. 'Goed dan.'

'Hebt u kinderen, kolonel? Kleine, lieve kinderen, die vol vertrouwen naar u opkijken omdat ze weten dat hun vader een rechtvaardig mens is?'

'Hé, u daar!' De commandant draaide zich om en blafte tegen Sebastian. Sebastian dook ineen.

'U zei toch dat u hier de man in huis bent, of niet soms?'

'Ja, ik bedoel... Dat is nog...'

Agnes haalde de handen weg van haar gezicht. Sebastian ontweek haar blik.

'Goed. Ik leg mevrouw huisarrest op. U bent ervoor verantwoordelijk dat het goed met haar gaat. En met haar kinderen!'

'Néé!' riep Sebastian uit en hij sloot gauw zijn mond.

'En let op dat ze er niet vandoor gaat,' souffleerde een van de stadsknechten zijn meerdere.

'Juist. U bent verantwoordelijk. Begrepen?'

'Maar...'

De commandant ging rechtop staan. Zijn mannen namen hun wapens over in hun andere hand; het gaf een zeer vastbesloten, strijdvaardig geluid.

'Begrepen?!'

'Ja,' bromde Sebastian.

De commandant wendde zich tot Agnes en tipte nogmaals tegen de rand van zijn hoed. 'Ziet u wel, mevrouw?'

Agnes besloot dat ze het niet wilde overdrijven. Ze viel de commandant om zijn nek en gaf hem een kus op zijn wang. 'God zal het u lonen, kolonel.'

'Al goed, al goed. En... eh... konstabel, mevrouw, gewoon konstabel. Jullie daar, ingerukt! Hoor ik iemand grinniken? Ik dril je tot je kont eraf valt! Neemt u me niet kwalijk, mevrouw.'

Agnes keek de soldaten na tot ze de hoek om waren. Toen glipte ze langs Sebastian het huis in zonder hem nog een blik waardig te keuren.

Op weg naar haar slaapkamer verschraalde de triomf die ze zojuist had gevierd. Wat had ze bereikt, behalve dat ze de dreigende gevangenis voor de comfortabelere kooi van haar huis had verruild? Gevangenen waren zij en de kinderen nog steeds, overgeleverd aan de kwaadsprekerij van een man die ze zelf tot haar kerkermeester had benoemd. Maar ze had het niet alleen vanwege het comfort zo geritseld, of uit angst voor de inderdaad rampzalige toestanden in de Praagse kerker. In haar achterhoofd was de gedachte geweest dat een vlucht uit de gevangenis niet mogelijk was, maar een vlucht uit haar eigen huis wel. Natuurlijk zou Sebastian alles op alles zetten om haar gangen te controleren, maar ze probeerde een manier te bedenken om hem beet te kunnen nemen.

Haal je maar niets in je hoofd, mopperde ze op zichzelf. Vluchten? Waarheen dan? Of waarvoor? Alles wat je hebt is hier. Je moet niet vluchten, maar vechten.

De waarheid, antwoordde ze zichzelf vermoeid, was dat alles wat hier was haar niet veel kon schelen, behalve de kinderen. Waar haar hart vol van was, was ze kwijt: Cyprians liefde. En daarom was het niet de vluchtgedachte, die haar bewoog, maar de gedachte aan een vertrek voor een...

...zoektocht?

Waarnaar wil je op zoek gaan? Naar restanten van kleren? Botten? Waar moet je reis je naartoe brengen? Tot aan de Zwarte Zee?

Ze wist het niet. Ze wist alleen dat ze niet mocht opgeven zolang ze het onweerlegbare bewijs dat Cyprian dood was niet met eigen ogen had gezien. Ze schaamde zich omdat ze zich zo aan haar verdriet had overgegeven dat er geen ruimte meer was geweest voor de twijfel.

Ongemerkt was ze op de overloop blijven staan. De deur waarachter het kamertje lag waar ze Leona had gehuisvest, was meteen de eerste. Ze had zich nauwelijks meer om de oude vrouw bekommerd en nog minder om het verzoek dat haar hierheen had gevoerd. De zoektocht naar Cyprian – of naar het bewijs dat hij dood was – was het enige waar Agnes' hoop zich nog aan vastklampte. Het geloof dat zij en Cyprian haar konden helpen, was de hoop geweest waaraan Leona zich had vastgeklampt. Agnes voelde zich slecht, en nog slechter toen het tot haar doordrong dat een deel van haar hart al begon te marchanderen: God, als ik Leona help, dan is dat een goede daad. Wilt U die aan me vergelden en me helpen zoeken naar mijn verloren geliefde?

Ze duwde de deurklink naar beneden, plotseling vol dadendrang. Ze zou met Leona praten en dan met Alexandra overleggen. Ze was helemaal niet zo alleen als ze had gedacht. Ze had een verstandige, vastberaden en dappere dochter en als er een moment was waarop een moeder op de kracht van haar kind moest vertrouwen, dan was dat nu.

Verbaasd keek ze naar het lege bed.

'Je denkt dat je zo slim bent,' hoorde ze achter zich Sebastian met een dikke stem van woede zeggen. 'Maar je weet helemaal niets. Die fijne dochter van je is ervandoor gegaan met die bedelares die ons hier arm heeft gegeten. Ik heb haar niet tegengehouden.'

Agnes draaide zich om. Sebastian, die twee passen afstand had gehouden, week nog verder achteruit. Ze had de indruk dat ergens iemand hartelijk zat te lachen om haar en haar pathetische pogingen om over haar geluk te onderhandelen. Plotseling meende ze te weten hoe iemand zich voelde die zich van God had afgekeerd, omdat hij van die kant niets meer hoefde te hopen. Ze vermoedde dat ze, als de duivel opeens naast haar zou staan en haar zijn bijbel voor zou houden en zou zeggen: ik zal je je vijanden in handen geven als je op je knieën valt en mij aanbidt, gehoor zou geven aan de verleiding. Daar schrok ze nog meer van dan van het besef dat haar dochter haar in de steek had gelaten.

'Dat is wat je hebt gekozen in plaats van mij te nemen!' zei Sebastian. 'Dat is wat je je familie noemt! Ben je er trots op?' Hij spuugde op de grond.

Duizend antwoorden gingen door haar hoofd. Geen enkele ervan sprak ze uit. Ze liep naar haar slaapkamer, liet de deur achter zich dichtvallen, ging op het bed zitten en gaf zich over aan haar wanhoop.

I0

Graaf Heinrich Matthias von Thurn tilde de trechterkruik op en schudde hem voorzichtig heen en weer. Toen hij opkeek, ving hij de blik op van Wenceslas Ruppa, die hem met een scheve glimlach had geobserveerd. Ruppa's ogen rolden naar de fijn bewerkte stenen kruik voor diens plaats en toen weer terug naar graaf Von Thurn en hij schudde zijn hoofd. De graaf zuchtte; ook de heer Ruppa's wijn was op. Hij liet zijn blikken rond de tafel gaan. De invloedrijkste vertegenwoordigers van de protestantse Staten waren aanwezig: naast Wenceslas Ruppa zaten er Albrecht Smiricky, de enige erfgenaam van het gigantische familievermogen en vermoedelijk eigenaar van twee derde van het land in Bohemen, graaf Andreas Schlick, die het als overtuigd protestant al met keizer Rudolf had aangelegd en lange tijd woordvoerder van de Staten was geweest, en Colonna von Fels, evenals Von Thurn van Duitse afkomst en een van de radicaalste tegenstanders van de Habsburgse heerschappij.

De ontmoeting vond plaats in het huis van Willem von Lobkowicz, die in zoverre een levend voorbeeld van de heersende onenigheid in Bohemen betekende, dat hij de neef was van de rijkskanselier, maar een gelovige protestant. De splijting van het christendom liep niet alleen door mindere families. Gelijk waren de beide vijandelijke familiehoofden van de huizen Lobkowicz alleen in hun streven om als royale gastheer bekend te staan. Een voorbeeld waren deze keer de stenen kruiken, waarin Willem von Lobkowicz de wijn had laten serveren. Een beker voor elk van de heren! De graaf vroeg zich af wat het spul wel niet gekost zou hebben. Lobkowicz had nadrukkelijk nonchalant gezegd dat ze uit het hertogdom Württemberg kwamen, wat in overeenstemming was met de correcte houding tegenover de Statenpolitiek om voorrang te geven aan de handel tussen protestantse vorstendommen. Aan de andere kant lag bijna het hele rijk tussen Württemberg en Bohemen. De prijs moest behoorlijk zijn geweest.

En toen was er blijkbaar geen geld genoeg meer geweest om voldoende wijn te kopen, of fatsoenlijke. Rheingauer in plaats van Tokajer! Ook daar kon je van op aan: uiteindelijk wist Willem von Lobkowicz nooit wat er echt toe deed.

De gastheer discussieerde levendig met graaf Schlick. De graaf zag er aangeslagen uit. Als je goed keek waren ook Colonna von Fels, die anders zijn naam alle eer aandeed, en Wenceslas Ruppa bleker dan anders. Dit bracht graaf Von Thurn in de war, vooral omdat hij wist dat er nog een vierde persoon hier in de kamer op dit moment niet meer dan een schim van zichzelf was: namelijk hijzelf. Het leek aan te geven dat er een band tussen hen bestond, waarvan de graaf zich zelfs in gedachten geen voorstelling wilde maken.

Wat hem betrof, was het ermee begonnen dat de sterke dijen van zijn echtgenote zich plotseling om zijn lichaam hadden geklemd toen hij van haar af wilde rollen.

'En ik?' had ze gevraagd.

'En u, liefste?' had graaf Von Thurn niet-begrijpend herhaald.

'U hebt uw plezier gehad, mijn liefste. Nu ben ik aan de beurt!'

Daarop had de graaf de hielen van zijn echtgenote op zijn billen gevoeld alsof ze een paard de sporen gaf.

Na enkele nachten van dit soort ongepaste sommaties begon de graaf plezier in de situatie te krijgen. Tot dan toe was zijn plezier met het vrouwelijke geslacht – of het nu zijn echtgenote, de keukenmeid of een hoer betrof – zeer eenzijdig geweest, namelijk aan zijn zijde. Dat zijn vrouw nu eiste ook bevrediging in de daad te vinden, was zo ongehoord, zo tegen alle conventies in, zo zondig, dat het de graaf blind opwond. Hij had onlangs zelfs een Statenvergadering vroeger verlaten om met zijn echtgenote in de kussens te rollen. Zo bronstig was hij zelfs niet geweest toen hij verkering had en constateerde hoe gewillig een van haar kameniersters was.

Verging het de heren Ruppa, Von Fels en Schlick om ondoorgrondelijke redenen net zo? Je kon het niet vragen, in elk geval als je niet erger tegen de goede smaak wilde zondigen dan Willem von Lobkowicz!

En je kon zeker niet vragen of ook de vrouwen van de andere heren opeens weigerden, juist als je had geconstateerd dat ze plotseling kunstjes beheersten die een hoer in een bordeel anders alleen tegen een schaamteloos hoog loon wilde doen!

In plaats van te steunen en te kreunen en boter of reuzel aan te brengen op alle lichaamsplekken waar een verminderde wrijving een hoger genot opleverde, plotseling melancholie, chagrijn en indringende vragen. Of ze niet mans genoeg waren om de Statenvergadering eindelijk zo te beïnvloeden dat ze iets tegen de grootheidswaanzin van Ferdinand zou doen? Of ze niet eindelijk het recht op afzetting van de koning zouden eisen dat ze hadden vastgelegd? Of ze niet eindelijk een eind zouden maken aan de compromissen en paal en perk stellen aan die verdomde Habsburgers? Of ze soms dachten dat een gestaag druppelen uit een open wond beter was dan een eenmalige bloeduitstorting die de zweer reinigde? Het bezorgde je slapeloze nachten, vooral als je probeerde te slapen met een paal tussen je benen die zo dik was als een vlaggenmast en geen zin meer had om opluchting te zoeken bij een gillende meid, die met opgestoken achterwerk in de keuken bleef staan en intussen de groente schoonmaakte, nu je immers kwaliteit had leren kennen!

'We hadden Ferdinand van het begin af aan niet als koning mogen toelaten,' vond Albrecht Smiricky, die een jaar geleden als Ferdinands mogelijke tegenkandidaat voor de Boheemse kroon naar voren was geschoven en naar verluidde al een nieuwe kroon had laten maken, ietwat voorbarig, zoals later bleek. 'Hij is bij de jezuïeten opgegroeid en volkomen door hun ideeën vergiftigd.'

Onuitgeslapen en onbevredigd als hij was, verstoken van de troost van een lichte ochtendlijke roes door Willem von Lobkowicz' krenterigheid, voelde graaf Von Thurn irritatie opkomen. Smiricky's stem kakelde in zijn oren. De gedachte werd sterker dat in het huis van Zdenek von Lobkowicz, de katholieke rijkskanselier, en zijn echtgenote waarschijnlijk van de dure bekers zou zijn afgezien, maar niet van eersteklas wijn. De irritatie van de graaf nam nog verder toe. Katholieken! Papisten! Die bloedzuigers hadden alles, zelfs de beste wijn! En zeker de mooiste vrouwen. Hij probeerde zich het smetteloze gezicht van Polyxena op het lichaam van zijn vrouw voor te stellen, en dat ze plotseling het blok reuzel onder het bed vandaan haalde en er een handvol uitschepte, om dan... Hij knipperde met zijn ogen. Om deze voorstelling tot leven te wekken was meer nodig dan een kruikje Rheingauer. Afgezien daarvan was het waarschijnlijk beter als het niet lukte, want de werkelijkheid de komende nacht – Waarom niet zus...? Waarom hebben jullie mannen niet zo...? – zou met de fantasie lang geen gelijke tred kunnen houden, en waar moest hij dan naartoe met de opgestuwde energie?

'Bohemen is een kiesmonarchie,' hoorde hij een stem dreunen en hij constateerde verbaasd dat het zijn eigen stem was. 'Laten we de Habsburgers tonen dat ze niet moeten denken dat ze recht op de troon hebben.'

'Ze hebben allemaal Ferdinands lof gezongen,' zei Smiricky. 'Niet zo hoogmoedig als Rudolf en Matthias: "Hij gaat toch heel intiem met de Boheemse adel om..."? Poe! Hij heeft snel zijn ware gezicht laten zien.'

'We hoeven hem alleen maar af te zetten. Het is ons goed recht,' zei graaf Von Thurn opnieuw. Hij voelde de blikken van de anderen. Hij besefte dat niemand meer hardop over afzetten had gesproken sinds Ferdinand zo nietsontziend in Bohemen de touwtjes in handen had genomen. Hij voelde zich dapper, als iemand die zich voorbereidt om zijn huis in zijn eentje tegen een leger monsters te verdedigen.

'Heeft hij niet de hele stad en zelfs de universiteit vorige zomer bevolen mee te doen aan de Sacramentsdagprocessie? En de feesten voor de heilige Jan Hus en de heilige Hieronymus heeft hij verboden!'

Jaja, dacht graaf Von Thurn. Allemaal oude koeien. En dat is alles wat dit stelletje kippen kan: oude beledigingen herkauwen, omdat er geen haan is die hun zegt wat ze moeten doen. Ongemerkt sloop het idee zijn hersenen binnen dat ze misschien allemaal zaten te wachten tot iemand de rol van haan opeiste. En nog minder duidelijk herinnerde hij zich dat hij dacht in de termen waarin zijn vrouw afgelopen nacht op de Statenvergadering had gescholden. Ze had zelfs het gekakel van de kippen nagedaan: *hwooook-tok-tok-tok,* verbluffend echt, moest hij toegeven.

'Hij is in de greep van grootheidswaanzin,' zei graaf Von Thurn. 'Het Habsburgse bloed is bedorven; niet dat het ooit heel goed geweest is.'

De mannen lachten voorzichtig. Graaf Von Thurn begon plezier in de situatie te krijgen, net zoals hij na de eerste aarzeling plezier had gekregen in de verandering van zijn vrouw. Willem von Lobkowicz stak grijnzend zijn hand uit naar de stenen kruik voor zijn beker, draaide hem om, en er kwam alleen lucht uit. Verbaasd keek hij in het lege ding, toen ging zijn blik omhoog alsof hij een lakei zocht, die hij om een nieuwe kruik naar de kelder kon sturen. Graaf Von Thurn werd steeds enthousiaster voor deze bijeenkomst.

'Rudolf was een onberekenbare gek, Matthias is zo zwaarmoedig dat hij tot niets meer komt en Ferdinand denkt dat hij Julius Caesar is!'

Albrecht Smiricky, die ook voor een lege kruik zat, maar niet veel kon hebben, tilde zijn lege beker op en riep: '*Ave, Caesar, moribundi te salutare!*'

'*Morituri te salutamus,*' mompelde Colonna von Fels en hij verdraaide stiekem zijn ogen.

'Wat zegt u?'

'Niets, beste Smiricky, niets. De graaf heeft een waar woord gesproken, mijne heren. We hebben het recht, nee, we hebben de plicht Ferdinand von Habsburg als Boheemse koning af te zetten. Daarmee verschaffen we niet alleen Bohemen rust, maar voorkomen we ook dat nog iemand van die inteelt Habsburg-bastaarden keizer wordt over het rijk.'

'Laten we een eind maken aan al die compromissen.' Wenceslas Ruppa sloeg met zijn vuist op tafel. Zijn wijnkruik viel om. Willem von Lobkowicz keek gebiologeerd naar de opening. Toen er niets uit sijpelde, fronste hij zijn voorhoofd. 'Iemand moet de Habsburgers een lesje leren. Denkt u maar aan het antwoord dat we hebben gekregen op ons protest tegen de sluiting van de kerken in Hrob en Braunau. Ruppa vertrok zijn gezicht tot een minachtende grimas en citeerde met een falsetstem: *De majesteitsbrief van keizer Rudolf – God hebbe zijn ziel – heeft alleen de adel en de vrije steden de vrijheid van godsdienst gegarandeerd. De betreffende steden zijn echter niet vrij.*'

'Hebben we daar eigenlijk op gereageerd?'

Willem von Lobkowicz greep naar de kruik die voor graaf Schlick stond. Schlick, die als asceet bekendstond, had amper van zijn wijn genipt. Stralend opgelucht kieperde de gastheer Schlicks wijn in zijn eigen beker, nam een lange slok en leunde behaaglijk achterover. Graaf Von Thurn had het gevoel dat er vandaag geen lakei meer naar de kelder zou gaan.

'Ja, de door de Statenvergadering aangewezen defensoren hebben een protestbrief geschreven. Het antwoord was een scherpe aanmaning tot gehoorzaamheid, zo niet dan zou de koning moeten nadenken over straffen.'

'De maat is vol!' riep Von Thurn. 'We hebben de dingen te lang op hun beloop gelaten. We kunnen ons niet laten welgevallen dat er steeds meer wordt gesnoeid in de rechten van de adel.'

'Juist,' zei Andreas Schlick.

'Daar komt geweld van,' bromde Willem von Lobkowicz en hij nam nog een slok wijn.

'Nou en?' De magere Schlick balde zijn vuist. 'Wat hebt u liever? Een heftige bloeduitstorting die de wond reinigt of een etterende zweer?'

Ik heb ze in mijn hand, dacht graaf Von Thurn. Ze spreken mijn gedachten uit zonder dat ik het hoef voor te zeggen. In de opwinding was hij vergeten dat het niet zijn gedachten waren, maar die van zijn vrouw, en om precies te zijn niet haar eigen gedachten, maar gedachten die haar – en de andere vrouwen – in een situatie waren ingefluisterd die de graaf zich in zijn stoutste dromen niet kon voorstellen.

'Mijne heren!' riep hij weer. 'Laten we elkaar goed begrijpen: het is niet tegen de keizer gericht! Het is de schuld van koning Ferdinand! En zijn hele corrupte bende van hofkruipers: Slavata en Martinitz, die nog nooit een waar woord aan het hof hebben gesproken, en de rijkskanselier voorop, die destijds al zijn ware gezicht liet zien toen hij keizer Rudolfs majesteitsbrief niet ondertekende. Dat is niet als belediging van uw familie bedoeld, mijn beste Lobkowicz!'

'De Popel-von Lobkowiczen,' zei Willem von Lobkowicz gemoedelijk, 'waren altijd al de verdorven tak van de familie. Wij Lobkowicz-Hassensteins houden als enigen het vaandel van fatsoen hoog. Ik wil u er echter op wijzen, mijne heren, dat, als er te veel bloed wordt vergoten, de ziel graag uit het lichaam vliedt. Ik adviseer u zich goed te bewapenen als het op een oorlog mocht uitlopen.'

'Ja,' bromde Von Thurn en hij besloot te vergeten dat hij destijds met alle anderen voor een terughoudende opstelling had gestemd. 'We hadden er al bij de verkiezing van Ferdinand op los moeten slaan, dat was een beter moment geweest. Nu hebben we al bijna toegegeven dat Bohemen Habsburgs erfland is.'

'Hoe hebben we dat dan toegegeven?' viel Colonna von Fels uit. 'We hebben Ferdinand vrijwillig gekozen. En wie gelijk had of niet speelt immers geen enkele rol. Het recht wordt tegenwoordig met voeten getreden, de vuist regeert. Verdragen zijn niets anders dan de schaapsvacht waarin zekere wolven zich plegen te hullen. Ík was altijd al op mijn hoede!'

'Mooi, mijn beste Fels,' zei Wenceslas Ruppa. 'Dan hebt u vast ook in het geheim al een leger uitgerust.'

'Wat wilt u daarmee zeggen? Hebt u er soms zelf een uitgerust? U verstopt zich toch liever achter uitvluchten dan achter een eerlijke kogelvanger op het veld van eer!'

Wenceslas Ruppa sprong op. Albrecht Smiricky hief geschrokken zijn hand.

'Moment,' zei hij. 'Ik dacht dat we een leger hadden? Het hof heeft het nergens anders over en verhoogt daarvoor alle mogelijke belastingen, neemt vermogens in beslag en zo, om een tegenleger op te stellen.'

'Nou, kijk eens aan,' zei Colonna von Fels sarcastisch.

Smiricky zette grote ogen op. 'U bedoelt...?'

'Als men geen reden voor de oorlog heeft, bedenkt men er een,' zei Wenceslas Ruppa.

Graaf Von Thurn had een ingeving. 'Mijne heren!' riep hij. 'Maar dat bewijst het toch! We staan in ons recht! Wij zijn degenen die zich moeten verdedigen! We zijn het er toch allemaal over eens dat het huis Oostenrijk eens door elkaar geschud moet worden. Het heeft veel te lang corrupte dienaren geduld. De keizer weet vermoedelijk niets van de geschriften waarop we worden getrakteerd en waar de handtekening van schepsels als Slavata en Martinitz staan. Het antwoord op onze protestbrief is slechts het toppunt van die chicanes. De Boheemse adel met straffen dreigen! Zulke vuiligheid kunnen we niet accepteren!'

'En wat stelt u voor?'

'Ik?' Graaf Von Thurn juichte vanbinnen, maar aan de buitenkant toonde hij zich verbaasd.

'Zegt u ons wat we moeten doen, graaf Von Thurn,' bromde Andreas Schlick. 'We staan allemaal achter u.'

I I

In de antichambre van de zaal waarin de mannen zich hadden verzameld, stond een man op in een eenvoudig, strak gesneden gewaad. Hij had hier gewacht met een zogenaamde boodschap voor Willem von Lobkowicz, die hij alleen aan deze zelf mocht overhandigen. De man bewoog onhandig alsof hij niet aan zijn eigen kleding was gewend. Het eerste wat hij deed toen hij hier was binnengekomen en de lakei hem alleen had gelaten, was als een muis naar de deur sluipen die de vergaderzaal van de voorkamer scheidde, en die op een kier openen. De stemmen van de mannen waren moeiteloos te verstaan geweest, ook toen ze geen ruziemaakten.

De man verliet de antichambre door de andere deur. Hij kwam bijna tot aan de voordeur van het stadspaleis, waar de lakei hem inhaalde die hem had ontvangen.

'En de boodschap?' vroeg de knecht verbluft.

'Ik heb zojuist gemerkt dat ik hem ben vergeten,' antwoordde de man.

De mond van de knecht viel open. 'Wat?' bracht hij uit.

De man tikte tegen zijn voorhoofd. 'Zulke dingen gebeuren,' zei hij. 'Bent u nooit iets vergeten?'

'Zoiets nog nooit,' zei de knecht.

De man haalde zijn schouders op. 'Ik kom terug als ik het weer weet. Vrede zij... Vaarwel, vriend.'

De lakei opende de deur en liet de wonderlijke gast naar buiten gaan. Een Italiaan, dacht hij bij zichzelf. Dat hoor ik meteen. Dan halen de hoge heren hun personeel uit het buitenland omdat dat deftig is, maar ze kunnen niets. Weet niet eens hoe hij behoorlijk afscheid moet nemen. Alsof we hier in de kerk zijn! Katholieke bastaard!

Hij deed de zware deur dicht en wijdde zich aan zijn andere taken. De onhandige bode was hij binnen vijf minuten vergeten. Precies zoals Filippo Caffarelli was voorspeld.

12

'Hebben jullie het begrepen, jongens?' fluisterde Agnes. Andreas en Melchior junior knikten met grote ogen. Nog voor de ochtendschemering uit hun slaap gerukt en samen met het kindermeisje op een onbekende reis te worden gestuurd, klonk in hun oren als een avontuur. Agnes probeerde uit alle macht haar wanhoop niet te laten merken. 'De man die jullie afhaalt, is een ridder van de Orde der Kruisheren met de Rode Ster. Hij draagt een teken: een rood kruis met daaronder een ster. Alleen als hij jullie dat laat zien, is hij het echt. Begrepen?'

'Waarom zou hij niet echt zijn?' vroeg Andreas.

'Hij zal echt zijn, maak je geen zorgen.' Ze glimlachte. Het was haar gelukt een van de meiden met een boodschap naar bisschop Lohelius te sturen. De bisschop was verheugd geweest dat hij de familie van zijn oude vriend kardinaal Melchior Khlesl een plezier kon doen, vooral toen hij Agnes' boodschap had gelezen, waarin ze hem het alternatief voorlegde, namelijk dat ze voor de keizer stelling zou mogen nemen over Lohelius' rol bij de diefstal van een bepaald object uit het rariteitenkabinet. Bisschop Lohelius had erin toegestemd Melchior junior en Andreas in het Strahovklooster op de Praagse Burcht te verbergen. Het viel Agnes niet mee te blijven glimlachen.

'Ik hou van jullie, jongens,' zei Agnes, terwijl ze de beide knapen kuste. Toen liep ze snel naar de deur. Daar aangekomen draaide ze zich weer om, rende terug naar de kinderen en omhelsde hen stormachtig.

'Niet huilen,' zei Melchior junior. 'Anders moet ik ook huilen.'

'Mama huilt niet,' snikte Agnes en ze veegde haar tranen af. 'Tot ziens.'

'Tot ziens, mama.'

Het huis was stil en donker. De hemel buiten moest net het eerste grijs vertonen; voor het licht van de zonsopkomst de ramen bereikte, zou nog enkele minuten duren. Agnes trok haar mantel vaster om haar schouders. Ze liep op blote voeten om geen geluid te maken; haar schoenen droeg ze in haar hand. Ze was ervan overtuigd dat haar verdwijning zoveel oproer zou veroorzaken dat het niemand opviel als er een man in alle rust het huis binnenkwam en de twee jongens samen met hun kindermeisje mee naar buiten zou nemen. In elk geval Sebastian zou het niet opvallen, en wie van het personeel het wel zou zien, zou na een paar gefluisterde woorden van het kindermeisje gauw zwijgen. Agnes probeerde zichzelf gerust te stellen met de gedachte dat ze overal aan had gedacht. De kou van de traptreden sneed in haar blote voeten, toen ze snel naar de benedenverdieping liep.

Ze duwde de klink naar beneden en haalde opgelucht adem toen ze merkte dat haar voorzorgsmaatregelen hadden gewerkt: een van de huisknechten had gisteren nog op haar verzoek het nauwelijks knarsende slot gesmeerd. De lucht die binnenkwam, was koel en rook naar verse aarde, koude rook en riooluchtjes die pas door de geuren van de dag zouden worden gecamoufleerd. Voor Agnes was het de geur van de vrijheid.

Ze haalde diep adem. Was het juist wat ze deed? Maar Melchior junior en Andreas zou niets overkomen. Lohelius stond niet bepaald bekend om zijn snelle intelligentie, maar hij had het klaargespeeld zowel de bisschopszetel als de troon van de grootmeester door de jaren na Rudolfs dood te leiden zonder zich aan deze of gene te onderwerpen, en als je de kruisheren van de Rode Ster één ding zonder meer mocht nageven, dan was het dat van de laagste knecht tot aan hun leider niemand ooit van de idealen van de orde was afgeweken. Een van die idealen was te allen tijde vervolgden asiel te verlenen. In zoverre was de dreiging om Lohelius' aandeel in kardinaal Melchiors diefstal te verklappen misschien niet nodig geweest, maar de jongens waren na Alexandra's verdwijning het enige wat Agnes nog van Cyprian had, en ze wilde zelfs niet het kleinste risico nemen. Hier blijven en zelf op de kinderen passen kon ze niet. Ze kon het gevaar niet negeren waarin Alexandra zich had begeven toen ze alleen met Leona was vertrokken, noch de roep van haar hart, dat Cyprians stem nodig had gehad om haar wakker te schudden. Ze zou Alexandra vinden en dan zou ze op reis gaan naar de plek waar Andrej Cyprian had zien sterven. En daar begon de zoektocht waaraan ze desnoods de rest van haar leven wilde wijden: de zoektocht naar de bevestiging dat hun liefde werkelijk voorbij was. Tot ze die bevestiging vond, zou ze ieder wakker moment met al haar kracht geloven dat Cyprian net zo goed nog in leven kon zijn.

Ze liet haar adem ontsnappen, glipte naar buiten, sloot geluidloos de deur achter zich en rende de straat uit.

13

Filippo Caffarelli zou nog meer onder de indruk zijn geweest van de macht van de Duivelsbijbel, die hij de vorige dag had mogen zien, als die demonstratie niet tegelijk een schaduw op zijn hart had geworpen. De Statenvertegenwoordigers in het huis van Willem von Lobkowicz mochten het onderling oneens zijn en er mochten anderen zijn die de zaak van het protestantisme in Bohemen beter verdedigden dan uitgerekend dit stelletje oude en nieuwe edelen, maar er was iets wat hen sierde: ze waren bereid om voor hun geloof te vechten. Ze hadden er geen idee van welke lawine ze met hun heethoofdigheid aan het rollen zouden brengen, maar ze waren bereid hun vermogen, hun reputatie en hun leven op het spel te zetten om ervoor te zorgen dat het protestantse geloof in Bohemen vrij van elke onderdrukking kon worden beleden. Ze zagen in dat ze niet volmaakt waren, ze verachtten elkaar of lachten elkaar stiekem uit, maar ze berustten niet. Hun geloof in de rechtmatigheid van hun zaak en dat ze God op de enig juiste manier aanbaden, was oprecht, als je alle vijandigheden en persoonlijke lafheid eraf trok.

En hij, Filippo Caffarelli, de afvallige priester? Wat had hij daartegen in te brengen?

Nee, corrigeerde hij zichzelf. Wat mij onderscheidt van de mannen in het huis van Willem von Lobkowicz is dat ik twee stappen verder heb gedacht. Na het verlies van het geloof in God komt de overtuiging van de eigen almachtigheid. Dat stadium hebben graaf Von Thurn en zijn volgelingen nog niet bereikt. Maar ik ben er ook al overheen en heb ingezien dat de mens zich wel gedraagt alsof hij almachtig is, maar in werkelijkheid stront is. Er bestaat iets wat veel machtiger is dan hij en zijn ideeën van zijn eigen onfeilbaarheid of die van een ingebeelde God, en aan die macht heb ik mij onderworpen, omdat er niets anders op zit dan je eraan te onderwerpen.

Tegen de heerschappij van de duivel kun je niet vechten. Wie verstandig is, stopt het verzet en valt op zijn knieën.

Eerst had hij zich afgevraagd waarom alleen hij naar Praag was gestuurd om de vier Statenvertegenwoordigers, van wie de vrouwen in de kapel van Pernstein een blikje op de ware kracht van de duivel hadden kunnen werpen, te bespioneren. De meeste anderen zouden geschikter zijn geweest dan hij. Toen had hij de oplossing van het raadsel gevonden. Het was niets anders dan weer een vertoon van macht. Filippo zou alarm kunnen slaan en de plannen verraden die in Pernstein waren gesmeed. Hij had de macht om de Statenvertegenwoordigers de ogen te openen en hun te verraden wie het werkelijk was die hen de oorlog in wilde sturen. Hij had opeens de vrijheid om alles achter zich te laten en gewoon weg te gaan. Niemand zou hem kunnen tegenhouden.

En hij wist dat hij niets van dat alles zou doen. Zoals zíj had geweten dat hij haar niet zou verraden. Ze was ervan overtuigd dat hij al volledig in de ban van de Duivelsbijbel was.

Misschien was het deze onuitgesproken overtuiging die iets in hem wakker had geroepen. Misschien was het het stuk van Vittoria dat in hem doorleefde, zoals alle mensen een beetje doorleefden in degenen die van hen hadden gehouden.

Hij was een man alleen. Hij had niet de kracht en ook niet de macht om tegen de duivel en zijn aanhangers in te gaan, maar hij kon... wat?

Toekijken?

Hopen dat er toch ooit een mogelijkheid kwam om in te grijpen?

En hoe in te grijpen?

De vraag had ervoor gezorgd dat hij de hele nacht niet had geslapen. Hij was naar het paleis van de rijkskanselier teruggegaan, nadat zijn afluisteractie succes had gehad en had zoals afgesproken een postduif naar Pernstein gestuurd. Vervolgens had hij de avondmaaltijd gebruikt, geprobeerd te genieten van een kruik wijn, en was ten slotte naar bed gegaan. Daarna had hij geen oog dichtgedaan.

Het eerste grijze licht was al in zijn kamer geslopen. Het venster van de kamer lag op het oosten, de zon kwam recht ervoor op. Aan de muur boven de deur leek iets licht te geven. Het was een kruis. Hij leek alsof een vinger het daar getekend had, met een zwak licht dat uit zichzelf scheen. Filippo zuchtte. Het was niets anders dan de afdruk die het kruisbeeld had achtergelaten dat daar had gehangen. Nadat hij urenlang slapeloos had liggen woelen, had hij het eraf gehaald en op de grond gelegd, in de hoop dat hij dan zou kunnen slapen. Hij zag het naast de deur liggen alsof het vanzelf was gevallen. Toen hij het zag, sloeg de angst hem om het hart. Vittoria had altijd gezegd dat als een kruisbeeld van de muur viel, het kwam door de schrik die werd veroorzaakt door de voetstap van de dood die het huis betrad.

Als de zonde de wereld dreigde te verzwelgen, stuurde God Zijn enige zoon om die te bestrijden.

Jezus Christus was een man alleen geweest. Hij had ingegrepen. Zijn ingrijpen had eruit bestaan dat Hij zich aan het kruis liet nagelen. Het had het gevecht tegen het kwaad niet beslist, maar het had ervoor gezorgd dat het werd voortgezet. Zolang ook maar één mens tegen het kwaad streed, was de wereld niet verloren.

Filippo keek naar het kruisbeeld op de grond. Hij voelde een peilloze angst.

Domine, quo vadis?

Tranen brandden in zijn ogen toen hij aan Vittoria dacht. Waarom heb je me verlaten? kreunde hij in gedachten. Ik heb je niet verlaten, antwoordde het deel van haar dat in hem doorleefde. Ik zal bij je zijn tot we in een andere wereld weer één zijn.

Filippo zwaaide zijn benen uit het bed, strompelde over de planken vloer naar het kruisbeeld en hing het weer op. Hij verwachtte haast dat zijn hand zou verbranden, maar het was maar een houten kruis met een rechtop gekruisigde Christusfiguur eraan. Hij ging weer op het bed liggen en staarde ernaar. De gebeeldhouwde Christus staarde terug. Filippo wilde dat hij nog een keer, één keer maar, met Vittoria kon praten. De tranen stroomden over zijn wangen. Hij sloot zijn ogen, maar in het donker van zijn eigen gedachten gaf het kruis licht alsof het van vuur was.

14

Soms kon ze overdag even aan haar nachtmerries ontsnappen. 's Nachts was het hopeloos.

Ze zag zichzelf weer als klein meisje op de houten brug tussen het hoofdgebouw en de burchttoren staan. Hier waaide het altijd en je dacht dat je zou vallen, ook al stond je veilig.

'Dat is de wind die door de duivel hier is aangelijnd,' zei haar vader dan grijnzend. 'Hij is vergeten hem weer los te maken.'

'Waarom heeft hij hem aangelijnd?' had ze de stem horen zeggen die de hare was en waar ze meestal slechts hulpeloos naar kon luisteren, terwijl ze zich afvroeg waar de gedachten vandaan kwamen die de stem woorden gaven, want deze gedachten waren nooit in haar hoofd.

'Toen de oude Stephan von Pernstein dit kasteel hier bouwde, wilde hij het groter, hoger en imposanter bouwen dan alle andere kastelen in Moravië. Hij beloofde de duivel de eerste ziel die over de brug naar de burchttoren zou lopen als die hem daarbij hielp. De duivel kwam en bouwde het kasteel zoals het er tegenwoordig uitziet. Maar toen wachtte hij tevergeefs op zijn loon, want de oude Stephan liet de toegang naar de burchttoren dichtmetselen. Pernstein was zo groot dat niemand het durfde aan te vallen; het was niet nodig de burchttoren te bemannen. De duivel kookte van woede en zon op een list. Ten slotte, toen de oude Stephan op een dag op jacht was, verstopte hij zich in de burchttoren en imiteerde Stephans stem om diens vrouw te roepen. "Help me, vrouw," riep de duivel. "Help me, ik ben in de burchttoren opgesloten, open de muur en red me." Stephans vrouw raakte in paniek en liet een gat in de muur maken. Maar juist toen ze de brug op wilde lopen, sprong Stephans oude, blinde en tandeloze hond, die niet meer mee op jacht mocht, door de muur om zijn baas te redden. Krijsend van woede pakte de duivel het dier en steeg op, terug naar de hel. De wind waarop hij hierheen was komen rijden, vergat hij in zijn woede. En daarom waait het hier dag in, dag uit.'

Haar vader had een vreemd gezicht getrokken. 'Je ogen glanzen alsof je koorts hebt, kind.'

'Het is een prachtig verhaal, vader.' Ze walgde van het opgewonden gefluister van haar eigen stem.

De herinnering aan dit verhaal kwam altijd samen met de nachtmerrie waarin ze op de brug stond. Ze had een stokje in haar hand. Aan haar voeten zat een jong hondje te hijgen en naar het stokje te kijken.

'Gooi het,' zei haar stem.

Ze gooide het stokje. Het ketste over de houten planken van de brug, een paar passen verderop. Het hondje draaide zich met een ruk om, ving het op en bracht het vliegensvlug terug. Ze raapte het op. Het hondje hijgde tevreden.

'Gooi het nog een keer.'

Ze gooide het de andere kant op. Het hondje bracht het stokje weer terug. Zijn ogen glommen in aanbidding, onaangetast door twijfel, overtuigd van de goddelijkheid van zijn bazin.

'Gooi het.'

Soms had ze het gevoel zelf niet te weten wat die stem van haar verlangde. Soms wist ze het precies. Ook nu wist ze het, en ze rilde. Ze raapte het stokje op en deed alsof ze het weggooide. Het hondje schoot ervandoor.

'Hier!' riep ze scherp. Het hondje draaide onder het rennen zijn kop om. Ze stak het stokje in de lucht en slingerde het over de borstwering. Het hondje sprong er zonder aarzeling achteraan.

Er leken honderd jaar te verstrijken. De wind floot in haar oren en zweepte het haar om haar hoofd. De hond viel geluidloos. Misschien was hij er tot op het laatst van overtuigd dat hem niets kon gebeuren omdat zijn bazin over hem waakte. De plof was een onopvallend geluid, dat je niet zou opmerken als je er niet op lette.

Na de dood van de hond was het steeds erger geworden. En de wind jankte rond de burchttoren van Pernstein en wachtte tot iemand zijn heer naar deze plaats terugbracht.

Polyxena von Lobkowicz schoot overeind in haar bed. Ze ademde heftig. Automatisch voelde ze aan haar gezicht. In haar slaapkamer lag het eerste schijnsel van de schemering. Het bed naast haar was leeg. Soms dacht ze dat de nachtmerries minder hevig zouden zijn als daar iemand had gelegen, maar er lag niet vaak genoeg iemand in om de theorie te kunnen bewijzen.

Geruisloos stond ze op en gleed naar een gepolijste spiegel. Ze keek erin. Ze staarde naar het gezicht dat haar uit de spiegel aankeek en betastte haar huid opnieuw. Het gezicht was smetteloos. Ze hoorde haar stem, die haar zei dat ze dit gezicht moest haten.

Ze haatte dit gezicht.

'Alles is goed,' fluisterde de stem. 'Het is bijna volbracht.'

Het gezicht in de spiegel leek te veranderen, vanzelf donkerder te worden. Het was alsof onder het oppervlak van de gespiegelde huid iets bewoog, een zwarte, kwaadaardige spin, waarvan de poten plotseling braken, om zich heen tastten, zich over haar gezicht uitstrekten en het omsingelden. Toen was het geen spin meer, maar de tronie van de duivel, en rondom diens portret werd alles vaag en troebel tot er niets anders meer was dan het satansgezicht dat uit de spiegel keek en waarin Polyxena von Lobkowicz verdronk.

15

Ze kwamen de straat in en versperden Agnes de weg, alsof de schaduwen in de portieken opeens levend waren geworden. Er glommen helmen en borstpantsers. Het waren geen stadsknechten. Een minder glimmende, plompe schaduw onder hen deed een stap in Agnes' richting.

'Ik heb de commandant gisteren mijn erewoord gegeven dat ik op je zal passen,' zei de dikke schaduw. 'Ik hou me aan mijn erewoord.'

'Je weet niet eens wat eer is,' zei Agnes.

'En ik geloof niet dat ik dat van jou kan leren,' zei Sebastian verbazend ad rem voor zijn doen.

Iedere vezel in Agnes' lichaam trilde van boosheid en teleurstelling. Sebastians blik viel op de schoenen in haar hand. Agnes volgde zijn blik. Met haar kaken op elkaar bukte ze, tilde de zoom van haar rok op en trok ze aan. Een van de gehelmde mannen floot uitdagend.

'Wie zijn die kerels? Dat zijn geen stadsknechten.'

'Laten we zeggen dat ze officieel zijn.'

'Hoe officieel?'

'Officieel genoeg, liefje, om je mee te nemen.'

'Waarheen?'

'Daarheen waar deze tragedie haar afloop zal vinden, dat wil zeggen, als jij haar niet eerder een goede afloop gunt.'

Agnes keek hem zwijgend aan. Sebastian probeerde een van zijn verwrongen glimlachjes.

'Je hoeft alleen maar te zeggen dat alles een vergissing was en je mijn vrouw wilt worden en ik zet alles weer recht.'

'Breng me naar de tragedie,' zei Agnes.

'Je hebt nooit geweten wat goed voor je is,' stootte Sebastian uit. Zijn stem brak. Een van de bewapende mannen gromde geamuseerd. Sebastian draaide zich woedend om. De mannen beantwoordden zijn opgewonden blik zonder een krimp te geven.

'Vooruit!' snauwde hij.

Toen ze de hoek van de straat om gingen die terug naar haar huis voerde, zag Agnes iets aan de andere kant van de straat de hoek om hollen. Het leek op vier gedaanten, waarvan twee heel klein, maar in het donker kon je niet zeker zijn. Ze wierp een schuine blik op Sebastian, die naast haar stapte. Hij had niets gezien. In elk geval een deel van haar plan was geslaagd. Het was geen al te grote troost.

De mannen brachten Agnes door de kronkelende straten ten zuiden van haar huis naar de Nieuwe Stad en naar het aan de Veemarkt gelegen Nieuwe Raadhuis, dat het administratieve centrum was voor de vier zelfstandige Praagse steden Burcht, Kleine Zijde, Oude Stad en Nieuwe Stad. Eerst was ze opgelucht geweest dat de gewapenden niet de weg naar de gevangenis in het kasteel insloegen. Maar toen ze de toren van het raadhuis zag, die boven de drie steile gevels van de façade uitstak, drong het tot haar door wat Sebastian bedoelde toen hij zei dat de tragedie hier haar afloop zou vinden. In het Nieuwe Raadhuis bevond zich de rechtbank. Daar Sebastian als niet-ingezetene van Praag geen aanklacht kon indienen tegen een Praagse familie als de Khlesls, moest hij iemand anders hebben overtuigd van de schadelijkheid van Agnes' familie, die een proces tegen haar had aangespannen. En dat betekende dat de familie per direct helemaal geen vrienden meer in Praag had. Ze had geen dag te vroeg geprobeerd te vluchten. Hoewel ze eerst had gedacht dat Sebastian haar had opgewacht, begreep ze nu dat het min of meer toeval was geweest dat ze hem en de soldaten in de armen was gelopen. Hij was met hen meegekomen, om haar te laten arresteren en voor de rechtbank te brengen. Ze had hem alleen de moeite bespaard om haar het huis uit te slepen.

Er waren niet veel mogelijkheden wie degene kon zijn die de aanklacht had ingediend. Volgens de constructie die Sebastian had opgebouwd had maar één partij zogenaamd schade opgelopen.

Er liep een rilling over Agnes' rug, toen ze langs de man werd geleid die omringd door klerken en adviseurs voor het gebouw stond te wachten. Het was Ladislaus von Sternberg, een van de stadhouders van koning Ferdinand. Sternberg keek niet op. Hij had een stapeltje papier in zijn hand en probeerde erin te lezen en tegelijk naar het fluisteren van zijn adviseurs te luisteren. Het lag op Agnes' lippen om naar hem te roepen: probeert u niet het te begrijpen, Excellentie, want het is van A tot Z gefantaseerd! Maar ze zweeg. De commandant van de gewapende mannen stapte uit de rij en ging voor de koninklijke stadhouder in de houding staan. Agnes had al toen ze Ladislaus zag, begrepen dat het koninklijke wachters waren, die Sebastian begeleidden. Ze had hem onderschat.

Toen de soldaten haar naar binnen en uiteindelijk naar de eerste verdieping brachten, waar de ramen van de grote rechtszaal op de Veemarkt uitkeken, begreep ze dat ze niet als gedaagde, maar als getuige werd voorgeleid. Haar hart begon zwaar te bonzen. Sebastian scheen geprobeerd te hebben de aanklacht op Andrej en de overleden Cyprian te concentreren. Ze kende hem goed genoeg om te weten dat hij tegen alle waarschijnlijkheid in hoopte zo uiteindelijk Agnes' dankbaarheid te winnen. In elk geval begreep hij wel dat het met de steun van haar ouders in Wenen voorbij was, als hij hun enige dochter voor de rechter bracht. En niet op de laatste plaats zou, als het proces zo verliep als Sebastian hoopte, Agnes' laatste beschermer uit de weg geruimd en alleen zij nog over zijn, weerloos en belast met de zorg voor haar kinderen. Uiteindelijk, redeneerde Sebastian, zou ze erin toestemmen de zijne te worden. De afwijzing die ze hem zojuist op straat had gegeven, was maar een hobbel op de weg naar zijn doel. Ze klemde haar kiezen op elkaar en probeerde de aanval van angst en woede onder controle te houden. Ze transpireerde hevig.

De rechterstafel aan de korte kant van de zaal was weinig indrukwekkend. De fresco's aan het plafond, die een lindeboom moesten voorstellen, waren vervaagd door de ouderdom en de sporen van de brand van zeventig jaar geleden, die tot een gedeeltelijke nieuwbouw van het vervallen gebouw had geleid. De gerechtslinde was het symbool voor gerechtigheid. In Agnes' ogen leek het niet meer dan gepast dat die hier achter een laag van modder, decennia oud stof en roet was verborgen. Iemand had een kruisbeeld en een klein reliekkistje op de tafel gezet. De zes schepenen namen Agnes even onderzoekend op en smoesden toen weer verder. Ze was vroeg hierheen gebracht.

De gerechtsklerk kwam als volgende, een slanke jongeman. Het eerste moment dacht Agnes dat Wenceslas erin was geslaagd deze functie te krijgen, maar de jongeman was een onbekende. Hij ging omstandig met zijn rug naar de zaal aan de rechterstafel zitten en sloeg zijn notulenboek open.

De rechter was een iel, klein mannetje, dat zo plotseling midden in de zaal stond dat de schepenen hem eerst niet opmerkten. Pas toen Agnes' stadsknechten in de houding gingen staan, stonden ze van hun plaatsen op. Agnes kende de rechter niet. Hij was blootshoofds en droeg de versierde rechtersstaf ceremonieel in zijn rechterhand. Om zijn heupen lag een brede gordel, waaraan het rechterszwaard hing. Een gerechtsdienaar liep achter hem, eveneens met het traditionele zwaard bewapend. De rechter nam zijn plaats achter de tafel in, trok het zwaard uit de schede en legde het naast het kruisbeeld en de reliekschrijn. Het was blank en het glom en de archaïsche aanblik was imponerend. Toen keek hij om zich heen, legde demonstratief zijn staf naast het zwaard, schraapte zijn keel en begon.

'Bij de eed die u de Roomse keizerlijke majesteit en onze allergenadigste heer koning Ferdinand hebt gezworen, vraag ik of deze rechtbank volgens de regels bijeen is geroepen, of de dag van het gerecht niet te vroeg of te laat, noch heilig of slecht is, opdat ik de staf der gerechtigheid kan opnemen en recht spreken over lijf, eer en goed volgens het geldende keizerlijke recht en de regels van de *Constitutio Criminalis Carolina*.'

Een van de schepenen zei: 'Het is goed.'

Het formele begin stortte Agnes definitief in een afgrond van nauwelijks onderdrukte paniek. Het was alsof een deel van haar tot op dit moment had gehoopt dat alles een farce zou blijken, en nu moest toegeven dat het leven van haar broer en de toekomst van haar en haar kinderen van het oordeel afhingen dat de schepenen zouden vellen en van het vonnis dat de iele man achter de tafel zou uitspreken. De veer van de gerechtsklerk kraste over het papier.

'Verder vraag ik of deze rechtbank volgens de eisen is bezet.'

'Het is goed.'

'Verder vraag ik of het mij moge zijn toegestaan tijdens de zitting op te staan als het Heilige Sacrament voor het raam wordt langsgedragen, of het mij moge zijn toegestaan voorkomend lawaai of insubordinaties met hulp van de knechten het zwijgen op te leggen, en of het mij moge zijn toegestaan de rechtersstaf aan de gerechtsdienaar door te geven als mij de procesvoering is ontzegd.'

'Het is toegestaan.'

De gerechtsdienaar maakte een korte buiging en deed zijn gordel af. Hij legde zijn eigen zwaard naast de blanke kling van de rechter, maar zonder het uit de schede te trekken. De afgemeten bewegingen en de volledig emotieloze afhandeling van de plechtige opening sneden Agnes de adem sterker af dan schreeuwpartijen vol haat gedaan zouden hebben. De rechter noch de gerechtsdienaar noch de schepenen namen op welke manier dan ook notitie van haar. Het was haar leven en dat van haar geliefden waarom het hier ging, en het kon hun geen zier schelen. Het krassen van de notulistenveer deed pijn aan haar oren. De rechter nam de tijd, zodat de klerk het kon bijhouden. Agnes had in de stilte willen schreeuwen. Ze hoorde gapen en zag tot haar verrassing dat er onder de rechtertafel een hond was aangelijnd. Vaag herinnerde ze zich te hebben gehoord dat sommige processen liever niet in het openbaar werden gevoerd. Om toch te voldoen aan de eis van openbaarheid, werd er een hond in de rechtszaal gebracht, die – ook al behoorde hij meestal toe aan de rechter of een van de schepenen – een van de talloze straathonden en daarmee het leven in de stad in het algemeen symboliseerde. Ze had verwacht dat na de opening van de zitting nieuwsgierige toeschouwers zouden binnenkomen, maar nu wist ze dat dat niet het geval zou zijn. Ze stortte nog harder in de afgrond. Onwillekeurig had ze gehoopt dat er vrienden en zakenpartners aanwezig zouden zijn die in geval van twijfel voor Andrej en haar zouden pleiten.

'Verder vraag ik of de bewijsstukken tegen de gedaagde in de zaal aanwezig zijn.'

Twee bewapende mannen droegen een kist binnen, die ze op de grond voor de rechterstafel neerzetten en openden. Agnes zag de ruggen van folianten, handelsboeken.

'Ze zijn aanwezig.'

'Zijn we ons er allen van bewust dat het recht een deel van de goddelijke schepping is en daarom niet door een meningsverschil tussen partijen kan ontstaan of worden beslist, maar in de grond al vastligt en daarom door deze rechtbank slechts moet worden gevonden?'

'Wij zijn ons ervan bewust.' In het koor van mannenstemmen was geen onzekerheid te horen.

'Dit is het vooronderzoek, om de aanklacht en de getuigen te horen.' De rechter ging zitten. De schepenen ook. Agnes begon te trillen. De gerechtsdienaar ging midden in de zaal staan en riep: 'Wie te klagen heeft, moge beginnen!'

Ladislaus von Sternberg kwam na een korte stilte binnen. Hij had een koord in zijn hand. Het koord kwam tot de heup van een man die in zijn enkele hemd en een vuile onderbroek werd binnengebracht, met zijn handen op zijn rug gebonden. Hij had zijn hoofd gebogen, zijn haar viel in zijn gezicht, maar Agnes zou Andrej in iedere toestand herkennen. De vernederende manier waarop haar broer de rechtszaal werd binnengetrokken als een kalf naar de slager, dreef de tranen in haar ogen, maar toen ze zag wat achter hem aan het koord de zaal in werd gesleept, maakte ze onwillekeurig een geluid in haar keel. Een van haar bewakers keek haar bestraffend aan. Andrej tilde zijn hoofd op en keek Agnes in de ogen. Het was bleek en borstelig en een van zijn ogen was haast dicht gezwollen, in de wenkbrauw daarboven zat een bloederige, verwaarloosde scheur. Op een wang prijkte een blauw-gele bloeduitstorting. Tranen stroomden over Agnes' wangen. Andrej schudde zijn hoofd en glimlachte even, maar het leidde er alleen maar toe dat ze harder ging huilen. Op dit moment wenste ze dat ze zich voor de rechter op de grond kon laten vallen en roepen: het is allemaal mijn schuld, veroordeel me, maar spaar mijn broer! Ze kon het niet doen omdat de verantwoording voor haar kinderen dat niet toestond. Het ingehouden gesnik snoerde bijna haar hart dicht.

Ladislaus von Sternberg wees op Andrej, vervolgens op de mantel waaromheen het koord was geknoopt als om de hals van een veroordeelde, en die van Cyprian was geweest. Het kon niet anders dan dat Sebastian hem had gepikt en aan de rechtbank had gegeven; niemand had haar er ooit om gevraagd.

'Ik wil een aanklacht indienen tegen deze man, Andrej von Langenfels, en tegen Cyprian Khlesl, de neef van de verbannen Melchior Khlesl, die als gestorven wordt beschouwd en over wie ik het gerecht verzoek *post humum* te oordelen.'

De rechter knikte. Agnes staarde naar de oude mantel. Ze had het gevoel dat Cyprians geur van het kledingstuk naar haar plaats overwaaide en haar hart openscheurde alsof zijn dood haar pas een paar minuten geleden was meegedeeld.

'Hoe luidt uw aanklacht?' vroeg de gerechtsdienaar.

Agnes had niet anders verwacht. Toch trof het haar als een stomp in de maag.

'Hoogverraad.'

16

Hij was dus een bastaard. Erger dan een bastaard, want zo iemand wist tenminste nog wie zijn moeder was. Wenceslas kende zijn vader noch zijn moeder. Hij was door Andrej von Langenfels uit het weeshuis gehaald en in een familie gezet die niets met hem te maken had. Geen van deze mensen, die hij nu noodgedwongen zijn familie moest noemen, had er blijkbaar ook maar één gedachte aan gewijd wat het voor hem zou betekenen.

Of had iemand soms de moeite genomen om uit te zoeken wie de vrouw was die hem had gebaard? Misschien leefde ze nog toen Andrej hem als zijn zoon adopteerde. Had hij haar gevraagd hoe zij erover dacht? Had hij iets gedaan om haar uit de ellende te halen waarin ze ongetwijfeld moest hebben verkeerd toen ze haar kind naar het weeshuis bracht? Misschien was het een goede daad geweest het kind aan de moeder en de moeder aan het kind terug te geven? Maar Andrej had alleen aan zichzelf gedacht en aan zijn verdriet en de hoop dat het kindje hem over zijn verdriet heen zou helpen.

Wenceslas von Langenfels, de levende projectie van andermans wensen!

Maar hij was onrechtvaardig en dat wist hij. Zijn moeder zou wel geen adres in het weeshuis hebben achtergelaten, als hij al niet als jengelend hoopje voor een of andere kerkdeur was gevonden. Het zag ernaar uit dat de situatie kon worden teruggebracht tot de constatering dat Andrej zijn leven had gered en hij, Wenceslas, op een geheimzinnige manier op zijn beurt dat van Andrej, en dat de Khlesls altijd vriendelijke, liefde- en begripvolle kameraden voor hen beiden waren geweest. Niemand had hem kwaad willen doen.

Het had lang geduurd voor hij dat onder ogen zag en Wenceslas wist zelf niet of hij al zover was. Bovendien was er nog iets wat hij onvergeeflijk vond, al probeerde hij nog zo hard zich in Andrej te verplaatsen. De leugen die zijn vader van zijn leven had gemaakt, had verhinderd dat zijn liefde voor Alexandra zich kon ontvouwen. Hij wist niet of hij dan net zo intens van haar had gehouden, maar het was een feit dat hij het zelfs nooit had kunnen uitproberen.

Hij probeerde zichzelf voor te houden dat hij nu vrij was om haar zijn liefde te bekennen, beter laat dan nooit, toch? Maar hij had ervaring genoeg om te weten dat in de liefde laat hetzelfde kon betekenen als nooit.

Zijn poging van gisteren om Agnes te waarschuwen had het ijs gebroken dat er om zijn hart was ontstaan. Het leek mogelijk opnieuw de nabijheid te zoeken van mensen die je familie waren. En met het excuus dat hij wilde weten of met de Khlesls alles goed was, kon hij die nabijheid weer opbouwen.

Zijn benen waren zwaar toen hij op het huis af stapte en meer dan eens was hij op weg hierheen in de verleiding geweest om te keren. Hij hoopte dat Alexandra er was en, hoewel het onzin was, dat iemand haar intussen had verteld hoe het zat met haar vermeende neef Wenceslas. Hij had geen idee hoe híj haar de waarheid had moeten vertellen.

Toen hij de drie mannen uit het huis zag komen, schoot hij in een reflex een portiek in. Twee bewapende mannen volgden het drietal. Tot zijn ergernis sloegen ze zijn richting in. Hij kende alle drie: Sebastian Wilfing, de koopman Willem Vlach uit Brno (in wiens huis hij als kleine jongen vaak had gespeeld als Andrej hem mee op reis had genomen, en die niet geheel onverklaarbaar zijn vijand was geworden) en de hoofdboekhouder Adam Augustyn. In elk geval Vlach en Augustyn kenden hem. Ze zouden zich afvragen wat hij hier had te zoeken...

'Ik protesteer in naam van de firma Khlesl & Langenfels tegen deze behandeling,' hoorde hij Augustyn zeggen.

'De firma Khlesl & Langenfels is geschiedenis,' piepte Sebastian. 'Denkt u er maar liever over na wiens brood u morgen wilt eten, dan zingt u wel een toontje lager.'

Wanhopig drukte Wenceslas de deurklink naar beneden en hij wilde doen alsof hij bij de buren naar binnen wilde gaan, maar toen ging de deur vanzelf open en hij keek in het resolute, ronde, de geur van gebraden vlees en soep uitwasemende gezicht van een keukenmeid.

'Ja?' vroeg ze.

De vijf mannen liepen achter Wenceslas voorbij. Hij trok zijn hoofd tussen zijn schouders en voelde de waakzame blikken van de bewapende mannen in zijn nek.

'De marskramer,' zei hij. Het was het eerste wat hem te binnen schoot. Het was in elk geval een zekere manier om na een korte scheldkanonnade van de drempel verjaagd te worden, zodat hij de mannen ongezien kon achtervolgen. Opeens was er iets belangrijkers te zien dan Alexandra. Sebastian had weer een streek bedacht.

'O, kom maar binnen,' zei de keukenmeid. Ze trok hem aan zijn mouw en sloeg de deur achter hem dicht. Een ogenblik stond hij geheel verbluft voor de opgang van de personeelstrap in het halfduister van de bediende-ingang, toen liet ze zich al om zijn nek vallen.

'Toen mijn broer zei dat zijn vriend niet een van de lelijksten was, heeft hij het veel te voorzichtig uitgedrukt!' fluisterde ze en ze drukte een klapzoen op zijn wang. 'Mijn prins!'

'Eh...' begon Wenceslas, terwijl hij zich los probeerde te maken. Ze interpreteerde zijn bewegingen verkeerd.

'Ik heb wat te bieden,' hijgde ze. Ze pakte zijn hand en schoof die in het slordig dichtgeregen decolleté van haar lijfje. 'Mijn broer heeft je verteld dat ik wat te bieden heb, hè?' Hier, voel maar, mijn prins, ik heb ze voor jou warm gehouden.' Zijn meegevende hand werd door een in heet water rood gewassen kolenschop fijngedrukt en voelde de stevige soepelheid van een pronte borst. De tepel ging in zijn hand rechtop staan. Hij probeerde zijn hand terug te trekken, maar die zat zo vast als in de klem van een berenval. 'Kom maar, dat vind je wel lekker, hè? Mijn prins, zo'n knap kereltje. Alleen een beetje mager, maar daar kunnen we wel wat aan doen. En, oho...'

Wenceslas gaf een gil toen de vrije hand van de keukenmeid de weg tussen zijn benen vond. Zijn wijde pofbroek bood geen weerstand. Ze kneep en woog genadeloos wat erin zat.

'We zijn niet overal zo mager, hè?'

'Het is een misv...' kreunde Wenceslas en hij kronkelde tevergeefs.

'Hoor eens, ik ben geen slechte partij. Ik heb zelfs wat gespaard. Ik weet niet wat mijn broer je heeft verteld, die boef, maar met mij ben je niet slecht af. We zijn een mooi stel samen. Ik heb genoeg van dat eeuwige keukenwerk hier; trouw met me en haal me hier weg. Natuurlijk kook ik voor je en voor onze kinderen, dat spreekt vanzelf. O, mijn prins, wat heeft mijn broertje je fijn uitgezocht.'

Dat kwam allemaal in één ademloze woordenstroom, terwijl Wenceslas' mannelijkheid net zo deskundig werd gekeurd als het vlees van een mesthaantje op de markt en de andere hand er nog steeds voor zorgde dat hij een borst kneedde die – bevrijd van het lijfje – een koe nog jaloers zou maken. Met een enorme inspanning rukte hij zich los.

'Het is een misverstand!' riep hij en hij probeerde achter zijn rug de deurklink te vinden.

'Onzin! De marskramer, dat was toch afgesproken, voor het geval iemand anders dan ik de deur zou openen. Maar ik sta hier al vanaf vanmorgen vroeg, mijn prins, om je niet mis te lopen. Kom hier jij, en ik laat je meteen zien wat je voortaan iedere dag kunt verw–'

Wenceslas schoot achteruit de deur door en kwam buiten op zijn zitvlak terecht. Tot zijn onnoemelijke ontzetting kwam de keukenmeid achter hem aan. Hij voelde dat er iemand naar hem keek en keek omhoog, in het vroeg oud geworden gezicht van een man met een lange neus, hangoren en dun haar. Er hing een vislucht om hem heen. De man keek met open mond naar het schouwspel. In zijn uitgestrekte handen had hij een flinke, nog druipende vis als kennismakingscadeau.

'De marskramer,' mompelde de man.

De ogen van de meid werden groot. Wenceslas krabbelde op en zette het op een lopen in de richting waarin Sebastian en de anderen waren verdwenen.

'Een misverstand!' riep hij over zijn schouder. Hij dacht dat hij de stem van de keukenmeid nog: 'Is die voor míj?' hoorde vragen. Toen was hij de hoek om en zag de kleine afvaardiging naar de brug marcheren.

Hij trok zijn verfrommelde onderbroek uit zijn kruis en volgde de mannen op een afstand. Toen ze de Oudestadsbrugpoort passeerden, verwachtte hij dat de wachters vanwege de beide soldaten alert zouden worden. De bemanning van de poort wierp hun de scheve blikken toe die professionele moordenaars altijd krijgen van mensen die de plicht van wapendrager alleen onder werktijd uitvoeren, maar liet hen zonder probleem doorlopen. Wenceslas werd wel gefouilleerd. Goed, die was niet anders gewend. En de brug was zo lang dat hij de vijf mannen haast niet uit het oog kon verliezen.

De achtervolging bracht hem ten slotte naar een smal straatje op de Kleine Zijde, dat sinds de vroege middag in de schaduw van de burchtheuvel moest liggen. Het was steil en hobbelig, maar geplaveid en schoon. Het zag eruit als een buurt waar eenvoudige mensen leefden die trots waren op hun eenvoud, met kinderen die verstelde, maar schone kleren droegen en bij wie een keer per dag warm werd gegeten, zelfs als de heer des huizes er water bij moest drinken in plaats van wijn. Wie hier een geldstuk liet vallen, kreeg het achterna gebracht. In buurten als deze woonden mensen die zich bij een aanval op hun stad zwijgend naar de muren haastten om te helpen verdedigen en die er vervolgens door de vijandelijke musketiers en kanonniers van af werden geschoten, terwijl het garnizoen er in een goed gekozen dekking over nadacht of een moedige uitval later bij de capitulatieonderhandelingen in hun nadeel kon worden uitgelegd.

Sebastian, Vlach en Augustyn gingen een van de huizen binnen. De soldaten stelden zich voor het huis op. Wenceslas, die voorzichtig het straatje in gluurde, probeerde te bedenken hoe hij dichterbij kon komen zonder de mannen op te vallen. Hij had gehoopt dat ze allemaal het huis in zouden gaan. Geïrriteerd vertrok hij zijn mond.

'Jij woont hier niet,' piepte een stemmetje bij zijn elleboog.

Hij keek naar beneden. Een klein meisje met een schortje en een lange vlecht bekeek hem ernstig. Ze had een bundeltje stof in haar arm, waar aan het ene uiteinde gerafelde stukjes touw een wild poppenkapsel verbeeldden.

'Wat doe je hier?'

'Eh... Ik... Eh...' Een blik in het straatje leerde hem dat de soldaten zijn kant op keken. Ze leken alleen nog geïnteresseerd, niet gealarmeerd.

'Wil jij het huis kopen?'

'Eh, ja, ik wil het huis kopen.'

'Zal ik het je laten zien? Het is van mijn oom.'

'Later misschien. Ik...'

'Geeft niks hoor,' zei ze waardig. 'Ik heb toch geen andere plannen.'

Wenceslas voelde dat hij bij de hand werd genomen. Het meisje trok hem mee het straatje in en naar de eerste huizen. Het huis waarvoor de soldaten stonden, stond in het achterste deel van het straatje. Hij zag dat de mannen hun hoofd naar hem en zijn verrassende gezelschap omdraaiden en toen verveeld weer voor zich uit kijken. Verbaasd stelde hij vast dat het meisje een uitstekende dekmantel voor hem was.

'Dit is het. Mooi hè?'

Ze stonden voor een laag, onopvallend huis, dat er niet anders uitzag dan de huisjes in het Gouden Straatje, als je niet lette op de brandplekken die er op sommige voorgevels nog waren te zien en het hier en daar aangetaste pleisterwerk.

'Wil je de tuin zien?'

Wenceslas wilde alles zien wat hem uit het zicht van de soldaten hield. Het kind leidde hem naar een brandgang tussen het buurhuis en de volgende panden.

'Hier moeten we door. Ik heb geen sleutel.'

'Goed hoor,' zei Wenceslas, die net in iets zachts trapte.

De brandgang voerde naar de achterkant van de huizen. Wenceslas bleef verbaasd staan. Wat de hele rij huizen gemeenschappelijk had, waren doorlopende tuintjes, die als mini-akkertjes waren ingericht. De groene bladeren van bieten, de zachte kleedjes van haverplanten, kiemende bonenstokken en bij sommige huizen houten luiken, waarachter het kakelde, blaatte en knorde, getuigden van het feit dat de bewoners wisten hoe ze zich extra kosten op de markt van het lijf konden houden. Het terrein was ommuurd tot aan de hoek, een volmaakt paradijsje van groente en gebruiksvee. Wenceslas begon te tellen tot hij uitkwam op de achtergevel van het huis waarvoor de soldaten de wacht hielden. Inmiddels had hij begrepen dat het het huis van Augustyn moest zijn.

'Niet op de planten trappen,' zei het meisje.

Wenceslas grabbelde in zijn beurs.

'Dank je wel voor je hulp,' zei hij. 'Hier.'

'Het is geen goede daad als je ervoor wordt betaald.'

'Eh... Ja... Maar misschien wil je pop de munt wel hebben?'

Het kind dacht even na. 'Dat is goed,' zei ze toen.

'Ga nu maar gauw naar huis.' Wenceslas hurkte voor het kind en probeerde haar blik vast te houden. 'En als hier nog eens een vreemde rondloopt, spreek hem dan niet aan, maar haal je vader of je grote broer. Begrepen?'

'Maar we kennen elkaar nu toch?'

'Ik bedoel mij ook niet, maar iemand anders.'

'De mannen voor Augustyns huis zijn vreemden.'

'Die laat je netjes met rust, hoor je?' zei Wenceslas met stijgende wanhoop.

'Goed dan.'

'Tot ziens.'

Wenceslas sloop door de tuinen weg. Toen hij over zijn schouder achteromkeek, stond ze hem nog steeds peinzend na te kijken. Hij rolde met zijn ogen.

De benedenverdieping van Augustyns huis had, zoals hij al vermoedde, maar één kamer van voor naar achter. De ramen waren klein. Dik glas bewees dat de hoofdboekhouder tot de rijkere bewoners van dit straatje behoorde. De ramen stonden schuin in het kozijn, vastgezet met kleine wiggen; iemand had geprobeerd de ochtendzon in het huis te laten. Wenceslas hoorde de stemmen en kroop gebukt onder het raam. Hij haalde diep adem, toen richtte hij zich op en gluurde even de kamer in voor hij zich weer liet zakken.

Sebastian, Vlach, Augustyn en een zwangere vrouw, die Augustyns echtgenote moest zijn, twee kindertjes die het bezoek aangaapten, en een wieg waarin een baby lag te hikken en te kraaien. Wenceslas haalde diep adem. Hij geloofde dat hij niemand over het hoofd had gezien.

'Het is heel eenvoudig, mevrouw Augustyn,' hoorde hij Sebastian zeggen. 'We zoeken het actuele handelsboek van de firma.'

'Waarom zoekt u het daar niet?'

'Als het daar was, hadden we het gevonden.'

'Waarom vraagt u het mijn man niet?'

'Dat is het probleem. We hébben het hem gevraagd.'

Zonder dat hij het kon zien, wist Wenceslas dat de hoofdboekhouder en zijn vrouw een blik wisselden.

'Aha,' zei ze.

'We dachten, als u met hem praat, herinnert hij zich misschien weer waar hij het heeft neergelegd.'

'Mama,' brabbelde een van de kindertjes. 'Mama, man tinkt.'

'Wil je me eens horen brullen, snotneus?' piepte Sebastian in de hoogste octaven. Het kind begon te huilen.

'Dat is niet nodig,' hoorde Wenceslas de koele stem van Willem Vlach zeggen.

'Kom nu eindelijk op met dat boek!' snauwde Sebastian.

'Verlaat u dit huis. Onmiddellijk,' zei de hoofdboekhouder. Wenceslas had hem wel eens meegemaakt als hij had ontdekt dat de firma Khlesl & Langenfels was opgelicht; dan kwam er een helse woede over hem. Die woede leek niets in vergelijking met de ijskoude haat die nu in zijn stem klonk.

'Dat zal ik niet doen. Integendeel, ik haal de soldaten voor de deur binnen en die zullen alles op zijn kop zetten wat hier op zijn kop te zetten valt, en als er iets kapotgaat, is het niet hun schuld! En als er zware soldatenlaarzen op een kinderhandje trappen...'

'Geeft u hem het boek,' zei Vlach.

Een lange stilte trad in. Het kind dat op Sebastian was afgegaan, stond te snuffelen. Toen fluisterde Sebastian: 'Ik doe dat kind wat.'

Wenceslas hield het niet meer uit. Hij tilde zijn hoofd op en gluurde de kamer in. Augustyns vrouw hield de baby op de arm, die was gaan janken. De hoofdboekhouder had zich over de wieg gebogen en zocht iets. Er viel een dekentje uit, toen nog een, toen een soort dun matrasje. Er knisperde stro. Ten slotte haalde Augustyn er een foliant uit die Wenceslas onmiddellijk als een van de handelsboeken van de firma herkende. De wieg van de baby was nauwelijks groter. Augustyn moest vrijwel de hele bodem hebben bedekt met het boek en de rest met stro opgevuld, zodat het kind vlak lag. Hij draaide zich om en gooide het boek op de enige tafel in de kamer. Het gaf een doffe klap. Het kind huilde en spartelde nu.

Sebastians blik liet het boek niet los. Hij liep er langzaam op af, steeds dichter, met steeds uitpuilender ogen, tot de punt van zijn neus nog maar een duimbreed van de leren omslag was verwijderd. Ongelovig stak hij een hand uit, strekte twee puntige vingers, pakte het voorblad bij een hoek vast en tilde het op. Het kwam met een soppend geluid los. Er plakten een paar van de eerste bladzijden aan vast. Wenceslas zag hopeloos uitgelopen rijtjes getallen op geel verkleurd papier. Sebastian liet de omslag los en kwam overeind.

'Kleine kinderen pissen en schijten vaak,' zei de hoofdboekhouder, die Wenceslas nog nooit iets lelijkers had horen zeggen dan: 'Verdorie'.

'Ik vermoord je, rotzak,' hijgde Sebastian. Hij stevende op Augustyn af, maar Vlach kwam ertussen.

'Ga weg, Willem. Ik roep de soldaten binnen. Ik...'

'Geen reden om je handen aan vuil te maken.'

Sebastian hapte naar adem als een drenkeling. Wenceslas dook weg toen de gezette man zich omdraaide en een snel rondje door de kamer liep. 'Zorg dat dat wicht haar kop houdt!' hoorde hij hem roepen.

'Wat doe je daar?' fluisterde een stem naast Wenceslas' oor.

Hij draaide zich met een ruk om. Het meisje met de pop stond naast hem. Hij verloor zijn evenwicht en ging op de grond zitten. Ze keek hem aan als een goochelaar die een oude truc heeft vertoond.

'Ssst!'

'Dat mag niet.'

Wenceslas had een ingeving. Als er genoeg getuigen bij waren, zou Sebastian niets durven doen.

'Is je vader thuis?'

'Nee, mijn vader werkt voor de koning,' zei ze trots. 'Mijn mama is thuis, ze slaapt.'

'Maak haar wakker.'

'Dat mag ik niet. Ze slaapt omdat ik gisteren een broertje heb gekregen en mijn mama nog heel erg moe is. Dat zegt mijn tante Darja.'

'Ga je tante halen.'

'Je wilt alleen maar dat ik wegga.'

Wenceslas probeerde haar met zijn blik te dwingen. Hij had net zo goed kunnen proberen een waterspuwer bij de dom te dwingen de andere kant op te kijken.

'Rennen!' zei hij. 'De Augustyns willen graag visite.'

'Ze zijn vanmorgen al geweest en ze hebben kleertjes gebracht.'

Wenceslas hoorde Sebastians zware voetstap naar het raam komen. 'Is daar iemand buiten?' Hij perste zich ontsteld tegen de muur. Boven zich hoorde hij de houten vensterbank kraken toen Sebastian erop leunde. Het meisje wendde haar rustige blik van Wenceslas af en richtte hem naar boven, ongetwijfeld op de naar buiten kijkende Sebastian. Wenceslas sloot zijn ogen.

'Wie ben jij?' vroeg Sebastian.

'Wat klink jij raar,' zei het meisje.

'Godverdomme!' krijste Sebastian. Wenceslas hoorde dat hij zich van het raam omdraaide.

'Ik verzuip die blagen allemaal!'

Het meisje keek weer naar Wenceslas. Wenceslas legde zijn vinger op zijn lippen. Hij voelde zich week van opluchting.

'Goed!' tierde Sebastian binnen. 'Ik maak mijn handen niet vuil. Je kunt per onmiddellijk een andere baan zoeken, Augustyn. Ga maar bij de goudgravers vragen of ze nog een latrineschoonmaker nodig hebben. Als dit hier voorbij is, zorg ik ervoor dat geen koopman je nog in de buurt van zijn huis toelaat. Je bent ontslagen en je hele strontfamilie erbij.'

Wenceslas schoof zijn hoofd weer omhoog. De vrouw van de hoofdboekhouder stond bij de tafel en deed het kind een schone luier om. Een poeplucht waaide over naar Wenceslas. Het kind was opgehouden met huilen. Augustyn stond voor Sebastian en wendde zijn ogen niet af. Wenceslas had nooit gedacht dat de miezerige Augustyn er ooit zou kunnen uitzien als een van de heldenbeelden op de burcht, maar op dit moment was dat zo. Als deze hele geschiedenis goed zou aflopen, wist hij dat de firma een nieuwe naam zou krijgen: Khlesl & Langenfels & Augustyn.

Hij voelde dat er aan zijn mouw werd getrokken.

'Ik zie niets,' fluisterde het meisje.

'Wat doe jij nou nog steeds...' Hij hield zijn mond. Berustend tilde hij haar op zijn knie. Ze gluurde met dezelfde voorzichtigheid de kamer in als hijzelf, de perfecte spionne.

'Vaarwel allemaal,' gromde Sebastian.

'Wacht u even,' zei Augustyns vrouw. 'Wacht u even.'

Wenceslas zag vol ongeloof dat ze voor Sebastian het hoofd boog. Ze vouwde haar handen en hief ze langzaam in een biddend gebaar op. Sebastian keek naar haar met een gezichtsuitdrukking die van verbazing omsloeg in spot.

'Probeer het op je knieën, dan ben ik misschien genadig,' begon Sebastian.

'Ik probeer het hiermee,' zei ze en ze duwde een volle luier in zijn gezicht.

Wenceslas haalde nog net de brandgang, met het meisje in zijn armen en zijn hand op haar mond. Toen hield hij het niet meer, haalde de hand van haar gezicht en begon te lachen als een idioot. Het meisje giechelde en riep er steeds tussendoor: 'Bah! Jakkes! Bah! Jakkes!' Uiteindelijk ebde de aanval weg. Wenceslas veegde de tranen van het lachen uit zijn ogen en keek het meisje aan. Een vergissing, het volgende moment schaterden ze het weer uit. Zijn persoonlijke beschermengel moest zich er op het laatste moment mee hebben bemoeid. Wenceslas werd weer nuchter toen Willem Vlach vlak langs de uitgang van de brandgang voorbijstormde, Sebastian aan zijn mouw meetrekkend, Sebastian, die jankte en spuwde en piepte en waarschijnlijk in half Praag was te horen, waar men zich afvroeg of er op de Kleine Zijde vandaag varkens werden geslacht. De soldaten draafden achter hen aan. Wenceslas ving even een blik op van twee rood aangelopen gezichten die straks van het ingehouden lachen zouden exploderen.

'Kun je iets voor me doen?' vroeg hij aan het meisje.

'Nee,' zei ze koket.

'Kan je pop iets voor me doen?'

Na enige aarzeling knikte de woordvoerster van de pop.

'Ga naar de Augustyns en zeg tegen ze dat ze zich geen zorgen moeten maken. Doe ze de groeten van... Wortel.' Hij bloosde.

'Ben jij Wortel?'

'Vroeger was ik Wortel. Adam Augustyn zal weten waar het vandaan komt en dat het geen truc is.'

'Je bent nog steeds Wortel. Je haren zijn rood.'

'Kun je dat doen?'

'Ik niet,' zei ze ernstig. 'Maar mijn pop wel.'

'Wat ben ik je pop schuldig?'

'Ze zegt dat ze het voor jou voor niets doet.'

Wenceslas maakte een buiging. Toen stak hij haar zijn hand toe. 'Tot ziens,' zei hij. Toen ze de hoek om ging, had hij het gevoel dat hij voor het eerst in weken iets goed had gedaan.

17

Halverwege op weg naar de brug kwamen de beide soldaten hem tegemoet. Ze waren alleen en sloegen elkaar op de schouders van het lachen. Wenceslas deed een stap opzij, maar ze letten helemaal niet op hem. Hij keek hen na. Vlach en Sebastian konden nog niet terug op de zaak zijn. Waarom hadden ze de twee soldaten weggestuurd? En waar waren ze heen? Hij kon ze nu toch nog niet kwijt zijn! Wenceslas vervolgde zijn weg, nu op een holletje.

De brug beschreef een stijgende boog vanaf het niveau van de straten op de oever en spande zich over de rivier. Waar de steunmuren omhooggingen als de wal van een kasteel, was allerlei rommel aangespoeld en lag hemeltergend te stinken: drijfhout dat de vissers bij hoogwater uit de Moldau hadden gehaald, onder de rottende algen, schimmelend stro en gegarneerd met een slijklaag, vissenkoppen waar zelfs de ratten geen trek in hadden, slordig bijeengeveegd hooi dat de paarden van de trekschuit hadden laten liggen. Willem Vlach stond aan de oever naar Sebastian te kijken, die op zijn knieën lag en driftig zijn gezicht afwaste. Wenceslas hoopte dat hij genoeg van het vervuilde water langs de oever binnen zou krijgen om dood neer te vallen, maar dat plezier deed de Weense koopman hem niet. Snuivend en proestend kwam hij overeind en droogde zijn gezicht met zijn mouw af.

Er was geen andere mogelijkheid om bij hen in de buurt te komen dan op de leuning van de brug te gaan zitten. Beneden bij de vuilnishopen zou hij onmiddellijk opvallen. Hij keek naar een bedelaar die er al zat, in elkaar gezakt, snurkend en om het hardst stinkend met de lucht van het afval twee manslengten verderop. Wenceslas ging zonder omhaal naast hem zitten. Het geluid kwam goed over, hoewel de mannen die hij het liefst op hun hoofd zou spugen, niet zo hard praatten.

'Ik maak ze allemaal af, die slet en die rotkinderen van haar eerst,' knarste Sebastian.

'Kalmeer. De aanklacht staat nu op losse schroeven, of niet soms?'

'De koninklijke stadhouder vermoordt me. Ik dacht dat het niet zo moeilijk meer moest zijn om de papieren voor te leggen die aantonen dat Andrej en Cyprian de Moravische handel moedwillig en met de bedoeling de kroon te benadelen, kapot hebben gemaakt, maar...'

'...nu hebt u alleen een paar brieven van mij waarin ik klaag over Andrejs koppigheid.'

'U had zich best een beetje duidelijker kunnen uitdrukken.'

'O, neem me niet kwalijk, maar ik kon niet weten dat u Khlesl & Langenfels er ooit aan zou willen ophangen.'

'Laten we geen ruziemaken. Sternberg heeft ervaring met de handel, hij heeft meteen gezien dat ik hem met die oude handelsboeken alleen maar aan het lijntje heb gehouden. Hij eist hardere bewijzen. Het lijkt erop dat de rechter net als heel wat andere burgers met de Staten sympathiseert en een hekel heeft aan de koning, vooral nu er wordt gezegd dat graaf Von Thurn en de andere heren nadenken over een directorium waarin ook iemand die niet van adel is kan worden gekozen. De enige voorwaarde is het protestantse geloof.'

'En overlopen kun je tegenwoordig snel.'

'Vooral in Bohemen, waar op elke katholiek twee protestanten zijn.'

'De rechter zou de koning en de contrareformatie graag een loer draaien. Een betere aanbeveling voor de edele heren kun je haast niet wensen.'

'Er is nog een mogelijkheid,' zei Sebastian na een tijdje en op zo'n gedempte toon dat Wenceslas zijn oren spitste.

'Laat horen.'

'Ik heb de inschrijvingen in de boeken gezien waar de hele zaak op is gebaseerd. Ik heb zelfs documenten ontdekt die duidelijk aantonen dat de handel uit en naar Moravië bleef doorgaan, maar stiekem en zonder de vereiste tolrechten af te dragen. Ik heb documenten gelezen waarin staat dat de betrekkingen tussen u en Khlesl & Langenfels met opzet zijn verstoord, zodat de firma zaken kan doen met net zulke onbetrouwbare partners als Cyprian en Andrej.'

'Het rare is dat ik zulke documenten nooit heb gezien.'

'U hebt die documenten ook gezien en u kunt getuigen dat dit erin staat. Maar die verdomde hoofdboekhouder heeft ze laten verdwijnen. Daarmee hebben we Augustyn ook bij de strot.'

De bedelaar naast Wenceslas kromp plotseling ineen, smakte en snurkte en viel toen langzaam om. Het volgende moment leunde hij tegen Wenceslas' schouder. Wenceslas herinnerde zich een verhaal van zijn vader, waarin hij de hygiënische toestand van keizer Rudolf had beschreven, als deze in een van zijn diepe depressies was weggezakt. De keizer kon niet veel erger hebben gestonken dan deze makker hier. De bedelaar opende zijn mond, haalde snurkend adem en blies die vervolgens Wenceslas in het gezicht. Lucht van deze kwaliteit moest in staat zijn om steen aan te tasten. Wenceslas week opzij. De bedelaar bewoog en verborg zijn hoofd nog dieper tegen Wenceslas' schouder. Even had Wenceslas een beetje begrip voor Sebastian, die de volle luier in zijn gezicht had gekregen. Maar toen vergat hij dat iemand zich tegen hem aan drukte die wat geur betreft een riool op twee benen was. Wat zei Sebastian?

'Wat zei u?' snauwde Vlach.

'Ik heb ze toch ook niet gezien,' herhaalde Sebastian. 'Ik bedoel alleen dat we moeten verklaren dat ze bestaan.'

'Ze zullen ons op de Bijbel laten zweren. Wat u van mij verwacht is meineed.'

'Als we het allebei verklaren, komt het nooit uit. Niemand zal de Khlesls of Langenfels geloven en Augustyn zeker niet. En ze kunnen het tegenbewijs niet leveren, omdat dat kind van Augustyn het handelsboek onleesbaar heeft gepist. Hèhèhè!'

'Meineedplegers wordt de tong uitgesneden of de hand waarmee ze hebben gezworen afgehakt.'

'Willem, waar bent u bang voor? Het zal nooit uitkomen!'

'Denkt u niet aan het achtste gebod des Heren?'

'Ik denk aan het eerste gebod van de handel, dat zegt: als gij voordeel boven uw concurrenten nodig hebt, bezorg het u dan.'

In Wenceslas' oren dreunde het alsof alle kerkklokken van Praag brand luidden. Hij was verdoofd. Sebastian had de laatste weken, waarin de hele familie vanwege Cyprians dood volkomen verstard was geweest, gebruikt om zijn worstvingers om hun toekomst te leggen en nu kneep hij ze genadeloos dicht. Wat moest hij doen? Wat kon hij doen? De zitting binnen vallen en 'Meineed!' roepen? Wie zou hem geloven? Maar toen bleven zijn paniekerig rondtollende gedachten bij dit idee hangen. Waarom niet? Hij had alleen iemand nodig die hem steunde, net zoals Sebastian een tweede man nodig had om zijn valse eed geloofwaardig te maken. Adam Augustyn! Ook al zou weinig waarde worden gehecht aan een verklaring van hem alleen, samen met Wenceslas legde hij duidelijk meer gewicht in de schaal. De getuigenissen van twee Praagse burgers tegen die van twee niet-ingezetenen en een rechter die geneigd zou zijn om het proces voor de stadhouder van de koning slecht te laten aflopen en dit op alle mogelijke manieren aan de schepenen zou laten merken. Ze hadden een kans.

Natuurlijk zou Augustyn het daarmee voor altijd in Praag kunnen vergeten. Of Sebastian zijn toekomst verwoestte of dat hij het zelf deed door voor de rechtbank als getuige op te treden en over interne dingen van de onderneming te praten, zoals juist van een hoofdboekhouder niet werd verwacht; de man stond tegen de muur, wat hij ook deed. Hij kon alleen maar hopen dat Khlesl & Langenfels tegen alle waarschijnlijkheid in het hele gedonder overleefde.

En Wenceslas' eigen toekomst als klerk aan het hof? Als hij zich tegen de belangen van de koning zou keren?

Nou en!

Hij zocht toch iets wat hem zou helpen de brug naar zijn familie te herstellen die hij had ingeslagen? Dit was het beste geschenk wat hij kon meebrengen.

Maar voor hij kon opspringen, zag hij tot zijn schrik dat Vlach en Sebastian er al aan kwamen. Ze moesten hun gesprek hebben onderbroken toen Wenceslas' oren nog suisden en klommen nu de brug op. Het was te laat om weg te rennen. Hij zat in het volle middaglicht. De twee mannen zouden met blindheid moeten zijn geslagen om hem niet meteen te herkennen. De bedelaar tegen zijn schouder smakte in zijn slaap. Er was maar één uitweg...

'Morgen,' zei Sebastian. 'De rechtszaak is al verdaagd.'

'Weet u zeker dat u het zo wilt aanpakken?'

'Ik heb vijfentwintig jaar op dit ogenblik gewacht.'

Wenceslas duwde zijn schouder naar voren en de bedelaar gleed weg. Hij lag nu als een minnaar in zijn arm. Wenceslas trok hem naar zich toe, drukte zijn stoppelige gezicht tegen het zijne, stak zijn vrije hand uit en riep jammerend: 'Een aalmoes, genadige heren, een aalmoes!' De lichaamsgeur van de bedelaar maakte dat zijn stem haast net zo samengeknepen klonk als die van Sebastian. De bedelaar was nu bijna bij bewustzijn en begon zich te verzetten. Wenceslas duwde hem met de kracht van de wanhoop van zich af.

Zoals verwacht wendden Vlach en Sebastian hun hoofd om en liepen met een boog om het stel zogenaamde bedelaars heen. Ze liepen hard. Binnen enkele ogenblikken hadden ze het midden van de brug bereikt en verdwenen in de menigte die eroverheen ging. Ze keken niet achterom.

Opgelucht liet Wenceslas de bedelaar los, die van hem wegschoof en hem stomverbaasd aankeek. Hij veegde zelfs zijn lompen af, alsof Wenceslas hem had bezoedeld. Toen viel zijn blik op Wenceslas' nog steeds bedelend uitgestoken hand. Wenceslas glimlachte verontschuldigend.

De bedelaar gaf hem een stomp. Wenceslas sloeg achterover, viel door de lucht en landde in een van de beschimmelde stapels hooi. De plof perste de lucht uit zijn longen, maar verder mankeerde hij niets. Happend naar adem keek hij omhoog naar de bedelaar.

'Mijn wijk!' riep de bedelaar en hij schudde zijn vuist. 'Mijn wijk!'

Wenceslas krabbelde op en rende terug naar Adam Augustyns huis op de Kleine Zijde. Hij had tot morgen de tijd om de hoofdboekhouder over te halen om zichzelf in Praag definitief te ruïneren.

18

Heinrich zocht op de tast langzaam zijn weg door de pikdonkere gang. Het gevaar bestond dat hij door de gaten in de vloer zou struikelen, zijn scheenbenen aan een van de ingezakte steenhopen open zou halen of zijn schedel tegen een van de omlaag hangende balken zou stoten. Zijn missie werd bemoeilijkt doordat het geluidloos moest gaan. Hij kon de zes cisterciënzerzusters die hem en de beide vrouwen in deze bouwvallige kloosterruïne in de buurt van Nemecky Brod onderdak voor de nacht hadden verleend, zelfs niet hardop vervloeken. Eigenlijk mocht hij geen enkel geluid maken.

En hij wist niet eens of Alexandra en dat verdomde oude mens op aparte bedden sliepen of dat ze vanwege de kou van de oude ruïne bij elkaar waren gekropen. Hij had geen kans als ze dicht bij elkaar lagen.

Na enige tijd namen zijn ogen het schijnsel van de talglamp waar die in de voormalige vrouwenslaapzaal van het klooster brandde. Het kroop zijn kant op. De laatste houten deuren waren allang opgestookt en als er aan het verwijderen van de draagbalken niet de dreiging kleefde dat de verrotte muren zouden instorten, waren ook die in het vuur verdwenen. Er was niets anders meer dan steen in deze reusachtige holle kies van een klooster, dat eeuwen geleden armoedig, maar hoopvol was begonnen, maar allang weer in armoede was teruggezakt. Machtsstrijd, branden en plunderingen tijdens de hussietenoorlogen hadden het verwoest, maar de cisterciënzerzusters hadden het elke keer weer opgebouwd. Een generatie geleden was de strijd tussen protestanten en katholieken echter ook hier gekomen, uit geloofsstrijd was goddeloosheid en daaruit verdorvenheid ontstaan tot het klooster meer op een bordeel leek dan op iets anders. Tegenwoordig had het zelfs die glans niet meer. Heinrich, die de geschiedenis van het klooster kende omdat het een voor de hand liggende rustplaats was op de weg tussen Praag en Brno, had zich diverse malen afgevraagd of de zes oude kraaien die hier vegeteerden, veertig jaar geleden ook hun habijt hadden opgetrokken en hun benen gespreid. Een blik op de afgetobde, verweerde gezichten had het idee van iedere prikkeling ontdaan.

Voorzichtig gluurde hij om het hoekje. Hij had de duivel aan zijn kant: tussen Alexandra en de oude vrouw lagen een paar lege matrassen. De talglamp stond tussen hen in. Heel goed. Als de geluiden toch te hard mochten worden, zou degene die naar de andere brits probeerde te kijken, het eerste moment door het licht worden verblind.

Alexandra mocht in geen geval iets merken. Als ze de volgende ochtend wakker werd en de oude vrouw lag dood op haar bed, dan moest het eruitzien alsof ze een natuurlijke dood was gestorven.

Heinrich ademde geluidloos door zijn mond. Het vooruitzicht van de moord op de oude vrouw wond hem niet op. Op een bepaalde manier was hij daar blij om. Hij moest snel te werk gaan, hij kon er niet van genieten; hij moest het hoofd koel houden. Hij schoot naar haar bed, hurkte ervoor en keek in haar gezicht. Niet dat het hem iets kon schelen als hij haar voor niets doodde, maar hij wilde weten of hij de schuine blikken die ze hem had toegeworpen toen ze dacht dat hij niet keek, juist had geïnterpreteerd.

Hij tilde zijn hand op om die op haar mond te drukken, toen ze haar ogen opende. Ze had niet geslapen. Ze knipperde niet eens met haar ogen toen ze hem naast haar bed zag. Verbaasd en met een vlaag van woede besefte hij dat hij haar had onderschat. Ze had op hem gewacht. Tegelijk wist hij dat ze niet zou schreeuwen. Ze zou liever sterven dan Alexandra in gevaar brengen.

'Weet je wie ik ben?' fluisterde hij.

'De duivel,' fluisterde ze.

Hij had haar wel eens in Pernstein gezien, als ze daar de vragen van Diana had moeten beantwoorden, telkens in de valse hoop dat ze deze keer haar zwakzinnige pleegdochter mee naar huis zou mogen nemen. Heinrich was bij haar uit de buurt gebleven, maar hij meende Diana inmiddels goed genoeg te kennen om te weten dat ze de oude vrouw op hem attent had gemaakt. Soms spon ze intriges om de intriges, en met hem, Heinrich, spelen bezorgde haar altijd plezier. Hij had vanaf het eerste moment vermoed dat Leona precies wist wie hij was. Hij had haar niet eens hoeven aankijken terwijl hij en zij voor Alexandra de volmaakte komedie opvoerden van twee mensen die elkaar voor het eerst ontmoeten. Toen Alexandra haar naam had genoemd en hij begreep dat hij op haar uitdaging moest ingaan als hij geen wantrouwen wilde wekken, wist hij dat deze scène er vroeg of laat van zou komen. Hij had tegen Alexandra gezegd dat hij wel wist hoe hij met Leona moest omgaan. Dat zou hij vandaag bewijzen en Alexandra zou nooit weten hoe hij het werkelijk had bedoeld.

Hij drukte vliegensvlug zijn hand op haar mond en neus. Haar handen schoten omhoog en klemden zich om zijn polsen, maar de droge vogelpootjes waren niet sterk genoeg om hem weg te duwen.

'Als je kon praten,' fluisterde hij, terwijl hij tegen haar uitpuilende ogen glimlachte, 'zou je nu zweren me niet te verraden. Ik kan het risico desondanks niet nemen. Ik heb Alexandra nog nodig, weet je?'

Ze begon zich op te richten. Hij ging boven op haar liggen. Met alleen zijn lichaamsgewicht kon hij haar tegenhouden. Nu voelde hij toch opwinding, maar niet zoals anders in zijn lendenen, maar in zijn hart. Diana mocht hem dit probleem hebben bezorgd met haar spelletjes, maar hij zou ook hier zegevieren. Altijd waar ze hem een stap voor was, kwam hij erachteraan. Ze kon hem niet afschudden.

De ogen van de oude vrouw rolden naar boven. Het was nog maar een kwestie van enkele ogenblikken. En het had niet meer geluid gemaakt dan de vleugelslag van een vlinder.

'Leona?' hoorde hij de slaapdronken stem van Alexandra zeggen. 'Wat is er aan de hand? Wie is... Henyk?'

Hij reageerde zonder na te denken.

'O mijn god, je bent wakker,' hijgde hij. 'Ik wilde je net... Maar ik dacht dat ik haar ook wel kon helpen. Heb je niet gehoord hoe ze kreunde? Ik kon het helemaal in de andere slaapzaal horen.'

Hij ging rechtop zitten en gaf klopjes tegen haar rimpelige gezicht. 'Lieve hemel, ik geloof dat ze...'

Alexandra stond naast hem. Ze duwde hem haastig opzij en schudde de oude vrouw bij de schouder.

'Leona! Alsjeblieft, Leona!'

Heinrich zag tevreden de onderkaak van de oude vrouw omlaag zakken. Hij drukte twee vingers tegen haar hals, en moest tot zijn grenzeloze woede vaststellen dat haar hart nog klopte.

Alexandra moest de verandering in zijn gezichtsuitdrukking hebben opgemerkt.

'Wat?'

'Ze leeft nog,' stootte hij uit. 'Goddank, ze leeft nog.' De woorden waren als vergif op zijn tong. Hij beet op de knokkels van zijn hand om te voorkomen dat hij met zijn vuisten op de bewusteloze vrouw in sloeg. Hij proefde bloed, de pijn voelde hij niet.

'Wat is er gebeurd?'

'Ik weet het niet.' Hij improviseerde tijdens het praten, maar daar was hij altijd al goed in geweest. 'Ik werd wakker van geluiden. Eerst wist ik niet wat... Maar toen begreep ik dat het gekreun was.' Hij keek in haar ogen en hoopte dat hij zijn ware gevoelens goed genoeg had verborgen. 'Ik dacht dat jij het was, dat je pijn had of een nachtmerrie. Ik ben zo snel ik kon hierheen gekomen. En toen was jij het niet, maar zij.' Hij legde zijn arm om haar schouders. 'Ik ben zo blij dat jij in orde bent. Wat haar betreft, God, dat arme mens!'

Alexandra beklopte eveneens Leona's gezicht, trok aan haar en liet haar ten slotte op de brits ernaast zakken. 'Het is net als bij ons thuis. Ze lag dagenlang zo. Mijn moeder was bang dat ze zou uitdrogen.'

'De inspanningen van de reis... We hadden haar niet mee moeten nemen.'

Zijn woorden hadden het gewenste effect. Alexandra boog haar hoofd. Het was haar idee geweest. 'Wat kunnen we voor haar doen?' Ze streek het haar uit Leona's gezicht. De adem van de oude vrouw kwam hortend en rochelend. Alexandra masseerde hulpeloos haar magere borstkas.

'We moeten haar hier laten.'

'Wat? In deze ruïne? De zusters zijn nauwelijks jonger dan zij! Hier is niets. Hoe moeten ze voor haar zorgen?'

'We laten wat geld achter.'

'Ik kan haar niet zomaar achterlaten. Wat als ze wakker wordt en niet weet waar ze is of wat er met ons is gebeurd? Ze zal doodsbang zijn.'

Alexandra trok Leona naar zich toe en legde het bovenlichaam op haar dijen. Het hoofd van de oude vrouw rolde om. Heinrich kreeg een waas voor zijn ogen van woede. Waarom had hij niet een paar ogenblikken langer kunnen toedrukken? Het had zo weinig gescheeld...

'Als we haar meenemen, is dat haar einde,' zei hij en hij voelde een kwaad lachje vanbinnen over het feit dat ze nooit zou weten hoe serieus hij dat meende. 'Laten we doorreizen naar Pernstein. Over een paar dagen kom ik hier terug om te kijken hoe het met haar gaat. Als ze in staat is om te reizen, breng ik haar naar Pernstein.' Maar ze zal niet in staat zijn om te reizen, dacht hij. Ik zal helaas met het bericht op Pernstein terugkomen dat de arme oude vrouw in het klooster is gestorven. Als hij haar en Alexandra eerst maar had gescheiden, kon ze hem niet zoveel kwaad meer doen, en als ze echt over een paar dagen was opgeknapt en hen naar Pernstein achterna reisde, zou ze daar niet bij Alexandra kunnen komen (als Alexandra dan nog in leven was; hierover waren Heinrichs plannen nog steeds vaag), maar hij had nooit onafgemaakte zaken achtergelaten, of het nu een per ongeluk aan een bloedbad ontsnapte hofdwerg betrof of een oude vrouw die abusievelijk had besloten zich tegen een hogere macht te verzetten.

'Ik zorg voor haar,' zei hij. 'Maak je geen zorgen. Laten we doorreizen. Ik ga naar de nonnen en zeg tegen hen dat ze per direct iemand hebben die verzorgd moet worden.'

Ze keek hem twijfelend aan toen hij opstond. Over haar wangen rolden tranen. Plotseling jeukten haar handen. Haar haar was in de war en viltig, haar gezicht was bleek en haar ogen hadden veel van hun glans verloren. Ze was nog steeds een schoonheid, maar het etherische, het extatische dat haar altijd eigen was geweest en dat Diana duizend keer sterker had (en verder geen enkele vrouw die hij ooit had ontmoet), was door de zorgen van de afgelopen weken en de inspanning van de overhaaste reis beschadigd. Hij zag een schram op haar wang, die er op de een of andere manier was gekomen, en rook haar kleren, die nat waren geworden, weer gedroogd en opnieuw nat geworden. Hij kon zich niet herinneren ooit een lichaamsgeur bij Diana te hebben waargenomen. Hij haalde diep adem en dwong zichzelf ertoe Alexandra zacht over haar gezicht te strelen. Plotseling leek ze gelijkenis te hebben met de schoonheid in het dure Praagse bordeel voor hij was begonnen haar dood te slaan: de zweetgeur, de rood behuilde ogen, de bleke teint. Zijn vingers jeukten. Ze vlijde haar wang in zijn handpalm.

'Het is het beste zo,' zei hij.

Ze knikte.

19

'Waarvoor sleept u eigenlijk dat boek mee?' vroeg Wenceslas.

Augustyn haalde onder het lopen zijn schouders op. 'Je kunt nooit weten.'

De hoofdboekhouder scheen de foliant schoongemaakt en gedroogd te hebben. Hij had zijn beide armen eromheen geslagen en hield het boek tegen zich aan gedrukt, alsof het iets belangrijks was en niet slechts een stel in plas en poep opgeloste inktvlekken.

Voor de trap, die langs de buitenmuur van het Nieuwe Raadhuis naar boven leidde en waar vanaf het bovenste houten bordes de gerechtelijke vonnissen werden voorgelezen, stonden een paar mensen in alle stadia van verveling. Wenceslas had verwacht dat het er meer zouden zijn. Het was niet ongewoon dat een proces twee dagen duurde, als de situatie ingewikkeld was of als een van de partijen belangrijk genoeg was en er pauzes nodig waren om te overleggen of informatie in te winnen. Wat ongewoon was, was dat er op de dag van de verwachte uitspraak maar een handjevol nieuwsgierigen was. Wenceslas was ervan uitgegaan dat de naam Khlesl bekend genoeg was in de stad om een hoop belangstelling te wekken. Toen bedacht hij dat met de arrestatie van de kardinaal de naam vooral een slechte klank had gekregen,

Augustyn en hij klommen de treden op. Een paar mensen beneden grijnsden en wezen naar hen. Het irriteerde Wenceslas. Toen kwam een van de wachtposten naar buiten en versperde hun de weg.

'Geen toegang,' zei hij verveeld.

'Rechtszittingen zijn openbaar,' zei Wenceslas. 'Laat ons erdoor.'

'Rechtszittingen zijn openbaar,' bevestigde de wachtpost. 'En ik laat jullie er niet door, jochie.'

Wenceslas, die een halve kop groter dan de wachtpost zou zijn als deze geen helm met een hoge kam en wangbeschermers had gedragen, staarde hem aan. Langzaam sijpelde het tot zijn gedachten door dat hij geen gewone stadsknecht voor zich had, die je buiten diensttijd als ambachtsman, arbeider of bakker kon tegenkomen. De man was een soldaat. Hij kende die kleuren, die waren van Ladislaus von Sternberg.

'Dat is een schande,' zei Augustyn. Hij boog zich over de borstwering en riep naar de wachtenden beneden: 'Hebben jullie het gehoord? Ze nemen ons burgers van Praag de elementairste rechten af!'

Wenceslas herkende de hoofdboekhouder niet meer. Sinds zijn botsing met Sebastian Wilfing leek hij te hebben ontdekt hoeveel plezier er aan oppositie was te beleven.

'Wind je niet op,' riepen een paar stemmen terug. 'Wat kan het je schelen? Wacht hier net als wij allemaal, dan hoor je het vonnis wel.'

'Rechtszittingen móéten openbaar zijn,' zei Wenceslas tegen de wachtpost. 'Anders is het vonnis niet geldig.'

'Voor openbaarheid is gezorgd, jongeman. De rechter heeft zijn hond bij zich. En verdwijn nu, als jullie op je voeten de trap af willen in plaats van op je achterste.'

Wenceslas en Augustyn keken elkaar met opkomende paniek aan. Wenceslas zag in de ogen van de ander de gedachte de wachtpost gewoon opzij te schuiven en met geweld tot de rechtszaal door te dringen. Hij trok hem aan zijn mouw weer mee naar beneden.

Augustyns gezicht stond somber. 'Wat een brutaliteit!' zei hij. 'Ze maken de symbolen belachelijk. Een hond!'

'Niets aan te doen,' zei een van de toeschouwers. Hij scheen ervaring met gerechtskwesties te hebben. 'Zolang er een hond binnen is, staan ze in hun recht. Daar doe je niets tegen.'

'Het is de reu van de rechter,' zei een ander. 'Die is zo groot als twee gewone honden. Met dat beest kun je openbaarheid voor een keizerskroning creëren.'

De toeschouwers bromden geamuseerd.

'Waarom neem je dat?' vroeg Augustyn.

'Jij neemt het toch ook?'

'Ik heb een idee hoe we binnen kunnen komen,' zei Wenceslas, die goed had geluisterd naar de beschrijving van de rechterlijke hond. 'Luister allemaal.'

De verveling van de kijklustigen was nog niet zo groot dat ze gehoor gaven aan zijn oproep. Ze bleven hem uitdrukkingsloos aankijken.

'Kom op!' zei Wenceslas dringend. 'Willen jullie je laten zeggen dat ik jullie het recht om erbij te zijn door een hond heb laten afnemen?'

De toeschouwers keken elkaar even aan en slenterden toen naderbij.

De wachtpost boven aan de trap keek wantrouwig naar beneden. Zijne Genade Ladislaus von Sternberg, de stadhouder van de koning, was al in de rechtszaal, nog slechter gehumeurd dan gisteren. De dikke Wener en de boerenpummel uit Brno waren ook vroeg gekomen. Ladislaus leek zich aan hen te ergeren. Uiteindelijk maakte het niet uit, want de schuld kregen altijd degenen die er het minste aan konden doen, dus in de regel hij, de wachtpost, en zijn kameraden. De stadhouder had hun commandant afgeblaft, de commandant had hun sergeant afgeblaft, en die had zich bij het ochtendappèl eveneens in niet mis te verstane bewoordingen uitgelaten over het lot van elke man die vandaag zijn plicht niet uitstekend zou vervullen. De wachtpost stond klaar om alarm te slaan als die sukkels beneden iets van plan waren.

Hij hoorde niet wat de roodharige kwajongen zei, maar een van de toehoorders zei: 'Ik heb er thuis een. Vastgebonden in de varkensstal, want anders wordt de hele buurt gek.'

'Ik ook,' zei een tweede. 'Bij mij is het de kippenstal. Helpt helemaal niks. Die geile bastaards belagen me gewoon. Vorig jaar heb ik er een met de slinger kreupel geschoten. Heeft me nog een hoop geld gekost ook.'

'Haal ze hier,' zei de roodharige.

'Waarom?'

'Wat levert het op?'

De man die met de roodharige was meegekomen, die met het dikke boek onder zijn arm: 'Een schuldbrief afgegeven door het huis Khlesl & Langenfels, voor het verlenen van diensten in nood.'

'Zeg jij en wie nog meer...?'

'Zeg ik, Adam Augustyn, de hoofdboekhouder van de firma, en Wenceslas von Langenfels, de zoon van een van de partners.'

De wachtpost knoopte de beide namen in zijn oren. Als die knapen hier herrie kwamen schoppen, konden ze nog zo ver lopen, maar de wet zou hen weten te vinden. De wachtpost hoopte dan deel van de wet te zijn en in het kader van zijn wettelijke plichten een paar schoppen te mogen uitdelen.

'Dat is een schuldbrief op een hoop paardenmest. Khlesl & Langenfels is uitgerangeerd.'

'Niet als het ons lukt om in de rechtszaal te komen.'

'Jullie kunnen kiezen: de hoop dat een schuldbrief géén hoop paardenmest waard is of de zekerheid dat jullie vanavond van woede een hoop paardenmest zullen eten omdat jullie de gelegenheid voorbij hebben laten gaan.'

De wachtpost kneep zijn ogen tot spleetjes. De roodharige kwajongen riskeerde een behoorlijk dikke lip.

'Je riskeert een behoorlijk dikke lip,' zei een van de mannen.

'Goed dan,' zei de andere. 'Wat maakt het ook uit, kom mee, Radek.'

De twee mannen verdwenen in een steeg. De wachtpost tuurde hen wantrouwig na. Toen hij zijn aandacht weer op de op het plein gebleven mensen richtte, keek hij in de ogen van de roodharige kwajongen. Die glimlachte en wuifde naar hem. Kwaad en niet wetend wat te doen wendde hij zich af, met het gevoel dat hij op een geheimzinnige manier zijn plicht begon te verzaken. Maar had hij die twee kerels achterna moeten rennen? En zijn post hier verlaten?

Zijn achterwerk jeukte. Plotseling werd hij verlegen. Hij stapte terug in de dekking van de ingang en krabde zichzelf uitvoerig. Zijn grootmoeder had altijd gezegd dat het narigheid betekende als je achterwerk jeukte.

Nee, verbeterde hij zichzelf. Er kwam narigheid als je neus jeukte.

O, verdomme, er kwam altijd narigheid!

Twee nerveuze jeukaanvallen later waren de beide mannen weer terug. Beiden hadden hun hond bij zich, die ze hadden aangelijnd. Een van de honden liep zo hard dat hij zichzelf bijna wurgde. Het gerochel was boven te horen. De andere leek heimwee te hebben naar waar hij vandaan kwam: die moest letterlijk worden meegesleurd, met nagels die over de straatstenen krasten.

De wachtpost liep naar de bovenste rand van de trap om te zien wat die ontwikkeling te betekenen had.

Augustyn en Langenfels namen de lijnen van de beide mannen over. De eerste hond trok zo hard dat de voorpoten in de lucht hingen. Er viel niet aan te twijfelen dat de richting waarin hij trok, die van de ingang van de rechtszaal was. De tweede ging met zijn kop heen en weer en snuffelde. Toen begon hij te janken en dezelfde kant op te trekken.

Augustyn en Langenfels lieten zich door de honden naar het begin van de trap trekken.

'Wat moet die onzin?' riep de wachtpost naar hen.

'We zorgen voor openbaarheid,' zei Langenfels en hij liet de lijn los. Het volgende moment deed Augustyn hetzelfde.

De twee honden stormden de trap op als twee bliksemschichten van bont. De wachtpost hield onwillekeurig zijn armen voor zijn gezicht. De beesten zouden zich boven op hem storten! Maar de dieren schoten links en rechts langs hem heen. Hij hoorde iemand 'Hier!' schreeuwen en herkende de stem van zijn kameraad in de rechtszaal. Hij draaide zich snel om om de honden achterna te rennen.

Het was te laat.

De hel brak los.

20

Zelfs de mensen die zich met hun eigen besognes over het plein voor het Nieuwe Raadhuis haastten en niet van plan waren geweest te blijven staan, stopten allemaal. Alle gezichten waren op de ingang gericht, vanwaar het lawaai naar buiten kwam als uit de beker van een bazuin, allemaal behalve de gezichten van Adam Augustyn en Wenceslas von Langenfels, die met bescheiden gebogen hoofd onder aan de trap stonden te glimlachen.

Mannenstemmen schreeuwden en vloekten, daartussendoor hoorde je het waanzinnige janken van honden die door een vreemde zaal werden gejaagd. Het krassen van de nagels over de parketvloer van de rechtszaal was niet te horen, maar de fantasie verving het ontbrekende geluid moeiteloos.

'Hou ze tegen!'

'Vang die rotbeesten!'

'Pak de lijn.'

'Waar komen die honden vandaan?'

'Hier, ik heb er een... Verdomme!'

'Pas op!'

Een kabaal alsof het halve gebouw omver werd getrokken.

'Idioot!'

'Neemt u me niet kwalijk, Uwe Genade, neemt u me niet kwalijk.'

'Zet de tafel weer rechtop, gauw! Zijne Genade krijgt geen lucht!'

'Alles in orde met Uwe Genade?'

'IDIOOT!'

'Jawel, Uwe Genade!'

Geblaf en gejank. Het geluid van een derde hond mengde zich in het geheel, een schor, dreunend geblaf. De jachthond van de rechter.

'Niet daarheen!'

Een schelle gil en een gerinkel alsof twee ridders tijdens een toernooi met elkaar in botsing kwamen. Het gerinkel ging over in een regelmatig gekraak. Je kon je voorstellen hoe de streng in het gelid tegen de wand leunende vlaggenstokken, spietsen en hellebaarden elkaar omver trokken, een voor een.

De hond van de rechter blafte weer, nu dringender.

'Af!'

'Pas op!'

'Niet schieten, in godsnaam!'

De dreunende knal van een musket en het versplinterende geluid toen een musketkogel een vuistgroot gat in een houten lambrisering maakte.

'Idioot dat je er bent! Een fractie meer naar links...'

'Ik had hem bijna geraakt...'

'Je had bijna Zijne Genade geraakt.'

Het geblaf en gejank van de beide binnengedrongen honden zwol aan tot een gillend crescendo. Het lage geblaf van de rechterlijke hond deed er met vervaarlijke bastonen een schepje bovenop. Nog meer gekraak getuigde ervan dat er nog een paar banken en tafels niet langer meer rechtop stonden, een knal en het gerinkel van scherven markeerden het einde van een glazen pot, en aangezien er niet veel glazen potten in de rechtszaal waren, was het vermoedelijk de inktpot van de klerk geweest.

'Ik laat jullie allemaal AFRANSELEN!'

'Het wordt al minder, Uwe Genade!'

Hees geblaf van de jachthond en het gedreun van een tafel die met vier poten over de grond schraapt omdat de daaraan aangelijnde hond die achter zich aan sleept.

'Af. Af, zei ik. Af, Ferdinand!'

En toen: een kort moment stilte. Hoewel het gejank van de honden doorging, hoorde opeens niemand het meer. Men zou zelfs het uitbarsten van een vulkaan als zwijgen hebben aangemerkt in de poging naar de stem van de rechter te luisteren, die stotterde: 'Eh... Zijn naam... Zo heette hij al voor...'

De beide honden met de lijnen om hun nek schoten door de ingang naar buiten. Een soldaat rende achter ze aan, probeerde een van de lijnen te pakken te krijgen, miste die en stuiterde op zijn borstpantser de trap af. De honden flitsten langs de toeschouwers het plein op.

Een van de ramen van de rechtszaal explodeerde. Scherven, brokstukken van het vensterkruis en de loden randen van de ruiten hingen in de lucht met een dikke, zwarte schaduw ertussen. Toen daalde alles op de toeschouwers neer, Ferdinand, de hond van de rechter, bevrijd van zijn tafel, landde op vier poten en schoot onmiddellijk de andere honden achterna. Hij haalde de eerste in en gooide die met wijd open kaken op de grond. De kleinste van de twee honden rolde zich op zijn rug en jankte.

Het volgende moment jankten ze allebei, gelukkig en extatisch, Ferdinands achterlichaam pompte hevig, het kwijl vloog uit zijn bek, het teefje werd door zijn stoten over de keien geduwd, maar ze gooide slechts haar kop in haar nek en huilde van geluk.

Het tweede teefje maakte rechtsomkeert en kroop naast het copulerende stel op de grond, smekend, haar achterlichaam omhoog...

In de rechtszaal viel de laatste nog overeind staande hellebaard om en veroorzaakte een kreet van pijn.

De honden neukten dat het een aard had.

'Kijk die goedkope hoer toch eens,' zei de eigenaar van de tweede teef bewonderend.

'De jongen zijn ook voor Khlesl & Langenfels,' zei de eigenaar van de eerste hond en hij spuwde op de grond.

Adam Augustyn en Wenceslas von Langenfels klommen de trap op, langs de gevallen wachtpost. Die had ogen als schoteltjes.

'Het is lente,' zei Wenceslas. 'Dan zijn de teven loops.'

'We willen graag naar binnen,' zei Adam Augustyn. 'Rechtszittingen zijn openbaar.'

21

Als er een oervorm van chaos bestond, dan was die in de rechtszaal te vinden. Het duurde tot de middag voor de ravage enigszins was opgeruimd. Niemand zei er meer iets van dat de toeschouwers, die binnendrongen alsof er gratis wijn werd geschonken, niet mochten worden toegelaten. Het symbool voor de openbaarheid zelf was er intussen met zijn speelkameraadjes vandoor gegaan. De toeschouwers met de meeste fantasie die er vanaf het begin bij waren geweest, verbeeldden zich dat ze het gelukzalige gejank nog steeds konden horen dat met regelmatige tussenpozen op telkens nieuwe plaatsen in Praag klonk.

Omdat het vonnis vandaag werd verwacht, was zowel Andrej als Agnes, die gedurende de nacht de gastvrijheid van de gevangenis had mogen genieten (ongetwijfeld door toedoen van Sebastian), naar de rechtszaal gebracht. Ze hadden binnen in het gebouw onder bewaking gestaan, terwijl op de eerste verdieping de waardigheid van de rechtbank haastig werd gerestaureerd. Wenceslas had niet bij hen kunnen komen. Hij en Adam Augustyn stonden onopvallend op de tweede rij in de zaal te wachten tot de zitting begon. Wenceslas' hart bonsde. Hij had er een zeker plezier in geschept de streek met de honden uit te halen. Maar nu hij niets anders kon doen dan wachten en hopen dat het geluk hem welgezind zou blijven, maakte het plezier plaats voor een toenemende bezorgdheid.

De wachtposten drongen de toeschouwers in het achterste deel van de rechtszaal opeen. De schepenen kwamen binnen, gevolgd door de rechter, de gerechtsdienaar en de klerk. Het geroezemoes in de zaal verstomde. Sebastian en Willem Vlach waren de volgenden; na hem kwam de koninklijke stadhouder. De klerk droeg een nieuw inktpotje, de stadhouder nieuwe kleren en een buil op zijn voorhoofd. Willem Vlachs gezicht was zo uitdrukkingsloos als altijd, maar Sebastian leek groen van opwinding. Tot slot brachten Von Sternbergs soldaten de gedaagden binnen.

Normaal gesproken werden beklaagden met een aria van gefluit, kattengemiauw en gesis verwelkomd, dat een verstandige rechter die tijdens de zitting rust in de zaal wilde hebben vanzelf liet wegebben. Maar Andrej en Agnes werden ontvangen met een zwijgen dat stiller was dan in een kerk. Agnes keek om zich heen, ontmoette Wenceslas' blik en zag de hoofdboekhouder, begreep er niets van maar knikte hen toe. Wenceslas had verwacht dat de nacht in de gevangenis haar ouder had gemaakt, maar ze zag er integendeel jonger uit dan ooit. Hij nam aan dat de woede die ze moest voelen, haar nieuwe energie gaf. Zijn vader zag er daarentegen gekneusd en moe uit. Wenceslas perste zijn lippen op elkaar. Andrej schonk hem een scheef lachje. Wenceslas hoorde de hoofdboekhouder naast zich zuchten. Zelf vroeg hij zich plotseling af hoe hij ooit tegen zijn vader had kunnen zeggen dat hij aan zijn oprechtheid twijfelde. Het schaamrood steeg naar zijn wangen en de angst voor de afloop van deze zitting werd vele malen sterker. Als de rechtbank de gedaagden voor hoogverraad veroordeelde, wachtte hun een beestachtige terechtstelling. Wenceslas begon te trillen en kon niet eens de onderzoekende blik van Adam Augustyn beantwoorden.

'Bij de eed die u de Roomse keizerlijke majesteit en onze allergenadigste heer koning Ferdinand hebt gezworen...' begon de rechter. Ergens tussen de toeschouwers vandaan kwam bij het noemen van de naam Ferdinand een goed nagedaan hondengejank. De rechter brak af en keek lange tijd zwijgend naar de menigte. '...vraag ik of deze rechtbank volgens de regels bijeen is geroepen.'

'Het is goed,' zei een van de schepenen.

De rechter bekeek de menigte weer onderzoekend. 'Of is iemand de mening toegedaan dat deze rechtbank niet in staat is recht te spreken?' vroeg hij dreigend. Plotseling balde hij zijn vuist en ramde op tafel. Het rechterszwaard maakte een sprongetje en de klerk greep haastig naar zijn inktpot. De schepenen keken elkaar verbaasd aan. 'IS IEMAND DEZE MENING TOEGEDAAN?' brulde de rechter.

'Het is goed,' antwoordden de toeschouwers alsof ze het hadden afgesproken.

De rechter liet langzaam zijn adem ontsnappen. 'Goed dan,' zei hij. Hij rilde. 'Wat is het volgende punt op de agenda?' informeerde hij vervolgens bij de klerk alsof er niets was gebeurd.

'Er ligt een verzoek van de klagende partij verder belastend materiaal in te mogen brengen.'

'Daar zou in het vooronderzoek tijd voor zijn geweest.'

'Het verzoek is gisteren ingediend. Zuiver juridisch...'

'Al goed.' De rechter maakte een afwerend gebaar. 'Laat ze maar zeggen wat ze nog op hun hart hebben.'

'Bovendien ligt er een verzoek van de gedaagde partij om ontlastend materiaal in te mogen brengen.'

'Verdraaid!' bulderde de rechter. 'Ook daarvoor zou het vooronderzoek...'

'Het verzoek is eveneens gisteren door de pleiters van de gedaagde partij ingediend.'

Wenceslas zag dat Sebastian verbaasd zijn nek uitstak.

'Willen de pleiters van de gedaagde partij zich bekendmaken?' vroeg de rechter met zijn laatste restje zelfbeheersing.

Adam Augustyn en Wenceslas kwamen naar voren. De hoofdboekhouder had nog steeds het boek in zijn armen.

Sebastians gezicht vertrok van boosheid.

'Dat is ontoelaatbaar, Edelachtbare!' riep hij.

'Wat dacht u ervan die beslissing aan mij over te laten?' vroeg de rechter.

Zelfs Sebastian deed er het zwijgen toe. De rechter wees op het boek onder Augustyns oksel.

'Zijn dat de ontlastende bewijzen?'

'Jawel, Edelachtbare.'

Wenceslas deed zijn best om geen opwinding te tonen. Wat moesten ze zeggen als de rechter de foliant wilde zien? Augustyn had een groot risico genomen; ze hadden afgesproken niet naar het onbruikbare boek te verwijzen. Maar de rechter wees alleen met zijn vinger naar de plaatsen waar ze hadden gestaan.

'U bent als tweede aan de beurt,' zei hij. 'Na de klagende partij.' Hij richtte zijn blik op de koninklijke stadhouder. 'Uwe Genade?'

'Dank u, Edelachtbare. Ik verzoek mijn adviseurs voor mij te mogen laten spreken.'

'Als hij het boek had willen zien,' fluisterde Wenceslas in Augustyns oor, 'dan hadden we gehangen. Dat was een onnodig risico.'

'Ik ben boekhouder, meneer Von Langenfels,' fluisterde Augustyn terug. 'Boekhouders nemen nooit onnodig risico.'

Sebastian Wilfing was op het verzoek van de koninklijke stadhouder voor de rechter gaan staan.

'Aan u het woord,' zei de rechter.

Sebastian ging er eens goed voor staan. Hij zweette.

'Met kwade bedoelingen,' piepte hij, 'hebben de gedaagde en hun zogenaamde pleiters alle bewijzen vernietigd die wij hadden willen inbrengen om hun verraad tegenover de kroon duidelijk te maken. Er staat geschreven dat de naam van God niet nodeloos genoemd mag worden of erop mag worden gezworen. Wel, de geraffineerdheid van de gedaagde dwingt ons vandaag afstand van dit gebod te nemen. Twee mannen hier in de zaal nemen de last op zich, Edelachtbare, twee mannen rechten hun rug om de last te dragen die gedragen moet worden om het recht te laten zegevieren.' Hij nam een diepe teug lucht en zette zijn borstkas op.

'Ik heb er geen woord van begrepen behalve dat uw bewijzen in rook zijn opgegaan,' zei de rechter genadeloos.

'Niet in rook, Edelachtbare, in kinderpis!' riep Sebastian uit. De mensen in de zaal begonnen te giechelen.

'Zo,' zei de rechter. Sebastian balde zijn vuisten.

'We hebben met eigen ogen de inschrijvingen gezien die het bedrog en daarmee het verraad aan onze allergenadigste koning Ferdinand beschrijven,' zei Sebastian. 'We zijn bereid om onze plicht te doen.'

'Je bent gek, Sebastian,' zei Agnes rustig. Sebastian keek haar woedend aan. De blik van de rechter ging tussen Sebastian en Agnes heen en weer.

'Als de gedaagde er nog één keer tussen komt, laat ik haar terug naar de toren brengen,' zei hij. 'En als de pleiter van de aanklacht niet onmiddellijk zegt waar hij eigenlijk heen wil, ontneem ik hem het woord.'

'We kunnen op de Bijbel zweren dat we het bedrog hebben gezien,' zei Sebastian uitgeput. Zelfs hij had blijkbaar geprobeerd de beslissing of hij en Vlach meineed zouden plegen op de rechter af te wentelen. Dat hij nu terugkrabbelde, maakte hem voor Wenceslas nog verachtelijker.

'Zweren,' zei de rechter. 'Op de Bijbel.'

'Jawel,' zei Sebastian.

Agnes schudde haar hoofd.

De rechter gaf de gerechtsdienaar een knikje. 'Haalt u een bijbel, dan kunnen we hier eindelijk een eind aan maken.'

Augustyn tilde de foliant omhoog die hij had gekoesterd. 'Ik verzoek om een ogenblikje, Edelachtbare,' zei hij luid. Wenceslas probeerde ontzet hem tegen te houden. Maar toen hoorde hij een andere stem, die bijna tegelijk met de hoofdboekhouder zei: 'Zo is het genoeg. Langer hoeft die vertoning niet te duren.'

'Mijn rechtszaal is geen vertoning!' riep de rechter, terwijl hij naar de menigte tuurde om te ontdekken wie had geroepen. Hij zette grote ogen op toen Willem Vlach naar voren kwam. Die keek naar Sebastian alsof hij hem voor het eerst zag.

'U zou het verdienen dat ze uw tong uitsnijden,' zei Vlach. 'Maar dat wil ik niet op mijn geweten hebben. Edelachtbare, deze man wilde mij verleiden om meineed te plegen en was zojuist bereid om er zelf een af te leggen. De aanklacht berust op niets anders dan zijn hebzucht en zijn haat tegen de gedaagden. Uw proces is een vertoning, Edelachtbare, maar daar kunt u niets aan doen.' Hij wendde zich tot Ladislaus von Sternberg, wiens gezicht steeds roder aanliep. 'En u ook niet, Uwe Genade. Alleen Sebastian Wilfing is hiervoor verantwoordelijk.'

'Dat is toch...' zei Sebastian naar adem snakkend. Hij was zo bleek als een doek geworden.

'Ik sta voor uw vragen ter beschikking, Edelachtbare,' zei Vlach. 'Ik ben Willem Vlach, zakenpartner van het huis Khlesl & Langenfels, gezant van gouverneur Albrecht von Sedlnitzky en in opdracht van rijkskanselier Zdenek von Lobkowicz naar Praag gekomen om een groot onrecht te verhinderen.' Hij maakte een buiging in de richting van Andrej en Agnes. Wenceslas had het gevoel dat hij alleen kon blijven staan doordat de mensen zich zo naar voren drongen dat er geen naald meer tussen hen op de grond zou kunnen vallen. 'Vergeeft u mij dat ik me niet aan u kenbaar heb gemaakt, maar het kon niet anders.'

22

'De rijkskanselier heeft me via de Moravische gouverneur benaderd, maar dat was niet de enige reden waarom ik heb besloten u te helpen,' zei Willem Vlach. 'Er zijn er nog twee.'

Het gesprek vond plaats onderweg van het Nieuwe Raadhuis terug naar Khlesl & Langenfels, nadat Willem Vlach Sebastians praktijken, zover ze hemzelf betroffen, tot in detail had beschreven, inclusief de intimidatiepoging tegenover de hoofdboekhouder van de firma. De rechter had de zaak voor afgedaan verklaard, en aan zijn slotrede een aanhangsel toegevoegd, waarin hij sprak over koningen en hun stadhouders en met wat er kon gebeuren als deze zuilen van de openbare orde hun eigen voordeel nastreefden in plaats van gerechtigheid. De blikken die Ladislaus von Sternberg Sebastian toewierp, lieten niet veel goeds vermoeden voor degene die deze zaak op stapel had gezet. In elk geval bezat de koninklijke stadhouder nog genoeg waardigheid om er niet ook nog op te wijzen dat Sebastian hem op een dwaalspoor had gebracht.

Er was nog een incident geweest, nadat de rechter had aangekondigd dat alle kosten van het proces inclusief de renovatie van de rechtszaal voor Sebastians rekening kwamen en nadat hij eraan had toegevoegd: 'Meineed is een zonde en een misdaad. Prijst u God dat u bent tegengehouden voor u beide kon begaan. Ik kan u helaas niet veroordelen voor een misdaad die u niét hebt gepleegd. Wat de andere gebeurtenissen betreft, de bedreiging van de familie Augustyn, het betrekken van de wacht van Zijne Genade in deze geschiedenis en uw praktijken in de firma Khlesl & Langenfels, zal blijken of deze rechtbank zich binnenkort moet bezighouden met aanklachten in deze richting tegen u.' De toon waarop hij dat zei maakte volkomen duidelijk dat hij de eerste die hem ooit weer met de naam Sebastian Wilfing of Khlesl & Langenfels confronteerde, met huid en haar zou opvreten.

Sebastian had niet begrepen dat hij meer geluk dan wijsheid had gehad. Hij was op de rechterstafel af gestormd en had een akte tevoorschijn gehaald.

'De zaak is nog niet afgelopen,' had hij gezegd. 'Hier! In deze akte staat dat ik rechtmatig aanspraak kan maken op het erfdeel van de overleden Cyprian Khlesl tegen een belastingafdracht van veertig procent ten gunste van de Boheemse kroon.'

'Ach,' zei de rechter. 'Die akte had u al voor de uitspraak in deze zaak?'

Het publiek was gaan grinniken. Sebastian keek om zich heen, plotseling onzeker. De rechter had de akte uit zijn hand geplukt.

'Ten eerste,' zei de rechter, 'kan zo'n decreet niet door de rijkskanselier zijn geschreven. Die heeft geen zeggenschap over een Praagse burger of een in Praag gevestigde onderneming. Daar zou deze rechtbank over gegaan zijn. Ten tweede weet rijkskanselier Lobkowicz dat heel goed, en daarom zou hij zo'n akte nooit ondertekenen. Dat brengt ons ten derde logischerwijs tot de constatering dat hier sprake is van een vervalsing. Ten vierde is dat een reden om aan te nemen dat u deze vervalsing hebt begaan, waarom ik u ten vijfde onmiddellijk laat arresteren. Uw proces vindt plaats als ik ten zesde mijn hond heb teruggevonden.' Er steeg een gelach op uit het publiek; de rechter had het zonder een spier te vertrekken bekeken. 'Ik hou ervan als een zaak met een half dozijn punten kan worden afgedaan.' Daarop had hij spontaan applaus gekregen.

'Een van de twee andere redenen,' zei Willem Vlach, 'is dat er achter het verzoek van de rijkskanselier een andere man zit.'

'Kardinaal Melchior,' zei Agnes spontaan.

Vlach glimlachte.

'Maakt hij het goed?'

'Dat weet ik niet. Maar hij is in de gelegenheid brieven uit de gevangenis in Innsbruck te laten smokkelen. Dan kan het niet al te slecht met hem gaan.'

'Ik dacht dat hij mijn boodschappen toch niet had gekregen,' zei Wenceslas. 'Ik hoopte dat hij zich een mogelijkheid kon verschaffen om contact met buiten te houden, maar toen ik nooit antwoord kreeg, heb ik de hoop opgegeven.'

'Heb jij naar kardinaal Melchior geschreven?' vroeg Agnes verrast.

Wenceslas haalde zijn schouders op. 'Hij moest weten wat er hier gebeurt.'

'Met alle respect, Wenceslas,' zei Vlach. 'Ook voor zo'n geraffineerde man als de kardinaal is het niet gemakkelijk om geheime briefjes uit de gevangenis te smokkelen. Wat zou een moeizaam naar buiten gesmokkelde brief aan jou hebben geholpen? Hij heeft zich tot de mensen gewend die hem een gunst zijn verschuldigd en die hem kunnen helpen iets te bewerkstelligen.'

'Zoals de rijkskanselier.'

'Precies. Zdenek von Lobkowicz heeft zich niet verzet tegen de arrestatie van de kardinaal, omdat hij zonder steun van de keizer geen enkele macht heeft over koning Ferdinand en de aartshertog van Oostenrijk, en de keizer was te zwak om de beide Habsburgers tegen te houden, maar de rijkskanselier staat aan de kant van de kardinaal.'

'Welke gunst bent u hem schuldig?' vroeg Agnes.

Vlach zuchtte. 'Uw vraag brengt me bij de tweede reden van mijn aanwezigheid.'

Ze hadden de hoek van de straat bereikt, waarachter haar huis lag. Vlach bleef staan. Toen de hele groep ook bleef staan, ging hij voor Andrej staan, nam zijn hoed af en maakte een diepe buiging. 'Ik vraag u om vergiffenis omdat ik uw weigering destijds als belediging heb opgevat. Ik vraag u om vergiffenis voor de barse brieven die ik heb geschreven. Ik vraag u om vergiffenis omdat ik uw zaken met Moravië heb belemmerd. Ik vraag u uit de grond van mijn hart om vergiffenis.'

Andrej staarde hem aan. 'Zet uw hoed weer op, Willem,' zei hij ten slotte. 'Er is niets waarvoor u mij om vergiffenis zou moeten vragen. We hebben allebei gedaan wat we dachten dat goed was.'

'Nee,' zei Vlach. 'Dat hebt u alleen gedaan. Wat ik heb gedaan, deed ik eerst uit ijdelheid en later, toen u me had afgewezen, uit gekrenkte trots. Ik wist dat het niet goed was wat ik deed.'

'Kom op, Willem, sindsdien is er heel wat water door de Moldau gestroomd.'

'Ik vraag u om vergiffenis,' zei Willem Vlach hardnekkig.

Andrej zuchtte, raakte zijn schouder aan en spoorde hem aan rechtop te gaan staan. Hij greep de hand van de koopman uit Brno.

'Het spijt me dat ik mijn eigen opvatting van gerechtigheid destijds boven uw nood heb gesteld,' zei hij. 'Als we rustig met elkaar hadden gesproken, hadden we misschien een oplossing gevonden.'

Willem Vlach knipperde verbaasd met zijn ogen. Wenceslas voelde plotseling dat zijn keel werd dichtgesnoerd. Hij wist tot welke grote gebaren zijn vader in staat was, maar getuige te zijn van zijn grootmoedigheid emotioneerde hem iedere keer weer. Hij voelde zich zo beschaamd als hij eraan dacht wat hij hem allemaal had verweten, dat hij het liefst door de grond was gezakt. Hij was blij dat niemand op hem lette.

De twee mannen schudden elkaar de hand. Daarna wist geen van beiden meer wat hij moest zeggen.

'Het is nog niet voorbij,' zei Agnes ten slotte. 'Dit proces heeft onze familie en onze firma in het middelpunt van de belangstelling geplaatst, en de afloop heeft koning Ferdinand op zijn minst geïrriteerd. Het gevaar dat hij de onderneming ruïneert door Cyprians aandeel voor zichzelf op te eisen, is groter dan ooit.'

'Ik zal meedoen met jullie plan,' zei Wenceslas. 'Jullie kunnen op me rekenen.'

Agnes en Andrej schudden tegelijk hun hoofd. Broer en zus keken elkaar aan.

'Wij hebben ook tijd gehad om erover na te denken,' zei Andrej. 'Ik had je er nooit mee mogen confronteren. Dat was niet juist.'

'We hebben overal aan gedacht, behalve aan jou,' zei Agnes.

'Het is in orde. En het is de enige mogelijkheid. Waarvoor heb je anders familie?' zei Wenceslas met een scheef glimlachje.

'Dat is nou net het punt. Je hebt familie zodat die voor je opkomt en je beschermt. Wij hebben het precies andersom aangepakt.'

'Maar...'

'De familie moet sterk genoeg zijn om het risico te dragen.'

Wenceslas haalde zijn schouders op. Hij wilde zeggen dat het hem niets kon schelen om Andrejs plan uit te voeren, maar het zou een leugen zijn geweest en het was beter om in deze kwestie, waarin al zo veel was gelogen, een keer de waarheid te zeggen. Agnes liep op hem af en sloeg zwijgend haar armen om hem heen en na een korte aarzeling sloot Andrej zich bij de omhelzing aan. Zijn tante, zijn vader; wat bijkomstigheden als geboorte of afkomst ook mochten zeggen, dit bleef het enige wat belangrijk was: ze waren zijn familie en hij was er deel van en dat was hij altijd geweest. Hij beantwoordde de omhelzing.

'Waar is Alexandra?' vroeg hij na een tijdje.

Agnes veegde de tranen van haar gezicht. 'Ze brengt Leona naar Brno. Eigenlijk heeft Sebastian haar het huis uit gejaagd. Het zou verkeerd zijn om voor je te verzwijgen dat ze reist onder begeleiding van de man van wie ze houdt.'

Wenceslas probeerde de pijn te verdringen die hij inmiddels kende.

'Ik ga haar achterna,' zei hij.

Agnes glimlachte. 'Het kan een vergeefse strijd zijn.'

'Ik zou het mezelf nooit vergeven als ik het niet op zijn minst had geprobeerd.'

Agnes boog haar hoofd. 'Wat hebben we je aangedaan?' fluisterde ze.

'Wie zegt dat ik Alexandra's liefde had kunnen winnen als mijn afkomst van begin af aan duidelijk was geweest?'

'Het is heel grootmoedig van je om dat te zeggen.'

'Het was ook niet gemakkelijk voor me.'

'Ik trakteer,' zei Agnes. 'Vandaag is het goede moment om het duurste vat wijn aan te breken. We zijn nog lang niet gered, maar we hebben al een groot deel van de weg afgelegd en dat is het waard. Meneer Vlach, meneer Augustyn, weest u alstublieft onze gasten.' Ze glimlachte tegen de hoofdboekhouder. 'Ik zal iemand naar uw familie sturen zodat uw vrouw en kinderen het feestje ook mee kunnen vieren.'

Augustyn maakte een buiging.

'Wat sleept u toch eigenlijk nog steeds met u mee?'

'Dat is het handelsboek waaruit zou moeten blijken dat de onderneming de kroon heeft bedrogen, als dat werkelijk gebeurd zou zijn, het boek dat Sebastian Wilfing zocht.'

'Helaas is het door de spijsvertering van het jongste lid van de familie Augustyn geruïneerd,' zei Wenceslas.

'Wat? Natuurlijk niet,' zei Augustyn. Hij sloeg het boek open. 'Hier, ziet u, alles is in orde. Waar zouden we zijn als een handelsboek zou worden geruïneerd?'

'Maar ik heb toch gezien...'

'Dat was een boek van de oude firma Wiegant & Wilfing. Een paar van die oude boeken hebben destijds de brand overleefd en liggen in de kelder van dit huis.' Hij bloosde een beetje. 'Toen ik ze vond, kon ik er gewoon geen afstand van doen.'

'En ik dacht dat u blufte toen u de rechter op het boek wees.'

'Ik ben boekhouder, meneer Von Langenfels, geen poqueraar.'

'Waar had u het dan verstopt? De wieg van uw dochtertje was toch de beste bergplaats die er was!'

'Daarom had ik het oude boek daar ook neergelegd. Voor het geval dat iemand me er ooit toe zou dwingen het te verraden, zou hij alleen al daarom geloven dat het echt was. Wel,' Augustyn kuchte, 'er zijn nog meer bedden in een huis, nietwaar? Mijn vrouw was dolblij toen ik het handelsboek hier vanmorgen uit onze matras haalde.'

Agnes legde haar hand op zijn schouder. 'Soms ontdek je te laat waar je echte vrienden zitten. Hebt u wel eens over een partnerschap gedacht?'

Adam Augustyn keek Agnes recht aan. 'Nee,' zei hij. 'Maar ik ben zeker bereid om het nu te doen.' Toen grijnsde hij.

23

Voor het huis stonden soldaten die de toegang versperden. Agnes keek verbaasd en vervolgens stapten zij en Andrej op de commandant af. Adam Augustyn aarzelde geen moment, maar kwam het tweetal achterna.

'Het proces is voorbij,' zei Agnes. 'Alle aanklachten zijn ongegrond gebleken. Stuurt u alstublieft een van uw mannen naar de rechtszaal, dan zal de gerechtsdienaar u bevestigen wat ik heb gezegd.'

De commandant van de soldaten keek haar uitdrukkingsloos aan. Hij en zijn mannen waren verschillend gekleed, maar goed bewapend. Ze droegen allemaal een sjerp in dezelfde kleuren om hun heupen. Agnes voelde een schok toen ze de kleuren herkende: geel-zwart, de keizerlijke kleuren van het huis Habsburg.

'In opdracht van koning Ferdinand van Bohemen en met uitdrukkelijke toestemming van Zijne Majesteit de keizer,' ratelde de soldaat, 'zijn het vermogen en het huis van de hoogverrader kardinaal Melchior Khlesl in beslag genomen. Totdat de aanklachten tegen de kardinaal zijn onderzocht, zijn ook de bezittingen van zijn familie in beslag genomen. Gaat u alstublieft weg.'

'Een deel van de firma staat op de naam Langenfels,' hoorde Agnes zichzelf zeggen.

'Gaat u alstublieft weg.'

'De keizer moest zich schamen,' fluisterde Agnes.

De soldaat greep zijn wapen steviger vast. Agnes voelde dat ze bij haar arm werd gepakt en weggetrokken. Haar zege over Sebastian was slechts de prelude van een complete nederlaag geweest. Ze voelde het bonzen in haar lichaam alsof haar hart met elke slag haat in haar bloed pompte. Ze besefte dat ze Sebastian, als hij op dit moment voor haar had gestaan en zij een wapen had bezeten, zonder aarzelen had gedood. Ze begon te beven. Ze wist precies wat het bonzen betekende. Het was het ritme van de hartslag van het kwaad.

24

Toen de weg het bos uit voerde en Alexandra Pernstein voor het eerst in zijn volle grootte zag, huiverde ze. Het avondlicht had de oude ruïne moeten vergulden, maar de zware blauwe slagschaduwen van de verdedigingswerken en erkers tekenden er vage tronies op en het onder de afbrokkelende pleisterlaag zichtbare gesteente wekte bij dit licht des te meer de indruk van open wonden. De vrijstaande burchttoren lag in de volle avondzon, maar onderaan waren de schaduwen zwart. Het zag eruit als verrotting die zich daar had genesteld en zich langzaam naar boven vrat. Alexandra had zoiets als het kasteel in Praag verwacht, een soort stad op zich, waarvan de voormalige taak als bolwerk alleen nog maar in enkele architectonische details zichtbaar was en waar iedere dag het leven bruiste alsof er een volksfeest plaatsvond. Maar Pernstein had op het eerste gezicht een leegstaande ruïne kunnen zijn. Er hadden wachters bij de buitenpoort gestaan, maar van het gebruikelijke heen-en-weergedraaf van een horde knechten die een dergelijk eigendom onderhielden, was niets te zien. Alexandra dacht aan de dorpen, die steeds stiller waren geworden naarmate ze dichter bij Pernstein waren gekomen, en aan de blikken die ze had opgemerkt en die haar en Heinrich vanuit schuilhoeken en achter op een kier geopende deuren hadden gevolgd.

Ze keek om zich heen. De burchttoren rees voor haar op als een monument van goudkleurig ijs. Ze dacht achter een van de bovenramen een gezicht te zien, maar toen waren ze er al te dicht bij om nog eens goed te kunnen kijken. Een brug leidde op duizelingwekkende hoogte van het hoofdgebouw naar de burchttoren. Ze rilde bij de gedachte dat ze eroverheen moest.

'Henyk?' Ze wilde hem vragen waar het ontvangstcomité bleef en waarom niemand hen kwam verwelkomen, maar toen sloot ze haar mond weer. Ze keek naar zijn gezicht; het was donker en broeierig. Ze had hem nog nooit zo gezien. De gedachte kwam in haar op dat het een verschrikkelijke vergissing was geweest om hier te komen en dat ze alle beproevingen die thuis in Praag op haar wachtten misschien toch had kunnen trotseren, want ze zou ze samen met haar familie het hoofd hebben geboden. Hier was ze alleen. Ze hield met haar hele hart van Heinrich, maar ze wist opeens niet zeker meer of ze hem ooit echt had gekend. Hij leek tijdens de reis hiernaartoe een ander mens te zijn geworden. Nee, ze moest de waarheid onder ogen zien: ze was hier in gezelschap van de man van haar hart en ze had zich nog nooit zo eenzaam gevoeld.

'Wat is er?'

'Niets.'

Hij keek haar onderzoekend aan en wendde zich toen af. Zijn blik kroop langs de zijkant van de burchttoren en ze merkte dat hij telkens naar het raam gleed waarachter ze het gezicht had gemeend te zien. Toen spanden zijn gelaatstrekken zich. Ze volgde zijn blik en de kou die ze al van ver had gevoeld daalde als een paal in haar lichaam. Op de brug tussen het hoofdgebouw en de burchttoren stond opeens een gestalte. Hoewel het absoluut windstil was, wapperden het lange haar en de japon van de gestalte om haar lichaam, alsof er de hele tijd slangen om haar heen krioelden. Het was een vrouw en ze was helemaal in het wit gekleed. De afstand was te groot om haar gezicht te zien en in het avondlicht liet de witte japon haar schitteren als een diamant. Alexandra wist opeens wat de Bijbel bedoelde, als er werd gezegd dat Lucifer de mooiste van alle engelen was geweest. Wit kon ook de kleur van de duivel zijn.

Ze vond haar tong pas weer terug toen ze om de burchttoren waren gelopen en de witte vrouw niet meer konden zien.

'Wie is dat?' fluisterde ze.

Heinrich haalde adem. 'Dat is Polyxena von Lobkowicz, de vrouw van de rijkskanselier. Onze gastvrouw.'

Ze had de indruk dat hij bijna een andere naam had genoemd. Ze wist niet hoe hulpeloos ze keek. Het was alsof ze haar hand naar hem had uitgestoken en de zijne met koude vingers had gegrepen: hou me vast! Zijn gezicht liet de strakke uitdrukking weer los die het op reis had gekregen, en ook als er nog een restje van over was, werd deze toch door zijn glimlach bedekt, zoals het ook het grootste deel van Alexandra's twijfels naar de achtergrond kon dringen. Onwillekeurig stak ze inderdaad haar hand naar hem uit. Hij pakte die en kneep erin.

'Wees niet bang,' zei hij. 'We zijn aangekomen.'

Ze glimlachte terug. Het kostte niet meer zoveel moeite als je het eenmaal had geprobeerd.

Toen was er toch een ontvangstcomité. De ingang van het hoofdgebouw lag achter de binnenste kasteelpoort en daar stonden een stuk of zes mannen en vrouwen te buigen. Er was een schaal schoon water waarin ze hun handen konden wassen, een kruik wijn en twee bekers die hun werden aangeboden plus een klein brood, waarvan Heinrich twee stukken afbrak en er haar een gaf. Ze stak het in haar mond en kauwde erop. Ze had geen honger. Ze keek hoe zijn witte tanden een stukje van zijn portie afbeten, maar ze zag hem niet nog een hap nemen. Toen ze haar hap eindelijk had doorgeslikt, lag deze als een stuk klei op haar maag.

Een van de meiden bracht Alexandra naar een kamer die met vloerkleden, een groot bed en enkele kisten was gemeubileerd. Het meubilair zag eruit alsof de tijd er net zo aan voorbij was gegaan als aan het kasteelcomplex zelf. Aan de muren hingen schilderijen, op de platte deksels van de kisten stonden beelden en siervoorwerpen. Ze wist niet of ze kostbaar waren, maar in de kamer met zijn sfeer uit de tijd van de grote keizers maakten ze een misplaatste indruk. Als je ze langer op je liet inwerken, voelde je jezelf ook misplaatst. Het was niet zo duidelijk, het zat hem eerder in de manier waarop de schilderijen hingen (alle portretten keken naar de deur, alsof ze die moesten bewaken) hoe de bedgordijnen het bed verborgen als een katafalk en hoe de kisten als een soort vesting waren opgesteld, wat betekende dat het voor een gast een kleine overwinning was om door de openingen in het midden van de kamer te lopen. Alexandra zette haar voet tegen een van de kisten en verschoof hem een paar centimeter. De kleuren eronder waren frisser dan op de rest van het tapijt. Ze vermoedde dat het bij de andere kisten net zo was. Wie ze er ook had neergezet, ze waren gewoon blijven staan en getuigden er zwijgend van dat de vroegere bewoner van deze kamer bang was geweest voor iets wat van buiten kwam. Om precies te zijn: niet van buiten in de betekenis van buiten het kasteel, maar van buiten de kamer. De vijand van degene die hier had gewoond, had zich ín het kasteel bevonden. Onder een van de ramen stond een schilderij met de afbeelding naar de muur. Het maakte haar angstig. Ze zette een stap in de richting om het om te keren, maar toen ging de deur open en ze bleef betrapt staan.

Er kwam een knecht binnen, die de zak neerzette die Alexandra's reisbagage was. De meid maakte hem open. Wat Alexandra in de gauwigheid aan kleren had kunnen meenemen, was in de zak gepropt en bedorven. De meid spreidde de gekreukte stoffen toch over een van de kisten uit. Toen verliet ze met een lichte buiging de kamer. Ze had eruitgezien als een boerenmeisje dat was geboend en in kleren gestoken die niet bij haar pasten. De knechten zagen er ook zo uit. In de adellijke huizen die Alexandra tot nog toe had leren kennen, was het personeel in de regel hautainer geweest dan meneer en mevrouw zelf. Hier kreeg je de indruk dat er een vloek was uitgesproken en in plaats van dat mensen in muizen waren veranderd, had een stel muizen een menselijke gedaante aangenomen en schoot over de gangen van het kasteel. De gedachte was zo beklemmend dat Alexandra blij was de meid weg te zien gaan. Ze deed een halfslachtige poging om haar kleren anders te ordenen, maar uiteindelijk liet ze haar handen zakken en keek de kamer rond. Iemand had geprobeerd hem gezellig te maken. Iemand had gefaald. Ze zuchtte.

Haar ogen vingen een schittering op. Een flauwe glimlach gleed over haar gezicht. Ze liep naar de kist toe waar de schittering vandaan kwam.

'Kijk eens aan,' mompelde ze zacht.

Op de kist stond tussen andere kostbaarheden een mechanisch speeldoosje. Het was een versierd kastje met het gebruikelijke ingewikkelde raderwerk. Erop troonde een ridder op zijn strijdros en met zijn lans in de schede. Het sleuteltje zat erin. Ze moest opeens aan het speeldoosje denken dat ze bij Wenceslas had gevonden, vroeger, de ongelooflijk en haast onvoorstelbaar lange tijd van zes jaar geleden, toen ze het nog geloofde als iemand zei dat alles goed zou komen. De gedachte aan haar neef gaf haar een verbazend felle steek, en even dacht ze dat ze de smaak van zijn kus weer proefde. Om die kwijt te raken, nam Alexandra het sleuteltje en draaide het een paar keer om.

De ridder kwam met een schokje tot leven en reed op het zoemen en klikken van het mechaniek langzaam een rondje om de deksel van het kistje. Toen hij een halve cirkel had gemaakt, klapte voor hem iets open: een draak. De ridder zoemde eropaf, het zag eruit alsof hij het monster met zijn lans doorboorde en het klapte weer terug op zijn schuilplaats. De ridder was de heilige Joris, die de draak overwon. Waarom iemand het nodig had gevonden om deze eenvoudige gebeurtenis in een mechanisch speeldoosje uit te beelden, dat vast een vermogen moest hebben gekost, begreep Alexandra niet.

Maar opeens schoot de draak weer omhoog voordat de ridder hem goed en wel was gepasseerd. Zijn opgerolde slangenlichaam strekte zich klakkend uit, hij stortte zich achterstevoren op de heilige en samen zakten ze in de diepte van het mechaniek. Een paar verlammende ogenblikken was het machientje aan het werk zonder dat er iets te zien was. Als je wilde, kon je in deze activiteit het geluid van de tanden horen die de ridder en zijn paard verscheurden. Tot slot hield het zoemen op en met de laatst overgebleven veerspanning klapte de ridder op de plaats waar zijn rondje was begonnen weer naar boven. Alexandra keek geboeid naar het kunstwerkje. Haar hart bonsde nog steeds van de onverwachtheid waarmee de heiligenlegende was omgekeerd en was omgeslagen in een ramp.

'Deze kamer was van een van mijn zusters,' zei een hese stem bij de deur. Alexandra draaide zich met een ruk om. Bijna was ze bij de aanblik van de witte gedaante teruggedeinsd. Ze haalde geschrokken adem. Het witte gezicht onder het blonde haar zag er grotesk uit; de lippen leken er een bloedige afdruk in. Maar toen zag ze hoe gelijkmatig het gezicht was en ze keek in de smaragdogen en het groteske veranderde in iets wat weliswaar nog steeds vreemd was, maar daarom des te mooier. Van het ene op het andere moment voelde Alexandra zich gewoon, vies en lelijk. 'Ik vond het toepasselijk.'

'Het is mooi,' zei Alexandra, hoewel ze het niet meende. Ze maakte een lichte buiging. 'Ik ben Alexandra Khlesl.'

De vrouw in het wit knikte. 'Onze gemeenschappelijke vriend Henyk heeft je aangekondigd.'

'Ik vind het een eer bij de vrouw van de rijkskanselier te logeren.'

Alexandra's gastvrouw leek niet naar haar geluisterd te hebben. Haar blikken dwaalden door de kamer. Alexandra vroeg zich af hoe ze op die vertrouwelijke aanspreekvorm moest reageren. Die was niet gepast, maar wie was zij om de vrouw van de machtigste ambtenaar in het rijk te zeggen wat hoorde en wat niet? Ze besloot het onderwerp te laten rusten.

'Woont uw zuster hier niet meer?'

Alexandra wachtte op het antwoord. De ogen van haar gastvrouw hadden zich versmald. Voor dit moment was Alexandra blijkbaar volkomen onbetekenend geworden. 'Ik ben hier lang niet meer geweest,' zei ze ten slotte. Alexandra had het gevoel een of andere ramp te hebben aangeroerd. Ze slikte. Het zou geheel in overeenstemming zijn met de sfeer van de kamer als er een duister geheim uit het verleden mee was verbonden.

'Mevrouw Von Lobkowicz?'

De groene ogen richtten zich op Alexandra. 'Ons geslacht is naar alle windstreken uitgewaaierd.'

'Zelf woont u ook eigenlijk in Praag en niet hier,' zei Alexandra, die zich wel voor haar hoofd kon slaan vanwege haar gevraag. Ze wilde nu heel graag alleen worden gelaten. De kamer in al zijn beklemmende uitstraling was duidelijk te prefereren boven de aanwezigheid van het levende albasten beeld met de bloedmond en de ijsogen.

'Ja,' zei haar gastvrouw. Het witte gezicht was onbewogen. 'Dat is mijn andere leven.'

'Ik heb u een of twee keer bij een processie gezien. Uit de verte. Met uw man, de rijkskanselier. U hebt mij natuurlijk niet gezien. Ik bedoel...' Alexandra constateerde dat ze was gaan kletsen. Ze schraapte haar keel en keek naar de grond. Ze voelde zich een klein meisje.

'Zijn dat je kleren?'

'Ja.'

Een blik van opzij trof haar. Ze probeerde zichzelf voor te houden dat het niet de vraag betekende wat Heinrich in haar mocht zien. Haar wangen begonnen te gloeien. 'We zijn halsoverkop vertrokken.'

'Had Henyk zoveel haast? Hij is soms zo ongeduldig.' Alexandra probeerde te geloven dat het schalks was bedoeld: twee vrouwen die praatten over een man en dat niet zonder een knipoog konden doen. Maar ze kende deze vrouw pas sinds enkele ogenblikken en dat ze zo vertrouwelijk over haar liefste sprak, bezorgde Alexandra opnieuw het gevoel dat er over haar grenzen werd gegaan. Ze wist niet wat ze moest antwoorden.

Haar gastvrouw pakte de gekreukte kleren en schoof ze achteloos op de grond. Toen opende ze de kist. Met een hoofdbeweging gebaarde ze Alexandra dichterbij te komen. De kist was tot aan de rand gevuld met kleren. Alexandra zag de schittering van opgenaaide juwelen en de vloeiende regenboogglans van dure zijde.

'Neem er een uit.'

Een japon ontvouwde zich in Alexandra's handen met het zachte ruisen van hagedissenschubben. Alexandra voelde zich alsof ze een slang omhooghield, een adembenemend mooie, maar daarom niet minder dodelijke adder. Ze hapte naar lucht en de geur van stof die te lang in een kist heeft gelegen, kwam in haar keel. De japon was oogverblindend wit, de enige kleuren waren een paar splitten waaronder de voering was te zien, en de juwelen.

Voering en juwelen waren rood: het leken open wonden en bloeddruppels op het kleed van een engel. Witte handen namen haar de japon weer af.

'Nee. Dat is geen goede. Neem deze.'

In de kist lagen een stuk of zes japonnen, allemaal keurig netjes opgeborgen, de een nog duurder dan de andere. De schoonheid was even groot als de weerzin waarmee Alexandra ze er een voor een uithaalde. Ze waren wit, bij allemaal was de enige andere kleur rood, te vinden in applicaties of opgenaaide versiersels of zichtbaar gemaakte voering. Als stof was er vooral kostbare zijde, maar die voelde zo koud aan als de huid van een draak. Er kon geen twijfel over bestaan dat deze japonnen allemaal aan Polyxena von Lobkowicz behoorden. Alexandra had het gevoel dat ze gevleid had moeten zijn, maar de manier waarop de japonnen haar werden aangeboden, leek haar te degraderen tot een tweederangs vrouw voor wie afgedragen japonnen goed genoeg waren.

'Dat is het. Trek het aan.'

Alexandra wilde protesteren, maar ze slikte de woorden in. Aarzelend keek ze om zich heen. Er was geen kamerscherm waar ze achter kon staan. Ze keek hulpeloos in de ogen van de ander. Polyxena von Lobkowicz glimlachte, draaide zich toen om en liep de kamer uit. Alexandra stond te trillen, de japon nog steeds in de hoogte houdend. De uitdrukking van de ogen, de glimlach en de aarzeling voor haar gastvrouw was weggegaan, hadden de indruk gewekt dat ze Alexandra een gedachte zond. Die gedachte luidde: ik dacht dat je het fijn zou vinden om je voor me uit te kleden. Het afschrikwekkende daaraan was dat het in de paar momenten waarin Alexandra in de smaragdgroene ogen was gevangen, bijna waar was geweest.

Vlucht, zei iets in haar.

Ze dacht aan Heinrich.

'Alexandra, je bent een dom, klein meisje,' fluisterde ze. Het klonk niet overtuigend.

De japon was bij haar boezem te wijd en bij haar heupen te krap. Alexandra was slanker dan een prinses en toch wierp de japon onflatteuze plooien. Ze voelde zich nog meer vernederd dan eerst. De stoffige geur was overal om haar heen en leek zich in haar huid te wrijven. Ze probeerde de rij haken en ogen te sluiten die langs de rug van de japon omhoogliep. Ze kon er haast niet bij. Toen voelde ze plotseling de warme, zachte aanraking van een ademtocht in haar nek, een vinger streek langs haar wervelkolom naar boven en de stem van Heinrich fluisterde haast onhoorbaar in haar oor: 'Ik help je.'

Ze leunde onwillekeurig tegen hem aan. Hij duwde haar zacht naar voren, zodat hij de oogjes dicht kon maken. Ze had het liefst willen huilen, zo opgelucht was ze dat hij er was. Ze voelde zijn lippen in haar nek en zuchtte.

'Kijk eens aan,' zei een stem bij de deur, die schor was van verrassing en woede. Alexandra's hart sloeg een slag over.

25

De avondmaaltijd verliep in een stilte die in Alexandra's oren galmde. Heinrich zat tegenover haar en staarde naar zijn eten. Alleen als ze niet naar hem keek, voelde ze zijn blik op zich gericht, maar hij keek een andere kant op zodra ze haar hoofd optilde. Haar gastvrouw prikte zwijgend stukjes van haar bord. Toezien hoe deze door de tanden achter de glanzende rode lippen werden vermalen, perfecte tanden, waarop als enige smet rode vlekken van de lippenstift waren te zien, deed Alexandra denken aan het maal van een wolf, bij wie het bloed van zijn prooi uit zijn bek drupt. Ze moest haar blik afwenden, want anders had ze geen hap door haar keel kunnen krijgen.

Ze begreep nog steeds niet wat er was gebeurd. Ze had Heinrichs adem en zijn kussen in haar nek gevoeld en de oude vertrouwde rillingen waren over haar lichaam gelopen. Hij had haar zo aangeraakt als ze had gewenst door hem te worden aangeraakt. Het was zijn stem geweest die in haar oor had gefluisterd. En toch...

En toch had Heinrich in werkelijkheid, toen ze zich geschrokken had omgedraaid, bij de deur gestaan en haar met wijd open ogen aangestaard. Ze had een witte glans uit haar ooghoeken gezien en een hand gevoeld die op haar schouder werd gelegd en haar zacht, maar genadeloos omdraaide.

'Ik ben nog niet klaar,' had Polyxena von Lobkowicz gezegd.

Alexandra had Heinrich horen weglopen. De herinnering aan de kussen in haar nek brandde als brandplekken. Ze wist niet wat ze moest zeggen, waarheen ze moest kijken. De geur van oude kleren verstikte haar bijna. Haar knieën knikten en in haar hart wist ze niet zeker of dat door schrik, schaamte of verlangen kwam. De strenge kamer met zijn sfeer van een vesting tegen de laatste, vernietigende bestorming van een onzichtbare tegenstander draaide om haar heen.

'Laat je eens bekijken,' had de stem gezegd, die even daarvoor nog als die van Heinrich had geklonken. Of had ze geloofd dat het zo was? Omdat ze het zo graag wilde?

Alexandra had in een halfblinde spiegel gekeken. Polyxena von Lobkowicz stond naast haar, een koude, alles in de schaduw stellende engel naast een verklede boerenmeid. Het wit had Alexandra's gelaatskleur ziekelijk gemaakt, de rode kleuraccentjes op de japon hadden het effect van vuil. Misschien had Alexandra's sprankelende levendigheid met de marmeren schoonheid van de vrouw naast haar kunnen wedijveren als ze een van haar staalblauwe of wijnrode japonnen had gedragen. Nu zag ze eruit als een absoluut mislukte poging om de schoonheid van een ander te kopiëren. Ze zag er belachelijk, lelijk en dik uit. Van de vrouw naast haar kwam een subtiele geur van lavendel. Zelf stonk ze.

'Perfect,' had haar gastvrouw gezegd en ze had weer geglimlacht.

De gang naar het avondmaal was als die naar een terechtstelling geweest. En nu zaten hier in de zaal van het kasteel die tweehonderd personen kon herbergen, drie personen verloren aan een tafel die als een scheepje in de luwte van vergiftigd zwijgen dreef.

'Hebt u verder geen gasten?' vroeg Alexandra op het laatst. Als ze het zwijgen niet had doorbroken, was ze gaan gillen.

'Hier leven de mensen niet erg sociaal, in tegenstelling tot Praag.'

'Ik heb een gezicht bij een raam in de burchttoren gezien.'

'Een vergissing.' IJs zou op de toonval van de gastvrouw niet smelten.

'O,' zei Alexandra, terwijl ze zich afvroeg waarom de vrouw in het wit niet eens de moeite nam om overtuigend te liegen.

'Het was een lange reis,' bromde Heinrich. 'Ik geloof dat juffrouw Khlesl net zo moe is als ik.'

Juffrouw Khlesl? Heinrich had toch gezegd dat haar gastvrouw op de hoogte was van hun liefde? Ze probeerde zijn aandacht te trekken. Zijn gezicht was donkerrood. Polyxena glimlachte haar sfinxlachje. In haar ogen leken de lichtjes van de kaarsen te dansen, maar het weerspiegelde vuur was groen en koud. Tot haar eigen verbazing bekroop Alexandra een gevoel dat haar in alle verwarring en desoriëntatie die haar hier had getroffen het meest ongepast scheen: jaloezie. Het was het laatste wat nog nodig was om zich de grootste idioot aller tijden te voelen.

Later lag ze in het bed dat klam was en nog muffer rook dan de kleren die haar waren opgedrongen. Ze had alleen haar onderjurk aan en ondanks de dekens had ze het koud. Ze tuurde in de kaarsvlam. De kaars was nieuw, de uurverdeling erop leek troostend te zeggen dat ze met behulp hiervan de nacht zou doorkomen zonder in het donker te hoeven staren, maar toen ze langer keek, leek ook dit maar een façade voor een kwaadaardig spelletje.

Alexandra wist zeker dat er nog geen drie uur was verstreken sinds ze de kaars had aangestoken en toch waren er al drie deelstreepjes weggebrand. Ze was een en al angst en boosheid, en eenzaamheid.

Ze wenste zo vurig dat er iemand bij haar was, dat haar ziel leek samen te krimpen.

Iemand?

Heinrich!

Ze dacht aan hem en aan de verandering die zich bij hem had voltrokken sinds hun aankomst. Ze wist niet wat erger was: de angst dat hij echt naar haar toe zou komen in de kamer of de ontzetting die over haar kwam als ze eraan dacht.

Hij was de man van wie ze hield!

Meer dan tien keer had ze zich al aan hem willen geven!

Waarom was ze nu dan zo bang voor hem? Hij zou haar toch niets doen waarvoor zij geen toestemming gaf. Hij zou haar geen pijn doen...

Het leek of er ijswater door haar aderen stroomde, toen ze zich plotseling realiseerde dat hij voor de deur stond. Ze vroeg zich niet af hoe ze dat kon weten. Ze wist het gewoon. De kaarsvlam danste alsof hij giechelde. Alexandra staarde naar de deurklink, die glom in de duisternis van het maar net tot de deur reikende kaarslicht. De deurklink bewoog.

26

Ze knipperde met haar ogen.

Ze geloofde hem voor de deur te horen ademhalen.

Ze hoorde zichzelf kermen.

Het was dit jammerlijke geluid, dat van iemand anders leek te komen, dat de ban verbrak.

Ze hield van Heinrich. En hij hield van haar. Als hij voor de deur stond, dan alleen omdat hij aarzelde en zich niet aan haar wilde opdringen. Maar hij kon niet weten hoe ze zijn aanwezigheid nodig had. En zolang hij bij haar in de buurt was, kon haar niets gebeuren.

Ze gooide de deken van zich af, pakte de kaars en liep snel naar de deur. Ze trok hem open.

De gang was leeg.

27

Soms vroeg Heinrich zich af of ze wel eens sliep. Hij wilde geloven dat het niet zo was.

In het donker, waarin ze zich net zo op haar gemak leek te voelen als overdag, stond ze op de brug naar de burchttoren. Hij was niet verbaasd haar hier te vinden. Hij had niet eens geprobeerd haar op een andere plaats op het kasteel te zoeken.

'Op slot?' vroeg ze zonder hem aan te kijken.

Hij had zich ook afgewend zich erover te verbazen dat ze altijd wist waar hij was geweest.

'De tijd is nog niet rijp.'

'U verbaast me steeds meer. Het lijkt alsof uw vastberadenheid is aangetast.' Ze keerde haar rug naar het ravijn en leunde tegen de borstwering. De wind zwiepte haar haren om haar gezicht.

'Was u niet degene die altijd geduld predikte?'

'Uw smaak verbaast me ook, mijn vriend.'

Hij spitste zijn oren. Voor het eerst in al die jaren hoorde hij een vage aanduiding in haar woorden dat ook zij maar een mens was. Door zijn lendenen ging een gevoel van triomf dat hij in haar aanwezigheid nog nooit had gehad. Uiterlijk onbewogen ging hij nog even door.

'U hebt haar uitgedost als een lelijke kopie van uzelf. Ik kan me niet voorstellen dat u bang was dat Alexandra's schoonheid de uwe in de schaduw zou stellen.'

'Ik kan geen schoonheid zien.'

'Nog minder kan ik me voorstellen dat u het voor mij hebt gedaan, of wel soms, liefste?'

Ze antwoordde niet. Hij ging voor haar staan. Haar haar sloeg tegen zijn wangen. Haar gezicht was een bleke, nauwelijks zichtbare vlek. De geur van lavendel omhulde hem. Hij had de volkomen idiote gedachte dat zij, als hij haar hier en nu zou nemen, geen weerstand zou bieden. Eenmaal – éénmaal! – was hij de sterkste geweest. Hij was zo opgewonden dat het schuren van zijn broek tegen zijn opgerichte lid er bijna voor zorgde dat hij in zijn broek klaarkwam. Hij wist dat zijn gezicht gloeide; hij was blij dat het donker was.

'Ik kan het me gewoon niet voorstellen,' zei hij, terwijl hij probeerde te grijnzen.

Toen er nog steeds geen antwoord kwam, ging hij zo dicht voor haar staan dat ze niet meer kon ontsnappen, boog voorover en kuste haar. Haar lippen bleven gesloten, maar hij had het gevoel dat haar onderlichaam zich een fractie van een centimeter naar het zijne drong. Hij kuste haar steviger. Toen ze haar mond nog steeds niet opende, drong hij zichzelf zo ruw tegen haar aan dat zijn eigen lippen haast werden fijngedrukt. Zijn tong ging langs haar gesloten rijen tanden. Hij duwde zijn heupen naar voren om haar zijn erectie te laten voelen en merkte dat haar lichaam nog dichter bij het zijne kwam...

De pijn was zo hevig dat hij terugdeinsde. Haar tanden lieten hem niet los. Tranen schoten in zijn ogen. Hij wilde zijn hand optillen om haar te slaan, maar toen gingen haar kaken open. Hij streek met zijn hand langs zijn mond en voelde iets warms en nats.

'U hebt me gebeten,' hijgde hij. Zijn onderlip begon te kloppen.

Ze streek het haar met haar hand uit haar gezicht. Ze had zo hard gebeten dat zijn bloed uit haar mondhoek liep. Hij staarde haar hulpeloos aan toen hij zag dat haar tong naar buiten kwam en het bloed oplikte. Zijn boosheid zakte.

'Ik heb medelijden met u,' zei ze.

'Begrijpt u het dan niet?' stamelde hij. Het bloed liep over zijn kin en zijn lip deed bij iedere beweging pijn als een gapende wond. Hij negeerde de pijn. 'Ik heb een offer voorbereid. Voor u! Alexandra is daar een deel van!'

'Waarom denkt u dat ik dat wil? Als ik haar bloed wilde, zou ik haar eigenhandig de keel doorsnijden. Als ik haar onderwerping wilde, zou ik haar in deze minuut nemen en ze zou schreeuwen van genot en geen enkele gedachte meer aan u verspillen.'

'Het gaat niet om haar. Zij is alleen maar het middel dat het doel heiligt. Ík ben het offer.'

Hij zag haar vaag een wenkbrauw optrekken. Voor ze hem kon vragen waarom hij dacht dat ze dáárin geïnteresseerd kon zijn, stak hij zijn hand op.

'U hebt me tweemaal uitgelachen bij iets wat me bittere ernst was,' zei hij. 'U hebt me tweemaal te verstaan gegeven dat u me niet gelooft. Ik zal u bewijzen dat u zich hebt vergist. En daar heb ik Alexandra voor nodig.'

Ze knikte in de richting van de burchttoren.

'Isolde was een geschenk voor u. Waarom hebt u het niet aangenomen?'

Hij glimlachte ondanks zijn mishandelde onderlip. 'Dat is een geschenk voor een knecht,' zei hij. Ze keek hem nadenkend aan. De lichamelijke opwinding was weggeëbd, maar zijn binnenste zelf vibreerde onder een spanning die hem bijna liet sidderen. Wat er ook de laatste ogenblikken mocht zijn gebeurd, hij was dichter bij haar gekomen dan ooit, dichter zelfs dan die bloedige middag in Praag.

'Wilt u me vertellen dat u kuis bent geweest sinds de laatste keer dat ik hier was?'

Hij wist dat hij het kon riskeren. 'Niet in gedachten,' zei ze. 'In gedachten heb ik samen met u de wereld in brand geneukt.'

Versmalden haar ogen even of vertrokken haar mondhoeken? Hij voelde dat hij weer stijf werd, hoewel zijn lip ondraaglijk klopte.

'Wat bent u van plan?' vroeg ze.

'Eerst moet ik iets doen wat ik tijdens de reis hierheen niet kon afmaken. Ik ben over hoogstens twee dagen terug.'

'Blijft u kuis.'

'Niet in gedachten.'

'U voelt zich te zeker,' zei ze, maar het was maar een gebaar. Deze keer was hij ervan overtuigd dat ze een kus niet had kunnen weerstaan. Hij zag er alleen van af omdat het de macht die hij zo-even over haar had verworven, een beetje verlengde.

Heinrich keerde zich om en ging terug naar zijn kamer. Hij hield niet eens in voor de deur waarachter Alexandra lag en waar hij op de heenweg lang was blijven staan, wetend dat hij, als hij naar haar toe ging, een beslissing zou nemen die hij niet kon overzien. Met een soort zevende zintuig had hij geweten dat ze zijn aanwezigheid voelde. Hij was weggegaan voor hij zwak kon worden.

Toen hij op het bed in zijn kamer lag, dacht hij weer aan de korte momenten van twijfel voor Alexandra's deur. Hij besefte dat hij zich opgelucht over haar voelde. Hij wist zeker dat Alexandra nu niets zou overkomen zolang hij weg was om Leona definitief van het leven te beroven en zo te verhinderen dat de een of ander het spoor naar Pernstein kon volgen. Zíj zou haar sparen tot hij terug was om zijn belofte in te lossen. Het ergerlijke daaraan was dat de opluchting niet die was van een man die een plan bedreigd

had gezien, maar die van een mens die beseft dat hij zich zorgen heeft gemaakt om iemand anders. Hij verdrong de gedachte en bereidde zich voor
om in de paar uur tot de ochtendschemering kracht te putten uit de slaap.

28

De dag na de zitting kwam Wenceslas in de vroege ochtendschemering de hofkanselarij binnen. Zijn maag voelde aan alsof er een hond in had geslapen, hoewel het aanbreken van het wijnvat er niet van was gekomen, evenals het hele overwinningsfeestje. Hij, Agnes en zijn vader hadden in hun huisje in het Gouden Straatje geslapen. Adam Augustyn was naar zijn familie thuis gegaan zonder troost te kunnen bieden en Willem Vlach was teruggekeerd naar zijn herberg. Nu was hij, Wenceslas, ineens degene van wie de familie afhankelijk was, door het simpele feit dat hij de enige was die een inkomen had. En ook dat was maar de vraag, want zelfs als zijn collega's zijn afwezigheid gisteren hadden verdoezeld, zou de vraag die hij vandaag wilde stellen, namelijk of hij een paar dagen vrij kon krijgen om Alexandra achterna te reizen, er waarschijnlijk toe leiden dat hij werd ontslagen. Graaf Martinitz was toch al niet zijn vriend.

De kanselarij was leeg, maar een van de lessenaars was al bedolven onder papier. Hij ging aan zijn eigen lessenaar staan en legde toen zijn voorhoofd tegen het koele hout. Hoe had hun gezamenlijke triomf binnen zo korte tijd tot as kunnen vergaan? Wat hadden ze gedaan, dat hen achter iedere hoek een nieuwe stoot onder de gordel wachtte? Was dat de rekening voor het feit dat ze vijfentwintig jaar lang met elkaar in vrede hadden mogen leven? Maar deze vrede was met zo veel verdriet en bloed gekocht, dat je van mening zou kunnen zijn dat de families Khlesl en Langenfels hun rekening voorgoed hadden voldaan. Hij vroeg zich af of Agnes en Andrej er ook zo over dachten. Vanmorgen was hij het huis uit geslopen zonder hen gesproken te hebben; hij had er het hart niet toe gehad. In hun plaats had hij het waarschijnlijk opgegeven.

En toch was hij van plan om Alexandra naar Brno te volgen, hoewel die missie even hopeloos was als elk plan van zijn vader en zijn tante om de zaak en daarmee hun toekomst terug te winnen. Hij schudde zijn hoofd en sloeg gefrustreerd met zijn vuist op de lessenaar. Het kistje met zijn schrijfspullen viel op de grond en klapte open. Kreunend bukte hij om het op te rapen. Toen hij opkeek, zag hij een van de andere klerken in de deuropening staan. Van hem was de met papier bezaaide lessenaar.

'Hè, verdorie, jij bent het maar,' zei de klerk.

'Dank je wel,' zei Wenceslas.

'Ik hoopte dat het Philip was. We hebben hem dringend nodig. Dat wil zeggen, de excellenties hebben hem nodig.'

'Waar is hij? Anders is hij toch altijd de eerste, zelfs als hij rechtstreeks uit het café hierheen moet kruipen.'

'In bed.'

'Haal hem er dan uit.'

'Het is niet zijn eigen bed.'

Wenceslas staarde hem aan. De andere klerk zuchtte. 'Ik heb al een van de knechten naar zijn stamcafé gestuurd. Daar was hij niet, en ook niet in een van zijn andere gebruikelijke kroegen.'

'Hoe kun je dan weten dat hij bij iemand in bed ligt?'

'Omdat hij me heeft verklapt dat hij een nieuwe vriendin heeft.'

'Je bedoelt dat iemand zich over hem heeft ontfermd.' Wenceslas was niet in de stemming voor milde opmerkingen over de Eerste Klerk, zeker op een dag als vandaag niet.

De andere klerk haalde zijn schouders op.

'Haal hem dan in godsnaam daar uit bed.'

De andere klerk besloot het geheim te delen. 'Het is het bed van Eliska Smiricky,' zei hij.

'Lieve hemel! De dochter van Albert Smiricky, het Statenlid?'

De andere klerk schudde zijn hoofd.

'Zijn vrouw?!'

'Zijn zuster.'

'Maar Smiricky is minstens vijftig.'

'Het is zijn jongere zuster,' zei de andere klerk.

Ze keken elkaar aan. Het was ondenkbaar in Smiricky's huis de klerk Philip Fabricius te zoeken zonder de heer des huizes en zijn zuster publiek belachelijk te maken en hun collega in de grootste problemen te brengen, om van de vijandigheid die alle protestantse Statenleden ten opzichte van de koninklijke hofhouding voelden, maar helemaal te zwijgen. Graaf Von Thurn en zijn aanhangers zouden de geschiedenis opblazen tot heel Bohemen ervan galmde. Eliska Smiricky en Philip Fabricius waren daarna voor de rest van hun leven geruïneerd.

Net zoals mijn familie is geruïneerd, dacht Wenceslas bitter. En wij hebben nog niet eens de zonde van de wellust begaan. Een ogenblik had hij zin om een van de knechten van de hofkanselarij naar Smiricky's huis te sturen, alleen om nog een familie in moeilijkheden te brengen. Het volgende moment schaamde hij zich voor die gedachte.

Uit de richting van een van de zalen klonk een gebrul: 'Fabricius!'

Wenceslas' collega rolde met zijn ogen.

'Wat doen ze daarbinnen, dat ze beslist Philip nodig hebben? Kun jij niet...?'

'Nee,' zei de andere klerk. 'Ik versta die taal haast niet.'

'Fabricius! Waar blijf je verdorie?!'

'Welke taal?'

'Er zijn een paar kerels uit een van de Duitse dorpen. Die kinkels spreken nauwelijks Boheems. En ik ken geen Duits. Philip wel. Ik hoopte dat hij al binnen was, ik hoorde het lawaai.' Hij wees naar het kistje met Wenceslas' spullen. 'Ik heb gezegd dat ik hem zou halen. Wat nu?'

'Ik ken Duits,' zei Wenceslas. 'Mijn vader is Bohemer, maar de familie van zijn zuster komt uit Wenen.'

'Hoe kan dat nou?'

'FABRICIUS!'

'Dat vertel ik je nog wel eens,' zei Wenceslas en hij greep zijn kistje. 'Ik ga kijken of ik voor hem kan inspringen.'

'En ik bedenk iets om hem onopvallend uit het bed van die oude vrijster te krijgen!'

Willem Slavata en Jaroslav graaf Martinitz stonden voor een delegatie van een zestal grijsbruin geklede mannen met kortgeschoren haar. De zaal rook naar zweet, oude kleren en dierenmest. Slavata wapperde al met een doek voor zijn gezicht. De tegenstelling had niet groter kunnen zijn. De beide rijksambtenaren droegen de allernieuwste mode, nauwe vesten met lange panden en zulke bolle pofbroeken dat het leek alsof ze wijde vrouwenrokken aanhadden. Zijden strikjes prijkten op de vestpanden, aan de linten waarmee de pofbroeken onder de knieën bij elkaar waren gebonden en op de schoenen. Martinitz had de kleur goud gekozen en een geplooide kraag tot op zijn schouders, de conservatievere Slavata droeg het Spaanse zwart en een kraag van Vlaams kant, die alleen al net zoveel kostte als de kleding van het hele dorp. De boeren droegen wat boeren al eeuwen droegen: kielen, strakke broeken en open vesten; in hun handen verfrommelden ze hun baretten of leren petten.

'De nieuwe weer,' zuchtte Martinitz toen Wenceslas binnenkwam. 'Verdwijn, knaap.'

'Waar is Philip Fabricius?' vroeg Slavata, altijd de verzoenendste van de twee stadhouders. Wenceslas had zich al vaker afgevraagd waarom de twee mannen zo nauw samenwerkten als ze zo verschillend waren. Het was nog niet voorgekomen dat een van beiden zonder de ander een opdracht had aanvaard. Vermoedelijk was hun verschil hun succesrecept: qua inborst vormden ze één evenwichtige man, maar ze dachten met de capaciteit van twee stel hersens.

'Die komt eraan,' loog Wenceslas. 'Hij brengt een boodschap van meneer Von Sternberg naar het stadsgerecht, maar hij zal zo weer terug zijn.'

'Laat Sternberg zijn eigen klerken gebruiken,' bromde Martinitz.

'Meneer Von Sternberg had haast en zei dat hij Uwe Excellentie daarmee een gunst verschuldigd was.'

Martinitz zag er al minder somber uit. De rivaliteit tussen de vaak onbedachtzame, jongere Sternberg en het koppel Slavata/Martinitz was legendarisch. Als Sternberg zich vrijwillig afhankelijk maakte van zijn tegenstanders, was dat een lichtpuntje.

'Versta je Duits?' vroeg Slavata.

'Net zo goed als Boheems.'

Met de hegemonie van de Habsburgers in Bohemen waren de laatste generaties steeds meer mensen uit het westen en zuiden van het rijk naar Bohemen gekomen, afgezien van de immigranten uit Franken, Beieren, Saksen en Oostenrijk, die sinds de grote kolonisering van vierhonderd jaar geleden in het land verbleven. Maar de nieuwe immigranten, die in oude Boheemse families trouwden of bezittingen waarvoor geen erfgenaam was, kregen toegewezen, bestonden grotendeels uit mannen als graaf Von Thurn. De graaf had pas na jaren begrepen dat men om zijn land te kunnen beheren en een rol in de politiek te spelen, ook de taal van zijn omgeving moest verstaan. Deze onbewuste arrogantie had onmerkbaar grenzen getrokken tussen de Duitse enclaves en de rest van het koninkrijk, waarvan de eerste effecten eruit bestonden dat beide partijen van mening waren dat de andere hún taal moest leren om met elkaar te kunnen praten.

'In woord en geschrift?'

'Ja, Excellentie.'

'Toch moeten we op Fabricius wachten,' bromde Martinitz.

'Nee, Ladislas kan het net zo goed,' zei Slavata en hij liet demonstratief het doekje wapperen.

Wenceslas keerde zich naar de boeren die er met gebogen hoofd bij stonden.

Martinitz knipte met zijn vingers. 'Geen rituelen meer,' waarschuwde hij.

Wenceslas schudde zijn hoofd. 'Waar gaat het over?' vroeg hij aan de boeren. Hun verzoek moest erg belangrijk zijn, want anders waren ze niet ondanks alle echte en zogenaamde taalproblemen naar de hofkanselarij doorverwezen.

'Ons dorp is overvallen,' zei een van de boeren, nadat de anderen hem met een paar stompen tot woordvoerder hadden benoemd.

'Door vogelvrijen? Dat is een zaak voor de landheer. Onder welke jurisdictie valt jullie –'

'Het waren geen vogelvrijen,' zei de man.

'Het waren soldaten,' zei een tweede.

Wenceslas zag vanuit zijn ooghoeken dat Slavata en Martinitz hun oren spitsten. Hij keerde zich naar hen toe en vertaalde wat de boeren hadden gezegd, maar ze hadden het al begrepen.

'Vraag hun of het geregelde troepen waren.'

'U denkt aan het leger dat de Staten hebben opgesteld?'

'Vraag het hun nou maar.'

De man schudde zijn hoofd. 'Nee, niet zo'n stoet met vaandels, zoals je anders gewend bent.'

'Hoe kun je dan weten dat het soldaten waren?'

'Vogelvrijen hebben geen vuurwapens.'

'En ze komen om te plunderen, niet om zich een paar dagen in te kwartieren.'

'De mannen hebben zich dus ingekwartierd?'

'Ja.'

'In een van jullie huizen?'

'Ja.'

'Vraag hem wie de baas van zijn dorp is,' zei Slavata.

'Wolf, de vorst van Dauba,' zei de boer nors. 'Maar die wilde niet naar ons luisteren. Omdat wij goede katholieken zijn.'

Slavata, Martinitz en Wenceslas keken elkaar aan. Dauba was een erkende partijgenoot van graaf Kinsky en een minder vooraanstaand lid van het Boheemse Statenbestuur.

'Je kunt niet meteen doordringen tot een vorst, je moet geduld hebben,' zei Martinitz in de reflex van een edelman die ook de slechte gewoontes van een klassengenoot als privileges beschermde, omdat het ook zijn eigen privileges konden zijn, zelfs als de betreffende edelman tot het vijandelijke kamp behoorde.

'We hebben wekenlang geprobeerd hem te spreken te krijgen.'

'Het maakt niet uit of het vogelvrijen of soldaten waren,' zei Slavata peinzend. 'Als goed landheer had Dauba iets moeten doen, zelfs als protestant. Dat hij het niet heeft gedaan...'

'...zou erop kunnen wijzen dat het plunderaars uit het protestantse leger betreft!' vulde Martinitz aan. 'Verduiveld, dat zou het bewijs zijn dat de Staten werkelijk een leger op de been hebben gebracht.'

'En een reden voor oorlog,' zei Slavata somber. 'Landvredebreuk. Dat is de lont in het kruitvat.'

'Meneer,' zei de boer onderdanig, terwijl hij Wenceslas aankeek. 'Er zijn doden gevallen.'

'Fent Engilstettin en zijn zoon.'

'Hoe is dat gebeurd?'

'Die hebben ze gewoon doodgeschoten.'

'We zijn in oorlog,' zei Martinitz gelukzalig.

'Het klinkt alsof het plunderaars waren,' zei Wenceslas. 'Daar is geen protestants leger voor nodig. Het kunnen ook katholieke soldaten zijn geweest.'

'Vertaal liever in plaats van me de les te lezen,' snauwde Martinitz.

De woordvoerder van de boeren haalde iets uit zijn hemd; hij had het aan een veter om zijn nek gedragen. Hij hield het Martinitz voor, maar deze vouwde demonstratief zijn handen op zijn rug. Slavata wapperde het aangebodene met zijn doekje weg. Wenceslas pakte het aan. Het eerste moment wist hij niet wat het was.

'Dat is een kruitpotje,' zei Martinitz. 'Van een bandelier. Duidelijk soldatentuig.'

'We hebben het gevonden in het huis dat de soldaten hebben gevorderd.'

Wenceslas hield het in de hoogte. 'Er is iets ingegraveerd. Een wapen... Vier leeuwen die naar elkaar toe staan. De kleur is nogal verbleekt... Blauw en oranje...'

'Het huis Wallenstein,' zei Slavata meteen.

'Respect, collega,' zei Martinitz.

'Weet u nog die affaire met het smaadschrift tegen Zijne Majesteit de keizer? De oude Heinrich von Wallenstein-Dobrowitz had er opdracht toe gegeven. Daardoor ken ik het wapen nog.'

Wenceslas staarde naar het kruitpotje. Hij vroeg zich af of hij droomde. Als dat zo was, was het een nachtmerrie. Als het niet zo was, dan...

'De soldaten noemden hun commandant Henyk,' zei de tweede boer, degene die niet tot woordvoerder was benoemd, maar toch het grootste deel van het gesprek tot nu toe had gevoerd. 'Ze hadden een grote ijzeren kist bij zich...'

'Een gestolen regimentskas!' zei Martinitz.

Slavata, nog steeds half in het verleden, zei: 'Maar het hele geslacht Wallenstein is katholiek! Dan kan de theorie met het Statenleger niet kloppen.'

'...en een gewonde,' vulde de boer aan. 'We hadden verwacht dat ze hem gewoon achter zouden laten, maar toen ze eindelijk weggingen, namen ze hem mee.'

'Ongewoon,' oordeelde Martinitz.

Wenceslas slikte met een droge mond. 'Excellenties,' zei hij, terwijl hij het gevoel had dat zijn lippen gevoelloos waren. 'Excellenties, ik heb een dringend verzoek.'

'Vraag hun in welke richting die kerels zijn vertrokken!'

De boeren krompen ineen van schrik toen de deur openvloog. Philip Fabricius stond hijgend in de opening. Zijn ogen waren rooddoorlopen, zijn huid was bleek en vlekkerig. Hij kon tijdens de nacht niet veel slaap hebben gekregen. De Eerste Klerk moest zich aan het deurkozijn vasthouden. Het hardlopen leek hem geen goed te hebben gedaan. Wenceslas vermoedde dat de andere klerk hem onderweg van Smiricky's huis naar de kanselarij had aangetroffen en hem de sporen had gegeven.

'Neemt u me niet kwalijk,' hijgde Fabricius en hij wierp Wenceslas een snelle, radeloze blik toe. 'Ik ben te laat, doordat...'

'De volgende keer dat Von Sternberg iets van je wil, vraag je het eerst aan ons!' blafte Martinitz.

'Natuurlijk,' zei Philip en hij deed zijn best om er niet volledig in de war uit te zien.

'Wat was dat voor een boodschap?'

'Voor zover ik kon zien, was hij verzegeld,' zei Wenceslas, toen Philip geen antwoord gaf.

'Ja,' zei Philip. 'Hij was verzegeld.'

'Kom binnen en doe de deur achter je dicht. Er is werk.' Martinitz wuifde genadig met een hand in Wenceslas' richting. 'Je kunt gaan.'

'Excellenties, mag ik een verzoek...'

'Ik heb al gezegd dat je kunt gaan.'

'Nee, het is...'

'Fabricius, waar wacht je op?'

Goed dan, dacht Wenceslas koppig, dan vraag ik het niet, maar neem ik gewoon vrij. Ik ga niet wachten tot...

'Wat moet ik allemaal weten?' vroeg Fabricius, die plotseling voor Wenceslas stond. Zijn blik was smekend, alleen zijn stem was onaangedaan.

'Eh...'

De beide rijksambtenaren keken belangstellend naar hun klerken. Wenceslas schoot te binnen dat hij nog steeds het kruitpotje in zijn hand had.

'Hier!' riep hij in de richting van de boeren en hij gooide het met opzet zo onhandig dat ze het niet konden vangen. Martinitz en Slavata weken achteruit, toen een zestal bruingrijze gedaanten achter het enige bewijs aanjaagde dat er was voor hun aanklacht. Het kruitpotje rolde voor Slavata's voeten. Onwillekeurig bukte hij, hoewel hij er even eerder nog van griezelde.

'Ik heb gezegd dat Sternberg je met een boodschap naar het stadsgerecht heeft gestuurd,' fluisterde Wenceslas snel, terwijl hun superieuren waren afgeleid. 'Philip, ik heb beslist een paar dagen vrij nodig!'

'Ben je gek? In de situatie waarin het koninkrijk zich bevindt?!'

Buiten klonken harde stemmen en het getrappel van zware laarzen. Iemand bonsde op de deur.

'Het lijkt wel een duiventil,' bromde Martinitz.

Tot Wenceslas' verbazing drong een heel stel mannen binnen, allemaal in paardrijkleding, met laarzen en sporen aan hun benen. Binnen een seconde stond de zaal vol mensen. Slavata en Martinitz waren verstijfd.

'O, klote...' fluisterde Philip en hij trapte op Wenceslas' tenen bij zijn poging naar de achtergrond te vluchten. Ook Wenceslas had de man herkend die achter de aanvoerder van de indringers de zaal in was gestormd: Albrecht Smiricky. De man was rood aangelopen en had zijn hand op zijn rapier.

'Betrapt!' schreeuwde Smiricky en hij wees met een gehandschoende vinger naar Philip! 'Dat is die rat!'

'Mijne heren, wat heeft dat te betekenen?' riep Martinitz. 'Ik moet u toch verzoeken!'

De boeren dromden in een hoek bij elkaar. Ze waren bleek weggetrokken.

'De juiste schuilplaats voor schurken!' riep de man die als eerste door de deur was gekomen en naar een van de vensters was gelopen. 'Met uitzicht!'

Martinitz' gezicht werd zo rood als een dure Italiaanse mantel. 'Ik moet u toch verzoeken!' schreeuwde hij. 'Wat zijn dat voor manieren? Meneer de graaf, legt u het eens uit!'

De aanvoerder liep met een paar snelle stappen op Martinitz af. Hij zwaaide met zijn armen als iemand die de hele wereld wil bewijzen hoe boos hij is. Zijn gezicht was bedekt met een dikke, kortgeknipte baard en toen hij sprak, hoorde Wenceslas een sterk accent. 'Uitleg wilt u, Martinitz! Die kunt u krijgen. Niemand kan zeggen dat graaf Heinrich von Thurn niet de laatste wens van zijn vijand vervult.'

'Wat?' kraste Slavata en hij verbleekte. 'Wat moet dat betekenen?'

'U allemaal,' donderde graaf Von Thurn, 'bent het slangennest in het hart van het koninkrijk. We zijn lankmoedig geweest, zoals goede christenen betaamt, maar nu is het afgelopen. U hebt de keizer tegen ons opgehitst. U hebt hem opgestookt om ons een brief te sturen zoals je geen hond zou aandoen! U wilt oorlog? U zult aan den lijve ervaren hoe het is om naar de hel te gaan!'

'De majesteitsbrief is terecht geschreven,' riep Martinitz, maar hij was eveneens bleek geworden. 'En alles wat erin staat, berust op waarheid!'

Hij draaide zich om en tot Wenceslas' absolute verrassing probeerde hij bij de deur te komen. Hij werd onmiddellijk tegengehouden en vastgegrepen.

'Laat me los, ketters!' brulde hij. 'Help! Help! Ze vermoorden de stadhouder van de koning!'

Graaf Von Thurn gooide een raam open. 'De bloesempracht van mei!' riep hij spottend. 'We gooien hem er middenin!'

'In godsnaam,' fluisterde Slavata. Hij stond erbij als door de bliksem getroffen. De mannen sleepten de om zich heen slaande Martinitz door de zaal. De stadhouder van de koning brulde als een idioot. Het moest in het halve paleis zijn te horen, maar het was nog steeds vroeg in de ochtend en het duurde meestal tot vlak voor de middag voor het gebouw tot leven kwam.

Wenceslas kon zich evenmin verroeren. Albrecht Smiricky hoorde bij degenen die Martinitz hadden gepakt. Wenceslas voelde Philips hand, die zich in zijn schouder had geboord. De Eerste Klerk stond met open mond te kijken. Als hij had gedacht dat de indringers het alleen op hem hadden voorzien, omdat hij de ouwelijke zuster van Albrecht Smiricky had onteerd, dan wist hij nu wel beter.

Nee, dacht Wenceslas verdoofd, ze hebben het op ons allemaal voorzien.

De boeren zetten het plotseling op een lopen, een stel vluchtende lichamen, dat een paar duur geklede protestantse edelen opzij duwde en de deur bereikte voor iemand kon reageren. Ze draafden naar buiten zonder te stoppen. Willem Slavata ontwaakte uit zijn verdoving en rende erachteraan.

'Dat is het tweede galgenbrok! Gooi hem erachteraan! Die boeven horen bij elkaar.'

'Genade!' schreeuwde Slavata. 'Heren! Genade!'

Martinitz was ondanks hevig verzet naar het raam gesleept. Hij speelde het klaar een trap uit te delen. Een van zijn achtervolgers ging tegen de grond, spuwde een tand uit, sprong weer op en mengde zich nu pas goed in het gewoel rond de koninklijke stadhouder. Martinitz slaakte een kreet, toen was zijn geschreeuw plotseling afgesneden en zijn gedaante uit het raam verdwenen. De mannen rond graaf Von Thurn bogen over de vensterbank en keken hem na. Ze schreeuwden het uit van boosheid.

'Daar komt de volgende!'

Smiricky had zich omgedraaid en de beide klerken ontdekt. Zijn vinger strekte zich weer uit. 'Die daar zijn geen haar beter! Pak ze!'

'Nee, niet hier...' riep iemand bij het raam, maar de anderen hadden de voor zijn leven smekende Slavata er al heen gesleept en slingerden hem met een grote boog naar buiten.

Mannen stortten zich op Philip en Wenceslas.

'Jullie zullen we het afleren om brieven te schrijven!'

'Wegwezen, jongen,' hijgde Philip en zijn hand op Wenceslas' schouder werd een vuist die hem door de open deur duwde. Toen ging hij onder de aanvallers tegen de grond. Een ervan draaide zich om en probeerde Wenceslas te pakken te krijgen, maar Philips voet kwam uit het gewoel, liet hem struikelen en hij viel op de grond. Wenceslas struikelde over zijn eigen voeten. De man die op de grond was gevallen, krabbelde op en trok een pistool van zijn riem. Wenceslas hoorde het woedende geschreeuw van de protestanten en de stem van Philip, die vloekte als een veerman. Er vielen schoten. De man in de deur draaide zich met een ruk om en viel achterover de zaal in, in plaats van op Wenceslas te schieten.

Wenceslas stormde de kanselarij in. De andere klerk lag achter een kist op de grond met zijn handen boven zijn hoofd. Wenceslas trok hem omhoog.

'Genade!' piepte zijn collega. 'Ik heb geen brieven geschreven. Ik ben heel onbelangrijk!'

'Sla alarm!' stootte Wenceslas uit, terwijl hij hem losliet. 'Snel, sla alarm.'

De ander hield hem vast. 'Wat wil je?'

'Ze hebben Philip en de stadhouders uit het raam gegooid. Misschien hebben ze het overleefd. Laat me los, ik moet naar buiten, anders knallen ze hen nog af terwijl ze bewusteloos op de keien liggen.'

Hij stormde de gangen door en de trappen af. Het geschreeuw buiten hoorde hij al van ver. Hij gooide een zijdeur open en rende de tuin van het paleis in. Aan een menigte verderop kon hij zien waar hij moest zijn. Hij hoorde nog meer schoten en het gegil van vrouwen en mannen die plotseling hadden begrepen dat ze in gevaar waren. Hij zag lichamen op de grond vallen en voelde een schok alsof hij zelf was geraakt, maar toen zag hij dat de schijnbaar geraakte mensen alleen dekking hadden gezocht. Boven verdrongen gezichten elkaar voor het raam van de zaal waar het gebeuren zich had afgespeeld. Er hing rook van de afgevuurde pistolen in de lucht. Toen verdwenen de gezichten abrupt. Wenceslas dacht dat de mannen nu allemaal naar buiten zouden rennen om hun werk af te maken. Hij moest ervoor zorgen dat hij de drie uit het raam gegooide mannen in veiligheid kon brengen, zelfs als het alleen nog maar om hun lijken ging. Hij herinnerde zich dat Philip hem de deur uit had geduwd om hem te redden en voelde een steek. Hij sprong over dames en heren in dure gewaden heen die op handen en voeten wegkropen.

De plaats onder het raam was leeg. Een van de gebruikelijke hooistapels die op regelmatige afstanden naast de paleismuur waren opgehoopt, was aan flarden. Wenceslas pakte een van de toeschouwers, die net probeerde op te staan, bij zijn kraag en trok hem overeind. De man droeg het chique, met sjerpen en linten versierde adelskostuum en rammelde van de rapieren en dolken die in zijn gordel staken, maar daar trok Wenceslas zich niets van aan.

'Wat is er gebeurd?' schreeuwde hij tegen de man.

'De Maagd Maria,' stotterde de man. 'De Maagd Maria...'

'Waar zijn de stadhouders? Waar is Philip Fabricius?'

'De maagd Maria heeft ze gered, ze heeft ze opgevangen...'

Wenceslas staarde naar de hooistapel. Hij keek langs de muur naar boven. Die liep meteen onder het raam schuin naar buiten, een van de oude overblijfselen uit de tijd dat de muur van het paleis tevens een versterking was, waarvan de basis ver naar buiten stak om geen aanvaller dekking te geven. Hij kreeg het vermoeden dat de drie niet waren gevallen maar langs de muur omlaag gegleden. De hooistapel moest de schok extra hebben opgevangen. Dus dat was de reden voor het woedende geschreeuw en de pistoolschoten geweest. Philip, Martinitz en Slavata moesten gewoon zijn opgekrabbeld en weggerend.

'Waar zijn ze heen?'

De man in Wenceslas' greep stak een arm uit. Wenceslas zag het dak van het Lobkowiczpaleis. Als ze daar wisten te komen, waren ze in veiligheid. Hij liet de geschokte edelman los en deze viel op zijn knieën. 'Wees gegroet, Maria, vol van genade, U hebt een wonder verricht!'

Het gedreun van paardenhoeven zorgde ervoor dat hij inhield en zich opnieuw op de grond liet vallen. Wenceslas zag een stofwolk op de steile weg naar de Kleine Zijde opstuiven. De aanvallers waren uit het kasteel gevlucht. Wenceslas trapte op iets hards en tilde zijn voet op: het was het kruitpotje met het wapen van Wallenstein. Slavata moest het tot op het laatst in zijn hand hebben gehad. Wenceslas raapte het op, toen rechtte hij zijn rug en volgde de mannen en vrouwen die naar de Erepoort drongen. Zijn hart begon opeens in een wild tromgeroffel te slaan en bijna was hij door zijn knieën gezakt.

Hij was alleen aan de defenestratie ontsnapt doordat Philip Fabricius diep in zijn pafferige, aan alcohol verslaafde lijf eergevoel bezat en het Wenceslas had vergolden dat deze hem vanmorgen voor moeilijkheden had gespaard, vanmorgen, toen het nog leek alsof de ramp die zich over zijn familie had voltrokken niet groter meer kon worden.

In werkelijkheid kon de schroef nog verder worden aangedraaid.

De aanval van graaf Von Thurn en zijn gezelschap was het begin van de oorlog.

En Wenceslas was ervan overtuigd dat Alexandra op reis was in gezelschap van de man die haar vader had vermoord.

29

Hij kwam hijgend aan in hun huis in het Gouden Straatje. De hele burcht was in beroering en hij had zich tegen de stroom mensen in moeten werken die allemaal naar de plek drongen waar de Heilige Maagd hoogstpersoonlijk drie oprechte katholieken voor de dood had gespaard. Wenceslas was ervan overtuigd dat de legende nu al begon te ontstaan en dat er van Slavata's gejammer en Martinitz' vergeefse gespartel niet veel aan het nageslacht zou worden overgeleverd. Hij hoopte dat de echte dapperheid van Philip niet onder de ongetwijfeld te verwachten grootdoenerij vergeten zou worden.

Hij viel binnen. Alleen al de gedachte alles nog een keer te moeten vertellen, benam hem de adem.

'De man die Alexandra en jouw oude meid vergezelt, hoe heet die?' Het was het verkeerde moment voor beleefdheden.

Agnes keek hem verbaasd aan. Voor Wenceslas ging alles veel te langzaam.

'Wallenstein?' riep hij. 'Was zijn naam Wallenstein?'

'Ja,' zei Agnes. 'Heinrich von Wallenstein-Dobrowitz. Dat neem ik tenminste aan. Ze heeft de naam een of twee keer laten vallen, maar ik heb nooit tijd gehad om...'

Wenceslas leunde tegen de deur. 'O, mijn God,' zei hij. 'Noemt ze hem Henyk?'

'Dat weet ik niet.'

'Wat is er aan de hand?' vroeg Andrej.

Wenceslas zette het kruitpotje op tafel. Zijn handen trilden zo erg dat het omviel en over het blad rolde. Andrej ving het op en bestudeerde het met samengeknepen ogen.

'Willem Slavata zei dat het wapen dat erop staat van het huis Wallenstein is.'

Andrej haalde zijn schouders op.

'Komt dat ding je niet bekend voor?'

'Het is een kruitmaatje van een bandelier. Iedereen die een vuurwapen gebruikt heeft er een.'

'Wanneer heb je zoiets voor het laatst gezien?'

'Bij een van de soldaten die ons gisteren niet tot de zaak toelieten. Wil je ons nu eindelijk eens vertellen...?'

Wenceslas dwong zichzelf adem te blijven halen.

'Dit potje is achtergebleven in een boerendorp waar een groep mannen zich een paar dagen had ingekwartierd. Het wapen van Heinrich von Wallenstein-Dobrowitz staat erop. De mannen hebben twee boeren doodgeschoten.'

Agnes werd krijtwit. 'Bedoel je dat Alexandra... Met die mannen...?'

'Ik bedoel iets heel anders.'

'Ga zitten,' zei Andrej, maar ook zijn gezicht was bleek geworden. 'Ga zitten en denk eerst na voordat je praat.'

'Ik heb geen tijd om te denken!' riep Wenceslas. 'Vader, kan het zijn dat je de bandelier waar dit kruitmaatje van afkomstig is, hebt gezien op de dag dat oom Cyprian is vermoord?'

Andrej staarde hem aan.

'Het zit zo,' zei Wenceslas wanhopig. 'Een afvaardiging uit een boerendorp heeft zich beklaagd dat er een aantal weken geleden mannen zich in hun dorp hebben ingekwartierd en de boeren hebben geterroriseerd. De mannen hadden een zware ijzeren kist bij zich en ook een gewonde. Ze hadden dus gevochten. Graaf Martinitz denkt dat de kist een gestolen regimentskas is, maar ik dacht meteen...'

'...aan de kist die de kardinaal in de oude ruïne had verstopt.' Andrej keek met grote ogen in het niets. 'De kist waarin de Duivelsbijbel in Braunau was verborgen, was van ijzer.'

'Wil je daarmee zeggen dat Heinrich von Wallenstein-Dobrowitz bij de overval op Cyprian en Andrej was betrokken?' riep Agnes.

'Verdomd,' fluisterde Andrej. De scènes leken zich in zijn herinnering af te spelen. Zijn gezicht vertrok even. 'De aanvallers waren allemaal eenvoudig gekleed. Alleen hun aanvoerder droeg kleren als een edelman. Hij was jong. Hij was gewapend als twee officieren tegelijk. Hij droeg een bandelier, natuurlijk...!'

'Maar hoe moet dat...' zei Agnes.

Andrej pakte haar hand. 'Agnes! Als die man werkelijk Heinrich von Wallenstein-Dobrowitz was, dan is Alexandra...'

'...op reis met de man die de moordenaar van haar vader is,' vulde Wenceslas aan. 'Toen ik dat begreep, ben ik meteen hierheen gerend.'

'We moeten er meteen achteraan!' riep Agnes en ze sprong op.

'Wat wil hij van Alexandra?' vroeg Andrej.

'O, mijn God, ik weet het niet... Ik... Gaat het hem om de Duivelsbijbel? Heeft hij Alexandra meegenomen omdat ze een offer...?' Agnes viel op haar stoel en probeerde meteen weer op te staan. Op haar bovenlip vormden zich zweetdruppeltjes, ze was krijtwit.

'Waarom slaat dat ding zijn klauwen alweer naar ons uit? Ik vervloek...'

'Hebben die boeren gezegd hoeveel mannen het waren?'

'Nee, zei Wenceslas. 'Ik neem aan een stuk of tien, als ze een heel dorp konden intimideren.'

'We hebben een paar van die kerels te pakken gekregen die ons hebben overvallen,' zei Andrej. 'Ik heb niet geteld hoeveel er zijn ontkomen, maar het zou best kunnen kloppen.'

'De mannen in het dorp hadden een gewonde bij zich.'

'Ik heb de aanvoerder geraakt, Heinrich von Wallenstein-Dobrowitz, als hij het echt was.'

Agnes hield zich met beide handen aan de tafel vast. Ze ademde zwaar. 'Natuurlijk was hij het!' siste ze en ze nam het kruitpotje uit Andrejs hand. 'Hier, kijk naar dat wapen!'

Andrej schudde zijn hoofd. 'Ik heb hem alleen geschampt. De afstand was niet groot. Als ik hem echt had geraakt, had de kogel hem uit het zadel geworpen.'

'Het maakt toch niets uit...'

'Nee,' zei Andrej koppig. 'Ik ben eens een paar dagen met een oude soldaat opgetrokken. Die heeft me geleerd op zulke dingen te letten. We hebben een handjevol aanvallers onschadelijk gemaakt. Niet één is in het zadel gebleven en niet één heeft het overleefd. Toen ze wegreden, was de enige die wat je noemt gewond was de aanvoerder, en dat was te verwaarlozen.'

'Misschien is er eentje later van zijn paard gevallen en heeft iets gebroken.' Agnes trok de deur open. 'Kun je je voorstellen hoe het mij aangrijpt? Ik moet me inhouden om hem niet hardop dood te wensen, wie die kerel ook is geweest. Waar wachten jullie op?'

'Waar wil je heen?'

'We moeten hulp halen. Als de zaak bij het hof bekend is, zullen ze ook iets doen. Ik wil erbij zijn, het gaat om mijn dochter.' Ze liep de straat op. 'Wat is hier buiten aan de hand?'

Wenceslas had het gevoel dat de gebeurtenissen waarvan hij een paar minuten geleden getuige was geweest al weken waren geleden, langer dan de overval op zijn vader en zijn oom.

'Niemand aan het hof zal je helpen,' zei hij. 'Die hebben hun eigen problemen.'

'Wat bedoel je?'

'Vertegenwoordigers van de protestantse Staten hebben vandaag de stadhouders van de koning overvallen en uit het raam gegooid. We zijn in oorlog.'

1618 DEEL 3
PERNSTEIN

ALLEEN WIE ZELF BRANDT, KAN IN
ANDEREN HET VUUR ONTSTEKEN.

·AUGUSTINUS·

I

Cosmas Laudentrit had er genoeg van. Hij was alchemist, bij Hermes Tris-
megistos, en verdomme geen heelmeester. Hij nam een flinke teug rechtstreeks uit de kruik; de beker liet hij staan. Daar drinken we op, vriend, we
zijn verdomme geen heelmeester! Hij kreunde. Het had geen zin.

Het had geen zin jezelf voor te houden dat je alchemist was als alles wat
de mensen van je wilden, was dat je je met wonden bezighield en af en toe
een elixer brouwde.

Proost, Cosmas! Op het leven!

Het leven was de hel...

Hij liet de beker niet onaangeroerd omdat deze zijn dorst niet zou lessen, maar omdat er te weinig in paste om niet onderweg van de kruik naar
zijn mond bijna alles te morsen. Vergeleken met Cosmas' handen waren de
bladeren van een esp haast zo onbeweeglijk als een standbeeld. Het trillen
werd alleen minder als hij bezig was een breuk te spalken, een kies te trekken, een gapende wond te hechten of een zalfje op een zweer aan te brengen. Het was een wonder.

Het was bespottelijk.

Hier was hij, Cosmas Damianus Laudentrit, een van de grootste alchemisten van de wereld, als ze hem maar hadden laten zijn wat hij wilde zijn.
In plaats daarvan sleet hij zijn dagen als chirurgijn en wondgenezer, en alsof
het lot hem belachelijk wilde maken, had het hem handen geschonken die
alleen rustig waren als hij aan het genezen was. Het leek alsof alleen zijn
naam er al voor zorgde dat hij niet aan de roeping kon ontkomen die hij niet
voelde: Cosmas en Damianus waren de patroonheiligen van de heelmeesters, artsen en apothekers. Waarom kon hij niet gewoon Johannes Jacobus
heten? Toen hij werd gedoopt hadden ze hem al belachelijk gemaakt.

Proost, Cosmas! Op de dood!

De dood was ook niet beter.

Hij staarde naar de kruik die voor hem op tafel stond.

Het had ook geen zin om net te doen alsof er wijn in zat.

Hij kreeg hier geen wijn. Het was hem niet eens gelukt bier te krijgen.
Ze gaven hem water als hij dorst had. Hem, wiens leven sinds jaren alleen
draaglijk was als hij het door een sluier van gegiste druiven bekeek. Hij

kreunde weer. Als hij niet te bang was geweest, was hij er allang vandoor gegaan.

Hij had zich de hel altijd voorgesteld als een plaats waar de arme zielen met gloeiende tangen werden gemarteld en waar Lucifer in al zijn lelijkheid op de troon van de helse inquisiteur zat, met een van zijn opperduivels met bokkenpoten en een tronie naast zich, hartelijk lachend om het gehuil van de gemartelden.

Maar hier was de duivel een vrouw in het wit en zo mooi dat je je bij de gedachte haar ooit te bezitten, moest aftrekken als je nog wilde slapen. De opperduivel was een al even mooie engel in mensengedaante. Beiden lachten zelden. Toch was Cosmas ervan overtuigd dat dit hier de hel was. Hij had een keer iets gezien wat de mooie opperduivel op een kar uit het bos had laten terugbrengen en wat eerst een jong meisje was geweest dat had geprobeerd te vluchten. Ook een chirurgijn kon misselijk worden. Nee, om in de hel te komen hoefde je niet af te dalen naar de onderwereld. Het was genoeg als het lot je naar Pernstein voerde. Hier moest je de hele tijd op je schreden passen: de gevangene mocht niet weten waar hij was, de witte vrouw mocht niet weten dat er een gevangene was, de opperduivel mocht niet weten wat hij iedere ochtend met zalfjes en verf in het gezicht van de witte vrouw hielp verbergen...

Hij kreunde nogmaals.

'Je zou denken dat jij de gevangene was, niet ik,' zei de gevangene.

Cosmas keek met troebele ogen naar hem. Zelfs deze stakker lachte hem uit. Hij probeerde bevrediging te vinden in de gedachte dat de man zonder hem niet meer zou leven, maar eigenlijk werd hij daar nog somberder van. Hij had die knaap van de dood gered en wat was zijn dank? Precies! Als er iets was wat tegenwicht bood aan de spot, was het misschien de herinnering aan de operatie waarmee hij twee kogels uit zijn lichaam had gehaald. Cosmas had een paar keer toegekeken als er soldaten na een gevecht naar hun wondhelers werden gesleept, die dan met lange sonden in hun wonden wroetten tot ze op iets hards stootten, met tangen naar binnen gingen en het harde probeerden te pakken en uit te trekken. Soms merkten ze pas als ze al even bezig waren dat ze een bot te pakken hadden en niet het vervormde lood. Soms overleefden de patiënten de behandeling. Degenen die stierven, hadden beter van de diensten van de wondgenezer kunnen afzien, dan waren ze in elk geval zonder deze marteling naar de hel gegaan.

Toen had Cosmas vastgesteld hoe verbazingwekkend het menselijke lichaam tegen verwondingen bestand was, en hoe vatbaar voor ontstekingen die ontstonden door de pogingen om de verwondingen te behandelen. Zonder precies te kunnen vertellen hoe hij op de gedachte was gekomen, had Cosmas ermee geëxperimenteerd de sonden en tangen in wijn te wassen, eroverheen te plassen, ze in de zon te leggen en ten slotte in het vuur roodgloeiend te maken. Het laatste had de beste resultaten gegeven. Het gloeiende ijzer stelpte de bloeding en bovendien viel de patiënt meestal flauw, wat gebrul en gespartel scheelde en het geld voor de krachtpatsers die de patiënt vasthielden.

Hier was geen krachtpatser geweest. Zijn patiënt had slechts matig geschreeuwd en helemaal niet gesparteld, en flauwgevallen was hij pas betrekkelijk laat.

Zelfs bij het spoelen van de wond, wat Cosmas deed met een mengsel van urine, gekookt water en een aftreksel van salvia, kamille en arnica, dat hij met een vacuümapparaat zo diep mogelijk in de wond blies, had de patiënt een verbazingwekkend geduld aan de dag gelegd en hoogstens door zijn bleekheid, de zweetdruppeltjes op zijn voorhoofd en zijn af en toe te berge rijzende haar laten zien dat hij de behandeling voelde.

Nee, ook daarin was geen bevrediging te vinden, te meer daar de poging om het toedienen van de pijn een beetje leuk te vinden, tot een merkwaardig kloppen in Cosmas' middenrif leidde, dat aanvoelde als de ochtend na een bijzonder zwaar drinkgelag. Cosmas vond het het toppunt van hoon om de klachten van een kater te voelen als je geen druppel wijn had gehad.

'Jij hebt het maar gemakkelijk,' zei hij tegen de gevangene voor hij er erg in had.

De man gaf geen antwoord. Cosmas keek een poosje toe terwijl hij zich leunend op een arm probeerde op te richten, eerst met de voorkant, daarna met zijn rug naar de grond. Hij kon zich niet voorstellen dat de wonden daarbij geen pijn deden. Ze waren schoon en niet ontstoken, maar de wondkanalen waren diep, en zoiets genas niet in een paar weken. De gevangene liet alleen af en toe door te grommen merken dat hij pijn had. Hij was duidelijk magerder geworden dan op de dag dat hij hier werd binnengebracht, maar Cosmas vermoedde dat hij zover in vorm was als je dat van een man die met een lange ketting aan een haring in de grond was vastgebonden, kon zeggen. Hij sloeg zijn vooruitgang met enige bezorgdheid gade.

De gevangene hield met zijn oefeningen op en kwam rinkelend naar de tafel. De ketting kwam net ver genoeg dat hij kon gaan zitten. Cosmas zat aan het andere eind. De tafel moest ooit tot een rijker huis hebben behoord dan het boerenhutje in het bos waar de gevangene leefde; hij was lang genoeg om Cosmas buiten het bereik van de handen van de man tegenover hem te laten blijven. Hij twijfelde er niet aan dat de man, als hij hem te pakken zou nemen, een handeltje zou voorstellen: Cosmas' leven tegen de sleutel van de ketting. Cosmas twijfelde er ook niet aan dat hij in zo'n geval aan de dood was overgeleverd, want hij zou de sleutel hebben afgegeven en dan hadden de witte vrouw en haar opperduivel hem afgemaakt.

'Eigenlijk hebben ze je niet meer nodig,' zei de gevangene, die al een paar keer had bewezen dat zijn kalme rust hem kennelijk in staat stelde in iemands hoofd te kijken. 'In elk geval niet voor mij. Wat je hier verder hebt te doen, weet ik natuurlijk niet.'

Cosmas zweeg. Enerzijds omdat het niet erg aanlokkelijk was om zich met die gedachte bezig te houden, en anderzijds omdat de gevangene hem al diverse keren in de verleiding had gebracht het een en ander te verraden van dingen waarvan men hem had ingeprent die niet prijs te geven.

'Wat zeg je eigenlijk als ze je vragen hoe het met me gaat?'

'Dat je nog niet helemaal beter bent,' bromde Cosmas.

'Mmm,' zei de gevangene. 'Dat zeg ik ook als ze het mij vragen.'

'Vragen ze het dan aan jou?' bracht Cosmas verbaasd uit.

'Om de paar dagen.'

'Wie? Mevrouw...?' Hij zweeg en zijn ogen schoten vuur toen hij de gevangene aankeek. 'O nee,' zei hij, terwijl hij verbitterd zijn hoofd schudde. 'O nee, o nee, o nee.'

De gevangene haalde zijn schouders op. Hij deed alsof hij de uitglijder niet had opgemerkt. 'We liegen allebei,' zei hij.

'Ik ben je oneindig dankbaar,' zei Cosmas spottend en hij probeerde te verbergen dat hij het inderdaad was.

'Ooit komt daar natuurlijk een eind aan.'

'Natuurlijk.'

'Dan zullen ze met mij doen waarvoor ze me hebben bewaard, en met jou...' Hij streek met zijn vinger langs zijn keel.

'Ik maak me geen zorgen over jou,' loog Cosmas.

De gevangene leunde achterover. 'Dat stelt me gerust. Ik zou niet willen dat je handen nog meer gingen beven.'

Cosmas verstopte zijn handen kwaad onder het tafelblad. 'Je hebt geen reden tot klagen. Je leeft toch nog?'

'Thuis,' zei de gevangene, 'heb ik een vat Tokajer. Er zijn mensen die zeggen dat Muskadel lekkerder is, anderen zweren bij Commandaria of Málaga. Ik weet niet...'

'Hou op,' zei Cosmas. Hij had moeite om het water dat plotseling in zijn mond liep door te slikken.

'Hou je ook niet van dat zoete spul? Dan hebben we iets gemeen. Laat me raden... Biturica! Je bent een Biturica-type. De smaak van zwarte bessen...'

'Ik zei dat je moet ophouden!'

'Crabat noir? Mmm, die is fruitig, maar toch niet zuur... Heel soepel, die verliest niet eens aan smaak als je hem met water aanlengt.'

'Hou op!'

'Ook niet? Dat meen je niet. Carmenère... Eerlijk? Zo zwaar? Ik heb tevergeefs geprobeerd een vat te krijgen, dat spul is zo duur als vloeibaar goud.'

Cosmas beefde. De gevangene leek na te denken.

'Pynoz? Kijk eens aan, zacht, rond op de tong, soepel...'

Cosmas sprong op. Hij hoorde zijn adem fluiten. Zijn handen hadden nog geen zak veren kunnen vasthouden.

'HOU OP!' jankte hij.

'Nu weet ik het: Sanguis Giove, Jupiters bloed. Potverdorie, jij hebt smaak!'

'Waar denk je dat je hier bent?' brulde Cosmas. 'Droom lekker verder van je wijn, idioot. Alles wat hier te krijgen is, is water en brood en uiteindelijk een mondvol aarde als ze je begraven! Je bent aan het einde van de wereld, man, en zelfs als het je lukt naar Brno te rennen, ben je nog steeds aan het einde, want ze zullen je krijgen, en als ze je krijgen, dan zou je wensen dat ik honderd kogels uit je verdomde vlees zou spoelen, omdat dat namelijk een zachte streling is vergeleken met wat ze met je zullen doen, en als je me niet gelooft, stomme hond, bijt dan je kettingen door en ren weg, maar zeg naderhand niet dat ik niet heb gewaarschuwd of dat ik je moet helpen, want ik zal nog eens toekijken hoe ze je in repen snijden, en vertel hun daar maar iets over wijn, verrekte gèèèèèèk...' Cosmas had geen adem meer. Hij jankte. Zijn hemd plakte opeens aan zijn lichaam. Zijn borstkas ging op en neer alsof hij een berg op was gerend. Hij voelde spuug langs zijn kin lopen.

'Dus hiervandaan kun je naar Brno lopen?' vroeg de gevangene.

Cosmas gaf een gepijnigde schreeuw. Hij draaide zich snel om en stormde het huisje uit. Hij verwachtte bijna dat de gevangene zou proberen hem achterna te komen, maar hij hoorde geen tafel omvallen en ook niet dat de kettingen werden strakgetrokken noch de gesmoorde kreet waarmee de boeien hem op de grond smeten. Hij hoorde helemaal niets. Het was aannemelijk dat de gevangene gewoon rustig was blijven zitten.

Kreunend en gillend van boosheid en wanhoop strompelde Cosmas door het bos.

Wat was dat voor een hel, waar zelfs de arme stakkers je konden martelen?`

2

Kardinaal Melchior Khlesl keek op toen zijn wachtposten met het gebruikelijke kabaal door de deur kwamen. Al dagen waren het dezelfde gezichten. Blijkbaar raakten koning Ferdinands soldaten op. De kardinaal was goed op de hoogte van alles wat zich in Bohemen had afgespeeld, waarschijnlijk beter dan de aanvoerders van beide partijen, Ferdinand van Habsburg en Heinrich Matthias von Thurn. Beide zijden waren er op dit moment vast van overtuigd dat de ander al een leger klaar had staan en bewapenden zich uit alle macht. De oorlog was niet meer te vermijden en omdat de meesten zich erop verheugden, had de kardinaal het opgegeven erover te piekeren. Als hij het ergens jammer van vond, dan was het dat het vermogen dat hij had vergaard en ooit aan Cyprians familie had willen nalaten, nu voor het laarzenvet van de officieren en de hoeren van het leger van Zijne Katholieke Hoogheid koning Ferdinand uit het raam werd gegooid.

De lijfdienaar van de slotbewaarder kwam binnen.

'Uw eten, Eminens. Forrrel en waterrr, zoals u wenste, nietwaarrr?' rolde hij.

Melchior knikte hem toe zonder een spier te vertrekken. Nieuwe berichten, naar het scheen.

'Hoho,' zei een van de wachtposten, die Melchior vanwege zijn taal al als een man uit het hertogdom van Maximiliaan van Beieren had geïdentificeerd. De lijfdienaar keerde zich naar hem toe.

'Begin eens, het wordt koud,' zei hij ongeduldig.

Toen zag Melchior tot zijn ontzetting dat de soldaat de kruik pakte, tegen de lijfdienaar grijnsde en hem op de grond liet leeglopen. Het water spatte van de houten vloer op en de soldaat ging met zijn vinger in de opening om de koperen inzet eruit te halen. Hij liet hem op de grond vallen. Melchior kon niet anders dan verbijsterd toekijken hoe de man de kruik omdraaide om het schrijfgerei eruit te laten vallen.

Er viel niets uit.

De soldaat knipperde verbaasd met zijn ogen.

Toen greep hij het dienblad, trok het de lijfdienaar uit handen en draaide het ook om. Een heerlijke gebakken forel kletste tegen de grond, er rolden erwten weg, het aardewerken bord ging aan diggelen. De handen van de lijfdienaar waren leeg; op de achterkant van het dienblad was niets geplakt. De ogen van de soldaat versmalden zich, terwijl zijn mond openviel. Hij draaide het dienblad weer om.

'Wat?' vroeg de lijfdienaar.

'Lik me reet!' zei de soldaat stomverbaasd.

'Nu kunnen jullie zelf nieuw eten voor de kardinaal gaan halen,' mopperde de lijfdienaar. 'Ik ben jullie knechtje niet.'

De soldaten wisselden een blik. Degene die het onderzoek had uitgevoerd, begon langzaam rood te worden.

'Jij blijft hier!' blafte hij.

De lijfdienaar knikte.

De soldaten stampten naar buiten, hun opdracht nooit een bezoeker met de kardinaal alleen te laten vergetend. De lijfdienaar haalde zijn schouders op, trok een klein pakketje correspondentie uit zijn jasje en een pen en inktsteen uit zijn zak. Hij legde het op het bed van de kardinaal en deze trok zijn deken eroverheen.

'Hoe wist je dat?' vroeg de kardinaal.

De lijfdienaar haalde zijn schouders weer op. Toen wees hij naar zijn neus. 'Dát moet je hebben,' zei hij. Toen liep hij naar het raam en keek naar buiten. 'We hebben bezoek.'

'Wie?'

'Geen idee. Ziet eruit als een hoge piet.'

'Heb je hem niet gezien?'

'En als ik dat wel had? We zijn hier overal zo ver vandaan, niet? Ik weet niet eens hoe de keizer eruitziet.'

Melchior schoof zijn onderlip naar voren. De lijfdienaar knikte. 'Ja, zo zien ze er allemaal uit, die Habsburgers, hè?'

De soldaten kwamen weer terug met een nieuw dienblad, een nieuwe forel en een nieuwe kruik. Deze keer zat er wijn in. De beide mannen trokken het gezicht dat soldaten overal ter wereld trekken als ze voor het vervullen van hun plicht zijn afgeblaft en niet weten wat ze eigenlijk verkeerd hebben gedaan.

'Eet smakelijk,' zei de lijfdienaar. 'Ik kom terug als ik voor het bezoek heb gezorgd, hè?'

Melchior vloog met zijn ogen over de papieren, terwijl hij het geurige vlees van de forel van de graten trok. Het waren kopieën van documenten die hij had opgevraagd. Deze keer kwamen ze niet van Wenceslas, maar van een van zijn eigen secretarissen, die na de arrestatie van de kardinaal werk had gevonden bij bisschop Lohelius en zijn positie daar af en toe gebruikte om zijn voormalige baas een plezier te doen. Het had even geduurd voor de kardinaal ze had gekregen. De papieren hadden niet zo voor het grijpen gelegen en het een en ander moest via het kantoor van de gouverneur van Moravië worden aangevraagd. Maar Melchior had er ook in de tijd dat hij nog in dienst was als keizerlijke minister altijd op vertrouwd dat zijn secretarissen en klerken de beste contacten hadden die er waren, namelijk met andere, net zo nieuwsgierige en vindingrijke secretarissen en klerken, en hij had ook nu gelijk gekregen.

Plotseling schrok hij op, veegde zijn vingers achteloos aan zijn gewaad af en bladerde heen en weer in een paar documenten. Zijn ogen versmalden zich.

Hier stond een sterfdatum. Maar de inschrijving in het kerkregister ontbrak. Het betekende dat iemand was gestorven, maar nooit begraven.

Hij doorzocht nogmaals alle documenten. Hij kende de man die hem de documenten had bezorgd goed. Die zou niets over het hoofd hebben gezien. Als de inschrijving in het kerkregister ontbrak, dan was die er niet. Hier was hij heel zeker van, omdat hij er expliciet op had gewezen dat beide dingen belangrijk waren. Iets wat Wenceslas hem in een van zijn brieven terloops had meegedeeld, had de oude kardinaal op het idee gebracht deze papieren op te vragen.

Ten slotte leunde hij achterover en schoof het dienblad opzij. Hij haalde de schrijfbenodigdheden onder de deken tevoorschijn, draaide een van de documenten om en vond op de achterkant een lege plek. Hij was te ongeduldig om de inktsteen te raspen, dus doopte hij zijn schrijfveer in de zware rode wijn. Op het papier ontstond een fletsrode tekening, die steeds duidelijker werd naarmate meer wijn de in de veer aanwezige opgedroogde inkt oploste. Het zag eruit als een stamboom. De kardinaal had de belangrijkste gegevens van de invloedrijke mannen aan het keizerlijke hof in zijn hoofd, en zo ontstond er al snel een meerledig systeem van hokjes en cirkels waarin initialen stonden. In het centrum stonden twee dik omrande hokjes, die door een dubbele ring met elkaar waren verbonden, het gebruikelijke symbool voor een echtpaar. Links van de twee hokjes liep een lijn van boven, die zich er vlak voor vertakte en naar andere hokjes liep. De kardinaal dacht na, raadpleegde enkele van de binnengesmokkelde documenten en telde toen op zijn vingers. De veer kraste initialen in de overige hokjes: V, J, E, F en B. Elk van deze vijf hokjes kreeg een dubbele ring en een hokje ernaast en nog meer lijnen die van daaruit in de leegte leidden. Wie de tekening bekeek, zag dat de eigenlijke aandacht van de kardinaal de stamboom links van de middelste hokjes gold. Op het laatst tekende hij naast de vijf echtparsymbolen een zesde hokje, dat leeg bleef. Hij trok een stippellijntje van dit hokje naar het meest linkse van de hokjes in het midden. Toen dacht hij na en maakte de lijn dik en steeds dikker, tot de veer plotseling verbogen was en de inhoud eruit spatte. De vlekken van rode wijn en inkt zagen eruit als bloedspetters, die zich snel over het inmiddels geheel onoverzichtelijk geworden kunstwerk verspreidden.

Hij bestudeerde zijn tekening. Zijn wenkbrauwen zakten steeds lager. Bijna zonder zijn toedoen bewoog zijn veer en schreef in de middelste hokjes: een krullerige Z in het rechter, een even sierlijke P in het linker. Toen bleef hij boven het enige nog lege hokje hangen, dat hij op het laatst naast de vijf met de initialen had gezet. De veer raakte het papier en maakte een zwierige boog, kwam los van het oppervlak en zette er een dikke punt onder. Misschien had hij te veel vaart gehad. De veer splitste zich en de punt vloeide uit en liep weg in de krulletter erboven en plotseling veranderde het vraagteken in een kinderlijke tekening van een doodskop.

De kardinaal leunde achterover. Hij had het gevoel de belangrijkste ontdekking te hebben gedaan sinds hij hier was opgesloten. Maar wie moest hij het laten weten? In dit heel speciale geval viel de rijkskanselier, die hem anders stiekem steunde waar hij kon, af. Wanhopig staarde hij naar de per ongeluk ontstane doodskop. Hij had de indruk dat die teruggrijnsde. Hij kreeg het koud.

Toen de wachters samen met de lijfdienaars binnenkwamen, had Melchior allang alle bewijzen van zijn heimelijke correspondentie verstopt. De schrijfbenodigdheden bevonden zich in de buikholte van de haast onaangeroerde vis, de documenten had hij onder het dienblad geklemd. Ook kardinaal Melchior kon handig zijn als hij genoeg tijd had om te oefenen. Maar toen keek hij verbaasd op in plaats van het dienblad te overhandigen: als laatste kwam de slotbewaarder binnen. Hij wrong zijn handen.

'Er is hier iemand die u wil spreken, Eminentie,' zei hij.

'Wíé?' Uit zijn ooghoeken zag hij de lijfdienaar haast onmerkbaar schok-schouderen.

Een man betrad Melchiors comfortabele gevangeniscel. Hij was grijs en mager en zijn gezicht was een opeenhoping van rimpels en slappe huid. Maar dat was niet wat hem het eerst opviel. De man straalde zo'n nauwelijks ingehouden wanhoop en een haat uit dat al het andere erdoor in de schaduw werd gesteld. Hij leek te beven. Melchior kneep zijn ogen tot spleetjes. Het was geen wonder dat de slotbewaarder zelf was meegekomen en zijn handen wrong: hij, Melchior, had de man ook nergens alleen heen laten gaan. Op het tweede gezicht zag hij het zwarte ordekleed onder de wijde toga.

'Je kent me niet eens meer,' fluisterde de bezoeker.

En toen wierp hij zich zonder waarschuwing op hem.

Het dienblad vloog door de lucht en viel op de grond, en verdeelde vis-resten, de halfvolle wijnkruik en de verborgen documenten door de ruimte. Melchior viel op de grond. Hij hoorde het gekreun en gehijg van de man die hem had aangevallen. Op de een of andere manier was hij erin geslaagd de dunne polsen te pakken en hij hield ze stevig vast. De handen van de aanvaller waren naar zijn hals uitgestoken, maar Melchior kon voorkomen dat ze zich eromheen sloten. Hij vermoedde dat de man hem nooit meer had losgelaten en dat zijn handen, als iemand ze met een bijl zou afhakken, nog steeds in de hals van de kardinaal geslagen waren. Hij zat zo vol haat in iedere vezel van zijn lichaam, dat zelfs de dood dat gevoel niet had laten verdwijnen.

Maar dat kwam in kardinaal Melchiors hoofd allemaal op de tweede plaats, terwijl hij vocht tegen de man in de kledij van de benedictijnen. Op de eerste plaats dacht hij dat zijn geheime correspondentie nu was ontdekt en dat hij geen gelegenheid meer zou krijgen om die voort te zetten. De gedachte maakte hem boos en het lukte hem de handen van zijn tegenstander zo ver uit elkaar te duwen dat deze zijn evenwicht verloor en langzaam boven op hem zakte. Even lagen ze wang tegen wang. Melchior hoorde de snikkende ademhaling van de man. Opeens wist hij wie het was en hij was geschokter door de snelle veroudering dan door de aanval.

Toen werd het gewicht van hem af gehaald. De soldaten trokken de man in de benedictijnerpij van Melchior af en sleepten hem een paar stappen weg. De lijfdienaar van de slotbewaarder hielp Melchior overeind.

'Ik had niet gedacht dat zoiets zou gebeuren!' riep de slotbewaarder. 'Anders had ik hem nooit hier gebracht. Hij is lid van de delegatie...'

'Abt Wolfgang Selender,' onderbrak Melchior hem kalm.

'Er bestaat geen abt Wolfgang meer,' snauwde de benedictijn, maar hij hield op zich te verzetten. 'Er bestaat geen klooster van Sint-Wenceslas in Braunau meer. Alles wat nog bestaat, is de man die overal de schuld van is.'

Het gewaad van Wolfgang Selender was nieuw, al het andere aan hem zag eruit alsof het door meer dan één leven was verbruikt. Melchior schudde zijn hoofd. Bij hun laatste ontmoeting vorig jaar in Braunau waren zijn eigen boosheid en zijn ontsteltenis over de verdwijning van de Duivelsbijbel nog te groot geweest, maar vandaag voelde hij opeens het verlies van een vriend. Hij zag dat de ogen van abt Wolfgang zwommen in tranen van woede en wanhoop.

'Ik was gelukkig,' fluisterde Wolfgang. 'Ik was gelukkig aan de kust, in Iona Abbey, met het ruisen van de zee als permanent koraal. Alles wat ik wilde, was dit ruisen op een dag weer te horen.'

'De ondergang van het klooster is niet mijn schuld,' zei de kardinaal. 'En wat jou en je monniken betreft: ik heb je bescherming gestuurd, zodra ik hoorde wat er in Braunau was gebeurd. Je weet dat mijn neef daarbij om het leven is gekomen.'

'Het waren jouw intriges die hem het leven hebben gekost, niet ik.'

'Ik beschuldig jou ook niet.'

'Maar ik jou wel! Daarvan, en van al het andere. Je hebt altijd gedaan alsof je de duivel wilde hinderen in zijn werk!' Wolfgang stak een gebalde vuist met een gespreide wijsvinger en pink tegen hem uit en Melchior zag vanuit zijn ooghoek dat de slotbewaarder een kruisteken maakte. 'In werkelijkheid ben je alleen zijn hulpje!'

'Waarom ben je gekomen, Wolfgang? Als je ervan wilt genieten om te zien hoe diep ik ben gevallen, hou je dan vooral niet in.'

'Ik ga in Rome getuigenis afleggen over jou en je praktijken.'

'Waarom in Rome?'

'Omdat ze je daarheen zullen brengen. Je wordt voor de Inquisitie gebracht.'

Melchior probeerde niet te laten merken dat deze mededeling hem verontrustte.

'Ik geloof niet dat koning Ferdinand de Heilige Vader ervan kan overtuigen dat het God en de Kerk beledigt als iemand zich tegen zijn ophitserij verzet.'

'We zullen zien, Melchior. We zullen zien!' Wolfgang schudde de handen van de soldaten af. 'Laat me los! Ik maak aan deze verrader niet nog een keer mijn handen vuil.'

De soldaten lieten hem los. Hij stapte naar buiten zonder de kardinaal en de anderen nog een blik waardig te keuren. Melchior stond stokstijf in de ruimte. De slotbewaarder schraapte zijn keel. 'Ik wist het niet...' fluisterde hij.

'Iedereen heeft recht op zijn eigen mening,' zei Melchior geforceerd rustig.

'Maar toch... Deze aanval... Hier...' De slotbewaarder bukte en raapte de verstrooide documenten bij elkaar. Hij was daarmee een seconde sneller dan Melchior en de lijfdienaar, die beiden ook bukten, maar hij merkte het niet. Hij overhandigde ze de verstijfde Melchior. 'Uw documenten. Neemt u me niet kwalijk...' Zijn stem begaf het toen zijn hersens de schroom overwonnen en de vraag stelden waar iemand die geen enkel contact met buiten mocht hebben, deze papieren vandaan kon hebben. De slotbewaarder staarde naar het rommelige stapeltje in zijn hand. Toen gleed zijn blik naar de restanten van de maaltijd. De vis was in resten uiteengevallen, de schrijfveer en de inktsteen lagen ertussen. Het zuur van de gebakken vis had de steen aangetast en een zwart vlekje op de vloer gemaakt. Langzaam keek de slotbewaarder omhoog en hij gaapte Melchior verbijsterd aan.

Melchior bleef hem onbewogen aankijken. Het was alles wat hij kon doen.

'O, mijn god,' zei de slotbewaarder. 'O, mijn god!'

Hij draaide zich op de drempel om en rende met het stapeltje weg. De soldaten wisten niet wat ze moesten doen en renden hem ten slotte achterna. Een waanzinnig moment leek het alsof de gevangen kardinaal gewoon de deur uit kon wandelen, maar toen kwam een van de twee weer terug en posteerde zich wijdbeens in de deuropening. Het was de man uit Beieren; hij zag eruit alsof hij Melchior met blikken wilde doden.

Melchior keek de lijfdienaar aan.

'Klote,' zei die.

Ongezien door kardinaal Melchior, ongezien ook door Wolfgang Selender, die in de slotkapel op zijn knieën zat en een in haat en wanhoop gesmoord gebed zei, ging het pakket met de documenten in de grote zaal van het kasteel over in andere handen.

'Ik zweer dat ik er niets van wist!' stotterde de slotbewaarder.

De man aan wie hij het pakket had gegeven, bladerde door de documenten. Hij stopte. Zijn ogen werden zo groot als schoteltjes. Hij trok het blad eruit waar hij zo verbaasd over was, het was kardinaal Melchiors warrige tekening van een stamboom met een onbekende. Hij nam het tussen zijn tanden en bladerde verder, vond de sterfdatum, zocht evenals de kardinaal naar de inschrijving in het kerkregister en vond die niet. Zijn gezicht werd grimmig. Hij keek de slotbewaarder onderzoekend aan.

'Ik neem natuurlijk de verantwoordelijkheid op me,' zei de slotbewaarder, terwijl hij een mislukte poging deed om in de houding te staan.

Zijn gesprekspartner haalde het vastgeklemde blad tussen zijn tanden vandaan en legde het bij de andere.

'Niemand mag weten dat ik deze documenten mee heb genomen,' zei hij.

'Vanzelfsprekend,' zei de slotbewaarder. 'Natuurlijk. Geen probleem. Zoals u wenst, rijkskanselier Lobkowicz.'

3

Binnen twee dagen had Alexandra alle stadia van irritatie, onzekerheid, beklemming en angst doorlopen en nu was ze bij woede aangekomen. Ze begreep niet waarom Heinrich de eerste nacht hier in Pernstein niet bij haar was gekomen. Ze wist zeker dat hij het was geweest die ze voor de deur had gehoord. Ze begreep nog minder waarom hij haar alleen had gelaten, zonder afscheid, zonder berichtje, zonder uitleg. Ze hield van hem, maar ze zou hem ter verantwoording roepen als hij weer terug was, dat stond vast. En daarna zou hij zich als een geplukte gans voelen! In gedachten had ze het gesprek al gerepeteerd.

Maar ook als het haar lukte de boosheid op haar liefste overeind te houden, met betrekking tot haar gastvrouw was het anders. Alle maaltijden die volgden op het sombere welkomstmaal had Alexandra in haar eentje gebruikt, een eenzame gestalte in de enorme zaal, die probeerde zich niet te laten intimideren en daarmee ieder uur meer grond onder haar voeten verloor. Niemand had Alexandra verboden in het oude kasteel rond te dwalen, en dus had ze door de gangen gelopen, een weg door verval en verwaarlozing, waar op het met schimmels en spinnenwebben behangen traject kunstwerken waren te vinden die ook op de Praagse Burcht niet hadden misstaan. Niemand leek er bijzondere aandacht aan te besteden. Schilderijen glansden donker in de schaduw, de doeken opgebold of onder de vochtplekken. Beelden en siervoorwerpen stikten onder stoffige spinnenwebben als bomen onder wurgplanten.

Tweemaal was ze de prinses van deze verrottende pracht tegengekomen. De eerste keer kwam ze een hoek om en de vrouw in het wit stond midden in de gang en keek haar uitdrukkingsloos aan. Alexandra had slechts met moeite een gil van schrik kunnen inhouden. Ze had gegroet en was teruggegroet, en toen, na een lange verlegen stilte, was ze doorgelopen. Twee hoeken verder voelde ze de blik uit de groene lynxogen nog in haar rug. De tweede keer had ze uit het raam in een van de erkers gekeken en zich erover verbaasd dat de houten brug naar de burchttoren zo vlak voor haar lag. Precies zoals op de dag van haar aankomst had de witte gestalte erop gestaan en in de diepte gekeken; het lange haar wapperde om haar hoofd alsof ze een medusa was en het haar een nest van slangen die heen en weer schoten en kronkelden. Gefascineerd en afgestoten tegelijk had ze naar haar gestaard tot de eenzame gestalte zich plotseling had omgedraaid. Geschrokken was Alexandra van het raam weggegaan.

Haar aanblik versterkte telkens het gevoel van onwerkelijkheid, waaraan Alexandra zich hier vanaf het begin blootgesteld had gevoeld. Het was griezelig welke kracht er in een mens zat, die je tot dan toe slechts als een bleek stralende ster aan de zijde van de rijkskanselier had gezien. Alexandra was er altijd van overtuigd geweest dat ze ooit aan de zijde van haar eigen man meer zou zijn dan diens decoratie en dat ze ook zo zou worden gezien, namelijk als zelfstandig persoon. Hier was nu een vrouw naast wie ieder ander pure decoratie was, en vergeleken met haar niet eens een bijzonder fraaie.

Alexandra klom een trap op, die voor haar gevoel tot aan het dak van het hoofdgebouw moest leiden. Hier waren geen ramen meer, maar toch leek er een vaag licht van boven te komen. Haar schoenen lieten sporen achter op de traptreden. De treden waren van hout; verder naar beneden waren ze van steen geweest. Blijkbaar waren de verbouwingswerkzaamheden, waarmee was geprobeerd van een afwijzende vesting een bewoonbaar kasteel te maken, nooit tot hier doorgedrongen. De hoeveelheid stof op de grond bewees bovendien dat hier ook maar zelden een bewoner van Pernstein kwam. Een ogenblik lang voelde Alexandra zich net als op de dag waarop ze met Wenceslas naar de oude kelder van de ruïne van Wiegant & Wilfing was geslopen en ze voelde een steek van spijt dat Wenceslas nu niet bij haar was. Tegelijk proefde ze de kus weer die hij haar had gegeven. Het bracht haar nog meer in de war. Misschien was ze anders omgekeerd toen ze de bron van het lichtschijnsel had gevonden: een stuk muur onder het dak, dat aan de binnenkant gedeeltelijk was afgebrokkeld. Het puin versperde de trap, maar Alexandra klom er min of meer afwezig overheen en kwam op de droogzolder terecht.

Hadden de gangen er al uitgezien als een merkwaardige kopie van het keizerlijke rariteitenkabinet, hierboven was de illusie compleet. Schilderijlijsten lagen opgestapeld, slechts half bedekt, zodat het leek alsof er doodskisten onder verborgen waren. Figuren, beelden, kunstobjecten, porselein, glaswerk, het zag eruit alsof iemand hier een schat had bewaard voor een doel dat nooit had plaatsgevonden. De droogzolder bezat op regelmatige afstanden van elkaar aangebrachte koekoeken, waarvan de luiken waren gesloten. Enkele van de luiken waren eruit gevallen en zorgden voor een sombere verlichting waarin de ruimte zich eindeloos leek uit te strekken, een kathedraal voor de dode god van de kunst, waarbij de draagbalken van de dakstoel de zuilen en de balken daarboven het gewelf waren. Gefascineerd drong Alexandra verder in het donkere universum.

De kunstwerken stonden allemaal op het voorste deel van de zolder bij elkaar. Daarachter lag duisternis met een paar nauwelijks zichtbare vormen van reservebalken, kisten en af en toe een glans van metaal. Helemaal achter in de ruimte zag Alexandra een eiland van licht en nog een vorm onder een laken. Ook daar leken enkele houten luiken uit de koekoeken te zijn gevallen. Ze werd erdoor aangetrokken als een insect dat naar het licht vliegt.

Halverwege struikelde ze over iets hards, dat een stukje verder in het donker rolde. Ze probeerde met haar ogen door de schaduw te dringen, maar ze zag niet meer dan een vage ronde vorm. Vastbesloten tastte ze zich een weg naar het dak, vond een van de koekoeken en haalde de luiken eruit. Ze moest knipperen met haar ogen, toen het licht naar binnen viel en pijn deed aan haar ogen, en ze dacht met een akelig gevoel dat het altijd minder pijn leek te doen om aan het donker te wennen dan aan het licht.

Het voorwerp was het hoofd van een beeld; het lag op zijn gezicht. Het beeld zelf stond een stuk verderop. Het moest zijn omgevallen en het hoofd was afgebroken. Alexandra voelde even een steek in haar maag toen ze bedacht dat er geen goede reden was waarom het beeld uitgerekend hier lag en niet bij de andere vooraan of waarom het vanzelf zou zijn omgevallen. Het was een beeld van een halfnaakte vrouw, gebukt en met een in elegante plooien vallende, gebeitelde doek, die haar schaamdelen en een deel van haar benen verborg, een venus, die juist opreze uit de in haar sokkel gebeeldhouwde golven.

Alexandra bukte en draaide het hoofd half om. Ze zag het in een ouderwetse mode gebeitelde haar, een nietsziend oog, het klassieke profiel met de ronde wangen. Het hoofd was lichter dan ze had gedacht. Ze raapte het op en draaide het witte gezicht helemaal om.

Het zijlicht maakte dat de andere gezichtshelft van een monster leek. Een diep gat verminkte het grootste deel alsof de pest het vlees van de mond tot het oog had weggevreten. Alexandra liet het hoofd weer vallen. Het kapotte gezicht staarde haar van de vloer aan. Ze sprong op en week een pas achteruit. Haar hart bonsde.

Het is maar een beschadigd stenen gezicht, zei ze tegen zichzelf. Daarom ligt het beeld ook hier, omdat het niet meer neergezet kan worden.

Maar ze loog zichzelf voor. Het gat in het gezicht van de venus kwam niet door een ongeluk. Ze was ervan overtuigd dat iemand haar expres die beschadiging had toegebracht, net zoals iemand het beeld daarna had onthoofd, alsof het blinde wraak was van een zieke geest op de perfecte schoonheid van het werk. Alexandra balde haar vuisten en deed haar best om rustig adem te halen. Opeens wilde ze hier alleen nog maar zo snel mogelijk weg. Ze keek snel naar de opgestapelde kunstwerken bij de ingang van de droogzolder alsof ze zichzelf ervan wilde vergewissen dat ze er nog waren. Toen draaide ze naar het lichteiland aan de andere kant van de zolder. Ze stelde vast dat ze zich precies in het midden van het gewelf bevond. Het wilde kloppen van haar hart ging over in een langzamer ritme, waardoor ze weer op adem kwam, maar die haar beklemming niet verminderde. Ergens in de afgelopen seconden was haar boosheid op Heinrich verschrompeld. Ze wilde dat hij hier was. Ze probeerde zich zijn gezicht voor te stellen, maar Wenceslas' gezicht schoof steeds voor het beeld.

Ze keek opnieuw naar het lichteiland.

Ten slotte liep ze door, voorzichtiger nu. De gevallen Venus bleef achter als een stomme, dode wachtpost.

Het lichteiland werd gevormd door twee koekoeksramen dicht naast elkaar. De luiken lagen netjes op elkaar gestapeld eronder. Ze waren er niet uit gevallen; iemand had ze er bewust uitgehaald. De vorm onder het laken leek een kistje te zijn waar iets tegenaan stond, nog meer schilderijen, naar de hoekige vormen te oordelen. Opeens bekroop Alexandra zomaar het gevoel dat je kon hebben als je een verlaten kerk binnen was gedrongen en op het punt stond in het Allerheiligste rond te snuffelen. Even later begreep ze hoe het kwam: het arrangement leek een schrijn. Nog even later was ze ervan overtuigd dat dit geen schrijn was die de schoonheid of de goedheid van God of desnoods de hunkerende herinnering aan een verloren mens heilig hield, het was een cenotaaf van jaloezie, afgunst en haat. Toen ze haar hand naar het laken uitstak, was het alsof ze een tik op haar vingers kreeg.

Ze trok het laken weg, hoewel ze het niet wilde. De steek in haar maag was veranderd in een pijnlijke knoop. Er waaide stof op. Ze griezelde toen het op haar gezicht en haar handen neerdaalde.

Het waren twee schilderijen van gemiddeld formaat, die tegen elkaar en tegen de kist aan stonden. Over de schilderijen was nog een laken gelegd. De kist had een slot, maar de sleutel stak erin. Ze zag zichzelf het deksel openen...

...en wist plotseling wat ze zou zien. Een gemummificeerde tronie met het dubbele parelsnoer van tanden in haar opengesperde mond, lege oogkassen, een uitgedroogde hand als de klauw van een vogel met de lange nagels eraan die na de dood nog doorgroeiden. Ze staarde naar de tronie, en de mond ging opeens open en dicht, de klauw bewoog even en klampte zich om haar pols, het hoofd draaide langzaam, de lege blik boorde zich in de hare.

In de kist lagen japonnen, oude juwelen, verkreukelde kapjes en volkomen verdroogde kransjes. Alexandra staarde er met een droge mond naar. De herinnering aan de lijken van de twee dwergen die in de kist in de oude ruïne hadden gelegen, was een moment zo sterk geweest dat ze die werkelijk voor ogen had gehad. Haar hartslag liet nu elke vezel van haar lichaam pijnlijk trillen. Ze nam een van de gekreukelde kapjes uit de kist. Het was van een kind geweest of een jong meisje. De stof was zo broos als oud perkament. Ook de andere dingen kwamen uit een andere wereld, een wereld van herinnering.

Alexandra herkende er het bezit in van een meisje dat nog niet wist dat de wereld niet zou opengaan voor haar dromen zonder een hoge prijs te verlangen. De kransjes verkruimelden onder haar lichte aanraking.

Ten slotte sloot ze het deksel weer en trok aan het laken over de beide schilderijen. Het kwam met tegenzin los. Ze tilde het op om te kunnen zien wat er op het eerste van de twee schilderijen stond.

Deze keer gaf ze een gil van ontzetting.

4

Op het eerste schilderij stond een kindergezichtje. Het keek ernstig vanaf het schilderij, een kapje over het haar, een hoog gesloten wit gewaadje met daaronder een kraag met ruches. Het was een kinderportret van Polyxena von Lobkowicz, daar kon geen enkele twijfel over bestaan. De schilder was erin geslaagd het groen van de ogen zo weer te geven dat ze in het bleke gezicht bijna licht gaven.

Van het oog tot de mond was de linkerhelft van het gezicht een grove, gapende wond van kapot linnen, uitgetrokken vezels, afgesprongen verf. Het was het geschilderde beeld van de geschonden Venus, en het zag eruit alsof het niet met een mes, maar met de blote nagels was gescheurd. Alexandra sloeg haar hand voor haar mond om haar kreet te smoren. Het schilderij viel om en onthulde het tweede, dat erachter stond. Het was weer een portret van haar gastvrouw, nu als jong meisje, ongeveer op de leeftijd dat de spullen in de kist haar konden passen. Het was onaangetast. Alexandra trilde over haar hele lichaam.

'Ze is dood,' zei een hese stem achter haar.

Alexandra draaide zich met een ruk om. Haar gastvrouw keek aandachtig naar het schilderij. Alexandra dacht dat haar eigen hartslag haar zou verstikken.

Een witte arm greep langs haar heen en zette het omgevallen schilderij weer rechtop. Het gerafelde gat in het linnen zag er de tweede keer nog veel lelijker uit. Alexandra hoorde haar eigen adem piepen.

'Wie... Wie is dat?' stamelde ze.

'Ze is dood.'

'Was het uw zusje? Het lijkt zo... Ik dacht...'

De groene ogen werden op haar gericht. Het leek alsof de ogen uit het gescheurde gezicht haar aankeken. De gedachte maakte Alexandra duizelig.

'Ik ben hier binnengedrongen,' stotterde ze. 'Ik wilde niet... Het spijt me dat ik...'

'Ik wil je iets laten zien.'

Het geschminkte gezicht was haast zo wit als het onthoofde beeld. Alexandra staarde ernaar.

'Wie heeft dat... Waarom is het schilderij...? En het beeld van Venus? Wie heeft ze kapotgemaakt?'

'Kom mee,' zei de vrouw in het wit. 'Je hebt nog steeds niet het welkom gekregen waar je recht op hebt. Ik wil het goedmaken.'

'Wat...? Wat bedoelt u daarmee?'

Maar de blik uit de lynxogen was zo dwingend dat ze overeind kwam en de glanzende gestalte terug naar de ingang van de droogzolder volgde. Alexandra liep met een boog om het onthoofde beeld heen.

'Het is Venus niet,' zei Polyxena von Lobkowicz. 'Het is de godin van de jacht. Het is Artemis, wanneer Aktaion haar verrast als ze een bad neemt. Voor ze hem in een hert verandert en zijn eigen honden hem dan verscheuren.'

Alexandra wist niet wat ze moest antwoorden. Ze had het gevoel een boodschap te hebben gekregen die ze niet begreep.

'Hoe heette uw zusje?' vroeg ze om haar nog steeds aanhoudende benauwdheid te verdoezelen.

'Kassandra,' zei haar gastvrouw.

De weg voerde haar uit het hoofdgebouw en over het kleine voorplein naar de burchttoren.

'Wil je nog steeds weten wie je bij je aankomst hebt gezien?'

De onverwachte vraag bracht Alexandra volkomen uit haar evenwicht. 'Ja,' zei ze zonder zeker te weten of ze het werkelijk wilde en hoe belangrijk het eigenlijk was.

Haar gids opende een kleine, stevige deur op de begane grond van de burchttoren. Een geur van lood domineerde het kamertje erachter, vermengd met restanten van fakkelrook en heet geworden talg. Het was hoog en spaarzaam verlicht door twee brede raamopeningen op halve hoogte. Het grootste deel van het vloeroppervlak werd ingenomen door een enorm apparaat op een stenen sokkel. Metalen banden verbonden het door de ouderdom zwart geworden hout met het graniet. Een enorme cilinder rustte in een houder in het bovenste stuk van de constructie, wieltjes met lange spaken bevonden zich aan beide uiteinden van de cilinder, geremd door met ijzer versterkte tandwieltjes. Onwillekeurig keek Alexandra omhoog naar de beide openingen. Ze had een vermoeden van wat ze zag: het oude mechaniek dat vroeger een ophaalbrug in beweging had gebracht, vroeger, toen de burchttoren nog de wachter over de toegang tot het kasteel was. Als de ophaalbrug er nog was geweest, dan zouden twee kettingen van beide uiteinden van de cilinder door de openingen naar buiten voeren. De kettingen ontbraken. Wat er nog was, waren strak gespannen touwen, die vanaf de cilinder de andere kant op naar boven leidden. Ze volgde ze met haar blik naar de twee keerrollen die aan het plafond waren vastgemaakt, en van daar af naar de twee bewerkte stenen die aan de touwen hingen en deze spanden. De stenen hadden enigszins de vorm van vuisten, de touwen zaten vast aan reusachtige ijzeren ringen en als je langer keek, zag je dat ze zacht heen en weer gingen. Elk van beide moest enkele keren zoveel wegen als een man. Alexandra begreep de zin van de constructie. In vredestijd was de ophaalbrug met behulp van de spaakwielen te bewegen. De wielen draaiden de cilinder in de richting van de muur en haalden langzaam de ketting binnen, en de ophaalbrug ging omhoog. Als er haast bij was, sloeg men gewoon de tandwielen eruit die de wals afremden en dan suisden de stenen als contragewichten omlaag, zetten via de touwen de cilinder snel in beweging en zorgden er zo voor dat de ophaalbrug als het ware omhoog werd gerukt.

Op het toestel zat een jonge vrouw met lang haar, ze droeg een ouderwetse japon. Ze klapte in haar handen en lachte. Alexandra bleef verbluft staan. Ze kende de jonge vrouw van haar bezoeken in Brno.

'Isolde?' stootte ze uit.

Toen bedacht ze waarom Leona naar Praag was gekomen en ze draaide zich vliegensvlug om, maar het was te laat. Ze werd door handen gegrepen en opgetild. Ze schreeuwde. Maar wat had het voor zin om hulp te roepen als je je in het hart van de vijand bevond? Vaag drong het tot haar door dat een boom van een kerel die stonk als een stalknecht haar in een greep hield die haar armen tegen haar lichaam drukte. Hij droeg haar moeiteloos naar het enorme mechaniek. Ze spartelde en hijgde, maar hij was zo sterk als een os. Toen viel haar blik op de leren manchetten met de sloten, waarvan er een aantal aan het toestel waren vastgemaakt en twee aan de touwen bungelden die naar het contragewicht leidden, en op de donkere vlekken en spetters die overal op het hout zaten en waar de zware geur vanaf kwam. De cilinder glom van het smeervet dat hem in een goede conditie hield, maar daar waar zijn loopgeul bijna naadloos in het glad gepolijste hout overging, hingen op twee plaatsen sprietige, doffe plukken, uitgetrokken haar. Opeens wist ze wat ze voor zich zag en ze had geen kracht meer om te schreeuwen. Ze werd op het apparaat geduwd en vastgegespt. In de verschrikking, die steeds harder in haar oren galmde, mengde zich het zoemen van de speeldoosjes die ze had gezien. Ze vermoedde dat dit toestel een verzamelaar als keizer Rudolf net zo enthousiast zou maken als kleine, onschuldige zusjes. Het laatste wat ze waarnam voordat de paniek haar blind maakte, was het lachen en handenklappen van Isolde en haar beeldschone, met kwijl besmeurde, lege gezicht.

5

Heinrich zat in het kamertje waar de abdis van het klooster Frauenthal bezoekers te woord stond. Hij deed zijn best om zijn woede in toom te houden, die hem influisterde het kamertje te verbouwen, de deur in te schoppen, schreeuwend door de afbrokkelende gangen van het klooster te rennen en de paar nonnen die nog in deze bouwval verbleven, dood te schieten. Tegelijk maakte hij zich steeds meer zorgen dat hij wellicht te lichtvaardig was geweest.

Na een eindeloze wachttijd werd het houten luikje achter het rooster met een ruk opengeschoven, en hij vermoedde dat er iemand achter zat. Plotseling viel de gelijkenis met een biechtstoel hem op. Het had hem nog woedender moeten maken, maar eigenlijk werd hij alleen bezorgder. Vreemd genoeg werd hij van het ene op het andere moment verlegen bij de ingebeelde uitnodiging om zijn zonden op te biechten.

'De Heer zij met u,' zei een vrouwenstem van achter het rooster.

'En met uw geest, moeder overste,' antwoordde Heinrich. 'Ik heb grote zorgen.'

'Waarover?'

'Ik ben een paar dagen geleden op doorreis hier geweest. Ik was in gezelschap van mijn zus en haar oude meid.'

'Ik herinner het me,' zei de abdis. Heinrich meende koelheid in haar stem te horen. Natuurlijk, voor dat oude mens moest iedere mannelijke begeleiding voor een vrouw verdacht zijn. Heinrich legde zoveel vals gevoel in zijn woorden als hij maar kon.

'De oude vrouw heeft mijn zuster en mij vrijwel opgevoed. Weet u, moeder overste, het is niet gemakkelijk als je moeder dood is en je vader een hoge rijksambtenaar die altijd op reis –'

'Zeker niet,' onderbrak de koele stem hem.

'Het goede mensje werd onderweg van Praag naar hier ziek. Op de ochtend waarop we moesten vertrekken, lag ze voor dood, maar ze ademde nog.'

'Ze is weer opgeknapt.'

In Heinrich streden de teleurstelling omdat de oude vrouw weer was hersteld en de blijdschap om zijn werk eindelijk te kunnen afmaken een ogenblik om voorrang.

'Gedankt zij God de Heer. We moesten dringend doorreizen en haar daarom onder de hoede van uw hospitaal achterlaten, en nu heb ik mijn zuster naar onze familie gebracht en ik kom terug om het goede mens te...'

'De oude Ljuba,' zei de abdis.

'Leona,' zei Heinrich. En hij dacht grimmig: eerder vriest de hel dicht dan dat zo'n ouwe vrijster mij te slim af is.

'O ja.'

Heinrich zuchtte zo theatraal als hij meende te kunnen riskeren. Toen zweeg hij.

'Goed dan,' zei de abdis uiteindelijk. 'Ze is hier nog. Ik zal je zelf naar haar toe brengen.'

'God zal het u lonen.'

'Wacht voor de kloosterpoort.'

Hij stelde zich erop in dat de kloosterzuster hem puur uit kwaadaardigheid een tijdje buiten zou laten staan, maar tot zijn verrassing kwam ze al een paar minuten later terug. Haar gezicht was onzichtbaar achter het dunne zijden doekje dat ze over haar kap had gelegd en hoewel hij erop voorbereid was, irriteerde het Heinrich. Het maakte hem onzeker als hij met iemand sprak wiens gezicht hij niet kon zien, maar diegene hem wel in de ogen kon kijken. Hij maakte een buiging. Ze gaf hem met een hoofdknik te verstaan dat hij haar moest volgen.

Hij was verbaasd toen ze hem eerst naar de kerk bracht. Toen ze voor het altaar knielde, deed hij het op gepaste afstand na. Je moest doen alsof je de gebruiken van je gastvrouwen respecteerde als je iets van hen wilde. Hij wist niet wat ze bad; hij kon haar niet horen fluisteren, noch zag hij haar lippen onder de zijden doek. Er kwam geen eind aan. Hij keek naar het grote gat in het dak, de puinhopen in de zijschepen en de door vorst en water gesprongen stenen vloer. Ten slotte maakte ze een kruisteken en stond op.

'Ik heb voor Leona's ziel gebeden,' zei ze.

'Ik heb voor de ziel van alle heilige zusters hier in het klooster gebeden.'

Ze reageerde niet. In plaats daarvan nam ze hem weer mee de kerk uit en naar het hospitium. Heinrich voelde zijn handen jeuken en stelde zich voor hoe hij dat gevoel zou stillen als hij ze op voldoende afstand van het klooster weer om de magere hals van de oude vrouw zou leggen en dichtknijpen – minder hard deze keer, niet zo dat ze het bewustzijn verloor, maar slechts zo ver dat de lucht die nog door haar keel kwam, nog net voldoende was om haar getuige van haar eigen langzame verstikkingsdo...

Hij realiseerde zich dat de overste iets had gezegd.

'Neemt u me niet kwalijk, moeder overste,' zei hij. 'Ik was in gedachten.'

'Leona zei meteen toen ze bijkwam, dat ze ernaar hunkerde weer met haar geliefden te worden verenigd.'

'Daar zal ik voor zorgen, moeder overste.'

Ze liepen de ingang van het hospitium voorbij. Verbaasd volgde Heinrich de overste om de hoek van het gebouw. Was de oude vrouw alweer zo goed op de been dat ze in de boomgaard van het klooster kon rondlopen? Drommels, het leek dat hij echt onzorgvuldig was geweest bij zijn moordpoging.

'Daar heeft God al voor gezorgd,' zei de overste.

Het duurde enkele ogenblikken tot Heinrichs verstand begreep waar de abdis op wees. Voor hem lag een klein kerkhof met houten kruisen. Ze hadden niet allemaal een opschrift. Heinrich staarde naar de godsakker.

'Ze is weer hersteld,' zei de overste, 'maar vlak daarna heeft God haar geroepen. Ze weet vast dat jij haar thuis wilde brengen.'

Heinrich wendde zich van het kerkhof af en staarde verbijsterd naar de vormeloze witte zijden sluier.

'Dit is het kerkhof voor de bezoekers die in ons hospitaal sterven en van wie niemand het sterfelijke omhulsel opeist,' zei de overste. 'De tijden zijn hard en reizen eist slachtoffers.'

Heinrich was er absoluut van overtuigd dat ze tegen hem loog. Hij wist zo zeker als dat de zon elke ochtend opkwam dat Leona nog leefde en dat het spelletje dat de overste met hem speelde doorgestoken kaart was. In zijn verbijstering vergat hij zelfs dat hij haar het liefst had willen vermoorden. Hij voelde haar blik door de zijden sluier heen.

'Het spijt me dat het je zo aangrijpt,' zei ze.

Heinrich schraapte zijn keel. Toen schraapte hij zijn keel nog eens. Hij voelde dat zijn lichaam verkrampte in dezelfde mate waarin de zekerheid dieper doordrong dat twee oude vrouwen het hadden klaargespeeld hem voor de gek te houden. Wat had Leona haar over hem verteld, dat de abdis bereid was geweest om het spelletje mee te spelen? Hij was ervan overtuigd dat hij maar genoeg deuren hoefde in te trappen om de oude vrouw in een of andere schuilplaats in het klooster te vinden. Maar wat zouden de nonnen intussen doen? Zou een contingent soldaten van de proost of de dichtstbijzijnde bisschop hem opwachten als hij de oude vrouw aan de haren uit het klooster sleepte? Was er misschien op dit moment al iemand onderweg om de kloosterbeheerder te alarmeren? Had dat rotwijf hem daarom zo lang in de kerk opgehouden? Hij had het gevoel dat de lucht om hem heen begon te zinderen.

'Ik dank u voor uw hulp, moeder overste,' hoorde hij zichzelf zeggen.

Ze bracht hem zwijgend tot de poort. Hij had bijna haar moed kunnen bewonderen. Het handjevol oude vrouwen die in hun nonnenkledij in deze ruïne rondslopen, zou haar niet tot hulp zijn als hij had besloten haar met zijn blote vuisten dood te slaan. Als ze deze vertoning had gespeeld, dan wist ze ook hoe gevaarlijk hij was. Desondanks hield ze het beeld in stand dat ze elkaar vanaf het begin hadden gegeven. De verleiding was haast onweerstaanbaar, maar hij sjokte alleen naast haar verder.

'God zij met je, mijn zoon,' zei ze ten afscheid voor ze de poort achter hem dichtsloeg.

Hij liep met ferme passen naar zijn paard, dat hij aangelijnd buiten had laten staan, om hier zo snel mogelijk weg te komen. Hij voelde zijn nek prikkelen en zichzelf zeldzaam licht. Voor het eerst had een plan van hem niet gewerkt. Hij huiverde. Het slikken viel hem zwaar. Hij kon zich bijna niet herinneren ooit zo boos te zijn geweest.

6

'U moet de proost op de hoogte stellen. In Christus' naam!' zei Leona. Haar stem kraste nog altijd en op de huid in haar hals waren wurgplekken zichtbaar. De abdis schudde haar hoofd.

'Dat zou geen zin hebben,' zei ze. 'Dit klooster heeft geen enkel krediet meer. Voor ik hier kwam, was dit een poel van zonde met de toenmalige abdis als aanvoerster in de onkuisheid. Als ik dit verhaal vertel, zullen ze er geen woord van geloven.'

'Maar u en de zusters leiden toch een godvruchtig leven!'

'Ja, nu,' zei de abdis. 'Nu we oud zijn. En nu worden we ingehaald door de zonden die deze heilige plaats hebben ontheiligd. Gods molens malen langzaam.'

'God heeft de zonden die hier zijn begaan allang vergeven.'

'Maar Gods plaatsvervangers onder de mensen vergeven en vergeten niet.'

'Ik kan in mijn eentje niets doen. Die duivel heeft mijn Isolde en nu heeft hij ook nog Alexandra in zijn macht. Ik ben een oude vrouw. Ik wilde in Praag hulp halen, maar daar was slechts nog groter leed...'

'Het spijt me,' zei de abdis. Ze maakte een uitnodigend gebaar naar de ingang van het hospitium. 'Je kunt natuurlijk nog een paar nachten blijven, als je bang bent dat hij buiten op je wacht.'

'Hij wacht niet,' zei ze. 'Hij rijdt terug naar zijn duivelsgrot en zal zijn boosheid botvieren op mensen die er niets aan kunnen doen. Als u me niet helpt, moeder overste, resteert me niets anders dan er zelf heen te gaan.'

De abdis perste haar lippen op elkaar.

'Niemand zal de zonden vergeven die op dit klooster drukken als u uzelf niet vergeeft,' zei Leona.

Het gezicht van de abdis vertrok even.

'God zij met je, mijn dochter,' zei ze tegen Leona en vervolgens liet ze haar staan.

7

Een dagrit was lang niet genoeg om de belediging te verzachten. Als hij op weg van Frauenthal terug naar Pernstein een levend wezen was tegengekomen, had hij die ter plaatse vermoord. Maar zelfs geen dier kwam zo dichtbij dat hij een van zijn zadelpistolen had kunnen trekken en de ingewanden eruit blazen. Voor Heinrich leek het alsof een geheimzinnige waarschuwing was uitgesproken dat de duivel zelf naar Pernstein onderweg was en iedereen zich bibberend had verstopt. Wat hem betrof, had die voorstelling tenminste iets troostrijks.

Innerlijk nog steeds trillend van woede kwam hij in Pernstein aan. Hij richtte zijn blik op de brug naar de burchttoren, maar tot zijn verbazing was deze leeg. Toen hij de stal in reed en zich uit het zadel liet glijden, wist hij waarom: ze stond in de ingang van de bouwvallige houten schuur naar hem te kijken.

'Succes gehad?' vroeg ze.

Hij overwoog een moment te liegen. 'Nee,' zei hij toen.

'Er is nog een probleem.'

'Er bestaan geen problemen, alleen oplossingen!' zei hij hijgend, terwijl hij een haverzak zocht die hij het paard kon ombinden. De stalknechten waren niet graag in de buurt als Heinrich in de stal was, en als beiden – de meesteres en haar onberekenbare vriend – aanwezig waren, leken ze wel onzichtbaar te worden. 'Ík ben de oplossing. Wacht u maar af!'

'Dat is mooi,' zei ze. 'De volgende opdracht wacht al op u.'

'Ik heb een rauwe kont,' zei hij bewust grof. 'Ik heb twee dagen bijna onafgebroken in het zadel gezeten. Ik stap vandaag niet meer op het paard.'

'Isolde is weg,' zei ze.

Hij stopte, de haverzak nog in zijn hand. 'WAT?'

'Geen reden om te schreeuwen. Het is uw schuld, niet de mijne.'

Hij wilde haar tegenspreken, maar hield zijn mond. Eerst glipte Leona hem door de vingers en daarna was haar zwakzinnige dochter zoek. Het leek hem plotseling alsof de dingen vanaf de rand verdwenen, als bij een gobelin waarbij te veel draadjes waren losgeraakt. Het zou niet zijn gebeurd als hij Leona op de heenreis gewoon had gewurgd. In plaats van Alexandra iets wijs te maken had hij het meisje gewoon moeten intimideren of desnoods samen met het oude mens uit de weg moeten ruimen. Hij had het niet gedaan omdat hij iets anders met haar van plan was geweest. Hij klemde zijn kiezen op elkaar. Alles wat was misgelopen, kwam op de een of andere manier bij Alexandra uit.

'Als u mijn geschenk had aangenomen, zou ze nu niet ergens buiten rondlopen.'

'Nou en? Ze is zwakzinnig. Als ze iemand tegenkomt en hem verhalen over duivels en heksen vertelt, dan zullen ze haar eerder ophangen dan de dingen uitzoeken.'

'Maar door uw manier om problemen op te lossen heeft nu ook haar moeder zich aan onze greep ontworsteld en kan verhalen vertellen. Iemand zal een en een bij elkaar optellen.'

'Mijn manier om problemen op te lossen...!' riep hij uit, maar toen bond hij in. 'Mijn manier om problemen op te lossen zult u straks zien.' Hij smeet de haverzak in de hoek en greep de teugels van het paard. 'Welk offer wenst u, mijn godin? Het dampende hart van de maagd? Ik breng het u op een zilveren dienschaal.'

'Dat zou me op zijn minst geruststellen,' zei ze zonder met haar ogen te knipperen.

'Goed dan.' Hij zette zijn voet in de stijgbeugel.

'Wacht.'

'Waarop?'

'Ik wil dat u Filippo meeneemt.'

Enkele ogenblikken zwegen ze. 'Moet die paap op me passen?' vroeg Heinrich ten slotte. Hij kon zijn stem met moeite in bedwang houden.

Ze glimlachte, en heel even werd haar gezicht haast zacht. 'Waarom hebt u uw vertrouwen in mij verloren?' vroeg ze op haar beurt.

'Ik heb mijn vertrouwen in u niet...'

'Zijn we geen partners?'

Ze kwam zo dicht bij hem staan dat hij haar adem in zijn gezicht voelde. Zijn zintuigen raakten zoals steeds in de war. Hij knipperde met zijn ogen. Een deel van hem fluisterde dat ze heel goed wist welk effect ze op hem had en dat bewust gebruikte, een ander deel – het deel dat hem ook de macht verleende om verlangen te planten in de harten van degenen voor wie hij zijn best deed – fluisterde harder dat ze hem net zo toebehoorde als hij haar en dat haar schijnbare overwicht alleen kwam doordat ze zich beter kon beheersen dan hij. Hij opende zijn mond. Ze legde een vinger op zijn lippen.

'Misschien,' zei ze, 'wil ik er wel bij zijn als u een ander hart uitrukt.'

'Ik breng Isolde levend terug,' prevelde hij schor. Ze liet de vinger op zijn mond liggen en hij pakte haar pols en begon de vinger hijgend af te likken. Ze liet het toe. Haar ogen brandden in een koud, groen edelsteenvuur. 'Ik sloop haar voor uw ogen, en u en ik...'

'Ik bedoel dat domme kind niet,' zei ze rustig. 'Ik bedoel degene die aan al uw mislukkingen schuldig is.'

'Ik heb geen...'

'Ik heb u twee geschenken gegeven, partner. Nu wil ik er een van u.'

'Wat u maar wilt!'

Ze draaide haar hand los uit zijn greep en sloeg die in zijn lange, verwarde haar. Hij voelde hoe ze hem naar zich toe trok. Haar lippen raakten de zijne als ze sprak.

'Een geschenk,' fluisterde ze. 'Laat haar aan mij over. En deze keer kunt u toekijken.'

'Nu,' stamelde hij. Hij probeerde met zijn tong in haar mond te dringen, maar ze trok zich terug. 'Nu meteen. Ik kan niet meer wachten... Toe...'

Ze pakte zijn haar nog steviger vast en boog zijn hoofd naar achteren, tot zijn hals bloot lag. De totaal ongegronde angst kwam in hem op dat ze haar tanden het volgende moment in zijn hals zou slaan om het leven uit hem te zuigen. De angst schoot in zijn stijve lid en veroorzaakte daar een siddering waardoor hij bijna klaarkwam. Hij kreunde. De pijn in zijn schedel dreef de tranen in zijn ogen.

'Filippo zal u niet bewaken,' fluisterde ze. 'Integendeel. Het is zijn proef. Geeft u hem het meisje. Indien hij bij ons hoort, zal hij het aanbod aannemen. Indien niet, doodt u hem dan.'

'Maar de codex...'

'Arme Henyk,' zei ze. De pijn bij zijn haar was bijna niet meer te verdragen. Hij boog steeds verder achterover. Er was maar één klap nodig geweest en ze zou hem loslaten, maar die kon hij niet geven. Langzaam zakte hij op zijn knieën. 'Arme Henyk. U bent er zo dichtbij en hebt het wezen van waar we hier mee te maken hebben, nog steeds niet begrepen.'

'Legt u het me uit.'

'De uitleg ziet u iedere dag.'

Plotseling liet ze hem los. Hij viel naar voren en terwijl hij nog op zijn knieën lag, sloeg hij zijn armen om haar heupen. Hij woelde zijn gezicht in de stof van haar japon.

'Ik wil u!' kreunde hij. 'Ik wil verder niets, geen partnerschap, geen aandeel in uw millenniumkeizerrijk, geen geld, geen macht, ik wil alleen u!' Blindelings probeerde hij haar japon omlaag te trekken.

'Hier en nu in de mest,' zei ze. 'Of straks met kaarslicht, roodgloeiende tangen en het gekrijs van dat hoertje.'

Hij stopte. Het gekreun dat uit zijn borst kwam, brandde zich een weg omhoog naar zijn mond. Zijn ogen puilden uit. Hij liet haar los.

'Ik stuur Filippo naar beneden. Hij is niet lang voor u hier aangekomen. Stalknecht!'

Ze had haar stem niet eens verheven. Toch stond enkele ogenblikken later een jonge knaap in de ingang te kronkelen van vrees en onderdanigheid.

'Nog een paard,' zei ze. 'Snel.'

De jonge knaap bewoog zijdelings lopend om haar heen. Heinrich, die nog steeds op de grond geknield zat, voelde zijn blik. Hij gromde tegen hem alsof hij een wolf was die naar een prooi hapt. De jongeman vloog naar achter in de stal. Heinrich stond op.

'Hoeveel voorsprong heeft ze?'

'Een halve dag.'

'Waarom hebt u niet iemand anders achter haar aan gestuurd?'

'Waarom had ik dat moeten doen? Hebt u deze problemen tot nu toe niet altijd opgelost?'

'Vergezelt u mij,' zei hij in een impuls. 'Net als bij de eerste jacht!'

Ze schudde haar hoofd. Heinrich perste er met moeite een lachje uit. Zijn gezicht was verhit en zijn hoofdhuid prikte nog steeds. Ze keerde zich om en liep op haar gemak naar de ingang van het kasteel.

Toen hij aan de zijde van de paap, die als een zoutzak op zijn paard zat en nog steeds het vuil van zijn eigen reis aan zijn pij had, de voorburcht uit reed, gingen Heinrichs gedachten naar Alexandra. Zojuist had hij bezegeld wat hij al weken voor zich uit schoof: haar ondergang. Hij realiseerde zich dat hij zelf, toen hij de opwindende plannen smeedde hoe hij haar zou doden, de definitieve beslissing nog niet had genomen. Nu was de kogel door de kerk. Zijn persoonlijke godin Diana had hem tot deze beslissing gedwongen. Hij accepteerde het en bedacht dat hij nog een verrassing achter de hand had waarop ze niet rekende, al leek ze anders altijd alles aan te voelen. Het wond hem opnieuw op.

Onwillekeurig draaide hij zich om en keek naar het kasteel dat oprees als een monoliet. Ze stond in de poort en ving zijn blik op en beiden wisten dat die niet haar gold, maar Alexandra, die daarbinnen ergens in haar kamertje zat te wachten tot Heinrich haar zijn ware gezicht zou laten zien. Ze zou daar op een bijzondere manier achter komen. Maar de opwinding werd schraal toen Alexandra's gezicht voor zijn geestesoog verscheen. Hij wendde zich af, omdat hij vreesde zelfs over die afstand het spottende lachje in het wit geschminkte gezicht in de schaduw van het poortgebouw te zien. Op de een of andere manier bekroop hem het gevoel dat de eigenlijke verrassing ook deze keer weer van haar kant zou komen.

'Waar gaan we heen?' vroeg de paap.

'Hou je bek,' zei Heinrich.

8

Filippo voelde zich onbehaaglijk, niet door Heinrichs grofheid, want die kende hij niet anders, maar omdat hij vermoedde dat ze hem maar de halve waarheid hadden verteld. Hij begreep dat hetgeen waarvoor hij zich als knecht had verhuurd in de schijnheilige, nietsvermoedende wereld buiten als een doodzonde gold en dat het risico dat een vluchteling hen verraadde en hun de autoriteiten van de eerste de beste stad op hun dak stuurde, niet kon worden genomen. Maar hij wist niet waarom degene die ze achtervolgden was weggelopen, en ook niet om wie het ging. Heinrich zei niet veel en Filippo had het gevoel dat hij maar een pion in een spel was. De zekerheid dat ook de arrogante jongeman op het paard naast hem zijn eigen rol sterk overschatte, troostte hem nauwelijks. Het maakte de situatie alleen maar onberekenbaarder. Hij vroeg zich af of hij niet een kapitale fout had gemaakt. Maar toen dacht hij weer aan het gezicht van het kind in de biechtstoel en dat van haar moeder toen hij het had teruggebracht, en het duister daalde nog dieper in zijn hart neer. Wat de wereld ook verbeeldde waarin hij was gestapt, het kon niet corrupter zijn dan die waar hij vandaan was gekomen.

Quo vadis, domine?

Hij snoof. Het lukte hem niet Vittoria's stem op te roepen. Telkens wanneer deze vraag in zijn hoofd klonk, hoorde hij de stem van de prinses van Pernstein.

Heinrich scheen een goede jager te zijn. Hij volgde een pad door het bos, dat Filippo altijd pas herkende als hij er al voorbij was: afgebroken takken, een platgetrapte varen, open gewroete plaatsen in de dik met naalden en oude bladeren bedekte bosgrond. Er was nauwelijks kreupelhout, zodat ze de paarden het grootste deel van de tijd konden laten draven. De onregelmatige gang schudde Filippo door elkaar. Hij had voor het laatst op een paard gezeten toen hij een jongen was en voelde zich al na een tijdje helemaal door elkaar gerammeld. Toen hield Heinrich plotseling zijn paard in en ook Filippo bracht het zijne tot staan. Heinrich legde een vinger tegen zijn lippen. Voor hen verdichtte het bos zich tot een van de weinige plekken waar enkele jaren eerder een aantal oude bomen moest zijn omgevallen en er licht genoeg op de grond viel om een stel nieuwe bomen te laten groeien.

Ze vormden het warrige tableau van een zwijgende, verbitterde strijd om de heerschappij, waaraan de eerste strijders al ten prooi waren gevallen. Het groen was vermengd met het bruin van dode takken.

Heinrich boog zich naar hem toe. 'Spreekt u mij tegen,' fluisterde hij.

Toen zei hij hardop: 'Daarginds komt er niemand doorheen. Ik wed dat het spoor naar rechts gaat.' Hij wees langs Filippo.

'Dat geloof ik niet,' zei Filippo.

'Omdat u een stomme paap bent en er geen verstand van hebt,' zei Heinrich. Filippo wist dat hij het zelfs bij dit toneelstukje leuk vond om hem te beledigen. 'Zet uw achterwerk in beweging.'

Ze bogen af van de richting die ze tot nu toe hadden genomen tot het warrige stuk bos niet meer te zien was. Heinrich hield zijn paard in en sprong uit het zadel.

'Hoe kunt u weten dat onze prooi daar zit?' vroeg Filippo.

Heinrich tikte tegen zijn voorhoofd. 'Omdat ik kan uitrekenen hoelang het duurt voor een paard in draf een voetganger heeft ingehaald, zelfs als de voetganger rent zo hard hij kan.'

Filippo knikte. 'En nu?'

'We binden de paarden hier vast. Ik verken de situatie, kom terug en dan bent u aan de beurt.'

'Waarmee?' vroeg Filippo verbaasd.

Heinrich maakte een grijpende beweging en grijnsde hem minachtend toe.

'Dat is onzin,' zei Filippo. 'U bent een ervaren strijder, ik niet. Die vent zal door mijn vingers glippen.'

'Onze prooi,' zei Heinrich, 'kan zelfs door een paap worden overweldigd, maak je geen zorgen. Dat is het toch, wat voornamelijk ten prooi valt aan jouw soort: kinderen en stomme wijven.'

Filippo staarde hem aan. Hij wilde een scherp antwoord geven, maar de biechtstoel doemde opnieuw in zijn bewustzijn op. 'We zitten achter een vróúw aan?'

Heinrich legde weer een vinger op zijn lippen en liep toen met gezwinde pas een kant op die hem naar de zijkant van het struikgewas zou brengen. Filippo kroop op de grond en zag hem tussen de bomen verdwijnen. Hij wenste dat hij het bevel van Polyxena von Lobkowicz niet had opgevolgd.

Heinrich kwam verbazingwekkend snel terug. Hij grijnsde.

'Perfect,' zei hij. 'Een betere schuilplaats had ze niet kunnen kiezen.'

'Omdat het gemakkelijk bereikbaar is?'

'Nee, omdat het heel dichtbij is.' Heinrich schudde zijn hoofd. 'Pas op. Ik wil dat u het stuk dat ik heb genomen voorbij sluipt tot u aan de rand van het kreupelhout komt. In het midden is een open plek, waar een oude boom ligt te verrotten. Ze dacht vermoedelijk dat ze daar een tijdje kon uitrusten. Zoek een schuilplaats voor uzelf. U zult horen dat ik er na een tijdje ook heen kom. Het zal lijken alsof we het spoor zijn kwijtgeraakt en uit elkaar zijn gegaan. Ze zal proberen mij vanuit de struiken in de gaten te houden. Dat is uw kans: dring erdoorheen en neem haar te grazen.'

'Wie is ze?'

'Dood vlees,' zei Heinrich.

'Wat?' Filippo slikte.

'Als ze ontkomt, hangen we allemaal,' zei Heinrich. 'U kunt zich geen christelijke naastenliefde veroorloven.'

'Ik heb nog nooit...'

'Hou uw mond. Eropaf!'

Filippo voelde zich naar voren geduwd worden. Hij zette het op een drafje. Zijn benen waren opeens zwaar en zijn hart roffelde tot in zijn hoofd. Hij vond zichzelf een idioot. Wat had hij gedacht? Dat ze de vluchteling gewoon terug naar Pernstein zouden escorteren, waar de prinses een paar vermanende woorden sprak en dat was het dan?

O, mijn God, dacht hij op hetzelfde moment, ik zal er verantwoordelijk voor zijn dat er een leven wordt genomen.

Hij herinnerde zich dat Vittoria had gezegd dat ze op een dag rattengif door het eten van Scipione kardinaal Caffarelli zou mengen. Hij had er altijd om gelachen. Je kon over het vooruitzicht dat je medeschuldig zou worden aan de dood van een mens makkelijk lachen als dat vooruitzicht ver weg was en bovendien maar geklets.

Toen hij het struikgewas naderde, stond hij op het punt om gewoon door te lopen. Maar toen sloop hij dichterbij en kroop er met droge mond en bonzend hart zo ver in als hij durfde, zonder veel lawaai te maken. Een open plek kon hij in de verste verte niet ontdekken. Hij stopte, niet wetend wat te doen. Toen hoorde hij het gestamp van paardenhoeven. Zo hard als het klonk, moest Heinrich zijn paard laten trippelen. Hij hoorde het dier snuiven en hinniken en vlak daarna een vloek die Heinrich anders vermoedelijk tussen zijn tanden had gesmoord. Het klonk als een slechte komedie. Filippo wist dat iemand die in zijn schuilplaats zat te bibberen en niets liever wilde dan dat zijn achtervolger zou doorrijden, zich niet zulke nauwkeurige gedachten maakte. Toen hoorde hij nog een geluid en er liep een kriebel over zijn lichaam: de snelle ademhaling van iemand die bang was en het kraken van takken waarmee iemand niet ver voor hem door het kreupelhout sloop. Hij spitste zijn oren.

Het paard hinnikte weer en Heinrich liet een stroom godslasterlijke woorden klinken. Filippo wist zeker dat dit het teken voor hem was. Als een everzwijn stortte hij zich in het struikgewas.

Inderdaad, er was een kleine open plek, waar de dode stam lag als een rottende walvis. In een kleine inham hurkte een gestalte in een lange jurk, die zich snel omdraaide toen hij zich krakend door de wirwar een weg baande naar de open plek. Ze was net begonnen in het kreupelhout te woelen om te kunnen kijken. Filippo sprong over een rotte tak, struikelde over andere, half in de grond verzonken hindernissen en was bij haar toen ze zich juist had opgericht. Hij zag lang haar en twee wijd open ogen en botste toen tegen haar aan. Ze schreeuwde. Hij viel met haar in takken en natte varens. Ze spartelde. Hij gooide zich boven op haar en probeerde haar handen te pakken te krijgen. Ze sloeg naar hem. Hij zag pas dat ze een zeldzaam ouderwetse jurk met aangenaaide mouwen droeg, toen deze onder een oksel scheurde en een borst bijna ontblootte. Ze hield niet op met op hem in te slaan, maar hij staarde geobsedeerd naar de witte huid die zichtbaar was geworden en de welving van de borst, en ontsteld voelde hij dat hij stijf werd. De ontsteltenis werd nog groter toen hij iets hards in zijn rug voelde en een stem hoorde, die schril was van paniek. 'Van haar af, of ik haal over!'

Het eerste moment verstarde hij, het tweede moment kwam de gedachte in hem op om zich gewoon naar opzij te gooien. Maar wie het ook was die hem bedreigde, deze leek te voelen dat zijn spieren zich spanden, want de loop werd nog steviger in zijn vlees geperst. Hij liet zijn schouders zakken. De druk werd minder en hij hoorde het kraken waarmee iemand achter hem een stap achteruit deed. Hij staarde in het mooie gezicht van de jonge vrouw die hij op de grond had gedwongen en zag haar tot zijn grote verbijstering vrolijk grijnzen. Haar handen, die zojuist nog op hem in hadden geslagen, hingen voor zijn gezicht in de lucht en maakten dansende bewegingen. De vrouw begon te neuriën.

'Opstaan!' hoorde hij.

Hij kwam overeind, erop voorbereid dat de vrouw op de grond ook zou opspringen en zich op hem storten. Maar ze ging slechts zitten. De gescheurde jurk viel nog wijder open. Op haar voorhoofd verscheen een plooi van lichte irritatie, toen klemde ze de omlaag hangende punt van haar jurk onder haar oksel en bekeek hem met dezelfde zorgeloze grijns als eerst. Haar mond bewoog en een sliertje speeksel kwam naar buiten en liep langs haar kin.

'Omdraaien!'

Filippo gaf gehoor aan het bevel. Het eerste wat hij zag was de lange loop van een pistool dat met twee handen werd vastgehouden. De loop trilde niet, maar was met een zorgwekkende kalmte op de plek tussen zijn ogen gericht. Alleen de stem van de persoon verraadde opwinding. Ze was gehuld in een reismantel met capuchon, maar het leed geen twijfel dat het een vrouw betrof.

Ze zag zijn ogen knijpen, maar het was te laat. Heinrich, die al achter haar stond toen Filippo zich nog omdraaide, hield zijn eigen pistool tegen haar achterhoofd en zei hees: 'Draai je liever zelf om.'

Ze liet het pistool zakken. Filippo zag stomverbaasd hoe in een fractie van een seconde een golf van gevoelens over haar gezicht gleed: verbazing, opluchting, blijdschap, en toen schrik, wantrouwen, angst en ten slotte woede.

'Je schiet niet,' zei ze, zonder gehoor te geven aan het bevel.

Heinrich spande de trekker. De harde dubbele klik was luid in de plotselinge stilte te horen. Achter zich hoorde Filippo het neuriën van de vrouw op de grond, van wie hij opeens had begrepen dat ze zwakzinnig was. De ogen van de vrouw met de reismantel versmalden zich. Uiteindelijk liet ze het pistool vallen.

'Vooruit,' zei Heinrich met een hoofdbeweging tegen Filippo. Hij bukte, raapte het wapen met gevoelloze vingers op en keek in de kruitpan.

'Niet geladen,' zei hij en het verbaasde hem niet eens. Hij slingerde het ver van zich af.

'Ik had snel door dat we twee vluchtelingen achtervolgden,' zei Heinrich, die zijn pistool nog steeds tegen het hoofd van de vrouw hield. 'Maar ik had niet gedacht dat jij het was.' Later besefte Filippo dat het woede was, waardoor Heinrichs stem samenkneep, en dat die niet minder groot was dan die van de vrouw die hij met zijn wapen bedreigde. Hij voelde gevoelens tussen de twee die sterk genoeg waren om het hele bos in brand te steken.

Ten slotte draaide ze zich om en schoof de capuchon naar achteren. Filippo zag een donkere bos krullend haar. Heinrich hield het wapen nog enkele ogenblikken op haar gericht en liet het toen zakken. Het viel hem zo zwaar dat zijn arm begon te beven.

'En ik hield van je,' zei de vrouw.

Heinrich keek haar onbeweeglijk aan. Zijn gezicht werd vreselijk rood. Het pistool ging weer omhoog, hij trilde steeds heviger en schreeuwde plotseling: 'IK HEB NOOIT VAN JE GEHOUDEN!'

'Nee!' stootte Filippo uit en hij wilde een stap naar voren doen. Hij wist wat er zou gebeuren. Hij was veel te langzaam.

Heinrich drukte de loop tegen haar voorhoofd. Zijn gezicht verwrong tot het niets menselijks meer had. Toen haalde hij de trekker over.

9

'Waar heb je zo leren paardrijden?' vroeg Wenceslas en hij probeerde er niet op te letten dat zijn achterwerk aanvoelde alsof een landsknecht er een dag lang hoogst gemotiveerd tegen had staan trappen.

Agnes glimlachte een beetje. 'Je vader, je oom en ik hebben een zaak opgebouwd,' zei ze. 'In het begin waren we voortdurend onderweg.'

'Ik bedoel zó.' Hij wees op haar zadel. Het was een mannenzadel.

'Je kunt op twee manieren rijden: snel en veilig, of op een dameszadel. Ik hield altijd meer van de eerste mogelijkheid.'

'Ik had gehoopt dat we onderweg tekenen van Alexandra zouden krijgen.'

'Ik ook. Maar niemand schijnt haar te hebben gezien. Ze zijn zo goed mogelijk bij de mensen vandaan gebleven.'

'Als...' begon hij, en hij zweeg. Zijn tante keek hem onderzoekend aan.

'Nee,' zei ze. 'Als er iets was gebeurd, hadden we het gehoord.' Haar stem klonk lang niet zo nijdig als ze zelf waarschijnlijk had gewild.

Wenceslas keek naar de grond en sloeg zijn paard gade dat aan het grazen was. Hij ging met zijn hand onder het zadel. De vacht was nog steeds heet en glibberig van het zweet. Hij had het gevoel alsof ze over de steeds weidsere deining van het land ten oosten van Praag waren gevlogen en hier aangeland, op een weg waarlangs het bos en de donkere heuveltoppen van het Moravische land steeds dichterbij leken te komen. Toen zei de pijn in al zijn botten dat ze niet hadden gevlogen, maar een hellevaart hadden gemaakt, een waarvan hij wist dat die hen nog lang niet tot het doel had gebracht.

'Nog even,' zei Agnes. 'We hebben alleen deze twee paarden maar. Als we ze kapot rijden, heeft niemand er iets aan.'

'Weet jij hoe het verdergaat? Ik ben nog nooit in deze streek geweest.'

'We moeten nu gauw bij de wegsplitsing komen. Die is bij een oud klooster, Frauenberg of zoiets, ik weet het niet meer. Daar vertakt de weg zich naar het zuidoosten in de richting van Brno en naar het zuiden in de richting van Wenen.'

'Hoe lang duurt het nog voor we in Brno komen?'

'Daarvandaan, nog een dag.'

'Rijden we er rechtstreeks heen?'

'Ja. Willem heeft ons aanbevelingsbrieven voor de helft van de mensen daar meegegeven, te beginnen bij de gouverneur. We hoeven onderweg geen tijd te verdoen. Afgezien daarvan dat er op het hele traject niets is. Halverwege buigt de weg af naar Pernstein. Dat was vroeger ooit een belangrijk bezit, waar we bondgenoten hadden kunnen zoeken, maar tegenwoordig is daar bijna niets meer. De eigenaar is failliet.' Wenceslas zag dat de gedachte dat ook Khlesl & Langenfels failliet was haar gezicht verhardde. 'De vrouw van rijkskanselier Lobkowicz komt ervandaan, maar daar hebben we nu ook niets aan. De rijkskanselier is in Wenen en hij zal ons niet meer helpen dan hij al heeft gedaan.'

'Dan linea recta naar Brno. Zullen we in het klooster proberen een plek voor de nacht te krijgen?'

'Nee, het is nog te vroeg. Daar stoppen we niet.'

Wenceslas knikte. Hij schoof zijn hand nogmaals onder het zadel. Hij werd nog gek van ongeduld.

Filippo strompelde door het bos. Hij was nog steeds verbijsterd. Heinrich had gewoon de trekker overgehaald. Zijn gezicht was dat van een uiterst gepijnigde man geweest, maar hij had gewoon overgehaald. Het was schokkend om het gevecht tussen goed en kwaad, de strijd om de ziel van een mens in diens eigen gezicht weerspiegeld te zien. Het was des te schokkender als je er getuige van werd dat de donkere zijde won. En de jonge vrouw? Blijkbaar had ze Heinrich tot op het laatst in de ogen gekeken. Ze had geen spier vertrokken toen de loop van het pistool zich in haar voorhoofd boorde, zelfs niet in de fractie van de seconde waarin een mens tussen de slag van de trekker op de kruitpan en de ontsteking van het kruit nog in leven is. Ze had hem alleen maar aangekeken. Filippo had de indruk toegekeken te hebben hoe een duivel een engel vermoordde. Hij had niet geaarzeld toen Heinrich naderhand tegen hem brulde: 'Verdwijn! Lopen!' Hij had zich omgedraaid, het zwakzinnige meisje bij haar mouw gepakt en was met haar weggerend.

Ten slotte bleef hij staan en hield zich vast aan een boom. Alles om hem heen draaide. De hele tijd had hij er niet over nagedacht wat het betekende zich aan de duivel over te geven. Nu wist hij het. Heinrich had zich aan de duivel overgegeven. Hij, Filippo, had het ook gedaan. Hij kokhalsde.

Ja, jammerde iets in hem. Waarin zit het verschil? Die kerkmannen in de dom van Passau, die regelmatig in de biechtstoel een kind verkrachten, zijn ook niet beter en ze geloven vast en zeker dat ze mannen Gods zijn!

Het verschil, antwoordde hij zelf, is dat jij tot nu toe niet bij hen hebt gehoord. Nu wel.

Toen Heinrich de trekker had overgehaald, had hij luid *klik* gehoord. Ook zijn pistool was niet geladen. Zoals zijn gezicht eruit had gezien, had het hem ook niet bevredigd de jonge vrouw dood te schieten; hij moest het leven met zijn blote handen uit haar rukken. Filippo wist zeker dat hij haar had gewurgd, terwijl hij, de katholiek, de christen, was weggerend. Hij spuugde een warme straal gal uit die brandde in zijn keel. Kreunend zakte hij op de grond. Weer kwam het in hem omhoog, hij stikte er haast in, de tranen liepen uit zijn ogen, terwijl hij op handen en knieën lag. De natte plek op de bosgrond rook als de stront van een demon, maar wat daar stonk was uit zijn binnenste gekomen. Hij gaf een gepijnigde kreet. Ik ben verloren, dacht hij. O God, waarom hebt U mij verlaten?

Ik heb Ú verlaten, dacht hij toen. *Quo vadis, domine?* Filippo vermoedde dat Petrus, als hij toen op de plaats buiten Rome waar nu de Santa Maria in Palmis stond, verder had kunnen spreken, op zijn knieën zou zijn gevallen en had gesmeekt: Waar gaat U heen, Heer? Neem me alstublieft mee!

Jezus had Petrus alleen op zijn laatste weg gestuurd. Het was iets eigenaardigs van God, dat Hij het geloof van een mens altijd op de proef stelde als er alleen nog de weg tussen dood en leven was. De jonge vrouw, van wie hij niet wist hoe ze heette, had besloten de weg die Jezus wees te nemen. Filippo was ervan overtuigd dat Heinrich het pistool had weggestopt als ze maar voor hem op haar knieën was gevallen en om genade had gesmeekt. En hij, Filippo? Hij was al van het rechte pad afgeweken toen hij nog helemaal niet hoefde te kiezen tussen leven en dood.

Quo vadis, domine?

Hij jankte toen hij vanbinnen Vittoria's stem hoorde. Daarheen, waar je niet meer heen kunt gaan, Filippo.

Hij dacht aan het kruisbeeld in het kamertje van het paleis in Praag. Hij dacht eraan dat hij zich had ingebeeld de toeschouwer te zijn die zou proberen de controle naar zich toe te trekken wanneer het serieus zou worden. Hij stelde vast dat het al lang genoeg serieus was geweest, en hij had niets gedaan.

Jezus had op de Olijfberg gebeden: Heer, laat deze beker aan mij voorbijgaan.

Filippo hád hem voorbij laten gaan.

Of kon hij hem nog proberen te pakken?

Het drong tot hem door dat het zwakzinnige meisje lachte en in haar handen klapte en hem iets probeerde te vertellen. Hij keek op, moe en murw geslagen. Ze wees in een richting. Na een tijdje dacht hij te verstaan wat ze brabbelde.

'Parcival?' vroeg hij. 'Hoezo, Parcival?'

Ze stak haar hand uit. Filippo zag dat ze naar een open plek tussen een stel boomstammen wees. Er kwam een pad van opzij en liep op de open plek toe, waarop vaag een bouwvallig hutje was te zien. In de buurt, eveneens vaag door de stammen zichtbaar, lagen half ingezakte heuvels als oeroude graven. Het was een verlaten kolenbrandershut, de laatste hopen houtskool door gras overwoekerd en in de grond gezakt. Hij snoof. Parcival en zijn eenzame huisje in het bos waren de symbolen van de onschuld. Filippo was ervan overtuigd dat er in de omtrek van Pernstein nergens zoiets als onschuld bestond. Waarom uitgerekend dit verhaal zich in het gebrekkige verstand van de jonge vrouw had vastgezet, was hem een raadsel. Hij kwam moeizaam overeind. Heinrich had niet tegen hem gezegd waar hij heen moest gaan. Filippo's paard was achtergebleven en hij had geen idee waar hij was. Hij kon net zo goed naar het oude hutje strompelen en hopen dat Heinrich hem daar zou weten te vinden en mee terug zou nemen. Hij proefde de spot dat hij de gezant van de duivel zelf nodig had om de juiste weg te vinden nog bitterder dan de gal die hij had uitgekotst.

Van dichtbij zag hij dat de hut alleen bouwvallig was in het gedeelte waar blijkbaar de dieren gehuisvest waren geweest; geiten, kippen, misschien een varken, die voor de kolenbrandersfamilie gezelschap in de eenzaamheid waren. Het woongedeelte was een beetje beschadigd en verzakt, maar het dak leek dicht, en de lemen muren waren intact. Filippo duwde de deur open en bukte onder het kozijn door naar binnen.

Tot zijn stomme verbazing stonden er meubelen in de ruïne: een lange, smalle tafel, die uit een ander huis moest komen, twee op kniehoogte afgezaagde en gladgeschuurde houten stammen, die zitgelegenheden vormden. In een hoek lag een grote hoop stro, waarop nog oude dekens lagen. De jonge vrouw kwam na hem de ruimte binnen. Ze lachte en klapte in haar handen. Filippo kneep zijn ogen tot spleetjes; zelfs het sombere bos was licht tegen het raamloze interieur van de oude hut, die slechts door de open deur en door een gat in het dak boven de vuurplaats licht kreeg.

Er rammelde een ketting. Bij de dekens bewoog iets. Te verbaasd om iets anders te doen dan kijken, zag Filippo dat iemand onder de dekens had gelegen, die nu rechtop ging zitten. De ketting rammelde weer. Deze liep van een haring in de grond tot aan de hooistapel en eindigde aan een enkel. Een man met weerbarstig lang haar en een baard keek naar hem. Als Filippo ooit de moeite had genomen om de Parcival uit de verhalen, die hij ook kende, een gezicht te geven, had het eruitgezien als dat van de geboeide man op het stro. Niet de Parcival die in het bos voor het eerst de ridders ontmoette en dacht engelen voor zich te hebben, maar de Parcival die de graal niet had gevonden en die als een wanhopige schim door het land trok, terwijl hij van alles afstand deed, behalve van één ding: het geloof dat hij alles weer goed zou maken zodra hij een tweede kans kreeg.

De gevangene zei met een sonore stem: 'Prettig eens een paar andere gezichten te zien. Ga zitten en maak het u gemakkelijk.'

Voordat Filippo iets terug kon zeggen, hoorde hij het gestamp van paardenhoeven en toen ging de deur opnieuw open. Hij draaide zich geschrokken om. Heinrich stond gebogen in de lage opening, met een wilde blik in zijn ogen. Hij keurde noch Filippo, noch het zwakzinnige meisje een blik waardig, maar stapte op de gevangene af en trok zijn pistool. Filippo hoorde het knarsen van de trekker. De gevangene keek Heinrich met dezelfde onbuigzaamheid aan die Filippo zich ook op het gezicht van de jonge vrouw had voorgesteld. Een ogenblik liepen de beelden in Filippo's hoofd in elkaar over, dat van de rechtopstaande jonge vrouw met de pistoolloop tegen haar voorhoofd en dat van de zittende gevangene in het stro.

'Ik heb een verrassing voor je,' kraste Heinrich. 'Ik had het me allemaal wel iets anders voorgesteld, maar zoals het is, is het ook goed. Het einde is toch hetzelfde. Jóúw einde.'

I I

'Je belooft me het einde nu al zo lang dat ik er bijna naar ga verlangen, Henyk.'

Heinrich grijnsde. Hij hief zijn pistool.

'Houdt u op...' kreunde de paap. Heinrich keek hem van opzij aan en spande toen de trekker.

'Deze keer is hij wel geladen, paap,' zei hij. 'Wat vind je daarvan?' Hij wendde zijn blik af. 'Ben je zo iemand die met drie kogels moet worden gedood, Cyprian? Mijn derde kogel zit hierin.'

Cyprian Khlesl antwoordde niet. Heinrich greep met zijn vrije hand in zijn vestzak en gooide hem een sleutel toe. Cyprian ving hem op. Isolde deed met haar duim en wijsvinger een pistool na. Haar duim ging naar beneden: 'Woemmm!' Ze lachte weer.

'Maak de ketting los. Een verkeerde beweging en je hersens zitten op de muur achter je.' Cyprian maakte de ketting open en wreef over zijn enkel. Heinrich keek naar hem. Hij voelde dat de grijns op zijn gezicht eruitzag als van een idioot, maar hij kon er niet mee stoppen.

'Leg de boei om je pols en maak hem weer dicht.'

Cyprian maakte aanstalten om zijn linkerpols te boeien. Heinrich maakte een bestraffend geluid tussen zijn tanden en stootte de loop zo hard tegen zijn slaap dat de klap zijn eigen pols bezeerde. Cyprian knipperde even vanwege de plotselinge pijn en legde toen de boei om zijn rechterpols. Heinrich nam het pistool weg. Op de huid bij Cyprians slaap glom een witte ring die zich vulde met een bloeduitstorting. Heinrich voelde de onweerstaanbare behoefte om Cyprian nog verder te vernederen. Zijn blik viel op de lantaarn. Hij maakte een hoofdbeweging naar Filippo.

'Er moet nog traan in zitten. Aansteken!'

Filippo vond een vuursteen en een tondel en speelde het klaar om met trillende vingers een lont aan te steken. Uiteindelijk gloeide de lantaarn op. Heinrich woog hem in zijn hand. Cyprian keek hem in de ogen. Hij liet niet merken of hij het begreep, maar Filippo's ademhaling ging opeens piepend. Heinrich verzonk in Cyprians ogen en hoopte dat deze zag waar Heinrich op elk moment de macht toe had: de lantaarn in het stro slingeren, de hut aansteken en toekijken hoe Cyprian, aan de lange ketting geboeid, probeerde aan het vuur te ontkomen. Hij zou het lang volhouden, tot er geen plaats meer was die niet in brand stond.

'In Gods naam,' zei Filippo. Heinrich sloeg geen acht op hem. Met een kleine beweging van zijn pols belandde de lantaarn in het stro, de traan spoot eruit en stak het aan. Cyprians ogen trokken eenmaal. Heinrich zag het met een gevoel van lichte triomf. Hij besloot er nog langer van te genieten.

'Tijd om afscheid te nemen, Cyprian,' zei Heinrich. 'Filippo, neem Isolde op je paard.' Hij draaide zich om. Filippo had zich niet verroerd. De onzinnige hoop kwam in Heinrich op dat de paap zou protesteren. Hij zwenkte de loop van het pistool langzaam de andere kant op. Hij zou het geslacht van de paap afschieten en hem dan hier laten liggen. Misschien overleefde hij het, maar naar alle waarschijnlijkheid waren pik en ballen voor een paap toch overbodige lichaamsdelen.

'Gaat u maar,' zei Cyprian. 'Hij laat me hier niet verbranden.'

Heinrich draaide zich met een ruk om. 'Waarom ben je daar zo zeker van, Khlesl?' schreeuwde hij.

'Ik ken je, Heinrich.'

Verbijsterd besefte Heinrich dat Cyprian zich niet echt bang had laten maken. Hij begon te beven toen hij vocht tegen het verlangen om de man dood te schieten. Toen schoot hem te binnen dat hij nog iets achter de hand had waarmee hij hem werkelijk kon raken.

'Weet je nog wat ik je bij de rivier heb beloofd, Khlesl?' vroeg hij spottend.

Cyprians gezicht spande zich. 'Ja,' zei hij hees.

'Ik stel me voor dat je je elke keer als ik je hier bezocht, heb afgevraagd of ik je dochter al heb gedood. Nietwaar?'

'Je hebt het niet gedaan,' zei Cyprian.

'Ben je daar ook zo zeker van?'

'Je hebt me niet in leven gehouden om me te vertellen wat je met Alexandra hebt uitgehaald. Je hebt me in leven gehouden zodat ik het met eigen ogen kan zien.'

'Goed geraden. En weet je, Khlesl? Ik heb iets voor je meegebracht.'

Heinrich maakte de ketting los van de haring. Hij trok Cyprian mee naar buiten, langs de verstijfde Filippo, langs Isolde, die naar het brandende stro was gelopen en haar beide handen erboven had uitgestoken alsof ze de vlammen wilde bezweren. Heinrich hoorde haar neuriën.

De paarden buiten stonden al onrustig te stampen. Op Heinrichs paard zat Alexandra met gebogen hoofd, haar voeten onder de buik van het paard bij elkaar gebonden en aan haar polsen geboeid. Isolde drong langs hem heen, rende op haar toe, vormde met haar wijsvinger een duim een pistool, richtte op Alexandra en klakte met haar tong: 'Klik!' Het klonk verbazend realistisch. Toen juichte ze, draaide een rondje om haar as, stortte zich op Heinrich, hield haar vinger tegen zijn hoofd en riep weer: 'Klik!' Haar duim ging snel heen en weer: 'Klik! Klik! Klik!'

Heinrich duwde haar hand weg, haalde uit en sloeg haar in het gezicht. Ze viel op de grond alsof ze door een vallende steen was getroffen. Stomverbaasd keek ze naar hem op. Er liep bloed uit haar neus. Toen begon ze te huilen. De rug van Heinrichs hand jeukte. Hij moest zich inhouden om haar niet te schoppen tot het gejank voor altijd was gesmoord.

'Zet haar op het paard, anders sta ik niet voor mezelf in,' zei hij tegen Filippo. Toen draaide hij zich naar Cyprian toe en stelde vast dat Isoldes gekkigheid hem van het genoegen had beroofd om zijn dodelijke verrassing mee te maken. Cyprian keek naar de in elkaar gedoken gestalte op het paard zonder een teken van opwinding. Alexandra tilde langzaam haar hoofd op, keek met ogen als schoteltjes naar Heinrichs gevangene en maakte een geluid dat klonk als een gesmoorde kreet.

'Vader?'

Heinrich trok aan de ketting. Cyprian was er niet op bedacht en struikelde een stap naar voren, maar toen maakte hij plotseling een snelle beweging, aan het einde waarvan een stuk van de ketting om zijn onderarm was gewikkeld en hij een halve draai maakte. Heinrich verloor zijn evenwicht en viel op de grond. Ademloos sprong hij op. Cyprian stond al haast over hem heen, een deel van de ketting tussen zijn vuisten gespannen. Heinrich week achteruit en richtte met zijn pistool op de jonge vrouw op het paard. Het laaien van de woede in zijn hoofd maakte plaats voor het besef dat Cyprian hem zou hebben overweldigd als de ketting maar een stukje korter was geweest, wat de woede liet verbleken.

'Achteruit, of ik knal haar neer! Voor je ogen!' Heinrichs stem sloeg over.

Cyprian stak beide handen op en bleef onbeweeglijk staan. De ketting rolde van zijn arm.

Heinrich ademde heftig. Hij hoorde een hese stem zeggen: als u en hij elkaar in een donker straatje tegenkomen... Op benen die niet van hem leken te zijn, liep hij naar Cyprian toe en haalde de loop van zijn pistool over diens gezicht. Uit een lange schram begon bloed te sijpelen. Cyprian had geen spier vertrokken.

Alexandra gilde opnieuw. 'Laat hem met rust, smeerlap! Vader!'

'Vooruit,' zei Heinrich, terwijl hij achter haar op zijn paard sprong. 'Van-avond zal de familie herenigd zijn. In de hel.'

12

Wenceslas bewonderde Agnes om de kalmte die ze leek te bewaren. Hij had in haar ogen gezien dat ze minstens evenveel angst om Alexandra had als hijzelf, maar die liet ze nauwelijks blijken. Daarin leek ze erg op Cyprian. De oude verhalen die hij vaak had gehoord, uit het jaar waarin zij en Wenceslas' vader elkaar voor het eerst hadden gezien en constateerden dat ze broer en zus waren, werden pas nu geloofwaardig, nu hij haar zo doelgericht en beheerst meemaakte. Zelf kon hij nauwelijks stilhouden als ze moesten pauzeren om de paarden te laten rusten of eten.

Opgelucht zag hij de kruising in de weg waar Agnes het over had gehad. Van hier liep de weg rechtstreeks naar Brno; 's avonds zouden ze er zijn. Met een beetje geluk waren Willem Vlach en Andrej al naar Alexandra op zoek. Ze waren met een dag voorsprong vertrokken. Wenceslas had gekreund van ongeduld. Hij zou er zijn rechterarm voor hebben gegeven om haar te vergezellen, maar hij was bij Agnes gebleven. Adam Augustyn was ook verder betrouwbaar gebleken en had in zijn huis alle klerken en boekhouders van de firma verzameld die hij had kunnen overhalen om op goed geluk het huis Khlesl & Langenfels trouw te blijven. Het waren er verbazend veel en ze begonnen meteen Augustyns huis in een kantoor te veranderen, waarin ze tussen kruipende kinderen, houten speelgoed en een met militaire precisie door Augustyns vrouw geleide kookbrigade gezamenlijk het gedeelte van de firma probeerden te redden waarop de koning de hand niet kon leggen. Dit moest worden geregeld, evenals de opvang van Andreas en Melchior junior, die uiteindelijk ook bij de Augustyns terecht waren gekomen. Dat dit allemaal binnen één dag gerealiseerd kon worden, was voor een groot gedeelte Agnes' verdienste geweest. Desondanks was er een dag verloren, en Wenceslas had, ook al had Agnes hem net als alle anderen rond gecommandeerd, op zijn knokkels moeten bijten om het niet uit te schreeuwen van ongeduld.

Hij gaf zijn paard de sporen. De weg die na de kruising met dezelfde breedte naar Brno scheen te lopen, leek hem te wenken.

De kruising bestond uit het gebruikelijke groepje bomen, daaronder een imposante, eeuwenoude linde, die erop wees dat hier vroeger een galg moest hebben gestaan. Nu was er alleen nog maar een kruisbeeld, en ervoor zat iemand te bidden, eveneens een vertrouwd beeld. Wenceslas maakte een kruisteken zonder te stoppen. Hij probeerde een schietgebedje in te houden: Heilige Maagd Maria, bescherm Alexandra! Want hij voelde dat iemand die de hemelse machten opriep zijn geliefden te beschermen, het al had opgegeven en niet geloofde er zelf toe in staat te zijn. Zover was hij nog niet! Hij fluisterde: 'Heer, geef me de kracht om alles goed te doen!' Toen veranderde hij zijn woorden in: 'Heer, ik dank U dat U mij de kracht hebt gegeven om alles goed te kunnen doen.' Alstublieft, laat ze me op tijd vinden, voegde hij er in gedachten aan toe. Ten slotte constateerde hij dat hij Agnes was kwijtgeraakt.

Hij nam zijn paard bij de teugels en wendde het. Agnes' paard stond zonder berijdster naast de weg en plukte aan het hoge gras onder aan het groepje bomen. Verward en met opkomende angst ging hij rechtop in het zadel zitten. Daar zag hij haar naast het kruisbeeld op de grond hurken. Ze zou net zomin als hij de tijd nemen om af te stappen en een gebed te zeggen, dat wist hij. Ze vertrouwde er net als hij op dat God het niet nodig had dat ze om de paar mijl voor Hem op hun knieën vielen. Was ze van haar paard gevallen? Was ze gewond? Maar toen zag hij dat de gebogen gestalte die hij eerder had gezien, in haar armen lag. Hij ging beter in zijn zadel zitten en galoppeerde terug naar de kruising.

Agnes keek naar hem op met tranen in de ogen. De biddende vrouw was een snikkende oude vrouw. Wenceslas herkende haar, hij had haar een keer gezien toen ze voor dood in het huis van de Khlesls lag te slapen.

'Leona?' vroeg hij ongelovig.

De oude vrouw keek hem aan, terwijl de tranen over haar gezicht stroomden. 'Nu komt alles goed,' fluisterde ze.

Agnes drukte haar tegen zich aan. 'Ik zou Leona bij nacht en ontij herkennen,' zei ze. 'Toen ik iemand bij het wegkruis zag bidden, wist ik meteen dat zij het was.'

'Leona, waar is Alexandra?' vroeg Wenceslas doodsbang.

'We hebben Andrej en Willem de verkeerde kant op gestuurd,' zei Agnes grimmig. 'Die duivel heeft ons allemaal wijsgemaakt dat hij en de vrouwen onderweg naar Brno waren.' Ze wees naar de donkere schaduw van de beboste heuvel. Hier en daar was een ruwe top die roodachtige rotsklippen vertoonde, die uit het donkere groen glommen als niet ingetrokken nagels van machtige klauwen. De weg voerde precies naar de klauwen. 'Alexandra is niet in Brno, ze is in Pernstein.'

13

Cosmas Laudentrit snoof de rookgeur op, maar het lukte hem verbazend lang om zijn vrees te onderdrukken en er verklaringen voor te bedenken: boeren die takken verbrandden omdat ze een nieuwe akker wilden rooien of as winnen (niemand verbrandde hout in de lente, als het nog mals was), houthakkers die het kreupelhout in brand hadden gestoken (als er hout was gehakt, had men al dagenlang de bijlen horen slaan), een jachtpartij, waar de knechten een maaltijd voorbereidden (dit was de grond van Pernstein, en hij wist dat de prinses hier geen jachtpartij organiseerde of tenminste niet een op wild met vier poten). Uiteindelijk liet het vermoeden waar de rook vandaan kwam zich niet langer onderdrukken en hij zette het op een lopen.

De oude kolenbrandershut was ingestort en nog slechts een zwarte, verkoolde hoop waar de vlammen uit sloegen en die een rookzuil de hemel boven de open plek in stuurde. Een handvol mannen stond erbij te discussiëren. Cosmas had hun stemmen al van ver gehoord. Hij verstopte zich achter een boom, half stikkend, omdat hij hijgde van het rennen en toch niet hard adem durfde te halen om niet ontdekt te worden. Hij zweette en tegelijk had hij het koud van angst.

Het lag voor de hand dat de gevangene de hut per ongeluk in brand had gestoken. Cosmas kon zich niet herinneren of hij ook na zijn laatste bezoek de lantaarn, vuursteen en tondel buiten bereik van de geketende man had gezet. Sommige voorzichtigheidsmaatregelen voerde je uit zonder erbij na te denken, en je vergat dat je ze had genomen. Eigenlijk was het zo dat je vergat óf je ze had genomen. En als het zo was? Als de gevangene bij de lantaarn had kunnen komen? Cosmas wist niet eens hoe hij heette, maar het was hem snel duidelijk geworden dat het niet zomaar een man betrof. Hij kon hebben geprobeerd de paal af te branden waaraan zijn ketting was bevestigd. Een normale gevangene was niet eens op dat idee gekomen, laat staan op het idee om het uit te voeren. Maar deze man, die ondanks zijn boeien en ondanks de verse wonden in zijn schouder en zij oefeningen deed en zijn ketting daarbij als gewicht gebruikte...

Nou ja. Er waren maar twee dingen zeker. Ten eerste: de knaap had een misrekening gemaakt en in plaats daarvan de hut boven zijn hoofd aangestoken en hoe uitzonderlijk hij ook altijd mocht zijn geweest, hij lag nu onder de stapel brandende balken en was nog slechts een hoopje zwarte as. Ten tweede: ze zouden Cosmas ervoor ter verantwoording roepen.

Bibberend van paniek probeerde hij het zich te herinneren: had hij de lantaarn en vuursteen buiten bereik gezet of niet? Iets in hem zei dat het er helemaal niet toe deed, omdat ze hem in elk geval verantwoordelijk zouden stellen voor de brand. Heinrich von Wallenstein-Dobrowitz zou niet de moeite hebben genomen om de gevangene hier te verstoppen en Cosmas te dwingen hem medisch te verzorgen als het niet belangrijk voor hem was geweest. Cosmas dacht aan het gemartelde lichaam dat Heinrich uit het bos had laten halen, en hij kon slechts met moeite voorkomen dat hij ging overgeven, toen zijn fantasie zijn eigen gezicht op deze rauwe, verdraaide hoop ledematen projecteerde in plaats van dat van de jonge vrouw die het echte slachtoffer was.

Vluchten was de enige mogelijkheid. Maar waarheen?

Hij hoorde hoesten op de open plek en er schoot hem weer te binnen dat er nog een tweede probleem was. Wie waren die kerels rond de brandende ruïne? Er leek een lichtje te schijnen aan zijn zojuist nog donkere persoonlijke horizon. De rook moest hen hebben gelokt. Misschien was hun aanwezigheid gevaarlijk voor de plannen van de prinses en haar opperduivel? Misschien kon Cosmas dichterbij sluipen, uitvinden wie ze waren, zich terug spoeden, alarm slaan, en zo voortaan als loyale, dappere dienaar te boek staan. Bovendien kon hij proberen de vreemdeling de schuld in de schoenen te schuiven. Hij zag zich al in de kapel voor de witte vrouw en voor Heinrich op de grond knielen (ook in zijn verbeelding was hij realistisch genoeg om een deemoedige houding als voordelig te beschouwen) en hijgen dat hij niets had kunnen uitrichten tegen een zestal kerels dat de hut in brand had gestoken en dat hij zo snel mogelijk hierheen was gerend. Natuurlijk waren ze hem achterna gekomen, de kogels hadden hem om de oren gefloten, maar hij had zich voorgenomen Pernstein te waarschuwen en zou zelfs met een kogel in zijn buik nog hierheen kruipen om zijn trouw te bewijzen...

Het probleem was dat hij werkelijk naderbij moest sluipen als hij wilde vaststellen wie de mannen waren. En daarbij kon hij ontdekt worden. Je kon beter dromen dat je de schoten van je achtervolger had getrotseerd dan je in het gevaar begeven werkelijk voor hun geweer te lopen.

Met droge mond en bonzend hard snelde hij naar de volgende boom. Takken en bladeren ritselden onder zijn voeten, wat in zijn oren klonk als de trompetten van Jericho. In werkelijkheid was het geknetter van het vuur verderop zo luid dat hij met bokkensprongen over de bosgrond had kunnen gaan zonder dat iemand hem zou horen. Uiteindelijk was hij zo dichtbij dat hij gezichten kon zien. Om de een of andere reden was hij opgelucht dat het geen soldaten waren. Ze zagen er eerder uit als de manschappen van een reizende koopman, die van hun route waren afgeweken om te zien waar de rook vandaan kwam. Wel was het zo dat de weg van Brno naar het noorden zo ver ten westen van hier liep, dat je het vuur daarvandaan niet kon hebben gezien. En op de weg van Pernstein naar de kruising was beslist geen goederenverkeer in de traditionele zin. Toen constateerde Cosmas tot zijn verbazing dat hij een van de mannen kende. Die kwam net als hij uit Brno. Een welgestelde koopman, hij kon alleen niet op zijn naam komen. Wat deed die nou hier?

Zijn gedachten werden abrupt onderbroken, toen een hand zijn nek greep, een tweede zijn rechterpols, zijn arm pijnlijk op zijn rug werd gedraaid en zijn voorhoofd tegelijk tegen een boom geramd. Enkele ogenblikken verzonk de wereld in de pijn die uit zijn schouder kwam, en de echo van de klap die in zijn schedel dreunde. Hij voelde dat hij vooruit werd geduwd en zijn benen strompelden mee. Beetje bij beetje begon hij te begrijpen dat hij was betrapt bij het spioneren. Zijn knieën werden slap, maar toen was hij al bij de mannen die hij had afgeluisterd. Hij viel op de grond. Vaag drong het tot hem door dat hij nu precies de houding aannam die hij zich bij het melden van wat hij had gezien in de kapel van Pernstein had voorgesteld. Zijn arm en zijn nek werden losgelaten en hij hield zijn handen op zijn schouders. Zijn arm werd lam. Om hem heen stonden overal benen. Doodsbang keek hij op in een smal gezicht, omkranst door lange krullen, dat van de man moest zijn die hem had verrast. Hoewel hij niet leek op Heinrich von Wallenstein-Dobrowitz, afgezien van het lange haar, bracht het hem op het eerste moment in paniek. Hij begon te sidderen.

'Alstublieft... Alstublieft...'

'Dat is toch die bezopen heelmeester,' zei een van de omstanders. 'Zijn naam ligt op het puntje van mijn tong.'

'Is hij gevaarlijk?' vroeg de man met het lange haar.

'Nee...' stotterde Cosmas. 'Nee... Ik ben alleen maar... Ik wilde alleen maar...'

'In onze situatie is alles gevaarlijk, Andrej, denk je niet?'

'Je hebt gelijk, Willem.' De man die Andrej heette boog zich naar hem voorover. 'Wat was er in die hut? Waarom is hij aangestoken?'

'Geen idee... Ik ben echt alleen maar... Ik wilde alleen...' Cosmas zweette peentjes van angst.

'Laten we hem boeien en meenemen,' zei Andrej. 'Een gijzelaar kan nog van pas komen.'

14

'Waarom heb je me op de open plek niet de genadeslag gegeven?' vroeg Alexandra. 'Als je pistool geladen was geweest, had je me doodgeschoten. Was je te laf om het met je eigen handen af te maken?'

'Ik bedacht opeens iets beters,' zei Heinrich. Hij was blij dat ze voor hem zat en zijn gezicht niet kon zien. Hij vermoedde dat ze hem zou doorzien. Hij had het inderdaad niet gekund. Op het moment waarop hij de trekker had overgehaald, was er zo'n overweldigend, schokkend gevoel over hem heen gekomen dat hij de ergste fout van zijn leven maakte, dat hij als hij snel genoeg was geweest, de loop van zijn wapen nog op het laatste moment omhoog had gericht. Toen hij de droge klik hoorde, had hij haar het liefst in zijn armen genomen en gekust. Alleen de haat in haar ogen en het feit dat ze niet eens had geknipperd toen hij schoot, hadden het voorkomen.

Onwillekeurig draaide hij zich om om naar Cyprian Khlesl te kijken. De paarden gingen in snelle stap en hij stapte moeiteloos naast het zijne. Een ogenblik was Heinrich in de verleiding om aan de ketting te trekken of deze zo kort te houden dat hij er alleen nog maar met gestrekte arm naast kon strompelen, maar daar zag hij van af. Hij ving Cyprians blik op. Natuurlijk had hij het korte gesprek tussen Alexandra en hem begrepen. Heinrich vertrok zijn gezicht tot een lelijke grijns. Dat was gemakkelijker dan te proberen Cyprians onbewogen gezichtsuitdrukking te imiteren.

'Wat ik bij de rivier heb gezegd, geldt niet meer. We draaien de rollen om: zíj zal toekijken hoe ik jóú afmaak.'

'Als je maar een beslissing neemt,' zei Cyprian.

Heinrich klemde zijn kiezen op elkaar. Het had geklonken als de poging van een ten dode opgeschrevene om onverschillig te klinken, maar in werkelijkheid was er een angel in verborgen geweest. Hij vroeg zich af hoe de man het klaarspeelde in zijn hart te kijken en daarvoor wilde hij hem slaan. Maar in plaats daarvan wendde hij slechts zijn blik af. Hoe wist Cyprian dat hij de beslissing niet alleen zo lang voor zich uit had geschoven omdat het goede tijdstip nog niet leek gekomen? Het tijdstip had hij, Heinrich, op elk moment kunnen bepalen. Eigenlijk was Heinrich zich ervan bewust dat hij het in Cyprians situatie allang had opgegeven en gestorven zou zijn. Hij zou de ijskoude rivier, noch de schotwonden, noch de behandeling van

Cosmas Laudentrit hebben overleefd. Cyprian daarentegen had het niet alleen overleefd, maar er zelfs voor gezorgd dat hij in conditie bleef, alsof hij de hele tijd had geweten waar zijn gevangenschap op uitliep. Hoe kon je er zo sterk in geloven dat je nog steeds een kans had? Heinrich voelde zich in elk opzicht verscheurd. Vanwege Alexandra, maar ook vanwege haar vader. Aan de ene kant verlangde hij ernaar Diana eindelijk te bewijzen dat hij, Heinrich, die oude kerel de baas was, al was het maar voor zijn eigen gemoedsrust. Aan de andere kant was hij bang voor die confrontatie. Hij had het zichzelf zo lang niet toegegeven, maar nu kon hij er niet meer omheen. Hij was bang voor Cyprian. Deze man was alles wat híj niet was, en in zijn hart wist hij dat Alexandra's vader sterker was dan hij. Hij had zo'n hekel aan hem dat hij er haast misselijk van werd.

Alexandra had naar haar vader gekeken. Heinrich zag haar profiel. 'Kijk voor je!' snauwde hij.

'Wat is er gebeurd?' vroeg ze. 'Wat van alles wat je me hebt verteld over jezelf en je gevoelens voor mij en over je reis naar Braunau was geen leugen?'

Dat het me niet lukt jou net als de anderen als een stuk vlees te zien, zou het juiste antwoord zijn geweest. Diana zit in mijn bloed, maar jij bent in mijn ziel gekropen. Hij zweeg.

'Hij heeft me uit de rivier gevist,' zei Cyprian.

'Wie vroeg jou iets?'

Cyprian haalde zijn schouders op. 'Hij kon me waarschijnlijk beter gebruiken dan me te laten verdrinken.'

'Verdrinken en doodbloeden,' zei Heinrich tegen zijn wil. Hij voelde Alexandra huiveren. 'Met mijn twee kogels in zijn lijf,' voegde hij eraan toe.

'Dat het water zo koud was, heeft me waarschijnlijk het leven gered. Dat de stroming zo sterk was, was echter mijn pech. Ik weet dat Andrej me er anders uitgetrokken had. Maar de rivier nam me mee. Ik kwam pas weer bij toen ik al op een baar lag die onze vriend hier en zijn kompaan achter zich aan trokken, samen met de kist met de kopie van de Duivelsbijbel erin.'

'Hij hing in een struik,' zei Heinrich en hij hoopte dat hij bij Alexandra de indruk kon wekken dat haar vader niet meer dan een zak vodden was geweest. De stroming had zijn laarzen al uitgetrokken. Ik stuurde mijn paard het water in en sleepte hem eruit. Eigenlijk wilde ik hem naar jullie toe sturen en hem 's nachts voor de deur leggen, maar toen zag ik dat hij nog leefde. Ik heb een oude man het leven gered, Alexandra, weet je dat?'

'Daarvoor zal ik het jouwe sparen,' zei Cyprian.

Heinrich perste er een lachje uit. 'O ja?' riep hij. 'En bij welke gelegenheid dan wel?'

'Bij de eerste die zich voordoet.'

'Je denkt dat je zo slim bent, Cyprian Khlesl, zo onoverwinnelijk! Maar ik heb je bedwongen en ik zal je weer bedwingen.'

'Zeg het maar tegen jezelf als het je helpt.'

Heinrich greep om Alexandra heen en kneep door haar kleding een van haar borsten samen. Ze hijgde. Heinrich liet niet los.

'Daar,' siste hij. 'Daar. Doe er iets tegen, papa. Red je dochter uit de klauwen van het monster, papa. Ik zou haar hier voor je ogen tot bloedens toe kunnen neuken en dan mijn pistool in haar kut steken en schieten, zonder dat je er iets tegen kon doen. Je bent een stuk stront met een grote bek, dat is alles.'

Hij kon zien hoe het achter Cyprians uiterlijk kalme gezicht tekeerging. Hij kneep nog eens hard in Alexandra's borst, in de hoop dat ze zou schreeuwen, maar dat plezier deed ze hem niet. Kwaad liet hij haar los. Hij had het gevoel als verliezer uit deze confrontatie gekomen te zijn. Toen Filippo zijn paard naast het zijne stuurde, was hij blij met de gelegenheid zich eruit te kunnen terugtrekken.

'Wat?' blafte hij.

De verdomde paap was bleek. 'En verder?' vroeg hij. 'Wat bent u van plan?'

Heinrichs blik dwaalde af naar Isoldes lege, mooie gezicht. Alleen nu was het niet meer leeg. Toen zijn blik de hare ontmoette, ontwaakte er iets in, wat Heinrich als afschuw herkende. Ze stak haar tong tegen hem uit. Hij hief zijn hand, alsof hij haar nog een keer wilde slaan, maar toen realiseerde hij zich dat het nog een teken van zwakte zou zijn. Hulpeloos bedacht hij dat hij zich opnieuw in een situatie had gemanoeuvreerd waarin hij zijn gezicht verloor. Als hij haar sloeg, was het alsof hij zijn woede op haar koelde omdat hij Alexandra of Cyprian niet langer lastig durfde te vallen. Spaarde hij haar, dan bewees hij dat hij er goed over had nagedacht wat iemand die zich meester van de situatie voelde niet nodig had. Hij klemde zijn kiezen op elkaar en stuurde zijn paard van de bosweg naar de oprit van Pernsteins buitenste poort.

'We zijn er,' zei hij. 'Breng die gek uit mijn ogen voor ik dat stomme gezicht tot moes sla. En breng dan die kerel naar de poortkamer onder in de burchttoren en sluit hem op. Ik praat met...' Hij moest zich dwingen haar juiste naam uit te spreken. 'Ik praat met Polyxena.'

'Goed.'

Het klonk alsof de paap van plan was bij het gesprek aanwezig te zijn. Heinrich had liever gezien dat hij zich terugtrok. Het liefst had Heinrich gezien dat hij ter plaatse dood was neergevallen.

'Alexandra komt mee.' Hij keek Cyprian uitdagend aan en hoopte dat hij zoiets als: 'Als je haar aanraakt, ben je dood!' zou zeggen, maar natuurlijk zei die rotzak geen woord. Heinrich steeg af, trok Alexandra uit het zadel en liet zijn paard gewoon weglopen. De knecht zou het wel vangen.

Toen hij zich omdraaide, was Alexandra's gezicht dicht bij het zijne. Ze spuugde naar hem.

Hij greep haar bij haar nekvel en trok haar naar zich toe en toen likte hij zo hard hij kon over haar wangen, haar voorhoofd en haar ogen. Ze rilde.

Heinrich keek toe terwijl de paap Cyprian aan de ketting meenam naar de burchttoren. Isolde drentelde naast hem. Hij pakte Alexandra's geboeide polsen en trok haar mee.

15

Hij had haar in de kapel verwacht, maar toen hij haar eindelijk vond, was ze in haar slaapkamer. Hij was hier nog nooit geweest en was verbaasd dat fleurige stoffen, dekens en kussens de boventoon voerden. De kamer in het paleis in Praag, waarin ze samen de hoer dood hadden gemarteld, was neutraal geweest, een slaapkamer voor gasten, en hier had ze hem altijd de toegang tot haar slaapkamer geweigerd. Heinrich wist niet wat hij had verwacht van een kamer die haar intieme toevluchtsoord vormde. In elk geval niet wat er alles bij elkaar uitzag als een normale kamer van een vrouw die geen tijd en geen geld had om de jongemeisjesinrichting te verruilen voor iets kostbaarders, degelijkers. Op de een of andere manier leek de witte gestalte hier niet te passen.

Uit zijn ooghoek zag hij dat Alexandra om zich heen keek, en hij vermoedde dat het haar net zo verging als hem, ook zij had het gevoel dat de kamer en zijn bewoner geen eenheid waren. Het kon opzettelijk zijn: je voelde je meteen onzeker als je in háár aanwezigheid hier zat en de tegenstrijdige emoties op je inwerkten.

Op een dienblad stond een kruik wijn. Heinrich telde de glazen: drie. Hij kneep zijn ogen samen. Wat voor een spelletje was dit nu weer? De wijnglazen waren echt, met gouden omrandingen en zilveren draden die om de steel slingerden, en dik, zodat je kon zien hoeveel glas er voor de fabricage nodig was geweest. Het waren protserige dingen, eerder om haar eigen rijkdom te tonen dan om uit te drinken. Ze moesten uit de nalatenschap van de oude Ladislas afkomstig zijn. Met hun geldelijke waarde had Pernstein een jaar lang kunnen worden onderhouden. Misschien waren het de laatste drie van een servies waarmee Polyxena haar levensstijl beetje bij beetje had gefinancierd. Maar Heinrich wist dat drie geen onbetekenend, toevallig cijfer was.

Hij deed een stap naderbij en struikelde over een kromgetrokken plank. Het maakte hem woedend.

'Voor wie is het derde glas? Voor de paap?'

'Waarom denkt u dat het tweede glas voor u zou zijn?'

Heinrich staarde haar sprakeloos aan. Ze boog haar hoofd en glimlachte.

'U wist dat Alexandra en Isolde samen waren gevlucht, of niet?' Hij besefte dat hij klonk als een kleine jongen die door zijn vriendjes voor de gek was gehouden.

'Hoe komt u daarbij?'

Hij snoof verachtelijk. Dat Alexandra lachte, maakte hem nog bozer, maar in aanwezigheid van de vrouw in het wit was er niets wat hij de jonge vrouw had kunnen aandoen zonder een nog grotere zwakkeling te lijken.

'Ze heeft het gewoon zo gepland,' zei Alexandra. 'Ze speelt net zo met jou als met mij en alle anderen. Jij manipuleert speelgoed, zij mensen.'

'Wat wil je daarmee zeggen?' Hij wist maar al te goed wat ze ermee wilde zeggen. Iets hier in de kamer leek ervoor te zorgen dat de mensen in elkaars hoofd konden kijken. Hij balde zijn vuisten omdat het hem verlegen maakte wat Alexandra had ontdekt.

'Ze heeft mij op het oude poortmechaniek gebonden dat jij hebt omgebouwd. Dat was jij toch, of niet? Je hoeft het niet te ontkennen. Dat was je met mij ook van plan, toch? Uiteindelijk, als jij en ik hier alleen waren, wilde je mij erop vastbinden en doden.'

Mis, dacht hij. Ik wilde niet met je alleen zijn. We zouden met ons tweeen toekijken hoe je doodging. Hij besefte dat het altijd een wensdroom was geweest en dat altijd zou zijn. Hij zweeg.

'Ze heeft me erop laten vastbinden. Daarna heeft ze mij en Isolde alleen gelaten. Ik had niet veel tijd nodig om Isolde over te halen me te bevrijden. Ze leeft in haar eigen wereld, waarin maar voor weinig plaats is van wat zich in het werkelijke leven afspeelt, maar mij kon ze zich uiteindelijk herinneren. Ik heb vaak genoeg met haar gezongen en gelachen als ik Leona bezocht.' Ze keerde zich naar de glimlachende Polyxena toe. 'Vanzelfsprekend wist u dat allemaal. Leona heeft u uit angst om Isoldes leven alles over mijn familie verteld.'

'Wat is dat allemaal voor onzin?' riep Heinrich. Hij twijfelde er geen moment aan dat Alexandra de waarheid sprak.

'Waarom hebt u haar niet gedood?' vroeg Polyxena. Ze bleef Heinrich de hele tijd onderzoekend aankijken. 'Waarom hebt u haar in leven gelaten? Bent u vergeten welke straf u en ik de anderen hebben opgelegd die ons ontrouw probeerden te worden?'

'Ons?' zei hij bitter. 'Ik weet niet of er wel een "ons" is.'

'U hebt haar in leven gelaten. En dat is de reden waarom ik u aan deze proef heb onderworpen. U bent niet geslaagd.'

'Dat is het? Dát is het? U bent jaloers op Alexandra? Alles waarvoor ik haar ooit nodig heb gehad is haar aan u te offeren! Ik heb u altijd de waarheid gezegd. Ons partnerschap is met bloed begonnen en zou met Alexandra's bloed worden bezegeld.'

Ze knipte met haar vinger tegen een van de glazen. 'Jaloezie... Wat is jaloezie? Overigens is inderdaad een van de glazen voor Filippo Caffarelli bedoeld.'

'Die nog geen enkele regel van de Duivelsbijbel heeft ontcijferd!' Hij hoorde zijn misprijzende toon en wist nog voor hij Alexandra verachtelijk hoorde snuiven dat hij er bij Polyxena weer in was getuind. Het lukte haar zo gemakkelijk...

'Neemt u me niet kwalijk,' zei ze tot zijn verbazing. 'Dat was goedkoop.' Ze keek hem in de ogen. Hij kreeg het heet toen hij de punt van haar tong tussen haar lippen tevoorschijn zag komen alsof ze zich er niet van bewust was. Had ze hem op de proef gesteld? Hem, haar partner? Ja, dacht hij nu, maar alleen omdat ze zo bijzonder is, kan ze het zich veroorloven te onderzoeken wie haar gelijke is. *Mene mene tekel...* Gewogen en te licht bevonden! Maar hij had nog een troef achter de hand, die haar zou laten zien hoe gelijkwaardig aan haar hij werkelijk was. En zij zou dit bewijs dankbaar in ontvangst nemen, omdat ze eigenlijk zo naar hem verlangde dat kleine bewegingen van haar lichaam haar verraadden. De punt van haar tong, die over haar lippen danste en ernaar hunkerde door zijn tong te worden begroet! En toen las hij de uitdrukking in haar ogen beter en wist dat ze weer haar spel met hem had gespeeld.

'Juist,' zei ze. 'Ik heb de sleutel namelijk lang geleden al ontdekt. Hij staat niet op een bladzijde in het boek. Hij zit in degenen die ernaar hunkeren de Duivelsbijbel te bezitten. Wilt u weten hoe hij heet? Verleiding, mijn vriend Henyk, verleiding. En verleiding is iets wat alleen gebeurt omdat de mensen zich laten verleiden. Toen Adam en Eva de vruchten van de boom van de kennis van goed en kwaad door de slang kregen aangeboden, kwam de Duivelsbijbel in de wereld. Dacht u dat het ging om de kennis die de vruchten van deze boom verschaften? Ik heb het lang gedacht, en iedereen die zich vóór mij met de Duivelsbijbel heeft beziggehouden, dacht het ook. En het is zo simpel. Het gaat niet om de kennis dat de zon in het oosten opkomt en in het westen ondergaat, of dat de wereld rond is, of om de vraag of de zon in het middelpunt van het universum staat of de aarde. Het gaat om de kennis die de meeste macht op aarde verleent: dat de mensen te allen tijde te verleiden zijn. Ze zijn te verleiden, omdat ze het zelf toelaten. Ze zijn te verleiden, omdat ze één ding steeds onwrikbaar geloven: dat ze zelf het middelpunt van het universum zijn en het geen verleiding is wat hen overkomt, maar de terechte beloning voor hun uitzonderlijkheid. Ieder mens is te allen tijde te verleiden. Dat is het, wat de Duivelsbijbel werkelijk betekent, niet een paar rare toverspreuken uit de hersenen van een wegkwijnende monnik. De Duivelsbijbel is de graal, mijn vriend. De graal heeft altijd degenen aangetrokken die ervan overtuigd waren dat alleen zij belangrijk genoeg waren, dat ze voor iets bijzonders op aarde waren bestemd.'

'Nee,' zei Alexandra plotseling. 'U vergist zich. U hebt uw hart aan de duivel verpand en daarom hebt u ook slechts zijn beperkte horizon. De duivel geloofde...'

Polyxena trok een wenkbrauw op. 'Men zou zich haast gevleid kunnen voelen door vriend Henyk te worden begeerd, als dat wat hem bijna ten val had gebracht, een persoon van uw formaat is, kleine juffrouw Khlesl.'

'Ze heeft me nooit...' begon Heinrich.

'Dat dacht de duivel ook,' vervolgde Alexandra onverstoorbaar. 'Daarom dacht hij Jezus op de berg te kunnen verleiden. Maar Jezus zei alleen... Wat zei Jezus, pater Filippo?'

Heinrich draaide zich met een ruk om. Hij had de pater niet binnen horen komen. Filippo Caffarelli was onnatuurlijk bleek. Hij transpireerde hevig en staarde Alexandra aan. Heinrich zag zijn lippen bewegen, maar hij kon geen woord uitbrengen.

'Ga weg, Satan,' citeerde Alexandra. 'Hij geloofde vast in Gods liefde. En dat maakte dat Hij niet te verleiden was. U weet niet wat geloof betekent. De duivel weet het ook niet. Daarom heeft Jezus hem alleen weggestuurd, in plaats van hem te vernietigen, omdat Hij medelijden met hem had.'

Filippo's oogleden knipperden even. Heinrich, die ondanks zichzelf onder de indruk van Alexandra was, wendde zich van haar af en keek naar Polyxena. Ze bleef zo rustig alsof er niets was gezegd. Ook hiervan was hij onder de indruk. Hij duizelde bij de gedachte dat het nog steeds mogelijk was zich met beide vrouwen tegelijk te verenigen, en de ene het hart uit de borst te rukken om het aan de voeten van de andere te leggen.

'Dan had u hem eigenlijk nooit nodig, hè?' vroeg hij, terwijl hij naar Filippo wees.

'Natuurlijk had ik hem nodig. Pater Filippo was het beste bewijs voor mijn overtuiging.' Ze pakte schijnbaar achteloos een van de wijnglazen en liep op de transpirerende pater toe. Tot Heinrichs acute ongenoegen streelde ze over zijn wang. De mond van de pater ging nog zwijgend open en dicht. Zijn armen hingen als een stuk hout naast zijn lichaam. Ze glimlachte om zijn stille nood, doopte toen een vinger in de wijn en streek daarmee over zijn onderlip. De wijn liep als bloed langs zijn kin naar beneden. Hij begon te beven. Ze glimlachte. Heinrich balde zijn vuisten zo sterk dat zijn nagels zich in de palmen van zijn handen boorden. 'U hebt geloofd, pater Filippo. U hebt hartstochtelijk geloofd dat God bestaat. U bent niet hiernaartoe gekomen omdat u uw geloof in God was verloren, maar omdat u ondanks alles wat u had meegemaakt wanhopig probeerde te blijven geloven. Toen ik begreep dat de Duivelsbijbel de ware graal is, begon ik op mijn Parcival te wachten, de ware idioot die alle krenkingen van de wereld op zich neemt omdat hij gelooft dat hij de uitverkorene is.'

De paap zei niets. Heinrich probeerde de kloof te overbruggen die voor hem gaapte en zo diep was als het besef dat hij nooit ook maar iets meer zou begrijpen van wat deze vrouw met het gewaad van een engel en de schoonheid van een godin dreef. Hij vroeg: 'En u, mijn aanbeden Diana? Wie bent u in dit sprookje? De heks Kundry?'

Ze schonk hem een minachtende blik. Hij bloosde. Ze wendde zich weer tot Filippo. Heinrich wist dat dit slechts een ander spelletje met hem was, maar er was geen beginnen aan om de woede en jaloezie in zijn binnenste te willen onderdrukken. 'Ik ben degene die het sprookje vertelt,' zei ze ten slotte.

De woede en tegelijk de angst voor haar genadeloze inzicht in het wezen van de mens schoten in Heinrich omhoog, en in dezelfde mate de onderdrukte lust van de laatste uren. Ze lieten hem verdrinken alsof er een golf over hem heen was gespoeld. Hij sprong naar haar toe, duwde Filippo opzij, trok haar tegen zich aan en drong haar een kus op. Haar lippen waren warm en soepel en zonder een zweem van een beantwoording van zijn kus. Hij hijgde. Ze was als een pop in zijn armen. Hij begon haar gezicht met kussen te bedekken.

'Vertelt u het verhaal van ons samen,' kreunde hij. 'Ik ben de uwe, ik ben nooit iets anders geweest.'

Hij likte over haar gezicht, net zoals hij buiten over Alexandra's gezicht had gelikt. Haar make-up veranderde in een geparfumeerde drab in zijn mond. Ze verzette zich opeens, maar hij gaf niet toe.

'U...' gromde hij. 'Ik ben van u. Beheers mij. Neem mij. Beveel mij. Dood me naderhand, maar laat me eerst nog een keer één ding met u...'

Haar knie kwam omhoog. Hij had erop gerekend en zijn bekken naar opzij gedraaid, hoewel hij niets liever wilde dan zijn keiharde lid tegen haar lichaam persen. Waar hij niet op had gerekend, waren de nagels waarmee ze over zijn gezicht ging. Bij zijn andere pogingen haar te kussen had ze steeds de spot met hem gedreven, geweigerd of net gedaan of hij haar hitsig maakte. Maar dit was serieus verzet vol haat. Hij stoof achteruit. Haar gezicht was verwrongen en iets klopte er opeens niet meer. Hij kon niet zien wat het was. Ze gooide het volle glas wijn in zijn ogen. De vloeistof verblindde hem. In een reflex pakte hij de wijnkruik en gooide het dienblad op de grond, hoorde twee derde van het jaarbudget van Pernstein op de grond aan scherven slaan en smeet de volle kruik in het van boosheid vertrokken gezicht voor hem neer.

Polyxena sloeg de handen voor haar gezicht en begon te gillen. Ze tuimelde naar achteren, stootte tegen een kist, struikelde tegen een wandspiegel, gooide hem op de grond. Hij sloeg met een knal als een musketschot kapot, een miljoen dwarrelende, schitterende splinters, die miljoenen malen haar gestalte toonden, die in de kamer naar alle kanten struikelde. Alexandra schreeuwde het van schrik uit. Heinrich stond verlamd van ontzetting. Hij zag het bovenstuk van het witte gewaad dat nu bloedrood was, haar haar, dat donker en nat van de wijn omlaag hing, de slanke witte handen die om haar gezicht lagen en schokten, twee bleke, paniekerige spinnen. Hij hoorde Filippo hijgen. Polyxena's gegil ging plotseling over in een rauw, laag geluid, een ongearticuleerd, dierlijk gekreun als van iemand die levend op de brandstapel staat. Ze viel op haar knieën en kronkelde in onzichtbare vlammen. Heinrich liet de kruik vallen en duwde Alexandra opzij. Hij vroeg niet wat ze had gezien. Hij vroeg niet eens aan zichzelf wat hij dacht te hebben gezien voordat de inhoud van het wijnglas hem blind had gemaakt. Hij stortte zich op de schokkende gestalte, viel naast haar op zijn knieën en trok de handen weg van haar gezicht.

Hij hoorde dat haar kreunen opnieuw overging in het krijsen van een waanzinnige.

Hij hoorde Filippo kermen: 'Heilige Maria, moeder van God!'

Hij hoorde dat Alexandra's gegil stokte van schrik.

Hij hoorde het allemaal en toch ook niet. Hij staarde in het gezicht van Diana, het gezicht van Polyxena, het gezicht van zijn meesteres, het gezicht van de vrouw die in elke vezel van zijn lichaam zat en voor wie hij de hele wereld had vermoord als ze dat had gevraagd.

Hij staarde in het ongemaskeerde gezicht van de duivel.

16

De vorm van haar gezicht, de huid, de welving van de wenkbrauwen, de vorm van de oogleden, de neus, de lippen, ze was de vleesgeworden schoonheid. Iets had haar jong gehouden, had verhinderd dat ze eruitzag als een vrouw die een halve eeuw oud was, had haar schoonheid geconserveerd, net als de afstotelijke vlek op de linkerkant van haar gezicht. Heinrich herinnerde zich de schaduwen die hij onder de make-up meende te zien. Nu toonden ze zich aan hem zonder masker.

Het was een vlammend rode driehoek op zijn kop, die van haar neus langs de perfecte welving van haar wang tot de ronding van haar kin naar beneden liep. De kleur was niet overal hetzelfde. Er zaten lichtere plekken en scheurtjes in en de uitlopers van de vlek op haar voorhoofd zagen eruit alsof er bloed was opgedroogd tussen haar wenkbrauwen en over haar slapen. Haar wang vertrok en de vlek veranderde en kreeg weer de vorm die eerder zijn adem had doen stokken: het grijnzende, verminkte wolfsgezicht van de duivel.

Hij staarde haar aan, zijn hoofd één maalstroom waarin de vraag tolde of alle keren dat hij haar in Praag onopgemaakt had gezien, niet meer dan dromen waren geweest.

'U bent Kassandra von Pernstein,' zei Alexandra plotseling. 'Het meisje waarvan u zei dat het dood was. De kamer waarin ik heb geslapen was van u, van het meisje dat haar omgeving in een subtiele hel heeft veranderd, waarin ieder ander zich onveilig en totaal verloren moet voelen. U bent Polyxena's tweelingzus, haar sprekende evenbeeld, op de duivelsvlek in uw gezicht na. Er zijn veel mensen met zo'n vlek, maar u bent de enige bij wie het eruitziet als een portret van de satan. U bent het kind op de schilderijen met de verminkte linkerhelft van het gezicht. Dat was uw werk. Polyxena stond model voor het artemisbeeld, maar u hebt haar gezicht kapot gemaakt omdat u altijd voelde dat de godin van de jacht uw symbool was en niet dat van uw zuster. Zij is uw gezicht in Praag, ze is uw werktuig. En toch wilt u niets liever dan zo zijn als zij. U woont zelfs in haar oude kamer en bent jarenlang niet in uw eigen kamer geweest.'

Heinrich had nog nooit meegemaakt dat Diana haar zelfbeheersing verloor. Hij zag het nu ontsteld gebeuren. De duivelstronie op haar wang trilde en vertrok.

'Hou je bek, dom wicht!' snauwde ze.

Alexandra liet zich niet van de wijs brengen. 'Ik wed dat zelfs de rijks-kanselier niet weet dat u bestaat. Wat hebt u uw zuster aangedaan dat ze uw willoze werktuig is geworden?'

Heinrich had opeens een visioen. Hij huiverde ervan. Het was een her-innering. Hij zag zichzelf, een jongen van acht, bij een soms in de zomer opgedroogde waterput staan en naar beneden turen. Hij leek oneindig. De andere jongens waren bereidwillig voor hem opzij gegaan, hij was de zoon van de landeigenaar. Ze hadden het over de vraag of je het zou overleven als je erin viel. Heinrich stemde ervoor dat je het niet overleefde, maar er was voorzichtige tegenstand. Heinrich keek om zich heen. Een van de jongens was de zoon van de schoolmeester. Hij had in de lente een jong vogeltje met een gebroken vleugel gevonden en het opgelapt. Het dier had nooit geleerd zijn manke vleugel te gebruiken, maar het huppelde altijd tjilpend achter zijn levensredder aan en sliep 's nachts op een stokje naast diens bed. De zoon van de schoolmeester hield de vogel in zijn ene hand en streelde hem met de andere. Heinrich pakte het bolletje veren voordat iemand kon rea-geren. Hij herinnerde zich dat hij zei: 'Dat zullen we zo weten!' Zijn stem dreunde laag en vertekend door de jaren in zijn geestesoor alsof hij uit de put kwam. Hij zag het ontzette gezicht van de schoolmeesterszoon en voel-de het snelle kloppen van het vogelhartje in zijn handpalm. Hij herinnerde zich dat het paniekerige getjilp steeds zachter werd naarmate de vogel die-per in de put viel en dat hij nog steeds de warme nagels en het tromgeroffel van het hartje meende te voelen. Hij herinnerde zich dat de andere jongens verrast hijgden en de eersten mompelden: 'O, man, waanzinnig!' of 'O, nee, wat erg' en dat hij de schoolmeesterszoon aankeek en vroeg: 'Wat denk je, eierkop, is hij dood?' en de jongen met tranende ogen terugkeek en zich op zijn gezicht de angst aftekende de volgende te zijn die naar beneden werd gegooid, en dat de schoolmeesterszoon ten slotte stamelde: 'Ik denk dat hij dood is.' Uit de put kwam heel zacht het vragende getjilp van het vogeltje, dat zijn levensredder voor de tweede keer te hulp riep. Vogels waren licht en vielen langzaam, maar ze stierven snel. De volgende dag was het getjilp niet meer te horen.

Later had de schoolmeesterszoon een oude drukpers meegebracht naar het dorp, gerepareerd en zijn diensten aangeboden. De oude Heinrich, Henyks vader, had hem gedwongen zijn chaotische haatpamfletten tegen de keizer te drukken. De jongeman had het gedaan, met precies dezelfde gezichtsuitdrukking als eerst bij de put. De keizer had niet om het pamflet kunnen lachen en Heinrich senior had onder ede verklaard dat hij er niets mee te maken had en dat die rommel enkel en alleen van de drukker afkomstig was. Ze hadden de drukker opgehangen. Toen was Henyk al in Parijs, maar toen hij het hoorde, had hij zich afgevraagd of het lijk van deze vervloekte harlekijn nog aan de galg die gekwetste, berustende gezichtsuitdrukking had gehad voor de raven hem wegpikten.

Het visioen speelde zich in een fractie van een seconde af. De volgende fractie was de vrouw met de duivelsvlek al opgesprongen en had zich op Alexandra gestort. Heinrich sprong ertussen.

'Weg jullie,' riep ze. 'Verdwijn. Ik ben Kassandra de Lara Hurtado de Mendoza, de dochter van Maria de Lara Hurtado de Mendoza, de prinses van Pernstein. Nu ben ik de prinses van Pernstein, en morgen is de hele wereld van mij. Verdwijn! Weg jullie!'

Ze sloeg met haar vuisten om zich heen en duwde Alexandra, Filippo en Heinrich naar de deur.

'Nee!' riep Heinrich. 'Wacht!'

'Verdwijn! Jullie zijn uitschot! Jullie zijn ongedierte! Naar buiten!'

In haar aanval ontwikkelden zich verbazingwekkende krachten. Ze duwde hen alle drie de deur uit en sloeg hem dicht. Heinrich hoorde de grendels schuiven. In zijn hoofd draaide een wilde caleidoscoop. Hij had de vlek in haar gezicht gezien en het zag er afschuwelijk uit. Maar tegelijk juichte er iets in zijn hart. Hij had altijd gedacht dat ze perfect was en nu bleek dat ze dat niet was. Hij had haar als een kristal beschouwd, met tal van facetten, glashelder en van een genadeloze hardheid. Maar ze was uiteindelijk zoals alle andere mensen een stuk koolstof, dat door druk en krachten van buiten was gevormd, misschien met wat meer geslepen kanten dan de meesten, maar net zo ondoorzichtig en vol schaduwen. Ze was hem niet meer de baas. Ze had hem niet eens haar ware identiteit durven onthullen. Hij had verbijsterd, ontzet, ongelovig, gedesoriënteerd en boos op haar moeten zijn, maar in plaats daarvan liepen alleen beurtelings koude en hete rillingen over zijn lijf. Hij luisterde naar het rauwe geluid achter de deur en begreep dat ze huilde.

Alexandra schudde haar hoofd. Ze was bleek, maar ze had zich het snelst van allemaal van de verbazing hersteld. Haar gezicht toonde verachting. Op dit moment haatte Heinrich haar zoals hij haar nog nooit had gehaat. Hij wist nu dat het absoluut juist was wat hij van plan was. Hij draaide zich om, hief zijn hand en sloeg haar. Haar hoofd draaide weg en knalde tegen de muur. Het volgende ogenblik was ze tegen de muur omlaag gegleden. Hij pakte haar bij de heupen en tilde haar op. Ze stamelde, half bewusteloos. Hij droeg haar weg zo snel hij kon.

Filippo haalde hem in toen hij de strop al om haar hals had gelegd en haar op de borstwering van de houten brug naar de burchttoren had getild.

'Wat doet u daar?' vroeg Filippo met wijd opengesperde ogen.

Hij keurde hem geen blik waardig. Het was heel simpel. Het was zelfs duivels simpel. Diana was perfect geweest, Kassandra was het niet. Diana was er niet meer, alleen Kassandra was er nog. Kassandra, die zich plotseling kwetsbaar had getoond. Maar hij had alle opdrachten vervuld die ze hem had gegeven. Hij had alle beproevingen doorstaan. Hij moest alleen nog Cyprian overmeesteren, de triomf halen die ze niet van hem verwachtte, en dan zou de weegschaal definitief in zijn voordeel doorslaan. De rollen waren omgekeerd. Hij was de gebieder en Kassandra had de rol die hij tot dusver altijd had gespeeld. De godin, die een sterveling tot speelkameraad had gekozen en de sterveling die zich op eigen kracht tot goddelijkheid verhief.

Een duel! Het moest een duel zijn. Hij moest Cyprian voor Kassandra's ogen van kant maken. En Cyprian zou vechten als hij de prijs zag: zijn dochter, languit op de borstwering, de strop om haar hals waarmee hij haar zou ophangen zodra ze ook maar de kleinste beweging maakte. Hij zou tegen elke prijs proberen haar te redden en Heinrich zou ervoor zorgen dat hij de prijs niet kon betalen. Zijn ademhaling ging razendsnel. Als hij zijn gezicht had kunnen zien, had hij zichzelf niet herkend.

'Bent u gek? Zo hangt ze zichzelf op.'

'Donder op, paap,' zei Heinrich, terwijl hij aan Alexandra's handboeien trok om haar polsen achter haar rug bij elkaar te kunnen binden.

'Hou op!'

Het was alleen aan de verbazing te danken dat de paap erin slaagde Heinrich bij de schouder te pakken, om te draaien en met een wilde uithaal zijn kin te raken. De wereld trok tot een stip voor Heinrichs ogen samen en hij voelde de ruk die door zijn lichaam ging toen zijn knieën slap werden en hij ging zitten.

Filippo probeerde Alexandra van de borstwering te redden en frunnikte tegelijk aan de strop om haar hals. Heinrich kwam wankelend overeind en rende, nog half gebukt, op de paap in. De magere knaap woog helemaal niets. De vaart die Heinrich had, hielp hem Filippo op te tillen en over de borstwering te werken. Hij zag de wijd open mond en de dodelijke verrassing in Filippo's ogen en zijn hulpeloos maaiende armen. Hij klampte zich in doodsangst aan Alexandra's japon vast en trok haar mee. Heinrich sprong met een wilde zwaai naar voren en kreeg haar bij haar schouders en heupen te pakken. Hij werd bijna ook over de borstwering getrokken en kreunde toen de ruk naar zijn schouders schoot. Filippo hing met beide handen in Alexandra's rok boven de afgrond. Heinrich drukte de jonge vrouw als een minnaar tegen zich aan. Hij wist dat hij haar en Filippo niet langer dan een paar ogenblikken meer kon houden. Verbijsterd keek hij langs Filippo heen in de gapende diepte. De strop, die Alexandra's nek zou breken als zijn greep verslapte, schuurde langs zijn wang. Alexandra gooide kreunend haar hoofd heen en weer. De stof van haar jurk begon te scheuren. Vaag bedacht Heinrich dat Filippo Caffarelli de proef niet had doorstaan.

Filippo's blik ontmoette de zijne. Het schokte Heinrich dat er geen haat in te lezen was, maar alleen begrip, en opluchting. Filippo's handen maakten zich los en hij viel in de leegte tot hij beneden tegen de grond sloeg en met zijn armen en benen alle kanten op bleef liggen. Zijn ogen waren nog steeds open, maar nu keken ze langs Heinrich heen in een wereld waarvan alleen de grootste idioten geloven dat die na de dood op je wacht. Heinrich wilde naar beneden schreeuwen: 'Denk je dat je zonden daarmee zijn vergeven, dwaas?' maar hij hield zich in.

Moeizaam trok hij Alexandra omhoog en legde haar weer op de borstwering. Hij hijgde van inspanning. Toen hij even pauzeerde, drong het tot hem door dat ze bij bewustzijn was gekomen en hem aankeek. Hij klemde zijn kiezen op elkaar. Haar blik was versluierd, maar klaarde al op toen hij opnieuw probeerde haar handboeien los te maken. Ze bewoog en voelde de strop om haar hals. Ze draaide haar hoofd om en keek in de afgrond, rilde toen ze Filippo's te pletter geslagen lichaam zag en draaide haar hoofd weer terug. Ze zei geen woord. Hij beantwoordde haar blik. Zijn vingers werden gevoelloos.

'Godverdomme!'

Heinrich trok haar van de borstwering af en zette haar op haar benen. Hij wist niet waarom hij dat deed; misschien was het de aanblik van Filippo geweest, die het ene moment leek te vliegen, met wapperend haar en wapperende soutane, en het volgende al niets anders meer was dan een vies hoopje kleren waaruit gebroken botten staken. Hij slikte en trok aan haar boeien en schuurde haar huid open. Ze gaf geen krimp.

'Trek je terug,' fluisterde ze.

'Hou je mond!'

'Trek je terug.'

'Hou je mond of anders gooi ik je achter hem aan!' Zijn stem sloeg over. Hij pakte haar ruw bij haar schouders en draaide haar om tot ze met haar rug naar hem toe stond. Toen duwde hij haar tegen de borstwering en boeide haar polsen. Zijn handen trilden zo erg dat hij bijna geen knoop kon maken. Hij keurde de strop om haar hals en trok hem verder aan. Toen draaide hij haar weer terug.

'Dat ben jij niet,' zei ze. 'Dat is haar invloed. Je bent geen pop, je bent een mens met eigen keuzes.'

'Het is te laat voor eigen keuzes,' zei hij. 'En zelfs al was dat zo, dan zou ik voor haar kiezen en niet voor jou.'

'Als je die keus al had gemaakt, hoefde je me alleen maar hier naar beneden te gooien.'

'Hou je mond!'

Haar rok was gescheurd en hing half om haar heupen. Plotseling realiseerde hij zich dat hij misschien nooit zou weten hoe het voelde om haar als eerste te bezitten. Zijn hand schokte even. Hij wilde haar bevelen haar rok helemaal naar beneden te trekken, wilde met zijn hand tussen haar benen gaan, haar voelen, haar openen en in haar dringen met de hand waarmee hij zojuist de paap de dood in had geslingerd. Zijn hand bewoog niet.

'Trek je terug.'

'Blijf hier staan en vertrouw op die vervloekte God van je!' schreeuwde hij en hij rende vervolgens terug het hoofdgebouw in. Kassandra's deur zat nog steeds op slot. Hij rammelde eraan. Van binnen kwam geen enkel geluid.

'Doe open!' brulde hij. 'Kom ten minste op de brug naar de burchttoren. Daar is mijn eerste geschenk aan u. Maar ik heb er nog een!' Hij voelde zich gejaagd. Als ze niet reageerde, was alles voor niets.

Ze reageerde niet.

'Kassandra!'

Hij schopte tegen de deur, die in de hengsels rammelde.

'Kassandra!'

Vloekend gaf hij het op. Zijn hart leek in zijn hoofd te dreunen en bemoeilijkte hem het denken. Toen bedacht hij naar welke roep ze in elk geval zou luisteren.

17

'Daar is niets,' fluisterde Willem Vlach.

'Daar ben ik niet zo zeker van,' antwoordde Andrej.

Ze lagen in de dekking van een warrig bosje, waarin clematissen, frambozen en sleedoorn elkaar dooddrukten. Voor hen lag een dunner wordend stuk bos, dat naadloos overging in een boomgaard. De boomgaard was een kleine, verwaarloosde wildernis op zichzelf, somber zowel door de schaduw van het kasteel dat erachter oprees, als door het feit dat alles wat door mensen is gemaakt er donker en dreigend gaat uitzien als het wordt verwaarloosd. Op de meeste plaatsen stond het voorjaarsgras nog op heuphoogte, een geel gesidder en gezinder in een lichte bries, waaruit de knoestige boomstammen als zwarte skeletten staken.

'Alleen al in het gras onder de fruitbomen kan een dozijn mannen zich verstoppen.'

'Waarom zou de hele wacht van het kasteel zich verstoppen? Ze zouden openlijk hun stellingen innemen. Ik zeg je, er is niets.'

Andrej wierp een blik op de kleine man aan zijn zijde. Als hij ooit iemand had ontmoet die bibberde van opwinding terwijl hij tegelijk voor geen prijs de situatie had willen missen waarin hij zich bevond, dan was het Willem Vlach. Als Andrej Willems aanbod had afgewezen zijn manschappen in Brno op te trommelen en met hem mee te gaan, dan was de man vermoedelijk in zijn eentje vertrokken om Pernstein de oorlog in naam van de firma Khlesl & Langenfels te verklaren.

'Khlesl, Langenfels & Augustyn.'

'Khlesl, Langenfels, Augustyn & Vlach.'

Andrej schudde zijn hoofd. Het duizelde hem als hij eraan dacht hoe snel de wind was gedraaid. Maar alles zou voor niets zijn als het hun niet lukte...

'Denk je werkelijk dat Cyprian en Alexandra Khlesl daar allebei worden vastgehouden?' fluisterde Willem.

'Alexandra in elk geval. En Cyprian...'

Hij maakte een hoofdbeweging en ze kropen zo ver terug tot ze weer overeind konden komen en iets luider met elkaar konden spreken.

'Het is maar een veronderstelling dat Cyprian Khlesl nog leeft,' zei Willem.

Andrej knikte. Hij was bereid om voor deze veronderstelling en de kleine kans dat zijn beste vriend de aanval op de monniken in werkelijkheid had overleefd en als gewonde door Heinrich von Wallenstein-Dobrowitz was meegesleept, alles te riskeren.

'Dit is de achterkant van het kasteel,' zei Willem. 'Waarom zouden de wachtposten zich uitgerekend hier verstoppen?'

'Omdat niemand die goed bij zijn hoofd is deze vesting van voren zou aanvallen.'

Willem trok een gezicht. Andrej zuchtte.

'Laten we het onze nieuwe vriend vragen,' stelde Willem voor.

'Hoe wil je garanderen dat hij niet liegt?'

'We trekken net zo lang de nagels uit zijn vingers tot hij ons heeft overtuigd.'

'Wie doet dat? Jij.'

Willem keek Andrej bezorgd aan. 'Eh...' zei hij.

'Laten we de anderen erbij halen,' zei Andrej. 'We moeten het gewoon riskeren.'

Een paar minuten later klonk vanuit een positie een paar honderd stappen links van hen een schot en meteen daarna een jammerkreet: 'Aaaaah... Ik ben geraakt... O verdomme, ik ben geraakt... HELP!'

Andrej keek onderzoekend naar het gras onder de fruitbomen. Er bewoog niets.

'Help me! Ik bloed dood! Help!'

Het gekraak van takken en het ritselen van oude bladeren verraadden dat er iemand met snelle stappen naderde. Vlak daarna werden drie mannen met musketten en pikhouwelen zichtbaar die langs de zijkant van het kasteel moesten zijn gekomen. Ze liepen om de verwilderde boomgaard heen, blijkbaar op een pad dat vanuit Andrejs schuilplaats helemaal niet te zien was.

'Ooooo! Het doet zo'n PIJN!'

Hij zag de mannen gebaren en vervolgens iets langzamer de richting van het geschreeuw op lopen. Ze moesten door dicht kreupelhout. Na enkele ogenblikken bleven ze staan, een van de musketdragers fluisterde een van zijn kameraden iets in het oor en deze drukte hem zijn wapen in de hand en liep gebukt terug naar het pad en daarvandaan verder in de richting van de hoofdingang van het kasteel, ongetwijfeld om versterking te halen. Andrej knikte.

'Oké,' fluisterde hij.

Iemand kroop naast hem door de bosjes, hijgend en naar adem snakkend, en tikte op zijn schouder.

'Ik wist helemaal niet dat je het in je had,' zei Andrej.

Willem grinnikte en probeerde tegelijk op adem te komen.

'Ik heb de haas die we vanmorgen hebben geschoten, daar neergelegd en hem met het pistool een stuk weggeduwd. Het pistool heb ik in zijn poten gelegd.' Hij grinnikte weer ademloos. 'Als ze hem vinden, vragen ze zich over honderd jaar nog af wat er is gebeurd.'

'Ik ben blij dat je heelhuids terug bent gekomen.'

'Dat had ik voor geen goud een van mijn mannen laten doen. Hoe staat het ervoor?'

'We wachten nog even. Als hier niemand meer voorbij komt, is de kust vrij.'

Ze wachtten. Na een tijdje begonnen de krekels in de oude boomgaard weer te tjirpen.

'En?'

'Laten we gaan,' zei Andrej.

Toen ze uit de boomgaard kwamen, kon Andrej pas goed zien hoe hoog het kasteel oprees. Ze waren mieren die zich verbeeldden dat ze een olifant konden beklimmen. De ramen zaten zo hoog dat hij zich afvroeg of de touwen lang genoeg waren en of het hun zou lukken er een te bereiken voordat de wachters hun verbazing over de dode haas te boven waren en weer op hun positie terugkeerden. Er was nog steeds de mogelijkheid van de verborgen vluchtroute die je omgekeerd ook kon gebruiken om het kasteel binnen te dringen, maar of de man met het ruwe zuipersgezicht, die ze bij de hut gevangen hadden genomen, in staat was hen erheen te leiden, was twijfelachtig.

Hij keek van opzij naar hem. De knaap snakte moeizaam naar lucht. Ze hadden hem gekneveld en blijkbaar was zijn neus te veel dichtgewoekerd om bij het ademhalen van veel nut te zijn. Andrej vroeg zich af of hij het zou riskeren de knevel weg te halen. Als hij schreeuwde, waren ze allemaal verloren. Zijn eigen lot was daarbij hoogst onzeker, maar je kon nooit uitsluiten dat zijn loyaliteit aan het kasteel groter was dan de angst voor zijn leven.

Ze bewogen zich zo langzaam door het hoge gras alsof ze over scherven liepen. Andrej en de gevangene liepen voorop, daarachter kwamen Willem Vlach en zijn mannen. De krekels stopten een paar passen voor hen met geluid te maken en begonnen weer zodra ze waren gepasseerd. De machtige rots van Pernstein straalde kou uit, hoewel het heet en benauwd was. Het dode gras van tientallen jaren stoof als stof op en sloeg op de keel. De ademhaling van de gevangene floot in zijn neus en zijn borstkas ging krampachtig op en neer. Andrej boog zich naar hem toe.

'Als je stil bent, neem ik je knevel af,' fluisterde hij.

De bloeddoorlopen ogen schoten zijn kant op. Het hoofd knikte zo hevig dat de zweetdruppels in het rond vlogen.

Andrej maakte de doek los. De man haalde met grote teugen adem en schudde zich als een natte hond.

En zette het plotseling op een lopen.

Een van Vlachs mannen stak zijn musket in de hoogte, maar Andrej pakte de loop en duwde hem naar beneden. Als ze hier schoten, hadden ze binnen een seconde het hele kasteel op hun nek. Hij vloekte in zichzelf en trapte het gras driftig plat op zoek naar een steen. De gevangene sprong met zijn geboeide handen als een bok over het gras, eerder door zijn vaart op de been gehouden dan door zijn eigen handigheid.

Er stond plotseling een man in het hoge gras, daar, waar de gevangene heen vluchtte. Hij had een ouderwetse boog gespannen en de pijlpunt was op de rennende man gericht. Geschrokken maakte de vluchteling een zijsprong.

'Staan blijven!' snauwde de schutter.

De gevangene maakte opnieuw een zijsprong om de man te ontlopen. De pees sloeg geluidloos tegen de beschermde onderarm van de schutter. De gevangene maakte de hoogste sprong die hij ooit had uitgevoerd en viel toen in het hoge gras. Andrej had nog het visioen van een lange pijl die aan één kant net zo ver uit de hals van de vluchteling stak als hij er aan de andere kant in was gedrongen en zag toen niets meer. Het was zo snel gegaan dat hij niet eens tijd had gehad om te reageren. Met enige vertraging draaide hij zich om.

In een wijde cirkel om hen heen stonden de mannen op uit het hoge gras. Ieder van hen had een boog gespannen en richtte op hun troepje. Het waren voldoende pijlen om hen allen tweemaal te doden.

Andrej stak zijn handen omhoog.

18

Wenceslas stond in tweestrijd of hij naar de plek zou terugkeren waar hij en Agnes hadden afgesproken elkaar te ontmoeten. Maar met het oog op de ontwikkelingen van de laatste minuten kon hij de gedachte niet verdragen zijn observatiepost te verlaten.

Te hebben gezien dat de vrouw van wie hij hield bijna voor zijn ogen was doodgevallen, was voldoende om hem vast te nagelen aan de plek waar hij het dichtst bij het gebeuren was.

En om in zijn hoofd een heftige chaos van gedachten te bewerkstelligen over wat hij kon doen om haar te redden.

Het was verbazingwekkend gemakkelijk geweest om het kasteel te naderen. De paar pachters die langs de weg hun akkers bewerkten, hadden alleen hun hoofd omgedraaid en net gedaan alsof ze opgingen in hun werk. In de gehuchten die uit twee of meer boerderijen bestonden en waar de weg doorheen liep, waren de kinderen de hutjes in gevlucht; de honden hadden hen van een veilige afstand door hun geblaf verraden. De atmosfeer was die van een land waar de angst zo groot was geworden dat men erin vastzat als in een waterput en niet meer naar buiten kon kijken. Ten slotte waren ze van de weg af gegaan en hadden ze de paarden vastgemaakt aan een hooischuurtje iets van de weg af. Het hooischuurtje was leeg geweest, zoals je in deze tijd van het jaar kon verwachten, maar ze hadden een gevlochten mand ontdekt en een stuk of vijf kapotte en halfvergane dekens. Deze dingen hadden Agnes op het idee gebracht de stinkende dekens om zichzelf en Leona heen te slaan en de mand tussen zich in naar het kasteel te slepen alsof ze daar iets te doen hadden. Agnes hoopte met behulp van deze vermomming ongestoord in het kasteel te kunnen rondkijken. Wenceslas, die niet in het plaatje paste, had de taak om rond het kasteel te zoeken naar eventuele verborgen ingangen.

Gewoonlijk was er op de plaats waar een kasteel stond, in de verste verte geen bos. Bomen die niet als bouwmateriaal moesten dienen, werden omgehakt om een belager geen natuurlijke dekking en geen hout te verschaffen om belegeringstoestellen te bouwen. Bovendien had een kasteel voedselvoorraden nodig, en hoe dichter bij het kasteel die werden verbouwd, hoe gemakkelijker ze naar hun bestemming konden worden gebracht. Daarom waren kastelen in de regel door uitgestrekte, boomloze akkers en moestuinen omgeven, met het obligate groepje fruitbomen als enige uitzondering.

Pernstein, boven de toppen als zijn eigen berg uittorenend, was vergeten dat die veiligheidsmaatregelen bestonden. Het was niet moeilijk voor Wenceslas om bijna aan de voet van de muren rond het kasteel te sluipen en toch de hele tijd dekking tussen boomstammen, struikgewas en in één geval achter een half vervallen grotkapel te vinden, waarvan het hek scheef in zijn hengsels hing en waar de madonna door vorst, water en temperatuurverschillen een vormeloze figuur was geworden. De sfeer van beklemming en angst lag ook hier over alles heen, en waar eigenlijk het luidruchtige, bruisende leven van een kasteelcomplex met soldaten, dienstpersoneel en eigenaren had moeten heersen, schoten slechts hier en daar gedaanten tussen de gebouwen heen en weer alsof ze muizen waren in een door katten beheerste wereld. Het terrein liep rondom steil af; aan de noordzijde van de kasteelrots, waar Wenceslas zich nu bevond, was een beekbedding uitgesleten. Zelfs de beek diep beneden hem borrelde en bruiste niet, maar kroop voor zich uit. Het water rook muf naar verrotting.

Maar toen was het opeens gedaan met de doodse stilte. Wenceslas, die zich om de burchttoren had gemanoeuvreerd en vooral de brug in de gaten hield waarvandaan ze hem zouden kunnen ontdekken, zag opeens boven zich iemand in de weer die werd gevolgd door een man in een donkere soutane. Er leek een korte woordenwisseling plaats te vinden, toen gebeurde er iets waardoor Wenceslas verstijfde van ontzetting en aan het einde waarvan de man in de priesterkleding naar beneden viel en op de stenen bodem voor de burchttoren bleef liggen. Het was minder de schrik over het feit dat hij getuige was geweest van deze gewelddadige dood, dan het besef dat Alexandra ook daar boven was en als een stuk vee met een touw om haar nek op de brug stond die hem nog steeds liet huiveren. Hij had gezien dat de neergestorte priester bijna nog twee mensen mee de dood in had gesleept; een daarvan was Alexandra. Hij had zich aan haar rok vastgehouden! Toen had hij blijkbaar geen kracht meer, had losgelaten en was gevallen. Wenceslas' maag draaide zich om als hij eraan dacht dat er eigenlijk twee doden onder de brug hadden moeten liggen: de priester en Alexandra Khlesl.

Zijn taak om rond het kasteel te sluipen, was hij vergeten. Hij zat in zijn schuilplaats en wenste dat hij Alexandra daar boven een teken kon geven. Hij hoopte dat Agnes en Leona, die Alexandra eveneens op de brug moesten zien, hun zenuwen de baas konden blijven. Het meest hoopte hij dat alles goed zou aflopen en hij klampte zich als een kind vast aan de gedachte dat na alle verschrikkelijke gebeurtenissen die hen hierheen hadden gevoerd het tij toch eindelijk weer eens ten gunste van de familie moest keren.

Vervolgens was hij er getuige van dat voor de burchttoren een drukte op gang kwam. Het grootste deel van de tijd belemmerde de zijkant van de toren zijn gezichtsveld, maar hij rook de geur van een groot vuur dat pas was aangestoken en hoorde het gerammel van houten balken, planken en borden. Het klonk alsof er banken en tafels voor een banket werden neergezet. Hij was er zeker van dat hier niets werd gevierd en vroeg zich tevergeefs af wat er dan voor de burchttoren gebeurde. Hij had terug kunnen sluipen om te kijken, maar dan had hij Alexandra uit het oog moeten verliezen. Dat was te veel gevraagd.

Het geritsel achter hem voelde hij meer dan dat hij het hoorde. Hij wilde zich omdraaien, maar er werd al iets hards tegen zijn achterhoofd gedrukt en hij hoorde het metaalachtige *klik* waarmee de trekker van een pistool werd gespannen. De schok trof hem als een scheut ijswater.

Klik!

Mijn God, nog een pistool.

Half gehurkt, half op zijn knieën, stak hij zijn handen naar opzij uit, om de gewapende man te tonen dat hij geen moeilijkheden wilde maken. Over zijn lichaam liep een prikkeling die hem aan het hijgen maakte. Hij kon horen dat twee vingers zich over twee hanen kromden. Van deze afstand zou een schot zijn hoofd verbrijzelen als een rauw ei. Zijn gedachten hadden moeten tollen om een uitweg te vinden, maar in plaats daarvan leken ze stil te staan.

De druk van de eerste pistoolloop verdween. Hij hoorde het geritsel waarmee iemand achter hem een stap terug deed. Hij beschouwde het als een zwijgende uitnodiging om zich om te draaien. Hij besefte dat hij het op zijn knieën moest doen als hij niet durfde op te staan, en de schaamte gaf hem genoeg kracht om overeind te komen. Hij kon niet voorkomen dat hij onwillekeurig zijn hoofd introk tot zijn schouders verkrampten, maar hij stond. De angst dat ze hem in het achterhoofd zouden schieten, maakte plaats voor de angst om de kogel tussen zijn ogen te krijgen zodra hij zich helemaal had omgedraaid. Hij hoorde zichzelf kreunen en schaamde zich omdat hij het niet kon onderdrukken. Wanhopig proberend zijn instinct onder controle te houden, dat hem adviseerde een plotselinge vluchtpoging te wagen, draaide hij zich om.

Hij keek verbijsterd.

19

'Kassandra!'

Heinrich rook zichzelf. Hij zweette en was buiten adem en wat aan hem niet naar zweet rook, stonk naar de rook van het vuur dat hij had helpen aansteken toen de bedeesde bedienden niet snel genoeg waren. Hij had oorvijgen en schoppen uitgedeeld en de reusachtige stalknecht zover gebracht zijn armen boven zijn hoofd te houden en voor hem op zijn knieën te zakken, om hem te laten ophouden met op hem in te slaan. Het bevredigde hem matig, maar het was beter dan niets.

Hij keek naar de deur. Plotseling had hij het gevoel dat ze vlak achter de deur aan de andere kant stond, net zoals hij had geweten dat Alexandra haar eerste nacht op Pernstein op hem had gewacht. De onverwachte herinnering dat hij in tweestrijd had gestaan om niet naar Alexandra toe te gaan, verwarde hem. Hij duwde de herinnering weg.

'Kassandra?'

Ze zweeg. Hij zuchtte.

'Ik begeer u,' zei hij. 'Hoe vaak moet ik u nog smeken me te verhoren? Denkt u dat het feit dat u uw zuster niet bent daar iets aan verandert? Ik begeer de persoon, niet de naam.'

Geen antwoord. Hij streek met zijn vinger over het hout van de deur en stelde zich voor dat hij haar lichaam aanraakte.

'Kassandra,' fluisterde hij. 'Diana. Kom naar buiten, mijn godin. Ik heb het offer voor u klaarge...'

Verder kwam hij niet, omdat er iets in zijn rug ramde en hem tegen de deur sloeg. Hij draaide zich met een ruk om en hield zijn handen boven zijn hoofd om de nagels af te weren. Haar lange, losse haar vloog om zijn oren en spuug spetterde in zijn gezicht. Haar vliegensvlugge handen probeerden zijn ogen uit te krabben. Hij hoorde haar steunen: 'Gnnnnnh! Gnnnnh!' Ze schopte hem zo hard dat hij het door zijn laarzen heen voelde. De deur kraakte in het kozijn toen hij probeerde zich ertegen af te zetten en hij er door haar pure woede weer tegenaan werd geramd. Hij kreeg een pols te pakken en hield die zo stevig vast als hij kon. Ze zette haar tanden in de rug van zijn hand. Hij gaf een schreeuw. Er was maar één kans om de wilde kwijt te raken. Hij sloeg toe.

Ze vloog tegen de tegenoverliggende wand en gleed erlangs op de grond als een dode.

20

Ze sloeg haar ogen op toen hij bij haar neerknielde en haar hoofd optilde. De vlek in haar gezicht trok en het groen van haar ogen was door het rood van haar huid nog feller dan anders. Hij was er zo zeker van geweest dat ze achter de deur stond dat hij onwillekeurig zijn hoofd omdraaide en achteromkeek. Het werd tijd om uit deze behekste vesting te ontsnappen voor hij hier gek werd.

De overgang van de schok naar kwaadheid was zo heftig als bij een roofdier. Maar deze keer was hij voorbereid. Hij duwde haar naar beneden. Ze probeerde overeind te komen, maar hij was sterker.

'Waar is hij?' schreeuwde ze.

'Hij mankeert niets.'

'Waar is hij?'

'Beneden. Ik heb alles voorbereid. Ik...'

Ze schudde hem bijna af maar hij gooide zich weer op haar. Het was lastig haar wapperende handen vast te houden.

'De Duivelsbijbel is beneden!' brulde hij zo hard hij kon. 'Ik heb hem naar beneden laten brengen. Hij mankeert niets. Ik dacht dat u mijn geschenk in zijn naam wilde offeren, daarom moest ik hem uit de kapel halen.'

'U mag er niet aankomen!' gilde ze.

'Als ik er niet minstens één keer was aangekomen, had u hem nooit gekregen!'

Plotseling kalmeerde ze. 'Wat bent u van plan?'

'Komt u mee. Ik wil het u laten zien.'

Ze keek hem onderzoekend aan. Hoewel voor deze ene keer de kaarten waren geruild en hij haar de baas leek te zijn, hoewel ze onder hem lag en hij haar handen vasthield, knipperde ze niet met haar ogen. Het groen van haar ogen maakte hem heet en liet hem tegelijk kou tot in zijn ruggenmerg voelen. Hij merkte dat zijn vertrouwen verdween en de situatie zich weer tegen hem keerde. Voor hij dit nog sterker voelde, boog hij zijn hoofd in de verwachting dat ze hem elk moment kon slaan. Ze bewoog niet, ze wendde zich zelfs niet af. Hij drukte een vederlichte kus op de rode vlek. Als hij had verwacht dat het op een geheimzinnige manier een openbaring zou worden, had hij zich vergist; de huid voelde nog sponziger aan dan op de andere plaatsen van haar lichaam, dat was alles. Hij stelde zich voor dat hij de vlek likte, net als eerst, toen hij nog niet wist dat de vlek er was. De gedachte joeg een rilling naar zijn schoot, maar het was geen lust, maar pure afschuw. Hij krabbelde op en hoopte dat ze het niet had gemerkt.

'Komt u mee.'

Hij bracht haar naar de brug bij de burchttoren, verbaasd dat ze zich niet verzette. Daar stond Alexandra met een strop om haar nek. Ze was bleek en door het vuil in haar gezicht hadden een paar tranen sporen getrokken, maar ze week niet achteruit. Kassandra keek naar haar.

'Kijkt u eens naar beneden,' zei Heinrich.

Hij had pater Filippo laten liggen waar hij was neergekomen. Voor de deur van de poortkamer op de begane grond brandde een vuur aan het einde van een langwerpige houtstapel. Aan het andere einde was een paal rechtop in de grond geslagen. IJzeren handboeien waren er met dikke spijkers aan vastgemaakt. Het vuur rookte; hij had ervoor gezorgd dat er in het begin veel nat hout op was gegooid. Voor de provisorische brandstapel was een oppervlakte van misschien vijfentwintig manslengten door balken, planken en delen van banken en tafels afgezet. Het zag eruit als een arena. Het was een arena. Naast de brandstapel stond, ver genoeg bij het vuur vandaan, de lessenaar uit de kapel. Daarop lag de Duivelsbijbel, zo wit glanzend in de vallende avondschemering als een ijsbot dat niet eens het schijnsel van het vuur erin weerkaatste.

'Wat is er met Filippo gebeurd?'

'Hij is niet geslaagd voor de proef.'

Heinrich begon de strik los te maken waarmee Alexandra aan de borstwering was vastgebonden. Hij keek over zijn schouder naar Kassandra. De lynxogen hadden zich van Filippo's verminkte gestalte afgewend en keken hem recht aan. Verbitterd moest hij constateren dat hij de situatie niet meer beheerste, en dat de paar passen afstand van het vertrokken duivelsportret op haar gezicht voldoende waren om de oude, hulpeloze begeerte naar haar onderwerping weer in hem te laten ontwaken.

'We brengen hem naar beneden. De paal en het vuur zijn voor hem. Als –' Ze onderbrak hem.

'U wilde me haar hart schenken.'

'Dat is precies wat ik van plan ben. Ik...'

Ze stond plotseling naast hem. Hij keek langs haar lichaam omlaag en ontdekte het mes in haar hand. Hij kon zich niet voorstellen waar ze het had verborgen. De kling glinsterde.

'Geeft u het me nu dan.'

'Wat?'

Hij hoorde Alexandra hijgen. Hij dacht aan een oude legende en overwoog of hij het mes niet liever zou pakken om de strik door te snijden, maar de gedachte verdronk halverwege in Kassandra's smaragdogen.

Ze leunde tegen hem aan en glimlachte. Het duivelsportret glimlachte mee.

'Ze is nog steeds maagd,' fluisterde Kassandra, fluisterde de duivel. 'Hier, ontmaagdt u haar hiermee. Het mes is scherp. Drijf het in de tempel die u hebt verzuimd te betreden. Snijd het hart op die manier uit.'

'U bent ziek,' zei Alexandra hees.

'Ik wil mijn geschenk, partner. Dus?'

Heinrich trok Alexandra tegen zich aan. Haar ogen waren reusachtig groot en haar lippen waren blauw van ontzetting. Hij had het gevoel dat de brug schommelde. Het mes in zijn hand leek te gloeien. Hij duwde haar tegen de borstwering en ging tegen haar aan staan, duwde haar benen uit elkaar. Ze begon paniekerig te ademen en haar blik schoot heen en weer. Het was onmogelijk om het zacht te doen. Er viel niet aan een monsterlijke slachtpartij te ontkomen. Dit was zijn proef. Hij dacht aan Filippo, toen die als een hoopje kleren en botten beneden op de grond lag. Hij hoorde Alexandra nu al gillen, het schrille krijsen van totale pijn. Hij hoorde zichzelf stamelen: 'Dat wilde ik niet, niet zo...'

'Mijn geschenk, partner.'

Hij probeerde zich op de lust te concentreren die hij had moeten voelen, maar hij voelde slechts weerzin, haat en angst.

'Henyk...' fluisterde Alexandra. Tranen stroomden nu over haar wangen. 'Alsjeblieft...'

'Partner?'

Hij gooide zijn hoofd in zijn nek en brulde als een gewonde stier. Toen stak hij met het mes toe.

21

Wenceslas staarde verbaasd naar de vingers. Ze kromden zich. De hamers van beide pistolen zakten omlaag.

'Klik! Klik!'

Isolde giechelde en stak haar wijsvinger weer uit en haar duimen naar boven. Weer richtte ze op Wenceslas.

'Klik! Klik!'

Het klonk niet meer zo echt als je zag dat de pistolen uit duim en wijsvinger bestonden. Als er een wijsvinger tegen je achterhoofd werd gehouden en je je niet durfde om te draaien, klonk het verschrikkelijk echt.

'Isolde?'

Ze hield haar hoofd scheef en keek hem aan. Leona had nauwkeurig beschreven hoe ze eruitzag. Wenceslas zou haar uit duizenden herkennen. Wat haar hierheen kon hebben gedreven, wist hij niet. Hij voelde zijn knieen nog steeds bibberen van schrik. Waarschijnlijk had hij haar aan zijn kant kunnen krijgen door net te doen alsof hij was geraakt en zich theatraal te laten omvallen. Maar daarvoor ontbraken hem op dit moment de zenuwen.

'Isolde?'

Ze klapte in haar handen en lachte hard. Een stortvloed van lettergrepen kon van alles betekenen. Hij zag de speekselsliert over haar kin lopen.

'Ssst!' deed hij.

'Ssst,' echode ze en keek glimlachend langs hem heen naar de hemel. 'Ssst...'

Wenceslas moest denken aan zijn spionagebezigheden achter Augustyns huis, waar het kleine meisje niet meer van zijn zijde was geweken. Hij legde berustend zijn vinger tegen zijn mond, maar deze keer leek Isolde hem te begrijpen. Ze perste haar lippen op elkaar. Tussen haar wenkbrauwen verscheen een rimpel. Haar blik ging nog steeds langs hem heen en opeens begreep hij dat haar gezichtsuitdrukking niet hem gold.

Boven op de brug stonden twee personen bij Alexandra. Een van hen was een vrouw. Een waanzinnig moment dacht Wenceslas dat het Agnes was en iemand die haar te hulp was gekomen, maar toen zag hij het lange, blonde haar en de witte japon.

Isolde murmelde iets. Ze zag er angstig en woedend tegelijk uit.

'Wat gebeurt daar boven?'

Gebrabbel en driftig wijzen met haar vinger. Plotseling gaf ze zichzelf een klinkende draai om de oren. Toen wees ze weer omhoog naar de brug.

'Hebben ze je geslagen? Wat is daar boven aan de hand?'

Ze hurkte op de bosgrond. Hij hoorde haar zachtjes jammeren en begreep dat ze was gaan huilen. Toen kromp hij ineen. Vanaf de brug klonk een harde schreeuw. Hij probeerde naar boven te turen en tegelijk Isolde in het oog te houden. Het ging niet. Hij stapte uit zijn dekking. De brug was leeg. Een golf van ontzetting ging door hem heen toen hij aan de man dacht die voor zijn ogen naar beneden was gestort. Hadden ze Alexandra gewoon...? Hij probeerde iets te zien. Hij meende het uiteinde van een strop te zien die om een dakrand was geslagen en recht naar beneden liep, alsof er iets aan hing wat nu op de bodem van de brug lag, maar hij wist het niet zeker. Hij probeerde te slikken en stelde vast dat zijn mond droog was. Hij wist nu wat hij moest doen, maar dat was niet wat hij met Agnes had afgesproken.

'Isolde, je moeder is gekomen om je te halen.' Hij probeerde niet te hijgen van de spanning.

Haar hoofd ging met een ruk opzij. Door haar tranen heen begon ze te stralen. Ze wilde opspringen, maar hij hield haar vast.

'Zachtjes!' siste hij. 'Isolde, voordat je moeder je hiervandaan mee kan nemen, moeten we eerst nog iets doen.'

Ze staarde hem aan. Onwillekeurig tilde hij zijn hand op en veegde met de muis van zijn hand haar kin af.

Ze grijnsde als een klein kind.

'Je moet me het kasteel in brengen! Is er ergens een geheime ingang?'

Het was zo gemakkelijk dat het haast beschamend was. Isolde trok het hek van het grotkapelletje open, perste zich door een spleet tussen de achterwand van de kapel en het uit ruw bewerkt steen gemetselde altaar en was verdwenen. Wenceslas volgde haar en zag een luik in de vloer openstaan. Isolde stond al op de smalle ladder die naar beneden leidde. Wenceslas volgde haar. De weg moest stammen uit de tijd dat Pernstein zich nog tegen aanvallen van buiten moest verdedigen, een laatste vluchtmogelijkheid voor de familie van de kasteelheer als alles verloren leek. Wenceslas wist niet of het ooit voor dat doel was gebruikt. Hij kon zich niet voorstellen dat vijanden zelfs honderden jaren geleden hadden geprobeerd deze monoliet van een kasteel aan te vallen. In elk geval had Isolde de gang gevonden. Het waren altijd onschuldige mensen die op zulke dingen stuitten.

Hij moest bukken om erdoor te kunnen. De gang was in de rots gehouwen waarop het kasteel stond en liep steil omhoog. De vochtigheid maakte de vloer glibberig en ook als hij ooit ruw mocht zijn geweest en niet door vluchtelingen glad was geschuurd, was hij toch zo glad als nat marmer. Al na enkele tientallen stappen was het helemaal donker. Hij bewoog met beide handen tegen de muur links en rechts tastend naar voren, gedeeltelijk vanwege zijn uitglijdende voeten, maar hoofdzakelijk vanwege het duister om hem heen. De angst van iemand die in het daglicht leeft en in het donker van een grot zonder licht is gevangen, overviel hem en snoerde zijn keel dicht. Het water dat van de wand omlaag stroomde, had begroeiing mogelijk gemaakt. Wenceslas tastte in zachte, slijmerige massa's, die onder zijn handen meegaven. Hij rilde en wilde zich liever niet voorstellen hoe deze begroeiing er in het licht uitzag, maar hij durfde de muren ook niet los te laten. Zijn voetstappen galmden in de nauwe buis en zijn eigen hartslag maakte hem bijna doof. Als Isolde niet af en toe had gegiecheld, had hij al na korte tijd geloofd dat hij in zijn eentje hier beneden was.

Toen bleef ze abrupt staan en hij botste gebukt tegen haar aan. Ze struikelde voorover, zijn voeten gleden weg en hij viel boven op haar. De gang helde genoeg om terug te glijden. Instinctief hield hij zich aan haar vast en trok haar mee. Ze gleden ettelijke manslengten terug voor zijn laarzen houvast vonden op een ruwer stuk bodem. Hij hijgde. Ze giechelde weer en langzaam drong het tot hem door dat ze zich moest hebben omgedraaid en hij als een minnaar op haar lag. Hij mompelde iets vaags en probeerde zich op te richten, maar ze hield hem met beide armen vast. Het volgende moment voelde hij een kletsnatte kus op zijn wang.

'Ja,' zei hij wanhopig. 'Ja, ik vind jou ook aardig. Ik...'

En toen begreep hij waarom ze verderop zo abrupt was blijven staan. Voorzichtig legde hij een hand op haar mond.

Hij hoorde stemmen.

22

Wenceslas begreep niet wat het enorme toestel te betekenen had en door de kier in het droog geworden hout van de deur kon hij het ook niet helemaal overzien. Alles wat hij zag, was een jongeman, die er fantastisch zou hebben uitgezien als zijn lange haar niet verward en nat van transpiratie om zijn gezicht had gehangen en als die uitdrukking van tomeloze haat die zijn gezicht verminkte er niet zou zijn. De jongeman droeg een houten staaf die hij over zijn schouder had gelegd. Zijn handen bungelden er in een pose van ontspannenheid overheen, die er als je beter keek zo verkrampt uitzag dat je het gevoel kreeg dat hij zich in werkelijkheid aan de staaf moest vasthouden om zijn evenwicht niet te verliezen.

De ruimte lag op de begane grond van de burchttoren. Wenceslas had eerst tevergeefs geprobeerd zich van Isolde te ontdoen. Eerst had ze aan hem gehangen als een katje dat langs je benen strijkt, toen had ze haar oude zelf weer hervonden en was giechelend en in haar handen klappend door de gang gekropen. Maar toen ze de bocht hadden gevonden die naar de deur van de ruimte in de burchttoren leidde, was ze met gefronst voorhoofd en sombere ogen achtergebleven. Meer bevestiging was niet nodig om te weten dat de jongeman in de kamer dezelfde was als die boven op de brug had gestaan en Wenceslas was ervan overtuigd dat het Heinrich von Wallenstein-Dobrowitz moest zijn. Wat hij Isolde ook had aangedaan, hij moest haar zo intens hebben gekwetst dat zelfs haar vrolijke lege verstand het niet was vergeten.

Wenceslas probeerde zo zacht mogelijk adem te halen. Eigenlijk had hij de geheime gang verder naar boven willen volgen, maar een van de twee stemmen die hij had gehoord had hem aan de grond genageld. Hij drukte zijn gezicht tegen de kier en zag de rug van een man die met uitgestoken armen aan twee touwen was geboeid, die naar een voor Wenceslas onzichtbare plaats op het plafond leidden. De kleding van de man bestond uit een smerig hemd en een gescheurde broek en zijn haar was een warrige mat. Wenceslas moest op zijn tong bijten. Hij had de stem echt herkend.

De geboeide man was Cyprian Khlesl.

Heinrich von Wallenstein-Dobrowitz knikte in de richting van het toestel.

'Ik hoef alleen maar de houder eruit te slaan en de contragewichten scheuren je in tweeën, en als ik je voeten eerst op de sokkel van het oude poortmechaniek vastbind zelfs in vieren. Weet je wie François Ravaillac was?' Heinrich bewoog zijn bovenlichaam, zodat te zien was dat het ene uiteinde van de staaf op zijn schouder uitliep in een dikke houten kop als van een trommelstok.

Cyprians stem donderde: 'Waar is Alexandra?'

Wenceslas hield zijn adem in. Het was de vraag die ook hem het meest interesseerde.

'We doen het als volgt,' zei Heinrich. 'We gaan naar buiten, alleen jij en ik. Ik heb geen wapen, jij hebt geen wapen. Als je het met je blote handen van me kunt winnen, mag je je dochter mee naar huis nemen. Als ik win, kun je alleen nog kiezen: moet ze toekijken hoe jij sterft of wil je bij haar toekijken?'

Tot Wenceslas' verbazing hoorde hij Cyprian lachen.

'Je wilt het tegen míj opnemen?'

'Ik heb het al eens tegen je opgenomen en je verslagen. Denk je dat ik bang ben om nu te verliezen?'

'Daar ben je al je hele leven bang voor.'

'Je weet niet wat bang is,' siste Heinrich. 'Voor deze avond voorbij is, zul je er alles van afweten.'

Cyprian zei niets.

'De dood,' zei Heinrich. 'Een langzame, pijnlijke, gruwelijke dood voor jou en je dochter. Wil je je niet liever overgeven, Cyprian Khlesl? Misschien ben ik barmhartig en bekort jullie lijden.'

'Iemand heeft eens gezegd: als de dood je niet als overwinnaar aantreft, moet hij je minstens als strijder vinden.'

'Is hij strijdend ten onder gegaan, die verstandige man?'

'Hij heeft niet om genade gesmeekt toen zijn tijd was gekomen. Ik betwijfel of jij die instelling begrijpt.'

Heinrich nam de staaf van zijn schouder en grijnsde als een wolf.

'Voor dit hier voorbij is, zal ik jóú horen smeken.'

Heinrich pakte de staaf op en sloeg met één vloeiende beweging op Cyprians bovenlichaam. Cyprian sloeg dubbel in zijn boeien en hijgde luid. Wenceslas keek geschokt door de spleet in de deur. De slag moest Cyprian minstens twee gebroken ribben hebben gekost; hij hing half bewusteloos in zijn touwen. Heinrich liep naar hem toe en ging met zijn hand over de plek waar hij Cyprian had geraakt. Hij duwde harder en Cyprian kromp kermend ineen.

Heinrich glimlachte en bracht zijn mond vlak bij Cyprians oor. 'Strijden heeft alleen zin als het zeker is dat de dood je als overwinnaar aantreft,' fluisterde hij. Toen draaide hij zich om en trok de deur naar buiten open. Wenceslas hoorde hem een paar scherpe commando's blaffen: 'Was zijn gezicht, geef hem een paar laarzen. En breng hem dan naar buiten.' Hij paradeerde de openlucht in.

Wenceslas kroop van zijn uitkijkpost weg en stond toen op. Zijn hart bonsde. De behendige, soepele Heinrich zou het moeiteloos van Cyprian winnen. Cyprian moest bijna twee keer zo oud zijn en ook al had zijn gevangenschap zijn lichaam taniger gemaakt, hij zag er naast de atletische Heinrich nog steeds uit als een stevige stier. Hij had vanaf het begin nauwelijks een kans gehad, maar nu, met gebroken ribben, was het uitzichtloos. Wenceslas klemde zijn kiezen op elkaar. Hij kon niets doen, behalve proberen Alexandra te vinden en haar te redden. Ze zou haar vader, die ze al eens had doodgewaand, nog een keer moeten loslaten.

Verbitterd en boos sloop hij naar de plek waar Isolde was achtergebleven, zodat ze hem verder de weg kon wijzen. Maar ze was verdwenen. Hij durfde haar niet te roepen. De gang liep via een smalle trap verder omhoog, kennelijk tussen de buitenmuur van de burchttoren en een onopvallend geplaatste binnenmuur. Hij rende hem zo snel in als het donker toestond.

23

Cyprian hinkte naar buiten. Zijn hele linkerkant was gevoelloos, maar het was een ijskoude gevoelloosheid, die pijn deed. Als hij adem wilde halen, leek het of hij met een mes werd gestoken. Heinrich stond aan de andere kant van het provisorische strijdperk. Hij had zijn hemd uitgetrokken, zijn bovenlichaam leek gebeeldhouwd en zag eruit als een standbeeld van een atleet. Cyprian liet zijn blik rondgaan. De wedstrijd werd niet tot vermaak van eventuele toeschouwers hier voor de burchttoren uitgevochten. Het handjevol mensen dat hier aanwezig was leek te veel angst voor de jongeman te hebben om ertussenuit te knijpen. Het waren voornamelijk oude vrouwen.

Cyprian bleef staan, omdat hij een ogenblik zo misselijk werd dat hij dacht dat hij moest overgeven. De aanval ging over en hij bleef happend naar adem achter. De gebroken ribben joegen rillingen door zijn lichaam, waardoor zijn haren rechtop gingen staan en hem het zweet uitbrak. Hij richtte zich langzaam op en stelde vast dat het gemakkelijker was dan hij had gedacht. Hij had zijn spieren gehard zodra hij zover van de schotwond was hersteld dat hij kon bewegen. Ze steunden nu de gebroken botten en maakten de pijn draaglijker. Maar Cyprian maakte zich geen illusies. Hij wist dat iedere snelle beweging een helse pijn zou veroorzaken. Hij keek nogmaals om zich heen. Alexandra was nergens te zien. Tevergeefs probeerde hij zijn angst te onderdrukken. Alleen als hij rustig bleef, had hij een kans. Dat zijn tegenstander verblind was van haat en woede, was het enige voordeel dat hij had. Dat, en de zekerheid dat hij ergens voor vocht, in dit geval voor zijn eigen leven en dat van Alexandra. Heinrich vocht alleen tegen iets, tegen de vrees dat hij ondanks alles de zwakste was.

Cyprian haalde adem en brulde: 'Alexandra!'

Heinrichs blik schoot onwillekeurig naar de houten brug tussen het hoofdgebouw en de burchttoren. Cyprian volgde hem. Er was niemand te zien, maar dat hoefde niets te betekenen. De borstwering van de brug kwam tot boven heuphoogte. Alexandra kon geboeid op de planken liggen. Hij zag een onbeweeglijke gestalte onder de brug en wist dat daar iemand naar beneden was gestort. Of het een bondgenoot of een vijand was geweest, kon hij niet zien. Cyprian dwong zichzelf tot een glimlach.

Heinrich gaf een woedende brul, rende op hem af met zijn schouders naar voren als een aanvallende stier. Cyprian wist dat hij niet snel genoeg was om hem op het laatste moment te ontwijken. Hij deed een stap opzij om niet met zijn rug in het vuur geduwd te worden, bereidde zich voor op de klap en hoopte dat de pijn hem niet bewusteloos zou maken.

Het was alsof er weer op hem was geschoten. Hij had het gevoel dat zijn linkerkant tot moes werd geslagen. Zich aan elkaar klemmend stortten de twee mannen op de grond, Heinrich boven. Cyprian veroorloofde zich de luxe te schreeuwen. De uiteinden van de botten kwamen tegen elkaar, staken door zijn vlees en klapten weer terug. Hij zag zwarte stippen aan de rand van zijn gezichtsveld en was een ogenblik niet in staat om te bewegen. Dit mocht geen tweede keer gebeuren, want dan was het met hem gedaan.

Heinrich rolde van Cyprian af en Cyprian draaide op zijn zij. Hij schreeuwde het weer uit van de pijn. Heinrich zat op handen en voeten en schudde zijn hoofd. Cyprian had het moment van de klap tegen de grond gebruikt en met zijn voorhoofd tegen dat van Heinrich geslagen. De pijn die zich in Cyprians schedel verspreidde, was niets vergeleken bij de pijn in zijn zij. Heinrich leek er erger onder te lijden. Hij gromde en probeerde te gaan staan.

De meeste gevechten werden beslist voor de handtastelijkheden begonnen. Een van de strijders verloor opeens zijn zelfvertrouwen en dat leidde er onvermijdelijk toe dat hij onder lag. De gevechten tussen even vastbesloten tegenstanders werden bijna allemaal eveneens in de eerste ogenblikken beslist. Een sterke man kon zijn definitieve nederlaag alleen nog uitstellen zolang hij kon blijven staan, maar dat was slechts een kwestie van tijd.

Cyprian wist dat hij Heinrich onverwacht had geraakt. De jongeman had gedacht dat Cyprian zou proberen aan de botsing te ontkomen. Ieder ander had dat vermoedelijk ook gedaan. Maar Cyprian had zich overhoop laten rennen en de vaart gebruikt om nog terwijl hij tegen de grond ging terug te slaan. Heinrich trok zijn benen op en schudde zijn hoofd opnieuw om zijn blik helder te maken. Het was tijd om het einde van het gevecht voor te bereiden.

Cyprian pakte hem bij zijn haren, trok hem omhoog en sloeg hem met zijn vuist in het gezicht. Het was een zorgvuldige klap, zonder rekening te houden met de pijn in zijn ribben, waardoor Heinrich achterover werd getrokken en werd zijn neus gebroken. Heinrich ging op de grond zitten.

Bloed stroomde over zijn kin. Hij gaf een schreeuw, draaide zich snel om, hield zijn handen voor zijn gezicht en probeerde tegelijkertijd op te staan. Toen hij bijna boven was, gaf Cyprian hem een schop tegen zijn achterste en Heinrich sloeg voorover in een stapel planken.

Op de een of andere manier wist hij op te staan. Hij zwaaide een vuist blindelings naar Cyprian en sloeg in de lucht. Zijn ogen waren blind van tranen, zijn gezicht een masker van bloed. Cyprian deed een stap achteruit en Heinrich strompelde hem achterna, terwijl hij opnieuw in de lucht sloeg. Hij brulde het uit. Hij schudde zich, herinnerde zich weer hoe je moest vechten en hield zijn beide vuisten voor zijn schouders. Cyprian raakte zijn gezwollen neus met een welgemikte stoot.

Heinrich viel op zijn knieën, jankend als een wolf. Hij bezat de tegenwoordigheid van geest om zich naar achteren te gooien, maar Cyprian schopte niet naar hem. Als zijn tegenstander in een reflex zijn voet te pakken kreeg, kon hij het vergeten. Heinrich rolde naar opzij. In een chaos van zweet- en bloeddruppels kwam hij weer omhoog. Zijn haar was nu grijs van het stof van de grond, zijn gezicht was zo verminkt dat zijn moeder hem niet zou herkennen. 'Ik vermooooord je!' ronkte hij. Bloed spetterde samen met speeksel uit zijn mond. Zijn ogen zwollen al dicht. Hij draaide zich razendsnel om en rende naar het vuur. Cyprian probeerde hem de pas af te snijden, maar toen sprong Heinrich opzij en stortte zich op de lessenaar waarop de Duivelsbijbel lag. Een waaier van bloedspetters klaterde op het witte leer. Hij trok aan iets onder het tafelblad. Het zat vast.

Cyprian was er al. Heinrich sloeg naar hem. Cyprian dook weg en hijgde van de steek die zijn ribben door zijn bovenlichaam joegen, maar hij maakte gebruik van de gelegenheid en stompte Heinrich in zijn buik. Heinrich klapte dubbel. Hij raakte Cyprian met zijn elleboog tegen zijn slaap, maar het was een zwakke slag. Cyprian probeerde Heinrichs voet te pakken en trok hem weg; zijn tegenstander sloeg tegen de grond. Hij rolde weer opzij, maar veel langzamer dan eerst. Cyprian wist zonder dat hij het hoefde te zien dat Heinrich een mes of een geladen pistool onder het tafelblad had verstopt, maar hij deed geen poging om het te pakken. Hij strompelde achter Heinrich aan, wachtte af tot deze was opgekrabbeld en sloeg met zijn vuisten in elkaar verstrengeld tegen zijn hoofd. Heinrich draaide half in de lucht en viel op zijn gezicht. Opnieuw probeerde hij overeind te komen.

Dit was het moment. Nog een klap tegen zijn hoofd zou genoeg zijn. Zelfs een schop tegen zijn lijf zou het nodige effect hebben. Geen van beide zou Heinrich doden, maar hij zou definitief zijn uitgeschakeld.

Heinrich kreunde. Hij zat nu op zijn knieën, maar zijn bovenlichaam wiegde heen en weer. Beide ogen zaten op spleetjes na dicht. Zijn armen maaiden hulpeloos in de lucht.

Cyprian constateerde dat hij het niet kon. Afschuw steeg in hem op. Hij had voor zijn leven en dat van Alexandra gevochten, maar daarom voelde hij zich nog niet beter. Hij moest triomf voelen, maar met het oog op het kapotgeslagen gezicht voelde hij zich alleen maar een wreed beest. Hij had gerechtigheid moeten voelen als hij eraan dacht wat Heinrich hem en Alexandra in het vooruitzicht had gesteld, dat hij zijn ribben had gebroken om zichzelf een voordeel te verschaffen, maar toch nog een wapen had verstopt. Maar wat hij voelde, was spijt omdat hij was gedwongen zichzelf tot het niveau van Heinrich te verlagen, en medelijden met een man die een armzalige lafaard was en dat in de grond van zijn hart heel goed wist. Hij liet zijn armen zakken.

Heinrich slaagde erin een voet op de grond te zetten. Hij zette zich af, maar in plaats van omhoog te komen, viel hij opzij. Hij kreunde weer en rolde zich in elkaar.

Toen klonk er vanaf de brug naar de burchttoren de knal van een afgevuurde kruisboog en een schrille schreeuw.

24

Wenceslas wist zeker dat hij minstens twee keer om de hele toren had gelopen. Hij had geen idee hoe hoog hij daarbij was gekomen. Toen zijn rechterhand plotseling het contact met de muur verloor, ging hij nog een stap verder en botste tegen een muur.

De trap ging niet verder.

Zwetend bleef hij staan. Hij ademde zwaar, maar hij gunde zichzelf geen rust. Met uitgestoken handen tastte hij zich een weg terug en een kleine nis in. Hij voelde hout, vond een klink en rammelde eraan. Zijn hart sloeg een slag over. De deur was versperd. Hij schopte ertegen en voelde dat een vermolmde plank meegaf. Hij schopte nog een keer. De planken van de deur waren dun en wat ze nog bij elkaar hield, was slechts verroest beslag.

Hij snelde de paar stappen terug naar de muur tegenover de nis. Toen haalde hij diep adem en nam een aanloop. Met zijn hele gewicht gooide hij zich tegen de deur. Die barstte en hij viel met de deur de kamer in. Hij tuimelde ergens in wat zich onmiddellijk om hem heen slingerde en hem in een explosie van stof en schimmel hulde. Hoestend en om zich heen slaand sloeg hij tegen de grond, probeerde lucht te krijgen en ademde slechts nog meer stof in. Hij kokhalsde en spuwde tot zijn keel eindelijk vrij was. De deur was achter een eeuwenoude, half vergane gobelin verstopt geweest. Hij had hem uit zijn hengels getrokken.

Gejaagd keek hij om zich heen. De kamer was vol schaduwen. Hoe ging het verder? Rondom de kamer waren schietgaten aangebracht. Het moest een soort uitkijkruimte zijn. Boven uitkijkruimten was gewoonlijk een zaal en daar weer boven de slaapkamers van de vrouwelijke kasteelbewoners. Men zou van hier naar de zaal slechts een in het ergste geval gemakkelijk te verdedigen...

Daar! Hij zag de smalle opening in een hoek van de kamer. De ladder die naar buiten had moeten leiden, lag erbij. Nu wist hij hoe Isolde erin en er weer uit was gekomen bij haar stiekeme verkenningstochtjes in de oude toren. Wenceslas rende eropaf en zette de ladder rechtop, en zag toen pas wat de vele schaduwen in deze kamer werkelijk waren. Zijn ogen werden groot.

Twee verdiepingen hoger was hij eindelijk op hetzelfde niveau als de brug. Hij struikelde naar buiten. Bij de borstwering lag een bont stapeltje kleren. Hij schrok toen hij zag dat onder het stapeltje een mens schuilging. Hij wist dat het Alexandra was nog voor hij haar donkere haardos zag. Hij stortte zich doodsbang op haar. Ze was langs de borstwering naar beneden gegleden. Haar gezicht was rood en verwrongen en haar blik boorde zich in de zijne. Tranen stroomden uit haar ogen. Hij liet de kruisboog vallen die hij in de met oude wapens en harnassen volgestopte voormalige wachtersruimte had gevonden en duwde hem weg toen hij naast haar op zijn knieën viel.

'Alexandra? Ben je gewond? Ben je...?'

Hij gaf een schreeuw toen hij de strop zag die in haar hals sneed. Haar handen zaten op haar rug, ongetwijfeld geboeid. Ze moest tegen de borstwering in elkaar zijn gezakt en had met haar geboeide handen niet meer overeind kunnen komen. De strop was haar beginnen te wurgen.

'O, mijn God, Alexandra!'

Hij sprong op en trok aan de knoop die de strop aan de draagbalk van het dak vasthield, maar hij zat te vast. Zijn blik viel op het mes dat iemand in de borstwering moest hebben geramd. Hij trok het eruit en zaagde de strop door. Alexandra zakte in elkaar. Hij gooide het mes weg en trok aan de tweede knoop in haar nek. De lus kwam los. Alexandra haalde kokhalzend adem en viel voorover. Hij ving haar op. Ze hoestte en kokhalsde krampachtig en begon toen te snikken. Hij trok haar tegen zich aan.

'Ze zei dat hij mijn ingewanden er levend uit moest halen,' zei Alexandra. 'Ik keek in zijn ogen en een moment was ik ervan overtuigd dat hij het zou doen. Maar toen ramde hij alleen maar het mes... Alleen maar het mes...' Ze snikte zo hevig dat Wenceslas moeite had om haar vast te houden.

'We moeten hier weg,' zei hij dringend. 'Er is een weg door de toren. Ik...' Hij trok aan haar. Ze deed haar uiterste best om te gaan staan. Toen sperde ze haar ogen van ontzetting wijd open.

Wenceslas draaide zich met een ruk om. Een vrouw in het wit stond bij het begin van de brug. Haar haar was in de war, maar haar japon zo smetteloos alsof ze zich net pas had aangekleed. Haar gezicht was een wild landschap van witte en rode make-up alsof ze zich haastig en met wapperende handen had opgemaakt. Onder de make-up schemerde iets wat leek op een wijnvlek. Maar zelfs in deze toestand schitterde haar schoonheid nog door de verminking heen als een lichtreflex van een diamant.

Hij keek langs haar omlaag. Ze hield de kruisboog vast die hij had weggegooid. De pijl was op Alexandra gericht.

Wenceslas pakte Alexandra en draaide haar snel om. Er was alleen deze ene kans.

De knal hoorde hij niet, de inslag voelde hij niet. Hij voelde niet eens dat hij tegen Alexandra werd geslingerd en vooroverviel. Hij hoorde Alexandra schreeuwen en toen werd alles donker.

25

Op de brug werd gevochten. Het zag eruit alsof iemand met een engel worstelde. Toen zag Cyprian het scherper en zijn hart sloeg een slag over. Hij kon wel bedenken wie de engel was; de andere gestalte kende hij vanbinnen en vanbuiten. Het was Alexandra.

Het was Alexandra en de witte engel duwde haar achterover over de borstwering en probeerde haar in de diepte te gooien.

Cyprian deed een stap naar de ingang van het kasteel, hoewel hij wist dat hij te laat zou komen.

Er klonk een schot achter hem. Hij struikelde. Het gevecht boven op de brug stokte. Hij zag een wit gezicht naar beneden kijken. Moeizaam draaide hij zich om.

Twee oude vrouwen hielden de Duivelsbijbel tussen zich in. Naast de grootste van de twee lag een afgevuurd pistool. Cyprian wist zeker dat het het wapen was waarmee Heinrich het gevecht in geval van twijfel in zijn voordeel had willen beslissen. De vrouwen moesten bukken om het zware boek te kunnen dragen, maar het leed geen twijfel dat ze het in het vuur ernaast zouden weten te slepen.

Van boven klonk een hese schreeuw: 'Nee!'

'Laat mijn dochter los, anders verbrandt dit ding!' schreeuwde de grootste van de twee oude vrouwen.

Cyprian geloofde zijn oren niet toen hij Agnes' stem herkende.

Alexandra gaf een gil van schrik. Alleen het feit dat haar tegenstandster haar vasthield, voorkwam dat ze in de afgrond stortte.

'Leg de bijbel op de grond, of ik laat die slet vallen!' riep de witte engel.

Cyprians krachten lieten hem in de steek. Hij ging moeizaam in het stof zitten. In de plotselinge stilte was alleen het knetteren van het vuur te horen en toen een zacht, droog lachje.

26

'Zoveel leed om een waardeloos boek,' zei een zwakke stem, waaraan was te horen dat de eigenaar ervan niet meer helemaal op deze wereld was.

Cyprian kroop op handen en voeten naar een van de omgevallen banken en trok zich eraan op. Zijn blik viel op de man in de sleetse priestersoutane die onder de brug lag.

'Het is niet waardeloos!' schreeuwde de vrouw op de brug.

'Dat kon u niet weten, Kassandra, of wel soms? In veel dingen hebt u uw naamgenote alle eer aangedaan, maar dat kon u niet weten.'

Boven bleef het stil. Cyprian ging met knikkende knieën op het onbeweeglijke bundeltje kleren af. Hij zou haast bijgelovig worden, maar toen hij dicht genoeg was genaderd, zag hij dat het niet de geest van de neergestorte man was die sprak. Er liep bloed uit zijn mond, uit zijn neus en uit zijn oren, maar zijn lippen bewogen. Zijn ogen waren enorm groot. Waar hij naar keek, kon Cyprian niet zien, maar hij nam aan dat het niet iets was wat je kon zien als je nog een kans had om te blijven leven.

'Ik heb de boeken omgewisseld, Kassandra,' zei de stervende priester. 'Dagen geleden al. U had gelijk dat de Duivelsbijbel niet meer is dan een symbool. U hebt al dagen voor de kopie gebeden en u hebt het niet gemerkt.'

Cyprian voelde zich zo moe dat alleen de angst om zijn dochter hem nog op de been hield. Hij dwong zichzelf naar de brug omhoog te kijken. Alexandra hing nog steeds half in de lucht, vastgehouden door Kassandra. Hij verbeeldde zich te zien dat de armen van de kasteelvrouwe beefden en betrapte zichzelf erop dat hij in stilte bad dat zijn dochter ongedeerd mocht blijven. De triomf over Heinrich had de redding moeten zijn, maar in werkelijkheid was de situatie nog steeds even erg als eerst en alles wat hij had bereikt, waren een paar zere plekken op zijn lichaam. Hij was zo hulpeloos dat hij bijna niet meer kon denken. Hij kon proberen het kasteel binnen te dringen en bij Alexandra te komen, maar zelfs als hij de brug wist te bereiken, hoefde Kassandra maar los te laten en Alexandra was verloren. Tussen haar en de dood stonden alleen nog Agnes, bij wie de oude deken van haar hoofd was gegleden en die met even trillende armen de Duivelsbijbel vasthield, Leona en de rustige, holle stem van de priester, die uit een verbrijzeld lichaam kwam en steeds zachter werd.

'Na de bladzijden met de kopieën van Cosmas van Praag,' zei de priester, 'vlak voor het einde, komen in het origineel de regels van de heilige Benedictus. Ze bestaan uit drieënzeventig hoofdstukken. Maar in de Duivelsbijbel staat nog een vierenzeventigste regel. Misschien is daarin de sleutel tot het begrip van de hele codex verborgen. Ik heb het nooit ontdekt.'

'Kijk of het zo is,' zei Kassandra.

Cyprian knikte naar Agnes. Weigeren had geen zin. Als de witte vrouw daar boven besloot Alexandra in de dood te storten, was er nog altijd gelegenheid genoeg om haar schat in de vlammen te werpen.

'Na de Cosmas-teksten komt een namenlijst en dan een kalender,' zei Agnes. 'Ik zie geen regels van Benedictus.'

'Omdat die bladzijden in de kopie ontbreken.'

Het zwijgen duurde lang.

'Geef het op, Kassandra,' fluisterde de stervende man. 'Red uw ziel.'

Cyprian wist niet of ze het had gehoord. Hij verdroeg de stilte niet langer. 'Alexandra?'

'Ja?'

'Wees niet bang!'

'Goed.' Ze begon te snikken. Cyprian zag de tranen over Agnes' gezicht stromen. Al die lange weken in gevangenschap had hij ervan gedroomd hoe het zou zijn als hij voor haar zou staan en ze begreep dat hij niet dood was, dat hij zijn belofte had gehouden en was teruggekomen. In zijn droom was deze scène hier niet voorgekomen.

'Waar is het origineel?' vroeg Kassandra met een onnatuurlijk rustige stem. Toen krijste ze als een waanzinnige: 'FILIPPO, WAAR IS HET ORIGINEEL?'

De ogen van de priester die Filippo heette waren nu op Cyprian gericht.

'De graal,' mompelde Filippo. 'De Duivelsbijbel is niet de graal. Er bestaat geen graal. Het verhaal van Parcival wil ons vertellen dat het vat waarin het wezen van God is opgevangen de ziel van ieder mens is. God gaat ervan uit dat onze zielen sterk genoeg zijn in het geloof. De duivel gaat alleen van onze zwakheid uit en daarom moet hij wel verliezen. Alexandra heeft me die sterkte laten zien. Ze heeft me laten beseffen wat ik moet doen. Waar ik heen moet.'

'WAAR IS HET ORIGINEEL?'

Filippo keek hem recht aan. Zijn ogen zeiden: ik heb alles gedaan wat ik kon. Nu moet je zien wat je ermee kunt. Zijn mond bewoog. Hij fluisterde iets. Cyprian boog zich over hem heen.

'*Quo vadis, domine?*' vroeg Filippo.

Cyprian zuchtte en kwam overeind. Even later besefte hij dat Filippo was gestorven. Hij stak zijn hand uit en sloot hem de ogen. Hij had het verdrietige gevoel een vriend te hebben verloren die hij nooit had gekend. Hij zag verkreukeld perkament boven uit de kraag van de soutane uit steken.

'*Ego te absolvo,*' fluisterde hij. Zijn hoofd was leeg. Welk antwoord zou voorkomen dat Alexandra viel?

Uit zijn ooghoek zag hij een beweging. Uit een van de schietgaten rond om de bergtoren stak voorzichtig een arm en wuifde met een doekje. Toen verdween hij. Op dezelfde plaats werd langzaam een musket door de opening geschoven en richtte op de brug. Bij twee, drie andere schietgaten gebeurde hetzelfde. Zijn hart begon wild te kloppen. De laatste keer dat hij dat doekje in actie had gezien, was toen Praag werd geplunderd door de landsknechten van Passau. Andrej had het uit een raam gehouden en zo de situatie ten gunste van zichzelf beslecht.

'Hij is verbrand!' schreeuwde hij. 'Het origineel van de Duivelsbijbel is verbrand! Filippo heeft het naar de hut gebracht waar ik gevangenzat en Heinrich heeft de hut in brand gestoken.'

'NEE!'

'De Duivelsbijbel is DOOD!' brulde Cyprian en hij wilde dat het waar was.

'NEEEEE!'

Alexandra gilde. Cyprians hart kromp ineen. Onwillekeurig draaide hij zich met een ruk om om haar op te vangen als ze viel, maar het was een onzinnig idee. De val zou meer dan tien manslengten bedragen; ze zouden beiden de dood vinden als hij haar probeerde op te vangen. Het weerhield hem er niet van om juist dat te proberen, in de onzinnige hoop dat hij zich misschien op het laatste moment snel kon omdraaien en met zijn lichaam haar val kon breken. Als hij de situatie in de burchttoren verkeerd had ingeschat...

'Dood haar!' brulde een nieuwe stem. Het was Heinrich. Hij was opgekrabbeld en strompelde over het strijdtoneel. Agnes probeerde hem de weg te versperren, maar hij had het voordeel van de verrassing. Hij liep om haar heen en struikelde naar de openstaande poortkamer van de burchttoren. Hij sloeg de deur met een klap dicht en schoof aan de binnenkant de grendel ervoor.

Alexandra schreeuwde weer.

27

Andrej, Willem Vlach en de rijksgraaf van Moravië, Siegmund von Dietrichstein, betraden de brug tegelijk met twee van Dietrichsteins soldaten. Kassandra draaide zich met een ruk om. Ze had Alexandra ruggelings tegen de borstwering en zo ver omhooggeduwd dat ze er onvermijdelijk overheen zou vallen als ze haar losliet. Alexandra schreeuwde het uit van angst.

'Ophouden!' riep Dietrichstein. De soldaten, die nu niet meer geluidloos te werk hoefden te gaan, hadden hun bogen achtergelaten. Ze legden hun musket aan. Kassandra keek er verbluft naar. Haar schoonheid raakte Andrej in het hart. Het was de schoonheid van een wilde kat waarvoor je zelfs nog bewondering hebt als ze zich op je werpt. Toen zag hij de roodharige gestalte in elkaar gezakt naast de borstwering liggen, zag de pijl van de kruisboog uit het lichaam steken en zijn knieën werden slap.

'Geef u over! Mijn mannen hebben de burchttoren bezet en dringen nu het kasteel binnen. U hebt geen enkele kans.'

O, mijn God, het was werkelijk Wenceslas!

Andrej vergat alles wat hij en Willem met de rijksgraaf hadden afgesproken en rende eropaf.

28

Heinrichs gezicht was één doffe pijn. Zijn schedel voelde aan alsof hij in tweeën lag. Hijgend leunde hij tegen de deur, zijn handen aan de grendel. Zijn vingers trilden. Hij verwachtte dat er elk moment van buiten tegen de deur geroffeld zou worden. Die was erop gebouwd om aanvallen van buiten te weerstaan en zou een tijdje standhouden. Maar wat kon hij doen? De poortkamer had geen toegang tot de bovenverdiepingen en er was alleen de ene deur waar hij tegenaan stond. Ze hoefden alleen maar buiten te gaan zitten wachten tot honger en dorst hem naar buiten dreven.

Zijn benen begaven het en hij gleed tegen de deur omlaag. Onverbiddelijk steeg de gedachte naar zijn hoofd dat hij had verloren. Hij werd misselijk van angst. Wat zouden ze met hem doen? Zijn blik viel op het apparaat en hij huiverde. Hij had iets duizend keer ergers gedaan dan Ravaillac, en hoe afschuwelijk was die gestorven. Heinrich had gemoord, verkracht, bedrogen. Als ze hem ter plaatse doodsloegen, mocht hij nog blij zijn. Als ze hem voor de rechtbank brachten, zou het tot een vonnis komen dat hem tot een rit op de vilderskar veroordeelde, terwijl met gloeiende tangen het vlees van zijn lichaam werd getrokken, en op het schavot zou een ketel kokende olie wachten waarin hij langzaam zou worden gedompeld. Hij jankte van angst en probeerde te slikken, maar zijn keel was droog. Zijn blik zoog zich vast aan het plukje haar dat als oud hooi tussen de wals en de loopgeul geklemd zat. Hij herinnerde zich het geschreeuw, het in zijn boeien omhoogkomende naakte lichaam, zijn eigen teleurstelling dat het mechaniek zo zwaar was dat hij de weerstand van de hoofdhuid niet eens voelde toen hij deze door verder te draaien stukje bij beetje los trok. Hij stopte van ontzetting zijn hand in zijn mond, toen hij merkte dat ondanks alle doodsangst die hij voelde zijn lid stijf werd bij de herinnering aan dat genotvolle moment alleen met het poortmechaniek en de boerendochter. Het zweet gutste van zijn voorhoofd en brandde in zijn gezwollen ogen.

Wat had hij gedacht toen hij bij Kassandra lag?

Hij was een dode man.

Hij was gezegend.

Hij gilde. Het was niet zo. Hij was vervloekt.

Van buiten klonk het geluid van een aantal schoten. Het dreef hem weer overeind. In zijn paniek strompelde hij rondjes door de nauwe kamer. Wat moest hij doen? Wat moest hij dóén?

Toen kwam er in zijn wanhoop een nieuwe gedachte op. Hij was Heinrich von Wallenstein-Dobrowitz. Hij had altijd een uitweg gevonden. Het was niet zijn lot om als een rat in de val hier te eindigen. Hij was te uniek, te spectaculair voor zoiets gewoons als de dood op het schavot. Hij staarde naar het houten deurtje, dat onopvallend in een hoekje van een muur te zien was. Hij had durven zweren dat hij het nog nooit had gezien. Zijn verstand zei hem dat het er altijd moest zijn geweest. Waar kwam het op uit? Dit was een buitenmuur en hij wist dat er geen andere toegang naar deze kamer was dan die hij achter zich had vergrendeld.

Hij stapte op trillende benen naar de deur toe. Hij stond op een kier. Hij duwde tegen de deur. Die gaf mee en ging een paar centimeter verder open. Daarachter lagen totale duisternis en de moddergeur van een al eeuwenlang natte muur. Voorzichtig duwde hij de deur verder open en stapte het donker in. Een provisiekamer? Maar toen zag hij dat er aan beide kanten een gang liep. Meer kon hij in de schemer niet zien, maar desondanks kon Heinrich zijn geluk niet op.

Een geheime vluchtweg! Die moest nog stammen uit de tijd dat de burchttoren het enige stenen gebouw van Pernstein was. Dit soort gangen leidde meestal naar een onopvallende kapel, een hooischuur of een eeuwenoude grafheuvel en daarvandaan naar de openlucht.

Hij haalde diep adem en riep: 'Hallo?'

De echo leek in de wijde verte te galmen. Het wás een gang.

Hij lachte. De galm vervormde zijn lach tot het klonk alsof het niet meer uit zijn mond kwam, maar dat kon hem niets schelen.

'Ik ben Heinrich von Wallenstein-Dobrowitz!' schreeuwde hij en hij lachte opnieuw. 'Ik kom terug!'

Hij rende zonder aarzelen het donker in van de aflopende gang.

29

'Niet schieten!' schreeuwde Siegmund von Dietrichstein. Andrej viel bij Wenceslas' roerloze lichaam op zijn knieën. Hij zag het donkere vocht dat zich onder hem had verzameld en het bloed dat zijn vest rondom de pijl had volgezogen. Hij voelde zo'n pijn dat zijn ogen overstroomden. Wenceslas' gezicht was bleek en zijn oogleden bijna blauw.

'Nee,' hoorde hij zichzelf fluisteren. 'O, mijn God, nee.'

De soldaten hadden weer een vrij schootsveld. Ze legden hun musket opnieuw aan.

'Als jullie schieten valt ze,' blies Kassandra.

'Als we schieten bent u dood,' zei de rijksgraaf met een minachtende trek om zijn mond. 'Madame!'

Kassandra trok Alexandra van de borstwering af en verborg haar achter zich. Alexandra's blik schoot heen en weer. Andrej richtte zijn ogen moeizaam op haar. Hij zag haar door een waas van tranen en dacht eraan dat Agnes en Cyprian hetzelfde verdriet zouden meemaken als hij, wanneer ook Alexandra stierf. Hij probeerde op te staan, maar het lukte niet.

'Ik neem haar mee,' siste Kassandra. 'De geringste flauwekul van uw kant en ik snij haar keel door.'

Kassandra sloeg een arm om Alexandra's hals en tastte met de andere naar het mes dat in de borstwering had gezeten. Andrej zag met een schok die door zijn hele lichaam ging, dat Wenceslas de ogen opsloeg en naar hem knipoogde. Toen greep hij bliksemsnel naar boven en klemde zijn hand om Kassandra's vrije pols. Ze gaf een schreeuw van verrassing. Wenceslas kwam overeind en trok haar omver. Onwillekeurig liet ze Alexandra los en Andrej maakte met het laatste restje van zijn verstand een snoekduik, greep Alexandra's benen, sloeg zijn armen om haar heen en rolde met haar opzij.

Wenceslas en Kassandra draaiden in een verschrikkelijke dans. Hij probeerde haar hand op haar rug te wringen en zij probeerde zijn ogen uit te krabben. De rijksgraaf sloeg hen met een verbijsterde blik gade. De musketlopen van de twee soldaten zwenkten naar de andere kant, maar als ze zouden schieten, hadden ze beiden geraakt. Kassandra siste en blies als een dier. De make-up in haar gezicht was grotendeels afgeveegd en de duivelsvlek trok gezichten en lachte en ontblootte onzichtbare tanden.

Kassandra's molenwiekende hand vond de pijl die uit Wenceslas' lichaam stak en sloeg ertegen. Wenceslas brulde en liet haar los. Kassandra draaide om haar as. Wenceslas sloeg dubbel en tuimelde voorover. Even leek het erop dat ze wilde proberen hem over de borstwering te duwen. Wenceslas viel op zijn knieën. Kassandra's blik flakkerde over Andrej en Alexandra, die hij nog steeds vasthield alsof ze kon wegvliegen, vervolgens naar Dietrichstein en de soldaten.

De rijksgraaf ontwaakte uit zijn verstarring.

Kassandra draaide zich snel om.

'Vuur!' brulde Dietrichstein.

Er knetterden twee schoten en het achterste deel van de brug werd in witte rook gehuld.

Wenceslas draaide op zijn zij en kermde: 'Vervloekt nog aan toe.'

Andrej sprong op en trok Alexandra mee. Hij voelde bijna een soort spijt bij de gedachte dat Kassandra dood op de brug lag, haar mooie gezicht verbrijzeld, haar smaragdogen gebroken, maar de brug was leeg. Boven de ingang van het hoofdgebouw ontbrak een stuk metselwerk en een van de draagbalken vertoonde een rafelig gat. Driftig herlaadden de soldaten hun wapen.

'Mislukkelingen!' schold Dietrichstein. 'Van zo'n afstand!'

Willem Vlach kwam naar Andrej gehold. 'Alles in orde met je? Het meisje? Wenceslas?'

'Ik weet het niet,' stotterde Andrej.

Dietrichstein wenkte de soldaten. 'We gaan haar halen.' De drie mannen renden het hoofdgebouw in.

Andrej ging naast Wenceslas op de grond zitten. Wenceslas hoestte en vertrok toen zijn gezicht. Hij leunde op een elleboog en keek zijn vader aan. Andrej schoof naar hem toe en nam zijn hoofd op zijn schoot. Wenceslas liet zich kreunend achterover zakken. Alexandra kroop aan zijn andere kant, snikkend en blind van tranen. Ze streelde zijn wang.

'Het is niet zo erg als het eruitziet,' kreunde Wenceslas. Hij ging met zijn hand naar de kraag van zijn vest en trok het omlaag. Er werden roestige ijzeren ringetjes zichtbaar. 'Ik heb er een maliënkolder uit de wapenkamer van de toren onder aangetrokken.'

Andrej voelde de tranen opnieuw over zijn gezicht stromen. Wenceslas glimlachte en streelde zijn gezicht.

'Was jij niet degene die aan den lijve had vastgesteld dat je met een kruis-boog niet van dichtbij moet schieten? En ik had ook nog de maliënkolder.' Hij keek schuin naar de pijl. 'Hij zit wel een stukje in me. Maar dat is niet zo erg, behalve als ik lach.'

Alexandra sloeg de handen voor haar gezicht en begon hard te huilen. Wenceslas tilde zijn andere hand op en hield haar vast.

Zo zaten ze op de brug tot Cyprian en Agnes hijgend kwamen aangelo-pen.

30

Kassandra rende.

Ze hoorde haar achtervolgers dichterbij komen en wist dat ze haar zouden inhalen. Toch rende ze door. Zelfs in zijn laatste seconde hoopt de mens tegen beter weten in dat hij weg zal komen.

Maar ze had een voordeel. Ze had een toevluchtsoord. En de deur ernaartoe kwam steeds dichterbij.

Ze trok de deur naar de kamer open waar ze Alexandra had ondergebracht. Haar oude kamer, die ze als kind onvermoeibaar steeds weer anders had ingericht, tot ze zich erin kon voelen als in een vesting. De bedienden schoven de kisten 's morgens tegen de muren en zij schoof ze 's avonds weer tot een burcht bij elkaar. Zelfs als kind wist ze dat deze pathetische afweer de duivel er niet van zou weerhouden bij haar in de kamer te komen, maar ze hoopte tegen beter weten in.

De stem van haar vader: 'Ze is de oudste van de twee, maar ik kan haar niet als erfgename aanwijzen.'

De stem van haar moeder, met een zwaar Spaans accent: 'Daar kan ze niets aan doen, *señor*.'

Haar vader: 'Ze heeft de duivel in haar gezicht. Ik kan haar niet eens naar het klooster sturen. De nonnen zouden gillend wegrennen. Dat kind is een ramp.'

Haar moeder: '*El diablo* heeft zijn stempel op haar gezet en hij zal proberen haar te halen. Ik zal voor haar bidden tot de Heilige Maagd.'

Haar vader: 'Bid dan ook voor ons, lieve, anders sleept ze de naam Pernstein nog in het verderf.'

Haar moeder: '*Sjjj, señor. Temo que ella nos haya oído!*'

Haar vader: 'Dan hoort ze het, nou en? Ze is toch nog maar een kind dat niets begrijpt.'

Ze deed de deur op slot. Hijgend leunde ze ertegenaan. Ze hoorde mannen langslopen. Opgelucht zette ze een stap in de kamer. Ze balde haar vuisten. De opluchting maakte plaats voor de wens dat ze hadden geprobeerd hier binnen te dringen. Ze wilde slaan, ze wilde krabben, ze wilde bijten, ze wilde hun haar woede in het gezicht schreeuwen en hun tong uit hun schijnheilige bek trekken! Ze liet zich op het bed vallen.

Heinrich had alles verpest. Hij was zo'n prachtig werktuig geweest en uiteindelijk had hij alles verpest! Ze was nog steeds verbijsterd. Zelfs de duivel leek haar verlaten te hebben. Eigenlijk kon ze maar op een van haar werktuigen tot het einde toe vertrouwen, en haar gedachten draaiden al op volle toeren rond de vraag hoe ze de situatie nog in haar voordeel kon keren. Van haar had ze altijd op aan gekund, ze had altijd toegegeven, ze had zich altijd geschikt, eerst uit idiote liefde, later uit medelijden, vervolgens uit angst. Misschien kon ze haar plaats innemen. Eerst moest ze hier uit zien te komen en de bedienden in het paleis in Praag informeren, die ze daar had binnengeloodst en die haar zouden helpen. Een snelle, stiekeme moord, terwijl de echtgenoot nog op reis was en hem daar een ongeluk overkwam...

Ze rilde. Het was een uitweg. Ze zou niet eens helemaal van voren af aan hoeven beginnen. Integendeel, daar had ze veel eerder aan moeten denken! In plaats vanuit deze ellendige rots met zijn met spinnenwebben vergiftigde gangen en zijn verrotte herinneringen te proberen haar bestemming te volgen, had ze hoog in moeten zetten, aan de top van het rijk. Ze had gemanipuleerd en trucs uitgehaald; stom van haar. Ze had het niet nodig gehad. Alles wat er moest gebeuren, waren een moord en een ongeluk op reis. Heinrich zou er de juiste man voor zijn geweest, maar Heinrich was niet geslaagd voor de proef. Ze zou iemand anders vinden en dan zou zij de weduwe van de rijkskanselier zijn, hooggeëerd, machtig, met alle mogelijke touwtjes in handen.

Ze stelde zich voor dat ze op het lijk van Polyxena von Lobkowicz neerkeek, Polyxena, die ze meer haatte dan wie ook ter wereld, omdat ze haar gezicht had, maar zonder het duivelsgezicht erin, en dat ze tegen Polyxena zou zeggen: 'Jouw weg is hier afgelopen, Kassandra.'

Ze glimlachte. Vaag hoorde ze het geluid van de soldaten die het kasteel doorzochten. Ze zouden de kamer vinden, maar nog niet meteen.

Abrupt ging ze rechtop zitten. Wat had de stem in haar hoofd gezegd? Jouw weg is hier afgelopen, *Kassandra*?

Wild keek ze haar kamer rond. Ze was alleen. Nee, ze was niet alleen. Ze was nooit alleen. Ze zou het niet eens zijn als het lijk van haar zuster onder de grond lag.

Ze liep naar het raam, waaronder het omgedraaide schilderij stond. Ze aarzelde lang. Ze wist wat er zou gebeuren als ze het oppakte en ernaar keek.

Ten slotte bukte ze, draaide het om en bekeek het aandachtig.

Twee kleine meisjes, die naast elkaar stonden en angstig tegen de schilder glimlachten. De man had zijn vak verstaan; Ladislaus von Pernstein had uitsluitend uitmuntende kunstenaars geëngageerd in zijn poging om in schoonheid failliet te gaan. Je zou kunnen denken dat de schilder gewoon tweemaal hetzelfde kind had geschilderd: haren, ogen, neusjes, mondjes, de jurkjes, de manier waarop ze stonden en elkaars handje vasthielden, waren volkomen identiek. Maar slechts één gezicht was smetteloos. Het tweede had een rode vlek, en zelfs de poging het met krijt te bedekken, was mislukt. In Kassandra's hoofd echode een kinderstem uit het verleden.

Die lelijke meneer heeft de vlek geschilderd, terwijl we hem nog wel zo hebben gevraagd om dat niet te doen. Niet huilen, Kassi-lief, kijk eens, ik heb hier een krijtje en daar verstop ik hem onder.

Ook al kleur je eroverheen, het zal er altijd zijn. Vader en moeder willen dat de man de waarheid schildert en niet wat wij zien.

Maar ik zie het niet eens als we spelen. Kijk, Kassi-lief, het is al bijna weg.

Dank je wel, zusje.

Kassandra herinnerde zich hoe koud haar hart was gebleven toen ze Polyxena had bedankt.

Ze staarde naar het dubbelportret. Er viel een druppel op het laatste restje krijt, waardoor de vlek fris en duidelijk uitkwam. Kassandra greep naar haar wang. Die was nat.

Jouw weg is hier afgelopen, Kassi-lief, zei de kinderstem. *En je weet het. Je weet dat de rijksgraaf hier niet zou zijn als ik niet alles aan Zdenek en de koning had verteld. Iemand heeft ons geheim ontdekt en heeft het doorverteld, en ik was zo opgelucht. Je hebt slechte dingen gedaan, Kassi-lief, en ik heb me door je laten gebruiken.*

'Je hebt me verraden, zusje,' fluisterde Kassandra met gevoelloze lippen.

Ik hou van je, Kassi-lief. Ik zou niet willen dat ze je pijn deden. Jouw weg is hier afgelopen en er is nog maar één oplossing.

Kassandra staarde naar het raam. Het schilderij gleed uit haar hand, sloeg tegen de grond en viel op de geschilderde kant.

Ik hou van je, Kassi-lief, hoorde ze de kinderstem zeggen, terwijl de wind in haar oren suisde. *Waarom heb je mijn liefde niet geaccepteerd?*

Omdat de duivel niet in de liefde gelooft, antwoordde een tweede kinderstem, die bijna net zo klonk als de eerste.

Toen viel ze beneden op de rots te pletter.

31

Toen ze de deur van de poortkamer openbraken, was het eerste wat ze zagen Isolde. Ze zat op het reusachtige apparaat te neuriën. Leona drong langs Cyprian en Agnes en sloot haar snikkend in de armen, en Isolde klopte haar geruststellend op de rug en het achterhoofd. Ze lachte en er verscheen een speekselsliert. Nog steeds lachend veegde ze hem weg en stak triomferend haar natte handpalm in de hoogte.

Toen keek Cyprian omhoog en zei: 'O, mijn god!'

Er druppelde bloed van boven op het apparaat neer. Ervoor op de grond lag de knuppel waarmee de vergrendeling van het mechanisme eruit geslagen kon worden. De knuppel was aan het dikke uiteinde bebloed. De vergrendeling was gebarsten en zou nooit meer te gebruiken zijn. Cyprian keek naar de open deur in de hoek en zag de afgeveegde bloederige handafdruk op halve hoogte ernaast alsof iemand had geprobeerd met afnemend bewustzijn uit de deur te kruipen. Maar zijn achtervolger was hem op de hielen gebleven.

Cyprian keek Isolde aan, die kakelend en giechelend probeerde Leona te kalmeren.

Hij keek naar de knuppel met het bloederige uiteinde.

Geen achtervolger, een achtervolgster.

'Daar is een geheime vluchtweg,' zei Wenceslas met een zwak stemmetje. 'Isolde heeft hem me gewezen. Ze is hier ergens blijven staan toen ik naar Alexandra toe rende.' Hij en Andrej staarden ontzet naar boven.

Heinrich had de weg ontdekt toen hij probeerde te bedenken hoe hij uit de toren kon ontkomen, of had al eerder geweten dat hij er was. Het deed er niet toe. Hij was erin gerend en Isolde had hem binnen opgewacht met de zware knuppel in haar hand. Ze kon hem nog niet bij de eerste aanval bewusteloos hebben geslagen; hij had geprobeerd weer naar de poortkamer terug te gaan, al half verdoofd. Ze was hem achternagegaan en had nogmaals toegeslagen.

Het was Cyprian een raadsel hoe de fragiele jonge vrouw de bewusteloze man op het apparaat had gesjord, maar ze had het klaargespeeld. Ze had hem zijn laarzen uitgetrokken en zijn voeten en polsen op de nodige plaatsen vastgegespt. Vervolgens had ze voor de derde keer met de knuppel gezwaaid en de vergrendeling eruit geslagen en het apparaat was in werking getreden.

Heinrich hing met gestrekte armen en benen onder het plafond. De touwen die van zijn polsen naar de contragewichten liepen, kraakten. De touwen die zijn enkels vasthielden, waren strakgespannen en trilden. Zijn ogen waren gesloten, zijn tong hing uit zijn mond, zijn gezicht was zwart. Er liep bloed uit zijn neus en mond. Zijn broek was in zijn kruis ook nat van het bloed, en er stroomde bloed over zijn blote voeten zoals bij een schilderij van de Gekruisigde. Zijn blote bovenlichaam vertoonde spieren die verhard waren van de pijn, zijn armen waren verdraaid als scheepstouwen, bij zijn schouders waren de gebroken gewrichten door de huid gedrongen. Zijn armen waren onnatuurlijk lang.

Agnes sloeg kokhalzend een hand voor haar mond. Alexandra beefde.

'Mijn God, hij leeft nog,' kreunde de rijksgraaf.

Heinrich sloeg zijn ogen op. Zijn blik viel op Alexandra en toen op Cyprian. Zijn lippen bewogen. Hij staarde Cyprian aan. Zijn gezicht had niets menselijks meer. Er bewoog iets en het leek of een van zijn armen nog verder werd verdraaid. Bloed golfde in een dikke straal uit de wond in zijn linkerschouder, die plotseling verder openbarstte. Heinrich maakte een dof geluid dat meer door merg en been ging dan de schelste pijnkreet. Zijn ogen lieten Cyprian niet los. Alexandra begon hysterisch te snikken.

'Gaan jullie naar buiten,' zei Cyprian zacht. Hij nam een van de soldaten, die mee naar binnen was gekomen en met open mond naar het geschonden lichaam aan het plafond staarde, het geweer uit de hand. Hij legde aan en richtte op Heinrichs hoofd.

'o, gooooood,' jankte Alexandra.

'Allemaal naar buiten,' zei Cyprian. Hij mikte. Heinrichs ogen knipperden niet. Misschien knikte hij een keer met zijn hoofd. Misschien betekende de beweging van zijn lippen: *je hebt gewonnen.*

Cyprian haalde de trekker over.

Het schot dreunde in de kleine ruimte als een explosie. Achter Heinrich zat op het plafond opeens een stervormige vlek van bloed en materie. Zijn hoofd viel naar voren. De touwen rukten opnieuw en alsof de laatste weerstand van de gemartelde pezen en spieren in de dood was verdwenen, deed het apparaat eindelijk waarvoor het was gemaakt. De contragewichten vielen op de grond kapot.

Cyprian en Andrej waren de laatsten die de kamer verlieten. Alexandra lag voor de toren op de grond te schreeuwen, Agnes huilde en probeerde tegelijkertijd haar dochter te troosten. Wenceslas zat naast Alexandra en hield zijn zij vast, nadat nog op de toren een van de soldaten de pijl uit zijn lichaam had getrokken en had gezegd: 'Littekens maken je interessant, jongen.'

Cyprian en Andrej keken elkaar even aan en keerden zich toen om naar het apparaat en het onzegbare iets, dat van het plafond was gevallen en in zijn eigen plas bloed lag. Andrej sloot de deur. Naast elkaar stapten ze naar Agnes toe. Ze stond op.

Cyprian glimlachte tegen haar.

'Ik zei toch: ik kom altijd weer bij je terug.'

Agnes begon opnieuw te snikken, met hangend hoofd en schokkende schouders. Cyprian trok haar tegen zich aan. Zijn andere hand sloeg hij om Andrej heen en toen stonden ze daar alle drie in elkaar verstrengeld te huilen.

'Wat heb je daar?' vroeg Agnes ten slotte en duwde tegen Cyprians hemd. Het ritselde.

'Dat had de dode pastoor Filippo in zijn soutane,' zei Cyprian op gedempte toon. 'Het zijn bladzijden die uit een boek zijn gescheurd. Tamelijk grote bladzijden. Als je ze bekijkt, zul je zien dat onder andere de regels van Benedictus erop staan, hoewel niet in het originele formaat.'

Andrej kromp verbaasd ineen.

'Rustig maar,' zei Cyprian. 'Filippo heeft iedereen voor de gek gehouden. Hij moet de bladzijden uit de codex hebben gescheurd. We moesten geloven dat het origineel de kopie was. Hij heeft ons allemaal daarmee het leven gered.'

'En waar is de kopie?'

'Ik heb geen idee. Die heeft Heinrich ergens verstopt. Ik ga er gegarandeerd niet naar zoeken.'

'Wat doen we met...' Agnes knikte met haar hoofd naar het reusachtige boek dat naast het uitgebrande vuur op de grond lag. De soldaten van de rijksgraaf liepen er met een wantrouwige boog omheen.

'Dietrichstein moet het maar naar Praag laten terugbrengen. Het kasteel is de beste plaats om het te bewaren. Het is voor de hele wereld slechts de kopie en zo moeten we het maar laten.'

'Maar wat doen we hiermee?' vroeg Andrej, terwijl hij naar Cyprians borst wees. Cyprians glimlach doofde uit.

'Nu zijn wíj de wachters van de Duivelsbijbel, of niet?' vroeg hij.

EPIL⊕⊕G

I

Het bolle boerengezicht van paus Paulus V stond strak. Zijn korte vingers trommelden op de leuning van zijn stoel.

'Zijn dat alle verwijten?' vroeg hij ten slotte.

Wolfgang Selender begon vanbinnen te beven. Dat is níét alles, wilde hij roepen. Deze man heeft mijn leven verwoest. Maar hij hield zich in. Hij vermoedde dat niemand in deze ruimte was geïnteresseerd in het leven van een voormalige abt die zijn klooster en zijn bestaan door zijn vingers had laten glippen. In hem stak de oude haat weer de kop op, maar deze keer was de bijsmaak van wanhoop nog sterker dan anders.

'Ja, Heilige Vader,' zei rijkskanselier Lobkowicz. 'Is de Heilige Vader niet van mening dat dit verraad tegenover het rijk en de Kerk betekent?'

De paus bestudeerde Lobkowicz van onder zijn neergetrokken wenkbrauwen, alsof hij dacht dat de rijkskanselier een grapje had gemaakt dat hij, de paus, niet begreep.

Hoe moet hij dat geloven? huilde Wolfgang geluidloos. Dat was de slechtst voorbereide aanklacht die ik ooit heb gehoord! Geciteerde getuigenverklaringen, die werden teruggenomen als de paus zelfs maar de naam van de geciteerde getuige wilde weten, documenten die als bewijsmateriaal waren meegebracht en waarvan de inhoud alleen bij uiterst polemische interpretatie een zweem van twijfel op kardinaal Melchior kon werpen, als men al niet constateerde dat men per abuis de verkeerde documenten vanuit Praag mee naar Rome had gebracht. Rijkskanselier Lobkowicz had voor de ogen van Zijne Heiligheid drie van zijn secretarissen wegens gebleken ongeschiktheid ontslagen en zich vervolgens met een stortvloed van woorden voor de incompetentie van zijn mensen verontschuldigd.

Op het laatst stond alleen nog Wolfgangs verklaring tussen Melchior en zijn herbenoeming in zijn oude functies in. Het ging van het begin af aan mis.

'Melchior Khlesl heeft...' was Wolfgang begonnen, en meteen had de notulist van de paus hem onderbroken.

'De aanspreektitel is Zijne Eminentie,' had de notulist gezegd.

Bijna stikkend van woede had Wolfgang zichzelf gecorrigeerd.

'Zijne Eminentie kardinaal Khlesl heeft me gevraagd de abdij van Iona te verlaten en als abt het klooster van Sint-Wenceslas in Braunau te leiden...'

'Iona? Waar ligt dat in hemelsnaam?'

'Aan de Schotse kust, Heilige Vader.'

'Aan wat voor kust?'

'De Schotse, Heilige Vader.'

'Daar leven toch louter afvalligen, anglicanen of hoe ze zich ook noemen? Verkapte protestanten.'

'Dat is in Engeland, Heilige Vader.'

'Engeland en Schotland liggen niet zo ver van elkaar vandaan, toch?'

'Natuurlijk niet, Heilige Vader.'

'Dus... Ga door, alsjeblieft.'

'Ik heb het klooster van Sint-Wenceslas in Braunau op me genomen in de hoop me daar niet alleen –'

'Je hebt aan de roep van onze goede kardinaal en vriend dus vrijwillig gehoor gegeven?'

'Ik heb gehoor gegeven aan de roep van de plicht, Heilige Vader.'

'En die klonk in Braunau harder dan in Schotland?'

'Als ik eerlijk moet zijn, Heilige Vader, het was een moeilijke beslissing –'

'Een hond die niet met zijn hele hart op jacht gaat, moet thuisblijven. Wat stelde je je erbij voor, de functie van abt in Braunau op je te nemen, zonder het te willen?'

En zo was het door blijven gaan. Binnen enkele ogenblikken was Wolfgang van een getuige een verdachte geworden.

Hij begon te stotteren, moest zich het verwijt laten welgevallen in de kwestie van de protestantse kerk in Braunau gevoelloos te hebben gehandeld, zag zich belast met het verlies van de bibliotheek en met de vernietigende indruk die zijn vlucht uit het belaagde klooster had achtergelaten, en werd er uiteindelijk zelfs voor uitgefoeterd dat er bij de overval op hem en zijn groep monniken doden waren gevallen.

'Maar daar heb ik het toch de hele tijd over!' viel Wolfgang uit. 'Dat is allemaal alleen gebeurd doordat Melchior Khlesl mij de bewaking van de Duivelsbijbel heeft opgedragen!'

Melchior rolde zwijgend met zijn ogen.

'Een paar jaar geleden kwam een priester hier in Rome naar een codex zoeken die hij ook als Duivelsbijbel betitelde. We hebben hem overgeplaatst uit het Vaticaan,' zei de paus en hij boog vooder.

'De Duivelsbijbel is een machtige legende. Sommige mensen geloven er heiliger in dan in de graal,' mengde Melchior zich in het gesprek.

'Het is geen legende!' riep Wolfgang.

'Wat gebeurt er als iemand hem vindt?' vroeg de paus.

Melchior haalde zijn schouders op. 'Wat gebeurt er met iemand die een legende vindt? Wordt hij rijk? Of vindt hij slechts de waarheid, namelijk dat iedereen die gelooft een zoekende moet zijn naar Gods eeuwige genade?'

'We hebben destijds naspeuringen verricht, maar toen vroegen andere projecten Onze aandacht weer. Jouw naam was ook met de Duivelsbijbel verbonden.'

'Ook ik ben niets meer dan een zoekende.'

De paus trommelde opgewonden op het tafelblad. 'We hebben het Geheime Archief opnieuw laten inrichten. Zou de Duivelsbijbel daar kunnen zijn zonder dat Wij het weten?'

'Als hij al bestaat, Heilige Vader.'

'Wil je Ons helpen zoeken, hier in Rome?'

'Natuurlijk,' zei Melchior.

'We benoemen je tot Geheime Conservator van het Archief.'

'Dat zou helpen, Heilige Vader.'

'U zult de Duivelsbijbel nooit vinden als U het aan hem overlaat, Heilige Vader!' jankte Wolfgang. 'Hij streeft alleen zijn eigen doelen na!'

'Het moet zwaar zijn als je een taak op je hebt genomen waarvoor je te klein was,' zei de Heilige Vader mild. 'Je had in Schotland moeten blijven, mijn zoon.'

Rijkskanselier Lobkowicz stond op; hij raapte zijn papieren bij elkaar. 'Dan mag ik Zijne Hoogheid koning Ferdinand van Bohemen en Zijne Majesteit keizer Matthias zeker wel melden dat de Heilige Vader de aanklacht tegen Zijne Eminentie kardinaal Khlesl als ongefundeerd beschouwt en afziet van verdere vervolging?'

'Absoluut,' zei de paus verstrooid. 'Mijn vriend Melchior zal bovendien hier in Rome blijven, zodat de keizer en de koning ervoor worden gestraft dat ze zo'n capabele man zo verkeerd hebben behandeld. De bisschopsze-

tel in Wenen blijft bovendien bij mijn vriend Melchior, met al zijn inkomsten.'

'Ook hoogheden moeten weten wanneer ze hebben verloren,' zei de
rijkskanselier. Hij stapte op Melchior af en schudde hem de hand. Wolfgang had het gevoel dat er een onzichtbare en onhoorbare communicatie
tussen de twee plaatsvond. Plotseling wist hij dat de rijkskanselier niet een
staaltje van incompetentie had geleverd, maar integendeel hoogst compe-
tent was geweest door een aanklacht zo te voeren dat men niet anders kon
dan deze neersabelen. Zelfs de ontslagen secretarissen waren waarschijnlijk
ontspannen terug naar Praag gereisd, waar ze bij terugkomst van de rijkskanselier zonder veel drukte hun oude baan weer zouden oppakken. Met
andere woorden: de aanklacht was een schertsvertoning geweest.

Wolfgang stond half op uit zijn stoel en liet zich toen weer zakken. Niemand zou naar hem luisteren.

Hij begreep dat hij nu ook nog het laatste had verloren: het geloof dat
het recht zou zegevieren.

2

Toen kardinaal Melchior op de Poort van de Sacramenten af schreed om de Sint-Pieter te verlaten, zag hij vanuit zijn ooghoek een lichte schim. Hij draaide zich om. Voor de kapel van de Pietà stond een in het wit geklede gestalte. Het marmeren beeld van Michelangelo stak boven haar uit en even leek het of de eenzame figuur in het wit een deel van het beeld, het oneindige verdriet en het geloof in een nieuw begin met elkaar verenigde. Hij wierp een blik op de vooruitgelopen rijkskanselier, maar die was doorgelopen en deed alsof hij niets had gezien. Melchior bleef staan, toen draaide hij zich om en liep langzaam naar de kapel toe. Hij boog zijn hoofd.

'God zij met U, Eminentie,' zei Polyxena von Lobkowicz.

'En met u, mijn dochter.'

Ze hield hem een gekreukt vel perkament voor. Hij pakte het aan. Het was een gekrabbelde tekening van de stambomen van de geslachten Pernstein en Lobkowicz. In het ene extra hokje, waarin een vraagteken was veranderd in een doodskopachtige vlek, stond nu een datum. Hij kneep zijn ogen samen; de datum was van een paar weken terug. Er stond een kruis achter. Polyxena von Lobkowicz knikte.

'Ik ben ervan overtuigd dat ze bijzonder was,' zei kardinaal Melchior.

'Onze vader geloofde dat de duivel zelf hem een streek had geleverd, toen hij haar voor het eerst zag. Onze moeder dacht dat dagelijks bidden en intensieve Bijbelstudie zouden voorkomen dat de duivel bezit van haar nam. Wat had ze moeten geloven, behalve dat haar lot was voorbestemd?'

'U maakt het uzelf te gemakkelijk.'

De vrouw van de rijkskanselier haalde haar schouders op. 'Ze was altijd een deel van mij. Ik wilde niets liever dan haar een keer gelukkig zien. Nu mis ik de helft van mijn ziel. Ze heeft zulke vreselijke dingen gedaan dat ik er niet eens aan kan denken zonder te rillen. En toch mis ik haar alsof iemand het hart uit mijn lijf heeft gesneden.'

'U hebt de lokroep van het kwaad uiteindelijk weerstaan.'

'Toen op de dag van de defenestratie de heren Martinitz en Slavata en hun klerken mijn huis in vluchtten, besefte ik plotseling dat ze feitelijk de macht hadden veroverd om het rijk de oorlog in te sturen. Daarvoor had ik er stiekem aan getwijfeld. Ik moest ze tegenhouden.'

'Uw besef kwam waarschijnlijk te laat.'

'Tegen het kwaad kun je altijd alleen maar vechten, en hopen. Voor de hoop is het nooit te laat.'

Melchior gaf haar het vel terug. De vrouw van de rijkskanselier pakte het niet aan.

'Ik had het allemaal kunnen voorkomen, als ik sterk genoeg was geweest,' zei ze.

'Je kunt niemand overtuigen om het kwaad af te wijzen. Die stap moet ieder van ons uit zichzelf doen, of ten onder gaan.'

'U weet natuurlijk waarover u spreekt.'

'Nee,' zei hij zuchtend. 'Nee, dat weet ik niet. Ik heb mijn halve leven aan het gevecht tegen de verleiding van de Duivelsbijbel gewijd en heb geen enkele keer de moed gevonden om haar persoonlijk het hoofd te bieden.'

'Wilt u daarmee zeggen dat u uzelf niet voldoende onwrikbaar in het geloof acht?'

'Lieve mevrouw,' zei Melchior glimlachend, terwijl hij naar de in verdriet verstarde gestalte van de moeder Gods in het beeld achter haar wees. 'Wie ervan overtuigd is onwrikbaar genoeg in het geloof te zijn, is al half op weg naar de duisternis.'

Ze keek hem onderzoekend aan en draaide zich daarna om, knielde op de bank voor de kapel en begon te bidden. Melchior sloeg haar enkele ogenblikken van achteren gade, dacht aan haar schoonheid; hij keek weer op naar het gezicht van de moeder Gods en trof daar een heel andere schoonheid aan, maar hetzelfde verdriet. Hij maakte stil een kruisteken en liep naar buiten.

3

Alexandra maakte het zich naast Wenceslas gemakkelijk. Vanuit de tuin van het kasteel kon je over heel Praag uitkijken. Het schitterde en glinsterde in de warme zonneschijn. Wenceslas was er tussenuit geknepen op het feestje dat op het kantoor aan de gang was en waarbij – naar buiten toe – de opname van de partners Augustyn en Vlach werd gevierd. Wat ze eigenlijk vierden, hielden de betrokkenen voor zichzelf. Van de gasten zou toch niemand het geloven.

Alexandra was hem een paar minuten later gevolgd. Ze wist waar ze hem moest zoeken.

'Wat schrijft de kardinaal?' vroeg ze.

Wenceslas wapperde met de brief, die op kostbaar perkament was geschreven.

'Hij is nog steeds bezig met het leggen van zoveel valse sporen dat de Heilige Vader nooit dichter bij de waarheid over de Duivelsbijbel zal komen dan hij nu al is, en dat is nog heel ver weg.'

'Bevalt het hem in Rome?'

'Dacht je dat hij ons zou schrijven dat hij ons mist?'

'Mist hij ons?'

'Zover ik hem ken: ja.'

'Wat schrijft hij verder nog?'

'Vissers hebben de voormalige abt van Braunau in de Tiber gevonden. Hij schijnt te zijn verdronken. Ze zeggen dat hij nog steeds zo'n grote schelp in zijn hand had. Je weet wel, als je die bij je oor houdt, hoor je de zee ruisen.'

Alexandra keek uit over het uitgestrekte keteldal van Praag. De stad leek niet anders dan anders, alsof ze niet wist dat er in werkelijkheid niets meer zo was als vroeger.

'Ze hebben de koninklijke stadhouders uit hun functie ontzet,' zei Wenceslas. 'Graaf Martinitz is na de defenestratie naar Beieren gevlucht, Willem Slavata staat onder huisarrest. De Staten hebben een driekoppig directorium gekozen. Graaf Matthias von Thurn is tot opperbevelhebber van het Statenleger benoemd en bereidt de oorlog voor. Aan katholieke zijde doen koning Ferdinand en de katholieke liga hetzelfde. De keizer heeft een hoogste veldheer benoemd, de graaf van Buquoy. De ligatroepen staan onder commando van een Brabander, de graaf van Tilly.'

'Jij gelooft dat de oorlog onvermijdelijk is, hè?'

'Dat was hij al lang voor keizer Rudolfs dood.'

'Dan is het niet rechtstreeks Kassandra's schuld als hij uitbreekt?'

Wenceslas haalde zijn schouders op. 'Ze heeft alles gedaan om het eropaan te sturen. Maar voor ruzie zijn er altijd twee nodig: een die het startschot geeft en een ander die erop reageert.'

Hij liet zich in het gras terugvallen en kromp ineen. Alexandra wees naar zijn zij. 'Doet het litteken nog steeds pijn?'

'Het is intussen meer interessant dan pijnlijk, om eerlijk te zijn.'

Ze keek op hem neer. Hij beantwoordde haar blik vrijmoedig.

'Hoe gaat het verder met ons?' vroeg hij ten slotte.

'Ik weet het niet. Ik kan er niet zo snel aan wennen dat alles anders is. Ik heb je altijd als bloedverwant gezien. Dat schud je niet zo gemakkelijk af. En ik hield van Heinrich. Zelfs toen ik wist dat hij me wilde doden, was er nog steeds liefde voor hem.'

'Die is er nog.'

'Ik weet het,' zei ze gesmoord. 'Gun me tijd.'

Hij knikte. Toen pakte hij haar hand en ze liet het toe. Ze ging naast hem in het gras op haar rug liggen en samen keken ze naar de hemel. Gun me tijd. Dat klonk hoopvol, of niet soms? Maar eigenlijk verlangde ze het enige wat ze niet hadden. De oorlog had hun deze mogelijkheid afgenomen.

Desondanks hield hij haar hand vast en zij beantwoordde het kneepje van zijn hand.

Voor dit moment was alles goed. Voor dit moment was alles perfect.

Maar wat kon je als mens meer verlangen dan een perfect moment? Voor de eeuwigheid was er God, en de duivel.

DE DUIVELSBIJBEL

Hij is een kleine meter hoog, vijftig centimeter breed en vijfenzeventig kilo zwaar. Het perkament waarop hij is geschreven, heeft honderdzestig ezels het leven gekost. Hij is uniek en een van de kostbaarste kunstobjecten van de middeleeuwse kerkgeschiedenis. Hij staat bekend onder de naam 'Codex Gigas' of Duivelsbijbel.

Zijn samenstelling is net zo raadselachtig als zijn ontstaan in de dertiende eeuw. Hij bestaat uit het Oude en het Nieuwe Testament, maar in een voor de middeleeuwen ongebruikelijke Latijnse vertaling, die op een bisschop uit de vierde eeuw met de veelzeggende naam Lucifer teruggevoerd kan worden, uit het Joodse verhaal van Flavius Josephus, een kennisencyclopedie op basis van Isidorus van Sevilla, medische standaardrecepten uit de benedictijnse traditie, een kopie van de Boheemse Kroniek van Cosmas van Praag, een dodenlijst van monniken en een kalender.

Diverse bladzijden ontbreken en naar wat erop stond, kan slechts worden gegist. De gangbare mening is dat de Regels van Benedictus erop stonden, maar daarmee zouden de ontbrekende bladzijden niet helemaal zijn gevuld. In het laatste kwart van het boek bevindt zich hetgeen waaraan de codex uiteindelijk zijn naam heeft te danken en wat nog ongewoner is dan de rest van het boek. Tegenover een tekening die vermoedelijk de 'ideale' stad Jeruzalem moet voorstellen, staat een paginagroot portret van de duivel. Ervoor en erna bevinden zich merkwaardig bruin gekleurde, lege bladzijden en daar weer voor een twee bladzijden lange zondenbelijdenis, die met zulke grote letters is geschreven dat het eruitziet als de schriftelijke schreeuw van een gekwelde ziel.

Het schijnt dat het werk aanvankelijk beschikbaar was voor studie; het bestaat tenslotte grotendeels uit naslagwerken, en ook het Oude en het Nieuwe Testament kunnen zeker als historisch referentiemateriaal worden beschouwd. Sporen van gebruik zijn aanwezig in de vorm van kleine handgeschreven aantekeningen in de marge uit de tijd na het ontstaan en gebeden die achteraf zijn toegevoegd. Maar alles bij elkaar kan de bruikbaarheid beperkt zijn geweest, gezien het gewicht en de omvang van het boek en het kleine schriftbeeld. We moeten toegeven dat onze huidige kennis niet toereikend is voor een volledige interpretatie van de betekenis van de Duivelsbijbel.

Volgens het schriftbeeld moet de Duivelsbijbel door één hand zijn geschreven. Als je uitgaat van de snelheid waarmee een dergelijk werk kan worden geschapen en zijn omvang, dan kom je op een ontstaansduur van een jaar of twintig – of, als je afgaat op de legende, één nacht waarin de duivel zelf tegen de prijs van de ziel van een ingemetselde monnik de Codex voltooide. Het feit dat bijna alle plaatsen die met de Duivelsbijbel in aanraking kwamen vroeg of laat ten onder gingen, heeft aan de legendevorming bijgedragen. Het klooster van Podlazice, waar hij ontstond, werd tijdens de hussietenoorlog verwoest, het klooster van Brevnov, waarin het tijdelijk werd ondergebracht, eveneens. Over de ramp die zich onverhoeds voltrok in het klooster van Braunau (tegenwoordig: Broumov), waar de Duivelsbijbel zich daarna bevond, hebt u in deze roman gelezen. Het wonderkabinet van keizer Rudolf ten slotte, het voorlaatste domicilie van de Duivelsbijbel, werd zowel na de dood van de keizer als aan het einde van de Dertigjarige Oorlog genadeloos geplunderd, en zijn schatten werden over de hele wereld verspreid. Alleen de Koninklijke Bibliotheek in Stockholm, de tegenwoordige eigenaar van de Duivelsbijbel, is tot dusver voor groter onheil gespaard gebleven. Dat zou natuurlijk tot de vraag kunnen leiden of de Zweden werkelijk de echte Duivelsbijbel bezitten. Maar ik wilde me bij dit aanhangsel bij mijn roman eigenlijk tot de feiten beperken...

DE WEG
NAAR DE ⊕⊕RL⊕G

De weg die naar de ramp van de Dertigjarige Oorlog leidde, begon eigenlijk veel eerder. In feite zijn de jaren waarin deze roman speelt meer te beschouwen als de periode waarin de gebeurtenissen zich zo dramatisch toespitsten dat de afloop bijna onvermijdelijk was – hoewel de aanvoerders van alle partijen ook toen nog diverse kansen hadden om de oorlog af te wenden.

Om dramaturgische redenen leek het me niet zinvol ook het jaar 1609 nog in de handeling te betrekken, hoewel het een belangrijke mijlpaal op de weg naar dertig jaar oorlog en vier miljoen doden (een vijfde van de totale bevolking van het rijk) was.* De personages in mijn verhaal verwijzen daar meer dan eens naar. Er is sprake van de majesteitsbrief van keizer Rudolf II, in zijn hoedanigheid als vorst van het Heilige Roomse Rijk en tegelijk koning van Bohemen. De majesteitsbrief garandeerde de protestantse Boheemse Staten (adellijke vorsten en vertegenwoordigers van de vrije steden) vrijheid van godsdienst. De protestanten leverden de meerderheid van de Boheemse Statenvertegenwoordigers en keizer Rudolf had hun steun en vrede in het land nodig wegens zijn permanente ruzie met zijn broer Matthias. Hoewel ze in de meerderheid waren, waren de protestanten pas met

---

* Vier miljoen doden in dertig jaar oorlog lijkt niet zo'n rampzalig getal te zijn voor de tijd van nu, waarin we ons een niet zo ver achter ons liggende oorlog met zestig miljoen slachtoffers herinneren. Om de statistiek in het juiste licht te zien, is zoals zo vaak een blik vanuit macro-oogpunt nuttig. Mijn eigen stad werd tijdens de Dertigjarige Oorlog drie maal geteisterd. In 1634 werd deze dankzij enorme tactische fouten van de militaire stadsverdediging bezet en geplunderd door een Zweeds leger. Binnen een paar dagen kwamen er van de oorspronkelijke twaalfduizend bewoners meer dan tweeduizend om het leven, dus een op de zes. Als u twaalf mensen hebt die u na staan, dus familieleden en vrienden (een gemiddelde), dan had u statistisch minstens twee van uw vrienden of familieleden ten grave gedragen. Ten gevolge van de plundering brak in de stad de pest uit; na de epidemie leefden er nog maar een kleine tweeduizend mensen. Dat maakt een sterftecijfer van 75 procent, of, om weer op ons voorbeeld terug te komen, van al uw naaste vrienden en familie waren alleen u en nog één ander in leven.

Iedere oorlog is de hel.

de majesteitsbrief feitelijk gelijkgesteld met de katholieke minderheid in Bohemen. De akte gaf hun ook het kiesrecht over de koning. Al een dag na de inwerkingtreding van de majesteitsbrief richtte de Beierse hertog Maximiliaan een alliantie op om het enige ware katholieke geloof te verdedigen. In deze 'katholieke liga' aan de ene en de 'unie' van de protestantse Staten aan de andere kant ontmoeten de hoofdpersonen van het eerste deel van de Dertigjarige Oorlog elkaar, de zogenoemde Boheems-Paltische periode.

In 1612 overleed keizer Rudolf en zijn broer Matthias volgde hem in alle functies op – het Boheemse koningschap had hij Rudolf zelfs al een jaar voor zijn dood afgedwongen. Matthias was er zijn leven lang van overtuigd geweest dat hij een betere keizer zou zijn dan zijn grote broer, een overtuiging die door zijn diplomatieke successen als gezant van de keizer en later als koning van Hongarije op geen enkele manier werd onderschreven. De steun die hij in zijn strijd tegen Rudolf bij diverse Statenvertegenwoordigers, in het koninkrijk Hongarije en in het markgraafschap Moravië kreeg, moet waarschijnlijk eerder aan de oppositie tegen Rudolf dan aan het vertrouwen in Matthias' capaciteiten worden toegeschreven. Logischerwijs veranderde hij ook, zodra hij op de keizerstroon zat, van een voortdurend intrigerende ruziezoeker in een melancholieke, passieve, naar depressies neigende kopie van zijn voorganger, zonder diens kunstzinnige passie en oprechte liefde voor de wetenschap te bezitten (onder het begrip 'wetenschap' werden in die tijd voornamelijk alchemie en astrologie verstaan). Hij verplaatste de keizerlijke residentie van Praag terug naar Wenen (een ernstige belediging), ontdekte volgens de legende voor de stadspoorten de 'schone bron', die tot de bouw van het slot Schönbrunn leidde, voegde enkele juwelen aan de rijkskroon toe en had het verder druk met heen en weer pendelen tussen de krachten die hem bewogen: de Habsburgse aartshertog Ferdinand van Binnen-Oostenrijk en de Wittelsbachse hertog Maximiliaan van Beieren en kardinaal Melchior Khlesl, zijn minister. Zijn kinderloosheid leidde al direct na zijn ambtsaanvaarding tot ideeën over zijn opvolging – of, zoals in het geval van aartshertog Ferdinand, hoop.

De jaren daarna werden voornamelijk gekenmerkt door instorting van de grote ondernemingen, zoals economische neergang vaak voorafgaat aan het uitbreken van grote oorlogen. Wereldondernemingen als het al meer dan honderdvijftig jaar florerende huis Welser in Augsburg gingen failliet;

Sebastian Wilfing schildert in de roman deze situatie aan de hand van de voorbeelden in Wenen, die uiteindelijk Agnes' vader Niklas Wiegant afhankelijk maakt van zijn bijna-schoonzoon.

In 1617 was de veerkracht van de keizer zo verlamd dat hij erin toestemde de Boheemse kroon af te staan en een opvolger te laten kiezen. Rudolfs noodlot herhaalde zich bij zijn broer. De Boheemse Staten besloten in te stemmen met de verkiezing van aartshertog Ferdinand, hoewel deze als jezuïetenleerling gehaat en als protestantenvreter gevreesd was, want hij toonde zich openlijk een voorstander van een zo hard mogelijke koers tegen de contrareformatie en schijnt onder andere publiekelijk gezegd te hebben dat hij liever een woestijn regeerde dan een land vol (protestantse) ketters. De Staten kozen daarmee de weg van de minste weerstand in een onzeker geworden tijd, waarin de economische problemen overal in het rijk, de pas opgelaaide vijandelijkheden tussen Spanje en de Verenigde Nederlanden en de desolate toestand van de keizer eerder tot diplomatieke dan tot resolute oplossingen schenen op te roepen. Bovendien vertrouwden ze erop dat ze de koning zonodig weer konden afzetten.

Maar Ferdinand was niet van plan een katholieke koning bij de genade van protestantse Staten te zijn.

Meteen na zijn verkiezing begon hij jezuïetenscholen in heel Bohemen te stichten en daarvoor in de plaats protestantse scholen te sluiten. Alle gezag werd in de kanselarij van de koning, in zijn persoon zowel als in zijn stadhouders gecentreerd, allemaal katholieken. Dit alles was ernstig in strijd met de majesteitsbrief. De sluiting van de pasgebouwde protestantse kerk in Braunau en de afbraak van de eveneens nieuwe protestantse kerk in Hrob begin 1618 waren de druppel die de emmer deed overlopen. In Braunau kwam de bijna geheel protestantse bevolking in opstand, verjoeg de met de sluiting belaste abt van het benedictijner klooster, Wolfgang Selender, en al zijn monniken. Het klooster werd geplunderd, de schatten in de bibliotheek vernietigd.

De vertegenwoordigers van de protestantse Staten ontmoetten elkaar voorjaar 1618 in Praag en stelden een klacht op aan de keizer. Het antwoord kwam prompt en in de scherpste bewoordingen: de keizer verbood elke verdere bijeenkomst. De majesteitsbrief was nu niet eens meer het perkament waard waarop hij was geschreven. Dat de keizer zo bruut reageerde, moet vermoedelijk aan de afgenomen invloed van zijn minister Melchior Khlesl worden toegeschreven. De kardinaal had zich steeds ingespannen voor een evenwichtige behandeling van protestanten en katholieken, maar in 1618 was Matthias nog slechts de schim van een regent, en de altijd reizende en door diverse moordaanslagen in zijn vertrouwen geschokte kardinaal Khlesl raakte het gehoor van de keizer tegen de vorsten Ferdinand van Habsburg en Maximiliaan van Wittelsbach kwijt. Om dramaturgische redenen heb ik de zwakte van de kardinaal meer op de verwikkelingen rond de Duivelsbijbel geschoven en ben ik geen extra verhaallijn met moordaanslagen tegen hem begonnen, hoewel dat natuurlijk spannend zou zijn. Feit is dat de kardinaal nog in de zomer van 1618 (in de roman: in het voorjaar) werd gearresteerd, uit zijn ministersfunctie ontzet en eerst op slot Ambras, later in het klooster Sankt Georgenberg en ten slotte in Rome onder huisarrest gesteld. Keizer Matthias deed niets om de man te beschermen zonder wie naar zijn eigen zeggen zijn dagen somber en melancholisch waren.

De verontwaardiging over de brute reactie van de keizer bij de Boheemse Staten was groot. Men meende de hand van de koning en zijn stadhouder erin te herkennen. En ze besloten een signaal af te geven dat ze bereid waren te vechten voor hun godsdienst- en andere vrijheid. Onder leiding van graaf Matthias von Thurn, die tot dan toe vooral was opgevallen doordat hij niet goed inzag waarom hij als vorst van een graafschap in Bohemen ook de landstaal zou moeten leren, trok een afvaardiging van de Statenvertegenwoordigers op 23 mei 1618 naar de Praagse Burcht om de koninklijke stadhouders ter verantwoording te roepen. Of ze al van tevoren van plan waren om iemand uit het raam te gooien, of dat het in de emotie van het moment gebeurde, staat niet helemaal vast; defenestratie als teken van ontevredenheid over de bestuurders was echter vanaf 1419 niet helemaal onbekend, toen aanhangers van Jan Hus het Nieuwe Raadhuis in Praag bestormden om gevangen geloofsgenoten te bevrijden. Zeven katholieke raadsheren werden daarbij uit het raam gegooid en kwamen om het leven.

De historische bronnen zijn het er niet helemaal over eens wie van de stadhouders die ochtend in de kanselarij aanwezig waren. Graaf Jaroslav Martinitz, tevens Praagse burggraaf, en Willem Slavata, tevens opperrechter, staan echter genoteerd, evenals hun schrijver Philip Fabricius. Alle drie ondergingen de val uit het raam van de hofkanselarij – en alle drie brachten het er levend af.

Het verhaal dat engelen of de Maagd Maria zelf ingrepen, bracht graaf Martinitz meteen volgend op de gebeurtenis zelf in omloop. Zoals bij zulke dingen gebruikelijk, waren er ook onmiddellijk ooggetuigen die de hemelse machten bij de Eerste Hulp hadden gezien. Vermoedelijk was een opeenvolging van gelukkige toevalligheden ervoor verantwoordelijk. De heren droegen, volgens de toenmalige mode, dikke wambuizen en mantels. De ramen van de hofkanselarij waren klein, zodat een mens er in geen geval met kracht uit gegooid kon worden. Wie de situatie ter plaatse bekijkt, ziet dat de muur van het oude koninklijk paleis vlak onder de betreffende ramen naar buiten schuin afloopt en waarschijnlijk met klimplanten was begroeid. Bovendien zie je dat dankzij verwaarlozing van de eronder gelegen tuinen tegen de muur gestapeld hooi of afgebroken takken en bladeren niet onwaarschijnlijk kan zijn geweest. Uit dit alles is de legende van het ingrijpen van de Moeder Gods of van barmhartig afremmende mesthopen ontstaan, die de drie ambtenaren het leven redden.

De drie mannen vluchtten, niet gehinderd door slecht gemikte schoten van de verbaasde Statenvertegenwoordigers, het huis in van de rijkskanselier en onder de vleugels van diens echtgenote, Polyxena von Lobkowicz, een om haar schoonheid en elegantie legendarisch lichtgevend personage in de Boheemse maatschappij. Maar hoewel niemand serieuze verwondingen opliep (en Philip Fabricius, de burgerlijke schrijver, zelfs voordeel van deze episode had, omdat hij uit erkentelijkheid voor zijn dapperheid de adellijke titel 'baron Von Hohenfall' kreeg), was uiteindelijk de breuk met het huis Habsburg en de heersers over Bohemen een feit.

Daarna volgden de gebeurtenissen elkaar in hoog tempo op. Onder het opperbevel van graaf Von Thurn werd een Statenleger ten val gebracht en begonnen de eerste schermutselingen. Koning Ferdinand, die door de Staten ten gunste van de keurvorst Frederik v van de Palts was afgezet, marcheerde met een vier keer zo groot leger naar Bohemen en betrok daar onneembare stellingen. Maar door de verkiezing van Frederik v, die dwars tegen de belangen van de keizer inging, had het conflict zich al tot buiten Bohemen uitgebreid en was nu een rijksaangelegenheid geworden.

Zo veroorzaakte de rebellie van Boheemse Staten de oorlog, die zich ten slotte 'tegen land en volk' richtte, het rijk verwoestte, een koning en diverse veldheren het leven kostte en ertoe leidde dat het oude Europa onherroepelijk ten onder ging. Maar dat is, zoals de kroniekschrijver zegt, weer een heel ander verhaal.

NAW⊕⊕RD

Toen ik klaar was met *De Duivelsbijbel* dacht ik eerst dat ik afscheid van dit onderwerp moest nemen. Maar weet ik veel als arme auteur... Het succes van *De Duivelsbijbel* was zo groot, dat veel lezers en lezeressen een tweede deel verwachtten. Met die verzoeken geconfronteerd, besefte ik dat de dramatische mogelijkheden van de Codex Gigas nog lang niet uitgeput waren – en ook die van het verhaal van mijn verzonnen helden Agnes, Cyprian en Andrej niet.

Van het begin af aan was me duidelijk dat een tweede deel het volgende voor de Codex Gigas belangrijke historische tijdpad moest behandelen: de weg naar de Dertigjarige Oorlog, die ik hier iets verkort van 1612 tot 1618 heb bepaald. En omdat *De Duivelsbijbel* eigenlijk een boek over de liefde is, volgens het citaat uit de eerste brief van Paulus aan de christenen van Corinthe, lag het voor de hand om in een vervolg een van de andere deugden uit dezelfde brief te belichten, in dit geval het geloof.

Het resultaat hebt u zojuist gelezen. Als u het echter nog voor de boeg hebt, omdat u een nawoord liever als voorwoord leest, dan kunt u nu beter ophouden, want hierna worden een paar dingen verklapt die u liever niet wilt weten als u van spannende lectuur houdt. Ik zou het leuk vinden als u het met mijn verdere ontwikkeling van de hoofdkarakters en hun levensverhalen eens bent, maar ik vind het ook leuk als ik u heb verrast, omdat verrassing hoort bij het vertellen van verhalen. Mocht ik u hebben verveeld, dan zou ik het mezelf nooit vergeven.

Laten we samen even naar de historische omstandigheden kijken waarop *De Wachters van de Duivelsbijbel* is gebaseerd en die ik hier en daar een beetje ondergeschikt moest maken aan de dramaturgische eisen van de verhaalstructuur. Ik doe dat niet zomaar, maar verdichting, beperking en dramatische stuwing zijn van oudsher de middelen van verhalenvertellers, om voor u, beste luisteraars bij het vuur in onze grot, de overdracht van informatie spannend vorm te geven. Het stelt me aan de andere kant ook een beetje gerust dat degenen die de gebeurtenissen door hun documenten uit het verleden aan ons hebben doorverteld, op hun manier ook verhalenvertellers waren, en wie weet wat die allemaal hebben toegespitst...

Hoe dan ook, hier zijn een paar feiten.

In het begin van het verhaal leren we Sebastiàn de Mora en zijn lotgenoten kennen: de zogenoemde hofdwergen van keizer Rudolf. Inderdaad was Rudolf door ongewone mensen gefascineerd. Er zijn al berichten uit zijn kindertijd in Wenen, dat hij bij theatervoorstellingen aan het hof meedeed en daarbij samen met een 'reus' optrad. Later leefde de groep van kleine mensen die hij in het hele rijk bij elkaar had gekocht aan zijn hof – felbegeerd door andere monarchen en gevreesd door Rudolfs hofhouding. Rijkskanselier Lobkowicz' houding tegenover deze mensen berust daarom op historische feiten. De echte don Sebastiàn de Mora woonde echter aan het Spaanse koninklijke hof en is bekend door zijn portret van Velazquez uit 1643.

Rudolf stond overigens niet alleen met zijn fascinatie: zowel monarchen als gewone edelen deden hun best om vooral met 'dwergen' om te gaan. Dit gebeurde zeker om hun eigen welstand te tonen (wie kon het zich immers veroorloven om er een 'mensenverzameling' op na te houden), maar ook een heel algemene morbide belangstelling voor lichamelijke afwijkingen is kenmerkend voor deze periode, wat tientallen portretten van deels zwaar lichamelijk gehandicapte mensen uit deze tijd bewijzen. Wij in onze tijd huiveren natuurlijk van deze lust, maar aan de andere kant moeten we ook niet uit het oog verliezen dat deze ongelukkigen, als ze niet als attractie naar de vorstenhoven waren gehaald, een leven in onbeschrijflijke armoede of als griezelobject van rondtrekkende goochelaars had gewacht.

Voor de lezeressen en lezers ten zuiden van de *Weißwurst-evenaar* heeft in dit verband misschien de naam Franz von Cuvillié een zekere betekenis, die als architect grote invloed had op de Beierse rococo. Hij kwam in het begin van de achttiende eeuw als hofdwerg aan de Residentie van München.

Het echtpaar Lobkowicz speelde een leidende rol onder de historische figuren. Polyxena was in 1603 voor de tweede keer getrouwd en wel met de hoogste kanselier van het koninkrijk Bohemen, Vojtěch Zdeněk Popel von Lobkowicz. Haar wordt een buitengewone schoonheid toegeschreven, die ze van haar moeder, een Spaanse edelvrouw, geërfd zou hebben.

In Praag organiseerde ze vooral sociale activiteiten en ze nam na de dood van haar moeder de leiding van de familie en de Spaanse kring aan het hof op zich. Ze stond in nauw contact met Spaanse gezanten en de Habsburgse politici. Tijdens de Statenopstand en in de daaropvolgende oorlog stond ze aan de kant van de katholieken. Ze was ook de enige die na de Praagse defenestratie de overlevende stadhouders Wilhelm Slavata en Jaroslav Borsita graaf von Martinitz onderdak verleende. Vlak voor haar dood trouwde ze nog met Maximilian uit het geslacht Wallenstein. Haar vader Ladislaus von Pernstein ruïneerde zichzelf en zijn familie door de bekendste werken van de toenmalige literatuur te kopen, beroemde schilderijen te verwerven, parken en fonteinen aan te leggen en niet op de laatste plaats uit liefde voor zijn mooie Spaanse vrouw een heel kasteel te laten bouwen. Het familiegoed Pernstein werd al in 1596 verkocht, ging diverse keren in andere handen over en stond af en toe leeg, zodat het zich gewoonweg aanbood als decor voor de wandaden van Polyxena's verzonnen tweelingzuster Kassandra. De historische zusters van Polyxena heetten Viviana, Johanka, Elisabeth, Franziska en Bibiana, voor het geval het iemand mocht interesseren wat de door kardinaal Melchior gebruikte initialen V, J, E, F en B in zijn haastige stamboomschets van de familie Pernstein te betekenen hebben.

Vorst Vojtěch Zdeněk Popel von Lobkowicz trad in 1591 in diplomatieke dienst aan het Praagse hof en werd al in 1599 tot hoogste kanselier van het Boheemse koninkrijk benoemd. Zdeněk, rap van tong, bereisd en uiterst intelligent, werd daarmee de wereldse leider van de Boheemse katholieken. Toen keizer Rudolf de religieuze vrijheden voor de protestanten in zijn majesteitsbrief garandeerde, ging Zdeněk in oppositie tegen zijn soeverein. Hij kon zijn functie onder Matthias behouden. In 1618 stond zijn naam op de lijst van mensen die de Statenvertegenwoordigers voor defenestratie in aanmerking vonden komen. Hij kon aan dit noodlot ontkomen doordat hij op het moment van de daad in Wenen verbleef. Hoewel de protestanten hem als een van hun belangrijkste vijanden beschouwden, spande Zdeněk zich altijd in voor een humane straf voor de aanhangers van de Reformatie en tegen het confisqueren van hun eigendommen.

Heinrich of Henyk von Wallenstein-Dobrowitz is geen echte historische figuur, maar sterk verankerd in gelijknamige historische voorbeelden. De oude Heinrich von Wallenstein-Dobrowitz viel op door de publicatie van haatpamfletten tegen de keizer en onttrok zich aan zijn veroordeling doordat hij de drukker in het geheim liet executeren. Die daad werd echter ontdekt en de oude Heinrich vluchtte naar Dresden, waar hij later samen met zijn vrouw vergiftigd schijnt te zijn. Hun enige zoon, de achttienjarige Heinrich, werd in Dresden doodgeschoten. Het vermogen van de familietak Wallenstein-Dobrowitz werd in beslag genomen en ging naar een vertegenwoordiger van een andere lijn die loyaal was aan de keizer, de later genoegzaam bekende Albrecht Wenzel Eusebius von Wallenstein.

De naam Wallenstein luidt overigens eigenlijk Waldstein. Maar omdat de vorm Wallenstein beruchter is, heb ik die hier gebruikt, ook al is het niet helemaal historisch juist.

Bij kardinaal Melchior moest ik me wat kleine vrijheden veroorloven om zijn personage niet de dramaturgische opbouw van mijn verhaal te laten verstoren. Zijn arrestatie vond in werkelijkheid pas na de Praagse defenestratie plaats, maar dat koning Ferdinand en aartshertog Maximiliaan zijn eigenlijke vijanden waren en erachter zaten, komt met de historische feiten overeen. De kardinaal werd ook niet in een kerk in Praag gearresteerd, maar bij een dienstbezoek aan de Hofburg in Wenen. De rest van het jaar 1618 stond hij onder huisarrest op slot Ambras in Tirol. In 1619 werd hij vanuit de (seculiere) gevangenschap van de aartshertog naar het klooster Sankt Georgenberg in de buurt van Schwaz overgeplaatst. Pas in 1622 werd hij aan Rome overgedragen. In 1627 keerde hij naar zijn bisdom Wenen terug. Daar stierf hij in 1630.

Een andere belangrijke historische figuur is François Ravaillac, ook al leren we hem pas in zijn stervensuur kennen. Ravaillac, de schoolmeester uit de provincie en zelfbenoemde aanslagpleger, die koning Hendrik IV van Frankrijk vlak na diens kroning in Parijs vermoordde, is werkelijk aan zijn eind gekomen op de manier die ik Henyk heb laten vertellen. Zelfs het feit dat de paarden er niet in slaagden zijn lichaam aan stukken te trekken, en dat een toeschouwer zijn eigen paard inspande, is historische overlevering. Het raamprogramma dat Henyk en de onbekende Franse edelman met de dames De Guise uitvoerden, heb ik echter aan een andere, even wrede terechtstelling ontleend: die van de aanslagpleger Damiens, die honderd jaar later een moordaanslag op koning Lodewijk van Frankrijk pleegde en daarbij weliswaar geen succes had, maar desondanks tot dezelfde dood werd veroordeeld. Getuige van Damiens' terechtstelling was de ons allen niet onbekende Signore Giacomo Casanova, die er in zijn memoires over vertelt en over het feit dat zich in zijn onmiddellijke nabijheid precies dat afspeelde wat ik Henyk in zijn schoenen heb geschoven. Casanova zegt overigens uitdrukkelijk dat hij zo onder de indruk was van Damiens' gruwelijke terechtstelling, dat hij geen zin had in dit soort activiteiten. Met het oog op Casanova's overige openheid omtrent zijn liefdesleven kunnen we dat waarschijnlijk zelfs geloven.

Karl von Žerotin, de gouverneur van Moravië, die inzake de vermeende moordenaar Komár (wat overigens 'mug' betekent) zo besluiteloos optreedt, was tijdens zijn leven een onhandige politieke figuur. Een aanklacht voor verduistering van keizerlijke eigendommen kostte hem zijn carrière als landrechter en zijn pogingen om de protestantse Boheemse Staten over te halen om keizer Matthias te steunen hadden geen succes. In 1616 (en niet, zoals in de roman, pas in 1617) werd hij vervangen door Albrecht von Sedlnitzky. De opstandig-resolute rijksgraaf Siegmund von Dietrichstein heeft eveneens bestaan. Zijn conflict met Albrecht heb ik echter uit zijn werkelijke verzet tegen Karl von Žerotin afgeleid. Dietrichstein was degene die Karl voor verduistering aanklaagde.

De aanvoerders van de Statenopstand, Matthias von Thurn, Colonna von Fels, Albrecht Smiřický, graaf Andreas von Schlick en Wenceslas Ruppa heb ik al in het kader van de romanhandeling uitentreuren voorgesteld. Slechts een van hen, namelijk Andreas von Schlick, bevond zich onder de dertig terechtgestelden van het grote strafproces na de slag bij de Witte Berg, de anderen overleefden de eerste nederlaag van de protestantse unie of stierven al eerder een natuurlijke dood.

Evenals Martin Korytko uit *De Duivelsbijbel* is Wolfgang Selender, Martins opvolger als abt van Braunau, een historische figuur. De energieke clericus, die volgens enkele overleveringen uit Regensburg kwam en wiens naam in de annalen echter Wolfgang Selender von Proschowitz luidt, was de enige aan wie men het toevertrouwde om in de chaos van Braunau orde op zaken te stellen. Abt Wolfgang hervormde de abdij, richtte de bibliotheek van het klooster opnieuw in en staakte daar ook zijn eigen levenswerk, maar faalde uiteindelijk door de wederzijdse haat van de protestanten en de katholieken. Toen hij in 1618 de sluiting van de protestantse Sint-Wenceslaskerk doorvoerde, werden hij en alle monniken uit Braunau verdreven. De bibliotheek werd bij de plundering van het klooster door burgers van Braunau bijna volledig vernietigd.

In *De Duivelsbijbel* komen de toenmalige commandant van de Zwitserse Garde, kolonel Jost Segesser en zijn plaatsvervanger voor, die Segessers zoon is. Dat leek op het eerste gezicht een dramatische overdrijving van de scène waarin ze optreden, maar komt echt overeen met de historische feiten. Inderdaad nam Stephan Alexander Segesser zelfs zijn vaders positie als commandant na diens uitdiensttreding op zich, en daarom is ook in *De wachters van de Duivelsbijbel* deze heel speciale vader-zoonrelatie niet om dramaturgische redenen verzonnen, maar in overeenstemming met de feiten.

Mocht de beschrijving van het proces tegen Agnes en Andrej u te modern hebben geleken: ik heb me zo nauwkeurig mogelijk aan de beschrijvingen van processen gehouden die volgens de wetten van de 'Carolina' verliepen. In het bijzonder van processen wegen overvallen van soldaten tijdens de Dertigjarige Oorlog zijn nauwgezette documenten bewaard gebleven. Ik vind het verbazingwekkend dat we hier een procesorde met schepenen, notulisten, gerechtsdienaren en vertegenwoordigers van eisers en gedaagden aantreffen, die op een paar uitzonderingen na sterk lijkt op die van onze tegenwoordige rechtbanken – in een tijd waarin men echter marteling als onmisbaar beschouwde om bekentenissen te verkrijgen en alleen de humanitaire bepaling toevoegde dat een tijdens de pijnlijke ondervraging afgelegde bekentenis door de gedaagde na afloop van de marteling nogmaals ondertekend moest worden.

Ondertekende hij niet, dan moest hij uiteraard weer naar de martelkamer...

Ik heb bij de kleine vignetten aan de rand van de romanhandeling geprobeerd zo dicht mogelijk bij de historisch overgeleverde werkelijkheid te blijven. Zo is bijvoorbeeld de episode met de artiest in Wenen, die zich voor betalend publiek (onvrijwillig) dood heeft gegeten, evenzeer beschreven als de dikkebuikenmode. Ook wat de nevendecors betreft heb ik zo weinig mogelijk verzonnen – zelfs al zou je dat graag willen geloven bij het klooster Frauenthal en de amoureuze escapades van de nonnen. Ik weet echter niet zeker of ook in die tijd langs de weg tussen Praag en Brno het klooster werkelijk als een dicht bij de weg gelegen overnachtingsgelegenheid is gebruikt. Als je de wegen nu volgt, ligt het eerder wat van de route, maar we moeten niet vergeten dat toen voor de wegenbouw gold wat men tegenwoordig probeert te vermijden: dat de trajecten zo veel mogelijk plaatsen aandeden.

De bij het klooster gelegen plaats waar de oude weg doorheen had kunnen lopen, is het huidige Pohled.

De beschrijving van de geconserveerde baby's in Rudolfs wonderkabinet is het resultaat van mijn eigen onderzoek in het natuurhistorisch museum in Salzburg. Precieze details over dit soort verzamelobjecten van Rudolf zijn er niet meer, behalve dat ze bestonden. In het natuurhistorisch museum in Salzburg kan men zich er een beeld van vormen. In een zaal, waarvan het betreden nadrukkelijk wordt afgeraden aan zwangere vrouwen, kleine kinderen en gevoelige mensen, bevinden zich medische verzamelobjecten uit de eeuwwisseling van de 19ᵉ naar de 20ᵉ eeuw. Sommige van die beelden kun je moeilijk weer uit je hoofd zetten.

Veel dialogen of delen van dialogen zijn citaten. Zo is, om een voorbeeld te noemen, de verzuchting die Agnes een keer uitstoot – Hoe kun je dood zijn, als je in mijn hart zo levend bent? – afgeleid van Augustinus. Letterlijk zegt hij: 'Hoe zouden wij hem dood kunnen wanen, hij die zo leeft in ons hart!' Cyprians sarcastische repliek tegen Heinrich: als de dood je niet als overwinnaar aantreft, moet hij je minstens als strijder vinden, komt overigens ook van Augustinus. Maar het sonnet, dat door Filippo's hoofd schiet als hij Polyxena voor het eerst ontmoet, is een vrije vertaling van een gedicht van Robert Herick (1591–1674): *Upon Julia's clothes.*

De gedachte die met betrekking tot de alwetendheid van de duivel door Cyprians hoofd schiet als hij via oom Melchior hoort van Andrejs vrees dat de Duivelsbijbel weer ontwaakt zou kunnen zijn – Wie wist er beter dan de duivel welk kwaad in het hart van de mensen loerde? – is natuurlijk een enigszins aangepast citaat uit de pen van Orson Welles, die zijn vroege radio-uitzending *The Shadow,* een detective in hoorspelvorm, van de onsterfelijke woorden heeft voorzien: '*Who knows what evil lurks in the hearts of men?*'

Een permanent discussieonderwerp, waar ik graag aan meedoe, omdat ik het als de hogeschool voor het schrijven beschouw, zijn dialogen. Tot mijn idolen op het gebied van levensechte dialogen behoren Tom Wolfe en Stephen King; zelf wijd ik een heel hoofdstuk in mijn schrijfworkshops aan deze kwestie. Als u de moeite hebt genomen om een paar van mijn andere romans en in het bijzonder de nawoorden daar te lezen, kent u mijn opvatting daarover: ik verafschuw kunstmatig rustiek gemaakte dialogen à la 'Mijn trouw, geachte heer! Moge men vreugde hebben!' zoals presentatoren van middeleeuwse festivals graag te berde brengen, maar die men helaas soms ook in romans aantreft waarvan de schrijvers in de val van tijdskleuring op de bonnefooi zijn getrapt. Mensen spreken altijd de dan modernste vorm van hun taal. Ik vind dat het de lezer van de karakters vervreemdt als ze in een (meestal gefantaseerde, want er bestaan geen geluidsdocumenten uit die tijd) ouderwetse dictie spreken, die je al bij het voorlezen problemen oplevert.

Iets anders is het speciale idioom. Dan ben je als auteur blij als je je personages met behulp daarvan nog duidelijker kunt karakteriseren. Aardappelneus en de kale zijn zulke voorbeelden; ze spreken deels Bargoens, een tegenwoordig als schurkenidioom beschouwde taal, die onder andere uit de dictie van landsknechten is ontstaan. Daarmee heb ik geprobeerd aan te geven welke achtergrond deze twee karakters hebben.

Graag wil ik de volgende personen bedanken.

Iedereen die om een vervolg heeft gevraagd.

Mijn gezin, dat eigenlijk had gehoopt dat ik het eindelijk een tijdje kalmer aan zou doen en deze nieuwe hectische fase in mijn leven als auteur weer eens glimlachend met begrip heeft meegedragen.

Mijn vrienden, op de eerste plaats Manfred en Mike, die een telefonische doktersdienst in het leven riepen, toen mijn lichaam een keer vond dat ik een paar dagen naar het ziekenhuis moest en ik daar absoluut geen tijd voor had.

Mijn agente Anke Vogel, die oorspronkelijk zo enthousiast over het thema van de Codex Gigas was dat het nu in een tweede boek heeft geresulteerd.

De leden van de leeskring van Büchereule en Steffis Bücherkiste, die door hun discussie over *De Duivelsbijbel* waardevolle tips hebben gegeven voor de opzet van dit tweede deel.

Mijn tekstredactrice Angela Kuepper, die veel meer was dan een belangrijke vijl aan mijn manuscript en aan wie ik de inspiratie dank voor de mooiste scène met pater Filippo in dit boek.

De medewerksters en medewerkers van de Verlagsgruppe Lübbe, op de eerste plaats Sabine Cramer, Barbara Fischer, Sonja Lechner en Alexandra Blum, die me op de een of andere manier telkens weer aanmoedigden als ik aan mezelf begon te twijfelen.

De HOCHTIEF-medewerksters en -medewerkers in Warrington/UK, die nog altijd op een Engelse licentieuitgave hopen en steeds zeer geïnteresseerd waren in mijn project.

Mijn zeer geachte collega (mooi, als je dat mag zeggen!) Ken Follett, die bij een gesprek op de Leipziger Buchmesse zo belangstellend naar *De Duivelsbijbel* informeerde dat ik opnieuw de bevestiging kreeg van wat voor een spannend onderwerp ik hier heb ontdekt. Hij vroeg: *'How did you turn into that story?'* en ik antwoordde: *'There is a legend...'* En hij zei met een brede grijns: *'I see...'*, waarop hij mij een paar legenden vertelde die hem tot *Brug naar de hemel* hebben geïnspireerd. In dit verband dank ik ook de denkbeeldige ingemetselde monnik van Podlazice; zonder hem zou de Duivelsbijbel misschien toch niet meer dan een mooi stukje geschiedenis zijn gebleven – zonder een 'geschiedenis' erbij.

En ik dank u, beste lezeressen en lezers. U hebt al mijn boeken mogelijk gemaakt, speciaal ook dit boek door uw belangstelling en vele verzoeken om een vervolg. Dat was een goed idee van u. Bedankt!